# Diekoye Oyeyinka

# La douleur du géant

roman traduit de l'anglais (Nigeria)
par Benoîte Dauvergne

*éditions de l'aube*

Niger

Kano

Nigeria

Bénin

Jos
Riyom

Abuja

Ogbomosho

Ibadan    Ife

Lagos

Golfe de Guinée

Biafra

État
d'Abia

État
de
Bayelsa

© Pascal Lemaître

LA DOULEUR DU GÉANT

La collection *Regards croisés*
est dirigée par Marion Hennebert

Ce livre est édité par Manon Viard

L'éditeur remercie le Centre national du livre
pour son soutien à cette publication

Tire original : *Stillborn*

ISBN 978-2-8159-2055-1

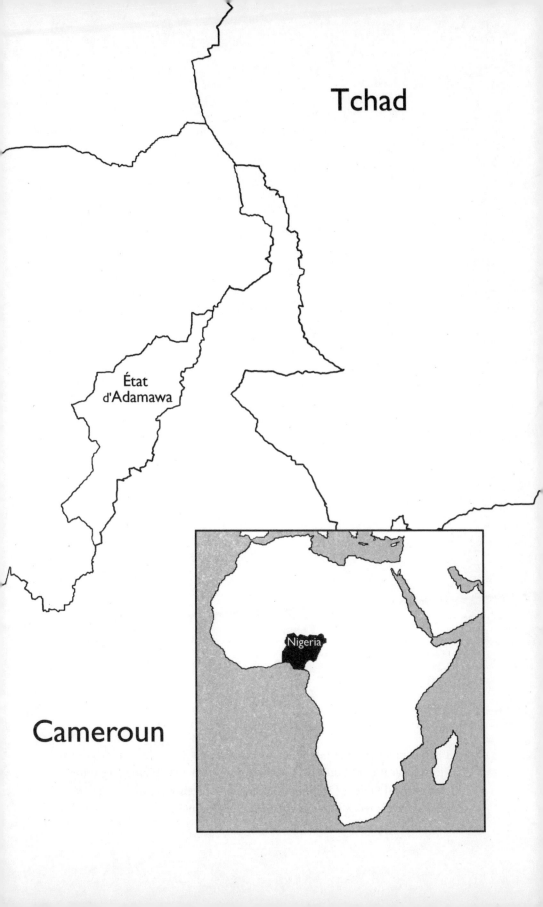

Tchad

État
d'Adamawa

Cameroun

Nigeria

J'aimerais remercier ma famille de son amour et son soutien, ainsi qu'East African Educational Publishers, le premier éditeur à avoir cru en ce roman. Je suis particulièrement reconnaissant à Jessica Craig et à l'agence littéraire Pontas de s'être lancées dans cette aventure avec moi.

# Prologue

Je suis assis dans la pièce de Tonton, à son bureau sculpté, devant mon travail inachevé. Mon esprit est confus, accablé de questions sans réponse. Une étrange brise à l'odeur de renfermé entre en hésitant dans la pièce et sature l'atmosphère ; l'air est lourd, la vie disparaît. En s'installant dans le bureau, elle le prive de son potentiel fertile. Je me demande ce qui va suivre ; je sais que le vœu de Tonton – « Rentre à la maison » – était aussi irrévocable que l'est sa mort.

Toujours assis à sa table de travail, j'entends un faible tambourinement au loin, sans en connaître la source. C'est un message fantomatique qui flotte vers moi, envoyé par un auteur anonyme. Il se fait plus bruyant et bouleversant à mesure qu'il se rapproche. Soudain, comme si je le recevais en plein visage, je comprends qu'il vient de l'intérieur même de la pièce, mais de quel endroit, je ne saurais le dire. Tout à coup, je les vois. Ils entrent en dansant dans le bureau, empreints d'une vague sérénité. Une voix en moi murmure : « Ce sont des idéalistes qui pleurent l'enfant mort-né en 1960. » À en juger par leur apparence, il ne peut s'agir que de personnes en deuil. Elles semblent verser des larmes invisibles causées par des promesses rompues. Elles tourbillonnent et flottent, telles des apparitions, piégées dans la capsule témoin qu'est le bureau de Tonton. Est-ce son legs ? Est-ce mon destin ? Je les regarde danser au son des tambours fantomatiques, sur l'air de chansons qui racontent mon passé et mon avenir. Je les regarde se balancer sur un rythme triste. Comme elles me font signe, je les suis. Mes membres sont engourdis, incontrôlables, ma tête n'est plus qu'une caisse creuse palpitante dans laquelle résonnent des voix cacophoniques. Je suis sur les ailes d'un grand aigle. Le son des tambours monte *crescendo* ; les instruments parlent une langue ancienne que je comprends, bien qu'elle n'ait jamais été ni apprise ni enseignée.

La musique s'exprime avec la voix de Tonton, tandis que je suis son rythme cadencé. Je comprends ses paroles mais ne saisis pas tout leur sens. « Il te faudrait un récit plus simple, tu dois t'entretenir avec Emeka », dit cette musique. Nous nous approchons d'une porte qui semble s'ouvrir sur l'espace et le temps. La voix se lance dans un monologue d'une voix tremblante.

« J'étais là dès le début. Je l'ai vue être pénétrée de force. Ses entrailles furent pillées, ses graines, contaminées. Son violeur était résolument ignoble, il devait exécuter son dessein ; il aborda sa mission avec une totale désinvolture, déterminé à violer le corps tout entier de sa captive car c'était son destin d'agir ainsi. Hélas, personne ne pouvait éviter cet acte sordide, personne ne savait quoi faire ni comment l'arrêter… Mais ensuite, la graine se mit à germer. "Il faut avorter", prévinrent certains. Car sa conception était une abomination, cette union charnelle, trop violente. Et même si la naissance se déroulait sans encombre, la graine contaminée laissait imaginer un enfant monstre. Mais l'avertissement fut ignoré et le destin de l'enfant fut scellé car les circonstances de sa naissance transcendaient le temps ; de simples mortels ne peuvent pas le comprendre.

» L'enfant est née. C'est une merveille à voir. Quels soucis, quels tracas inutiles se faisaient les devins ! Mais le temps passe, et ses jambes refusent de marcher, ses mains refusent d'effectuer le plus petit geste, ses paroles sont incompréhensibles et incohérentes. L'enfant est maudite en raison de sa paternité. Elle se nomme Nigeria, comme sa mère violée. Elle est lente à mûrir, à comprendre. Elle est prématurée. Des mains avides brisent sa couveuse et tâtent sa chair souple. Les doigts du tribalisme, protégés par des gants de démocratie vénale et couverts de bagues corrompues, s'immiscent dans son lit de souffrance et de dette.

» Dès sa naissance, elle est malade. On ne l'a pas lavée, comme le veut la coutume, son cordon n'a pas été coupé, l'enfant n'a pas été vaccinée contre les virus destructeurs qui rongent les entrailles de ses ravisseurs ; on ne l'a pas emmaillotée et les éléments ont eu raison d'elle. L'enfant est mort-née. Octobre 1960. À sa naissance, la vie s'est arrêtée. »

Nous avons atteint la porte et la voix se tait brusquement. On me conduit dans une immense pièce au centre de laquelle se dresse une table ronde. Trois hommes y sont assis. La chaise inoccupée est la mienne. Je m'assieds et écoute, tandis que les autres font comme si je n'étais pas là. Pourtant, je ne me sens pas exclu de la conversation. Les hommes prononcent des paroles fondées. Leurs mots sont animés. Leurs déclarations emplissent la pièce, s'écoulent par la porte et distancent le présent. Parole éternelle des immortels. Je reconnais ces hommes pour les avoir vus sur des portraits vénérés et des billets de banque froissés ; ce sont les pères fondateurs : Obafemi Awolowo, Nnamdi Azikiwe et Abubakar Tafawa Balewa.

Leur conversation ressemble à un monologue. Ces hommes forment une trinité pleine de dignité. Leurs voix, étranglées par un millier de tristes préoccupations, sont impossibles à différencier :

*Mais nous n'avons rien fait de mal. Nous avons résisté aux Britanniques sans violence.*

*Nous avons offert l'autonomie à notre peuple par le biais du fédéralisme.*

*Oui, nous avons commis des erreurs, nous avons porté des jugements, dont certains étaient erronés… mais nos erreurs devraient leur servir de repères.*

*Nous leur avons démontré le pouvoir de l'instruction gratuite, nous leur avons appris à construire des routes, à cultiver cette terre si généreuse en cacao, en huile de palme, en caoutchouc, en arachides…*

*Ensuite, ils ont trouvé du pétrole, de l'or noir, la malédiction de ce pays.*

*Peut-être est-ce pourquoi ils se noient dans l'avidité.*

*Mais qui sont-ils,*
*Ces hommes à qui nous l'avons confiée ?*
*Ce sont des enfants qui essaient d'en élever un autre.*
*Ce sont des garçons qui prétendent au statut d'homme.*
*Ils refusent de grandir, de prendre leurs responsabilités.*
*Ce n'est pas une excuse.*
*Ils n'ont aucune excuse.*
*Ils se querellent à propos de tout : religion, classe sociale, tribus, argent, pouvoir.*
*Ils tuent nos rêves.*
*Ils tuent ses rêves à elle.*
*Elle est comme une enfant mort-née.*
*Son cœur difforme ne bat presque plus.*
*Pourtant, elle poursuit son chemin tant bien que mal,*
*Tel un zombie, aveugle, sourd, sans ambition.*
*Ils étouffent leurs propres rêves.*
*Mais qui sont-ils ?*
*Ce sont des lâches.*
*L'argent ne satisfait pas leur avidité et leur dépravation.*
*Ils semblent n'en avoir jamais assez.*
*Peut-être cette perversion de l'esprit ne provient-elle pas de l'amour de l'argent mais de la peur de la pauvreté.*
*Même lorsqu'ils volent, ils sont inefficaces.*
*À force de chercher les pépins dans le fruit, ils oublient sa chair.*
*Ils mangent les pépins et ne plantent rien.*
*Ils devraient savoir quoi faire.*
*Nous le leur avons clairement expliqué.*

Soudain, comme s'ils me remarquaient pour la première fois, les trois hommes se tournent vers moi. Je suis intimidé ; ils ont le regard impérieux du lion.

*Pourquoi ne savent-ils pas ?*
*Pourquoi ne se souviennent-ils pas ?*
*Pourquoi cela ne leur revient-il pas ?*

Incapable de répondre, je bégaie jusqu'à ce que les tambours résonnent de plus belle. Toujours intimidé par leur regard, je me retrouve à nouveau sur les ailes puissantes de l'aigle, franchis la porte qui conquit jadis le temps et l'espace puis vole vers le bureau de Tonton. Le tambourinement se tait peu à peu et la présence quitte la pièce.

Alors que l'esprit de mon oncle s'éteint, je ressens un léger frisson. Une phrase, anodine mais fondamentale, a coulé de mon rêve sur le papier devant moi :

« La période de gestation étant inconnue, on programma une césarienne le 1er octobre 1960. »

Ces mots me piquent les yeux avec la cruauté de la flèche choisie pour l'assassinat de l'enfant-reine. Je regarde par la fenêtre puis verse quelques larmes. Plus tard, j'écris avec la rage des combats frustrés et des batailles inachevées de Tonton. Les mots affluent avec fureur sur mon cahier. Tandis que les questions persistantes des pères fondateurs m'assaillent les oreilles avec la force d'un millier de tambours, mon stylo attaque et ravage le papier.

Je ne peux plus m'arrêter.

SEUN

## *Perambulator*[1]
### (Lagos, sud-ouest du Nigeria, 2008)

Je n'étais pas rentré à la maison depuis près de six ans, mais j'ignorais pourquoi. Peut-être fuyais-je l'idée que le chagrin d'une seule âme n'avait pas suffi pour que la vie s'arrête. Tonton, lui, savait pourquoi je restais loin du pays et ne s'y opposait pas, convaincu que c'était préférable puisqu'il s'était lancé dans une campagne acharnée, mais en grande partie inefficace, contre la tyrannie du gouvernement. J'avais obtenu mon bac à Londres, mais même là-bas, j'étais trop près de chez moi. Je me réfugiai finalement à Washington, dans le but de m'éloigner le plus possible de mon pays, je crois.

Le vol fut mouvementé. Souhaitant échapper à l'inconfort lié aux turbulences, je me laissai sombrer dans un sommeil visité de rêves agités, pesants et pénibles. J'avais souvent envie de rentrer chez moi, au Nigeria, mais je m'imaginais toujours que les fantômes indésirables qui menaçaient de se matérialiser même au milieu du froid mort de l'hiver washingtonien surgiraient dès mon arrivée, tels les mirages dansant sur le tarmac brûlant de l'aéroport de Lagos.

« Thé ou café ? » me demanda l'hôtesse de l'air. Distrait, je lui répondis simplement par un hochement de tête. Elle me servit donc du café. Peu à peu, le trac commença à me tordre les boyaux, mais j'étais plus excité que troublé. Un sourire apparut sur mon visage

---

1. Les titres des chapitres sont ceux de chansons de Fela Kuti (1938-1997), chanteur et musicien nigérian engagé. (*Toutes les notes sont de la Traductrice.*)

lorsque l'avion entama sa descente. Du regard, je balayai les terres qui s'étendaient rapidement à travers le hublot. Je me demande ce que je recherchais. Une promesse, peut-être. Certainement pas la familiarité de cet environnement en tout cas, car au Nigeria, toute chose connue me terrifiait.

À ma descente de l'avion, la chaleur intense et l'odeur écœurante du diesel se dressèrent devant moi comme un mur de briques – solide, inébranlable. En quelques secondes, la notion romantique de patrie me parut aussi vulnérable que mon estomac barbouillé. Tandis que je chancelais, étourdi par l'intensité de la chaleur, je décidai qu'un seul mauvais moment ne devait pas éliminer la centaine de souvenirs joyeux que j'avais de ce pays. Comme toute personne exilée depuis longtemps, qui pénètre dans un endroit familier en espérant y retrouver la trace de ses souvenirs heureux, je traversai d'un bon pas les salles aux températures changeantes de l'aéroport international Murtala-Muhammed. Lorsque j'atteignis la douane, la longueur de la file d'attente me fit à peine réagir car, pour une fois, je ne me trouvais pas sous le panneau qui indiquait d'un ton accusateur : « Étrangers. »

« Bienvenue au pays, monsieur Seun Odukoya, dit une voix lasse.

— Merci », répondis-je avec un immense sourire.

Pendant quelques minutes, alors que le tapis roulant vomissait mes bagages avec force couinements, je m'abandonnai de nouveau à une joyeuse rêverie, puis je sortis de l'aéroport et pris conscience de la brutale réalité de Lagos.

« Viens ici *Oga*[1], jé té conduis vite-vite ! Ma voiture, elle a clim correc. »

« *Oga*, fé pas attention, cé qu'un foutu menteur, sa voiture, elle a même pas ventilateur. Viens voir celle à moi, cé une Pégeot correc. Tu séras installé comme gouverneur ! »

*Oga* par-ci, *oga* par-là ! Cris incessants. Hommes foncés en caftans coiffés de calottes blanches aux motifs jaunis de taches

---

1.  Patron.

de sueur. Véritable agression sensorielle – chaleur insupportable, odeurs âcres, bruit étourdissant. Pendant un bref instant, je doutai du bien-fondé de ma décision : fallait-il vraiment revenir ? D'un côté, j'avais envie de reculer, intimidé, mais de l'autre, je ne pouvais m'empêcher de m'émerveiller.

« Nombreux sont les visages de l'opportunisme », finis-je par marmonner.

J'ignorai ces hommes et aperçus enfin les traits calmes du chauffeur, M. Monday, qui venait de repérer mon sourire atypique.

Sur la route régnait un fouillis de véhicules disparates : camions lourdauds, taxis antiques, gros cars pleins à craquer d'humains épuisés, debout nez à nez, bus moins imposants transportant des enfants assis sur les genoux des adultes, motos audacieuses, Toyota tout juste en état de marche et Mercedes guère utilisées. Sur les côtés, une jungle de ciment et d'acier, ainsi que quelques arbres épars, surveillaient le chaos. Des fils sous tension pendaient dangereusement au-dessus de bâtiments en ruines. Les passants fatigués portaient tous une lourde charge dans les mains ou sur le dos.

La lente circulation fut finalement bloquée. Une jeune femme apparut sur le bord de la route, un bocal en verre rempli de *puff puff*[1] posé sur la tête. Les deux formes arrondies sous son T-shirt étaient parfaites, et le fin tissu, tant lavé qu'il semblait presque transparent, était juste assez lâche pour provoquer une légère friction qui faisait pointer en permanence ses mamelons. Ayant délibérément oublié de mettre un soutien-gorge, elle faisait de bonnes affaires car de nombreux hommes l'appelaient juste pour voir sa poitrine rebondir lorsqu'elle accourait d'un pas expert. Honteux, ils finissaient tous par lui acheter des beignets rassis sous le soleil de plomb.

Plus loin, le chauffeur freina brusquement quand l'un des nombreux taxis jaunes aux rayures noires latérales coupa devant nous afin de s'insérer dans la lente circulation.

---

1. Beignets ronds.

« *Oloshi*[1] ! » hurla le chauffeur en déboîtant sans mettre son clignotant.

M. Monday alluma la radio.

« Ray Power 100.5, la meilleure radio », annonça une voix maîtrisée, cédant instantanément place au souffle songeur du saxophone de Lagbaja[2].

Il y a la beauté inhérente à la vie et il y a la vie au fond du trou. Au cœur de la ville, au milieu des ordures, un millier de personnes dorment, vivent et considèrent cet endroit comme leur chez-soi. Elles se munissent de sacs jetés, de pieds-de-biche et deviennent alchimistes. Elles trient les déchets et trouvent de l'or. Les odeurs sont suffocantes, mais ces gens sont immunisés. Ce quartier est simple, exotique et pourvoit à tous leurs besoins. Il y a un coiffeur, des restaurants, des bars qui vendent le meilleur alcool de contrebande maison, trois cinémas, et un endroit où poser le front sur un tapis et dire ses prières. Allah, dans son infinie clémence, subvient aux besoins de tous.

Un sourire satisfait apparut sur le visage d'un homme noir de suie, lorsque la radio qu'il bricolait depuis une semaine se mit enfin à diffuser le saxophone de Lagbaja par éclats confus. Il regarda triomphalement par la fenêtre, ignorant la douzaine d'hommes qui se baignaient et se lavaient dans les eaux noires. Il allait vendre cette radio et pouvoir se payer une séance d'enregistrement en studio ; peut-être, dans quelques mois, franchirait-il lui aussi le pont au volant d'une Mercedes, en écoutant sa propre chanson à la radio. Le lendemain, les gaz naturels produits par la fermentation du compost devaient s'enflammer et nettoyer la terre des déchets indésirables, débarrasser l'État de quelques constructions illégales, délivrer le pays de quelques étrangers sans papiers et soulager la planète de quelques vies de trop.

---

1. Idiot.
2. Musicien d'afrobeat nigérian. L'afrobeat est un genre musical créé par Fela Kuti à la fin des années 1960, mêlant entre autres les rythmes traditionnels nigérians, le funk et le jazz.

De l'autre côté du pont, des centaines de petites paraboles étaient accrochées, comme des boucles d'oreilles de pirate, aux visages des gratte-ciel. Des antennes solitaires pointaient vers le ciel afin d'apercevoir un monde meilleur. Plus près de l'eau, la mer de rouille, faite de toits de maisons délabrées, brillait comme une grande pièce de monnaie laissée à l'abandon sous le soleil insensible. Les masures s'étalaient jusqu'aux eaux noires et troubles, précairement posées sur des pilotis assoiffés. Sous ces cabanes, de longs canoës se traînaient, de jeunes hommes secs à la barre et des enfants émaciés dans le ventre. Un tas d'ordures faisait office de pont entre l'eau et les maisons. Cochons et bambins se disputaient gaiement tout ce qui était récupérable.

Je détachai mon regard de cette terrible scène, à la fois visible et invisible depuis le pont. Alors que mes yeux hagards fuyaient cette tragédie, le soleil moqueur darda ses rayons sur l'eau et la baigna d'une lumière dorée, tandis qu'un vieux pêcheur solitaire lançait son filet, faisant de ce tableau une vision magnifique.

La beauté est inhérente à la vie, mais c'est au spectateur de savoir l'apprécier.

La voiture pénétra dans la cour de Tonton et se gara sous le vieux goyavier. Je marchai vers la maison en inspirant tous les parfums de mon enfance qui, d'une certaine façon, me parurent moins puissants. Bien qu'enthousiaste à l'idée de me retrouver chez moi, j'étais déçu par la réalité. Dans mes souvenirs, le chemin jusqu'à la maison, bordé de fleurs orgueilleuses, s'étirait sur des kilomètres, la bâtisse rayonnait dans son délicat smoking blanc, les gravures rustiques des grandes portes en chêne recelaient de mystérieux secrets et l'escalier imposant grimpait jusqu'à l'infini. Mais tout cela n'était plus car la vie évolue sans cesse, même dans le silence de la mort.

Elle poursuit sa route, silencieuse, trépidante, encouragée à avancer par ce bâton inoffensif nommé « changement ».

Et voici ce qui avait changé : la cuisine était trop petite, les toilettes, trop basses. Les fleurs étaient tristes et les arbres, affaissés et larmoyants, avaient perdu leurs grands airs. Le vieux jardinier, Rufus, était aussi voûté que son papayer préféré. Le rire retentissant de Tonton s'achevait maintenant par une toux sèche et Mme Folayo s'était tassée au point d'atteindre une taille plus adaptée à la maison. Les ombres dansaient toujours sur les murs de la demeure – lieu de mémoire durable des jours anciens. Je contemplai tout cela avec un sourire mélancolique et retrouvai mes repères machinalement. Mais la question qui éclipsait mes pensées, telle la majestueuse lune blanche africaine que je n'avais pas encore aperçue, était la suivante : *Est-elle encore là ?*

Elle était bel et bien là, mais elle avait changé. Je me réveillai de ma sieste lorsque retentit un rire. Je l'entendis se mêler à celui de Tonton et à un second qui ne m'était pas familier, puis s'élever dans l'escalier. Ce rire semblait en connaître intimement les moindres recoins : il les enveloppa et les caressa puis, irrépressible, il s'éloigna, libre de toute entrave, et s'attarda dans mes oreilles. Deux rires pleins d'entrain, l'un ancien, l'autre nouveau, se mêlèrent dans mon esprit nerveux tandis qu'elle grimpait l'escalier en colimaçon en répondant jovialement au badinage de Mme Folayo. Elle ouvrit brusquement la porte sans prendre la peine de frapper, précédée de sa voix, fausse d'une octave.

« Entre », parvins-je tout juste à prononcer, rendu à moitié muet par le sommeil et ma nouvelle timidité. Bien que j'eusse imaginé cette scène à maintes reprises, je fus surpris par la faiblesse de mes membres et l'emballement de mon cœur, comme elle sembla l'être par ma présence. Elle avait dû franchir ces portes d'innombrables fois pendant mon absence. Lorsqu'elle entra, la profondeur de mon choc supplanta son embarras éphémère.

« Salut, bégayai-je.

— Seun ! » hurla-t-elle depuis l'autre côté de la pièce.

Elle se jeta dans mes bras avant que je ne sois remis de ma surprise. Le parfum de son baume pour cheveux à la noix de coco emplit mes narines, tandis que ses mains effilées se glissaient autour de mon corps. Un tas de linge brusquement lâché jonchait l'entrée de ma chambre. Je la regardai longuement.

Elle était magnifique. Son corps s'était arrondi ; l'ensemble de ses traits rendait son visage éblouissant. Son sourire s'étirait avec assurance entre ses joues hautes et sa mâchoire effacée laissait place à un cou gracieux. Sa peau foncée s'accordait enfin avec son attitude, mettant en valeur son épaisse chevelure. Elle avait appris à se parer des atours d'une dame, mais aussi à user de ses charmes. Ses sourcils formaient deux courbes sensuelles et une couche raisonnable de brillant soulignait la finesse de ses lèvres. Elle savait se placer et quelle pose adopter pour que la lumière soit la plus flatteuse. Mais ce qui m'impressionnait le plus, c'étaient ses yeux...

Elle les comprenait enfin, ces peurs et ces cauchemars qui voilaient son regard quand elle était plus jeune. Dans ses yeux brillait à présent une étrange assurance. D'un air de défi, elle me contemplait de leur profondeur chocolat en affichant sans cesse un sourire satisfait. Ses yeux posaient des questions auxquelles elle seule pouvait répondre. Ils provoquaient chez l'objet de leur attention des bégaiements puérils. Son regard était à la fois doux et dur, séduisant et distant, interrogateur et satisfait. Plus ces yeux vous contemplaient, plus vous éprouviez un terrible manque, un manque insatiable. J'étais leur captif.

Soudain, je m'aperçus que j'avais changé aussi car nous ne cessions de nous étreindre avec des gestes hésitants, consternés par la distance affective qui s'était installée entre nous, sous l'effet corrosif du temps. Nous ne nous étions pas parlé depuis des années et l'incertitude de sa voix trahissait la fragilité de son assurance.

Elle s'empressa de me dire qu'elle travaillait comme mannequin, étudiait le droit et avait un ex-petit ami. Cela m'attrista car j'avais oublié de rompre avec la fille que je n'étais plus sûr d'aimer. Nous passâmes le reste de l'après-midi ensemble. En toute amitié – comme lorsque nous étions enfants. À la différence que la grâce innocente avait cédé sa place à une affection contenue : mouvements saccadés, sourires timides et gênés, échanges de regards désarmants, silences embarrassants dans nos conversations.

Assis dans ma chambre, nous écoutions une musique qui lui était étrangère. Je baissais le volume chaque fois que les guitares étranges et les voix mielleuses planaient inconfortablement sur la chambre et nous étouffaient. Toutefois, c'était la seule chose qui me parlait dans cette ambiance inconnue. Je préférais donc ne pas éteindre la musique. Un nouveau restaurant avait ouvert ; nous projetâmes joyeusement de l'essayer le lendemain. Ce fut le seul moyen que nous trouvâmes de couper la trajectoire inconfortable prise par notre relation lors de nos retrouvailles.

Après son départ, je regardai par la fenêtre et vis le grand goyavier à la solitude troublante. L'espace d'un instant, je repensai à nos pertes respectives et le sang-froid faillit m'abandonner. Lorsque la lune se cacha derrière un frêle édredon gris, je me demandai si j'étais vraiment prêt à rentrer à la maison. Ce type de vision mélancolique aurait fait tomber amoureux n'importe qui, mais il ne me restait apparemment plus personne à aimer.

\*

La beauté du retour chez soi, c'est que le soulagement vous saisit tout à coup et que tous vos vieux souvenirs nostalgiques font renaître une familiarité oubliée. Souffrant du décalage horaire, je me réveillai longtemps avant le coup rapide de Mme Folayo à ma porte et, bien qu'elle se retînt d'entrer en trombe et d'ouvrir les rideaux, son geste fit naître un sourire heureux sur mes lèvres prudentes. Je tirai moi-même les rideaux et, lorsque j'ouvris les fenêtres, ma morosité de la veille fut rapidement chassée par une série d'odeurs familières et le chant de l'*oderekoko*[1]. Je me rappelai la phrase préférée de ma mère : « La vie repart à neuf chaque matin. » Même l'averse tiède et hésitante ne parvint pas à assombrir mon humeur pleine d'entrain.

Déterminé à retrouver mon assurance, je revêtis mes plus beaux atours occidentaux avant de quitter la propriété de Tonton au volant de son Toyota Rav4. Avant que j'aie eu le temps de klaxonner devant le portail voisin, Aisha se glissa dehors, vêtue

---

1. Tourterelle maillée.

d'une jupe *adire*[1], d'un sage chemisier blanc, coiffée d'un foulard savamment enroulé autour de la tête, qui donna l'air bien fade à mon bandana noir uni. Mon maillot noir des Baltimore Ravens me gênait à cause de la chaleur étouffante, et mon jean baggy, ainsi que mes baskets, prenaient soudain trop de place.

En Afrique, la galanterie exubérante que le mouvement féministe américain a silencieusement bannie existe encore. Je lui ouvris donc la portière, lui achetai à manger, portai sa nourriture jusqu'à la table et tirai sa chaise afin qu'elle s'asseye. J'essayai ensuite de l'impressionner avec mon savoir importé et mes idées éclectiques.

« Hemingway a dit, commençai-je en sachant très bien qu'elle ignorait totalement de qui il s'agissait, "Ce qui est moral, c'est ce que vous jugez bon après, et ce qui est immoral, c'est ce que vous jugez mauvais après." »

J'imaginai que sa meilleure réponse serait : « Mais la moralité n'est-elle pas subjective ? » C'était en tout cas la réponse que m'avait donnée ma petite amie, et j'avais préparé tout un laïus sur l'individualité bien après que la conversation fut terminée, un discours que j'avais hâte de prononcer.

Au lieu de cela, Aisha fixa sur moi son regard impénétrable et déclara simplement :

« Il y a des choses qu'on met du temps à apprécier et d'autres qu'on met du temps à regretter. »

Tassé sur ma chaise comme un ballon dégonflé, je bus mon milkshake en silence.

La conversation se poursuivit tout aussi péniblement pendant quelques instants, puis Aisha dit :

« Je suis désolée de me montrer si dure avec toi. Je pensais juste qu'après t'être absenté aussi longtemps, tu aurais envie de savoir tout ce qui s'était passé ici ! »

C'était une excuse un peu faible, mais elle me suffisait amplement. Son sourire décontracté dissipa ma gêne puis, enfin, ses yeux s'entrouvrirent et me permirent d'établir un contact avec elle. Et comme

---

1. Technique nigériane de teinture par nœuds.

cela arrive souvent entre deux personnes qui se connaissent depuis longtemps et éprouvent un béguin secret l'une pour l'autre, la conversation se poursuivit facilement après ce départ laborieux.

Sur le trajet du retour, je me sentis suffisamment détendu pour l'interroger sur les endroits qui m'évoquaient le plus mon pays.

« Est-ce que le parc aquatique existe toujours ? demandai-je tandis que nous longions la rue principale d'Ikeja.

— Oui, mais maintenant, les petits n'arrêtent pas de faire pipi dans l'eau et les garçons du coin y viennent pour se doucher », répondit-elle.

Je décidai de ne plus lui poser de questions parce que le monde de mon passé se délabrait à vue d'œil. Plus tard, je m'aperçus avec consternation que l'agent de la circulation vêtu de gants blancs, de chaussettes blanches et d'un bermuda qui dansait au milieu du carrefour, toujours fidèle au poste, avait disparu depuis longtemps, comme la plupart des choses de mon enfance.

« Il faut que je passe chez Pharmacien », dis-je, faisant allusion au magasin du coin. Le propriétaire, un homme igbo à la peau claire, vendait de tout, du lait en poudre au Panadol. Aisha rit parce que nous l'appelions ainsi pour plaisanter, mais aussi parce qu'elle était soulagée de voir se rétablir notre ancienne complicité. J'arrêtai la voiture près d'un large caniveau rempli d'algues vertes et de déchets de nylon. Nous le franchîmes grâce à une planche de bois bancale qui craqua sous nos pieds. Le grand bâtiment inesthétique qui se dressait à côté du magasin était resté inachevé. Le propriétaire était un fonctionnaire corrompu qu'on avait limogé lors d'un coup d'État. Il possédait trois maisons ternes dans différents coins de la ville, toutes couleur ciment, car il manquait d'argent pour y appliquer les touches finales. Sur le mur de celle-ci, il était encore inscrit « AFFICHAGE INTERDIT » et « AVIS AUX FRAUDEURS : CETTE MAISON N'EST PAS À VENDRE », mais la pancarte « INTERDICTION D'URINER » avait été remplacée par « VEUILLEZ URINER ICI : LES SORCIERS ONT BESOIN DE PIPI POUR FABRIQUER LEURS REMÈDES. » Je constatai avec amusement que l'odeur âcre d'urine qui flottait jadis sur cet endroit avait finalement disparu, puis je faillis pousser un cri de surprise en voyant que Pharmacien, autrefois jovial et maigre, était devenu un homme jovial et gras. Lorsqu'elle découvrit mon air étonné, Aisha ne put s'empêcher d'éclater de rire.

« Ah, mais où étais-tu passé ? me demanda-t-il en même temps que je m'exclamais : Pharmacien, mais qu'est-ce qui t'est arrivé ?

— Mon frère, répondit l'homme de son air enjoué. Tu sais bien que, selon la Bible, "celui qui trouve une femme trouve le bonheur." »

Pharmacien gloussa et ses petits yeux disparurent derrière ses joues creusées de nouvelles fossettes.

« On diré bien qué la Bible, é dit pas mensonges, lançai-je avec un sourire décontracté, parlant ce pidgin que je pensais avoir oublié depuis longtemps. Pétêt jé vé aussi chercher une.

— Mon frère, quoi tu fé avec jolie dame tout mince comme ça ? Si tu fé rien, je vé pétêt la prendre dézième épouse », dit Pharmacien, ce qui nous mit, Aisha et moi, légèrement mal à l'aise. Nous en rîmes avec lui, mais la question était pour nous plus réelle qu'il ne le pensait.

Nous nous empressâmes de retourner à la voiture tout en discutant du nouveau physique de Pharmacien, puis Aisha me rapporta les autres changements qui avaient eu lieu dans le quartier. À présent, nous étions totalement à l'aise l'un avec l'autre. Lorsque nous arrivâmes devant la maison, je me trouvai en présence d'une autre personnalité du passé. Cette femme avait été l'épouse du chauffeur de Madame. Lui était un petit homme nerveux qui clignait trop souvent des yeux. Tous les trois mois environ, il arrivait avec un nouveau bleu en prétendant avoir heurté quelque chose, mais nous savions tous que sa femme le battait. Depuis qu'il était mort, elle se lançait dans une nouvelle entreprise à peu près un an sur deux, un commerce qui était sûr d'échouer. Elle avait été tailleuse, vendeuse de chaussures, tenait un stand insignifiant au marché et essayait même de vendre des bijoux à bas prix. Elle avait toutes les caractéristiques d'une femme d'affaires nigériane prospère :

calculatrice, autoritaire et grassouillette. Malheureusement, elle était née avec un visage trop beau pour son rang sur l'échelle sociale et passait ses journées à admirer son reflet afin d'échapper à la laideur de son environnement. Bouffie de vanité, elle se regardait avec ostentation dans des miroirs ternis tout en attendant une aide financière. Elle n'avait même pas l'audace de profiter de son physique pour vider les poches accommodantes des coureurs de jupons. Peut-être était-ce dû à sa vanité, peut-être à son sens moral, ou simplement à un égocentrisme aveugle aux possibilités que lui offrait la vie, autre que la charité.

« Je rêve ou il s'agit bien de… ? commençai-je.

— Eh oui ! s'exclama Aisha.

— N'a-t-elle pas la peau plus claire ?

— Hmmm, oh si, répondit-elle, avant de murmurer entre ses dents : Tu ne vas pas le croire, mais il y a environ trois ans, elle est arrivée avec un bébé et nous a dit qu'elle allait ouvrir une épicerie. Elle a utilisé la moitié de l'argent que Tonton lui a donné pour se blanchir la peau. Il était tellement fâché qu'il l'a chassée la dernière fois qu'elle est venue. Je me demande ce qui est arrivé au bébé, et au père.

— Je ne peux pas m'empêcher de plaindre ces gens.

— Pourquoi ?

— Tu sais bien qu'ils sont incapables de se débrouiller autrement… Les chefs les exploitent, le système économique est impitoyable, ils sont à peine instruits… Je suppose que ces petites victoires leur apportent un peu de réconfort.

— Le manque d'instruction peut justifier une certaine ignorance, mais il ne rend pas les gens stupides », rétorqua Aisha. La passion enflammait son regard. Je devinai qu'elle repensait à la violence de son enfance, justifiée trop facilement par l'ignorance de la masse miséreuse. Je découvris que ce regard exprimait ce que je ressentais depuis mon retour. Un sentiment de dégoût presque physique pour ce système détraqué – celui qu'on éprouve lorsque son vieux chien sans jugeote continue à se soulager sur le tapis du salon. C'était un sentiment qu'aucune discussion entre étudiants ou intellectuels ne pouvait nous ôter car il n'avait rien de rationnel. C'était l'émotion qu'on ressent lorsqu'une personne envahit notre maison et qu'on la regarde faire avec impuissance.

Après avoir coupé le moteur, je me perdis quelques instants dans son regard incandescent et ne m'aperçus que je la dévisageais que lorsqu'un rare sourire plissa ses yeux. Il y eut un bref moment de gêne, puis Aisha s'exclama soudain :

« Akpokio ! » En m'appelant par mon nom de naissance, elle parut rayonner encore plus intensément. Elle posa la main gauche sur ma joue et dit :

« J'aime toujours ton nom. » J'eus soudain peur qu'elle sente mon souffle saccadé sur son poignet. Les battements de mon cœur faisaient sûrement vibrer mes joues. J'étais convaincu que mes yeux trahissaient mon désir soudain. Je remarquai toutefois que sa main tremblait lorsqu'elle la retira. Car nous affichions tous deux une assurance de façade. Cependant, aucun de nous ne sut comment réagir quand se présenta la réponse à la question que nous nous étions posée si souvent.

Aisha et moi descendîmes donc de voiture.

## J.J.D. *(Johnny Just Drop)*
## (Sud du Nigeria, 1985-2001)

Je suis né Akpokio Ehurere, comme tous mes ancêtres mascu-
lins. J'appartiens à l'une de ces lignées réduites qui ne comptent
qu'un seul enfant mâle par génération – juste ce qu'il faut pour
préserver le nom d'Ehurere. Plus jeune, je n'étais pas grand et je
n'avais pas la peau particulièrement foncée, aussi pourrait-on dire
que l'homme d'alors et celui d'aujourd'hui sont presque deux personnes différentes. Je vivais sur la terre aux Cent Ruisseaux, mais
il était impossible de jouer dans un seul d'entre eux. La surface
de l'eau était couverte d'un châle argenté scintillant et de délicats
arcs-en-ciel sales. Mon père me racontait souvent qu'il y pêchait et
nageait quand il était petit et me promettait qu'un jour, je pourrais
le faire aussi. C'était dans ce but qu'il se rendait à des réunions tous
les soirs. Il portait généralement un caftan crasseux, ainsi qu'un
bâton, afin de ressembler à l'un de ces veilleurs qui font leurs rondes
en clopinant. Une fois, par curiosité, je restai éveillé toute la soirée
en attendant son retour. Je faisais semblant de dormir comme une
souche lorsque la large tête de mon père se glissa dans ma chambre
comme tous les soirs. L'odeur forte de la pommade Robb, dont il
jurait que c'était la panacée à tous les maux, m'emplit les narines
et je me redressai en éternuant violemment. Apparemment soulagé de se retrouver en mon innocente compagnie, Akpokio, mon
père, m'emmena dehors où la pleine lune brillait comme une boule
argentée. À notre gauche serpentaient les eaux noires, semblables
à un fouet aux nombreuses lanières. Mon père me raconta alors
une histoire.

« Il était une fois un petit village au bord d'une rivière. Les hommes pêchaient, les femmes cultivaient la terre et tout le monde était heureux. Ces villageois avaient un chef, un homme sage et gentil qui était père de deux fils. Il réglait les conflits entre les gens mais ne parvenait pas à unir sa propre famille. Un jour, son fils cadet s'empara du pouvoir. Il tua son père et son frère, jetant ainsi une malédiction éternelle sur la terre. On dit qu'au moment où il voulut assassiner son père, son frère se jeta vainement sur lui pour le défendre, et à l'endroit où se mélangèrent leurs sangs nobles, apparut une tache noire indélébile. Son frère rendit son dernier souffle en jurant de se venger. »

Mon père se tut brièvement, alors que la lune disparaissait derrière un nuage. Il reprit son récit d'une voix que l'obscurité rendait sinistre.

« Il y a quelques années, des gens sont venus nous voir ; ils ont dit qu'ils avaient trouvé de l'or noir liquide – du pétrole – et que celui-ci allait améliorer la vie de tout le monde. Ton grand-père a lutté contre cette idée, il leur a dit que c'était la tache de sang noir qui avait grossi et que ce pétrole était maudit, mais personne ne l'a écouté. Maintenant, les gens meurent jeunes, les cours d'eau sont stériles, la terre est infertile et les enfants n'ont aucun endroit pour jouer… Ils n'ont aucun endroit pour jouer », répéta-t-il.

Chacun de nous resta silencieux après cela. Mon père regardait fixement la pleine lune comme si sa surface grêlée recelait de mystérieuses réponses. Lorsque je me réveillai, j'étais dans mon lit et lui était déjà ressorti.

Akpokio, mon père, était un homme réservé au comportement sérieux. Il était grand, vraiment grand, et avait la peau très foncée. J'ai lu un livre un jour qui décrivait un tel homme – on l'appelait « géant nubien » – et j'ai toujours pensé que cette expression correspondait bien à mon père, même si hormis la taille, ils n'avaient rien en commun car le Goliath noir du livre était un homme agressif qui exploitait les gens. Mon père consacrait sa vie à servir les autres. Parfois, j'aurais aimé qu'il défonce quelques crânes à l'aide de ses énormes poings, mais il préférait rester au tribunal après le travail pour défendre l'un après l'autre ces gens qui n'avaient pas les moyens de payer ses honoraires. Il avait une voix calme et grave, semblable au grondement des canots à moteur qui filent sur les rivières. Je me demandais souvent si, comme ces bateaux, les mots que prononçait mon père étaient chargés d'une mission spéciale qui les rendait particulièrement importants.

Dans la soirée, il s'asseyait dans un fauteuil finement sculpté à la main et se balançait doucement sur la véranda. Je m'asseyais à ses pieds et, généralement, les gens venaient lui demander des conseils. C'étaient mes moments préférés. En neuf ans, je n'entendis jamais mon père élever la voix.

C'étaient les vacances. Je venais de terminer l'école primaire et attendais d'entrer au collège. Je n'avais que neuf ans, ce qui était jeune pour ma classe, mais je faisais plus vieux que mon âge – on me le disait souvent. J'avais été admis au collège de la ville voisine ainsi qu'au célèbre collège du gouvernement fédéral à Lagos. L'idée d'aller à Lagos m'enthousiasmait davantage, mais je ne le disais pas à mes parents de peur de décevoir ma mère.

Cependant, mon père fit un jour irruption dans la maison en hurlant comme un ours blessé. J'étais effrayé et lorsque ma mère se mit à pleurer, je faillis l'imiter.

« Ils vont le faire ! Ils vont pendre Ken Saro-Wiwa[1] !

— Mais son nom est connu dans le monde entier, répliqua ma mère en sanglotant. Il y aura sûrement des répercussions, la communauté internationale ne tolérera pas une telle atrocité. Il est le visage et la voix du delta du Niger.

— Le gouvernement militaire d'Abacha se moque des sanctions ; ce pays a trop de pétrole, dit mon père d'un ton découragé. C'est un crachat au visage de la communauté internationale. »

« IL Y AURA DES ÉMEUTES À COUP SÛR », « LE PEUPLE NE LE TOLÉRERA PAS », proclamaient les journaux, un discours violent

---

1. Écrivain militant appartenant à l'ethnie minoritaire ogoni, exécuté par le gouvernement nigérian le 10 novembre 1995.

qui perturbait l'instinct maternel de ma mère, Ranti. Il fut décidé que je serais scolarisé à Lagos et vivrais chez Dolapo, son cousin. J'étais content de cette décision, et bien que ma mère me crût incapable de comprendre les raisons de sa concession, j'avais passé suffisamment de temps au pied du rocking-chair de mon père pour saisir le caractère sensible du climat politique.

*

Ma mère savait que j'étais impatient de partir. Bien que se sentant un peu trahie, elle essayait tristement de me soutenir. Elle n'avait jamais vraiment su cacher ses émotions ; dans ses yeux, celles-ci se mêlaient aux larmes faciles qui annonçaient sa joie ou sa tristesse. J'aimais les contes au clair de lune, mais ils ne faisaient pas le poids face aux lumières de la grande ville. Warri, Sapele, Benin City[1], je les traversai toutes dans un flou grisant.

Je ne connaissais pas très bien le cousin de ma mère, Dolapo Odukoya. Nous ne le voyions que rarement, lorsqu'il nous rendait visite un an sur deux. Son arrivée provoquait toujours une telle excitation ! Mon père et ma mère souriaient toute la semaine précédant sa visite et souriaient encore une semaine après, éclatant spontanément de rire chaque fois qu'ils se rappelaient une anecdote. Quand apparaissait sa grosse Mercedes brillante, tous les enfants du village l'accompagnaient en courant et la tachaient de leurs doigts boueux. Il était très généreux. Pour autant que je me souvienne, il venait seul, mais ma mère resta longtemps persuadée que j'avais rencontré sa femme deux ou trois fois.

« Je ne la connais pas, affirmai-je, alors que nous nous rendions chez son cousin Dolapo.

— Bien sûr que si, répliqua-t-elle aussitôt en s'agitant inexplicablement. C'est elle qui t'a acheté ce pyjama que tu as porté toutes les nuits pendant une année entière.

---

1. Villes du delta du Niger.

— Je me souviens de lui ! m'exclamai-je avec un sourire. Mais pas d'elle. »

Je ne sais pas pourquoi ma mère était aussi contrariée. Elle se tut ensuite un long moment. Je commençais à m'endormir sous l'effet hypnotique du ferraillement du moteur lorsqu'elle se redressa soudain, visiblement de meilleure humeur. Elle gloussa doucement et dit :

« Je me rappelle le jour où mon cousin Dolapo est devenu un homme. Il avait à peu près ton âge. Tu as vu ton cou maigrichon ? Celui de mon cousin est exactement pareil. Il aurait dû être aussi beau que le mien. »

Elle me raconta une histoire de son enfance. C'était la toute première fois qu'elle me parlait de cette époque. J'étais amusé et impatient d'en savoir plus, mais s'il lui avait fallu une décennie pour se décider à me raconter sa première histoire, ce n'était sûrement pas sans raison.

Ma mère termina son récit, un grand sourire aux lèvres.

« Tu vois, ton oncle et moi sommes très proches. Comment peux-tu dire que tu ne le connais pas bien ? » demanda-t-elle, le visage rayonnant d'un bonheur nostalgique.

De l'État de Bayelsa à Lagos, nous roulâmes des kilomètres et des kilomètres sur une terre abusée au potentiel inexploité. J'étais content que nous ayons des robinets à la maison. Je ne pouvais imaginer aller puiser de l'eau dans les cours d'eau malade du delta. Ijebu et Sagamu[1] m'apparurent comme de simples lanternes à travers nos fenêtres couvertes de moustiquaires. Alors que je commençais à penser que ce voyage ne se terminerait jamais, nous arrivâmes enfin. La soirée était bien avancée. Maman ne repartait pas tout de suite car elle avait prévu de passer la semaine avec nous.

Notre vieille Volkswagen se faufila jusqu'à l'ombre d'un des grands arbres qui se dressaient majestueusement, couverts de douzaines de fruits aux différents tons de vert et de jaune. M. Odukoya pensait qu'il fallait les laisser décider du moment où ils seraient

---

1. Villes nigérianes.

mangés. Chez lui, on se contentait de ramasser ceux qui étaient tombés : on n'en cueillait aucun. Le chauffeur fut le premier à sortir du véhicule. Une trace de sueur barrait son dos en diagonale car il ne comprenait pas comment se portait une ceinture de sécurité. Ma mère et moi descendîmes de voiture et l'écœurante odeur sucrée des goyaves mûres nous enveloppa, une odeur à faire tomber tout jeune garçon amoureux d'un nouvel endroit. Je ne fis pas exception à la règle. Un large sourire étira mes lèvres, sauta par-dessus mes fossettes et s'installa dans mes grands yeux marron. Ma mère s'essuya les joues avec le même air ravi.

Cette soirée fut l'occasion d'émotions contrastées, de grands rires et d'un sourire timide, d'énormes câlins et d'une petite révérence, de copieux baisers et de larmes dissimulées. M. Odukoya n'oublia pas d'attirer notre attention sur ses fleurs et Rufus, le vieux jardinier, s'en réjouit secrètement, caché derrière un amandier. Il n'y eut pas de dîner devant la télévision ce soir-là : Mme Folayo déposa une série de plats odorants sur la grande table en chêne. Les retrouvailles donnèrent lieu à une conversation à bâtons rompus qui offrit à chacun un condensé des nombreuses années écoulées.

« Au fait, comment se portent ton village et ton dispensaire ? » demanda M. Odukoya, un petit rire dans la voix et le regard pétillant. Un regard qui s'était éteint à la mort de sa femme et ne réapparaissait que lorsqu'il voyait sa cousine préférée. Un regard qui attristait ma mère car il lui disait qu'elle seule n'avait pas le droit de mentionner le nom de Temitope.

« Dolapo, *fi mi se le*[1], ce n'est pas un village, répondit ma mère avec une joie égale, avant de poursuivre d'un ton grave : la situation est pénible au dispensaire, les nappes de pétrole rendent tellement de gens malades. Sinon, l'établissement se porte bien, conclut-elle en parvenant à esquisser un sourire tendu.

— Et mon camarade de chambre ? demanda Tonton afin d'éviter de gâcher l'ambiance trop tôt, car ma mère n'était visiblement pas prête à parler de son travail.

---

1. Arrête de me taquiner.

— Ne t'en fais pas pour ton ami, il continue à mener ses croisades, répondit-elle avec une fierté discrète. Mais les choses sont un peu tendues à cause de l'affaire Saro-Wiwa », termina ma mère en jetant un regard rapide de mon côté, dont Tonton parut comprendre le sens. Je m'étonnai que les adultes puissent communiquer par de simples regards et contacts.

M. Odukoya se tourna aussitôt vers moi et me demanda d'une voix forte, dans l'intention manifeste de changer de sujet de conversation :

« Alors, comment ça va à l'école ? J'espère que tu lis toujours.

— Oui », répondis-je en avalant précipitamment une partie de mon Ribena[1].

La conversation se poursuivit ensuite sur un ton plus joyeux. Après le dîner, on me montra ma chambre. Je posai mes bagages sur le sol, des sacs à carreaux écossais populairement et judicieusement baptisés « *Ghana must go* » après qu'un ancien chef d'État avait pris la décision populiste de chasser les immigrants ghanéens du pays afin de libérer des emplois. Les Ghanéens avaient eu si peu de temps pour faire leurs bagages qu'ils s'étaient dépêchés de ranger leurs affaires dans ces sacs tissés, faciles à trouver. Les miens s'enfoncèrent silencieusement dans l'épaisse moquette à côté de mes pieds. Mon père n'était pas pauvre. Les murs de notre maison étaient faits de ciment et lorsque la pluie tombait, on croyait l'entendre applaudir en sourdine la seule maison de la rue coiffée d'un toit d'ardoises. La pluie faisait plus de bruit chez nous, mais notre toit ne fuyait jamais, contrairement à la version en chaume de nos voisins. Toutefois, je fus impressionné par le luxe de ma chambre. Mon lit était plus vaste que celui de mes parents et comptait plus d'oreillers que notre maison tout entière. Ici, tout était plus grand et plus moelleux.

Une personne attentionnée avait posé un livre sur la banquette près de mon lit. C'était un exemplaire très sale de *Tout s'effondre*, de Chinua Achebe. Alors que je lisais les premières lignes du roman, j'entendis de nouveaux rires tendres s'élever dans l'escalier, ricocher sur les murs et se poser sur les rideaux statiques.

---

1. Boisson de marque britannique au jus de cassis.

\*

Je me réveillai dans une chambre blanche, bois et bordeaux, avec la vague impression d'avoir subi un étrange déracinement. Je n'entendais pas les cris perçants de ma sœur ni le rire de ma mère, aucun bruit de canot à moteur ne filtrait à travers les fenêtres grillagées et le soleil ne tombait pas sur le mur au-dessus de mon lit. Il régnait juste un profond silence et une obscurité intense. J'étais allongé sur une surface trop molle et l'air autour de moi était trop pur. Effrayé, je bondis du lit et atterris sur un étrange sol moelleux. Le désespoir m'enveloppa peu à peu. Je tentai de m'agripper aux murs, mais mes doigts semblèrent s'enfoncer en eux. Je tirai d'un coup sec et l'épais rideau laissa brusquement entrer une lumière aveuglante. Peu à peu, je compris où j'étais et ouvris les robustes fenêtres. La pièce fut immédiatement inondée de chants d'oiseaux et de parfums de fruits – bruits et odeurs qui mettent n'importe quel jeune garçon à l'aise –, puis j'entendis l'aboiement d'un chien dans la maison voisine.

Chancelant d'excitation, je me rendis dans la salle de bains faite de marbre et de miroirs. Les articles de toilette étaient somptueux : la brosse à dents Crest, le dentifrice Close-Up et la serviette en véritable coton égyptien soulignaient la pauvreté de mon matériel. Je cachai gaiement mes affaires minables au fond de mon sac et entrai dans une baignoire pour la première fois de ma vie. Je pris le savon caramel au centre duquel étaient imprimés un petit logo et le nom, « IMPERIAL LEATHER ». Perplexe, je me demandai à quoi servaient les boutons bleu et rouge reliés par des tuyaux à un grand objet blanc cylindrique fixé dans un coin en haut de la pièce. Je secouai les tuyaux et découvris finalement qu'ils étaient attachés à un petit robinet en métal, qui avait un jour été recouvert de peinture bleue. La salle de bains tout entière avait jadis été décorée en bleu pour les cinq garçons que Mme Odukoya avait désirés et mis au monde. Toutefois, suffoqués par la puanteur oppressante de leur future société, tous avaient décidé de ne pas rester. Chacun d'entre eux avait eu la chance de recevoir le don de clairvoyance, mais par malheur, ce don leur avait été accordé trop tôt. Car entrevoyant la vie, se sentant aussitôt submergés par la tâche qui leur incombait et ignorant que tous les Nigérians se voient accorder dès leur naissance le talent spécial de s'adapter à toutes les situations, si désespérées soient-elles, ils avaient décidé d'annuler leur séjour. Mais qu'avaient donc vu ces enfants qui les avait incités à renoncer à la vie, provoquant ainsi le chagrin répété des Odukoya (Tonton, M. Dolapo Odukoya, souffrait déjà beaucoup pour son pays) ? Ces enfants avaient vu deux images du Nigeria, l'une datant de la naissance de leur père, une époque passée, et l'autre reflétant le moment de sa mort, une vision de l'avenir. Ils avaient compris que le destin qui les attendrait dès la naissance leur réserverait la même vie de misère et de servitude qu'avait connue leur père et le même chagrin paradoxal qu'il ressentirait à l'âge mûr, bien que vivant dans l'aisance. Aussi, comprenant que leur pays était mort-né, ils vinrent au monde de la même façon.

Je me brûlai en tournant le bouton rouge et décidai, en fin de compte, de prendre une douche froide. J'enfilai ensuite mes vêtements et ignorai volontairement les tongs posées pour moi sur le sol. Celui-ci était fait de moquette douce, de marbre froid ou de bois chaud, et j'aimais le sentir sous mes pieds.

Alors que je descendais au rez-de-chaussée, des masques décorés et des sculptures sur bois bondirent vers moi des murs silencieux et je fus aussitôt emporté par des rêves d'aventures romanesques. Soudain, un bruyant carillon résonna à travers la maison et faillit me faire tomber dans l'escalier. La vieille horloge gloussa doucement puis se calma dans un soupir satisfait. Amusé et rêveur, j'errai à travers cette maison pleine de mystères. La douce musique afrobeat la rendait mystérieuse, les rideaux épais la rendaient mystérieuse, les vastes espaces et les ombres de l'après-midi, les odeurs étranges et les objets sculptés la rendaient mystérieuse. C'était une maison construite avec soin et conçue pour être appréciée. Je n'avais encore jamais eu le plaisir de visiter une telle demeure.

J'entendis des voix basses converser d'un ton sérieux et suivis leur son qui faiblit dès mon apparition.

« Ton neveu voulait venir à Lagos et c'est en fait l'affaire Saro-Wiwa qui nous a forcé la main. Je ne pensais pas qu'Abacha irait au bout de ses idées. Personne ne croyait qu'on le pendrait vraiment, dit ma mère.

— Ma foi, voilà ce qu'on récolte lorsqu'on dispose d'une denrée dont les économies développées ne peuvent pas se passer, tout en étant gouverné par des dirigeants irresponsables qui préfèrent le profit facile aux richesses du Commonwealth ; on récolte un cocktail explosif à base de rébellion et de pauvreté », répondit tristement Tonton. Il avait prononcé « économies développées » et « dirigeants irresponsables » comme s'il s'agissait d'un seul mot.

Entendant mes pas, ils se turent. Je me trouvais à présent dans une pièce qui rendait toutes les autres ordinaires, une pièce si spectaculaire qu'elle me fit totalement oublier la présence de Tonton et de ma mère. Je m'immobilisai sur le seuil, émerveillé, et contemplai les innombrables rangées de livres. Grisé par l'enchantement, figé de stupéfaction, je restai muet devant l'abondance de mots qui régnait devant moi. Tonton m'offrait deux livres par an depuis que je savais lire et ma bibliothèque, malgré ses dix ouvrages, était la mieux garnie de toutes celles des enfants que je connaissais. Qu'une pièce à laquelle j'aurais désormais accès puisse renfermer une telle quantité de livres me paraissait inimaginable ; je continuai à la contempler, bouche bée. La voix fâchée de ma mère me ramena rapidement sur terre.

« Seun ! Qu'est-ce que c'est que ces manières ? Et qu'est-ce qui te prend de te lever après neuf heures ? Il est déjà treize heures ! »

Maman m'appelait généralement par mon prénom yoruba lorsqu'elle se trouvait avec son cousin. Dans le cas présent, c'était une façon de me réprimander et de me faire payer mes mauvaises manières. Les Yorubas exigent un respect absolu des aînés. Il est obligatoire de les saluer, et oublier de les féliciter est presque considéré comme un péché capital. Il existe des formules de salutations pour chaque moment de la journée et pour toute forme d'activité et d'inaction. Le simple fait de croiser un aîné exige que vous le saluiez. Aussi devez-vous louer sa vaillance quelle que soit son activité en cours, même s'il est banalement assis.

« Je suis désolé, maman. Je ne sais pas ce qui m'a pris, bégayai-je.

— *Oya*[1] ! Excuse-toi auprès de monsieur Odukoya et salue-le ! » poursuivit-elle.

Je m'exécutai sur-le-champ mais vis que Tonton se réjouissait intérieurement, comme le font tous les amateurs de littérature lorsqu'ils reconnaissent un jeune amoureux des livres. Veillant plus tard que jamais, j'avais commencé à lire le roman posé près de mon lit la nuit passée et étais déjà arrivé au passage où Ikemefuna rejoint la famille d'Okonkwo.

Maman se montra soudain tendre, comme toutes les mères ont tendance à le faire après une bonne remontrance.

« As-tu mangé, mon chéri ? demanda-t-elle d'une voix plus douce, me touchant gentiment l'épaule.

— Oho ! Après lui avoir crié dessus, tu te souviens tout à coup que le pauvre garçon a un estomac ? s'étonna M. Odukoya d'un ton soigneusement choisi, mêlé d'un soupçon d'hilarité.

— *Abeg*[2], ne te mêle pas de ça, je sais ce qui est bon pour sa tête et son ventre », répondit ma mère avec la même légèreté, et je me délectai intérieurement de cette complicité.

Mme Folayo apparut à point nommé pour nous annoncer que le déjeuner était prêt.

Mon excitation et ma curiosité étaient telles que cette semaine s'écoula en un étrange clin d'œil. Je découvrais chaque jour une nouvelle pièce où m'installer pour lire l'infinie réserve de livres. Il y avait la salle à manger et sa table rarement utilisée, sur la surface fraîche de laquelle j'aimais m'étaler, le premier salon avec sa grande télévision Sony, le second où des masques imposants souriaient sans joie sur les murs ; mais l'endroit que je préférais dans toute la maison, c'était la cuisine où Mme Folayo faisait toujours mijoter quelque chose. Je m'asseyais à la petite table noire

---

1. Allez !
2. Je t'en prie.

près du réfrigérateur ronronnant, sur l'une des chaises encore plus petites qui l'entouraient comme des enfants obéissants. Tonton et ma mère discutaient à voix basse pendant la journée et riaient bruyamment le soir. Nous prenions nos repas ensemble tandis que Mme Folayo allait et venait sans bruit dans la pièce, l'air de rien, mais l'œil visiblement partout. L'enfant est le meilleur témoin dans une maison et le pire devant un tribunal, car il a le don étrange de trahir brutalement la vérité. Cette première semaine, je ne grimpai pas aux arbres ni n'admirai les fleurs. Je ne rencontrai pas le vieux Rufus ni Major. Je ne découvris pas le chien enragé qui vivait un peu plus loin dans la rue. L'histoire enchevêtrée de l'enfance de ma mère et de Tonton m'était toujours inconnue. Je n'aimais pas encore Aisha ni n'adorais Emeka. Je ne désirais pas encore connaître leur histoire ni la coucher sur le papier. Cette semaine-là, je me laissai totalement engloutir par la maison située 33 Oyelaran Soyinka Road, ses mystères et ses secrets.

Lagos m'était apparu comme un méli-mélo de rues bondées ; dans mon esprit, il ne restait ni sons ni odeurs, juste de hauts immeubles défilant devant mes yeux. La maison de Tonton était un condensé de cette ville. Ma mère s'apprêtant à rentrer chez nous dans le delta du Niger, il était nécessaire de faire une virée shopping. Je découvris ainsi l'agitation de la ville dont j'avais souvent entendu parler.

Je m'habillai aussi soigneusement que si je faisais mon entrée dans le monde car je tenais à faire bonne impression à Lagos. J'enfilai donc un t-shirt noir sur lequel était inscrit « I ♥ New York », une casquette noire portant les lettres « NY », un baggy noir ainsi qu'une paire de Nike noires. Je mis même ma ceinture noire à grosse boucle en fer de marque Calvin Klein, qu'on m'avait offerte pour mon huitième anniversaire. Lorsque je descendis fièrement l'escalier en colimaçon, Mme Folayo s'exclama bruyamment :

« Grands dieux ! » en passant la main droite sur sa tête, avant de claquer des doigts.

« Quoi ? Tout en noir ? *Ko ni sele*[1], ce n'est pas possible ! »
Mme Folayo était une vieille femme aux superstitions anciennes.
Remarquant mon air effrayé, elle s'adoucit et dit :

« Tu n'es pas en deuil, voyons. Il faut que tu te changes. »

Ensuite, elle se rendit dans la cuisine pour aller me chercher un
verre de Ribena frais.

Tonton, comme voulait que je l'appelle M. Odukoya, possédait deux voitures. C'était le début des années quatre-vingt-dix :
tous ceux qui en avaient les moyens conduisaient une Mercedes
et chaque bureau utilisait une Peugeot 504 comme voiture officielle. Tonton avait une « bébé Benz » (comme on surnommait
affectueusement la Mercedes 190) ; c'était la première à posséder
un avant effilé. Je m'assis à côté du chauffeur, tandis que ma mère
s'installait à l'arrière, la « place du propriétaire ». Mon voisin semblait tout juste pouvoir atteindre les pédales et regarder en même
temps par-dessus le volant.

« Je je jeje je m'appelle Mon MonMon Monday », déclara-t-il
en démarrant le moteur. Ensuite, il recula dangereusement dans
l'allée. M. Monday paraissait extrêmement fâché contre le monde
– compte tenu de sa taille insuffisante et de son bégaiement, il avait
peut-être des raisons de l'être. Il ne s'embarrassa pas de politesses ni
n'ajouta un mot tout le temps qu'il fila à travers les rues encombrées
de Lagos et la chaleur étouffante, naviguant entre les nids-de-
poule, les *okada*[2] et les *danfo*[3]. Le désordre régnait dans les rues,
mais M. Monday maîtrisait parfaitement la situation. Il donnait
de brusques coups de klaxon lorsqu'il coupait la route à un autre
conducteur ou évitait un piéton indiscipliné. Ses mains tenaient
fermement le volant, mais son visage ne se départait jamais de
son calme. Chaque minute, un accident menaçait de se produire.
Pourtant, sa folle prestation s'effectua en un *crescendo* permanent
sans causer le moindre dégât. Il était à la fois partie intégrante de

---

1. Je ne peux pas le croire.
2. Motos-taxis.
3. Minibus.

la pagaille et prophète du tohu-bohu ; comme tous les autres, il paraissait totalement insensible au chaos. Lagos fait partie de vous et vous faites partie d'elle. J'étais sûr que, comme de nombreux Lagotiens, M. Monday sombrerait immédiatement dans une grave dépression si on le privait de cette ambiance en l'envoyant, d'un coup de baguette magique, dans une contrée plus organisée.

Tout cela me fascinait car le décor était dans un état précaire, mais tout le monde jouait son rôle à la perfection. Les conducteurs de *danfo* juraient et hurlaient en arrêtant net leur véhicule et redémarraient leur moteur aux moments les plus inappropriés. Les chauffeurs d'*okada* se frayaient dangereusement un chemin à travers la circulation, de pitoyables mendiants portaient des bols secs dans leurs mains ravagées, les hauts immeubles se tenaient rigidement au garde-à-vous dans la chaleur torride, les petits commerçants couraient, un plateau sur la tête, dès qu'une vitre se baissait, et le vendeur de glaces harassé se faufilait à travers toute cette cohue sur son vélo. Captivé, j'étais le seul spectateur de cette normalité absurde.

Mais cette pagaille n'était rien à côté de celle du marché. Dans les années quatre-vingt-dix, un marché lagotien représentait le summum du chaos organisé et de l'agitation permanente, véritable cauchemar pour les non-initiés. Oublier de verrouiller sa portière ou de remonter sa vitre était une bévue qui coûtait rapidement cher aux ignorants : quelques minutes plus tôt, une femme s'était fait voler le sac à main posé sur ses genoux par sa portière laissée entrouverte. Et juste avant, une dame était repartie les oreilles en sang parce qu'on lui avait arraché ses boucles d'oreille. Son erreur ? Avoir eu l'audace de les exhiber par les fenêtres ouvertes de sa voiture. Nous trouvâmes un parking boueux gardé par des vendeurs à la sauvette aux dents marron et à l'esprit tordu par la marijuana et l'*ogogoro*[1]. Leur peau était noire comme du charbon à cause du soleil et une sueur fétide baignait leurs corps. Ils avaient les muscles saillants, une haleine d'alcoolique, et tous

---

1. Eau-de-vie fabriquée à partir de sève de raphia fermentée.

nous promirent de bien surveiller la voiture. Ma mère et moi des-cendîmes du véhicule, mais M. Monday resta derrière son volant en esquissant une grimace provocatrice.

Le visage paré d'une moue déterminée, ma mère coinça fermement son sac à main sous l'aisselle, l'anse serrée dans le creux du coude. La dernière fois qu'elle était venue ici, un homme se faisant passer pour fou avait enfoncé un doigt dans sa poitrine, lui avait tiré les oreilles et reproché en marmonnant de se montrer aussi irrespectueuse. Lorsqu'elle s'était remise de sa surprise et avait tendu la main pour soulager son oreille palpitante, elle s'était aperçue que ses boucles d'oreille avaient disparu, tout comme le fou. Le marché n'était pas un endroit pour les négligents, pour les *aje butter*[1], comme on les appelait familièrement. Seules les personnes fortes et déterminées y gagnaient leur vie et les plus violentes prenaient ce qui ne leur appartenait pas. Et pourtant, jour après jour, jusqu'au milieu de la nuit, au fil des heures qui s'enchaînaient à toute allure, le commerce prospérait ; une vague d'âmes grondante inondait le marché sur toute sa longueur et sa lar-geur ; ici, la vue comme l'imagination étaient quotidiennement repues.

Sa main serrant fermement la mienne, ma mère mena mon initiation tambour battant. Nous nous approchâmes du premier stand, fait d'une table en bois branlante couverte de tissus variés. La vendeuse voisine, une femme rondelette, nous faisait déjà signe de venir plutôt essayer sa marchandise. Ma mère regarda le petit homme à la peau claire dans les yeux, tandis qu'il s'essuyait les mains sur sa veste sale et rajustait son jean.

« Madame, quoi tu vé achété ? Jé té donne prix correc.

— Mon fils a été admis au collège du gouvernement fédéral, ici à Lagos, répondit-elle fièrement. Il va avoir besoin de tissu rouge à carreaux.

— Ah, beau garçon *nna*[2]. En voilà un grand homme », dit-il de sa voix légèrement nasillarde en tripotant rapidement les tissus. Il sortit deux carrés identiques de la pile et estima leurs prix.

---

1. Personnes BCBG.
2. Igbo.

« *Chai*[1], tu vé mé tuer ! s'exclama ma mère. Comment tu pé donné moi prix comme ça ?

— *Haba*[2], madame, jé vois tu conné qualité, tu conné bien-bien. Madame, régarde célui-là, célui-là cé tissu correc, véni dé Chine, madame. Tu pé lavé cinquante fois, brille toujours comme rubis, jé mens pas, madame. »

Déjà, l'autre carré était oublié. Tous deux se toisaient comme des boxeurs sur un ring. Ils s'envoyaient de petits coups puis se redressaient, marchandaient puis plaisantaient. Finalement, ma mère acquit le tissu pour la moitié du prix initial, et deux fois le prix du carré ignoré. Tous deux affichaient un sourire satisfait après ce quart d'heure animé de tractations bruyantes utilement occupé. Nous nous frayâmes péniblement un chemin à travers la foule du marché ; ma mère marchandait, s'éloignait d'un air de dégoût, on la suppliait de revenir, on l'attrapait par la main, elle palpait des tissus, pestait contre les vendeurs, était maudite par d'autres, riait, suait, marchait, tergiversait… Les *mallam*[3] juraient sur le nom de Dieu, les commerçants yorubas nous saluaient par des « *Eku asun mummy*[4] », les hommes igbo disaient « Viens dis-kité là, garçon » et les vendeuses suppliaient ma mère : « Achète chez nous, ma sœur. » Lorsque les commerçants achetaient des Coca-Cola frais aux hommes qui se promenaient munis de seaux remplis de glace et de bouteilles afin de nous les proposer, ma mère les convainquait de leur laisser la monnaie pour leurs enfants. Tout le long de ce pénible périple, mon esprit las et mes pieds épuisés se laissèrent entraîner par ma main fatiguée, ferme-ment calée dans celle de ma mère. Mon excitation initiale avait été de courte durée et ma tenue sinistre ne faisait qu'accentuer mon malheur.

---

1.   Mon Dieu.
2.   Ça alors.
3.   Au Nigeria, les *mallam* sont des musulmans du Nord venus s'installer dans le Sud. Ils exercent généralement la profession de gardien ou d'épicier.
4.   Bonjour (bon après-midi) maman.

Lorsque cette séance de shopping fut enfin terminée, une certaine effervescence provoquée par toutes les boissons ingurgitées régnait dans mon esprit ; pourtant, je pouvais à peine bouger les jambes et la fatigue me plombait littéralement la langue. Chargés de sacs pleins à craquer, nous repartîmes vers la voiture en traînant les pieds. Nous voyant arriver, M. Monday nous rejoignit à vive allure malgré ses minuscules jambes. Il eut tôt fait de rassembler tous les sacs dans ses bras courts et costauds, puis il adressa un sourire méprisant aux enfants pâles et sales qui harcelaient les acheteurs fatigués. Un petit garçon maigre aux grands yeux de miel et à la peau caramel couvert de crasse aborda la femme à notre gauche. Il avait une entaille sanguinolente au-dessus du sourcil gauche qu'un contingent de mouches virevoltantes avait décidé de soigner. Particulièrement touchée, la dame commit l'erreur de lui donner dix nairas. En quelques secondes, telle une nuée de sauterelles, une douzaine d'enfants pauvres la capturèrent en s'accrochant à ses bras et ses vêtements. Son acte de charité ne resta pas impuni ; à mesure que son pagne lâche se déroulait, la femme perdait un peu plus de sa dignité. Plus elle essayait de les calmer avec des mots gentils, plus ils s'agrippaient. Finalement, elle se mit à pleurer d'angoisse et de détresse. Soudain, l'un des enfants reçut un coup à la tête et valsa sur le sol. Un par un, les petits furent arrachés au corps de la femme grâce à de féroces coups de poing et coups de pied. Elle voulut empêcher son sauveur musclé à la peau foncée de frapper les plus délicats, mais elle en fut incapable. Le visage ruisselant de larmes, elle s'empressa de monter dans sa voiture et tendit de l'argent à l'homme afin de le remercier de l'avoir sortie de cette situation difficile.

Tandis que M. Monday nous conduisait hors du marché sans se départir de son expression sévère, un manchot nous adressa un signe de tête et implora notre pitié. Il venait de Maiduguri. On lui avait coupé le bras parce qu'il avait volé une chèvre afin de nourrir ses enfants affamés, puis on l'avait mis dans un train pour le Sud, direction Lagos. Il avait un œil rouge grand ouvert tandis que l'autre restait fermé – séquelle d'une maladie transmise par l'eau qui avait failli lui faire perdre la vie à l'âge de six ans – et sa peau pâle était couverte de vieilles blessures. Mais en y regardant de plus près, on voyait dans ses yeux las le reflet d'un avenir jadis plein d'espérance, un espoir qui était mort, un rêve qui ne s'était jamais réalisé. Tout ce qu'il restait aujourd'hui, c'était le corps de cette fierté décharnée, dont l'unique but était de récolter assez d'argent pour survivre à cette journée.

De nombreux Lagotiens prennent cependant ces personnes pour de simples pions aux mains des hommes puissants – mobilisés au nom de la politique, rapidement abandonnés une fois qu'ils ont rempli leur rôle. Pendant ce temps-là, le soleil ne cesse de darder ses féroces rayons sur les gens comme sur les lieux. À tous, il inflige sa condamnation cinglante, ignorée par les habitants de cette ville. Punition pour leurs méfaits ou récompense pour leur vertu, son jugement apparaît sous la forme d'aisselles ruisselantes et de dos en pleurs.

Le trajet du retour s'effectua essentiellement dans le silence. M. Monday contenait son bégaiement, tandis que ma mère et moi étions totalement épuisés. La route avait perdu sa magie et son légendaire caractère menaçant. Un barrage de police se profilant à l'horizon éveilla tout juste notre intérêt, jusqu'à ce qu'on arrête finalement la voiture.

« Permis et papiers du véhicule ? » demanda le policier avec une amabilité feinte. M. Monday les lui remit en silence.

« Veuillez sortir de la voiture, madame », dit l'homme sous prétexte de prouver sa compétence. M. Monday descendit également du véhicule, sans un mot. Le policier poursuivit son interrogatoire en lui posant le déluge de questions habituel. « Combien de ci, combien de ça, d'où vient ceci, d'où vient cela ? » Ma mère était si fatiguée que lorsque le généreux policier décida finalement de nous laisser partir malgré l'infraction majeure commise par madame – elle avait enfreint l'article 57 de la loi de 1954, oublié depuis longtemps et totalement ignoré, en omettant d'attacher sa ceinture –, elle ne fut que trop heureuse de lui donner quelques centaines de nairas en récompense de ses efforts. Mais ses doigts corrompus n'eurent pas le temps de fourrer l'argent dans ses poches reconnaissantes, car M. Monday s'anima brusquement, arracha les billets de ses mains surprises et les rendit à ma mère.

« Ma mama mad mad madame, ne fai fai fai faites pas ça, parvint-il finalement à prononcer. Mon mon montez dans la voi voi voi voiture, si si s'il vous plaît. » Le chauffeur adressa un regard au policier qui le cloua sur place, sa posture soudain ternie, puis il monta dans le véhicule et démarra. Un silence stupéfait régna dans l'habitacle jusqu'à ce qu'il soit de nouveau garé sous le grand goyavier de la propriété de Tonton. La providence nous avait souri : le policier était resté abasourdi. Toutefois, on avait déjà entendu parler de coups de feu « accidentels » lors de contrôles de police.

Personne ne jugea bon de rapporter l'incident à M. Odukoya au cours du dîner, et je me demandai si ma mère en parlerait à mon père, car elle lui disait tout. Craignait-elle de mourir en omettant de rapporter la moindre bagatelle à son mari ? Je connaissais déjà sa réponse car sa loyauté et son amour pour lui étaient nés le même jour. Ma mère faisait partie de ces gens qui portent l'amour comme une lourde chaîne autour du cou et pensent que le dévouement est sa plus belle manifestation. Bien que les motivations de mon père ne fussent pas si évidentes, elle comprenait son type d'engagement : il avait opté pour une vie modeste dans le delta du Niger afin d'être plus près de ce qu'il aimait. Ma mère resta muette presque tout le dîner. Elle parvenait à peine à me regarder, à observer la joie manifeste sur le visage du garçon qui s'apprêtait à commencer une nouvelle vie, comme si rien ne risquait de changer le lendemain.

Lorsque nous étions montés dans la voiture, chez nous, dans l'État de Bayelsa, ma petite sœur larmoyante m'avait ordonné en levant les yeux vers moi :

« Ne pleure pas. »

Le regard perplexe que je lui avais adressé au moment de répondre :

« Pourquoi est-ce que je pleurerais ? » semblait flotter dans le regard de ma mère chaque fois qu'elle me lançait des coups d'œil à table. Elle ne comprenait pas le type d'affection que je ressentais pour elle, tout en étant capable de faire abstraction, d'accepter la distance. Elle était persuadée que je l'oublierais et cesserais de l'aimer car elle ne comprenait pas que l'amour est infini. Ma mère éprouvait un quota d'amour qu'elle s'était fixé et le distribuait avec une précision presque chirurgicale. Je me demandais parfois si elle estimait que j'avais reçu plus d'affection que je ne le méritais. Mais étant ma mère, elle n'aurait jamais pu m'aimer moins, même si elle l'avait voulu.

*

Après son départ, je m'habituai à ma nouvelle vie chez M. Odukoya en un rien de temps. Je passais le plus clair de mes journées à dévorer des livres, parfois installé dans l'un des nombreux coins calmes de son immense maison, souvent interrompu par l'apparition de Mme Folayo, une assiette de friandises et une boisson fraîche entre les mains. Au début, je logeais à l'internat de l'école, mais M. Odukoya et Mme Folayo eurent rapidement la nostalgie du claquement de mes pieds nus sur le parquet. Après un unique semestre à l'internat, je commençai à faire l'aller-retour quotidien entre la maison et mon école. Bien qu'ils ne l'eussent jamais exprimé, il était évident que j'offrais une distraction bienvenue à leurs vieux soucis.

Cinq ans après la mise en place de ces nouvelles dispositions, je tournais la dernière page d'un roman, lové dans un canapé vert moelleux. Ces derniers jours, Tonton, particulièrement occupé, restait enfermé dans son bureau. Aussi transférai-je une pile de livres dans ma chambre. Je montai lentement l'escalier avec la détermination d'un propriétaire et entrai dans la pièce que j'avais réaménagée selon mes préférences. Je posai les livres puis me demandai lequel j'allais ensuite savourer. Tandis que mon esprit envisageait la question avec délice, une lueur orange attira mon regard par la fenêtre. Je me dirigeai lentement vers l'ouverture grillagée, ma curiosité pas tout à fait piquée. Il me fallut une seconde pour localiser la source de cette pâle lueur et, lorsque ce fut fait, l'adrénaline traversa brusquement mon corps et jaillit par ma bouche sous la forme d'un cri frénétique :

« Au feu ! Au feu ! »

Je dévalai l'escalier à toutes jambes sans cesser de scander ces mots. Atteignant la dernière marche, je tombai sur une Mme Folayo inquiète et un M. Odukoya grognon qui m'attendaient au pied de l'escalier. Mme Folayo implorait bruyamment la grâce de Dieu, cris qui ne faisaient qu'amplifier le vacarme. M. Odukoya finit par nous interrompre d'un ton ferme :

« Où ça ?

— Chez les voisins », répondis-je en me dirigeant vers la porte, avant que Mme Folayo ne puisse me retenir à l'intérieur. Dehors, l'incendie était plus visible et la plupart des habitants de la rue se tenaient à l'extérieur du mur jaune pourvu de fils barbelés. Personne n'appela les pompiers car c'eût été inutile. Les *mallam* préférèrent engager une action coordonnée, assez fantaisiste ; se forma ainsi une chaîne dont la mission était de transporter des seaux de lessive Omo diluée dans de l'eau et de les vider sur le feu qui se propageait rapidement vers la maison. Excité par toute cette agitation, je tentai vainement d'aider jusqu'à ce que Mme Folayo décide de m'en empêcher. Maussade, je restai un moment à côté d'elle, puis j'aperçus une jeune fille d'à peu près mon âge qui se tenait seule, un peu plus loin. J'obligeai la main de Mme Folayo à lâcher la mienne et me dirigeai vers elle.

« Bonjour », lançai-je avec un grand sourire qui clochait un peu au milieu de la pagaille ambiante. À mon grand mécontentement, la fille continua à regarder fixement l'incendie sans prononcer un mot ni faire attention à moi.

« Bonjour ! » répétai-je plus énergiquement. Elle ne m'adressa pas un regard.

« Je m'appelle Akpo. Enfin, Seun », me corrigeai-je rapidement. Je n'étais toujours pas totalement habitué à mon prénom lagotien.

Mes amis m'avaient dit qu'Akpokio était difficile à prononcer pour les gens de la grande ville. Ainsi, je devais simplement me faire appeler Seun, mon deuxième prénom yoruba.

« Et toi ? »

Elle posa brièvement les yeux sur moi puis regarda de nouveau ailleurs.

« C'est ma maison, dis-je, le doigt pointé vers la grande demeure, bien décidé à ignorer sa réticence. J'y habite depuis cinq ans. » Son mutisme commençait à m'agacer.

« Tu as la peau très foncée, constatai-je soudain. Est-ce que tu parles anglais au moins ?

— Oui », répondit-elle brusquement. Sans me laisser le temps de poursuivre, elle me tourna le dos et courut se réfugier dans la maison située à côté de la nôtre et couverte d'un enduit blanc semblable.

Major, le gardien de la maison de Tonton, fut l'un des héros de l'incendie. Il suggéra à la chaîne humaine d'accélérer la transmission des seaux, et lorsque le feu commença à s'étendre, il eut l'idée d'utiliser du sable mouillé pour freiner sa progression. Cet homme était grand, mince et avait la peau foncée – très foncée. Si foncée qu'elle semblait luire dans le noir. Lorsque la lune éclairait faiblement le ciel, il semblait flotter, lumineux, telle une sinistre apparition. Il faisait partie de ces nombreux veilleurs qui avaient été gardiens de troupeau dans le Nord jusqu'à ce que d'interminables sécheresses les poussent vers le Sud. Les adultes ne juraient que par ces hommes car, selon la légende, leurs yeux féroces ne se fermaient jamais la nuit ; les enfants, eux, les adoraient parce que, de jour, ils tenaient des stands couverts de bonbons et autres babioles qui captivaient brièvement leur attention puérile. Les animaux étaient toujours à l'aise avec Major, qui disait souvent qu'il aurait fait le plus doué des voleurs. Et il avait raison. Il se déplaçait sans un bruit et possédait une force bien supérieure à ce qu'on pouvait imaginer. Il s'exprimait par chuchotements énergiques qui captaient l'attention des personnes auxquelles ils étaient destinés mais restaient inaudibles pour les autres. Major oubliait souvent de sourire mais, parfois, une ligne blanche fendait son visage, tel un bref éclair par une nuit noire orageuse. Il respirait sans un bruit et entendait tout. Il excellait dans ce qu'il faisait et aimait les personnes aussi compétentes que lui, d'où son adoration pour M. Odukoya.

Je possédais un vélo BMX bleu qu'on m'avait offert pour mon quatorzième anniversaire. Souvent, je demandais à Mme Folayo si je pouvais aller lui chercher quelque chose dans la rue afin de vérifier la vitesse à laquelle j'effectuerais l'aller-retour. Après l'incendie survenu chez les voisins, je me promenais sur mon vélo muni d'un petit carnet et d'un stylo, dans le but de « noter des observations visant à protéger les résidents de notre rue », au grand amusement des *mallam* qui m'épiaient discrètement derrière leurs grands portails et leurs hauts murs. Un chien errant rôdait de temps à autre dans notre rue ; ma mission était de le chasser en faisant tinter ma sonnette comme un fou dès que je le voyais. J'exécutais ma tournée habituelle du quartier, lorsque je vis la fille du soir de l'incendie acheter des chewing-gums au *mallam* installé en face de nos maisons. Je la rejoignis d'un air aussi suffisant qu'un inspecteur de village, impatient d'exhiber mon véhicule flambant neuf.

« Hé, pourquoi t'es-tu enfuie l'autre jour ? » C'était la question que je mourais d'envie de lui poser depuis près de trois mois.

« Ça ne te regarde pas », répondit-elle d'un ton revêche.

Étant donné que ma question était posée et qu'elle ne daignait pas y répondre, je ne savais plus quoi dire.

« Hé, ça te dirait d'essayer mon vélo ?

— Non.

— Pourquoi ? Il est super.

— Laisse-moi tranquille.

— Tu ne sais pas en faire ? »

Ce n'était pas la raison de son refus, mais il était vrai qu'elle n'avait jamais eu l'occasion de monter sur une bicyclette. Elle se tint aussitôt sur la défensive.

« Bien sûr que si.

— Ce n'est pas grave, tu sais. Je viens seulement d'apprendre. Regarde », dis-je en pointant du doigt une entaille impressionnante sur mon genou, le prix à payer pour mes exploits. En la voyant hésiter, je devinai que je l'avais presque convaincue. Les enfants étaient peu nombreux dans notre rue, alors que dans l'État de Bayelsa, j'avais l'habitude d'être entouré de camarades de jeu.

« Je t'apprendrai une autre fois. Pour le moment, tu peux t'asseoir derrière moi.

— D'accord », répondit-elle. Lorsqu'elle fut installée, je tendis la main afin qu'elle me donne un chewing-gum.

« Mon nom est Seun, et je suis ton chauffeur pour la journée. Ce chewing-gum paiera ton trajet. Comment t'appelles-tu ?

— Aisha, répondit-elle, avant de m'en tendre un et de se positionner convenablement. Et si je t'offre un chewing-gum, c'est uniquement parce que tu as mauvaise haleine. »

Je savais que ce n'était pas vrai, mais je manquai totalement de répartie ; j'étais encore vexé lorsque nous atteignîmes le haut de la rue. Le chien était là et, comme d'habitude, il aboyait après nous. Je sentis Aisha se raidir derrière moi et, toujours blessé par sa remarque cinglante, je décidai de reprendre le dessus. Je fonçai sur le chien puis freinai brusquement en faisant tinter ma sonnette de toutes mes forces. Lorsque l'animal recula, j'éclatai de rire. Aisha hurla, mais je recommençai. La troisième fois, le chien commença à montrer les crocs et, au lieu de fuir, se mit à avancer. Aussi terrifié qu'Aisha, je redescendis la rue en pédalant comme un dératé, la bête sur les talons. Aisha hurlait de terreur et je faisais de mon mieux pour me retenir de l'imiter. Atteignant ma maison à la vitesse de l'éclair, je cherchai du regard le premier portail ouvert et m'aperçus finalement que le grognement qui nous suivait avait disparu. Je hasardai un coup d'œil derrière nous, vis le chien calmement assis près de Major et freinai sans réfléchir. Aisha tomba aussitôt de son siège et je m'envolai par-dessus le guidon, m'abîmant sérieusement l'autre genou. J'esquissai un sourire afin d'apaiser son regard horrifié.

Nous filâmes vers la maison après que Major eut renvoyé le chien dans l'autre direction. Il sourit en nous regardant approcher. Son travail de la journée terminé, il s'empara du vélo tandis que nous nous précipitions dans la cuisine afin de rejoindre Mme Folayo.

« Ha ha, ce garçon ! Tu n'arrêteras pas de faire du vélo tant que tu ne te seras pas cassé tous les os, hein, grommela celle-ci avec bonne humeur. Et qui est donc ton amie ? demanda-t-elle en observant Aisha qui restait timidement en retrait. Pauvre enfant, viens ici. Je vois qu'il a essayé de te tuer aussi, poursuivit-elle sans attendre de réponse.

— Elle s'appelle Aisha, répondis-je. Elle habite à côté. »

Mme Folayo épousseta les vêtements de mon amie puis elle nous offrit du Ribena et des *puff puff*.

Plus tard, nous nous laissâmes tous deux tomber sur mon lit et Aisha me regarda d'un air sérieux.

« Tu portais un autre prénom le soir de notre rencontre. Avo quelque chose. »

J'éclatai de rire.

« Pas Avo comme avocat, mais Akpo comme Akpokio.

— Répète, m'ordonna-t-elle en observant ma bouche avec sérieux.

— A-kpo-kio, articulai-je.

— Akpokio ! » s'exclama-t-elle. Son délicat accent haoussa n'avait jamais été aussi perceptible qu'à ce moment-là. Je m'apprêtais à corriger sa prononciation, mais il aurait été dommage de faire disparaître son regard. Je souris et répétai mon nom pour moi-même, surpris par sa sonorité devenue presque étrangère.

« A-kpo-kio ! » prononça-t-elle en détachant à son tour les syllabes. Cette fois, on aurait dit qu'elle jouait dans un film de kung-fu tant le « kio » était agressif.

Nous éclatâmes de rire.

« Je préfère ce nom à Seun. Je t'appellerai comme ça quand je serai satisfaite de toi. » À cet âge-là, on percevait déjà chez Aisha cette qualité habituellement réservée aux rois et aux reines, cette autorité sur son entourage qui donnait presque envie de la remercier de tolérer notre présence.

Nous continuâmes à discuter ainsi jusqu'à une heure tardive et je m'étonnai que personne ne fût venu la chercher. Finalement, Aisha se leva et partit, m'adressant un au revoir depuis la porte qui ne trahissait aucune hâte. Dès le lendemain, on frappait à ma porte.

« Quelqu'un est venu te voir », m'annonça Mme Folayo avec un sourire.

C'est ainsi que, lors d'un trajet à vélo mouvementé, s'était créé entre nous un lien éternel.

*Zombie*
(Sud du Nigeria, 2003)

Voici l'image qu'à jamais je conserverai précieusement de ma mère, Mme Ranti Ehurere. Elle porte son boubou préféré, dont les stries jaunes et noires reposent élégamment sur ses fines épaules. Elle ne porte pas de bijoux autour du cou – celui-ci est une œuvre d'art en lui-même. Son menton fier frémit tandis qu'elle parle sans pouvoir s'arrêter. Ses doigts fins s'agrippent avec force aux miens mais je détourne les yeux, embarrassé par son regard gris anthracite pénétrant, par les larmes prémonitoires qui s'écoulent de ses yeux ignorants.

Je vivais à Lagos depuis plus de cinq ans déjà mais, chaque fois que je quittais la maison, ma mère pleurait comme si c'était mon premier départ. Ses gémissements incontrôlés nous accompagnaient comme une bande-son sinistre, alors que le paysage luxuriant de Sagamu disparaissait rapidement sous nos yeux. Cette fois, cependant, c'était différent. J'étais rentré à la maison pour les grandes vacances précédant les examens de fin d'études et ma mère s'était habituée à ma présence. Elle voyait que mon enfance touchait à sa fin et qu'elle en avait manqué une partie importante. Elle faisait le chemin avec moi une fois encore, mais aujourd'hui, elle n'essayait pas de camoufler son chagrin. Notre arrivée ressembla beaucoup à la première, à la différence que je marchais cette fois du pas assuré d'une personne arrivée chez elle. Ma mère le remarqua et cela l'attrista car chaque fois que je lui rendais visite dans le delta du Niger, je me déplaçais avec l'attitude prudente d'un intrus et ouvrais les tiroirs avec la timidité d'un invité. Je montai immédiatement me doucher. Si cinq ans auparavant je me lavais encore avec un seau et un bol, j'éprouvais à présent le besoin de sentir les jets d'eau piquants de la douche sur mon corps afin qu'ils me débarrassent du fruit de trois mois d'hygiène imparfaite.

Ma mère et Tonton échangèrent tout juste quelques civilités avant que la politique ne s'impose dans leur discussion. Celle-ci obnubilait chaque foyer nigérian et s'invitait à tous les repas. Tonton avait passé sa vie entière à se battre contre la tyrannie de la gouvernance militaire et voilà que le dernier et le pire des dictateurs officiels venait de mourir de façon inattendue. Son cadavre était enterré depuis un certain temps mais de croustillants détails émergeaient encore, présentant sa mort sous un jour surréaliste et provoquant une recrudescence de débats autour de la table.

« J'ai entendu dire qu'il avait été tué par des prostituées, dit ma mère avec incrédulité.

— Je suis sûr que la CIA est impliquée, répondit Tonton à voix basse, comme si quelqu'un les écoutait. Sinon comment Abacha et Abiola, le dictateur et le président élu, auraient-ils pu mourir mystérieusement le même mois ?

— Espérons juste que cet Obasanjo sait ce qu'il fait. C'était un militaire autrefois.

— C'en est toujours un ! répliqua Tonton. L'autre jour, il a demandé à un sénateur de se taire. À mon avis, nous sommes toujours sous gouvernance militaire, surtout si ce parti reste au pouvoir.

— Il n'y a que Dieu qui puisse nous venir en aide », conclut ma mère d'une voix lasse.

Cette phrase fit sourire son cousin. Il était fatigué de voir les gens rester assis, les bras croisés, à attendre une intervention divine, pendant que le pays s'effondrait. Mais il savait que mon père et ma mère faisaient ce qu'ils pouvaient, aussi ne réagit-il pas.

« Au fait, comment ça va de ton côté ? demanda-t-il soudain avec une inquiétude évidente. Je suppose que c'est de nouveau le désordre là-bas. Je pensais que vous alliez enfin retrouver le calme après l'exécution catastrophique de Saro-Wiwa, mais ces militants ont tout mis sens dessus dessous, encore une fois.

— Je sais qu'ici, vous avez tous lutté contre Abacha, mais tu aurais dû voir notre région après la pendaison de Ken et des autres chefs ogonis. Par chance, Seun est scolarisé ici, Dieu merci.

— Je sais bien, ma chère. N'oublie pas que je suis venu vous voir. Alors, que se passe-t-il maintenant avec ces militants ? Je ne sais pas très bien s'ils se battent contre l'État, comme le soutient le gouvernement, ou pour le peuple, comme ils le prétendent eux-mêmes. Je n'ai aucune confiance en ces soulèvements armés.

— Et tu fais confiance au gouvernement, peut-être ? répliqua ma mère.

— Non, je ne fais pas plus confiance aux dirigeants militaires qui ont abandonné l'uniforme. Mais dis-moi, qui est Charybde et qui est Scylla dans cette histoire ?

— Oh, nous verrons bien. Je suis fatiguée de tous ces gens et de leurs *wahala*[1], ils sont épuisants, dit-elle en levant les mains en signe d'exaspération.

— Les militants provoquent donc d'autres problèmes ? demanda Tonton comme s'il connaissait déjà la réponse.

— Certains avaient des intentions nobles au début, mais comme toujours, les hommes politiques les ont encouragés à se salir les mains.

— Tu veux dire que des hommes politiques sont impliqués ? demanda M. Odukoya avec incrédulité.

— On ne peut rien prouver, bien sûr, mais brusquement, ces hommes mécontents qui protestaient contre la multiplication des nappes de pétrole ont été rejoints par de jeunes garçons munis de mitraillettes qui siphonnent le pétrole et kidnappent à tout va. Tu as sûrement entendu parler du meurtre des douze hommes politiques ?

— Qui est impliqué, dis-moi ?

— Nous n'en savons rien, justement. Mais je suis inquiète car, même si cette affaire lui profite, le gouvernement fédéral ne

---

1. Problèmes.

fermera pas les yeux et la riposte ne tardera pas. Obasanjo s'est révélé assez belliqueux lorsqu'il a annoncé ses projets pour régler le problème. Il n'a donné que quelques jours aux chefs de communauté pour lui livrer les coupables.

— Comme tu le vois, Seun s'amuse bien chez nous. Tiens, tu diras à ta tête de mule de mari qu'il devrait faire une pause et venir passer un moment ici avec toi et la petite », dit Tonton après un silence, pour essayer de détendre l'atmosphère.

Ma mère gloussa.

« Ma parole, tu as envie qu'on envahisse totalement ta maison ? Tu t'es déjà montré tellement bienveillant envers Seun. Il semble se plaire ici. Et qui est cette Aisha dont il n'arrête pas de parler ?

— Je crois que ton garçon a le béguin pour elle. C'est cette fille haoussa qui vit à côté. Si tu restais plus longtemps, tu l'aurais déjà rencontrée, se hasarda Tonton, sans doute dans l'espérance qu'elle rallonge son séjour.

— Tu connais ton ami. La dernière fois qu'il n'a pas vu son épouse pendant une semaine, on aurait dit qu'il avait vécu la fin du monde. »

Elle prononça ces mots avec le soupir heureux d'une femme convaincue que sa place est auprès de son mari.

« Seun ferait mieux de ne pas tomber amoureux d'une fille haoussa, lança ma mère, avant d'être interrompue par le rire de Tonton.

— Ah, tu peux parler ! D'où vient ton mari, dis-moi ? Cet homme ne comprend même pas le mot *ekaro*[1] ! » Et tous deux rirent ensemble.

La pureté du ciel bleu rendait ma mère heureuse. Tout le reste était pollué – l'eau, les arbres, les plaisirs. Les routes étaient faites de boue, les maisons, de ciment nu, et les gens cuisinaient sur des engins rudimentaires fonctionnant au feu de bois. Elle gardait les yeux levés vers le ciel, essayant d'oublier que juste une semaine plus tôt, elle m'avait laissé à Lagos sous un ciel qui fuyait en

---

1. « Bonjour » en yoruba.

permanence, comme ses yeux. Les émeutes étaient continuelles et mon père restait convaincu que le gouvernement et les multinationales allaient être obligés de céder à leurs exigences. Il refusait d'écouter si on lui demandait de rester chez lui pendant les mêlées, et ma mère était inquiète. Quand on le raisonna en lui rappelant qu'il devait rester prudent parce qu'il était l'un des organisateurs du mouvement, il se contenta de rire et poursuivit ses occupations avec la même obstination silencieuse.

« Le gouvernement va bientôt venir négocier avec nous, disait-il. Il faut que je sois là pour l'accueillir. »

À quelques kilomètres de là, une grenouille argentée éructait une sérénade depuis un lac noir. Une autre se noyait dans une mare de goudron, gardée par de grandes libellules aux ailes trop nombreuses. Ma mère décida de faire la lessive pour se changer les idées et emporta dehors un seau vert pâle. Elle appela ma sœur à plusieurs reprises pour qu'elle lui apporte de la lessive et s'aperçut que sa voix sonnait trop fort. Elle cessa de hurler et tendit l'oreille. Comme tout était beaucoup trop silencieux, elle jeta un coup d'œil à la ronde, légèrement déboussolée.

Soudain, on entendit une bruyante explosion et des milliers d'étincelles jaillirent dans l'air, réveillant les rares animaux encore en vie dans les forêts mourantes, où s'éleva une cacophonie généralisée. Le seau tomba de sa main et, sans réfléchir, elle courut vers la route principale, l'endroit d'où venait le bruit. Elle avait le pressentiment que sa fille était là-bas, elle savait que son mari s'y trouvait aussi. Elle débuola sur la route et fut submergée par le chaos : les gens lançaient des pierres et des bouteilles sur les soldats qui, en retour, leur envoyaient des balles et des bombes. Ma mère, Mme Ranti Ehurere, mourut rapidement et sans souffrance cinq minutes après avoir entendu la première explosion, et c'était mieux ainsi.

C'était mieux ainsi parce qu'elle ne vit pas sa fille de huit ans clouée au sol par un soldat au sourire méprisant, qui la battit et la viola. Elle ne vit pas un deuxième soldat imiter le premier puis écraser le crâne de son enfant avec la crosse de son arme. Elle ne vit pas le corps géant de son mari expirer lentement, tandis que les balles rapides d'une arme automatique lui perforaient l'estomac, laissant couler de l'acide sur ses grands doigts alors que ceux-ci tentaient de sauver son âme de sa lente expiration.

Elle ne vit pas les vieilles femmes en pleurs rouler sur le sol en se heurtant la tête contre la terre boueuse et sanglante à maintes reprises. Elle ne vit pas sa voisine, recroquevillée en position fœtale dans la mare formée par le sang de son bébé mort qu'elle serrait toujours contre son sein. Elle ne vit pas les bottes qui enfonçaient des portes au hasard et les balles impartiales qui touchaient tout ce qui se trouvait derrière. Elle ne vit pas sa maison en flammes ni ses restes noircis lorsque les clémentes pluies acides arrivèrent enfin. Elle ne fut pas là lorsque j'appris la nouvelle et elle ne resta pas à mon chevet pendant six mois. Elle ne vit pas les tristes tentes de fortune faites de nylon et de vieux sacs qui abritèrent les survivants. Elle ne vit pas notre ville entière être réduite en cendres. Mieux valait qu'elle n'entende pas les excuses lamentables que donna le gouvernement pour justifier le massacre d'Odi dans l'État de Bayelsa. Le verdict des tribunaux militaires était toujours le même ; ce désordre avait été provoqué par des « soldats inconnus ».

À l'arrière-plan, le flot de pétrole continuait à produire de l'or noir, mais au lieu d'aller remplir les caisses de la Banque centrale, les dollars filaient tout droit dans les poches des hommes politiques, tandis que le gaz flambait au sommet des longues torchères en s'agitant comme les drapeaux des multinationales pétrolières. Les camps des militants débordaient de jeunes désabusés pressés d'obtenir la drogue qui les anesthésiait et les armes qui leur procuraient une force factice. Dans la capitale, le gouverneur O.C. Abari se félicitait d'avoir réussi son premier trou en un sur son terrain de golf personnel.

Je jouais au Ludo avec Aisha au moment où Mme Folayo entra. Je venais de lancer le dé et déplaçais mon pion, lorsque son visage sombre apparut après un coup discret à la porte. Il fut tout de suite évident que quelque chose n'allait pas.

« Aisha, je crois qu'il vaut mieux que tu rentres chez toi, dit-elle doucement. Seun, ton oncle veut que tu ailles le voir dans son bureau.

— Ce n'est pas moi. Elle était déjà fêlée », protestai-je aussitôt, certain que Mme Folayo avait trouvé la tasse que j'avais cassée puis cachée au fond du placard. Tonton me convoquait rarement dans son bureau et je pensais que c'était le meilleur moyen d'éviter une réprimande. Ses yeux rouges et sa voix tendre me surprirent quand j'entrai dans la pièce, dont les lourds rideaux étaient presque entièrement tirés.

« Seun, commença-t-il d'un ton doux, sa voix habituellement calme tremblant quelque peu. Il y a eu une attaque militaire à Odi. » Au début, le nom de ma ville natale ne déclencha rien en moi et je continuai à regarder Tonton sans comprendre.

« Beaucoup de gens sont morts, poursuivit-il d'une voix finalement brisée, les larmes aux yeux.

— Est-ce que maman va bien ? » le coupai-je d'un ton affolé. Le silence de Tonton confirma ce que sa bouche ne pouvait pas prononcer.

« Et ma sœur ? Et mon père ?

— Seun, tous les membres de ta famille... » répondit Tonton sans retenir ses larmes. Je m'effondrai brutalement sur le sol.

*

Six mois durant, je repris plusieurs fois connaissance pour mieux sombrer dans l'inconscience, constamment veillé par Mme Folayo, Tonton et Aisha dans ma chambre d'hôpital. Par un jour morne aux nuages mous – tous les jours se ressemblaient en cette saison d'anomie –, mes yeux s'ouvrirent lentement. Mon réveil suscita peu de réactions ; apparemment, chaque fois que j'étais sorti de mon état d'inconscience les mois précédents, j'avais fini par replonger dans des cauchemars agités. Mais je continuai à regarder fixement les yeux effrayés d'Aisha et dis enfin :

« Salut.

— Il est réveillé ! » hurla-t-elle avec une immense joie, puis elle m'étreignit jusqu'à ce que l'infirmière essaie de l'expulser de la chambre. Après s'être assurée que tout allait bien, la femme guindée disparut dans le couloir pour téléphoner à Tonton et lui annoncer la nouvelle. Lorsque celui-ci arriva, accompagné de Mme Folayo, un sourire crispé de soulagement aux lèvres, Aisha et moi étions empêtrés dans une profonde querelle, qui ne tarda pas à provoquer notre hilarité.

Je rentrai de l'hôpital différent. J'étais grand, j'avais la peau foncée et je broyais du noir. Tonton m'avait adopté légalement : je ne portais plus le nom d'Akpokio Seun Ehurere mais celui de Seun Akpokio Odukoya. Je ratai mes examens de fin d'année et passai six mois à récupérer en compagnie des grands maîtres de la fiction, tous morts depuis longtemps, car pour moi, la vie n'était que l'existence surréaliste de l'inimaginable. Je délaissai les livres de contes pour me plonger dans la littérature, remplaçant Enid Blyton par Charles Dickens. Lorsque je me sentis suffisamment en forme, je passai six mois de plus à étudier, jusqu'à ce que j'obtienne mes examens de fin d'année un an après la date prévue. On m'attribua les meilleures notes qu'avait connues le lycée ces cinq dernières années. Aussi, lorsque les émeutes incessantes paralysèrent le système universitaire nigérian, Tonton ne s'opposa-t-il pas à ma décision de partir étudier à l'étranger. Pendant l'année qui précéda mon départ pour l'Angleterre, mon univers se résuma aux livres, à l'école, Aisha, Tonton et Mme Folayo.

Il existe peu de personnes comparables à une tantine nigériane et Mme Folayo incarnait cette rare espèce. Ces femmes veillent sur vous comme une mère, vous écoutent comme une amie, se montrent excessivement généreuses, ne vous grondent que lorsque c'est nécessaire et soutiennent toutes vos idées, aussi extravagantes soient-elles, parce qu'elles sont fières de vous comme le serait un père, et n'ont pas l'obligation d'assumer la lourde responsabilité des conséquences de vos échecs. Ainsi Mme Folayo intervint-elle avec beaucoup de tact lorsque je perdis ma famille. Connaissant le drame qui avait frappé Aisha, elle l'avait également prise sous son aile.

Mme Folayo avait eu jadis une famille à elle, un mari nerveux qui exerçait le métier de policier et une petite fille pleine d'entrain, mais atteinte d'un asthme chronique et pourvue d'un corps chétif. M. Folayo n'était pas alcoolique, mais il avait un penchant pour la boisson, surtout pour les alcools locaux. Il buvait du vin de palme le matin, du *burukutu*[1] l'après-midi et de l'*ogogoro* le soir. Il attribuait ce goût particulier à son noble patriotisme, mais la véritable raison, c'était que ces alcools coûtaient moins cher. M. Folayo portait la moustache, seul détail soigné de son apparence. Cet homme possédait toutes les caractéristiques du policier corrompu – grosse bedaine posée sur une épaisse ceinture, visage sévère sur lequel s'affichait un sourire servile dès que nécessaire, doigts gras toujours prêts à arrêter d'innocents conducteurs et empocher des pots-de-vin hâtifs. La seule chose louable chez lui, c'était qu'il adorait sa fille.

M. Folayo n'était jamais un homme charmant, mais il pouvait être d'agréable compagnie s'il le voulait, car il connaissait beaucoup d'histoires et les racontait bien. Lorsqu'il était de bonne humeur, son visage crispé affichait une expression soigneusement élaborée destinée à le rendre attachant, mais qui le rendait plutôt exaspérant. La future Mme Folayo se sentait seule. Sa mère la faisait pleurer alors que lui la faisait rire. Leur union fut célébrée dans la joie mais les plongea rapidement dans le malheur. Lorsque l'enfant naquit deux ans plus tard, tous deux se réjouirent de cette distraction. Mme Folayo était une fervente croyante, tandis que son mari était un fervent mécréant. Cela provoquait de nombreux problèmes entre eux. Elle lui reprochait sans arrêt de se laisser soudoyer, lui la blâmait parce que ses prières l'empêchaient de dormir la nuit. Ces accusations étaient souvent infondées et malheureusement sans fin. Peut-être aurait-elle pu trouver mieux car M. Folayo n'avait jamais été un mari désirable, mais il lui avait jadis paru convenable. Mme Folayo avait de charmantes pommettes qui complétaient à merveille sa mâchoire anguleuse, mais le reste de son visage semblait avoir été comprimé, ce qui lui donnait un air de triste repentir allant de pair avec son caractère. Ainsi les gens se demandaient-ils souvent lequel influait sur l'autre.

---

1. Boisson alcoolisée à base de sorgho fermenté.

En général, Mme Folayo déposait leur fille à l'école en se rendant à son travail, puis son mari allait la chercher l'après-midi et la laissait jouer avec les autres enfants du quartier dans leur modeste appartement, pendant qu'il descendait ses nombreux verres de l'après-midi. M. Folayo travaillait le soir car c'était le moment où sa femme se trouvait à la maison et qu'il préférait ne jamais la voir. Un jour, au lieu de coiffer son casque et de monter sur sa moto déglinguée pour aller chercher sa fille, il posa sa lourde tête dans ses mains bonnes à rien, les coudes appuyés sur la table couverte de bouteilles vides. L'école se trouvait près de la gare routière très animée nommée Mile Twelve. Au bout de trois heures d'attente interminables, la petite fille se dit qu'elle parviendrait certainement à retrouver le chemin que sa mère et elle empruntaient chaque matin en bus.

Le temps était chaud et sec ce jour-là. Les gros cars soulevaient d'épais nuages de fumée et de poussière qui irritaient ses poumons et l'étourdissaient. Elle se faufila jusqu'à l'ombre des rares arbres situés en retrait du tumulte de la gare puis aspira quelques rapides bouffées de son inhalateur et commença à se sentir mieux. Le patron de sa mère lui avait offert une chaîne en or pour son anniversaire, sur laquelle celle-ci avait enfilé une croix. Occupée à la tripoter joyeusement, la petite ne remarqua pas que certaines feuilles tombées semblaient suspendues en l'air, comme des marionnettes. Soudain, elle tomba dans un trou et atterrit à l'endroit où le malheur des enfants n'existe pas.

Incapable de la retrouver, M. Folayo sombra dans le désespoir. L'indifférence de ses collègues policiers provoquait en lui une immense frustration. Il se défoulait sur Mme Folayo, pour qui le seul moyen de supporter la disparition de leur fille était de prier avec ferveur. Un jour, son mari quitta la maison et ne revint pas.

Mme Folayo vivait ce drame depuis douze ans et, bien que sa cicatrice demeurât béante, elle la portait avec grâce et soutenait vaillamment les pupilles de l'État qui habitaient au 33 Oyelaran Soyinka Road.

\*

L'idée de rentrer à la maison me fut moins pénible la deuxième fois, aussi revins-je à Lagos les vacances suivantes. Accompagnée de M. Monday, Aisha m'attendait à l'aéroport.

« Akpokio ! s'exclama-t-elle. J'aime toujours autant ton nom. » Aussitôt, ce fut comme si nous nous étions quittés la veille. Nous étions trop captivés l'un par l'autre pour que j'observe Lagos. Lorsque nous arrivâmes à la maison, Aisha sortit d'un bond de la voiture et courut vers l'entrée avec une spontanéité que j'allais devoir réacquérir.

« Tu viens souvent ici ? lui demandai-je, tandis que nous poussions les portes en chêne.

— Si souvent que je n'arrive plus à la chasser, intervint Mme Folayo avec bonne humeur. Elle passe beaucoup trop de temps avec les vieillards que nous sommes.

— Juste assez pour apprendre et trouver l'inspiration. Les personnes âgées connaissent les histoires les plus intéressantes au monde », répliqua Aisha, dont les mots firent grimacer Mme Folayo.

Nous entrâmes dans le salon de Tonton, où fusaient des rires. Le sien était tout juste assez bruyant pour se distinguer des autres.

Tonton était devenu avocat des droits de l'homme parce qu'il aimait passionnément l'humanité et croyait fermement au caractère sacré de toute vie. Il était un jour tombé sur les restes d'un livre illustré pour enfants et avait lu cette phrase : « Une personne est une personne, peu importe sa taille. » Ces mots étaient restés gravés en lui. Au fil des années, il avait adapté les derniers en de nombreuses occasions à son plaidoyer, bien que la plupart du temps, il prononçât simplement : « peu importe sa pauvreté ». Malgré sa nature tendre, il ne pouvait supporter de se trouver seul avec quiconque, hormis les cinq personnes qui possédaient, selon lui, la force de caractère nécessaire. Tonton disait souvent qu'il avait eu la merveilleuse malchance de naître avec de trop nombreux intérêts (caractéristique qu'il nommait son « infinie curiosité »), ce qui signifiait qu'il trouvait souvent les autres ennuyeux. De leur côté, les gens le prenaient pour un impoli, même s'ils avaient d'abord été fascinés par lui. Tonton se méfiait des petits groupes, sauf lorsqu'ils se composaient de personnes choisies, parce qu'il craignait plus que tout de se retrouver coincé avec des personnes rasoir en mal d'interlocuteurs. C'est pourquoi il restait souvent seul, refusant la plupart des invitations qu'on lui transmettait, et était généralement considéré comme snob. Et bien qu'il préférât de loin siroter quelques verres chez lui en compagnie du « groupe "AdN" » (Avenir du Naija[1]), il s'épanouissait pleinement au cœur des grandes foules, virevoltant d'un groupe à l'autre, un large sourire aux lèvres, et laissait chaque débat plus passionné et captivant qu'il l'était à son arrivée.

Tonton avait conçu sa maison comme s'il s'attendait à recevoir en permanence de nombreux invités : les grands espaces étaient propices aux conversations d'ordre général, les coins intimes aux sujets plus sensibles. Ses décorations suscitaient la discussion et il régnait sans cesse dans sa demeure l'impression que la foule de ses amis n'allait pas tarder à arriver – une idée qu'on entretenait intentionnellement afin d'inciter Tonton à achever les innombrables tâches qu'il avait décidé d'accomplir avant l'interruption imminente qui ne se produisait jamais. Son salon était oppressant pour une personne, intimidant pour deux, mais salutaire pour six.

Cet été-là, lorsque je rentrai au pays pour la deuxième fois, la maison était vivante. Les arbres portaient plus de fruits que le vieux Rufus pouvait en ramasser et les oiseaux se posaient par nuées sur le jardin, emplissant l'air de leur chant mélodieux. Les fleurs s'épanouissaient et les insectes bourdonnaient, magnifiquement efficaces. Un an pile après leurs retrouvailles,

---

1. Autre nom du Nigeria, parfois utilisé par les Nigérians lorsqu'ils veulent afficher leur patriotisme.

la présence d'Emeka avait forcé la nature solitaire de Tonton à disparaître dans un calme recoin de son être et le vieil homme invitait des personnages brillants mais entêtés, aux idéaux inébranlables, à venir converser chez son ami. Emeka semblait avoir l'intention de rattraper le temps perdu pendant ses nombreuses années d'isolement forcé et de solitude choisie, et il forçait Tonton à mieux accepter la compagnie. Je m'en réjouis secrètement lorsque je le rencontrai enfin et compris pourquoi Aisha et mon oncle avaient tant insisté pour me présenter Emeka lors de ma première visite. À ma grande déception, la flamme née entre Aisha et moi pendant mes dernières vacances n'avait pas été entretenue durant mon absence. Peut-être comprenions-nous seulement l'amour présent qui se nourrit de chair et de sang. Peut-être nos histoires tragiques nous obligeaient-elles à nous méfier des contes de fées. En outre, je n'étais toujours pas décidé à revenir m'installer pour de bon au Nigeria. La crainte de la séparation nous gênait-elle ? L'orgueil pouvait aussi nous pousser à croire que notre lien était plus fort que tout et que nous finirions inévitablement ensemble. Mais la distance érodait notre intimité et tout ce que je savais de la vie présente d'Aisha, c'était que son intérêt pour les études universitaires s'était rapidement émoussé après le départ de Leema, sa meilleure amie. Elle espérait simplement faire partie des meilleurs élèves de sa classe à la fin de l'année. À ma grande déception, l'implication de chacun de nous dans la vie de l'autre se résumait en quelques mots. Il devenait assez évident que si je voulais Aisha, il faudrait que je me réinstalle à Lagos.

Tonton se réveillait toujours à sept heures du matin puis s'enfermait dans sa bibliothèque jusqu'à midi. Emeka se levait une heure avant lui et récitait immanquablement ses prières silencieuses face au levant. Ensuite, il sortait de la maison et s'asseyait sans un mot à côté du vieux Rufus ou de Major, voire M. Monday de temps en temps. Il ne mangeait jamais de petit déjeuner et s'exprimait peu, mais lorsqu'il le faisait, personne ne comprenait de quoi il parlait. On remarquait qu'il était particulièrement pensif les jours où il s'asseyait sous les goyaviers, ce qu'il faisait surtout à l'époque où les fruits étaient mûrs. À sa sortie de prison, Emeka était resté aveugle pendant deux mois ; puis un jour, alors qu'il méditait assis sous l'arbre dont les fruits dégageaient leur premier parfum de la saison, il avait lentement recouvré la vue. Emeka l'avait accueillie comme une vieille amie qui ne lui avait jamais vraiment manqué car il n'avait jamais douté de sa loyauté.

Au cours de mon séjour, j'essayai de profiter de sa compagnie les rares matins où je me levais à temps. Il m'adressait alors un sourire en coin puis posait une main ridée sur mes épaules comme s'il me transmettait un courant invisible chargé de connaissances. Ensuite, il me demandait quelque chose comme :

« Les musulmans vénèrent-ils Dieu ? »

Ses questions, très banales en apparence, étaient en fait purement rhétoriques. Emeka répondait alors à ses propres inter-rogations avec un tel manque de logique que lorsque j'en parlais à Aisha plus tard, je ne savais jamais très bien si j'étais convaincu ou simplement amusé. Mais les vraies discussions commençaient juste après le déjeuner, vers quinze heures, quand tout un groupe à l'automne de sa carrière, manquant de compagnie, envahissait la maison et se repaissait de vin de palme et des nombreux mets fins que Mme Folayo faisait apparaître comme par magie.

Je découvris par la suite que la conversation de ce groupe s'étranglait souvent de rire, s'empêtrait dans ses débats et débor-dait de vie.

« Ce n'est pas à vous, les Yorubas, de gouverner, vous zuste passé lé temps à lire, vous agissez pas. Ils ont pas convénu partagé pouvoir pétêt ? dit un jour Mme Ikechukwu. On attend une éter-nité, Obasanjo prend ses fonctions, il se dépêche de ramener tous les boulots dans le Nord. Son mandat est presque terminé, mais à part les banques, les télécommunications et quelques ministres, il n'a rien à montrer.

— Eh, il a fallu qu'il fasse preuve de diplomatie, vois-tu, déclara calmement la voix tranquille de Prof. C'était le premier à gouverner après le marché qu'ils avaient passé[1], alors il a dû respecter un certain équilibre. En outre, il a endigué la corruption plutôt efficacement.

— C'est ça, le problème avec notre peuple, intervint M. Adedoja. Nous respectons des institutions dont se fichent ces gens et que l'homme de la rue ne comprend pas. Même leur façon de combattre la corruption est douteuse ! poursuivit-il, agité. Avec tous ces professeurs et ces intellectuels qui font partie d'organisations internationales, tu penses vraiment qu'Obasanjo ne pouvait pas faire des choix corrects ? C'est ridicule ! Tu crois que les Haoussas déclareront qu'ils veulent l'égalité et qu'ils répartiront les postes entre des personnes de tout le pays s'ils arrivent au pouvoir ? Y vélent zuste massacrer mon frère.

— Il semble bel et bien que seul Obasanjo a respecté cette notion absurde d'unité nationale. Les Haoussas ne le feront jamais, et je vous trouve tous très durs, déclara Oyinbo en se tournant nerveusement vers Mme Ikechukwu. Je me suis rendu dans une banque la semaine dernière et j'ai demandé à voir l'un des employés. Le portier m'a répondu : "Y pas travaillé ici." Un peu agacé, j'ai rétorqué : "Qu'est-ce que ça veut dire ? Vous connaissez donc tous les employés de cette banque ?" Il m'a répondu : "*Oga*, cé pas nom igbo, il é pas ici." Imaginez un peu ! Un portier de Lagos qui ose affirmer que seuls les Igbos peuvent travailler dans cette banque !

— Mais il a raison, intervint M. Adedoja au milieu des éclats de rire. Voyez notre ministre des Finances, elle s'est entourée d'hommes igbos !

— *Abeg*, on lé mérite bien, prochaine fois qu'on a président, on va changer lé pays vite-vite. » Mme Ikechukwu s'exprimait souvent en pidgin afin, peut-être, de faire oublier aux autres sa beauté, de ne

---

1. L'accord conclu par les membres du PDP (Parti démocratique populaire), l'un des principaux partis politiques nigérians auquel appartient Obasanjo, consistait à se partager le pouvoir ainsi : un président originaire du Sud devait laisser sa place au bout de huit ans à un membre originaire du Nord et ainsi de suite.

pas se laisser doubler par les hommes, ou simplement de répondre aux railleries permanentes de ceux qui conservaient encore quelques légers préjugés secrets contre les Igbos.

« C'est impossible, affirma tristement Emeka d'un ton pragmatique. Regardez l'Amérique : après la guerre civile, il a fallu attendre des centaines d'années pour qu'un homme du Sud devienne président. La guerre du Biafra va continuer à nous hanter, comme si c'était nous qui avions commis ces massacres. »

Je profitai du silence qui suivit cette déclaration pour faire mon entrée. Comme c'était étrange : cette guerre occupait une place très importante dans l'histoire du Nigeria, mais c'était seulement la troisième fois que j'en entendais parler.

La première, j'étais à l'internat au collège du gouvernement fédéral à Lagos. C'était un jour de grand soleil et sans devoirs, l'une de ces rares journées où l'électricité fonctionnait normalement et où l'eau coulait de tous les robinets. Le type de journée où les petits garçons sont désœuvrés et où une douce brise les encourage à faire des bêtises – le démon sort alors de sa cachette afin d'animer ces mains oisives. Adolphus, mon camarade de chambre, vint me voir avec un sourire rusé en cachant quelque chose dans sa main. Au début, j'imaginai qu'il allait nous raconter l'une de ces histoires ridicules qui captivaient tout le monde et faisaient croire des choses invraisemblables aux garçons de la campagne. La veille, il leur avait relaté son voyage à Londres : d'après Adolphus, il faisait si chaud dans l'avion qu'il avait baissé sa vitre et rempli ses poches de morceaux de nuage pour se rafraîchir. Il avait raconté cette histoire avec une telle assurance que, lorsque mes camarades s'étaient tournés vers Janded[1] (un garçon censé tout savoir sur ce qui était étranger), celui-ci avait contesté le récit d'Adolphus d'une voix hésitante.

Je manifestai mon indifférence vis-à-vis de ce que mon compagnon de chambre avait à me montrer, tandis qu'il marchait près de moi avec le même sourire espiègle et criait :

---

1. Ce mot désigne, au Nigeria, tout ce qui vient d'Angleterre, comme « yankee » désigne ce qui est américain.

« Ils sont où, mes copains igbos ? »

Son père lui avait donné un billet biafrais qu'il avait oublié au milieu de ses manuels scolaires et venait de retrouver. Ce qui avait commencé comme une petite farce perdit rapidement de sa pureté. Il commença à prétendre que son trésor culturel était uniquement réservé aux garçons igbos, avant de lancer un timide :

« Vive le Biafra ! »

Rapidement, mes camarades organisèrent une maraude dont les rafles d'abord inoffensives prirent rapidement la forme d'un harcèlement nuisible. Une semaine plus tard, ils exigeaient une chambre séparée des autres et refusaient de parler aux non-Igbos. Le phénomène ne cessa que lorsqu'un surveillant s'empara enfin du billet. Mais ce que je trouvai le plus inquiétant, c'était qu'avant cela, je n'avais jamais entendu parler du Biafra – un sujet apparemment sensible et sulfureux pour mes amis les plus proches.

Peut-être avais-je entendu murmurer ce nom par le passé, mais Tonton ne s'attardait jamais sur la question, hormis pour condamner Ojukwu chaque fois que son nom apparaissait dans le journal. On ne m'apprit jamais ce qui s'était passé et ce ne fut jamais un sujet de conversation. Je décidai finalement de me renseigner sur la guerre du Biafra au cours de ma première année à l'université de Georgetown, lorsqu'un de mes amis lança sur le ton de la plaisanterie :

« Tu devrais finir ton assiette : pense aux petits Biafrais qui meurent de faim ! »

D'après lui, c'était ce que disait sa mère quand il était enfant. Elle chuchotait ces mots d'un ton solennel comme s'il s'agissait d'un secret qu'il valait mieux oublier. J'eus beaucoup de mal à croire les choses que je lisais. Pourquoi en parlait-on si peu ? C'était comme si l'événement le plus important de toute l'histoire nigériane ne s'était jamais produit.

Notre arrivée les interrompit à point nommé. Tonton profita de l'occasion pour présenter son neveu adoré à ses amis. Mme Ikechukwu me fit rougir en déclarant que j'étais beaucoup plus beau que lui. Oyinbo me serra nerveusement la main. M. Adedoja s'exclama de sa voix bruyante :

« L'université de Georgetown ! Mais c'est fantastique ! Tu veux sans doute devenir un grand avocat comme ton oncle.

— Je t'ai à peine vu pendant ta dernière visite. J'espère qu'Aisha ne va pas de nouveau te kidnapper, dit Emeka d'un ton qui semblait me souhaiter exactement le contraire.

— Bienvenue, déclara Prof. Il nous faut plus d'étudiants comme toi dans les grandes universités ; j'espère que tu reviendras ici », conclut-il en remontant ses lunettes sur son nez. Tonton arborait un sourire fier et, à mon grand embarras, Aisha faisait exactement comme lui.

La petite troupe se nommait pour plaisanter « groupe AdN ». Oyinbo[1] arrivait toujours le premier car il craignait que les autres lui prennent son fauteuil préféré, même si tous s'asseyaient chaque fois à la même place. Si Oyinbo s'appelait ainsi, c'était à cause de sa peau extrêmement pâle, presque semblable à celle d'un albinos. Ses yeux étaient marron clair – ou plutôt noisette –, mais le soleil ne lui posait pas de problème. Ses cheveux étaient blancs en raison de son âge et de sa sagesse, et s'il n'aimait pas sortir plus de quelques minutes, c'était simplement parce qu'il craignait les piqûres de moustique. Beaucoup le connaissaient sous son autre surnom, le Scribe, qu'il avait hérité à l'époque où il était un passionnant chroniqueur du journal *The Guardian*. Malgré sa prose sans égal, il prenait peu la parole au cours des discussions, n'intervenant que pour émettre des objections qui déclenchaient souvent un autre débat auquel il participait rarement. Je me demandais s'il avait honte de n'être pas aussi éloquent que son stylo, ou si son tempérament lui interdisait d'avancer un argument qui n'était pas suffisamment réfléchi. Il demandait toujours avec politesse qu'on mélange du *zobo*[2] à son vin de palme dans un bol car Tonton n'avait pas de calebasse.

Venait ensuite M. Adedoja, qui s'installait dans le fauteuil posé en face d'Oyinbo. Assis, il se penchait en avant d'un air belliqueux et pressait du bout des doigts les motifs couleur crème

---

1. Nom qui signifie « homme blanc » en yoruba.
2. Infusion de fleurs d'hibiscus.

des accoudoirs. Ancien associé de Tonton au cabinet d'avocats, il défendait volontiers chaque argument avec une passion convaincante, même s'il en venait à se contredire. Lorsqu'Aisha commença un stage au cabinet, il la prit immédiatement sous son aile et la fit assister à toutes ses plaidoiries. Elle me confirma qu'il était merveilleux à regarder. M. Adedoja avait seulement quelques années de moins que Tonton, mais ses cheveux étaient toujours noirs et élégamment ondulés. Il débordait d'un tel enthousiasme que sa grosse veine ressemblant au fleuve Niger – la Bénoué qui palpitait au milieu de son front – semblait souvent sur le point d'éclater. Hôte régulier de la maison depuis des années, il avait vécu seul avec sa mère autoritaire jusqu'à presque trente-cinq ans. D'un naturel timide, il avait eu le soudain désir de se rebeller au début de l'adolescence, puis il avait commencé à se quereller avec tout le monde, sauf sa génitrice, à la fin de l'adolescence, et il n'avait jamais perdu cette habitude. Mais il avait une tendance profonde à se montrer totalement indécis car sa mère avait toujours cru de son devoir de prendre toutes les décisions. Au début, il était donc venu chez Tonton afin d'échapper à cette femme, puis pour bénéficier de conseils après sa mort. Aujourd'hui, il venait ici pour échapper à son épouse, aussi dominatrice que la vieille. C'était le seul type de femme qu'il savait comment aimer et respecter. Il faisait tout avec l'efficacité déterminée d'un perfectionniste réticent.

« C'est totalement insensé ! explosa-t-il, haussant le ton avant même que son vin de palme eût fait effet. On ne peut pas supprimer la subvention sur le pétrole. Vous imaginez combien l'essence deviendra chère ! » Un point d'exclamation semblait ponctuer la moindre de ses remarques et ses arguments plaidaient toujours la cause de « l'homme de la rue ».

« L'homme de la rue parvient à peine à nourrir sa famille, il dépense déjà probablement dix pour cent de son misérable salaire en frais de transport. Dix pour cent ! Sans la subvention, ce sera le double ! Autant retirer tout de suite ses enfants de l'école !

— Je pense qu'ils n'y vont déjà plus : les profs font la grève une fois encore et le gouvernement refuse de négocier », dit la voix calme de Prof. C'était un adversaire digne et gentil pour M. Adedoja et ses diatribes, mais ses missions pour les Nations unies l'amenaient souvent à s'absenter. Prof était un homme brillant dont la voix tranquille dissimulait un esprit actif en surrégime. Il semblait comprendre toute chose en détail et on l'estimait capable d'apaiser les conflits insolubles souvent provoqués par M. Adedoja. Il avait la capacité unique d'amener une assemblée à tomber d'accord ; toutes les personnes présentes finissaient par penser que leurs arguments avaient été compris et intégrés dans ses conclusions.

« Eh bien, l'homme de la rue rejoindra incontestablement les émeutes des enseignants, si le gouvernement ose toucher à la subvention sur le pétrole. Peut-être est-ce nécessaire à la privatisation des raffineries, mais cela ne doit pas être fait maintenant, et surtout pas par ces gens ! » C'était sa façon préférée de désigner le gouvernement actuel.

« Ils ont, euh, privatisé la, euh, télé… phonie… mobile, parvint tout juste à prononcer Oyinbo, et cela a, euh, plutôt, euh, fonctionné, conclut-il avant de se renfoncer dans son fauteuil.

— Cela a permis la création d'un certain nombre d'emplois, sans parler du développement de nombreuses entreprises, ajouta Prof en remontant ses petites lunettes rondes sur la peau grasse de son nez.

— Arrêtez : des singes auraient été capables de privatiser cette industrie. Il n'y a eu aucune prise de risque. C'était du simple bon sens ! Ce que je dis, c'est que ces gens ne peuvent pas toucher aux choses importantes. Prenez l'électricité, par exemple. Où en étions-nous il y a dix, vingt, cinquante ans ? Et où en sommes-nous maintenant ? demanda M. Adedoja pris d'un fou rire puéril, comme c'était souvent le cas lorsqu'il concluait une argumentation en pensant avoir démontré l'incompétence évidente du gouvernement.

— *Tufiakwa*[1] ! cracha Mme Ikechukwu en claquant des doigts et en secouant la tête. Évitons d'aborder le problème de l'électricité, en voilà un qui fait bouillir mon sang. Tous ces projets et commissions ont carrément englouti les ressources publiques. »

---

1. Ne parle pas de malheur !/Ne m'en parle pas !

Les hommes oublièrent temporairement leur âge avancé et se laissèrent captiver par son éternelle beauté, ainsi que par les dents parfaites entre lesquelles glissaient négligemment ces mots.

Son mari – M. Ikechukwu – était étonnamment laid. Soyons franc, il était aussi hideux qu'un babouin. Pourtant, il avait l'étrange don de subjuguer toutes les femmes qu'il rencontrait. Malgré son physique ingrat et sa quasi-indigence, il avait envoûté la jeune fille élue miss de l'État d'Abia, qui l'avait épousé. Depuis qu'il avait fait fortune grâce à son entreprise de transport, d'autres femmes tombaient constamment sous son charme. Et c'était toujours avec une aura mystérieuse qu'il leur prenait tendrement la main et s'excusait d'être déjà marié. Tout le monde savait qu'il aimait son épouse sans réserve et n'envisagerait jamais de la tromper. Aussi, bien qu'entourée d'hommes de tous âges qui la regardaient la langue pendante, Mme Ikechukwu refusait-elle de répondre à leurs avances. Elle faisait partie de ces rares femmes instruites à l'école catholique ayant épousé un homme respectable et fidèle qui comprenait les besoins du corps féminin dans sa totalité – et ce n'était pas rien, car ceux d'une vraie femme nigériane s'avèrent troublants et complexes. M. Ikechukwu se joignait rarement à ces rassemblements, mais dès qu'il nous voyait ensemble, Aisha et moi, il nous demandait toujours de nos nouvelles et nourrissait l'espoir presque démesuré que nous finirions par nous unir.

« Savez-vous que l'Afrique du Sud, qui compte trois fois moins d'habitants que notre pays, produit aisément trois fois plus d'électricité que nous et essaie d'augmenter encore sa production ! dit alors Emeka, qui adorait les comparaisons.

— C'est ridicule ! Chez nous, l'homme de la rue n'en profitera jamais ! Et ces gens qui prétendent transformer la Ne-rêvez-surtout-pas – c'est ainsi qu'il nommait la National Electric Power Authority, plus connue sous l'acronyme de NEPA – en je ne sais plus quelle nouvelle organisation gouvernementale, n'ont-ils pas l'impression d'avoir trahi qui que ce soit ? demanda M. Adedoja, avant de pousser des gloussements puérils. Savez-vous que si nous partagions toute l'électricité générée par ce pays entre tous les citoyens, chacun de nous ne pourrait allumer qu'une seule ampoule chez lui ? conclut-il.

— Rendez-vous compte du potentiel de notre nation : deux fleuves puissants, du soleil à foison, un excédent de pétrole, de charbon et de gaz qu'il nous faut brûler. Savez-vous tout ce que nous pourrions faire avec tout ce gaz ? intervint Prof en ajustant ses lunettes, avant de secouer la tête de frustration.

— Eh bien, à l'évidence, il ne s'agit pas d'un manque de ressources, mais juste d'un manque d'idées et d'intégrité, cracha amèrement Emeka. Enfin, regardez le delta du Niger ! Vous n'allez pas me dire que les hommes politiques ne soutiennent pas les gangs et le détournement des barils. Ils se comportent comme les Américains en Irak, sauf que ces hommes sans âme escroquent leur propre pays. Ils remettent des armes aux vandales afin de se faire de l'argent sur le dos des Nigérians. Et dire que ces hommes ne se font jamais prendre !

— Prof, pourquoi ne te présentes-tu pas ? Tu pourrais sauver ce pays ! demanda soudain M. Adedoja.

— Hein ? » Mme Ikechukwu se tourna immédiatement vers lui. « Tu veux que le professeur se fasse tuer ? *Tufiakwa !*

— Regardez ce qui est, euh, arrivé, ce qu'ils ont fait, euh, à Bola Ige », dit tristement Oyinbo.

Mme Ikechukwu lança un nouveau *tufiakwa* approbateur.

« Si seulement ces mercenaires pointaient leurs mitraillettes dans la bonne direction ! » s'emporta énergiquement M. Adedoja.

À ce stade, l'alcool avait produit son effet. Tous se sentaient si joyeux que l'un d'eux s'écria : « À notre ange exterminateur ! » en levant son verre dans la direction d'Emeka, puis tout le monde rit et l'imita.

Cet été-là, il y eut de nombreuses réunions et conversations similaires. Je commençai à envisager sérieusement de revenir vivre chez Tonton. Je ne voulais plus avoir l'impression d'être un simple visiteur dans mon pays, un simple invité dans ma maison.

« N'est-il pas étrange que notre histoire reste aussi mystérieuse ? demandai-je à Aisha alors nous montions l'escalier.

— Tu veux parler de toutes ces bêtises qu'on nous enseigne sur l'époque où Mungo Park[1] a découvert un fleuve qui se trouvait là depuis des siècles ? fit-elle avec désinvolture.

— Oui, ça aussi, mais je faisais surtout allusion à des choses plus récentes, comme la guerre du Biafra et l'indépendance. » Puis je réfléchis quelques secondes et ajoutai : « En fait, toute cette histoire remonte à la nuit des temps. Pourquoi des peuples aussi différents ont-ils été mélangés ? Il aurait paru plus sensé de rassembler les Yorubas d'ici avec ceux du sud de la République du Bénin ou du Togo. »

Aisha me regarda avec admiration.

« Reviens vivre à Lagos, dit-elle. Nous réécrirons l'histoire ensemble. »

Ces mots, ainsi que leurs connotations diverses et variées, continuèrent à flotter dans ma tête longtemps après son départ.

J'aimais le badinage et la légèreté qui régnaient chez nous. J'entendais souvent Tonton et Emeka discuter dans la bibliothèque. La déclaration d'Aisha m'ayant interloqué, j'essayais de relier les expériences de chaque habitant de la maison.

« Seun, viens que je te présente convenablement mon plus vieil ami », dit un jour Tonton, même si Emeka était déjà présent lors de ma première visite. Mon oncle se comportait ainsi dans certaines situations : il tenait à observer le cérémonial et à encourager les beaux gestes. À ses yeux, il n'y avait rien de tel qu'une passionnante conversation aboutissant à une nouvelle union. J'ignorais alors que ces quelques mots allaient servir d'introduction au plus grand récit que j'eusse jamais entendu, une histoire qui allumerait en moi un feu plus puissant que la nostalgie et plus dévorant que l'ambition.

« Enchanté, monsieur », dis-je un peu timidement, mais avec un soupçon d'humour. Emeka était un vieil homme, mais il bénéficiait

---

1.  Explorateur écossais (1771-1806).

d'une aura de dignité et de légende. Son passé semblait lui avoir conféré une certaine importance.

Lorsqu'il me sourit avec douceur, il me parut évident que cet homme avait été très beau. Sur ses lèvres se lisait cette prudence qui dénaturait mes sourires, ainsi que ceux de Tonton, de Mme Folayo et d'Aisha. Je compris qu'il avait lui aussi subi cette sorte de perte dont on ne se remet jamais totalement.

Curieux d'entendre son histoire, je réalisai combien je savais peu sur le passé de mon oncle. Au fil de la semaine, j'allais l'interroger sur leur enfance, sur leur rencontre. Je demanderais également à Tonton de me parler de ma mère lorsqu'elle était enfant.

Le lendemain matin, je me réveillai tôt à nouveau et décidai d'inspecter le jardin où, plus jeune, j'avais passé de nombreux moments heureux. Je fis le tour de la maison et marchai vers la véranda qui se trouvait sous la chambre de Tonton. Emeka s'y trouvait déjà.

« Bonjour, monsieur, dis-je.

— Bonjour, Seun, répondit-il tranquillement. Je t'en prie, assieds-toi », ajouta-t-il en désignant le fauteuil à côté du sien. Je sentis brièvement la forte odeur d'un bonbon TomTom, mais elle se dissipa rapidement dans l'air matinal magnifiquement parfumé par les arbres fruitiers. Le silence ne me décontenançait pas, mais je sentais que c'était à moi de le rompre. Avant que je puisse prononcer un mot, la toux de Tonton déchira l'air au-dessus de nos têtes. Je ne m'étais pas aperçu la veille qu'elle était aussi violente et sèche. Il avait dû beaucoup se retenir et souffrir en silence afin que je ne la remarque pas.

Ce son me terrifia : j'en avais assez de la mort. Je posai donc à Emeka la première question qui me vint à l'esprit dans l'espoir d'étouffer les bruits maladifs qui nous entouraient.

« Quel est votre souvenir le plus ancien, monsieur ? »

Emeka resta silencieux pendant quelques minutes, et je finis par supposer que c'était une question déplacée. J'avais désespérément besoin d'une distraction car Tonton recommençait à tousser. Je m'apprêtais à lui poser une autre question, lorsqu'il dit :

« Certains jours, je ne me rappelle presque rien de mon passé, et d'autres, mes souvenirs sont si nets que je crois les avoir inventés. »

Il se tut un instant puis ajouta :

« L'esprit est une chose magnifique. Nous ne devrions jamais nous fier totalement à lui, mais nous le faisons toujours. Ma foi, ce n'est pas mon souvenir le plus ancien, mais c'est ainsi que commence mon histoire. Tu veux toujours l'entendre ?

— Oui, monsieur, répondis-je avec enthousiasme.

— Alors, pour commencer, il va falloir que tu cesses de m'appeler monsieur », dit-il, et nous rîmes ensemble. Emeka me raconta sa vie avec détachement, comme s'il l'admirait tout en regrettant que ce soit la sienne. Il commença par l'histoire de sa naissance ; la plus belle des tragédies que j'aie jamais entendue. Lorsqu'il eut terminé, j'avais oublié la toux de Tonton. Étrangement, je ne pensais plus qu'à Aisha. J'étais soudain très excité à l'idée de la retrouver.

# Emeka

## Suffering & Smiling
### (Sud-est du Nigeria, 1943-1958)

Une histoire d'amour qui se transforme en tragédie est le plus malheureux des événements. Emeka naquit d'une telle calamité. Sa mère, Nneka, condamnée par sa beauté, envoûta Nonso à douze ans et attira le regard du chef alors qu'elle n'en avait que seize. Dans le meilleur des cas, un triangle amoureux se termine par un cœur brisé, dans le pire, par un cheval de Troie. Mais aucune de ces fins n'eut lieu.

À douze ans, le jeune cœur de Nneka, non formé aux pratiques du monde, promit son amour au garçon qui lui cueillait des fruits dans les amandiers du village et lui apportait les petits poissons qu'il pêchait dans la mare stagnante. À dix-sept ans, ce cœur refusa obstinément de trahir la promesse faite à ce premier amour. Ni l'argent, ni le prestige, ni les menaces maternelles ne purent lui faire modifier son serment. Au contraire, Nneka n'en devint que plus déterminée à concrétiser sa promesse. C'est là toute la merveilleuse beauté du cœur féminin : à dix-sept ans, cinq bonnes années avant son homologue masculin, il est convaincu de comprendre l'amour et prêt à se laisser briser par ce privilège.

Sa mère, debout devant leur hutte de terre, une main sur la hanche, l'autre s'agitant rageusement devant son visage, une ombre sinistre projetée par l'avant-toit en paille sur son visage animé, tonna :

« Tu devras me passer sur le corps si tu veux te marier avec ce misérable fermier. »

Cette menace n'était pas nouvelle et elle prononçait toujours ces mots avec une véhémence débridée. Ils étaient cependant aussi efficaces que la lumière d'une bougie sous le soleil de midi.

« J'aime Nonso, répondit Nneka avec passion. Je me marierai avec lui, proclama-t-elle pour la énième fois.

— L'amour est un jeu d'enfants, le mariage, une affaire d'adultes », répliqua sa mère avec un rire fatigué.

Nneka s'enfuit de la maison pour aller retrouver son amoureux, sa source de courage et de réconfort. Ce soir-là, ils commirent l'impensable ; ils firent l'amour avant d'avoir échangé les vœux de mariage. Nneka savait qu'elle serait un jour obligée de céder aux avances du chef, surtout depuis qu'il se rendait régulièrement à Lagos pour aider à former le nouveau gouvernement. C'était la pleine lune, comme chaque fois que l'orchestre de la nature produit sa grande illusion et que la beauté précède une tragédie. Nonso attendait à leur endroit habituel, près du grand saule pleureur qui enjambait le ruisseau. Trois ans plus tôt, ils s'étaient assis sur sa branche la plus basse qui chatouillait l'eau, le soleil se couchant derrière eux, les orteils tendus vers le courant, le cœur dans les nuages. Ils avaient échangé leur premier baiser. Ce moment n'avait rien eu de magique ; Nonso tenait maladroitement une canne à pêche dans sa main, dont une extrémité s'enfonçait dans les côtes de Nneka, et leurs pieds mouillés provoquaient des clapotis frénétiques. Mais cela avait été un moment d'éternité.

On ne pouvait pas dire que Nonso n'avait aucun potentiel : c'était un favori parmi ses pairs et les aînés le respectaient. Tout jeune, il avait repris la ferme familiale après le décès de son père, une vie brusquement interrompue par un accès de typhoïde. C'était un fermier brillant et ses semblables le considéraient comme un jeune homme séduisant à tout point de vue. Pourtant, il lui manquait cette qualité cruciale : il n'était pas chef. Il n'avait pas obtenu de diplôme à Londres et il ne s'apprêtait pas à faire partie du gouvernement de ce nouveau pays qu'était le Nigeria. Il ne rendrait pas non plus la famille de Nneka riche en trois simples mots : « Je le veux. » On ne peut pas sérieusement baser sa vie sur sa beauté, et le potentiel humain n'est qu'une rosée matinale susceptible d'être rapidement asséchée par le lever du soleil. Une vie réussie se bâtit sur des sacrifices et rien n'est sacré sur son autel, pas même la sainteté d'un jeune amour.

Ce soir-là, Nonso tenait les doigts délicats dans ses mains comme il l'avait fait trois ans plus tôt, comme s'il ne les avait jamais lâchés. Nneka l'embrassa avec une passion qui disait « Je t'aimerai toute ma vie » et il soupira comme un condamné. Aucun d'eux ne prononça un mot, mais bientôt, ils se retrouvèrent nus ; ils firent ce que faisaient les adultes tout en étant à peine conscients des conséquences de cet acte spontané, de la catastrophe qu'il présageait pour eux deux. Allongé sur la rive du ruisseau, dans la chaleur approbatrice de la lune – comment auraient-ils pu comprendre ses prédictions énigmatiques, après tout ? –, chacun déclara à l'autre ce qu'il savait depuis des années : « Je t'aime », puis ils ne se revirent plus pendant huit mois.

Nneka était enceinte, mais personne ne le savait. À part elle-même, et sa mère bien sûr, car les mères savent toujours ces choses. Celle-ci remarqua le ton sec de sa fille, ses sorties en douce de bon matin et son dandinement apathique. Elle avait suffisamment d'expérience pour savoir distinguer un puéril manque de naturel d'un amour secret aux inévitables conséquences. Nneka attachait son pagne autour de sa poitrine souple, qui se développait conformément à son « état » ; ses seins avaient suffisamment poussé pour cacher son ventre qui ne faisait pas encore saillie au point de se révéler aux yeux des observateurs non avertis. Sa mère feignait l'ignorance et toutes deux restaient dans cette impasse silencieuse. Elles pouvaient encore organiser le mariage avec le chef rapidement et faire passer le malheureux enfant pour un descendant prématuré de l'homme riche. Mais le destin tend à dévoiler les secrets les mieux gardés des naïfs, car le chef fut brusquement appelé à Lagos où on lui demanda de rester une année entière. Optimiste, il se dit cependant que tout vient à point à qui sait attendre.

« Ce n'est pas grave, déclara-t-il avec le rire grondant qui le caractérisait. Nneka ne sera que plus épanouie à mon retour. »

Et elle s'épanouit, en effet. Sa grossesse lui donnait un éclat délicat. Nonso était parti depuis trois mois. Sa mère avait décidé de retourner vivre dans son village natal depuis que son mari était mort. Nonso était sûr que cette soudaine nostalgie était liée à sa propre situation. Mais qui peut refuser d'exaucer les souhaits d'une veuve, surtout lorsqu'il s'agit de sa mère ? Un message pour Nneka fut écrit à la hâte mais ne fut jamais livré par le petit frère qui craignait plus les esprits dansant dans le noir que les flammes qui s'animeraient de la même façon dans les yeux furieux de son aîné.

Nonso revint trois mois plus tard, atteint de paludisme et possédé par l'étrange stupidité que procure un amour fébrile. Pendant un moment, il avait écouté sa mère le supplier avec passion de rester avec elle, mais son cœur était ailleurs et il devait le retrouver. Un homme ne doit pas désobéir à sa mère, même par amour; et le jour où il se prépara à partir, Nonso eut un accès de paludisme. Il resta un moment allongé sur sa natte de paille, à donner des coups de pied et se tortiller, son corps de dix-neuf ans oscillant entre des températures opposées à un rythme effréné, qui n'était pas sans rappeler le mouvement des immenses vagues de l'océan Atlantique en septembre. Dès qu'il fut assez fort pour se lever, une semaine plus tard, il entama son voyage. Il traversa l'épaisse forêt en trébuchant sur le sentier isolé envahi par les plantes, déserté par les villageois depuis que la saison sèche avait vidé le lit de la rivière et créé un chemin plus court. Son esprit délirant se mit alors à revisiter le passé caché dans les sombres recoins de son âme. Nneka le nourrissait de fruits et lui donnait de l'eau à l'aide de la calebasse suspendue à son épaule. Il s'endormait ensuite contre sa poitrine à l'ombre d'un vieil arbre indulgent. Mais Nonso était faible et le trajet qui aurait dû se faire en une semaine lui en prit deux.

Il sut qu'il approchait de sa destination lorsqu'il entendit de petits garçons se chamailler près du ruisseau peu profond bordé d'irokos, tentant de déterminer quel poisson prématuré était le plus gros. Les odeurs étranges qui provenaient de la hutte solitaire située en bordure du village, où l'homme unijambiste mélangeait des potions en compagnie de son chien à trois pattes, confortèrent son hypothèse. À l'aveuglette, il passa en titubant devant des filles prépubères qui jouaient à se frapper dans les mains, les jambes poussiéreuses et la tête couverte de demi-tresses, sous les manguiers aux larges feuilles vert olive. Bientôt, il arriva au village puis passa sans être vu et sans voir devant des enfants nus aux ventres protubérants et aux nez coulants. Il s'effondra enfin avec un soulagement fiévreux.

La tante de Nneka, rentrée tôt de ses activités agricoles, fut la première à découvrir son corps pantelant. Elle emmena Nonso dans sa maison et le nourrit juste assez pour le maintenir en vie, entretenant ses hallucinations grâce à des feuilles spéciales qu'elle ajouta à ses repas. Elle ne laisserait pas ce petit imbécile borné voler la poule aux œufs d'or de la famille. Il passa cinq mois chez elle pendant que sa ferme était envahie par les épineux, et le cœur de Nneka, par le désespoir. Mais l'amour est un puissant antidote. Un jour, il persuada Nonso de quitter sa prison puis l'entraîna jusqu'à la maison de la jeune femme. Elle le découvrit en nage, effondré sur le pas de sa porte. La chaleur qui régnait dans la tête de Nonso la pénétra par convection et se propagea peu à peu dans tout son être, réchauffant son cœur solitaire, gelé par la négligence, voire l'abandon.

« Je savais que tu reviendrais », dit-elle en tenant sa tête contre son ventre, dans lequel le bébé donnait des coups de pied pour saluer son père.

En hâte, elle emmena Nonso dans sa hutte délabrée et le soigna en secret avec dévouement. En une semaine, il fut rétabli ; mais comme chacun le sait, les plaisirs volés sont de courte durée. Nneka commença à avoir des contractions. Tous deux continuaient à penser, à tort, que personne ne s'était rendu compte de rien et, lorsque la douce chaleur du petit matin poussa les gens vers les champs, Nonso et Nneka s'enfuirent de sa maison et rejoignirent l'arbre au bord du cours d'eau afin de donner naissance à l'enfant qu'ils avaient engendré au même endroit. Cette fois, Nneka poussa des cris perçants. Le bébé vint au monde rapidement, mais dans la douleur. Il était minuscule. Nonso ne cessait de tirer sur le cordon qui l'accompagnait et l'atroce souffrance qu'endurait Nneka s'exprimait par des torrents de cris stridents. Le saignement ne s'arrêtait pas. Il était évident que la mère ne survivrait pas, et le malheur que cette prise de conscience fit naître en Nonso éclipsa la beauté de la naissance. Soudain, le jeune homme aperçut la pleine lune derrière un nuage sombre et se rappela le soir où ils avaient commis l'acte. Le soir où ce drame avait été conçu dans le ravissement de l'amour.

Nonso sépara finalement le bébé de sa mère d'un coup de machette. Celle-ci mourut cinq minutes plus tard, la tête sur ses genoux, tandis que le nouveau-né braillait dans un buisson à proximité. Le petit garçon abandonné resta exposé à l'air frais d'octobre pendant que son père gémissait sur le cadavre dont les larmes s'étaient finalement taries. Il ne se rappela l'existence de l'enfant que longtemps après que celui-ci eut cessé de pleurer, à moitié gelé. Nonso le prit dans ses bras et il se produisit alors une situation déjà vécue, une répétition que seul le destin trouva amusante ; une femme ouvrit les portes en bois de la hutte de Nneka et découvrit un homme fiévreux, roulé en boule sur le seuil. Voilà comment Emeka vint au monde. Son père, dont l'âme était déjà asphyxiée par le chagrin, se pendit plus tard à l'arbre dans lequel il avait embrassé l'amour de sa vie pour la première fois et près des racines duquel elle reposait à présent.

La mère de Nneka ramassa le petit sur le pas de sa porte. De bruyants gémissements montèrent des profondeurs de son être. Pendant trois jours, elle ne fit que pleurer ; cris sonores, larmes silencieuses, profonds gémissements, hurlements troublants. Le quatrième, elle se rasa la tête et nomma le bébé Chukuemeka – Dieu est grand. Emeka était né dans la plus calamiteuse des situations, mais il s'apprêtait à mener une vie tout à fait remarquable ; le destin répare toujours ses erreurs. Dieu n'abandonne jamais les veuves et les orphelins.

*

Le souvenir le plus ancien d'Emeka était celui d'une bicyclette et d'une radio. Personne ne faisait jamais allusion au drame de sa vraie naissance, mais le garçon s'aperçut peu à peu qu'il se sortait de toutes les situations sans être inquiété, contrairement aux autres enfants. Il n'abusait que rarement de ce privilège. Avec lui vivaient un homme qu'il appelait papa et une femme qu'il appelait maman. Son deuxième souvenir était celui du jour où tous deux avaient ramené son frère à la maison.

Peut-être son premier souvenir n'en était-il pas vraiment un, mais plutôt l'assemblage de plusieurs événements si réguliers qu'ils paraissaient ne faire qu'un. Chaque matin, son père montait sur sa bicyclette puis installait le garçon sur le guidon à côté de la radio, et sa mère derrière. Le père était très fier de ces deux possessions. Il les tenait adroitement de chacune de ses mains et manœuvrait ainsi jusqu'à la ferme.

Le père s'occupait des ignames, la mère, des taros. Quant au petit garçon, il s'asseyait à côté de la radio qui n'avait qu'une seule station et jouait avec des capsules de bouteilles de Coca-Cola dans la poussière. Les sons étaient toujours les mêmes. Coups acharnés et impatients de la binette de son père, bruit sourd et modéré de celle de sa mère, fort accent de l'homme de la radio qui interrompait occasionnellement la musique. La chaleur restait toujours à proximité du garçon, telle une nourrice importune, mais il ne tombait jamais malade. Souvent, une mouche rebelle rôdait autour de lui afin de se précipiter sur ses yeux larmoyants et son nez morveux, tandis que l'air lourd faisait battre ses compatriotes somnolentes en retraite.

Il ne faisait aucun doute qu'il aurait mené une vie plus prospère chez le chef. Le destin tragique de ses parents aurait pu lui rapporter davantage de gâteries, mais personne ne l'aurait aimé autant que les Ogbonna. Pas même ses parents biologiques car leur amour dévorant leur faisait souvent oublier le reste du monde et se nourrissait de leur égoïste obsession réciproque.

M. Ogbonna était réservé, comme la plupart des hommes qui ont vécu longtemps sans enfant et ont essuyé de nombreuses insultes. Il avait été l'un des premiers à se convertir à la nouvelle religion et, bien que sans enfant, il avait refusé de se remarier. Les gens disaient qu'il était avare car, plutôt que de prendre une seconde épouse, il s'était acheté un ventilateur, une bicyclette et une radio. À la mort de sa sœur et de son malheureux amant, il avait pris le garçonnet sous son aile et prouvé à tous les autres qu'ils se trompaient.

L'adoption de Chukuemeka entraîna un mélange de bénédictions et de malheurs. Peu après son arrivée, la ferme commença à prospérer et M. Ogbonna devint le premier homme de sa rue à posséder un toit de tôle. Quelques mois après le troisième anniversaire d'Emeka, Mme Ogbonna découvrit qu'elle était enfin enceinte. Peu après, de fortes pluies s'abattirent sur la région et anéantirent toutes les récoltes de M. Ogbonna. Aucune autre ferme ne fut touchée. Joies et chagrins continuèrent ainsi à inonder successivement le foyer.

Un drame coûta finalement la vie au jeune fils Ogbonna, mais cinq ans plus tard, un autre enfant vint agrandir la famille. Mme Ogbonna, accablée par le chagrin, était à présent incapable de travailler dans les champs et parvenait tout juste à s'occuper d'Emeka et de sa sœur. Elle avait toujours été de faible constitution et était largement considérée comme une *ogbanje*[1], parce qu'avant elle, ses parents avaient eu quatre enfants qui étaient tous morts avant leurs six ans. Toutefois, elle ne souffrait jamais de crises de paludisme et ce n'était que pendant cette période propice à la maladie, lorsque les autres étaient alités, qu'elle devenait active ; son regard éteint brillait alors pendant une semaine ou deux. Mais à présent, allongée sur une natte près d'un faible feu incapable de se refléter dans ses pupilles larmoyantes, elle était inconsolable. Le père d'Emeka se contentait de redresser

---

1. Esprit malin ou enfant revenant, qui ne cesse de tourmenter sa mère en réapparaissant dans son ventre chaque fois qu'il meurt.

les épaules et de travailler avec acharnement à la ferme. Il partait plus tôt qu'avant et rentrait plus tard à la maison où l'attendait un dîner fade. Cette situation dura quelques années, jusqu'à ce qu'un petit insecte fonce un jour sur son œil gauche et le fasse enfler d'un coup de dard. Par fierté et ignorance, le père d'Emeka refusa de se laisser soigner, mais il fut bientôt trop tard et on ne put rien faire pour le sauver d'une infection généralisée. Dès cet instant, son œil adopta le même air inexpressif que sa femme. Lorsque le « fantôme » offrit d'emmener Emeka à l'Ouest et de payer, entre autres, les frais médicaux de la famille pour la dédommager, le garçon prit la décision de partir sans attendre que son père ait pu émettre une objection. Le lendemain, avant que le soleil atteigne son zénith, avant que son père se réveille et s'aperçoive qu'il avait non seulement perdu un œil mais aussi un fils, alors que les larmes continuaient à ruisseler dans la hutte au toit de tôle, Emeka prit la route avec le « fantôme ».

Le fantôme était juste un homme blanc. Il avait des yeux verts sincères et une chevelure fatiguée, plaquée sur sa tête par le soleil africain. Il était vêtu en permanence d'une chemise blanche à manches courtes et d'un bermuda marron. Il portait un grand exemplaire noir de la Bible du roi Jacques orné d'une croix dorée, ainsi qu'un carnet relié dans lequel il griffonnait assidûment à l'aide d'un stylo noir. Il paraissait toujours à la fois stupéfait et excité. Lorsqu'il n'écrivait pas, ses mains, qui essayaient d'englober un maximum de choses, s'agitaient dans tous les sens et sa bouche remuait inlassablement. Ensuite, ses lèvres pendantes restaient comiquement ouvertes, un peu trop épuisées pour se fermer correctement, puis sa main gauche se posait sur ses cheveux décolorés par le soleil et les aplatissait davantage sur son crâne las.

Cet homme s'appelait Patrick Grey ; il était prêtre. Si cette profession avait existé, il aurait déclaré être sociologue. Il écrivait l'histoire du peuple du Niger et son territoire environnant. Il exerçait les professions d'enseignant, de prêtre et de juge, fonction qu'il s'était conférée lui-même afin de venir en aide à toute personne ayant besoin de ses conseils. Lorsqu'Emeka eut douze ans, il cessa de payer ses frais de scolarité et devint en contrepartie son assistant. Ensemble, ils se rendaient de maison en maison et, pendant le week-end, de village en village, M. Grey alternait phases de délire incompréhensible et états de lassitude bouche ouverte. Emeka était généralement silencieux et renfermé, mais il était doué pour les langues et lui seul comprenait à peu près les phrases que chuintaient les lèvres extraordinairement roses du révérend père.

## Je'Nwi Temi (Don't Gag Me)
## (1959-1967)

En ce temps-là, il était rare qu'un garçon igbo aille à l'école dans l'Ouest. Plus jeune, Emeka désirait ardemment fréquenter le collège du gouvernement fédéral dans l'Est, mais ses parents n'avaient pas les moyens de lui payer de telles études. Lorsque le père Grey obtint un poste au collège du gouvernement fédéral d'Ibadan, Emeka, alors son assistant, devint le seul élève igbo de toute l'école. Âgé de seize ans, il avait trois années de plus que ses camarades de classe. Pour toutes ces raisons, ceux-ci l'observaient avec méfiance et stupéfaction ; et à cet âge-là, ce n'est pas une attitude très engageante.

Emeka logeait à l'internat, comme on l'exigeait de tous les garçons. Quatre bâtiments aménagés de chambres bordaient une place sablonneuse où poussaient quelques touffes d'herbe. Chaque bâtiment comptait deux dortoirs de seize lits superposés, une pièce froide et humide destinée aux valises, une autre munie de quatre trous dans le sol qui servaient de toilettes, et des parterres de fleurs mal entretenus sur lesquels les garçons urinaient à la faveur de l'obscurité. Son voisin de lit était un garçon yoruba âgé de treize ans, brillant et solitaire, qui se nommait Dolapo.

C'était une soirée tranquille. L'orage qui approchait avait rendu tout le monde fébrile pendant la journée et, à présent, chaque élève relisait les lettres froissées de ses parents, tranquillement affalé sur son lit. La lune presque pleine brillait et le vent murmurait de douces berceuses. Un nuage sombre avala la lune puis la régurgita en même temps qu'un éclair aveuglant et un rugissement tonitruant. Cette magnifique renaissance fit pleurer le ciel de joie. C'était le type d'averse qui tombe comme une goutte ininterrompue, réconciliant la terre avec sa mère.

C'était le type d'averse qui rappelait aux petits garçons certaines nuits calmes aux pieds de leur mère. C'était l'averse qui avait donné naissance à la terre le jour où elle avait quitté sa mère.

« Emeka, ça te plairait d'écouter une histoire que maman m'a racontée sur la pluie ? » demanda Dolapo avec hésitation. Cette proposition surprit son camarade de chambre car Dolapo semblait presque répugner à parler de choses qui ne concernaient pas le travail scolaire.

Sur le lit du haut, Emeka hocha la tête et se rendit compte que son camarade ne voyait pas son geste. En entendant les ressorts grincer, Dolapo décida de se lancer même s'il n'était pas sûr de sa réponse.

« Un jour, une tache irisée apparut dans le ciel, puis elle grossit et grossit encore. À cette époque-là, les animaux vivaient dans les nuages, il n'y avait pas de terre ; le ciel hébergeait tout le monde. Mais cette tache grossit comme une sangsue bien grasse et aspira de plus en plus de ciel jusqu'à ce qu'elle semble sur le point d'exploser. Et c'est ce qui arriva. Il n'avait jamais plu avant, mais la pluie tomba alors pendant cinquante jours et cinquante nuits. Lorsqu'elle cessa, il y avait une terre et un ciel. La terre avait les arbres, les mers et les animaux. La terre avait tout et le ciel n'était plus qu'une masse bleue infinie ; il n'avait conservé qu'une chose : le soleil. Le ciel fut d'abord surpris, mais il s'aperçut bientôt qu'il aimait son infinité – le silence sans profondeur, le bleu illimité et l'espace qui s'étirait jusqu'à l'horizon. Il s'en réjouit jusqu'à ce que la terre commence à se moquer de lui. Le ciel eut envie de gronder, mais il n'avait pas de voix. Il eut envie de pleurer, mais il n'avait pas de larmes ; il n'avait que le soleil. Aussi parla-t-il à l'astre de sa détresse et tous deux préparèrent sa vengeance. Le soleil se mit à briller de son infinie splendeur et les eaux commencèrent à revenir vers le ciel. Rapidement, la terre devint un vaste désert et les animaux moururent par troupeaux entiers. Ils supplièrent le ciel de leur rendre l'eau, mais celui-ci se moqua simplement de la terre. Pour finir, la puanteur des animaux mourants devint si répugnante que le ciel lui-même put à peine la supporter. Il finit donc par céder, mais seulement après avoir pris une photo, afin que la terre n'oublie jamais à quoi elle ressemblait sans lui. Ainsi, aujourd'hui, chaque averse est précédée d'un éclair et d'un coup de tonnerre.

» Je me demande pourquoi ma mère m'a raconté cette histoire, dit Dolapo. En tout cas, chaque fois qu'il pleut, je pense à elle. »

Ils restèrent allongés en silence, savourant les parfums et les bruits de cette pluie de septembre, inhalant l'odeur du sable fraîchement lavé et de la végétation fouettée par les gouttes. Des grenouilles coassaient sereinement à la lisière de la forêt et d'autres chants d'un nouveau printemps retentissaient : le tambourinement constant de milliers de gouttes sur les longues feuilles d'amandier, le pépiement malheureux de moineaux mouillés et le hululement d'un hibou qui avait été réveillé trop tôt sur son perchoir non protégé.

Alors que la pluie commençait à diminuer, on commença à s'agiter dès l'instant où le son d'une centaine d'ailes battantes envahit l'air. Il y avait des insectes partout et, pendant que les garçons couraient dans tous les sens sous la bruine joyeuse en les écrasant sur leurs chemises mouillées, Emeka entreprit tranquillement de placer des récipients remplis d'eau sous les ampoules nues. Il s'assit sur le ciment froid et regarda les insectes effectuer des piqués suicidaires vers le reflet de la lumière. Au bout d'un moment, il commença à les repêcher puis à les débarrasser de leurs lourdes ailes mouillées. Il les assaisonna avec du sel et du poivre et les fit frire dans de l'huile de palme sur une plaque de métal à l'aide d'un fer chauffé. Du fait que son tuteur vivait dans l'école et éprouvait une fascination illimitée pour la culture locale, il n'eut aucun mal à se procurer ces ingrédients. Il offrit des insectes grillés à l'élève chargé de surveiller le dortoir et à Dolapo qui occupait le lit en dessous du sien. Lorsqu'ils eurent mangé tout leur content, ils distribuèrent le reste. La méfiance céda la place au respect et Emeka et Dolapo devinrent de fidèles amis.

Après ce festin, l'élève chargé de surveiller le dortoir s'intéressa plus que brièvement à Emeka, et ce ne fut pas simplement pour son accès à l'huile de palme. Emeka avait la peau plus claire que la plupart des garçons. Il avait de longs cils féminins, les lèvres rouge vif et boudeuses. En voyant ses cheveux anormalement soyeux, certains se demandaient si le prêtre n'était pas son père. Il avait de hautes pommettes, et des traits délicats composaient son visage. Tous les garçons plus jeunes l'adoraient ; la moitié des plus âgés aussi. Le surveillant du dortoir l'appelait souvent dans sa chambre lorsqu'il était simplement couvert d'une serviette, puis il insistait pour lui serrer la main et prolongeait ce contact trop longtemps. Emeka était habitué à ce qu'on lui porte une attention injustifiée et il avait rapidement découvert comment profiter de ses privilèges sans être obligé d'accorder aux autres les contreparties implicites.

*

Le tintement incessant des cloches traversa l'air silencieux. Il était l'heure des devoirs du soir. C'était encore la saison des pluies et Dolapo répugnait à sortir à cause de la bruine et de l'air frais. Il se cachait sous sa confortable couverture grise, protégé par une moustiquaire de gaze. Il était si bien que les trois coups qu'il recevrait sur le derrière le lendemain lui importaient peu. La complaisance de son camarade de chambre ne faisait que renforcer la réticence d'Emeka à quitter le confort de son lit. Tous deux décidèrent de rester au dortoir et de manger les provisions qu'ils avaient rapportées de chez eux. Il était rare qu'ils aient la chambre pour eux car il y avait toujours dans le coin quelques bouches affamées prêtes à stimuler la générosité d'Emeka.

Dolapo fut réveillé par le claquement sec d'une paume sur un visage et les petits coups que quelqu'un lui donnait dans le flanc. Quelqu'un sanglotait sans bruit et des voix rauques lui parvenaient du centre de la pièce. Les grands yeux d'Emeka le fixaient avec patience, tandis que ses cils épais tombaient brutalement et se relevaient lentement comme s'ils soulevaient un millier de poids.

« Tonnerre est dans le coin », dit-il avec nonchalance.

Dolapo fut instantanément réveillé et se redressa sur son lit. On avait donné le surnom de Tonnerre à ce garçon parce qu'il avait l'habitude de gifler les élèves plus jeunes et que le bruit produit était retentissant. La tante de Tonnerre était la principale adjointe, aussi ne craignait-il pas d'être réprimandé. La dernière fois qu'il était entré dans leur chambre, cinq garçons avaient pleuré, un autre avait perdu une dent, une demi-boîte de lait avait été saisie, ainsi qu'un paquet de sucre entier et une boîte de pétales de maïs. Emeka semblait totalement serein.

« Il voulait du *gari*[1], je lui en ai donné. Allez, mangeons. »

Il n'était nullement découragé par le fait qu'on gifle quelqu'un pendant qu'il versait de l'eau sur le mélange de *gari*, de sucre et d'arachides. C'était absolument délicieux et sa confiance pénétra rapidement la nourriture, ainsi que l'esprit de Dolapo. Lorsqu'ils eurent terminé, celui-ci passa sans réfléchir devant Tonnerre et le surveillant du dortoir qui se trouvaient toujours au centre de la pièce puis partit rincer le bol.

Quelque chose était sur le point de se produire. La nuit le lui soufflait. Dolapo l'annonça à Emeka à son retour dans la pièce.

« Tu t'inquiètes pour rien », dit celui-ci avec son sourire décontracté.

Un sifflement strident résonna dans la nuit et fit disparaître ce vague sourire. Le portail à barres métalliques se mit à trembler en faisant un bruit de ferraille, on souffla avec insistance dans des sifflets et des voix commencèrent à s'élever. Celles-ci étaient ivres, leurs paroles, incohérentes. C'étaient celles des gardiens chargés de surveiller les élèves. Dolapo attrapa Emeka par le bras et lui dit de le suivre ; il n'y avait qu'une chose à faire. Ils coururent jusqu'à la dernière chambre au bout du couloir. Dolapo se mit aussitôt à escalader les étagères croulantes et couvertes de graffitis appuyées contre un mur afin d'atteindre l'un des nombreux grands trous percés dans le plafond.

---

1.  Farine de manioc.

Chaque semestre, les plafonds étaient fermés, et les murs repeints. Il s'écoulait généralement moins d'un mois avant qu'on y perce de nouveaux trous à coups de poing afin de protéger la nourriture des aînés en maraude, et cela attirait invariablement les rats. Emeka avait une peur bleue des rongeurs.

« Écoute, on n'a pas le choix, il faut qu'on grimpe là-haut », insista Dolapo, le regard terrifié, alors qu'il arrêtait brièvement son ascension, la main figée sur un graffiti disant : « Si tu embêtes les plus forts, comme les autres, tu finiras mort. » Emeka n'était pas convaincu. Déjà, ils entendaient les cadenas qu'on déverrouillait et les chaînes qu'on détachait avec impatience. Sans le réinviter à monter, Dolapo se faufila en hâte dans le trou, tandis que les cris ivres s'élevant au loin noyaient les couinements effrayés des rats qui se dépêchaient de s'éloigner de lui.

Il entendait les hommes tituber avec une allégresse enivrée tout en rassemblant « les mécréants gâtés qui gaspillent l'argent de leurs parents et volent leurs camarades » ; c'était l'excuse que serviraient les gardiens aux autorités de l'école si l'un des élèves rapportait l'événement. Mais personne ne parlerait. Personne ne le faisait jamais, et les gardiens le savaient. C'était la loi secrète de l'internat, « pas de caftage », la loi du silence qui encourageait la perpétuation de toutes sortes d'atrocités impensables. Elle incitait les garçons à tenter tout acte pervers leur traversant l'esprit. Lorsque les coups de ceinture, de baguette et de bâton, infligés par les aînés, pleuvaient sur les plus jeunes, ceux-ci soignaient leurs blessures en chuchotant douloureusement : « pas de caftage. » « Un jour, on sera les plus grands, nous aussi », se consolaient-ils.

Les gardiens continuaient à souffler dans leurs sifflets et à hurler en promenant le faisceau de leurs lampes torches même dans les chambres éclairées. Dolapo rampa jusqu'à l'un des petits trous au-dessus du couloir et regarda. Ils rassemblèrent tout le monde, y compris Tonnerre et le surveillant du dortoir. Même les aînés et les surveillants subissaient ce tourment occasionnel et eux aussi étaient obligés de respecter la règle, « pas de caftage ». Emeka ne s'était pas enfui. Il commença à expliquer quelque chose à l'un des gardiens titubants, lorsqu'un long fouet cinglant jaillit de sa main et l'interrompit. Le cri du garçon grimpa le long du mur, traversa le plafond et atteignit Dolapo, qui s'éloigna du trou en rampant lentement. Il y eut de nombreux cris et gémissements. La punition se poursuivit pendant une demi-heure. Les vieux gardiens exprimaient la frustration engendrée par les échecs de leur vie en se défoulant sur le groupe de petits garçons. Lorsque les sons se furent éteints, Dolapo resta figé longtemps avant de redescendre lentement par les étagères et de repartir dans sa chambre. Emeka était allongé sur le ventre. Il y avait des traces sur son dos, où du sang frais brillait toujours. Dolapo le regarda dans les yeux et y lut le sentiment auquel il s'attendait le moins : la honte. Emeka était doué pour convaincre les autres de son point de vue ou de faire les choses à sa façon ; il semblait donc très troublé par son incapacité à enjôler les gardiens.

« Ils n'ont pas voulu m'écouter », dit-il lentement, comme bouleversé par cette prise de conscience – à savoir qu'il n'est pas toujours possible de faire appel à la raison de l'autre (par des affirmations, véridiques ou non).

« Ils ont refusé d'écouter ce que je disais.

— Ce sont des choses qui arrivent, murmura Dolapo parce qu'il ne trouvait rien de mieux à dire.

— Ce sont des choses qui arrivent », répéta Emeka, tristement conscient que justice ne pouvait être faite, car ils n'étaient pas censés se trouver dans les dortoirs à cette heure-là et, chose plus importante encore, la loi du silence leur interdisait de parler.

Dolapo le regarda quelques instants en éprouvant un inexplicable sentiment de culpabilité – semblable à ce qu'on ressent après une défaite qui aurait pu être évitée. Le lendemain, il plaça sous son oreiller un livre intitulé *Tout s'effondre*.

Emeka était trop absorbé par son acculturation pour que sa famille lui manque. Ne pouvant, ou ne voulant pas, peut-être, retourner dans l'Est pour les vacances, il écoutait les récits de Dolapo sur son village avec grand intérêt. Il s'émerveillait de l'intimité qu'il partageait avec sa cousine et riait de la vivacité de sa mère. Il revivait l'enfance de Dolapo comme si elle lui appartenait car le malheur l'avait obligé à renoncer à la sienne. Il l'interrogeait sur des détails banals, qui surprirent au début son voisin de lit, et était particulièrement captivé par l'animation qui avait suivi l'indépendance. Lorsqu'il fut capable de raconter les souvenirs d'enfance de Dolapo mieux que les siens, il se sentit enfin libéré. Désormais, quand Dolapo était absent, Emeka, subjugué par son *nouveau passe-temps*, voyageait vers des terres étrangères grâce aux livres que le père Grey lui fournissait volontiers.

\*

Le projet d'Emeka était simple : il voulait devenir un riche homme d'affaires, retourner dans l'Est et se marier. Cette voie lui parut évidente le jour où M. Chukwura vint faire un discours à l'école. Son accent était si fort que Dolapo se tourna plusieurs fois vers Emeka pour qu'il lui traduise ce que l'homme venait de dire. Il portait d'épaisses lunettes et une longue barbe touffue qui cachait un cou solide. Il arborait un torse puissant, des bras costauds et des jambes comme des poteaux. Cet homme n'avait aucun sens des proportions ; ses vêtements le serraient, la boucle de sa ceinture de cow-boy était aussi grosse qu'un poing et les bijoux tombaient de ses gros doigts. Sa femme était grande et enveloppée dans des kilomètres d'un somptueux tissu rouge vif qui était visible depuis l'autre bout de la rue. Ses cheveux permanentés étaient coiffés de façon à former une tour en colimaçon qui la faisait continuellement transpirer. Sans sa moustache visible et les quelques poils qui se dressaient sur son menton, son visage aurait été magnifique. Dommage qu'il eut été blanchi – cela donnait l'impression qu'elle l'avait emprunté à une personne beaucoup plus claire de peau. Des chaînes en or faisaient plier son cou beaucoup plus foncé et elle pouvait à peine lever les bras. Elle avait la grâce insouciante de la reine de beauté du village. Tous deux auraient fait de parfaites caricatures pour une future anecdote si l'homme n'avait manifesté la noble générosité d'un cœur igbo. Il convoqua Emeka après son discours.

« Mon fils, dit-il avec son fort accent et son sourire imposant. On m'a dit que tu étais le seul garçon igbo de l'école : ce ne doit pas être facile, je te tire mon chapeau. » Les mots sortaient de sa bouche avec rapidité et discipline, comme des soldats se plaçant en formation.

« Oui, monsieur, répondit Emeka, sans savoir que penser de cette rencontre.

— Qu'est-ce que tu veux faire plus tard ? »

Emeka s'apprêtait à répondre : « Je n'en sais rien », mais l'homme poursuivit : « Du commerce ? Oui, tu veux forcément faire du commerce, sinon tu ne serais pas venu dans l'Ouest, ha ha ! » Son rire était aussi bruyant qu'un tir de mortier sur du béton. « Quand passes-tu ton examen de fin d'études ?

— Dans quatre mois, répondit Emeka.

— Ne t'embête pas avec l'université. Je me suis arrêté au collège et regarde où j'en suis aujourd'hui. »

Ses lèvres épaisses, soutenues par une lourde mâchoire, s'écartèrent.

« Passe me voir quand tes études ici seront terminées, dit-il en lui tendant une carte. Bon, mon garçon, que Dieu te garde, hein ! » conclut-il en tendant à Emeka plus d'argent qu'il n'en avait jamais vu. Le garçon n'avait jamais réfléchi à ce qu'il ferait après ses examens mais désormais, il savait assurément vers quoi il se dirigeait.

Quatre mois et cinq jours plus tard, Emeka fit ses adieux au père Grey et arriva à Lagos. M. Chukwura possédait un magasin d'électronique très fréquenté dans le quartier de Ladipo à Mushin. Il considérait avec mépris les commerçants libanais et indiens qui étaient restés au Nigeria après l'indépendance et disait à Emeka :

« Ils vont devoir retourner dans leurs pays, sinon nous les chasserons nous-mêmes. »

Ce à quoi Emeka répondait : « Oui, monsieur. »

. M. Chukwura était convaincu que les accessoires automobiles étaient l'avenir du secteur et le magasin de « Président » – tout le monde, y compris sa femme, le surnommait ainsi – était rempli de pièces détachées de voitures Peugeot.

« Le secret, c'est de deviner ce que les gens veulent avant qu'ils le veuillent, et si tu te trompes, débrouille-toi pour les convaincre. » C'était la philosophie de Président et c'est ce qu'Emeka apprit de lui. Président pensait qu'un vrai homme ne se nourrit que d'*eba*[1] ; aussi en mangeait-il trois fois par jour. Depuis les vingt dernières années, il avalait la même chose à chaque repas et se régalait toujours autant. La seule chose qui variait, c'était le choix de la soupe qui l'accompagnait.

Comme Président arrivait à son bureau à sept heures, Emeka décida de venir tous les jours à six heures et demie afin de pouvoir faire l'inventaire de son large stock pendant les trente minutes où il était seul. La présence de son patron n'était plus vraiment nécessaire, mais celui-ci ne faisait confiance à personne et se méfiait par-dessus tout des Libanais qui se trouvaient à quelques magasins du sien. Il avait beaucoup de sympathie pour Emeka car il s'était débrouillé tout seul pour venir à Lagos et était entré au prestigieux collège du gouvernement fédéral d'Ibadan. Doué en calcul et en langues, Emeka s'obligeait à respecter des méthodes strictes. Désormais, lorsque Président partait pour ses voyages bihebdomadaires, il laissait le magasin sous la responsabilité du jeune homme et l'invitait à dîner le soir de son retour.

Emeka n'avait jamais éprouvé le désir de voyager, mais les histoires de Président et les livres qu'il dévorait assidûment éveillaient son intérêt pour les lieux inconnus. Président aimait que l'instabilité règne partout, sauf au Nigeria, car il disait que c'était bon pour les affaires. Il rentrait d'un voyage avec un grand sourire satisfait et disait :

« Il va bientôt y avoir un coup d'État dans le jardin de notre voisin. »

C'était l'unique plaisanterie qu'il se permettait. La seule autre fois où il s'autorisa un trait d'humour, ce fut encore après un très heureux voyage effectué lors de l'annonce de multiples coups d'État.

---

1. Pâte ferme à base de farine de manioc et d'eau, cuite à la casserole.

« C'est encore mieux cette fois, parce que ce sont des militaires qui renversent d'autres militaires. Cela veut dire qu'en signe d'austérité, ils vont se débarrasser de tout ce qu'a laissé le précédent régime. »

Il expliqua tout cela avec nonchalance à Emeka, car il est bien connu que les coups militaires bénéficient aux personnes ayant, comme lui, des relations.

« Ensuite, ils auront besoin de se moderniser, dit-il en esquissant un sourire qui n'eut pas l'air aussi malicieux qu'il l'espérait, à cause de ses grandes lèvres. Nous achèterons leur matériel d'hier et le vendrons ici comme s'il datait d'aujourd'hui, puis nous achèterons ici celui d'aujourd'hui et le vendrons là-bas au prix du matériel de demain », dit-il en faisant de grands gestes dans la direction générale de l'Afrique de l'Ouest, alors que sa femme lui apportait son dîner. Président avait invité chez lui ses trois garçons (c'est ainsi qu'il nommait ses employés). Il était d'humeur si joviale qu'il les défia de manger plus que lui lorsque sa femme les servit à leur tour. Il regarda leurs portions raisonnables, s'esclaffa et dit :

« C'est tout ? »

Il était écroulé de rire.

« Nwanne, appela-t-il sa femme. Rassemble toutes leurs parts et ajoute de la nourriture dans mon assiette.

— Président, tu vé té tuer ? » demanda Musa.

L'homme répondit en riant.

« On n'a jamais vu un python mourir en avalant une chèvre. La peau de son ventre se tend simplement pour s'adapter. »

En fait, celle de son ventre s'adapta si bien que deux heures plus tard, Président eut de nouveau faim et avala une miche de pain fourrée de bananes plantains bouillies en guise d'en-cas. Emeka aimait l'époque actuelle ; il aimait l'animation de Lagos et ses promesses de richesse. Comme Président ne savait jamais quoi faire de sa fortune, il donnait beaucoup d'argent de poche aux garçons. Les deux autres le dépensaient surtout dans les boîtes de nuit où il était très tentant de mener la grande vie. Emeka agissait comme il avait vu son père le faire et conservait l'argent dans une boîte à chaussures sous son lit. Les deux autres garçons s'appelaient Ikenna et Musa.

Ikenna portait toujours un maillot de corps pour exhiber les muscles dont il était si fier. Il écoutait de la musique soul en permanence, chantait d'une voix étranglée et tentait de danser comme James Brown – tout en rêvant d'aller en Amérique rencontrer son idole. Son seul trait distinctif était une cicatrice très visible sur le nez, souvenir de la fois où il avait décidé de sentir un fer afin de vérifier s'il était vraiment chaud, car il lui arrivait de connaître de brèves périodes de bêtise inexplicable. Contrairement aux deux autres, Musa était yoruba, mais c'était un opportuniste, ce qui faisait de lui un grand homme d'affaires. Lorsque des femmes passaient au magasin afin de faire des avances à Emeka, Musa disait : « Vous devriez sortir avec nous plus tard », et les clientes acceptaient, persuadées que « avec nous » incluait Emeka. Musa adorait le *juju*[1] ; il écoutait donc Ebenezer Obey et King Sunny Ade le plus fort possible, au grand dépit d'Ikenna. Il coiffait ses cheveux ondulés en vingt coups de brosse précis, puis il partait pour la gargote locale en compagnie d'Ikenna afin d'y retrouver les filles. Après avoir fourni à chacune sa bouteille de Star Beer, il disait avec regret :

« On dirait bien qu'Emeka n'a pas pu venir », mais elles étaient alors trop ivres pour s'en soucier. Emeka ne se rendait compte de rien. Il ne se laissait entraîner hors de sa chambre solitaire que par les pages de ses innombrables livres.

Un jour, Président vint le voir, l'air perturbé, sa grosse bouche semblable à une banane trop mûre aux extrémités tournées vers le bas.

« Viens ici, Emeka, dit-il si tristement que le jeune homme faillit le croire mourant.

— Oui, monsieur, répondit-il comme à son habitude.

— T'ai-je suffisamment appris… me fais-tu confiance ?

— Oui, monsieur.

---

1. Musique populaire nigériane.

— Bien, dit Président en hochant lentement la tête comme si c'était exactement la réponse qu'il lui fallait. Il va y avoir un coup d'État, il va y avoir une guerre.

— C'est formidable, monsieur. Dans le jardin de qui ?

— Le nôtre, répondit l'homme d'une voix solennelle qui effraya Emeka.

— Monsieur, vous êtes sûr, monsieur ? »

Président lui lança un regard sévère, comme s'il avait envie de le réprimander, mais il dit finalement de la même voix douce :

« J'observe ces choses depuis trop longtemps pour ne pas deviner quand elles vont arriver à mon propre peuple. Combien ta vie vaut-elle, à tes yeux ? »

C'était une question si inattendue qu'Emeka ne put lui trouver de réponse.

« Ne la perds pas avant de l'avoir découvert. Souviens-toi de cela : ne la perds pas avant de l'avoir découvert. » Soudain, son sourire habituel apparut et rendit encore plus étranges les cinq minutes qui venaient de s'écouler.

« Je vois que tu ne fais pas la fête avec les autres.

— Non, monsieur.

— Bien. Connais-tu la parabole des talents ?

— Non, monsieur.

— Il faut que tu lises la Bible, c'est très important, tu y découvriras combien vaut ta vie.

— Oui, monsieur.

— Tu ne sais donc rien dire d'autre ?

— Si, monsieur. »

Président eut un petit rire puis redevint brusquement solennel.

« Je sais combien vaut ma vie et j'ai besoin que tu me rendes un service.

— Tout ce que vous voudrez, monsieur.

— Tu m'as dit que tu me faisais confiance, rappelle-toi. Mais puis-je te faire confiance aussi ?

— Bien sûr, monsieur, répondit Emeka, un peu blessé par sa question.

— Très bien, mon fils, je n'en doute pas un instant. Écoute-moi attentivement. Je pars pour l'Est dans deux semaines et je ne reviendrai pas. Je veux que tu vendes tout ce que nous avons en stock. Tu m'enverras ensuite la moitié de l'argent. Ne t'inquiète pas, je te contacterai. Tu garderas le reste pour toi. »

Président se tut un instant et ajouta presque à contrecœur :

« Et tu t'occuperas des autres garçons. »

Puis il termina avec emphase :

« Mais de toi avant tout.

— De quoi parlez-vous, monsieur ? Où allez-vous ? Je ne peux pas garder la moitié de votre argent…

— Tu feras ce que je t'ai dit, l'interrompit Président. Maintenant, si tu es intelligent, tu vas m'écouter attentivement. Il faudra que tu ailles trouver l'un de tes amis yorubas les plus dignes de confiance, que tu changes tout cet argent en dollars et que tu lui dises de le déposer pour toi à la banque. »

Emeka s'apprêtait à lui poser une autre série de questions, mais Président posa sa lourde main sur son bras droit et dit simplement :

« Fais-moi confiance, mon fils. J'ai raison. »

Un faible sourire se dessina sur son visage las, qui trahissait finalement son âge avancé.

\*

Huit mois s'étaient écoulés depuis cette conversation et Emeka commençait à penser que Président avait simplement fait preuve de paranoïa, lorsqu'on annonça finalement le coup d'État à la radio. Emeka avait vendu l'essentiel de la marchandise pendant la période extrêmement généreuse de Noël et il était d'humeur gaie. Même après avoir remis à Musa et Ikenna de généreuses primes, il lui restait une importante somme d'argent. Sa crainte initiale du sort tragique qui les attendait, selon ce qu'avait sous-entendu Président, semblait à présent exagérée, car malgré les nombreux discours et proclamations des nouveaux chefs militaires, rien ne changeait. Un soir plus tranquille que les autres, Emeka était assis avec Musa dans le magasin presque vide. Il commençait enfin à remarquer les dames qui s'arrêtaient devant la boutique et s'attardaient un long moment, en se demandant comment séduire cet homme indifférent.

« Tu crois vraiment qu'il va y avoir une sécession ? demanda-t-il à Musa.

— Évidemment ! répondit aussitôt celui-ci. Tout le monde sait qu'Ojukwu est avide de pouvoir. Si Awolowo n'était pas aussi borné, il se joindrait aux Igbos. De cette façon, nous pourrions allier intelligence et sens des affaires. Qu'ont donc à nous apporter tous ces *mallam* ?

— Et tu n'es pas inquiet ? demanda Emeka en ignorant l'évidente teneur tribaliste de sa remarque.

— Ha ha, pas du tout. Rien ne peut arriver à Lagos. Qu'a donc changé le coup d'État ? Tous ces *wahala* n'opposent que le Nord et l'Est. Dans le pire des cas, on devra te jeter dehors, conclut-il en lui adressant un léger clin d'œil. C'est pour ça que je t'ai conseillé de goûter aux filles yorubas avant d'être renvoyé dans ton village. Moi, lé six mois derniers, jé touché qué dé filles *nna*, qué té sœurs igbos à peau claire, là ! »

Ils rirent en chœur et, ce soir-là, Emeka se rendit au bar avec les garçons pour la première fois. Comme il était bel homme et avait beaucoup d'argent, les filles fermèrent les yeux sur ses deux pieds gauches. Il offrit des boissons à tout le monde mais n'en but aucune au cours des deux premières heures, plus amusé qu'intéressé par le spectacle qui se déroulait sous ses yeux. Cependant, fidèle à sa parole, Musa revint avec la fille la plus claire de la boîte de nuit, une Igbo visiblement, et Emeka repensa à leur conversation. Soudain d'humeur pensive, il se mit à vider sans s'en rendre compte toutes les bouteilles que Musa lui faisait volontiers parvenir, jusqu'à ce qu'il se précipite brusquement aux toilettes et comprenne combien il était ivre. La tête entre les mains, il se rassit en oscillant doucement et remarqua à peine qu'on le rejoignait à la table.

Sans se rappeler qu'il avait conversé avec la dame pendant une demi-heure et pleuré sur son épaule en repensant à son passé enfoui et oublié, alors que des images de sa famille abandonnée remplaçaient celles des fêtards bagarreurs, sans se rappeler qu'il était monté dans un taxi avec elle et avait été ramené chez lui puis assisté pendant qu'il vomissait violemment dans un seau en plastique de couleur pâle, sans se rappeler qu'il avait pris son adresse, il se réveilla le lendemain matin avec un mal de tête déterminé à surpasser ceux de ses amis après leur soirée arrosée.

Le soleil brillait trop fort, sa bouche était sèche et il avait l'impression d'avoir été sauvagement attaqué. Cela faisait longtemps qu'il n'avait pas tiré du vin de palme avec son père ni bu une telle quantité d'alcool. Il y avait un seau à côté de son lit et un verre d'eau sur la table de nuit, ainsi qu'un petit mot impertinent, rédigé en courbes épaisses d'une main incontestablement féminine, qui disait : « J'ESPÈRE QUE TU TE SENS MIEUX. PRENDS DONC ÇA. » Une boîte de Panadol était posée à côté. Emeka prit le médicament puis fut dérangé par des coups violents à la porte. Il rampa jusqu'à l'entrée et tourna la clé dans la serrure. Musa fit irruption en criant :

« Mon frère, jé t'applaudis !

— Tais-toi, s'il te plaît, je suis en train de mourir, chuchota-t-il sèchement. Tu ne vois pas que je suis en train de mourir ? murmura-t-il encore en voyant le visage excité de Musa.

— T'as fé comment ? Jé essayé tout la nuit, Ikenna il a essayé tout la nuit, tout le monde il a essayé tout la nuit. Jé mé démande elle fézait quoi dans un endroit pareil, cette fille gâtée, là.

— Mais de qui parles-tu ?

— Dé la poule qui té parti avec, tiens. Elle parlé avec assent étranger, "excuse-moi, excuse-moi", elle répoussait les avances dé mecs zuste comme ça, là !

— Ahhh, le petit mot, le petit mot. »

Tout résonnait dans son esprit fragile.

« Elle a laissé un mot ? Fé voi, mon pote ! Jé té dis cé une fille correc, régarde son adresse, Ikoyi ! Mon salaud ! Mé tu fé comment ?

— Tu me casses les oreilles, je n'ai rien fait, rien du tout », maugréa Emeka en se demandant comment il avait occupé sa nuit. Il s'était réveillé avec ses chaussures et ignorait totalement qui était cette fille. Il parvint finalement à faire partir Musa, qui répétait :

« Mon frère, jé t'applaudis, faut qu'on réssort ensemble. »

Ce qu'Emeka accepta en marmonnant, sans avoir l'intention d'honorer sa promesse.

Elle était grande pour une fille et étudiait à Londres. Elle avait la peau douce, couleur chocolat au lait. Elle ne s'était jamais fait permanenter. Elle était fille unique et passait à Lagos ses vacances d'été. Son père était le ministre de l'Éducation. Elle voulait être architecte. Elle aimait se trouver au milieu de la foule tapageuse parce que c'était le seul endroit où elle se sentait vraiment seule. Voilà les choses qu'il aurait dû se rappeler après la nuit passée ; mais tout ce qu'il savait, c'était qu'elle habitait dans un quartier très riche de la ville et qu'elle portait un parfum à la goyave. Il pensa à elle tout le week-end mais fut trop effrayé pour lui rendre visite.

Le lundi vers midi, une Mercedes avec chauffeur se gara devant le magasin. L'homme marcha tout droit vers Emeka comme s'il s'agissait d'une vieille connaissance et lui tendit un mot. Il se plaça poliment à quelques pas de lui, afin de lui indiquer qu'on attendait une réponse. Le petit mot disait simplement : « C'est l'heure de notre déjeuner. » Emeka reconnut l'écriture et l'odeur sucrée qui avait flotté dans sa chambre tout le week-end. Si intrigué qu'il en oublia de réfléchir, il fila s'asseoir à côté du chauffeur dans la voiture et fut enveloppé par la fameuse odeur. La Mercedes s'arrêta devant le country club d'Ikoyi, puis Emeka fut conduit à une table du fond par un homme en gilet bordeaux qui l'appela par son nom. Il trouva très troublant que tout le monde semble l'attendre, alors que lui-même ignorait tout de l'événement. Une dame élégante était assise à la table. Elle portait une robe à fleurs légère qui caressait le sommet de ses genoux croisés. Les jambes qui dépassaient du vêtement étaient longues, sans poils, et se terminaient par des chaussures comme il n'en avait encore jamais vues. Ses mains étaient posées sur ses genoux et un sourire éclairait son visage. Une grande paire de lunettes était posée sur la table à côté d'une bouteille d'eau. Elle ne dit rien ni ne bougea, mais son sourire s'élargit lorsqu'il s'approcha de la table. Un sourire éblouissant qui lui communiqua ces instructions :

« Assieds-toi », dit-il, et Emeka obéit.

« Détends-toi », dit-il, mais le jeune homme en fut incapable.

Elle laissa échapper un rire prudent – un rire qui ne s'adressait qu'à elle-même et son invité.

« Je savais que tu ne te souviendrais pas de moi. Mais est-ce parce que monsieur avait trop bu ou parce que monsieur conserve son passé dans un coffre-fort abandonné ? » demanda-t-elle avec légèreté, le laissant totalement désarmé.

Cette expression précise lui traversait régulièrement l'esprit : « conserver son passé dans un coffre-fort abandonné », mais il ne se rappelait pas l'avoir prononcée une seule fois à voix haute.

« Tu es un type intéressant, même dans ton état. Tu m'as raconté des choses qui résonnent encore dans mon esprit. Mais dis-moi, une guerre va-t-elle vraiment éclater ? Mon père dit que non, mais je suppose que son travail est de se montrer rassurant…

— Comment t'appelles-tu ? » demanda-t-il, et le rougissement rapide de la fille donna à Emeka une assurance temporaire. Elle se ressaisit et haussa un sourcil parfaitement arqué.

« Tu ne devrais pas laisser des inconnues entrer dans ton appartement et te border, répondit-elle, un sourire insolent se dessinant sur ses lèvres fines.

— Je ne devrais pas boire autant ni accepter les invitations d'inconnues à déjeuner.

— Oyefunke.

— Ravi de faire ta connaissance », dit-il avec une solennité feinte, et tous deux lâchèrent un rire prudent.

Ils se prêtèrent ensuite à un badinage étrange. Elle se montrait normalement discrète, lui restait réservé, et tous deux savaient que le temps de leur rencontre était compté. Elle savait qu'elle repartirait à Londres deux mois après et lui savait qu'il serait obligé de retourner dans l'Est. Ils profitèrent donc de cette relation intense, insouciante, qui convenait parfaitement à leur temps limité – le type de relation qui encourage les opinions fortes et les habitudes insolites. Ils parlèrent d'amour et de guerre, ils parlèrent de rêves qu'ils ignoraient caresser avant de les formuler au cours d'une conversation enjouée. Deux mois plus tard, Emeka rangerait Oyefunke dans le coffre-fort où il conservait tous ses meilleurs souvenirs, ceux qui menaçaient d'éveiller sa nostalgie lorsqu'ils lui revenaient : ceux de sa famille, du père Grey, de Président. Mais ce fut au cours de l'un de ces nombreux déjeuners qu'il comprit que son destin était plus grand que ses ambitions. Cela l'effraya et l'enchanta en même temps.

« Tu es un type inhabituel, commença-t-elle.

— Vraiment ? » répondit-il d'un ton moqueur qui dérangea légèrement Oyefunke.

Elle le regarda droit dans les yeux.

« Tu as l'extraordinaire habitude de te faire immédiatement aimer de toutes les personnes que tu rencontres.

— Et alors ? demanda-t-il avec désinvolture, sans se départir du sourire complaisant qui étirait le coin de ses lèvres rouges.

— Et alors ? répéta-t-elle avec incrédulité. Comment peux-tu me poser cette question alors que nous vivons dans le pays le plus peuplé d'Afrique au moment où il est le plus divisé ?

— Mais qui suis-je, franchement ? demanda-t-il d'un ton sans équivoque, qui sous-entendait beaucoup de choses sur le statut privilégié d'Oyefunke.

— À toi de le découvrir », dit-elle avec un sourire crispé, avant de quitter la table du déjeuner sans l'attendre.

Il repensa à cette conversation de nombreuses fois ; mais lors de leur rencontre suivante, elle se comporta comme si de rien n'était et il eut peur d'aborder le sujet.

Elle avait toujours refusé de lui dire quand elle retournerait à Londres. Aussi, lorsqu'arriva le jour de son départ, celui-ci fut aussi soudain que leur rencontre.

« C'était un plaisir, tu es d'excellente compagnie », dit-elle simplement au cours du déjeuner. Ce à quoi il répondit :

« Toi aussi. »

S'établit alors leur premier contact physique depuis qu'elle l'avait aidé à se mettre au lit ; cette brève étreinte grava pour toujours le parfum sucré de la goyave dans la mémoire d'Emeka.

\*

Au début, il avait eu l'intention d'attendre la fin de la guerre quelque part dans le Sud-Ouest, moins agité. Il avait assez d'argent pour vivre discrètement dans un quartier neutre. Mais en fin de compte, il vendit le magasin et tout ce qu'il restait le lendemain. Sa vie à Lagos touchait à sa fin. Il le savait car les rues étaient encombrées de bus chargés de casseroles et de matelas – biens qui témoignaient d'un départ définitif.

Dolapo travaillant pour un cabinet d'avocats, Emeka estima qu'il était le mieux placé pour devenir le gardien de sa petite fortune. Au fil des ans, ils étaient restés en contact par écrit de manière intermittente, et leur dernier échange avait eu lieu un mois et demi plus tôt. Prenant la route pour Ikoyi, comme il l'avait fait trois fois par semaine ces deux derniers mois, Emeka se faufila à travers l'incessante circulation et entra dans le cabinet d'avocats Sullivan & McGregor. Une secrétaire exagérément efficace fit venir M. Dolapo Odukoya sur-le-champ. Les deux hommes échangèrent une sage accolade, comme seuls le font les amis proches qui se gardent généralement d'exprimer leur affection.

« Comment vas-tu ? Je suis passé à l'université et on m'a dit que tu faisais un stage ici, commença Emeka.

— Ouaip, encore une année d'études, mais j'aurai fini en mai et je reviendrai travailler dans ce cabinet pour de bon en septembre, répondit Dolapo.

— J'ai un service à te demander. Je suis sûr que tu as entendu les rumeurs.

— Mon frère, *abeg*, ce ne sont justement que des rumeurs.

— Peut-être », dit Emeka. Puis il se tut d'un air pensif.

« En tout cas, j'aimerais que tu déposes ça sur un compte pour moi, reprit-il en plaçant une grande valise pleine de dollars entre les mains de Dolapo.

— Qu'est-ce que tu fais ? Ne sois pas idiot, protesta celui-ci après avoir jeté un œil à l'intérieur, hésitant à manipuler une telle somme d'argent.

— S'il te plaît, c'est un service que je te demande. Écoute, si la rumeur dit vrai, je ne crois pas que mon argent survivra à la guerre ; et si c'est moi qui ne survis pas à la guerre, il sera à toi. Tu devrais ouvrir ton propre cabinet et arrêter de travailler pour ces *oyinbo*.

— Jamais. Je ne peux pas me servir de ton argent. Je vois que ça t'a réussi de ne pas aller à l'université, dit Dolapo avec un large sourire. Quel chemin tu as parcouru en seulement trois ans !

— Chacun son truc, chacun son truc. La première phase de ma vie vient de se terminer. J'attends de voir ce que me réserve la prochaine. Promets-moi simplement de te servir de cet argent si je ne reviens pas.

— Quoi ? Est-ce que tu vas aller te battre aussi ? Je ne crois pas que tu sois de taille, tu es encore un petit garçon. Nous n'avons que la vingtaine, *abeg*, ne gâche pas ta vie.

— Je ne la gâche pas, j'essaie de trouver ma voie. Mais d'abord, je dois… » Emeka se tut un instant. « Je dois partir, fais attention à toi. »

Ainsi Dolapo se retrouva-t-il avec une valise noire et une phrase inachevée.

## Water No Get Enemy
### (Sud-est du Nigeria, 1967-1969)

Un an plus tard, lorsque se mirent à tomber les pluies tardives de mai, faisant naître des odeurs sucrées à Ikoyi et provoquant des inondations à Mushin, Ojukwu – le gouverneur de l'est du Nigeria – annonça la sécession du Biafra de sa voix mielleuse de baryton.

Profondément secoué, Emeka était assis derrière sa caisse au supermarché Leventis. Bouche bée, l'esprit figé, il regardait fixement la radio qui venait de diffuser son message de guerre. Encore dans l'ignorance, ou peut-être simplement indifférents, les clients parcouraient les rayons à vive allure en examinant minutieusement les piles de boîtes de cornflakes Nestlé et de lait Peak. Averti par Président, Emeka savait que ce jour viendrait. Il s'y était préparé, et pourtant, il n'était pas prêt. La dame devant lui tambourina impatiemment sur le comptoir avec ses ongles rouges manucurés, ce qui le ramena à l'instant présent. Il rangea rapidement ses articles dans un sac en plastique et ne fut que gestes machinaux tout le reste de la journée. Arrivé à son appartement d'Apapa, qu'il partageait pour faire des économies, il découvrit que son colocataire soucieux éprouvait le même pressentiment funeste que lui ; tous deux savaient qu'ils devaient partir.

« Contrôleur il voulé jé paye lé double, dit son colocataire en lui montrant son énorme œil au beurre noir.

— *Omo*[1], on a fé notré temps ici, répondit Emeka avec un profond soupir. Jé pense il faut parti démain ! »

Lui aussi avait été bousculé à l'arrêt de bus en rentrant à l'appartement car sa peau claire et son accent trahissaient son origine igbo. Sans prendre la peine de démissionner, ils partirent tôt par le premier bus à destination de l'Est. Il était évident qu'ils ne retrouveraient jamais leurs emplois. L'annonce qui avait passivement transpiré dans l'après-midi avait fini par réveiller l'insatisfaction latente, comme une grosse goutte tombée dans un bol presque vide, provoquant des ondulations à la surface déjà agitée de la fracture sociale.

Chukuemeka fut accueilli chez lui par des câlins exubérants et des baisers typiquement féminins. Son père se tint à distance respectable pendant que sa sœur et sa mère le flattaient servilement. Les deux hommes finirent tout de même par se serrer la main et parvinrent à échanger une brève accolade. Une inquiétude évidente se lisait dans l'œil indemne de son père, et la surface habituellement calme de son globe aveugle était marquée par l'anxiété. Emeka avait vécu ces derniers mois dans l'incertitude. Il avait choisi un travail qui lui permettait de rester à Lagos, même s'il lui rapportait juste de quoi payer ses factures, car il avait peur de rentrer chez lui. Il ne voulait pas voir l'enthousiasme se peindre sur le visage de sa sœur ni l'inquiétude sur celui de sa mère car il ne partageait pas leurs sentiments. C'était dans sa nature, et sa famille ne pouvait pas le comprendre. Mais ce qu'il voulait éviter avant tout, c'était de devoir regarder l'œil de son père, parce que lui seul savait ce que son fils ressentait vraiment. Bien qu'il eût quitté la maison trop précipitamment et n'eût jamais regardé derrière lui, bien qu'il ne leur eût jamais rendu visite depuis et eût préféré leur envoyer, en guise d'émissaires, des enveloppes renfermant de petits mots brefs et de grosses liasses de billets, malgré tout cela… Emeka ne regrettait pas un instant d'être parti. Ils n'abordèrent que des sujets sans danger – le présent et l'avenir.

---

1.  « Mon ami. »

La question ne fut jamais de savoir si, mais plutôt quand, il s'engagerait dans l'armée biafraise. Sa mère et sa sœur se présentèrent rapidement au centre local pour aider à coudre des uniformes. Son père se mit à envoyer dix pour cent de ses récoltes aux soldats. Les deux premiers mois, Emeka put se contenter d'aider à la ferme ; mais ensuite, les dirigeants du Nigeria déclarèrent la guerre totale à leurs frères biafrais égarés. Avant même cette déclaration, Emeka avait senti un malaise dans l'air lourd, témoignant d'un reproche non formulé, lorsque son père et lui étaient assis ensemble le soir. Même s'il souhaitait que son fils rejoigne promptement l'armée, une honte silencieuse que son œil aveugle ne perdait pas un instant de vue freinait M. Ogbonna. Car même s'il ne lui avait jamais donné son accord ouvertement, l'homme était convaincu qu'Emeka avait pris la décision de suivre le père Grey parce qu'il avait hésité la première fois que le prêtre lui avait demandé la permission d'emmener son fils. En son for intérieur, il assumait le poids de la décision d'Emeka de braver l'inconnu. Tout père a le droit de demander un jour à son fils de faire un choix impossible et, d'après son livre de comptes, M. Ogbonna était déjà dans le rouge. Aussi gardait-il le silence, même s'il était évident qu'Emeka ne tenait pas autant que lui à tout risquer pour que leur peuple obtienne une nation indépendante.

M. Ogbonna écoutait toujours la radio avec assiduité, se redressant fièrement chaque fois qu'il entendait la voix doucereuse d'Ojukwu au milieu des grésillements. De temps à autre, il hasardait même quelques pas de danse lorsqu'elle diffusait de la musique locale et qu'il avait bu son content de vin de palme. Son œil aveugle semblait pétiller chaque fois que le présentateur annonçait : « Vous êtes sur Radio Biafra. » Emeka savait qu'il serait obligé de s'engager tôt ou tard et il se comportait chez lui comme un invité qui avait abusé de l'hospitalité de ses hôtes mais n'avait nulle part où aller. Le jour où le Biafra déclara la guerre totale, son père parvint tout juste à le regarder dans les yeux.

La lune était aussi magnifique que le soir où Emeka avait été conçu. M. Ogbonna avait bu plus de vin de palme que de raison.

Il était assis seul au bout du banc et écoutait ostensiblement sa radio, qui donnait les dernières nouvelles concernant l'état des troupes et les recrutements. Il n'avait pas dit un seul mot à Emeka depuis l'annonce de la veille et ne s'adressait à sa femme que pour lui faire part de sa faim. La tension était aussi lourde que les nuages qui menaçaient de crever depuis le début de la soirée. Assis avec sa sœur à l'autre bout du long siège en bois, Emeka lui parlait de Lagos, et parfois de Dolapo.

« Qu'est-ce qui te manque le plus quand tu penses à Lagos ? » lui demanda-t-elle innocemment.

Emeka resta silencieux quelques minutes.

« La vie, répondit-il finalement. Cette ville est si vivante. »

Soudain, la voix amère de son père bondit par-dessus sa mère qui était assise entre eux et tonna :

« Nous sommes donc morts, *abi*[1] ? C'est pour ça que tu ne rentrais pas à la maison, c'est pour ça que tu ne veux pas te battre, *abi* ? La vie ici ne vaut pas le coup de se battre, *abi* ? »

La virulence de ses questions stupéfia Emeka, mais il choisit de les ignorer. Il se sentait nigérian, ils étaient tous nigérians à ses yeux et, en son for intérieur, il soupçonnait son père de pouvoir lire dans ses pensées. Au bout d'un moment, le silence se fit moins pesant ; Emeka se mit presque à haleter lorsque l'air étouffant recommença enfin à circuler dans ses poumons. Comme sa sœur avait l'air très triste, il sortit *Le lion et la perle*, écrit par un jeune dramaturge militant nommé Wole Soyinka, et commença à le lui lire doucement. Ils étaient si absorbés par l'histoire qu'ils ne virent pas leur père approcher en chancelant et se dresser au-dessus d'eux. Soudain, il arracha le livre des mains d'Emeka.

« Qu'est-ce que c'est que ce poison ? demanda-t-il avec colère.

— Ce n'est pas du poison, c'est l'œuvre d'un activiste nigérian intelligent, répondit Emeka en bondissant sur ses pieds, mû par la force de sa fureur contenue.

— Un activiste ! Nigérian ! Intelligent ! »

---

1. Hein ?/C'est ça ?

Son père cracha chaque mot comme si tous trois n'avaient rien à faire dans la même phrase. La force d'une tempête imminente animait son œil trouble.

« Petit ingrat, tu ne corrompras pas ma fille. Tu ne me la prendras pas comme tu as pris mon fils. Mon unique fils. »

Ces trois derniers mots eurent l'effet d'une bombe, et la guerre que fuyait Emeka parut soudain sans importance à côté de la bataille qui faisait rage dans son esprit.

« Mais qu'est-ce qu'il raconte, maman ? »

Il prononça cette question d'une voix légèrement étranglée. L'expression de sa mère confirmait ce qu'il avait longtemps soupçonné et qu'elle ne pouvait exprimer.

Emeka se réfugia dans la solitude réconfortante de sa chambre. Il sortit sans bruit à la première lueur du jour et vit sa sœur pelotonnée sur le sol devant sa porte. Il la souleva, la serra dans ses bras, l'embrassa et la déposa dans son lit. Sa mère était assise à l'entrée de la maison. Ils s'étreignirent hâtivement en silence, puis il s'éloigna de la maison à vive allure sans regarder derrière lui.

*

Emeka regarda par la fenêtre ; il n'y avait pas de lune et la pluie tombait en un rideau opaque. Ce n'était pas le temps idéal pour un tireur embusqué, ce n'était pas l'arme idéale pour tirer sans se faire voir, et Emeka n'était pas un bon tireur. Il s'accroupit sous le rebord de la fenêtre en serrant son vieux fusil de chasse contre sa poitrine et récita ses prières. Il ne voyait rien à travers le déluge et n'entendait rien à cause du ruissellement retentissant de la pluie. Ses yeux examinèrent furtivement la pièce parsemée de débris et de gravats. Les restes de son dîner de l'avant-veille étaient posés en plein milieu. Il n'avait pas mangé ni dormi depuis. Ses excréments et son vomi s'étalaient sur le sol dans le coin gauche de la pièce, mais il ne les remarquait plus. Son esprit était obnubilé par le corps affalé contre le mur et l'autre cadavre vautré dans l'entrée. De fines gouttelettes de sang ornaient le ciment fissuré.

En deux ou trois minutes trépidantes, le soldat nigérian s'était effondré près de la porte, Emeka avait perdu son équipier ; un mélange de sang chaud et d'urine mouillait la jambe droite de son pantalon. Il n'avait pas eu le temps de s'occuper de sa jambe, de déplacer les corps ni même de penser à eux. Les tirs étaient incessants. Les troupes nigérianes se rapprochaient rapidement et les armes rudimentaires des soldats biafrais ne les maintenaient pas à distance, contrairement à ce qu'on leur avait assuré. Emeka ne cessait de se répéter que cette guerre était nécessaire, il ne cessait de prier, de pleurer, de maudire Ojukwu et Gowon – le chef de l'État militaire nigérian.

Emeka se réveilla au son de bottes qui claquaient sur le sol. Il chercha son fusil à tâtons mais il était trop tard, un pistolet était déjà pointé vers sa tête. Ils se reconnurent ; aucun d'eux ne prononça un mot. L'autre baissa son arme et ils se regardèrent sans ciller, chacun étant trop paralysé pour laisser paraître sa stupéfaction. Le Nigérian s'assit comme lui sur le sol, loin des corps. Ils passèrent ainsi le reste de la nuit, la mort pesant dans l'air, la guerre pesant sur leurs esprits.

Le bruit des tirs s'éloigna peu à peu. Aucun d'eux ne s'empressa de le suivre. Retirés dans leur solitude, ils restèrent assis en silence. La pluie cessa et le soleil apparut, mais aucun arc-en-ciel ne se forma. Emeka s'assoupit encore. Le sang de sa blessure imbibait le chiffon rapidement noué autour de sa jambe droite et cela le faisait somnoler. Il leva les yeux ; le Nigérian le fixait. Leurs regards se croisèrent pour la deuxième fois depuis son arrivée. Tous deux auraient préféré se trouver ailleurs : voilà ce qu'exprimaient leurs yeux. Il essaya d'ouvrir la bouche, mais ses lèvres étaient trop gercées. Après cette tentative, sa tête s'immobilisa. Il voulait lui dire de ne pas sortir tout de suite car l'endroit était truffé d'*ogbunigwe*[1], mais sa bouche ne s'ouvrait même pas assez pour pouvoir prononcer le mot « mines ». Il esquissa un sourire fatigué pour le remercier

---

1. Mines, explosifs et missiles produits en masse par le Biafra pendant la guerre contre le Nigeria.

de l'avoir laissé en vie. Cependant, le Nigérian resta aussi immobile qu'une statue. Emeka plongea la main dans son sac et en sortit un livre aux pages cornées. Il pouvait à peine le lui tendre. Toutefois, la vue de ce roman fit apparaître le premier sourire du Nigérian, qui le prit sans un mot. Il s'efforça de garder les paupières ouvertes et ordonna à son esprit de rester éveillé, mais en vain.

Tout son corps était endolori ; lorsqu'il se réveilla, il avait un violent mal de tête et quelque chose semblait comprimer sa jambe droite. Il baissa les yeux et vit qu'elle était bandée. Pas avec un chiffon, mais un vrai pansement. De la teinture d'iode avait aussi été appliquée sur sa blessure. Celle-ci lui faisait vraiment mal ; il se dit qu'on avait dû extraire la balle. Le Nigérian était parti. Les casques des soldats morts avaient été remplis d'eau et déposés à côté de lui. Il y but avidement. L'un d'eux n'était qu'à moitié plein car il était percé. Il découvrit les restes frits d'un petit animal ; il ne parvint pas à l'identifier mais l'engloutit aussi. C'était l'ultime cadeau de Dolapo.

Une légère bruine tombait dehors. Cependant, aucun chœur de grenouilles ne s'y joignait comme dans son enfance. Elles avaient toutes été mangées. Pour la première fois de sa vie, il repensa au passé. Il songea à ses parents et à sa sœur. Il essaya de ne pas penser à son frère car ce souvenir était trop douloureux.

*Ce jour-là, la pluie arriva par vagues chaudes. En courant, ils foulèrent le sol irrégulier et boueux de la rue afin de la précéder et franchirent la porte d'entrée de la maison juste au moment où elle se mit à tomber en cascade bruyante sur le toit de tôle. Emeka se déshabilla rapidement et ressortit en sous-vêtements usés, son petit frère nu sur les talons. Leurs cris excités couvraient les protestations de Mme Ogbonna.*

*Ils coururent autour de la maison en chantant et en criant de plaisir. Leur mère leur dit de rentrer pour ne pas tomber malades, mais ils ne lui répondirent que par des gloussements car ils s'amusaient comme des fous. La pluie tomba plus fort et plus bruyamment si bien qu'ils finirent par ne plus s'entendre. Son frère et lui continuèrent tout de même à courir. Il ne s'aperçut pas tout de suite que le petit ne se trouvait plus derrière lui, mais lorsqu'il tourna au coin de la maison, il le trouva là, étalé sur le sol. Il avait une énorme plaie à la tête. Celle-ci saignait énormément ; un ruban rose vif se déroulait depuis son crâne et disparaissait rapidement.*

*Il se mit à crier, mais personne ne l'entendit. Il souleva son petit frère et tituba jusqu'à la porte d'entrée. Lorsqu'il l'atteignit, il ne put prononcer un mot. Sa mère hurla et pleura jusqu'à en perdre la voix. Même si le garçonnet était mort, elle nettoya sa blessure et banda sa tête avec douceur. Emeka ne put parler pendant un mois ensuite et tout le monde pensa que cette expérience l'avait rendu muet.*

Emeka se demanda comment une bataille d'une telle intensité avait pu cesser aussi brusquement. Deux choses lui parurent soudain évidentes : il était resté invalide presque une journée entière et avait perdu l'odorat. Peut-être était-ce dû au choc qu'il avait ressenti en se retrouvant coincé dans cette pièce pleine de corps en putréfaction. Ce qu'il prenait pour du brouillard était de la fumée. Emeka était soulagé qu'il pleuve. La plupart des arbres et des bâtiments autour de lui étaient brûlés. Il échangea son pantalon contre celui du Nigérian mort et ses bottes contre celles de son camarade biafrais tombé au champ d'honneur, puis il prit la route à travers la forêt noircie, cherchant les animaux qui avaient échappé aux soldats pour se retrouver coincés par le feu, afin de les manger. Leurs restes calcinés seraient une nourriture bienvenue. Il marchait lentement, sans cesser de souffrir. Il se demandait combien de corps se trouvaient dans ces bâtiments brûlés, rapidement oubliés à cause de cette guerre sans fin.

Emeka atteignit une zone presque entièrement préservée des ravages du feu. Un bosquet de palmiers serrés les uns contre les autres était à peine brûlé, secouru par une pluie clémente. Il entendit un bêlement ; c'était le long cri douloureux d'une chèvre dont le pis était plein. Emeka était convaincu qu'il perdait la tête. Il se dit que ce cri cesserait s'il l'ignorait, mais celui-ci ne faiblit pas. Sans s'en rendre compte, il se mit à déambuler vers ce son. Il découvrit ainsi un enclos à chèvres fabriqué de façon rudimentaire. Y étaient enfermées les bêtes apportées par l'armée nigériane afin qu'elles fournissent du lait aux troupes et attirent les transfuges. On les avait abandonnées au moment de l'incendie. Les trois premiers box étaient pleins de carcasses brûlées, mais il restait une chèvre dans le dernier. Le feu s'était miraculeusement arrêté à son enclos. Il s'allongea avec lassitude sur un monticule de boulettes noires et tira sur les mamelles de son pis plein pour le vider dans sa bouche assoiffée.

Emeka remplit la boîte de conserve vide qu'il gardait dans son sac à dos et se mit à dévorer la première des chèvres rôties. C'était un véritable festin pour ses sens. L'espace d'un instant, il s'imagina qu'il n'y avait pas de guerre. Il était de retour chez lui, à la brève époque située entre le décès de son frère et son départ de la maison.

*Emeka dut apprendre à reparler petit à petit, comme un petit enfant. Au début, il ne parvint à prononcer que quelques mots igbos, mais au bout d'un moment, des phrases entières lui revinrent. Lui qui enseignait autrefois l'anglais à son frère mit une année entière à le réapprendre. Alors qu'il ne conversait qu'en langue vernaculaire la veille, il se réveilla un matin en se rappelant le vocabulaire anglais aussi clairement qu'avant l'accident.*

*Bien que son frère fût plus intelligent, Emeka était le seul enfant que les Ogbonna pouvaient se permettre d'envoyer à l'école. Par conséquent, dès qu'il rentrait chez lui, le garçon faisait asseoir son cadet et lui enseignait tout ce qu'il avait appris. Du moins, autrefois. Après sa mort, l'idée d'aller à l'école lui devint insupportable. Il ne parvenait plus à faire ce qu'il faisait avec son frère – aussi ne faisait-il plus rien. Un jour qu'il était assis à se morfondre dans la maison, une mouche acharnée bourdonna près de son oreille, juste assez loin pour qu'il ne puisse pas la chasser de la main. L'air dans la pièce était étouffant et sa mère, presque comateuse, restait affalée dans un coin. Le ventilateur ronronnant ne produisait rien d'autre qu'un pénible grincement. Il entra dans sa chambre, prit son cartable et s'aperçut qu'il entrait dans sa classe.*

*Surpris, le professeur cligna de ses yeux verts sincères mais ne dit rien. Après la classe, Emeka se dirigea vers son bureau et lui dit qu'il ne voulait plus payer ses frais de scolarité, mais qu'il continuerait à venir à l'école. Avant que le professeur puisse protester, il marcha vers la porte et sortit. Lorsqu'il arriva le lendemain, le professeur ne dit rien. Il l'appela le troisième jour et lui annonça qu'il avait un travail pour lui. Emeka revint tous les jours après cela. C'est ainsi qu'il devint l'assistant du père Grey.*

*Pendant cette période, il était resté maussade, ses parents, mélancoliques. Même ses prouesses scolaires ne parvenaient pas à égayer l'ambiance à la maison. On n'entendit plus un seul rire chez eux jusqu'à la naissance de sa sœur. Elle ne les débarrassa pas de la douleur, mais elle apporta de nouveaux sourires. Son père cessa d'écouter la radio dans la solitude de sa chambre. Sa mère recommença à chanter en faisant rôtir la chèvre pour la fête de la nouvelle année.*

Empaquetant le plus de viande rôtie possible, Emeka enveloppa les morceaux dans des feuilles de palmier avant de les ranger dans son sac. Il marcha un long moment avec sa jambe bandée qui le faisait boiter et la chèvre qui le suivait. Il ne savait pas quoi faire, mais convaincu de ne pas vouloir retourner au front, il pénétra dans la forêt. La première semaine, il fut très tendu et angoissé. Il craignait constamment qu'on le prenne, qu'on le traite de déserteur et qu'on mange sa chèvre. C'était sa seule compagne, sa nouvelle amie, une oreille attentive et une source presque inépuisable de nourriture. S'il le fallait, il marcherait des kilomètres en traînant sa jambe blessée, sans jamais lâcher la corde attachée autour du cou de la chèvre.

Au début, Emeka ne remarqua pas que les feuilles des arbres devenaient plus vertes et que l'air se rafraîchissait. Il n'avait toujours pas retrouvé l'odorat et son esprit était tourmenté par le souvenir d'un mur sanglant et de corps en décomposition. Les bêlements craintifs de sa chèvre l'angoissaient ; il craignait qu'on l'entende mais se réjouissait de cette charitable distraction. Il n'aimait pas le son de la pluie car il évoquait la mort et la guerre.

Ici, l'herbe et les flaques d'eau étaient abondantes. Il y remplit sa boîte, et sa chèvre put se désaltérer. Emeka envisageait constamment de tuer l'animal et de s'offrir un dernier festin, mais il s'en sentait incapable. Sa peur de la solitude protégeait l'animal. Aussi homme et bête continuèrent-ils à avancer péniblement. La nuit, Emeka grimpait dans un arbre aux branches basses et hissait prudemment sa compagne auprès de lui.

Il atteignit un jour une partie extraordinairement dense de la forêt. Pas un seul rayon de lune n'éclairait les herbes et racines emmêlées qui couvraient le sol. Après avoir péniblement progressé dans cette jungle pendant une demi-heure, Emeka décida de faire demi-tour et de trouver le moyen de la contourner. Sa jambe l'élançait et il trouvait de plus en plus difficile de se frayer un chemin à travers la végétation avec la chèvre. Juste à ce moment-là, il vit un rai de lumière à travers les arbres devant lui et il s'efforça de l'atteindre. Emeka ne prit conscience de son apparence négligée que lorsqu'il remarqua la propreté sereine de la propriété qui s'étendait devant lui. Même les poulets qui picoraient le sol semblaient agiter la tête et gratter la terre brune au même rythme. Les arbres entourant l'enclos étaient grands et inébranlables, tels les guerriers de l'ancien royaume du Bénin. Presque au fond, à gauche d'un papayer, se dressait une hutte au toit de chaume et aux murs de terre. Sa conception était si raffinée que le choix des matériaux semblait intentionnel, non contraint. Le reste de la clairière était couvert de végétation basse et d'arbres espacés régulièrement. Emeka reconnut les pousses vertes de plants de tomate, les monticules de terre qui cachaient des ignames et les larges feuilles de plants d'ananas. Il se demandait quel fruit juteux poussait dans les larges arbres les plus proches de lui, lorsqu'un mouvement attira son regard.

Emeka hurla de frayeur en comprenant que le petit tas coloré au centre de la propriété était une femme inclinée qui priait. À part celles des feuilles et du sang, il n'avait pas vu de couleurs aussi vives depuis longtemps. S'apercevant qu'il était pratiquement nu, il eut soudain honte. Ses ongles étaient longs, cassés et noirs. Sa tignasse était mêlée de brindilles et de feuilles. Sa chemise n'était plus qu'un morceau de tissu sanglant bandant sa cuisse. Il s'était débarrassé de ses bottes et chaussettes depuis longtemps et il ne restait de son pantalon qu'un short en lambeaux retenu par un bout de ficelle. Cette femme lui fit l'effet d'une apparition, sacrée et irréelle. La stupeur et la honte le clouaient sur place.

L'inconnue agita la tête de haut en bas, embrassa la natte du front et pointa les doigts vers lui puis vers le ciel. Sa présence la laissait de marbre. Pourtant, Emeka était certain que personne n'était parvenu à cette clairière depuis des années. Se relevant, la femme le regarda enfin dans les yeux, un sourire aux lèvres. Sa robe de couleur vive flottait autour d'elle, comme ses cheveux, comme son aura. Elle lui parla d'une voix apaisante qui caressa son esprit fatigué et encouragea ses jambes épuisées à céder.

Emeka se réveilla trempé de sueur et souffrant d'un violent mal de tête après un cauchemar dans lequel il mangeait sa chèvre. Son crâne était bandé ; il avait dû se cogner quelque part en s'effondrant. Quelqu'un d'autre était présent ; la femme parlait à cette personne. Elle lui demanda de ne pas manger le tapis puis de produire du lait et de pondre un œuf. Elle s'exprimait avec cette voix apaisante dont il se souvenait vaguement. Emeka commença à penser que son cerveau ne tournait plus rond depuis qu'il s'était cogné. Sa voix lui parut fraîche comme la rosée du matin lorsqu'elle entra dans la pièce. Elle semblait venir de nulle part mais donner de la vie à tout ce qui l'entourait. Elle était plus grande que dans ses souvenirs d'avant sa chute, plus grande que sa voix. Elle était un mélange de traits contrastés. Elle avait des yeux gris, sombres comme un orage qui bat en retraite, de grandes oreilles posées bien à plat de chaque côté de son crâne, une lèvre supérieure fine assise sur une lèvre inférieure charnue et un nez fin à la peau claire. L'un de ces traits seul aurait peut-être détonné sur un visage ordinaire, mais les siens s'alliaient de façon à rendre son apparence presque banale. Elle n'était ni laide ni belle. Cependant, son physique n'avait rien d'ingrat et ses traits étaient aussi déconcertants que l'unique phrase capable de les décrire.

Bien que son odorat eût disparu en toute discrétion, il lui revint par vagues puissantes. L'arôme oublié des œufs frits, l'odeur forte du purin et le parfum rafraîchissant de l'herbe fraîche déclenchèrent chez lui une pénible quinte de toux. La femme sortit précipitamment de la pièce puis revint avec une calebasse d'eau et un sourire aimable. Ses dents formaient un rang de perles parfaites, séparées sous sa lèvre supérieure par un écart précis mesurant la largeur d'une demi-dent. Son sourire exprimait une sorte de sérénité rationnelle. Lorsqu'elle avait douze ans, elle s'était fait écarter les dents afin de rester à la mode, son premier acte de rébellion. Emeka avala l'eau à grandes gorgées ; pendant trois semaines, il avait surtout bu du lait crémeux.

La femme ne cessait de sourire. Ses cheveux étaient argentés, mais son visage n'avait pas une ride. Son âge était impossible à deviner.

*

C'était une veuve de vingt-trois ans. Elle n'avait pas parlé à un être humain depuis deux ans. Ses souvenirs, jadis des récits colorés, avaient pris peu à peu l'apparence de photos grises, comme une robe adorée portée de trop nombreuses fois. Elle conservait ses souvenirs du monde extérieur comme un recueil de notes concises. C'était une Igbo. Elle était musulmane.

La femme remarqua la croix qui pendait à son cou et dit avec un sourire décontracté :

« Je vois que tu pratiques la religion de l'amour. Je pratique celle de la dévotion. L'amour se fait rare ces temps-ci, je vis avec mon époque. »

Mais ses actes contredisaient ses paroles. Comme il n'y avait personne d'autre dans la maison, elle parlait à ses poulets et à la chèvre. Peut-être avait-elle peur de perdre la capacité de converser car son flot de paroles était intarissable. Souvent, elle parlait des livres qu'elle lisait. Sur l'unique étagère fixée dans un coin de la pièce s'alignait une centaine de volumes. Une quantité impressionnante pour cette époque et ces circonstances, d'autant plus que le reste de la maison était pratiquement nu. Emeka commença à remarquer les autres bizarreries qui décoraient la pièce : l'imposant poste de radio, la pile de disques à côté du gramophone, les photos exotiques… Il se demanda où il avait atterri.

La femme le quitta afin d'aller réciter ses prières dans la lueur du soleil couchant. À son retour, elle le trouva assis, feuilletant ses livres, la main inconsciemment posée sur sa cuisse bandée. Il avait allumé la radio parce que c'était le seul objet qui lui était familier. Tel un robinet détraqué, elle inondait la pièce de propagande, laissant s'écouler des slogans patriotiques qu'il entendait à peine. Un livre, qui avait attiré son regard, lui évoquait une image beaucoup plus forte. Celle d'un homme hagard qui lui avait bandé la jambe quelques semaines plus tôt, tandis qu'Emeka perdait et reprenait connaissance. La pluie était tombée sans arrêt cette nuit-là ; un rideau de plomb et de chagrin masquait le paysage. Soudain apparut le même visage, beaucoup plus jeune, le même regard sérieux du garçon qui lui tendait le roman, *Tout s'effondre*. Emeka n'avait alors jamais lu d'autres livres que ceux de l'école, mais l'amour de la grande littérature peut s'avérer contagieux ; rapidement, il l'avait consumé, lui aussi. La pluie, les coups de fouet et le chagrin avaient également marqué cette nuit-là d'une croix blanche. Finalement, Emeka comprit pourquoi Dolapo lui avait offert ce livre à ce moment-là. Ce n'était pas lié au personnage d'Okonkwo, mais à celui de l'étranger qu'il hébergeait. Car il avait compris que la fraternité ne découle pas du sang, mais des liens formés par les expériences partagées.

C'était une maison étrange – d'un style si incompréhensible qu'on tombait amoureux d'elle malgré soi. Elle renfermait une quantité surprenante d'objets faits main et Emeka soupçonnait son hôtesse d'occuper son temps libre à les fabriquer. Il se rappela brusquement qu'il ne connaissait pas son nom. Il y avait des fauteuils en rotin, des couvertures tricotées et des cadres grossièrement assemblés qui contenaient des photos et des peintures exotiques. Cet ensemble extrêmement bizarre s'entassait dans l'étrange petite hutte. Une grosse poule brune était assise sur le bord d'une fenêtre ouverte et sa petite chèvre montait la garde près de la porte.

Les livres usés disposés sur l'étagère surchargée firent naître un sourire satisfait sur le visage exténué d'Emeka. De nombreux ouvrages portaient des titres étranges, tels que *Lolita*, *Le maître et Marguerite*, *Cent ans de solitude*. Il ne prit même pas la peine de lire le nom des auteurs. La même Bible du roi Jacques que le prêtre avait l'habitude de lire chaque jour avec le plus grand sérieux de sa voix solennelle se trouvait là aussi, à côté d'autres bibles, d'un Coran, d'un ouvrage sur l'hindouisme, d'un autre sur le bouddhisme et de toutes sortes de textes sacrés. Mais ce n'est que lorsqu'il vit le nom de Wole Soyinka inscrit sur la tranche d'un petit livre qu'il se sentit totalement à l'aise. Il tardait à Emeka de connaître l'histoire de cette femme et de comprendre où il se trouvait, mais n'étant qu'un invité – un intrus –, il devait se montrer patient. Son hôtesse revint finalement dans la hutte. Elle avait conservé son sourire et son magnétisme. Emeka tenait le portrait encadré d'un homme dont l'expression révélait qu'il avait vu de nombreuses choses. Mais avant qu'il puisse se renseigner sur son identité, la femme dit :

« Tu dois mourir de faim. »

Puis elle rit à une plaisanterie qu'il ne comprit pas.

« Mangeons d'abord. Ensuite, nous parlerons. »

Elle lui apporta une nourriture qui lui était familière, mais elle l'avait préparée d'une façon totalement étrangère. Le poulet, les pommes de terre et les légumes formaient tous une joyeuse purée dans un saladier. La faim l'obligea à déposer une première cuillerée dans sa bouche et Emeka s'étonna que ce plat soit aussi délicieux. La femme le resservit plusieurs fois, mais il finit par se sentir malade après avoir autant mangé. Tous deux étaient assis dehors. Au cours du repas, l'obscurité se fit brusquement et totalement. Ensuite, s'élevèrent les sons disparus des soirées de son enfance et Emeka oublia qu'il participait à une guerre. Comme la nuit avait apporté une certaine fraîcheur, ils allumèrent un feu et s'installèrent près des flammes, enveloppés dans des couvertures tricotées. Son hôtesse ne semblait pas prête à discuter et Emeka avait oublié comment le faire. Aussi restèrent-ils silencieux, le regard fixé sur les flammes. Curieusement, Emeka se mit soudain à vomir et la femme le regarda d'un air étonné ; souvent, elle semblait encore surprise de sa présence, alors même qu'elle s'occupait de lui. Le même rire précipité qui avait fusé un peu plus tôt s'éleva comme une lune radieuse dans un ciel nocturne nuageux et, de nouveau, fut rapidement étouffé. Lorsqu'elle partit lui chercher de l'eau, Emeka resta assis, à la fois honteux et touché par cette attention. Un avion nigérian traversa le ciel, trop loin pour être vu, et bientôt, on entendit tomber les bombes meurtrières expulsées de son ventre, tels des coups insistants frappés sur une porte restant obstinément fermée.

Spontanément, la femme commença son récit.

« Il était très beau et intelligent – c'était un homme magnifique. »

Son regard se voila comme le ciel lorsqu'elle leva les yeux vers les nuages. Elle paraissait perdue dans une époque à la fois proche et lointaine.

« Son père travaillait dur et voyageait souvent. La famille était la première à posséder une moto dans la région. Enfant, il était calme, intelligent et assez étrange. Pendant que ses frères et sœurs jouaient, il rampait à travers les hautes herbes afin d'attraper des sauterelles et des criquets. Il s'exprimait à peine. On aurait dit qu'il ne faisait que travailler et étudier, comme son père. À l'âge où toutes les filles sont belles et les garçons tombent sans arrêt amoureux, il ruminait dans son coin. » Ensuite, elle dut apercevoir quelque chose dans cette faille temporelle car elle se tut un moment. Emeka se remémora les soirs où sa mère lui racontait des histoires près du feu. Il pleura sans bruit.

« Bon, allons nous coucher », suggéra brusquement son hôtesse.

Emeka s'aperçut que même les criquets s'étaient momentanément tus et que les poules dans les arbres ne caquetaient plus ni ne voletaient depuis qu'un silence s'était installé entre eux. Le monde attendait en retenant son souffle le retour de sa voix douce.

Elle le ramena dans la chambre, où la poule et la chèvre étaient toujours docilement assises. Emeka s'effondra sur le lit, l'esprit plein de questions qui se transformèrent en rêves distrayants. À son réveil, la pièce baignait dans une lumière blanche qui l'effraya momentanément. La poule avait pondu un œuf ; ce fut la première chose qu'il nota. Il entendit de légers bruits d'animaux et remarqua un chat qui prenait le soleil sur le bord d'une autre fenêtre s'ouvrant sur la clairière. En allant le caresser, il s'aperçut que la femme priait de nouveau, la tête contre le sol. Emeka examina ensuite la chambre, validant ainsi l'inventaire que son cerveau avait enregistré la veille. Lorsqu'il retourna à la fenêtre, la femme était si étrangement contorsionnée qu'il ne put s'empêcher de crier : « *Chineke*[1] ! »

Toutes ses superstitions oubliées resurgirent et il crut brièvement qu'elle était sur le point de se transformer en une sorte d'animal. Entendant son cri, elle désentortilla ses membres puis s'approcha de lui avec son sourire habituel. Emeka ne se sentit pas pour autant apaisé.

« C'est du yoga, dit-elle. Tu sais lire ? »

Passant devant lui, la femme se dirigea vers l'étagère et en descendit deux livres. L'un s'intitulait simplement *Yoga*; l'autre, dont la couverture était ornée d'un gros chat noir, faisait partie des ouvrages qu'il avait regardés la veille.

« Commençons par manger. Ensuite, nous nous occuperons du jardin », dit-elle.

Un mois s'écoula ainsi. Ils mangeaient et cultivaient. Elle disait ses prières et faisait ses contorsions. Ils lisaient. Dès qu'Emeka avait terminé un livre, elle lui en donnait un autre. Il aimait la lecture, mais ces ouvrages étaient étranges et exprimaient des idées déconcertantes. L'un d'eux parlait de sociétés égalitaires. Toutefois, Emeka ne pouvait imaginer un village fonctionnant sans chef ni aînés. Dans un autre, le démon changeait de forme et faisait des bonds. Parfois, elle tricotait. Elle s'occupait des animaux et semblait souvent oublier sa présence. Emeka s'habitua à cette vie, aux sons calmes du soir, à sa voix apaisante, à l'étrange simplicité de sa chambre. La maison comprenait une cuisine, une salle de bains et deux pièces. La femme dormait dans celle qui avait un lit et de nombreux livres, tandis que lui dormait dans l'autre, qui comptait

---

1. Oh mon Dieu !

elle aussi un canapé-lit, et les fenêtres occupées par la poule et le chat. Emeka lui demanda un jour pourquoi la maison avait un second lit.

« Au cas où quelqu'un passerait », répondit-elle, comme si c'était la chose la plus logique et naturelle au monde.

Puis un jour, un orage imprévu éclata et la pluie tomba sans arrêt pendant trois jours, permettant à leurs vies de s'ouvrir l'une à l'autre.

La femme était assise sur le canapé de sa chambre et tricotait tranquillement. Alors qu'il lisait *La ferme des animaux*, elle voulut l'interroger sur ses alliances. Elle se souvenait qu'un mouvement avait été lancé à l'université avant son exil volontaire. Un mouvement qui rendait son mari nerveux et lui rappelait les premières manifestations de la guerre. À l'époque, son époux était hanté par un autre conflit, une guerre plus importante qui avait enrôlé des hommes venus de partout et les avait rassemblés comme jamais ce n'était arrivé. Peut-être est-ce la beauté de la guerre : lorsqu'elle défend une noble cause, il arrive que de bonnes choses émergent de ses cendres, quelle que soit son issue. Mais qui peut prédéterminer ce qui est noble ? La cause se façonne souvent à partir du contenu de ses cendres.

Emeka brûlait de débattre de ces notions d'égalité avec elle, mais elle répugnait toujours à laisser le son rare de sa voix s'échapper de sa curieuse capsule. La pluie tombait en cascade depuis une journée et demie, aussi marcha-t-elle d'un pas décidé jusqu'au placard en bois de la cuisine contenant les douceurs étrangères qu'ils se permettaient rarement de déguster. Elle rapporta deux tasses de thé indien aux épices et reprit son récit comme s'il n'avait pas été interrompu pendant cinq semaines.

« C'est ma mère qui m'a raconté son enfance, je n'étais même pas née, bredouilla-t-elle avec un rire timide. Je l'ai trouvé si exotique la première fois que je l'ai vu ! Il avait voyagé partout après avoir été recruté par l'armée britannique. Il avait vu la Chine, l'Inde, l'Égypte ; il était même allé en Europe et avait rapporté des objets que personne au village n'avait jamais vus. Il parlait de choses étranges, possédait des photos étranges et tout le monde le trouvait étrange. Il avait une boîte qui parlait et une autre qui chantait, dit-elle en désignant la radio et le gramophone.

» On me rejetait à cause de mes yeux bizarres. Les autres pensaient que mon *chi*[1] était à moitié mort, mais lui s'en moquait. Il était âgé, beaucoup plus que moi. Cependant, chacun de nous procurait du réconfort à l'autre. Je me disais qu'il détenait peut-être la réponse à mes questions. Quand Ojukwu a commencé à promouvoir ses idéaux révolutionnaires, mon mari s'est replié sur lui-même – il ne supportait plus la guerre. Il m'a dit qu'un nouveau conflit allait éclater et que nous devions nous enfuir. Il a payé ma dot ; mes parents étaient ravis de se débarrasser de moi. Nous avons erré longtemps avant de découvrir cet endroit, dit-elle en embrassant son domaine d'un geste.

» Nous avons mis trois ans à bâtir cette propriété. Nous avions apporté la plupart de ses possessions. »

Elle tendit une tasse à Emeka et se rassit sur le canapé.

« À l'époque, je lui ai demandé pourquoi mon visage atypique ne le dérangeait pas. »

Elle se tut et sourit parce qu'elle savait qu'Emeka se posait la même question.

« Il m'a répondu que, selon lui, nos traits étaient le legs de nos ancêtres. Il a ajouté que notre personnalité était un mélange de caractéristiques héritées et façonnées par notre environnement. Il les appelait les traits de l'âme. Il m'a dit que j'étais unique à l'extérieur et qu'il l'était à l'intérieur. »

À nouveau, elle se tut.

« Cette explication me plaît, conclut-elle, surtout pour elle-même. Nous nous complétions. »

*Cet homme devait être maudit*, pensa Emeka, et il fut contrarié que cette femme continue à faire surgir des pensées superstitieuses dans son esprit. Pendant un moment, elle ne prononça plus un mot. Mais cette fois, il s'agissait davantage d'un silence commun.

---

1. Dans la culture igbo, le *chi* est une sorte d'ange gardien, de dieu personnel.

Elle leva les yeux, et soudain, on eût dit que les ombres du passé qui voilaient son âme se dissipaient et qu'elle voyait Emeka pour la première fois. Elle le regarda avec de grands yeux gris emplis d'une curiosité timide et il tomba irrémédiablement amoureux d'elle.

Le lendemain matin, alors qu'il reposait le livre sur l'étagère, elle lui posa une question tout à fait inattendue.

« Au sein d'un système défectueux inchangé, penses-tu que les nouveaux chefs sont obligés de perpétuer le cycle décevant entamé par leurs prédécesseurs ? »

Sa voix était semblable à du nectar, douce et lisse.

Cette question le déstabilisa tant qu'Emeka ne répondit que par un bredouillement. Cette femme avait quelque chose de différent. Une étincelle brillait dans son œil, à la fois sérieuse et malicieuse.

« Je fais allusion au livre que tu lisais… et à notre pays, ajouta-t-elle, comme s'il ne l'avait pas compris.

— Je crois qu'il y a de l'espoir, répondit-il finalement. Il s'agit de notre propre pays, dirigé par notre propre peuple.

— Est-ce que tu fais allusion au Biafra ou au Nigeria ? » demanda-t-elle d'un ton moqueur. Emeka se sentit humilié.

« C'est du pareil au même », répondit-il avec désinvolture. Il maudit sa soudaine envie de stimuler la conversation, fâché qu'elle ait choisi de renoncer à son silence au moment il était le moins préparé. Il ne trouvait rien d'intelligent à dire et se demandait si c'était bien le rôle d'une femme de débattre de tels sujets.

Plus tard ce soir-là, il songeait encore à cette discussion lorsqu'il alluma la radio. La chanson diffusée, accompagnée de flûtes locales et d'un *ogene*[1], suivait un rythme régulier et répétitif – c'était indéniablement de la musique igbo. Pour la première fois, Emeka réfléchit sérieusement à la question de son hôtesse. Il se demanda s'il fallait vraiment choisir entre ses identités biafraise et nigériane. Emeka avait vécu la moitié de sa vie à Lagos. Il avait sauté de joie lorsque le drapeau vert, blanc, vert avait remplacé le drapeau

---

1. Grosse cloche métallique.

britannique et s'était senti fier d'être nigérian. Ses souvenirs étaient nigérians. Il avait volontiers écouté les récits de Dolapo sur la célébration de l'indépendance dans son village, et lui-même avait assisté au changement de drapeau en compagnie du prêtre. Le père Grey n'avait pas prononcé un mot, mais sa joie était évidente. À présent, Emeka était le déserteur d'une guerre qu'il ne voulait pas mener sur des terres qui ne lui étaient pas familières. Ses songes furent interrompus par la voix distincte d'Ojukwu[1]. Sans le vouloir, il l'écouta attentivement.

« Depuis deux ans, nous sommes soumis à un blocus total. Nous savons tous que la Première et la Seconde Guerres mondiales ont été des luttes acharnées, sanglantes et interminables. Mais à aucun moment de ces conflits, les guerriers blancs n'ont imposé un tel fardeau à leurs frères blancs. Chaque fois qu'un blocus est décrété, on permet la circulation de certains produits essentiels à la vie dans l'intérêt des femmes, des enfants et autres non-combattants. Notre peuple est le seul à avoir été traité ainsi dans l'histoire récente. Qu'est-ce qui rend notre cas différent ? N'y a-t-il pas de femmes, d'enfants et autres non-combattants parmi nous ? La peau noire de ces femmes, de ces enfants et de ces non-combattants fait-elle toute la différence ?

» Notre lutte a une importance considérable. C'est la plus récente manifestation de l'éternelle lutte de l'homme noir visant à rétablir son statut d'être humain. Nous sommes les dernières victimes de la conspiration malfaisante des trois fléaux traditionnels de l'homme noir : le racisme, l'expansionnisme arabo-musulman et l'impérialisme économique blanc. La Russie bolchevique joue de son côté un rôle secondaire en se cherchant une place sous le soleil africain. Notre lutte consiste à combattre sans relâche et avec la plus grande véhémence tous ces maux qui ont ruiné le Nigeria, ces maux qui devaient mener à la désintégration de cette infortunée fédération. Notre lutte n'est pas un simple acte de résistance – ce serait purement négatif. Il s'agit d'un engagement positif à

---

1. Discours partiellement repris ci-dessous.

construire un État sain, dynamique et progressiste, qui fera la fierté des hommes noirs du monde entier.

» Puisque de nombreuses puissances blanches estiment qu'un gouvernement humain, progressiste et efficace n'est bon que pour les Blancs, notre projet est considéré comme dangereux et pernicieux, un point de vue qui explique mais ne justifie pas le soutien aveugle que ces puissances offrent aux hommes qui défendent l'idéal nigérian d'une société corrompue, décadente et pourrissante. Pour ces Blancs, le génocide est la réponse appropriée lorsqu'un groupe de personnes noires a la témérité d'essayer de faire évoluer son propre système social. »

Sa voix étranglée par l'émotion aurait donné des frissons à n'importe qui, mais Emeka n'était pas totalement convaincu. Il se remémora sa semaine au front et ces soldats qui détournaient la nourriture destinée à la population civile. Il se remémora leurs piètres excuses :

« Ne nous battons-nous pas pour eux ? Ne devons-nous pas être forts pour nous battre ? » Mais ensuite, il repensa à sa famille. La voix charismatique du militaire s'était frayé un chemin à travers un millier d'arbres et avait percé son armure de mépris. Ses souvenirs enfouis le mettaient soudain à nu. Pour la deuxième fois depuis sa désertion, Emeka pleura.

*

Une semaine plus tard, il essaya de grimper au grand palmier qui se dressait à l'intérieur de la propriété baignée d'une atmosphère romantique. La lune pâle s'accrochait obstinément au ciel, alors qu'une lueur dorée illuminait l'horizon. Il songea brièvement à la dernière fois qu'il avait extrait ce doux nectar d'un arbre, la veille de la déclaration de guerre. Assise autour du feu, toute la famille buvait lentement son bol, mais sa sœur était la seule à paraître décontractée. Elle était la seule à ignorer que le présent n'est qu'une période de latence. Ce qui les attendait, c'était la guerre.

Emeka fabriqua une ceinture qu'il passa autour du tronc et derrière son dos, puis il l'utilisa pour se hisser en haut de l'arbre.

Il pratiqua une incision précise dans la partie florale et y fixa une boîte afin de récolter la sève qui s'écoula, d'un blanc aussi pur que le lait. Il fut surpris de n'avoir rien oublié de la méthode et siffla doucement une chanson qui parlait d'un saigneur de palmiers, tout en remarquant avec fierté qu'il en était un. La femme semblait le rendre muet, mais il était déterminé à se montrer plus éloquent le soir même. Avec une joie enfantine, Emeka posa la boîte à l'ombre d'une large feuille et se réjouit de cette victoire toute la journée. Dans la soirée, il s'aperçut, en retournant voir son petit trésor, que sa chèvre avait bu presque tout le liquide, renversé le reste et qu'elle se promenait en titubant et en poussant des bêlements misérables. Extrêmement déçu, Emeka bouda tristement le reste de la soirée. Son visage renfrogné obligea le dîner à s'effectuer dans le silence. Le lendemain, il fit une nouvelle tentative et s'en tira moins facilement que la première fois. Aussi s'assura-t-il de déposer sa maigre récolte de sève dans un endroit sûr. La femme ne lui adressa qu'un sourire en coin lorsqu'il lui tendit le bol, le sourcil haussé. Elle but une petite gorgée puis s'apprêta à dire quelque chose, mais elle se ravisa, prolongeant ainsi le silence. De nombreuses bonnes idées emplissaient l'esprit d'Emeka. Toutefois, avant qu'il pût en formuler une seule, tous deux s'endormirent profondément. Lorsqu'il se réveilla au milieu de la nuit, il trouva la femme affalée sur la banquette. Une faible lumière grise de la couleur de ses cheveux entrait doucement par la fenêtre et caressait son cou svelte. Emeka déposa une couverture sur son corps et elle lui adressa un doux sourire.

Le lendemain matin, lorsqu'il se leva, elle faisait du yoga dans la cour. Elle lui offrit ensuite un petit déjeuner, murmura un timide merci puis s'éloigna rapidement. Ils s'évitèrent toute la journée, comme deux personnes ayant passé un accord tacite après avoir partagé un secret.

Emeka était assis le dos droit sur son lit, un roman entre les mains. Il regardait fixement la même page depuis une heure, l'esprit totalement ailleurs. Peut-être était-il distrait par le vacarme de la pluie sur le toit de tôle, l'air lourd de questions, ou les yeux gris de son hôtesse qui se voilaient comme le ciel l'avait fait plus tôt dans la soirée.

« Où est ta famille ? » demanda-t-elle, posant le tricot qu'elle faisait seulement semblant de poursuivre.

Emeka ne s'attendait pas à cette question.

« Je n'en sais rien », répondit-il.

Voyant son embarras, elle comprit qu'il valait mieux ne plus l'interroger sur sa vie avant la guerre, parce qu'un homme qui ne veut pas parler de sa famille a volontairement renoncé à ses souvenirs.

« Pendant que nous construisions notre maison, je détestais cet endroit. J'avais l'impression que nous fuyions, tels deux exclus chassés par la société », dit-elle.

Un rire faux tenta de masquer sa douleur et son cynisme. Il ne l'avait encore jamais vue aussi vulnérable ; ses yeux semblaient presque marron – presque ordinaires.

« Il est mort pendant cette période d'incertitude, avant que la guerre commence vraiment. Il s'est endormi et ne s'est pas réveillé. Je crois qu'il en avait simplement assez. »

Emeka cessa de caresser le chat sur ses genoux. Il était fou de joie à l'idée qu'elle s'ouvre lentement à lui, mais étrangement, il avait aussi l'impression d'étouffer – comme si les souvenirs de cette femme dévoraient l'espace et envahissaient la pièce.

« Ensuite, ses proches ont débarqué en prétendant respecter la tradition, alors que c'était par pure cupidité. À l'évidence, ils me considéraient comme une sorcière. Je pleurais mon mari, et eux me demandaient pourquoi la maison était vide, où je cachais tous les trésors de leur frère. Ils m'ont rasé la tête, ont lavé son corps puis m'ont demandé de boire l'eau sale afin de prouver que je ne l'avais pas tué. Je suis partie cette nuit-là, l'esprit troublé par le chagrin, aveuglée par la douleur. »

Elle laissa échapper un nouveau rire morose.

Emeka comprit enfin ses longs silences contemplatifs. Il l'imagina prostrée sur le sol, chauve, vêtue de noir, l'esprit essayant de s'échapper, le cœur empli de confusion, désespérant de faire son deuil, tandis que des doigts froids, cruels et accusateurs, pointaient sur elle. Il imagina qu'une partie de ce traumatisme restait figé en elle et continuait à se manifester sans y être invité. Il se dirigea vers le canapé et s'assit à côté d'elle, mais elle ne le remarqua pas.

« Je me suis perdue, poursuivit-elle. J'ai erré longtemps et, lorsque j'ai été convaincue que j'allais enfin le rejoindre, je me suis aperçue que j'avais marché sans le vouloir jusqu'à l'abri que nous avions construit pour nous cacher pendant la guerre. Ensuite, mes cheveux ont repoussé ainsi, dit-elle en pointant le doigt vers ses tresses grises, qui dessinaient différents motifs locaux sur sa tête. Je suppose que la bataille a commencé le jour de sa mort. Tu es le premier être humain que je rencontre depuis deux ans. Deux ans. Bonne nuit », conclut-elle calmement.

La vie se poursuivit ainsi, par longues périodes de silence qu'interrompaient parfois des fragments du passé. Ils discutaient surtout des souvenirs de la femme car Emeka trouvait encore difficile d'évoquer les siens.

Et puis un jour, la guerre prit fin.

La voix de la capitulation leur parvint par le biais de la radio, mais un mois plus tard, ils constatèrent que rien dans leur vie n'avait changé. Ni l'un ni l'autre ne partirent à la recherche d'un passé idyllique perdu. Ils continuèrent à vivre prudemment ensemble jusqu'à ce qu'un jour, trois mois plus tard, ils comprennent que cette appréhension masquait une affection non assumée. Tous deux commencèrent alors à se faire étrangement la cour. Emeka cueillait souvent des fleurs pour elle, ce qui la faisait rougir, mais il se montra assez discipliné pour ne pas dévoiler ses sentiments pendant les deux années qui suivirent.

Un jour qu'il tentait péniblement de se concentrer sur l'une des nombreuses Bibles qu'elle possédait, assis sur le canapé dans la lumière déclinante du soleil, une feuille de papier tomba sur ses genoux. Il s'agissait d'un poème intitulé *Une bougie au soleil*, composé des vers suivants :

« Dans les coins sombres, ils se lamentent,
La conscience malheureuse, malade et lente.
Ils s'accrochent l'un à l'autre, au fil de leurs exis-
tences mesquines,
Soumis à la douleur cinglante de cette vie qui les domine.

Du malheur des autres, ils se réjouissent,
Mon chagrin, un régal pour leur malice.
Contre leur pouvoir, je ne peux lutter,
Je me replierai et ma propre lumière produirai.

Leur présence a ôté à ma vie tout son sens,
Leur espionnage a miné mon importance.
L'obscurité est mon port d'attache,
À mon tour, je me réfugierai dans ma cache.

Les membres fatigués, le front plissé,
Éreintée, davantage j'ai voulu briller.
De tous mes efforts, ils se sont moqués,
Et c'est mon corps, non mon âme, qui s'est allégé.

Je suis née dans l'obscurité,
Je suis une simple bougie avec le soleil en rivalité.
…
Jusqu'à ce qu'enfin éteinte, je ne fasse plus qu'un avec lui. »

Emeka devina assez aisément quand elle l'avait écrit. Lorsque la femme entra dans la maison avec sa récolte de tomates joufflues, il était si excité qu'il l'interrogea sur ce poème avant qu'elle puisse poser son panier.

« Tu l'as lu, dit-elle sur un ton qui n'était ni affirmatif ni interrogateur.

— Oui. »

Elle murmura quelques mots inintelligibles en laissant tomber les tomates dans l'évier, puis les lava soigneusement.

« Pourquoi ce vers inachevé ? demanda-t-il.

— Parce qu'autrement, ce poème aurait été achevé, répondit-elle avec son sourire.

— Et alors ?

— Tu ne comprends pas, déclara-t-elle d'un ton irrévocable et fatigué.

— Quoi donc ? insista-t-il.

— C'est un poème sur la relativité et l'importance. Si je le termine, ce sera un poème achevé comparable aux autres poèmes achevés, et il perdra toute son importance.

— Mais en attendant, c'est simplement un poème inachevé comme beaucoup de poèmes ratés.

— Pourquoi as-tu déserté ? » demanda-t-elle d'un ton léger qui sous-entendait : *Pourquoi tous les autres ne l'ont-ils pas fait ?* Autrement dit, elle ne lui demandait pas quel endroit il avait fui, mais l'endroit vers lequel il fuyait.

« Je me battais pour une guerre qui n'était pas la mienne. Je me suis rendu compte que ma vie était plus sacrée que mes croyances.

— Te voilà bien égoïste, fit-elle d'un ton moqueur.

— Si je me suis engagé, c'est parce que mon père croyait énormément à cette guerre… et j'ai pensé qu'en me joignant aux autres, je pourrais accélérer les choses et lui prouver ce que je valais. » C'était la première fois qu'il lui parlait de son père.

« L'allumette se prend pour la reine de l'obscurité, jusqu'à ce qu'elle découvre le soleil », dit-elle finalement. Il ne fut pas convaincu par sa réponse, mais satisfait.

« Épouse-moi », dit Emeka, et la femme lui répondit par un sourire.

\*

Tandis qu'il lisait *L'Immortalité* de Milan Kundera, le livre, à travers sa grande poésie, lui fit prendre conscience de cette vérité simple : ce n'est pas l'ajout des secondes les unes aux autres, mais la valeur donnée à chaque seconde supplémentaire qui augmente la durée d'une vie.

Emeka termina le roman deux jours plus tard. Le soleil torride de midi rayonnait depuis déjà deux heures et l'air était aussi épais qu'une soupe. Peu à peu, il se perdit dans ses rêveries. Les murs en étaient couverts, le sol en était fait : il se trouvait dans une immense pièce composée d'horloges qui égrenaient doucement les secondes à l'unisson, avec le ronronnement mécanique d'un lion satisfait. Chacune, ornée de chiffres arabes, romains ou de tout autre caractère numérique, sonna soudain deux heures moins le quart. Emeka se réveilla, mais sans cette sorte de sursaut qui nous libère généralement d'un cauchemar, ni avec la sérénité qui suit un rêve agréable. Lorsque ses yeux s'ouvrirent, il avait l'esprit aussi clair que s'il ne s'était jamais assoupi. Il venait de faire un rêve étrange mais n'éprouvait aucune inquiétude.

Emeka lui avait demandé sa main six mois plus tôt et elle avait souri sans lui répondre. Mais ses paroles n'avaient pas été sans effet et la passivité de ce sourire avait débarrassé l'ancien soldat d'une nouvelle couche de souffrance. Sous un calme crépuscule, elle avait attentivement regardé Emeka et déclaré :

« Faisons-le demain. »

Son souhait était clair. Le lendemain, il avait incisé un palmier tandis qu'elle faisait la cuisine, puis ils avaient passé une journée comme les autres mais le soir, ils avaient prononcé leurs vœux sous la pleine lune, la chèvre et un vieux chat leur servant de témoins. Il l'avait touchée tendrement pour la première fois, elle l'avait embrassé pour la première fois, puis le couple avait consommé son mariage sans l'aveu naïf des parents d'Emeka. Subjugué par le reflet de la lune argentée dans ses yeux gris, il était devenu pour toujours l'esclave des caprices de ces globes divins, incapable d'entrer en érection sans leur aide délicate.

Mais lorsqu'il pénétra dans la pièce afin de lui parler de son rêve éveillé, Emeka sentit le sang affluer entre ses cuisses à la vue de ses interminables jambes ébène, de la douce courbe du bas de son dos qui s'achevait par deux arrondis, et il s'aperçut que son rêve avait bel et bien un sens.

*Alagbon Close*
## (Sud du Nigeria, 1985-1997)

Q uinze ans et neuf mois plus tard, le développement des villages voisins avait lentement rongé l'isolement de leur enclave forestière et une fillette violait maintenant l'intimité de leur amour. L'université, à court de professeurs compétents, avait accepté sa femme, malgré ses références douteuses. Emeka écrivait pour le magazine régional, rédigeant péniblement ses commentaires dérangeants à l'aide de deux doigts pointés d'un air accusateur vers les touches de son Underwood Five mécanique. À son réveil, un matin, il trouva sa fille de dix ans occupée à agrémenter son article achevé de petits mots aléatoires, tels qu'« horloge », « lune » et « pluie ». Emeka esquissa un sourire heureux et lui dit deux choses : « Il n'est jamais trop tôt pour commencer à se rebeller », ce qu'elle oublia instantanément, et « Il est bon de tout apprendre, parce que tu seras payée demain pour faire ce que tu as aimé apprendre aujourd'hui », une déclaration qu'elle garda précieusement en mémoire car, à cet âge tendre, le gène igbo des affaires s'exprimait déjà chez elle.

Leurs nombreuses années d'isolement avaient engendré une certaine routine. Tout était fait de façon précise à une heure précise. Le matin, sa femme se levait et récitait ses prières, toujours tournée dans la même direction, celle qu'elle supposait être la *qibla*. Ensuite, elle allait récolter les œufs de poule et Emeka trayait les chèvres. Elle préparait le petit déjeuner et lui s'occupait un peu des cultures. Elle s'en allait pour l'université après le repas et Emeka commençait à taper lentement sur sa machine à écrire, le dos tourné à la fenêtre. S'ils avaient choisi de faire classe à leur fille au début, c'était surtout pour tuer le temps les jours de pluie, mais elle avait paru si en avance sur ceux de son âge lorsqu'était venu le moment de l'inscrire à l'école qu'ils avaient décidé de continuer ainsi. Maintenant qu'elle était trop grande pour réciter l'alphabet assise sur ses genoux, Emeka la regardait patiemment résoudre des problèmes d'arithmétique à moins d'un mètre de lui. Les seuls sons qu'on entendait alors étaient leur respiration calme, le claquement occasionnel des touches chaque fois qu'une lettre laissait énergiquement sa trace et le doux grattement du crayon sur le papier. Sa fille s'appelait Nneka ; elle ressemblait tout bonnement à sa mère, les traits étonnants en moins. Emeka lui avait donné sans le savoir le prénom de sa mère biologique. Elle avait l'odeur naturelle d'une enfant qui passe ses journées à lire des romans, à jouer avec les animaux et à jardiner. De son côté, Emeka était tombé amoureux du fort goût mentholé des TomTom. Il avait toujours un petit bonbon noir à rayures blanches dans la bouche et le suçait pensivement. Tous deux étaient assis dans le salon qui n'avait pratiquement pas changé depuis son arrivée, à la différence que son occupante était maintenant Nneka. L'après-midi, ils se faisaient généralement la lecture jusqu'au retour de sa femme. Le dîner était préparé en s'inspirant de plats locaux ou des pages de livres de cuisine étrangers.

Emeka n'allait en ville que deux fois par mois. Son épouse passait régulièrement à son bureau au journal avant ou après le travail afin d'y déposer ses articles récemment terminés, et rentrait avec de nouveaux sujets rangés dans une épaisse enveloppe marron. Emeka dormait peu car « il vaut mieux battre le fer tant qu'il est encore chaud », s'exclamait-il régulièrement, lorsque sa femme, inquiète les premiers jours, se réveillait en même temps que lui. Ses insomnies avaient en fait une cause plus sinistre. Si Emeka restait éveillé, c'est qu'il éprouvait le besoin d'effacer énergiquement le collage de corps sanglants et mutilés qui flottait sous ses paupières qu'il se forçait à ouvrir. Au lieu de dormir, il passait souvent la nuit à lire et relire tout ce qui était envoyé au magazine. Les jours où il se rendait en ville, il participait à des réunions interminables, et bien que son patron regrettât cette organisation, il fallait bien admettre qu'Emeka excellait dans ce qu'il faisait.

Il passait ainsi au bureau les matins suivant la pleine ou la nouvelle lune. La veille au soir, il allumait un feu dehors, puis sa femme et lui racontaient chacun leur tour des histoires à Nneka et Bingo, le chien qu'ils avaient recueilli à sa naissance.

Il se levait tôt le lendemain, avant même les prières de sa femme, et extrayait la sève d'un palmier. À son retour, son épouse et lui partageaient paresseusement une calebasse. La conversation était particulièrement passionnée ces soirs-là.

« Tous se sont rendus coupables de crimes – c'étaient soit des voleurs, soit des despotes ! Gowon, Obasanjo, Shagari, Buhari. Mon Dieu, ce que ces hommes ont fait ! Même ce Babaginda est un voleur, j'en suis sûr ! s'exclama Emeka un soir.

— Mais Murtala ne s'en est pas si mal sorti et Balewa était un homme noble, répliqua sa femme.

— C'est exactement pour cette raison qu'ils l'ont tué. Ils veulent à tout prix cacher aux gens le fait qu'on peut agir correctement, afin de continuer à voler ce pays jusqu'à ce qu'il soit entièrement dépouillé. Et je sais que ce Babaginda s'apprête à lui donner le coup de grâce !

— Chéri, ne porte pas de jugement hâtif, il faut laisser à chacun une chance de prouver son mérite. Je ne fais pas confiance aux chefs qui portent des lunettes noires la nuit. Regarde Charles Taylor ! »

À ces mots, tous deux se tordirent de rire, préférant considérer la politique comme une comédie car la réalité tragique qu'ils connaissaient si bien devenait ainsi plus supportable.

« Comment a été accueilli ton dernier article ? demanda-t-elle soudain.

— Comme prévu, le gouvernement garde le silence. Babaginda est un génie du mal. Il a arrêté plus de gens qu'il n'en a libéré au cours des premiers jours, mais il ne va pas cesser de faire allusion à ce geste afin de prouver sa tolérance.

— Je suis très fière de toi, chéri. Si des hommes sont arrêtés parce qu'ils combattent le fléau que subit leur peuple et que les autres restent silencieux, ceux-là commettent un péché bien plus grave. Ils crachent sur leur héritage.

— Exactement », dit Emeka avec un sourire satisfait.

Il regarda le ciel sans étoiles et se sentit heureux. Il avait finalement trouvé un moyen de s'engager, même si cet engagement ne se traduisait que par les réflexions mélancoliques de son stylo pensif.

*

Il ne garda aucun souvenir de l'intérieur du fourgon de police. Le trajet fut ponctué d'un mélange de coups de botte et de fouet. Il ne vit pas son sang couler sur le sol en tôle ondulée du fourgon et s'échapper par les crevasses rouillées, laissant sur la route une trace que personne ne suivrait. Le rire des policiers résonna longtemps dans sa tête – même après le coup de feu parti par erreur, souillant ses pieds de morceaux du cerveau de son rédacteur en chef. Il se réverbéra joyeusement dans le vide de son esprit inconscient longtemps après que son œil gauche fut scellé par du sang séché. On jeta Emeka dehors sans ménagement ; seul souvenir de sa présence dans le véhicule diabolique, sa dent de sagesse resta logée dans une fissure fatiguée qui avait absorbé trop de sang. Emeka ignorait combien de temps avait duré le trajet. Son esprit s'était envolé vers un moment figé du passé, après avoir été réduit au silence par la crosse d'une arme. Le sol était fait de boue séchée, colorée par le sang, cuite par le soleil et modelée par le piétinement de lourdes bottes et l'impact de corps légers. Il se trouvait dans la prison tristement célèbre de Kirikiri, à l'intérieur de la caserne de Dodan, à Obalende. Il ne cessait de penser à son rédacteur en chef mort, qu'on avait jeté négligemment sur le bord de la route comme un sac de pommes de terre abîmées. Il ne cessait de se remémorer leur dernière conversation : le rédacteur en chef avait eu raison de craindre des mesures répressives. Emeka, lui, n'y avait pas cru. Il s'interdisait de penser à sa femme et à Nneka, et de souiller leur mémoire en les visualisant dans cet environnement.

Cette journée de fin de mois avait commencé comme les autres, mais la soirée s'était déroulée différemment. Les récits au clair de lune s'achevèrent plus tard que d'habitude et Emeka travailla jusqu'à trois heures du matin, moment où la fatigue l'envoya se coucher. Dès que sa tête se posa sur l'oreiller, le rêve des horloges et leur tic-tac revint le hanter. Là encore, elles égrenaient les secondes à l'unisson, mais cette fois, leurs aiguilles restaient bloquées sur la seconde qui précédait deux heures. À l'aise, Emeka se promena dans la pièce sans être perturbé par l'étrange vision des horloges sonores mais figées, jusqu'à ce qu'il se réveille frais et dispos deux heures plus tard. Il regarda longuement sa femme parce qu'il savait que quelque chose était sur le point de se produire, mais comme elle dormait profondément, il décida de ne pas l'embêter. Il sortit afin d'aller extraire de la sève de palmier pour la fête du soir et fut étourdi par le parfum des goyaves mûres. Il se rappela cette conversation qu'il avait eue avec la fille du ministre de l'Éducation des années plus tôt et sourit parce qu'elle s'était trompée. Son destin n'était pas plus grand que ses rêves, il n'avait comblé aucun fossé culturel ; Emeka était un reclus satisfait au sein d'une famille heureuse et sa vie lui plaisait. Au moment où il mit de côté sa calebasse pleine de liquide sucré et mousseux, son rêve et ses craintes étaient oubliés depuis longtemps.

Lorsque sa femme le déposa au bureau dans leur vieille Peugeot 504, Emeka eut une fois encore un étrange pressentiment, qu'il ignora aussitôt. Il l'embrassa sur les lèvres et lui dit comme à chaque fois :

« À tout à l'heure. »

Lorsqu'il entra dans son bureau, il lui parut évident que quelque chose n'allait pas. Tout le monde était nerveux, même son rédacteur en chef habituellement imperturbable, qui ne cessait d'avaler une salive inexistante et de rajuster sa cravate.

« Le gouvernement a décidé de sévir contre les journalistes, dit-il.

— Ce n'est pas nouveau. »

Emeka essaya de ne pas se laisser contaminer par la peur qui s'était emparée de ses collègues.

« Mais les choses sont différentes cette fois. Tu es au courant de ce qui est arrivé au journal *The Guardian* à Lagos ?

— Oui, ils ont arrêté tous les cadres dirigeants, mais notre situation n'a rien à voir avec la leur. En choisissant mal leur camp, ces gens se sont exposés d'eux-mêmes à ce harcèlement. Quand on a l'intention de critiquer le gouvernement, il ne faut pas le faire à moitié, sinon cela signifie qu'on est prêt à se laisser intimider.

— Emeka, tu es visiblement déconnecté de la réalité, l'interrompit son rédacteur en chef. C'est vrai, nous n'avons reçu que des menaces après avoir commencé à rapporter chaque disparition, mais ils se servent de lettres piégées maintenant. Fini la subtilité ! Nous risquons nos vies en saluant la mémoire de ces morts.

— Mais n'est-ce pas notre travail ? demanda Emeka en défiant son rédacteur en chef du regard pour la première fois. C'est pour ça que nous sommes en sécurité. Tu t'inquiètes trop, conclut-il dans l'espoir de rasséréner son patron effrayé. Le monde entier nous observe. C'est le moment de crier sur les toits les raisons de notre malheur et de notre mécontentement. La main de Babaginda ne peut plus s'abattre aussi violemment qu'elle le voudrait sur l'opposition, à présent.

— Emeka, ils ont arrêté ces journalistes alors qu'ils avaient rédigé une version des faits très édulcorée par rapport à celle que nous avons publiée. Comment crois-tu que nous pouvons nous en tirer ?

— Ne t'en fais pas », répondit Emeka, aussitôt interrompu par des coups de feu.

Affolés, tous deux se regardèrent et soudain, une explosion de cris retentit dans les autres pièces. On entendit des meubles se briser violemment, et les paroles grossières des soldats assoiffés de sang s'élevèrent au-dessus du vacarme.

« Où sont-ils ? Quels salauds ! Pensent-ils avoir le droit de calomnier notre honorable gouvernement ? »

Différentes voix répandaient toutes le même venin. Emeka jeta un coup d'œil du côté de son rédacteur en chef et vit qu'il s'était fait pipi dessus. Le visage couvert de grosses gouttes de sueur, il essayait de se cacher sous le bureau. Emeka ne bougea pas. Un curieux sourire aux lèvres, il regarda les soldats entrer et demander :

« Qui est Chukuemeka Ogbonna et où est son bon à rien de rédacteur en chef ? »

Ensuite, il regarda l'homme bégayer et éclater en sanglots. Il regarda leurs mains gifler son visage à plusieurs reprises et leurs bottes entrer en contact avec ses flancs. Il regarda la scène jusqu'à ce qu'une arme cogne son visage et détache sa dent de sagesse.

« Bouge de là ! Bouge de là ! »

Une voix discordante et dure, semblable à des éclats de verre sur la peau d'un bébé : voilà l'image qui lui apparut alors que ces mots assaillaient son crâne envahi d'une douleur lancinante. Emeka s'aperçut que son corps s'était remis en mouvement sans lui ; nu et mouillé, il marchait en file indienne. Des gens se trouvaient devant et derrière lui et tous avaient l'air résigné, malheureux. Au moment où il s'aperçut que personne n'était attaché ni menotté, il découvrit un cadavre encore chaud à quelques mètres de lui. Il leva les yeux puis croisa le regard las d'un gardien qui, d'un rictus, le défia de s'enfuir. On les entassa dans une pièce humide et sombre, où le soleil n'avait pas survécu. On parqua encore plus de corps dans cette salle déjà exiguë, jusqu'à ce que la mauvaise haleine de cinquante bouches ensanglantées pollue l'air. On forçait sans cesse les hommes à se caler les uns contre les autres comme les roues dentées négligeables d'une machine abandonnée. Les portes se refermèrent en claquant et, lentement, miraculeusement, des espaces commencèrent à apparaître. Peu nombreux, ils suffirent tout de même à les débarrasser de l'espoir morbide qu'ils suffoqueraient et mourraient tous pendant cette première nuit. On leur avait rendu leurs vêtements mais pas leurs chaussures, ceintures et autres accessoires.

« Tous les nouveaux détenus doivent jeûner pendant trois jours », fit la voix sévère d'un gardien.

Cinq jours plus tard, certains étaient morts, tous avaient rapetissé. Il y avait maintenant assez d'espace pour qu'ils puissent se laisser tomber sur le sol. Perçant le brouillard de son esprit, que la proximité des autres maintenait éveillé, la voix de son voisin pénétra doucement dans l'oreille d'Emeka, hallucinations audibles d'une âme lasse, marmonnant sans arrêt des jurons dans de nombreuses langues.

Sa voix était distinguée, sa peau, douce. À la fin de la semaine, son jeune visage était couvert de grosses papules rouges – les moustiques s'étaient instantanément pris d'amitié pour lui. Les gardiens l'aimaient bien, les autres prisonniers aussi. Il comprenait les trois principales langues du pays et parlait quinze dialectes locaux ; aussi divertissait-il tout le monde prodigieusement. Son père avait participé à l'un des coups d'État. On les avait amenés ensemble à la prison et, lorsque les gardiens étaient venus lui annoncer le troisième jour que son père avait été exécuté, le garçon avait simplement répondu :

« Cé voleur, vous l'a bien fait fusillé ! »

Et bien que tout le monde eût apprécié son humour noir, il garda le silence le reste de la semaine.

Le premier matin, à sept heures, un homme à la barbe hirsute lança un appel à la prière et quelqu'un récita des psaumes de mémoire. Aucun espace n'est trop restreint pour la guerre des religions. Les gardiens armés de fouets les regardèrent calmement pendant une demi-heure, puis les nouveaux détenus furent emmenés dans une cour sablonneuse où les doigts glacés de l'aube vinrent masser leurs blessures ouvertes et leurs corps endoloris. On leur demanda de s'allonger sur le sable. Les gardiens urinèrent sur eux et des seaux d'eau froide furent vidés sur leurs dos. Ensuite on leur ordonna de se rouler sur le sol afin que les grains de sable se collent à leur peau. Lorsque les coups de fouet commencèrent, on eût dit qu'un millier de clous s'enfonçaient soigneusement dans leurs dos.

Plus tard ce jour-là, un gardien leur apporta enfin de la nourriture. Il marchait tranquillement et parlait d'un ton apaisant. Sa voix était calme, ses traits quelconques : il n'y avait chez lui rien de spectaculaire. À mi-voix, il demanda le seau dans lequel les prisonniers urinaient. Il vida la plus grande partie de son contenu puis y versa leur premier repas depuis cinq jours et leur rendit le seau sans un rictus ni un sourire. Son visage était presque serein – il n'exprimait aucune émotion. Pour la première fois, Emeka vit des hommes adultes pleurer en public. Il était si écœuré par l'attitude des gardiens qu'il plongea la main dans le seau de haricots parsemés de cailloux, en saisit une poignée et la fourra dans sa bouche en retenant un haut-le-cœur à cause de son goût aigre. Tout en mâchant, Emeka regardait le gardien dans les yeux et pendant un bref instant, il remarqua que sa paupière droite clignait, comme si une forte bourrasque soufflait dessus. Immédiatement, le gardien retrouva son regard impassible puis, au bout de quelques minutes, il se retourna et s'éloigna. Lorsqu'il fut hors de portée de voix, le garçon charismatique railla la faim des garçons igbos, mais sa voix exprimait un respect évident. Emeka se félicita d'avoir agi ainsi.

Le lendemain matin, on leur servit de nouveau des haricots aux cailloux avec du pain rassis. Tout le monde se réjouit silencieusement en voyant arriver la nourriture dans des récipients convenables. Les hommes dévorèrent le tout en quelques minutes, et beaucoup finirent par s'évanouir ou vomir. Deux autres moururent, mais personne ne les pleura car l'espace libre augmenta quand on emmena leurs corps. Le gardien silencieux de la veille réapparut à la porte de leur cellule, accompagné d'un autre dont les dents semblaient se démener pour s'échapper de sa petite bouche. Celui-ci suivit le premier d'un pas très énergique et appela six noms notés sur une liste d'une voix de crécelle. L'un des nommés était déjà mort, mais cela lui importa peu. Il conduisit le reste du groupe vers les profondeurs de la prison. On dit à quatre hommes d'entrer dans une cellule beaucoup plus petite que la précédente, mais comme elle était inoccupée, l'espace y paraissait immense. Quatre lits étroits étaient accrochés au mur à l'aide de chaînes rouillées. Le gardien silencieux de la veille poursuivit son chemin le long du couloir, et l'autre força brutalement Emeka à le suivre.

Bientôt, ils avancèrent au milieu des cris. Dans la première cellule de la rangée, un homme au sexe en érection était plaqué au sol pendant qu'on lui enfonçait le poil dur d'un balai dans la verge. Le gardien silencieux poursuivit sa marche, imperturbable. Et lorsqu'un gardien plia le pénis du détenu d'une poigne ferme et que la brindille se brisa en minuscules échardes, provoquant les hurlements inhumains de la victime, il ne ralentit toujours pas. Dans la deuxième cellule, le prisonnier était attaché à une chaise. Ses gémissements épuisés indiquaient qu'il était ici depuis trop longtemps et avait été électrocuté trop souvent pour avoir encore la force de protester. La troisième était sombre, vide et minuscule. Au lieu d'être pourvues de barreaux comme les autres, ses portes étaient faites de métal lisse. Il se dégageait de la pièce une odeur de moisi, qui rappelait celle de l'eau croupie d'un marécage et de cadavres en putréfaction. Le gardien tourna la clé dans une serrure rouillée et la porte s'ouvrit en grand. Lorsqu'il braqua sa lampe torche sur l'obscurité, apparut un grand fossé à l'endroit où aurait dû se trouver le sol. De chaque côté, les rebords étaient juste assez larges pour des pieds de petite fille. Le gardien ordonna à Emeka de se placer au-dessus du fossé jambes écartées, puis la porte se referma en claquant si fort qu'il faillit tomber de son dangereux perchoir. Les jambes tremblantes, il pressa son dos contre le mur. La fatigue, la faim et l'odeur puissante de la cellule l'étourdissaient. Soudain, il entendit un bruit léger, semblable au mouvement d'une main lourde dans l'eau. Effrayé, il baissa les yeux ; lentement, ceux-ci s'adaptèrent à l'obscurité épaisse de la cellule. Comme elle était presque impénétrable, les sons calmes continuèrent à l'oppresser un long moment. Emeka finit par distinguer les crêtes tranchantes, les écailles drues et la mâchoire patiente d'un gros alligator. Pendant trois jours, il se tint au-dessus des dents de la mort sans savoir ce qui allait lui arriver. Sa ténacité n'était pas alimentée par les souvenirs d'un passé qu'il espérait retrouver un jour, mais par la conviction que la peine endurée rend un homme plus grand. Toutefois, sa motivation elle-même ne suffit bientôt plus. Au moment où ses jambes s'apprêtaient à se dérober, la porte s'ouvrit et Emeka, aveuglé par la lumière, perdit l'équilibre. Le gardien silencieux le rattrapa juste à temps, alors qu'il plongeait vers la mort ; son corps était si léger que l'homme n'eut aucun mal à le traîner dehors.

À son réveil, Emeka se trouva nez à nez avec le visage pâle et balafré de son ancien compagnon de cellule.

« Tu té réveillé pas ! s'exclama-t-il. Je commençais à croire que je gaspillais toute cette bonne nourriture en nourrissant un cadavre », conclut-il avec un rire sec, un son cruel lorsque vous vous êtes endormi dans un lit fait de plumes et que vous vous réveillez sur un lit de pierre. « Tu es un homme étrange. Je t'ai écouté marmonner des histoires d'horloge pendant deux semaines. Mon Dieu, ils ont dû t'en faire baver pendant ces trois jours. »

Emeka regarda son corps émacié. Sa bouche lui semblait vide – une cuillère en métal était posée sur sa langue, mais il avait perdu le goût.

Il resta alité un mois, remuant légèrement de temps à autre afin que ses muscles ne s'atrophient pas. Les voix de ses codétenus allaient et venaient au-dessus de sa tête, comme une vague dépressive. C'était celle d'O.C. qui intervenait le plus souvent. Sa peau était encore plus claire que celle d'Emeka, et sans ces entailles sur son visage, il aurait été plus beau que lui. Avant d'être arrêtés au beau milieu de la nuit, son père et lui avaient vécu comme des rois. C'était le gouvernement militaire d'Obasanjo qui avait permis au vieil homme d'accéder au pouvoir.

Souvent, le rire jaune et mort d'O.C. retentissait.

« Il paraît que le gardien donne à ces garçons des coups de fouet tous les matins, vingt-quatre en tout, et qu'il les jette dans leur cellule quand il a fini.

— Pourquoi nous a-t-on emmenés dans une autre ? » demanda quelqu'un, un prêtre craintif, au fort strabisme. Lorsqu'il cessait de se concentrer, son regard prenait l'aspect vitreux et flou d'un homme dont on a écrasé exprès les lunettes.

« Nous sommes des prisonniers politiques. Ils ne peuvent pas trop nous torturer car s'il y a un nouveau coup d'État demain, nous redeviendrons des personnes importantes ! répondit O.C. en agitant les mains nonchalamment, afin de désigner chaque prisonnier de la cellule. C'est assez simple, en fait : il vaut mieux haïr les gens qui nous ont mis en prison plutôt que les gardiens qui nous torturent car, si Dieu le veut, le destin inversera certains rôles et nous les enverrons ici au lieu de tuer nos gardiens, fit-il avec un rire décontracté et pragmatique. En tout cas, cet homme-là a de la chance. D'habitude, quand on vous enferme dans une salle de torture, on fait tout pour que vous ne redeveniez jamais une personne importante ! s'exclama-t-il en agitant la tête avec désinvolture vers Emeka.

— Comment sais-tu tout ça ? »

Un sourire apparut sur le visage d'O.C.

« Ils ont fusillé mon père dès que nous sommes arrivés ici, répondit-il calmement. Savez-vous qui je suis ? »

Son rire cynique résonna dans la pièce.

« C'était un homme cupide. Il y a des hommes dont les mains sont tellement sales, vous savez, qu'ils doivent rester dans l'ombre. Mon père voulait voir la lumière : il voulait être reconnu. C'était un homme à tout faire. Il exécutait les ordres et on le récompensait bien… très bien pour cela. »

Son rire retentit à nouveau.

Emeka observa le garçon à travers le brouillard qui régnait dans son esprit. Il ne devait pas avoir plus de vingt et un ans. En entendant l'écho vide de son rire, il comprit ce qu'O.C. avait l'intention de faire à sa sortie de prison ; aussi commença-t-il à imaginer un nouveau plan. Car il s'apercevait que même si Nneka et sa mère étaient jadis tout pour lui, elles n'apparaissaient plus lorsqu'il fermait les yeux.

Le prêtre était nerveux en permanence. La moindre ombre le faisait sursauter car il n'y voyait rien. Trois autres personnes partageaient leur cellule ; deux d'entre elles paraissaient normales, du moins autant qu'on puisse l'être dans un tel endroit : elles s'exprimaient calmement, mangeaient vite et avaient le sommeil agité.

La dernière personne était un homme mince, au visage anguleux, qui n'avait pas prononcé un mot depuis leur arrivée. Les anciennes cicatrices qui marquaient son corps indiquaient qu'il avait déjà croisé leurs bourreaux. Qu'avait-il donc fait pour qu'on le jette à deux reprises dans cet enfer ? Au cours du premier mois, les gardiens vinrent sans arrêt le chercher pour le ramener couvert de plaies et de sang séché. Il mangeait à peine, dormait à peine, mais les gardiens le traitaient presque avec déférence, avec un respect mêlé de crainte, lorsqu'ils n'étaient pas occupés à le tabasser.

Quand Emeka fut enfin capable de s'asseoir sur son lit, il s'aperçut qu'ils n'étaient plus que quatre dans la cellule : le prêtre, le jeune homme à la peau claire, l'homme foncé au visage anguleux et lui. Aucune lumière ne leur parvenait du couloir. Ils ne savaient qu'il faisait jour que lorsque huit rectangles tombaient sur le sol comme des lingots d'or du haut mur du fond. Chacun d'eux s'était créé sa propre routine. Emeka constata rapidement que la foi est l'élément le plus personnel constituant un homme. Ce fut à cette époque qu'il apprit à parler couramment trois langues supplémentaires. Et ce fut pendant ces onze ans, onze mois et vingt-sept jours qu'il perdit sa religion et trouva la foi.

O.C. ne se taisait jamais. Il en était incapable : il savait tant de choses sur tant de sujets qu'il ne pouvait les contenir. Il était à la fois difficile de croire tout ce qu'il disait et impossible d'en douter.

« Le fossé avec l'alligator au-dessus duquel tu es resté trois jours, tu te rappelles ?

— Oui, répondit faiblement Emeka en se demandant avec horreur comment il avait pu survivre à ce calvaire.

— Eh bien, il y en a une mare entière à Aso Rock. Il est très facile de faire disparaître les gens là-bas... avec toutes ces créatures ! »

O.C. s'exprimait toujours comme s'il racontait un conte de fées, en faisant les gestes appropriés et la tête qu'il fallait; mais lorsqu'il avait terminé, il reprenait un air sérieux, comme s'il venait de révéler un secret intime. Cinq minutes plus tard, un large sourire fendait son visage balafré et ses dents s'exhibaient avec espièglerie entre ses lèvres gercées. Son compagnon favori était le prêtre, dont les grandes oreilles étaient toujours prêtes à écouter ses récits.

« Je vais vous raconter ma dernière semaine avant de venir ici », commença un jour O.C.

On avait enfin donné des lunettes au prêtre et ses yeux s'écarquillaient d'étonnement derrière les verres pendant que le jeune homme racontait ses histoires.

« Je me suis réveillé et j'ai pris une liasse dans la commode.

— Qu'est-ce que tu entends par liasse ? demanda le prêtre.

— Il y a une commode dans ma chambre, et elle est pleine de billets. Tout l'argent que j'y prends quand je suis en vacances, comme c'était le cas avant d'atterrir ici, est remplacé avant le lendemain matin », dit-il avec l'arrogance désinvolte d'un garçon qui s'enorgueillissait toujours de ses dépenses immodérées.

À présent, tout le monde l'écoutait, comme il l'avait espéré.

« Quoi ? s'écria le prêtre, et O.C. se contenta de sourire.

— C'était mon père qui allait chercher le butin à la banque.

— Comment ça ? »

O.C. regarda le prêtre comme s'il venait d'une autre planète.

« Tout le monde sait que les généraux obligent la banque centrale à émettre des billets et à les envoyer chez eux. Chacun reçoit sa part par roulement.

— Mon Dieu ! s'écria le prêtre.

— Ne serait-ce pas un blasphème, cher monsieur ? s'étonna O.C. avec un sourire insolent. En tout cas, chaque fois que mon père allait chercher la marchandise, il conservait un sac. Ces gens-là se servent de grands sacs de voyage, expliqua-t-il avec pragmatisme.

— Ces personnes nous font subir de ces choses ! constata le prêtre en regardant autour de lui.

— Il y a eu un changement de régime récemment, comme cela arrive souvent, et mon père voulait présenter sa candidature au poste de gouverneur, ou quelque chose comme ça. Les généraux avaient besoin d'un bouc émissaire, mais le problème, c'est surtout qu'il a marché sur les plates-bandes d'un certain parrain, alors... »

Son visage n'exprimait aucun regret. Son expression évoquait celle d'un enfant qui repense à une attraction amusante de la fête foraine : on eût dit qu'il était un peu triste que ce soit terminé mais qu'il savait qu'il en restait beaucoup à essayer.

O.C. avait appris de nombreuses langues ; s'il avait choisi ce passe-temps, c'était pour mettre les pères à l'aise et pouvoir sortir avec leurs innocentes filles. Constatant qu'Emeka avait lui aussi un don pour les langues, il commença à lui donner des leçons. Pendant que le prêtre récitait ses prières dans un coin sombre et que l'autre homme ruminait en silence, ils répétaient ensemble des phrases et des mots à voix basse. Au début, ils le firent pour se divertir, mais au bout de quelques mois, lorsque le prêtre et le musicien (car c'était la profession de l'homme silencieux) partirent à leur tour et qu'O.C. et Emeka se retrouvèrent dans une cellule beaucoup plus petite, ils s'entraînèrent dans l'espoir de préserver leur santé mentale.

Le musicien eut sa première et unique conversation avec eux vingt mois plus tard, une semaine avant d'être libéré. Ses tortures perpétuelles cessèrent. Un calme précaire s'installa dans la cellule. La seule chose pire que l'isolement, c'est la solitude imposée à l'intérieur d'une cellule surpeuplée. L'érosion mentale des autres êtres torturés dévore l'âme de façon inconcevable pour l'esprit.

Ce jour-là – ce devait être un matin car quelques rais de lumière grise chassaient tranquillement l'obscurité oppressante, et c'était sans doute un samedi parce qu'on entendait les gardiens reprendre le travail en traînant les pieds, encore ivres et les membres lourds, un samedi situé entre les mois d'avril et juillet car l'harmattan glacial gelait l'air de la pièce –, la douce voix d'un oiseau solitaire pénétra dans leur cellule. Comme l'oiseau était triste, il ne s'agissait pas d'un cri joyeux, mais c'était le premier son fraternel qu'ils entendaient depuis de nombreuses semaines.

« Dieu est grand », dit le prêtre, le regard embué. O.C. se mit à rire et Emeka chantonna *Three Little Birds* – un hymne à la persévérance.

« Tu aimes Bob ? demanda soudain le musicien d'une voix qui déraillait à cause de ses cordes vocales inutilisées.

— Oui, répondit Emeka, surpris.

— C'est un homme doué et chanceux. Les chansons ne devraient parler que de trois choses : Dieu, l'amour et la révolution. Lui peut se payer le luxe de chanter les trois », dit-il tristement.

Il avait l'air abattu d'un homme qui a choisi une voie sans bifurcation.

O.C. l'interrompit subitement.

« Tu ne prononces pas un mot pendant des mois, tu ne parles jamais de tes vingt-sept femmes, tu ne nous laisses pas pleurer ta mère avec toi, tu ne nous divertis pas, et c'est tout ce que tu trouves à dire ? »

L'homme le regarda pensivement pendant un moment puis déclara finalement :

« Il ne faut pas penser à vous quand il arrive une telle tragédie, sinon l'auto-apitoiement risque de vous affaiblir. Au lieu de ça, il faut méditer sur la détresse des autres afin de pouvoir se relever avec une plus grande force. Sais-tu pourquoi le Nigeria ne connaît toujours pas le progrès et récolte sans arrêt de mauvais gouvernements ? »

Cet homme n'ayant dit un mot jusqu'à maintenant, les trois autres étaient très intrigués par ce soudain emportement.

« Parce que nous nous adaptons à toutes les situations. Regardez-vous, vous discutez comme si tout était normal. Tant que nous ne haïrons pas notre situation, tant que nous la supporterons, tant que nous ne protesterons pas contre ces circonstances anormales, tant que nous continuerons à tolérer chaque gouvernement et ses pratiques immondes, rien ne changera. Rien ! Nous devons lancer un mouvement… le mouvement du peuple !

— Je ne suis pas d'accord avec toi, répliqua le prêtre d'une voix calme.

— C'est vrai, dit O.C., penser aux autres, c'est ridicule ! »

Emeka se demanda pourquoi chacune de ses déclarations était précédée ou suivie d'un petit rire sec. Ce devait être le seul moyen pour son jeune esprit de supporter la misérable réalité.

« Non, je parlais de ce que tu as dit avant, rétorqua le prêtre, interrompant son rire. Dieu est amour et l'amour est révolution. Tu ne peux pas chanter l'un sans chanter l'autre.

— Quel dieu ? Allah ou Jéhovah ? demanda O.C. avec un sourire moqueur.

— Il n'y a pas d'Allah ni de Jéhovah. Ils ont été inventés par l'homme blanc pour nous exploiter ! asséna le musicien avec mépris.

— Le dieu qui transcende la religion, répondit le prêtre.

— Je ne crois qu'à ce qu'on peut prouver, dit O.C., cherchant à démontrer sa sagesse d'un air prétentieux.

— La seule preuve utile, c'est notre capacité à douter autant qu'à croire lorsqu'on se trouve face à l'expression méprisante de la dure réalité », répliqua tranquillement le prêtre.

Emeka ne croyait pas suffisamment en Dieu pour lui reprocher ses malheurs ou le supplier de le délivrer. Il avait abordé la Bible comme s'il s'agissait d'un grand récit historique et poétique – rien de plus. Pour lui, c'était un recueil d'histoires fascinantes défendant une éthique stricte. Longtemps après la fin de cette conversation, lorsque le musicien et O.C. se furent endormis, il regarda le prêtre prier silencieusement à l'autre bout de la cellule. Une faible lumière argentée entrait par la fenêtre et formait un halo autour de sa tête chauve. Quand il eut terminé, Emeka s'approcha et lui demanda : « Tu crois donc en Dieu… en un seul dieu ?

— Je crois qu'Il est le chemin, la vérité et la vie.

— Et si tu te trompais ? Et si Jésus était juste un prophète ? Et si les chemins étaient réellement nombreux pour accéder à Dieu ? » demanda Emeka en pensant à sa femme qui se prosternait devant Allah.

Le prêtre resta silencieux un instant, puis il répondit :

« Les Américains croient au capitalisme, les Russes au socialisme, et ces deux peuples sont convaincus qu'un seul système peut fonctionner. C'était vrai pour l'un, et l'autre a peut-être été mal appliqué. Je crois pour ma part que nous sommes appelés et que le chemin nous est indiqué. Parfois, nous le suivons, d'autres fois, non.

— Tu veux parler de la prédestination ?

— Celle-ci implique l'absence de choix. Je crois qu'on a attribué à chacun de nous un chemin qui nous aide à atteindre notre plein potentiel et que tout nous sera accordé si nous le suivons. Mais nous pouvons choisir de nous en écarter, à notre propre détriment.

— Mon problème avec la religion, ce sont toutes ces règles qu'on a inventées et qui nous promettent l'enfer ou le paradis. Comment les gens peuvent-ils être si sûrs de ce qui les attend ? Crois-tu que la moralité est subjective ? demanda Emeka d'un air troublé.

— Non, répondit lentement le prêtre. Mais je crois que tout jugement est propre à chacun. »

\*

Lorsqu'Emeka se réveilla le lendemain matin, la Bible qui avait été remise au prêtre en même temps que les lunettes était posée à côté de sa tête, mais l'homme était parti. O.C. lui-même ne savait pas s'il avait été relâché ou envoyé dans une salle de torture. Six jours plus tard, le musicien fut libéré, puis on expédia O.C. et Emeka dans une cellule plus petite et humide, sans cesse plongée dans l'obscurité. L'espace était trop restreint pour O.C. La plupart du temps, il palabrait sur des choses sans importance ; c'étaient les moments les plus pénibles pour Emeka. Certains jours, cependant, O.C. l'entretenait des subtilités de la politique, des parrains, de l'aménagement du territoire, des contrats et des dessous-de-table – des sujets qui lui parurent d'abord répugnants et ennuyeux, mais le vif intérêt d'O.C. pour eux finit par le gagner. C'est à cette période qu'il lui apprit vraiment les langues et lui révéla des détails croustillants sur les personnes au pouvoir parce que, disait-il, « tout ce que voit le public n'est qu'une immense mascarade ; c'est la même faction qui gouverne en permanence. » Ainsi apprit-il l'existence de la cabale à Emeka.

Tout le monde savait où ils se trouvaient sans vraiment en être sûr. Telle était la nature de la prison de Kirikiri : on supposait que les prisonniers politiques qui disparaissaient y étaient enfermés, mais personne n'en était certain. Le monde extérieur n'avait aucune information sur eux. Toutefois, comme les gardiens les aimaient bien, ils leur donnaient de vieux journaux ; aussi Emeka et O.C. savaient-ils ce qui se passait dehors. Ils étaient au courant de l'opposition suscitée par le Plan d'ajustement structurel de Babaginda, de la pénurie permanente d'essence, des crises incessantes et des propositions irrationnelles pour les résoudre. Ils étaient au courant de l'annulation des élections et se réjouirent lorsque cette décision impopulaire mit finalement un terme au régime de Babaginda. Un an après l'annulation du scrutin, les journaux leur apprirent que le vainqueur avait été arrêté parce qu'il s'était autoproclamé président. Ils découvrirent ensuite l'arrivée au pouvoir de Shonekan, mais la nouvelle des milliards disparus pendant son bref trimestre à la présidence ne leur parvint que beaucoup plus tard. Ils apprirent qu'Abacha s'était emparé du pouvoir quand une foule de nouveaux détenus arriva à la prison et que leurs passages dans les salles de torture devinrent réguliers. Bientôt, les syndicats entamèrent une grève et Lagos cessa de vivre en signe de protestation. Une émeute éclata dans l'aile principale et le chahut dura toute la journée lorsqu'on fit descendre Frank Kokori et les autres chefs travaillistes des paniers à salade. O.C. rit à gorge déployée le jour où l'homme qui les avait fait arrêter, son père et lui, fut à son tour jeté en prison. « La cabale a la gueule de bois », s'esclaffa-t-il.

Puis, une fois encore, le tumulte retentit dans tout le pays : Ken Saro-Wiwa avait été pendu, en même temps que les autres chefs ogbonis. Lorsqu'Emeka comprit que le monde continuait à tourner parce que le Nigeria avait trop de pétrole, il commença à prêter une oreille plus attentive aux projets qu'O.C. avait imaginés pour eux.

Tous deux furent libérés le 1er août 1997 car tout le monde avait oublié la raison de leur emprisonnement – mais surtout parce qu'il n'y avait plus de place pour ces deux prisonniers.

Lorsque le gardien silencieux entra dans leur cellule, ils comprirent au rire sans joie qui secoua à peine son épaule droite qu'il ne s'agissait pas d'un jour normal. O.C. n'obtint pas de réponse quand il l'interrogea sur leur destination. On leur banda les yeux, puis les deux hommes sentirent l'air s'alléger tandis qu'on les menait vers l'entrée de la prison. Ils entendirent un moteur démarrer et remarquèrent les nombreux nids-de-poule qui truffaient la route au cours de ce trajet pénible et sans destination. Soudain, on les jeta sur un sol de terre molle, puis on leur arracha leurs bandeaux. Emeka et O.C. se sentirent agressés par la lumière du soleil, intimidés par l'air et oppressés par la chaleur. Mais ils étaient si heureux de les retrouver qu'O.C. hurla de joie. Avant qu'ils pussent poser la moindre question à leurs geôliers, la camionnette s'éloigna dans un nuage de poussière et de fumée.

« Je pense que nous sommes juste à l'extérieur de Lagos, dit O.C. avec lassitude.

— Comment le sais-tu ? demanda Emeka, fatigué.

— Allons-y », répondit l'autre en marchant d'un pas déterminé.

Mais son ardeur ne dura pas : leurs jambes n'avaient plus l'habitude de fournir autant d'efforts. Épuisés, ils continuèrent péniblement à avancer en boitillant jusqu'à ce que le soleil se couche, puis toute la nuit; enfin, juste avant l'aube, ils aperçurent la pancarte qui proclamait « Bienvenue à Lagos. » O.C. voulut crier de joie, mais seul un croassement sec s'échappa de sa bouche, crevassant ses lèvres fatiguées. Ils abordèrent de nombreux conducteurs d'*okada* afin de leur demander de les déposer à une adresse que leur fournit O.C., mais chacun d'eux les ignora. Finalement, un homme accepta de les emmener pour une somme dix fois plus élevée que le prix standard. Puants et fatigués, ils s'agrippèrent à la moto qui se faufilait à travers la circulation. Au bout d'un moment, ils pénétrèrent dans une rue bordée de hauts murs surmontés de fil barbelé, protégeant des voitures coûteuses et des maisons importées.

« Attends-moi ici », dit O.C. avant de descendre la rue.

Plein d'un nouvel espoir, il avait presque retrouvé la démarche assurée qui était la sienne une décennie plus tôt. Il s'arrêta devant un robinet qui sortait d'un mur et se nettoya le mieux possible, jusqu'à ce qu'un garde le chasse en jurant. O.C. appuya sur la sonnette d'une maison au portail noir. Nerveusement, il attendit en regardant vers le haut de la rue. Emeka vit le portail s'ouvrir prudemment et un garde sortir. Les deux hommes s'entretinrent

pendant de longues minutes, puis le portail se referma. Le conducteur de l'*okada* qui marmonnait depuis un moment commença à
s'agacer plus bruyamment, mais le portail se rouvrit bientôt et laissa
apparaître une autre silhouette – celle d'une petite femme – à côté
du garde. L'interrogatoire se poursuivit de nombreuses minutes.
Soudain, on entendit un hurlement, puis une main couverte de
bijoux attrapa la chemise d'O.C. et l'entraîna à l'intérieur de l'enceinte. L'attente fut si longue qu'Emeka s'endormit. À son réveil,
il découvrit qu'il était appuyé contre le conducteur et qu'O.C.
était de retour, un sac pendant à l'épaule, le visage rayonnant de
satisfaction.

« Que ferions-nous sans nos tantes ! s'exclama-t-il. Allons
fêter notre retour dans le monde ; nos projets attendront jusqu'à
demain. »

Le chauffeur les déposa finalement à l'hôtel Eko et O.C. lui remit
une somme équivalant à une journée de travail. L'employé de l'hôtel
n'hésita pas un seul instant à les laisser entrer lorsque O.C. laissa
tomber une petite liasse sur le comptoir. Emeka et lui comman-
dèrent un repas si copieux qu'ils furent incapables de le terminer,
puis ils prirent de longues douches. Pour la première fois depuis de
nombreuses années, aucun cauchemar ne vint hanter leur sommeil.

Ils se levèrent longtemps après que le soleil eut atteint son point
culminant et entamé sa descente. La rumeur avait eu le temps de
parcourir toute la ville et Lagos s'était déjà paré de noir lorsque
son frère annonça officiellement à la télévision que le plus grand
musicien du Nigeria, Fela Kuti, était mort du sida.

« Mais que fait le service d'étage ? » se demanda impatiemment
O.C.

L'air était aussi lourd que si la terre avait cessé de tourner sur son
axe et cela le troublait. Il avait bondi de son lit à quinze heures, excité
par la perspective d'une nouvelle vie, mais l'ambiance était étrangement calme et il le sentait. Il prit une autre douche sans parvenir
à chasser cette impression. Son agitation finit par réveiller Emeka.

« Que fait donc le service d'étage ? » s'agaça-t-il à nouveau en
regardant autour de lui avec impatience.

Emeka n'avait pas pensé à elle depuis une décennie, mais l'image de sa femme flotta devant ses yeux alors qu'il était couché.

« Quoi ? » demanda-t-il, l'air perdu.

O.C. souleva le combiné et composa le numéro de la réception. Personne ne répondit. Pour finir, il sortit rageusement de la chambre. Emeka profita de ce moment de solitude pour réfléchir à ce qu'il allait faire. Un désir ardent qu'il n'avait encore jamais éprouvé le tenaillait – l'envie de renouer avec le passé. Il commença à s'imaginer des scènes de retrouvailles, oubliant que tout change avec le temps.

O.C. revint dans la chambre, l'air accablé, comme s'il avait vu un fantôme.

« Notre compagnon de cellule est mort… le musicien », précisa-t-il lorsqu'il vit le regard perplexe d'Emeka.

Celui-ci continua à le dévisager d'un air absent et déclara finalement :

« Je rentre chez moi. Dès aujourd'hui.

— Non, nous devons enterrer notre compagnon puis aller voir mon oncle. Plus rien ne sera comme avant chez toi, et tu n'es incontestablement plus le même. Il vaut mieux laisser ta famille tranquille plutôt que lui faire subir une situation traumatisante. Fais-moi confiance, j'ai vu ces choses se produire de nombreuses fois. »

O.C. s'exprimait avec l'assurance inébranlable de celui qui sait qu'il a raison, chose que détesta Emeka.

Toujours couché dans son lit, il se mit à sangloter, mais la vitalité de la ville et l'espoir sans limites qui anime l'esprit nigérian s'introduisirent par la fenêtre ouverte afin de le consoler. Le chagrin cède facilement au chant séduisant des sirènes, et c'est exactement ce dont Emeka avait besoin dans son état. La singularité des nombreuses larmes versées pour la même raison l'apaisa légèrement. Tous deux descendirent l'escalier sombre de l'hôtel et furent immédiatement encerclés par la foule. Ils marchèrent et pleurèrent avec un million d'autres personnes, mais le chagrin d'Emeka était personnel. Il pleurait la mort de son passé – l'enterrement de son âme. Les personnes endeuillées qui se pressaient dans les rues de Lagos portaient des bougies, des lanternes et des affiches de Fela. Quel dommage que l'homme dans le cercueil qui avançait en tête du cortège eût rendu son dernier souffle : la révolution qu'il avait souhaitée toute sa vie était en marche ce soir. Le cortège dont on ne voyait ni le début ni la fin continua à les entraîner. Soudain, O.C. émit une réflexion désinvolte qui convainquit Emeka qu'il devait rentrer chez lui :

« Et dire que personne ne viendra pleurer à nos enterrements ! »

Juste avant qu'Emeka ne disparaisse dans l'obscurité, O.C. lui remit une liasse de billets, une adresse, et lui adressa un sourire condescendant parce qu'il était sûr qu'il reviendrait.

C'était l'assurance avec laquelle O.C. avait prononcé ces mots qui effrayait Emeka. Bien qu'il eût effacé de sa mémoire les visages du passé, il tenait à ce qu'on se souvienne de lui. À mesure qu'il avançait vers l'est, son cœur se gonflait d'espoir. Il se rappelait les caresses délicates de sa femme, le doux sourire de sa fille et la fraîcheur qui l'accueillait jadis dans sa maison austère grâce à la voûte des palmiers ; ce type de souvenirs a toujours la même conséquence : Emeka peinait à rester assis tant il était heureux. L'autocar le déposa à l'endroit où il l'avait quitté des centaines de fois par le passé. Rien n'avait changé : le véhicule était toujours vieux et bringuebalant, le chauffeur était un jeune homme sale à la bouche prompte à jurer et à l'haleine fétide, la route était seulement éclairée par la lueur vacillante des lampes à kérosène posées sur le rebord des fenêtres en terre. Mais brusquement, tout lui parut différent : le chemin s'était laissé envahir par les mauvaises herbes, la porte pendait sur le côté, les cultures avaient tout envahi et il ne restait plus un seul animal. Le sol était couvert de poussière, les matelas, nus, le placard, vide, et sa famille avait disparu. Emeka comprit enfin ce qu'il aurait dû admettre des heures plus tôt : sa quête était perdue d'avance. Il n'était plus la même personne, et ce n'était pas un simple mensonge du miroir : son âme avait été profondément ébranlée par les assauts de ce monstre à tête d'hydre qu'était la violence passée et présente. À nouveau, il pleura – mais pour la dernière fois – ce passé qui n'était plus et cet avenir transformé à jamais. Lorsqu'il fut calmé, la chose la plus extraordinaire se produisit : Emeka se regarda de nouveau dans le miroir et découvrit un visage tout à fait ordinaire. Ses yeux ne riaient plus, son sourire n'exprimait aucune joie, son esprit n'espérait plus et son cœur avait cessé de souffrir. Nos sentiments actuels étant le résultat de nos émotions passées, Emeka était en quelque sorte amnésique car, sa dernière larme versée, il avait perdu la capacité de ressentir.

Soixante-douze heures après son départ de Lagos, il frappa à une porte qui se trouvait à de nombreux kilomètres au nord de l'endroit où il aurait voulu être. O.C. lui ouvrit comme s'il était simplement sorti acheter du pain. Seule leur brève étreinte indiqua qu'il s'était produit quelque chose d'important pendant son absence.

« Pile à l'heure pour le travail, fit-il nonchalamment. J'ai avancé dans nos projets et expliqué à mon oncle que tu accepterais le boulot. »

Son visage semblait déjà reposé, son sourire, plus large.

Emeka hocha tristement la tête. Il avait compris, au bout de leur cinquième année d'emprisonnement, lorsqu'ils avaient commencé à discuter uniquement en haoussa, que c'était probablement son avenir. Mais il avait espéré se tromper – ce qui n'était pas le cas, malheureusement. Il finit par remarquer l'assurance avec laquelle O.C. se promenait dans la demeure au sol de marbre blanc et lui demanda :

« À qui appartient cette maison ?

— À moi. Enfin, c'était celle de mon père, mais j'en suis le propriétaire maintenant. Une avance de mon oncle, pourrait-on dire. N'est-ce pas amusant ? Je dois travailler pour récupérer la maison qui m'appartient. Elle est à moi… Elle est à moi. »

Chacun de ses mouvements exprimait sa détermination. Emeka comprit que tout se passerait bien. Ce n'était pas la vie qu'il souhaitait, mais ce serait tout de même une vie. Il interrogea davantage son ami, dans l'espoir de se changer les idées.

« Que devons-nous faire exactement ?

— Voilà ce que je voulais entendre ! Nous commencerons par transporter et fournir du diesel, et nous finirons hommes politiques. Entre-temps, nous ferons tout ce qu'il faut pour en arriver là. »

O.C. se tut, l'air captivé par ses rêves d'avenir. Il regarda ensuite Emeka et laissa échapper un rire bref ; un rire destiné à dissimuler le fait qu'il lui avait révélé par erreur ses ambitions.

« Notre entreprise se développera rapidement, poursuivit-il avec un sourire. Ton travail sera plus discret… plus important. C'est toi qui résoudras tous les problèmes en coulisse. »

Emeka comprit qu'il jouerait le rôle du père d'O.C. Tous deux échangèrent un sourire crispé. Les implications étaient évidentes. Si les choses tournaient mal, c'était Emeka qui recevrait les balles. Mais cela lui était égal. Il s'en moquait.

Ce travail s'avéra très lucratif. Au début, il travaillait essentiellement pour l'oncle d'O.C. – un général à la retraite persuadé que la nation avait une dette envers lui et qu'il devait être généreusement récompensé. Ainsi, chaque jour, Emeka transportait de l'argent depuis la banque centrale, des bars tranquilles fréquentés par des cadres blancs et des somptueux bureaux d'hommes politiques nigérians, jusqu'à la maison du général, qui lui adressait un sourire paresseux et déclarait simplement :

« Mes créances. »

Emeka recevait un certain nombre de valises chaque semaine. L'une d'elles lui était réservée et il en offrait rapidement quelques-unes en guise de pots-de-vin de la part de l'entreprise. Grâce à son esprit vif, le nombre de ses contacts augmenta rapidement. C'est ainsi qu'il rencontra un homme appelé Muktar. Celui-ci venait de recevoir une grosse livraison.

« Mais qu'est-ce que je vais bien pouvoir faire de tous ces billets ? dit-il, presque amusé, en contemplant l'énorme butin.

— Congelez-les », répondit Emeka si simplement que tout le milieu trouva bientôt normal de cacher de grosses sommes d'argent dans son congélateur, afin de l'avoir sous la main.

Muktar commença peu après à le consulter d'un ton désinvolte sur les questions d'ordre « pratique » concernant la politique. Peu à peu, Emeka se rendit tristement célèbre au sein d'une communauté sans scrupule. Six mois après avoir commencé ce travail, il eut l'idée de tirer profit de ses contacts et se vit rapidement confier le rôle magique de conseiller spécial/assistant personnel/bras droit – tout dépendait des circonstances.

## Who're You
### (Centre-nord du Nigeria,
### fin des années 1990 – début des années 2000)

Muktar, le beau parleur à la libido insatiable, s'était lancé dans une grande quête afin de trouver l'amour de sa vie. Il avait ainsi abandonné cinq maîtresses, deux enfants bâtards, deux grossesses très vite interrompues, ainsi qu'Aisha et sa sœur jumelle. Muktar avait grandi au sein d'un foyer polygame. Un jour, alors qu'il écoutait à la porte de son père – un musulman strict qui avait quatre épouses, mais seulement parce qu'il pouvait se le permettre –, il entendit Mama Ahmed, la mère de son meilleur ami et deuxième femme de son père, parler à voix basse. Elle demandait à son époux de priver Muktar d'instruction afin que son propre fils puisse aller étudier en Angleterre. Son père commença par protester, mais comme il s'agissait de son épouse préférée, il finit par céder. Muktar était caché derrière les rideaux, les joues ruisselantes de larmes. Mama Ahmed quitta la pièce le sourire aux lèvres, tout comme son fils. Muktar n'en croyait pas ses yeux : son frère, son meilleur ami, participait donc à ce complot ! Ce frère auquel il avait appris la chanson des fleuves africains[1] de sorte qu'il réussisse son examen de géographie ? Le garçon sut à cet instant qu'il ne ferait plus jamais confiance à personne. Il se munit rapidement d'une langue bien pendue et d'un cœur de pierre – meilleurs moyens de défense dans ce monde perfide. Il se jura de réussir dans la vie, mais de ne jamais devenir polygame.

---

1. Nil, Niger, Sénégal, Congo, Orange, Limpopo et Zambèze.

Quelques années plus tard, il avait déjà une cousine pour future épouse et une future belle-mère qu'il appelait maman. Toutes les conditions étaient réunies pour une union harmonieuse. Il s'agissait d'un mariage arrangé, mais les futurs époux s'aimaient déjà. Malheureusement, le diable qui titille l'entrejambe des jeunes hommes trop fortunés rendit bientôt visite au fiancé, qui fit rapidement un enfant à une autre femme. Pour Muktar, il était hors de question de fonder un foyer polygame, aussi refusa-t-il catégoriquement d'épouser celle-ci. S'ensuivirent la honte et l'opprobre, car « un homme qui refuse de remplir son devoir n'est pas digne d'épouser notre fille », déclara fermement sa future belle-mère. Les jeunes amants furent donc séparés de force.

Hanté par le fantôme de cet amour révolu, Muktar déménagea d'État en État. Tandis qu'il parcourait le nord du pays, il séduisait les jeunes femmes et les fuyait dès qu'elles étaient enceintes. Cette erreur se transforma vite en habitude, cette mésaventure, en défaut de caractère. Le sort de son père avait jeté une longue ombre sur sa vie – le passé devint son présent. Sa prévoyance et son charme étaient ses seuls traits positifs. Muktar mit en place un réseau de contacts utiles et d'entreprises saines puis jouit bientôt d'une importante richesse et d'un prestige douteux à travers toute la région.

Trois femmes dépravées plus tard, il se retrouva dans le lit d'une jeune agitatrice, une féministe marxiste panafricaniste au regard enflammé, à l'esprit sage et au bas-ventre magique. Oui, le destin était assez aimable pour lui offrir une seconde chance. Mais la jeune femme refusait de se convertir à l'islam. Muktar trouvait son attitude incompréhensible ; c'était la religion de sa famille, de son amant, de ses ancêtres. Cédant à son sourire faussement pudique et ses clins d'œil charmeurs, il se retrouvait régulièrement nu et vidé sans être parvenu à résoudre leur désaccord.

Cette jeune femme se faisait passer pour chrétienne, bien qu'elle fût tout sauf cela. Lors d'une froide matinée éclairée par un pâle soleil et balayée par l'harmattan, Muktar accepta de l'épouser à l'église. Envoûtée par la magie de la cérémonie, elle se sentit étrangement attirée par la croix et entreprit d'assister à la messe tous les dimanches. Malheureux de se retrouver la corde au cou, Muktar se laissa tout de même convaincre de l'accompagner. Tous deux vécurent quelques années heureuses. Jeunes, amoureux et riches, ils possédaient une charmante maison blanche aux remarquables parterres de fleurs, arrosés toute l'année malgré la sécheresse qui sévissait souvent dans la région. Muktar lui apprit même à conduire. Le couple se querellait pendant chaque leçon et se réconciliait joyeusement plus tard. Et puis un jour, elle découvrit qu'elle était enceinte.

Muktar était fou de joie. Si le mariage avait brusquement éveillé l'intérêt de sa femme pour la religion, sa grossesse produisit sur lui le même effet. Muktar commença par assister à la prière du vendredi. Ensuite, il cessa d'aller à l'église le dimanche. Ne parvenant pas à la convaincre de l'accompagner à la mosquée, il lui interdit bientôt de se rendre à la messe. Peu à peu, les failles de leur mariage commencèrent à apparaître : certes, l'amour est plus puissant que tout, mais il ne suffit pas toujours. Au bout de neuf mois, deux magnifiques petites filles vinrent au monde.

Suivirent sept années d'une harmonie fragilisée. Un jour, alors que la petite famille descendait de voiture devant sa maison, l'épouse découvrit sur le pas de la porte une femme accompagnée d'un garçon de onze ans qui ressemblait indéniablement à Muktar. Elle apprit ainsi que leurs filles étaient ses troisième et quatrième enfants. Muktar était un homme perspicace mais peu judicieux. Il savait que s'il se contentait de renvoyer cette femme chez elle, il perdrait également son épouse. Aussi l'invita-t-il stupidement à s'installer chez lui avec son fils dans quelques pièces adjacentes.

Peu à peu, le fléau de la vie polygame qu'il avait fuie avec un véritable dédain s'imposa résolument à lui. À présent, les deux femmes partageaient la cuisine, et Muktar. Les épouses rivales cuisinaient à tour de rôle le soir et lui dormait alternativement avec chacune. Cependant, la nouvelle habitante était une femme amère dont l'esprit acariâtre gâchait l'ambiance joyeuse qui régnait jadis dans la maison. Les jours où elle devait se priver de Muktar, elle enfilait ses plus beaux vêtements et se parait en fonction des goûts de son mari. Elle s'asseyait timidement sur un coussin près de sa chaise, alors que l'autre femme, mama Aisha, s'affairait en cuisine. À grand renfort de clins d'œil aguicheurs et de déhanchements suggestifs, elle entreprenait ensuite de dorloter Muktar et son ego contrarié.

Quinze mois après ce malheureux arrangement, celui-ci coucha avec la mauvaise épouse alors que mama Aisha préparait la cuisine. À son réveil, le lendemain matin, il découvrit qu'elle était partie avec les jumelles.

Au début, il en fut presque soulagé, mais la simple idée de ce rejet irritait son âme fière. Muktar ne pouvait excuser un tel affront. Un rictus amer aux lèvres et avec son calme habituel, il se mit à les traquer de façon obsessionnelle. En réalité, il ne tenait pas vraiment à elles ; c'était son égocentrisme qui ne supportait pas leur fuite. C'était ce même narcissisme qui le plongeait régulièrement dans un silence pensif, l'encourageait à se rendre chez le coiffeur toutes les semaines, à faire nettoyer à sec tous ses vêtements (même ses sous-vêtements), à remplir sa maison de surfaces réfléchissantes. Et c'était grâce à ce comportement obsessionnel qu'il savait toujours ce qui se passait dans la rue et au pouvoir. Ce trait de caractère l'empêcherait à jamais d'aimer sincèrement son prochain parce que personne ne serait jamais aussi important que lui. Ce fut donc cette obsession dévorante qui fit naître un sourire sadique et triomphant sur ses lèvres roses et pleines, lorsqu'il découvrit que toutes trois menaient une existence paisible à Jos.

Il n'avait pas été difficile de les retrouver. Sa femme était irrésistiblement attirée par la belle vie. Ainsi, son penchant épicurien l'avait fatalement poussée à s'installer dans l'une des plus grandes villes du pays, où elle pourrait trouver un travail bien payé. Son premier réflexe avait été de vérifier si elle vivait à Abuja, mais aucun de ses contacts n'avait vu ni entendu parler d'une grande femme svelte à la peau foncée, possédant un grain de beauté facilement reconnaissable sur la joue gauche, ainsi qu'une langue bien pendue. Après avoir fait le tour de plusieurs autres villes, il commença à croire qu'elle était partie dans le Sud et songea à abandonner ses recherches. Mais un coup de chance le conduisit à Jos où une enseignante, récemment embauchée par l'école Hillcrest et mère de jumelles, correspondait à sa description. Ce fut en fait la ressemblance troublante entre Halima et son père qui les trahit. La fillette avait les mêmes yeux couleur miel et la même voix que lui, le même nez fin et la peau claire, les mêmes petites oreilles et doigts délicats, les mêmes épaisses lèvres carmin. Ses larbins cherchaient encore péniblement sa femme à Kaduna lorsqu'il apprit la nouvelle par téléphone. Muktar sourit intérieurement : il était temps de rentrer à la maison.

*

Emeka était assis dans un coin sombre d'un bar bien caché. Seuls ses yeux étaient visibles et, incroyablement normaux, ils auraient pu appartenir à n'importe qui. Le chauffeur trop empressé, l'un des hommes qu'il payait pour espionner son patron, entra et s'assit nerveusement en face de lui, déconcerté par son regard indifférent.

« Bonjour monsieur, se hâta-t-il de dire. Des nouvelles ? »

La douce voix neutre d'Emeka traversa l'obscurité sans fin qui masquait son corps. Il omit de répondre à son bonjour.

« Oui, monsieur, je crois que je les ai trouvées, monsieur, répondit Mutu en roulant les *r*.

— Où ça ?

— Eh bien voilà, monsieur, commença-t-il d'un ton qui se voulait important. À l'école que fréquente le fils de mon patron, il paraît qu'il y a deux nouvelles, des jumelles, monsieur, *walahi tallai*[1]. D'après le garçon, l'une d'elles est si belle qu'il pense en être amoureux. Vu la façon dont il la décrit, monsieur, c'est bien celle que vous cherchez ! »

Un sourire apparut brièvement sous le turban qui cachait son visage.

_____

1. Je le jure devant Dieu.

« Bon travail », répondit sèchement Emeka.

Il se leva et partit, abandonnant d'un geste nonchalant une enveloppe sur la table, puis passa un appel à Muktar et lâcha simplement :

« Jos. »

Deux jours plus tard, alors qu'ils observaient la jeune femme et les enfants de loin, installés sur la banquette confortable et froide de la voiture, Emeka devina que Muktar s'apprêtait à commettre une erreur. Mais n'étant pas payé pour lui donner des conseils, il se contenta d'obéir. Muktar jeta un coup d'œil à Halima, version jeune et féminine de lui-même, et faillit esquisser un sourire fier, mais toute émotion était à proscrire car il avait l'intention de prendre convenablement sa revanche après son humiliation. Sa femme marchait d'un pas déterminé, avec cette énergie qui l'avait immédiatement séduit : en la regardant, Muktar se sentit submergé par le désir et la haine. Mais ce fut Aisha qui retint son regard inflexible. Il la dévisagea avec mépris. Elle avait tous les traits et qualités de sa mère. Toutefois, sur ce corps adolescent, ils paraissaient incohérents et repoussants. Muktar supposa que sa femme ressemblait à cela enfant et détesta l'idée que quelqu'un d'autrefois si laid avait eu l'audace de le quitter. La jeune fille tenait la main de sa mère ; sa nature calme, généreuse et studieuse se devinait presque à sa façon de poser doucement les pieds sur le sol, comme si elle craignait de le blesser. Sa peau foncée brillait affreusement et ses lèvres minces ne semblaient pas adaptées au grand nez qui les surplombait. Il manquait à ses traits la finesse qui rendait sa mère si belle. Muktar fut dégoûté d'avoir engendré une enfant aussi laide.

« Tu sais quoi faire, dit-il.

— Oui », répondit Emeka, toujours d'un ton neutre.

*

*Ploc, ploc, ploc*, faisait la pluie sur le toit métallique. Tandis que tombait la bruine, la plupart des passagers dormaient. Sa voisine avait un physique ordinaire. Rares étaient les gens qui s'asseyaient à côté de lui de leur plein gré d'habitude – ils gardaient généralement leur distance en remarquant l'enthousiasme qu'exprimait toujours son visage. L'autocar ronflant avançait lentement sur la route pleine de cratères. De temps à autre, le chauffeur devait donner un coup de volant afin d'éviter un nid-de-poule ou un tas de pneus en feu. Ils dépassèrent un cimetière de voitures brûlées et de maisons calcinées. Le car ralentit avant de se frayer un chemin entre les obstacles. Le foulard qui enveloppait la tête de la femme devant lui glissa vers l'avant, puis on entendit quelque chose éclabousser le sol rouillé. Une faible odeur âcre s'éleva – elle était en train de vomir. Ensuite, les odeurs épaisses et puissantes qui flottaient autour du bus se glissèrent à l'intérieur malgré les fenêtres étanches, et un certain nombre de gens s'évanouirent. Une femme hurla, puis d'autres se mirent à pleurer. À leur droite, on apercevait les restes brûlés d'une femme et de sa fille. Sa peau noircie s'était détachée par endroits, exposant sa chair pâle. Ses entrailles s'étaient échappées de son ventre et enveloppaient son enfant comme une couverture rose protectrice. Il se détourna et éteignit le son de ses pensées afin de ne pas songer à sa femme enceinte. Il passa le reste du trajet à fixer la Bible dans sa main, incapable d'en lire un seul mot.

Depuis un moment maintenant, sa voisine sanglotait sans bruit. Il aurait bien aimé la consoler, mais son âme était comme desséchée. Il ne trouvait rien d'autre à dire que « Il n'y a rien de grave », des mots tristement inappropriés. Il continua mollement à passer le doigt sur la croix gravée dans la couverture de la Bible.

« Pourquoi ? finit-elle par demander d'une voix étranglée.

— Il n'y a rien de grave », répondit-il.

Doucement secouée par ses sanglots, sa tête resta posée sur son épaule jusqu'à la fin du voyage et la mouilla peu à peu de larmes.

Elle effectuait son service civique comme lui, bien qu'il fût un peu âgé pour cela. Mais puisqu'il venait de terminer ses études à l'étranger, il avait dû le commencer plus tard que les autres. On l'avait envoyée d'Enugu servir à Jos. À une époque où les Igbos quittaient la ville en masse, c'était une décision incompréhensible.

« Je viens de Lagos », lui apprit-il.

La jeune femme s'appelait Nneka et était fille unique.

Nneka aurait préféré effectuer son service à Lagos. Elle avait employé tous les moyens possibles pour ne pas partir, sauf le bon : elle avait refusé de payer un pot-de-vin. On l'avait alors expédiée à Jos, le chaudron des tensions ethniques, afin qu'elle y serve son pays.

« Je m'appelle Daniel. Où travailles-tu ?

— J'ai étudié les sciences politiques à l'université de Nsukka. Je vais travailler au bureau du sénateur.

— Tu feras donc bientôt partie de ceux qui nous volent notre argent, constata-t-il, ce qui arracha enfin un faible sourire à sa voisine.

— Je me destinais à la gestion d'entreprise, mais il s'est produit une chose qui m'a fait changer d'avis, expliqua-t-elle avec un regard lointain.

— Et moi, j'aurais voulu m'appeler David, mais je n'ai pas eu mon mot à dire », répliqua-t-il.

Nneka émit un rire léger qui s'éleva rapidement au-dessus de l'air lourd.

« C'est mon personnage biblique préféré, poursuivit-il de sa voix enthousiaste. Oui, Daniel était courageux : il s'est assis dans la fosse aux lions, mais David a tué un lion, puis un ours, un géant, et des milliers d'hommes. Voilà l'héritage que je veux », conclut-il.

Daniel était un idéaliste sentimental. Après avoir passé des années à l'étranger, il était rentré chez lui afin de « servir son pays ». Il avait convaincu sa jeune épouse de l'accompagner et obtenu un accord de paix difficile entre sa mère et elle. Il s'était aperçu qu'elle était enceinte le jour où il avait reçu sa convocation à Jos. Plutôt que de le reporter, Daniel avait préféré effectuer son service immédiatement. Nneka le trouvant amusant, tous deux devinrent amis.

Au début, comme chacun ne connaissait personne d'autre à Jos, ils se retrouvaient souvent pour le déjeuner. Elle arrivait toujours le front plissé mais repartait en riant.

« Mon patron est un homme sexiste, partisan du système tribal et un bigot ayant une piètre opinion des femmes, déclara-t-elle le premier jour.

— C'est donc un vrai homme, plaisanta Daniel. *Chai !* Tu devrais voir ma classe. Certains garçons sont si vieux que je pourrais être leur fils, et ils sont toujours au lycée.

— Est-ce qu'il y a des filles ? demanda-t-elle. Celles de mon bureau ne prononcent pas un mot et n'ont aucune responsabilité. Ce n'est pas le cas dans d'autres services, mais mon patron avec sa dent en or se contente de rire si on lui demande du travail, comme si c'était une bonne blague. Le plus agaçant, c'est qu'il se promène toujours avec un Coran pour justifier son comportement. Mais je sais que c'est un hypocrite, parce que ma mère, elle, est musulmane, conclut Nneka.

— Le mystère s'épaissit, constata-t-il avec une emphase amusée. Laisse-moi deviner : ton père était bouddhiste.

— En fait, tu n'es pas loin de la vérité », répondit-elle avec un rire prudent.

Nneka sembla sur le point de se lancer dans un long récit, mais le déjeuner étant presque terminé, elle ajouta simplement :

« Il était gentil et sentait toujours bon. Il avait l'odeur des bonbons à la menthe. »

Tous deux se trouvaient déjà près de la porte et elle s'étonna de la banalité de ses pensées. Elle aurait au moins pu lui raconter son souvenir préféré : son père la bordant dans son lit tous les soirs, avant de lui lire l'un des nombreux livres de la maison. Au lieu de cela, elle se contenta de sourire après cette déclaration, puis tous deux se séparèrent.

Au fil des semaines, au cours de déjeuners exotiques composés de *tuwo shinkafa*[1] servi avec du *miyan taushe*[2] qu'ils faisaient descendre à l'aide de *fura denunu*[3] et de *kunu*[4], boissons qui les réconcilièrent peu à peu avec la culture du Nord, Nneka lui raconta son histoire. Au début, Daniel, éternel enthousiaste, voulut aussi

---

1.  Boulettes de farine de riz.
2.  Soupe de citrouille.
3.  Boisson à base de lait de vache non pasteurisé.
4.  Boisson faite de céréales germées et fermentées.

lui parler de son passé, mais il s'aperçut rapidement qu'il était bien plus agréable d'écouter ce curieux accent lui conter cette enfance unique, celle d'une petite fille seule grandissant auprès d'une mère étrange dans une maison inhabituelle. Cependant, Nneka était souvent réticente à se lancer dans son récit et la même histoire patientait régulièrement sur le bout de la langue de Daniel, pressée d'être racontée.

« Dans le car, ce n'était pas la première fois que je voyais un corps brûlé, avait-il envie de lui révéler. Enfant, j'habitais dans la banlieue de Lagos. Il était rare qu'on ait l'électricité, et l'eau provenait de puits. La police était tristement sous-entraînée, mal préparée, mal équipée et en sous-effectif. Devenir voleur était la seule ambition des jeunes diplômés. Ensuite, sous le régime militaire, le gouverneur a décidé de s'attaquer au crime. Les voleurs ont été chassés de Lagos vers le quartier où je vivais. Ils étaient si nombreux ! Au bout d'un moment, les habitants du quartier en ont eu assez. Les hommes ont décidé de se rassembler le soir. Ils allumaient un feu et se racontaient les souvenirs de temps meilleurs. Leurs armes rudimentaires – machettes rouillées et fusils anciens – étaient posées à leurs côtés. Toute personne prise la main dans le sac était lynchée, il lui était impossible d'échapper à la vindicte populaire. En général, les hommes rentraient chez eux à l'aube. Un matin, la marchande de pain surprit un voleur. Elle se réveilla lorsque son mari rentra, exténué, espérant dormir quelques heures avant que la chaîne de montage grinçante de Nigerian Breweries réclame son attention épuisée. Elle entendit alors une sorte de remue-ménage derrière la porte de service. Elle ouvrit celle-ci d'un coup sec, frappa le visage de l'homme avec le lourd pilon qu'elle utilisait pour écraser l'igname puis envoya son fils de dix ans réveiller les voisins. Ils la rejoignirent aussitôt, munis de ceintures et de bâtons. Quelques heures plus tard, je me dirigeai vers le magasin afin d'acheter des œufs pour le petit déjeuner. J'étais alors encore plus jeune que son fils. Lorsque je l'ai vu devant sa boutique, le voleur suppliait les passants de le sauver. Sa bouche était déformée par des heures de maltraitance. Sans le savoir, j'étais arrivé à temps pour le clou du spectacle. Un pneu rempli de pétrole fut jeté sur lui et enflammé. Des années de souffrance, d'insomnie et de labeur infructueux rendaient la foule passive insensible à ses cris. Au bout d'un moment, les gens s'éloignèrent en flânant – ils s'en allaient se préparer pour le travail ou terminer leur nuit interrompue. Quant à moi, je restai captivé par la scène jusqu'à ce que ma tante vienne me chercher. Alors que nous rentrions chez elle, il se mit à bruiner. Je me demandai si Dieu faisait tomber la pluie afin de soulager ses enfants incinérés. Autre question que je me pose : est-ce qu'on va directement en enfer quand on meurt brûlé ? »

De plus en plus souvent, les images de l'incident défilaient dans sa tête, les flammes ayant été ravivées par le décor tragique de son trajet en car. Mais jamais ces feux cannibales ne hantaient ses rêves. Daniel songea à le raconter à Nneka, mais il eut peur de faire ensuite des cauchemars. C'était cet incident qui avait convaincu son père de l'envoyer étudier en Angleterre, bien que le garçon eût longuement insisté pour rester chez lui afin d'aider son pays.

*

Nneka était perturbée par la passivité de l'homme en face d'elle. Il paraissait très agréable, mais un frisson invisible lui parcourait le dos quand elle le regardait. Il venait voir Alhaji, lui avait-il annoncé d'une voix calme étrangement dérangeante. Nneka comprit enfin quel était le problème lorsque Alhaji accepta contre toute attente de le recevoir sans rendez-vous et l'accueillit dans son bureau. Les traits de cet homme étaient trop banals – les seuls éléments dont elle se souvenait étaient sa peau brune, ses yeux marron et sa voix calme. La délicate mélodie de la langue haoussa flotta vers elle jusqu'à ce qu'ils ferment la porte. L'homme sortit peu après, poliment et sans bruit, et Nneka n'eut pas l'occasion de l'observer davantage.

La première mission d'Emeka était accomplie. Alhaji avait été facile à convaincre. L'aisance avec laquelle l'homme avait accepté qu'on l'aide à rester au pouvoir lui inspirait même un léger mépris. En outre, sa manie d'approcher la main du Coran posé près de lui avait fortement déplu à Emeka car il était sûr qu'Alhaji ne le comprenait pas. Sinon il n'aurait pas accepté son aide aussi facilement. Emeka se rendit en hâte à la mosquée afin d'y arriver avant la prière. Il se glissa dans le bureau de l'imam et examina silencieusement la pièce depuis un coin sombre et frais. Il fallut quelques minutes au chef religieux pour remarquer son ombre. L'homme ne parut pas affecté par cette présence troublante. Il resta assis à son bureau comme s'il se trouvait toujours seul.

« Alhaji vous fera appeler ce soir, mais j'ai pris mes dispositions. Un homme viendra demain pendant la prière de dix-sept heures, c'est lui qui exaucera nos vœux. »

Emeka se tut en se demandant s'il devait en dire plus. Il aimait bien cet imam : il ne posait pas trop de questions. Il comprenait la situation.

Muktar entra dans la mosquée avec une grâce solennelle. Son *danshiki*[1] d'un blanc éclatant lui conférait une aura lumineuse, et ses étranges yeux couleur miel paraissaient énigmatiques. Sans un bruit, il prit place dans un coin, mais tout le monde le remarqua. Tandis que ses lèvres articulaient silencieusement la prière, il était impossible de ne pas sentir sa présence dans la mosquée. L'imam le remarqua à son tour et comprit qu'il était l'homme providentiel.

Plus tard, alors que Muktar enfilait ses sandales, indifférent à la foule de corps qui allaient et venaient autour de lui, un petit garçon tira sur sa tunique. Avec une grâce sans pareille, il baissa les yeux vers lui, mais son regard fixe déstabilisa l'enfant en sueur qui se mit à bégayer de façon incohérente. Par chance, Muktar était patient. Il finit par comprendre que l'imam désirait le voir. Il sourit gentiment au messager puis lui remit un billet de cinq nairas. Le garçon tout sourire s'éloigna en sautillant et Muktar retourna dans la mosquée. D'un pas vif, il traversa la salle de prière, frappa doucement à la porte et entra sans attendre de réponse.

---

1. Tunique ample.

L'imam raccompagnait quelqu'un à la porte du fond. Dès qu'il se retourna, Muktar lui tendit la main avec l'assurance d'un homme habitué à être considéré comme la personne la plus importante des environs. Et quelle poignée de main ! Elle n'était pas particulièrement ferme, mais on ne pouvait pas non plus la qualifier de molle. C'était simplement une poignée de main parfaite. Cela peut sembler futile, mais lors de ce contact, on comprenait mieux pourquoi les hommes d'affaires et les politiciens pratiquaient ce geste quotidien avec une telle assiduité. Que votre main soit grande ou petite, la sienne l'enveloppait parfaitement et, pendant les brèves secondes où il l'étreignait, toute votre assurance fondait entre ses doigts. Muktar semblait littéralement tenir votre vie dans le creux de sa main. Il accompagnait ce geste d'un regard fixe ; un regard doux et chaud pour les femmes, qui rougissaient aussitôt sous leurs *burqas*, dur et froid pour les hommes, qui se sentaient soudain gênés par leurs cols.

L'imam parvint à lui adresser un faible sourire dévoilant ses dents brunies, plaça une noix de cola dans sa bouche et lui demanda de s'asseoir. À gauche de la porte, une grande fenêtre à barreaux laissait entrer quelques rayons de lumière dans laquelle baignait la tête couverte du religieux. Celui-ci ferma et rouvrit les poings dans l'espoir de retrouver son sang-froid. Il était à la fois surpris et content de l'effet que produisait l'homme en face de lui. Oui, c'était la personne parfaite pour régler l'affaire en cours. L'imam lui-même ne manquait pas de force de caractère. Il aurait pu persuader un crayon de tenir en équilibre sur sa mine. De sa voix douce, semblable à une vague tranquille capable de chavirer un énorme navire, il pouvait convaincre une foule d'obéir à ses souhaits. Toutefois, il détestait s'adresser à la masse – hormis lorsqu'il conduisait la prière. C'était pour cette raison que l'homme assis en face de lui allait être si utile.

L'imam n'était jamais sûr de lui. Seules quelques personnes de son entourage se laissaient convaincre de lui obéir. Il paraissait toujours nerveux, sauf pendant la prière. Lorsqu'il récitait le Coran, une étrange sérénité emplissait ses yeux, telle une brume céleste, et sa voix apaisante amplifiée par le micro berçait la masse des croyants. Lorsqu'il avait terminé, l'homme recommençait à se frotter les mains et courbait les épaules afin de se protéger du monde.

Muktar était nonchalamment installé dans un fauteuil en osier au coussin de mousse imprimé. Il croisa ses longues jambes et posa tranquillement ses doigts fins sur son ventre plat. Il gardait toujours les mains près de son corps, comme pour préserver la magie de leur contact. À son tour, il sourit à l'imam, d'un air chaleureux, réservé, désarmant.

« *Mallam*… ? commença l'imam.

— Muktar, répondit le gentleman.

— Bienvenue à Jos, *mallam* Muktar, poursuivit le religieux en remarquant que la mâchoire de son interlocuteur se crispait légèrement. Vous n'avez pas pu manquer de voir le cimetière de saints et l'habitation des infidèles. Je fais bien sûr allusion aux indigènes, aux immondes chrétiens qui ont tué nos chers frères, que leurs âmes reposent en paix. Ils ont transformé nos maisons en sépultures et ont persécuté nos enfants. Nous devons nous venger. Nous devons prendre deux âmes en échange de chaque victime. »

L'imam parlait calmement ; ses paroles ne laissaient rien transparaître de la colère qui bouillonnait en lui. Il préférait s'exprimer par phrases concises, non par longs poèmes. Comme Muktar restait immobile, l'homme poursuivit.

« J'ai bien remarqué votre charme. Vous êtes celui qu'il nous faut. Obéirez-vous à la volonté d'Allah ? »

Le cœur de Muktar fit un petit bond. Tout se passait comme prévu. Il s'était rendu séduisant, inaccessible. Il avait réussi à éviter que son plan, et son nom, parviennent aux mauvaises oreilles. *Mon frère est toujours aussi prévisible*, songea-t-il avec un sourire en coin. Il caressa sa barbe noire soigneusement taillée, parsemée de poils blancs semblables à des flocons de neige tombant par une nuit sombre. Il lissa un épi imaginaire sur son crâne poivre et sel puis reprit sa posture désinvolte. Soudain, sa voix grave gronda comme un train à vapeur en phase de démarrage.

« Bien sûr », répondit-il simplement d'un ton résolu.

\*

L'imam regarda sa montre : il avait cinq minutes de retard. On lui avait offert cet objet après sa dernière mission – son bienfaiteur lui avait souri, dévoilant sa dent en or, le cadeau dans une main, le Coran dans l'autre. Même le samedi, lorsqu'il passait la journée à boire, Alhaji était ponctuel à la seconde près. Le retard de l'imam risquait de le contrarier. Ce cadeau n'était pas gratuit. Le religieux s'empressa de rejoindre la partie de la ville où se dressaient de nobles arbres et des maisons sereines.

Comme toujours, le bruit régnait dans la propriété d'Alhaji. S'y trouvait déjà l'inévitable troupe de manœuvriers, flagorneurs, mendiants, supporters, ainsi qu'une foule hétéroclite de sans-emploi attendant le repas quotidien que le grand homme, dans son infinie bienveillance, leur offrait chaleureusement. À l'inverse de certains de ses collègues, personne n'avait eu besoin de sortir Alhaji d'un anonymat déshonorant, ce qui signifiait qu'il ne devait rien à personne. Il aimait plus que la plupart des gens être l'homme envers qui les autres ont une dette. Il encourageait ouvertement les types incompétents, qui ne conservaient leur travail que grâce à sa munificence. Ces hommes-là vidaient régulièrement les coffres de l'État car ils ne savaient jamais quand on les forcerait à quitter leurs sièges non mérités. L'unique grand frère d'Alhaji avait suivi son père dans la tombe dix ans plus tôt, faisant de lui le patriarche de la famille. Ayant fait de ses sœurs des premières épouses puis de ses filles des deuxièmes ou troisièmes, il était uni par alliance à toutes les personnes importantes du nord du pays.

Alhaji avait étudié la finance et le management dans une université du Royaume-Uni et raillait avec un mépris non dissimulé l'ignorance des diplômés nigérians en littérature qui rédigeaient pour les journaux des articles sur la corruption du gouvernement. En effet, on autorisait les mauvaises personnes à exploiter les champs pétrolifères, on signait des contrats aux montants exagérés, on donnait des conférences au prix exorbitant, et le gouvernement s'offrait des voyages futiles. Mais en retour, de grosses sommes d'argent atterrissaient sur le compte d'Alhaji ; de son point de vue, il ne s'agissait que de saines pratiques commerciales. Lorsqu'on lui rappelait que ce capital appartenait à l'État, par conséquent à son peuple, il répondait du tac au tac que lui ne réclamait aucun impôt. Affichant un large sourire au milieu duquel scintillait sa dent, il embrassait d'un geste son vaste jardin et les malheureux mendiants vautrés sous les arbres bienveillants qui les protégeaient du soleil impitoyable, cette foule déferlant chez lui chaque jour pour récupérer les déchets qu'il distribuait toujours avec joie.

Mais personne ne s'intéressait vraiment à ces gens-là, et Alhaji encore moins que les autres ; celles qui comptaient vraiment étaient les personnes installées dans ses pièces climatisées au sol doré. Toutes portaient de magnifiques montres européennes qui duraient plusieurs générations, des étoffes fabriquées en Suisse et tissées comme le voulait la dernière mode nigériane, des chaussures italiennes aux motifs discrets faites sur mesure et de gros porte-feuilles cachés dans les plis de coûteux tissus. Les canapés étaient moelleux, le parquet, ciré à la perfection ; les verres provenaient des boutiques des plus grands créateurs, la conversation était agréable. Pas une goutte de sueur ne perlait sur les visages, la pièce sentait aussi bon qu'une orchidée ; les sourires étaient larges, les rires, longs. Tous s'exprimaient du ton calme des riches ; ils évoquaient des sommes si énormes que le mot « million » franchissait rarement le seuil de leurs grasses bouches. Tous les hommes étaient amis et leurs femmes étaient toutes sœurs.

C'étaient cette foule et cette pièce que l'imam traverserait dans quelques minutes. Chacun présenterait ses hommages à l'homme de Dieu, puis celui-ci les bénirait et s'empresserait d'aller voir Alhaji.

Alhaji Ahmed avait un sourire faux. Un sourire réellement faux. Il avait acquis de nombreux titres, mais c'était celui d'*Alhaji*[1] qu'il préférait. Peut-être parce qu'au contraire des autres, il ne l'avait pas acheté. Il aimait aussi qu'on l'appelle « honorable ». L'honorable

---

1. En Afrique de l'Ouest, *alhaji* désigne le musulman qui a accompli le pèlerinage à La Mecque.

sénateur Abdul Rahman Ahmed Abubakar. C'était son nom entier et cette suite de sons lui plaisait beaucoup.

« Un nom doit à tout prix être protégé », raisonnait-il sa femme.

Surtout si cela coûtait seulement la vie à quelques infidèles. Alhaji était inévitablement beau, comme tout homme dont les riches ancêtres ont toujours épousé les plus belles femmes. Son épouse était une petite Nigériane ambitieuse dont la seule joie était de damer le pion à ses éminentes sœurs. Le couple était né riche et avait fait un beau mariage, mais l'important était de maintenir les apparences. Alhaji avait deux femmes et en cherchait une troisième, mais seule Miriam était officiellement son épouse. Elle tenait à le rester et lui n'y voyait pas d'inconvénient. Il s'était simplement marié avec la deuxième parce qu'il était censé le faire. Et parce que Miriam ne lui donnait que des filles. Alhaji les adorait, les considérait comme ses princesses, mais il voulait un fils. Miriam savait que les autres femmes n'étaient pas une menace, aussi les traitait-elle comme ses petites sœurs. Elle s'inquiétait davantage pour les épouses de ses amis.

« Cet imam n'est jamais à l'heure », s'agaça-t-elle avec dédain.

Juste à ce moment-là, la sonnette retentit et elle se retira dans ses quartiers.

Ainsi qu'il le faisait toujours, l'imam prit une attitude servile pour faire son entrée, la tête légèrement inclinée comme s'il s'apprêtait à recevoir une bénédiction. Il se frotta les mains et sourit trop largement, hochant la tête avant qu'on lui eût dit quoi que ce soit, puis il s'assit sur le canapé couleur crème, dont le cadre richement sculpté était fait d'acajou importé. Un homme apporta une soucoupe d'arachides, une bière pour Alhaji et un verre de jus de gingembre pour l'imam qui n'avait jamais bu une goutte d'alcool. Le tapis était une peau de vache teinte à l'indigo. Il s'en dégageait une faible odeur de fumier qui se mêlait aux milliers d'autres odeurs de la pièce. Dehors, le soleil était redoutable, mais seuls de faibles rayons traversaient les grandes fenêtres à barreaux. Pénétrant la pyramide de verre dressée au-dessus du centre du salon, la lumière blanche se reflétait dans les pampilles du chandelier suspendu au plafond et dansait sur les murs.

« Comme prévu, ils ont riposté », déclara l'imam, une étincelle brillant dans ses yeux d'un noir profond, tandis qu'il extrayait une noix de cola d'une poche de son *danshiki* et la plaçait dans sa bouche.

Alhaji était un homme politique rusé. Même si les deux hommes se vouaient une haine réciproque, il savait que pour réussir en politique dans le Nord, il fallait être un bon musulman ; aussi avait-il acquis de solides connaissances.

Le religieux avait déjà entendu tout cela avant, mais Alhaji s'expliqua à nouveau soigneusement.

« À moins de nous occuper de ces infidèles, nous n'aurons jamais véritablement le pouvoir », déclara-t-il d'une voix lente et mesurée.

Tous les mots qu'il prononçait étaient toujours soigneusement pesés et choisis. D'abord dans sa tête, puis avec sa femme ; ensuite, il fignolait son discours. Son élocution était toujours fluide et mélodieuse – très enivrante. C'est pourquoi il était le seul représentant musulman de son État. Mais Alhaji souhaitait que cela change, tout comme l'imam ; aussi s'entraidaient-ils.

« Cette fois, vous devez envoyer un message fort : il faut brûler les églises, tuer tous ceux qui se trouvent à l'intérieur, avertir la nation entière, le monde entier de cette injustice, insista Alhaji.

— J'ai l'homme qu'il vous faut. C'est le prophète de feu. Il peut provoquer la folie destructrice d'une foule en quelques minutes. Son nom est Muktar Abubakar. Le connaissez-vous ? » demanda l'imam en voyant une ombre légère passer sur le visage placide d'Alhaji. Celui-ci secoua la tête, incapable de parler.

« Peut-être le rencontrerez-vous un de ces jours, dit le religieux. Je dois maintenant me rendre à la prière.

— *Assalamu alaikum*, dit Alhaji.

— *Assalamu alaikum wa rahmatullahi wa barakatuh* », répondit l'imam en se levant.

\*

« Tiens, parle-moi de ton père "bouddhiste". Est-ce qu'il méditait ? demanda Daniel au début du déjeuner suivant.

— Non, il avait plus l'habitude de manifester. C'est pour cette raison qu'ils l'ont emmené », répondit Nneka avec la fierté triste que nous inspirent les héros ignorés. *C'est arrivé il y a si longtemps,* songea-t-elle. « À l'époque, nous habitions encore dans cette étrange hutte qui se trouvait loin de tout. C'était vraiment une drôle de maison, je m'en souviens encore. Nous avions notre propre petite ferme, quelques animaux. Il y avait la chambre de mes parents et puis la mienne, qui servait aussi de salon. J'ai longtemps cru que les gens n'existaient qu'à la télévision. Nous passions tout notre temps ensemble. Ce sont mes parents qui m'ont fait la classe les premières années.

— Tu étudiais à la maison ? Je n'y crois pas ! l'interrompit Daniel, la dévisageant comme si elle était une sorte d'extraterrestre. Et puis personne ne passe tout son temps avec ses parents ! »

Nneka laissa échapper un rire bruyant, probablement retenu depuis des années en compagnie des souvenirs refoulés qui avaient fini par s'échapper.

« Tu me regardes comme les autres élèves au moment où j'ai commencé l'école. C'est pour cette raison que j'ai cessé de leur parler de mon passé. Si tu continues, je vais être obligée de me taire », le taquina-t-elle.

Daniel rit, mais Nneka poursuivit en prenant soudain un air sérieux.

« Bien entendu, mon père avait déjà disparu à ce moment-là, et nous avions retrouvé une vie normale… parmi les gens, je veux dire. C'est étrange, je me souviens seulement qu'il boitait, qu'il allait régulièrement en ville et me rapportait des friandises. Il sentait les bonbons à la menthe. J'ai hérité des traits de ma mère, mais comme elle me parle tout le temps de mon père, je suppose que je conserve une ressemblance avec lui. »

Nneka prononça cette dernière phrase comme si elle regrettait de ne pas avoir mieux conservé ses souvenirs de lui.

« Quand est-il mort ? » demanda Daniel.

Elle lui lança un regard si sévère qu'il regretta d'avoir posé cette question aussi nonchalamment.

« Je n'en sais rien, répondit-elle finalement d'un ton trop modéré. Il est parti en ville un jour et n'est jamais revenu. »

Par chance, le déjeuner s'achevait. Peu à peu, l'air étouffant qui s'était posé sur le restaurant comme le châle noir couvrant la tête des passantes se fluidifia. Le reste de la semaine, ils parlèrent de tout, sauf de leur passé. La somme des connaissances de Nneka ne cessait de surprendre Daniel. Il devinait qui les lui avait transmises mais évitait de lui demander confirmation, de peur qu'elle l'exclût de sa vie.

Tous deux portaient des pulls confortables car la fraîcheur de l'harmattan s'était installée. Daniel arriva en retard à leur point de rencontre habituel, une lettre à la main. Nneka le regarda traverser la rue en évitant l'un des *okada* que les femmes n'avaient pas le droit d'utiliser, puis adresser un signe de la main au *mallam* édenté qui vendait de nombreuses babioles dans une cabane aux couleurs de Coca-Cola. Il prononça quelques mots, sans doute en mauvais haoussa, et Nneka s'aperçut avec un sourire mélancolique que cet endroit allait lui manquer. Daniel posa un billet froissé dans le bol d'un *almajiri*[1] et regarda son visage reconnaissant s'illuminer d'un grand sourire. La bienveillance exigée de la part des musulmans protégeait ces jeunes garçons de la faim, mais cela la bouleversait toujours de voir des enfants de six ans errer dans les rues en mendiant. Nneka regarda le visage en face d'elle afin d'échapper à ses songes.

« Les lettres d'amour de tes nombreuses fans ? demanda-t-elle d'un ton taquin qui trahissait sa curiosité.

— Non, répondit-il un peu trop vite. De ma femme.

— Oh. Alors, comment ça va à Lagos ? En fait, tu ne m'as jamais parlé de ta famille, se dépêcha-t-elle d'ajouter, dans l'espoir de dissimuler sa déception.

---

1. Élève d'une école coranique.

— Eh bien, il n'y a plus que ma mère et ma femme enceinte, car mon père est mort – il a succombé à une crise cardiaque il y a environ cinq ans.

— Je suis désolée. Toutes mes condoléances.

— Oh, pas la peine. C'était un homme plutôt gentil, mais à sa mort, nous avons compris avec quel salaud nous vivions. »

Mal à l'aise, Nneka remua sur son siège en se demandant comment réagir à ce commentaire.

« Ma foi, il a au moins eu la décence de nous épargner un scandale de son vivant, dit Daniel pensivement. Nous n'étions au courant de rien. À son enterrement, alors que nous entourions tous le cercueil et que j'essayais de consoler ma mère, une jeune femme – elle avait sans doute notre âge aujourd'hui – est arrivée en sanglotant très bruyamment. À la fin de la journée, trois autres l'avaient rejointe. Deux avaient des enfants qui ressemblaient trait pour trait à mon père. Il faisait partie de ces hommes qui se trouvent dans l'impossibilité totale de nier leur paternité. »

Daniel lui raconta tout cela d'un ton presque détaché, comme on raconte une histoire dont on préférerait qu'elle appartienne à quelqu'un d'autre.

« Comment s'est passée ta journée au bureau ? demanda-t-il, pressé de changer de sujet.

— Tu ne vas pas le croire, répondit-elle rapidement, saisissant l'occasion qu'il lui offrait de dissiper le malaise. Sur ordre de mon patron, je suis maintenant obligée de travailler au bureau installé à l'extérieur du sien.

— Je croyais que c'était un sexiste et un partisan du tribalisme.

— Exactement ! C'est étrange, lui qui était si fier de son accent parfait en anglais s'exprime en haoussa en privé. Je crois qu'il m'a installée là parce que je ne peux pas le comprendre. Je n'ai aucune confiance en cet homme, je crois qu'il prépare un mauvais coup », termina-t-elle à voix basse.

Emeka regrettait que les choses se passent ainsi. La voix de la fille au bureau d'Alhaji avait fait brutalement resurgir un passé depuis longtemps relégué au fond du coffre-fort de sa mémoire. Pour la première fois depuis qu'il s'affairait dans les coulisses du pouvoir, sa conscience le tourmentait. Il pensa aux filles de Muktar puis se rappela que sa Nneka avait le même âge qu'elles la dernière fois qu'il l'avait vue. Le temps écoulé, son État d'origine : tout coïncidait. Après quelques recherches, Emeka fut convaincu que la Nneka devant lui était celle avec qui les retrouvailles avaient été avortées. Il décida de renoncer à sa passivité de principe et de lui donner un conseil qui modifierait la trajectoire de la tempête imminente.

Emeka quitta le bureau puis s'assit dans sa voiture, incapable de penser clairement. Son cerveau semblait déterminé à transférer ses responsabilités à son cœur. Tout ce qu'Emeka voyait devant lui, c'était deux versions de Nneka : celle qu'il avait vue pour la dernière fois, une fille, *sa* fille, et celle d'aujourd'hui, une femme, une inconnue. Une inconnue qui suscitait en lui plus d'émotion qu'il n'en avait éprouvé depuis son séjour dans l'antre de l'alligator, épreuve qui lui avait fait oublier le sens du mot « peur ». Emeka avait l'esprit troublé. Jadis, il avait eu la possibilité de retrouver sa famille, mais il s'était refusé à lui imposer son caractère changé, son âme meurtrie et son cœur las. Cependant, ce qu'Emeka n'avait pas compris à l'époque lui paraissait maintenant clair comme de l'eau de roche : en présence de sa femme et de sa fille, il aurait réussi à se montrer à la hauteur de la situation. Son cœur se serait gonflé comme une rivière asséchée pendant le mois humide de juillet. Et il les aurait suffisamment aimées pour qu'elles lui accordent leur pardon.

Il trouverait un moyen de recontacter sa fille. Bientôt, il étreindrait de nouveau sa femme. Pour cela, il lui fallait convaincre Alhaji de protéger Nneka, sa seule véritable trace dans ce monde. Mais il ne pourrait pas s'en charger seul, ce serait trop flagrant. Lorsqu'on joue un rôle tel que le sien, tout signe de vulnérabilité est fortement déconseillé. Au moment où Emeka mit le moteur de sa voiture en marche, un nouveau plan germait déjà dans sa tête.

Lors de leur rendez-vous suivant, Muktar apprit à Emeka que la plupart des jeunes de la ville reconnaissaient déjà sa voix. À l'évidence, il trouvait agréable d'être rentré dans son État natal ; la vénération que lui vouaient les gens qu'il croisait lui plaisait beaucoup. Le voyant ainsi aveuglé par l'euphorie que lui procurait sa nouvelle notoriété, Emeka devina que c'était le bon moment pour manipuler cet homme à l'ego boursouflé.

Assis dans la pénombre silencieuse de sa voiture, il attendait patiemment le retour de Muktar. Sa Mercedes voyante s'avança jusqu'au portail de la maison. Apercevant le véhicule d'Emeka, l'homme quitta le sien et grimpa sur le siège passager de la Toyota Camry.

« Bon travail, dit Muktar. Mais je ne te paierai pas le reste avant la semaine prochaine. »

Emeka esquissa un sourire invisible.

« Je ne suis pas venu pour ça. Je ne fais pas confiance à ton frère. »

Muktar parut très surpris.

« Comment es-tu au courant ? » faillit-il lui demander, mais il se ravisa et lui sourit.

« Je vois que tu es un homme très minutieux. »

Emeka savait qu'il inspirait maintenant confiance à son interlocuteur.

« Tu devrais le rencontrer », lui conseilla-t-il.

Voyant un éclair de colère traverser son regard, il poursuivit :

« C'est pour ta protection. Il faut que tu saches ce qu'il vaut. »

Aussitôt, Muktar se pencha davantage en avant. De toute évidence, il attendait depuis longtemps l'occasion de se venger.

« Tu enregistreras votre conversation, puis tu le menaceras de le faire chanter plus tard. Toute sa campagne est basée sur la tolérance : si tu détiens un enregistrement qui le lie à ces événements, ta protection est assurée », conclut tranquillement Emeka.

Ce n'était pas là le point important de leur conversation ; son intention était de protéger une autre personne.

Emeka vit Muktar sourire et devina ce qu'il pensait. Il allait enregistrer Alhaji puis le forcer à démissionner. Muktar se servirait ensuite de sa nouvelle popularité pour se présenter comme candidat à la même fonction que son frère. Il penserait certainement que c'était la punition parfaite. Presque incapable de contenir son excitation, l'homme tenta de réprimer un sourire et demanda : « Et sous quel prétexte le rencontrerai-je ?

— Oh, dis-lui que tu veux enterrer la hache de guerre. Caresse-le dans le sens du poil même s'il t'a fait du tort. Il y a une Igbo, une fille chrétienne, qui travaille à son bureau. Dis-lui que tu veux simplement lui donner un conseil : il vaudrait mieux qu'il la protège afin de pouvoir clamer son innocence et son humanisme à la fin de cette histoire. »

Emeka prononça ces derniers mots aussi nonchalamment que possible en espérant que Muktar ne soupçonnerait rien. Mais il n'aurait pas dû s'inquiéter ; dans sa tête, l'homme organisait déjà le renversement d'Alhaji Ahmed, son propre frère.

## Fight To Finish
### (Centre-nord du Nigeria, 2001-2002)

C'est dans la commune de Riyom, État de Plateau, que sont installés les quartiers généraux de la police d'État. Un camion de l'armée s'arrête devant le bâtiment dans un vrombissement impatient. Aussitôt, une nuée de poulets s'égaille avec des gestes maladroits et un nuage de poussière rouge s'élève en signe de bienvenue, rapidement crevé par des bottes noires cirées. Le visage du sergent de police affiche un sourire sceptique. Ils ne sont pas amis, et rarement alliés. Les soldats défilent en gardant un œil vigilant qui ne voit rien ; beaucoup tiennent des appareils photo au lieu d'armes. Ils se photographient et se filment devant la mosquée qui sera bientôt démolie sous les yeux de policiers indifférents. L'un d'eux est assis sur le bord d'une fenêtre en bois pourri par laquelle s'échappera plus tard un tailleur, pendant que son frère aîné sera massacré à coups de machette. Les hommes se photographient devant le fossé où les corps de cinquante enfants seront déposés, arrosés de kérosène et brûlés. Mais il ne se passe rien de tout cela pour le moment. Leurs appareils prennent quelques clichés insensibles et leurs camions continuent à se rendre de village en village, véhiculant l'idée fausse de leur présence protectrice.

Peu à peu, le chaud après-midi fait place à une calme soirée sans un souffle d'air. Les insectes ne prennent pas la peine de battre des ailes ; ils flottent paresseusement dans l'atmosphère lourde. Les oiseaux sont trop fatigués pour chanter du haut des arbres en nage. Les cochons somnolents sont couchés dans la boue, incapables de se dandiner. Les chiens haletants se tapissent dans l'ombre harassée. Un seul animal s'agite, et sa fébrilité est contagieuse. Le soir de la vengeance est arrivé.

Tandis qu'approche le crépuscule, voici venir Muktar, l'homme capable d'enflammer les esprits en quelques secondes grâce à ses belles paroles. Muktar, le prophète de feu capable de provoquer la folie destructrice d'une foule en un éclair. Muktar, qui a maille à partir avec une femme pratiquant l'autre religion. Le voilà qui mène ses partisans vers une église, la haine au cœur, la vengeance à l'esprit, une machette symbolique à la main. Il leur ordonne de massacrer tous les gens qui s'y trouvent. Trompée par la ruse, la foule déferle sur les lieux telle une vague destructrice sur des rivages fragiles, son ignorance alimentée par la pauvreté.

*

Daniel adorait assister à la messe. Il aimait la solennité des sermons, l'extase des séances de prière et l'esprit de camaraderie qui régnait entre les membres de la congrégation. Étant chargé d'accueillir les fidèles, il les connaissait presque tous. Placé dans l'entrée, il adressait un large sourire et donnait une ferme poignée de main à chacun. Autrefois, une femme accompagnée de ses jumelles saisissait sa main avec indifférence et lui rendait à peine son sourire. Mais à partir du moment où elle sut qu'il effectuait son service civique, elle n'omit plus jamais de lui apporter de la nourriture. Daniel avait toujours hâte de recevoir ses présents : riz jollof[1] servi avec des bananes plantain frites, grosses portions de ragoût de viande frit dans l'huile de palme. Parfois, elle lui préparait même du zobo ou du kunu.

Cette femme prit peu à peu l'habitude de lui demander des nouvelles de sa famille ; puis au cours du premier pique-nique de l'église, lorsque le temps se réchauffa et que l'harmattan cessa de

---

1. Riz cuit avec des tomates, du bouillon, des oignons et des épices. Plat très populaire en Afrique de l'Ouest, dont la recette varie selon les pays.

soulever le sable, sa bienfaitrice l'invita à s'asseoir en compagnie de ses filles et elle sous l'un des innombrables acacias.

« Merci madame, dit Daniel, ce à quoi elle répondit en agitant la main avec la grâce pudique des femmes du Nord.

— Pourquoi es-tu venu vivre ici ? lui demanda-t-elle avec désinvolture.

— C'est un endroit merveilleux, *Hajia*[1] », répondit-il.

Elle sourit.

« Je suis sûre que tu pensais le contraire avant de venir. En effet, c'est un endroit merveilleux. Cependant, la vie peut y être rude. Cette région est comme une femme. Elle pardonne beaucoup de choses, mais pas toutes… »

Elle se tut avec un sourire triste.

« J'ai franchi l'une des limites qu'on nous impose. Parfois, je me sens coupable à cause des filles. Elles n'ont pas d'amis en dehors de l'église, mais je ne peux pas les emmener ailleurs une fois de plus… D'ailleurs, j'adore vraiment cet endroit, nous nous sommes habitués l'un à l'autre. »

Les coins de sa bouche, qui semblaient tomber, se redressèrent.

Daniel ne savait pas quoi dire. Il s'apprêtait à conclure par cette phrase insignifiante : « Je suis navré, madame », mais elle poursuivit.

« On dirait que ta simple présence est considérée comme impardonnable ces temps-ci. »

Même s'il savait qu'il s'agissait de propos abstraits, Daniel ressentit un léger frisson car il était à la fois igbo et chrétien, et de nos jours, on assassinait des personnes présentant un seul de ces « défauts ».

Les tensions s'accumulaient dans la ville comme des nuages sombres et menaçants. Elles planaient sur les rues, épaisses et lourdes, et enveloppaient les habitants dans un voile de suspicion. Depuis son arrivée six mois plus tôt, quelques agressions avaient eu lieu, mais quelque chose d'énorme se préparait et tout le monde le savait. L'imam avait maintenant une voix ; celle d'un homme charismatique aux sourcils arqués et au regard enflammé qui

---

1. Terme réservé aux femmes plus âgées dans le nord du Nigeria.

impressionnait facilement les jeunes démunis. Leurs esprits embrumés par les émanations chimiques qu'ils sniffaient à l'aide de pailles sales, assis au bord de fossés remplis de déchets en décomposition, étaient aussi malléables que de l'argile entre ses mains.

Ce jour-là, Daniel et Nneka oublièrent de se prêter au badinage taquin qui animait habituellement leurs repas. Le jeune homme paraissait plus sérieux depuis un mois. On disait que les personnes accomplissant leur service civique allaient être renvoyées chez elles.

« Alhaji m'a demandé d'emménager dans une des pièces de sa maison. D'après lui, c'est pour mon bien.

— Il veut sans doute faire de toi sa troisième femme », dit Daniel afin de plaisanter. Mais il se sentait nerveux. La ville entière était fébrile.

« Tu vas mener la belle vie maintenant, ajouta-t-il trop nonchalamment. Sa maison est surmontée d'une pyramide de verre ridicule. À croire qu'il se prend pour un Égyptien ! »

Daniel et Nneka rirent en chœur.

« Mais j'habite au fond de la propriété, dans une de ces pièces qui ressemblent à des cellules. Parfois, j'ai l'impression de lui être totalement inutile, et c'est aussi ce que me dit son regard. C'est comme si ma présence lui permettait de prouver quelque chose. En même temps, on dirait qu'il préférerait pouvoir se passer de moi », ajouta-t-elle pensivement.

Tous deux passèrent le reste de la soirée à se remémorer l'endroit qu'ils avaient quitté pour venir travailler ici, comme s'il leur suffisait d'en parler pour être certains d'y retourner un jour.

La pluie, tombée plus tôt ce soir-là, embellissait tout. Le sol était propre et le ciel ressemblait à un linge impeccable. Un parfum de fleur flottait doucement dans l'air. Les bruits des criquets et grenouilles se mêlaient aux sons légers qui s'échappaient des fenêtres de l'église. En rentrant de ses cours, Daniel avait vu des soldats, descendus de leurs camions, se promener avec des appareils photo et se photographier ostensiblement les uns les autres à côté des monuments. Lorsqu'il se rendit plus tard à l'office du soir, tous avaient disparu.

À l'église, quelque chose se produisit en lui. Daniel sut immédiatement ce que c'était. Tandis que la sérénité de la prière régnait encore dans son corps, il comprit que l'occasion s'offrait à lui de changer de nom. Il ordonna aux fidèles inquiets de fermer la porte à clé et se dirigea, avec rapidité et assurance, vers l'avant de l'église. Daniel saisit ensuite le micro rouge qui était habituellement réservé au pasteur, puis il fit signe au chœur de chanter moins fort ; après quoi, il se lança dans son propre discours, tenant des propos qui faisaient écho à ceux de Muktar et voulaient convaincre les hommes qu'un feu sacré brûlait en eux. Depuis qu'il avait vu un homme se transformer en torche vivante à l'âge de huit ans, Daniel avait fait de nombreux rêves, et celui-ci en particulier. Il ordonna aux femmes et aux enfants de se placer au centre de l'église, puis de chanter et de prier. Ensuite, des paroles ardentes jaillirent de sa bouche. Ainsi, lorsque les émeutiers atteignirent les portes de l'église, tout était déjà en place. Chaque porte était verrouillée et bloquée par des tables et des chaises. Les haut-parleurs, suspendus au plafond, se balançaient au bout des câbles épais du micro à proximité des minces portes latérales. Tables et chaises étaient empilées sur le côté afin de former un étroit passage. Daniel s'étonna de son empressement à exercer son autorité et de la vitesse à laquelle on obéissait à ses ordres. Peut-être était-ce dû au caractère incisif de son léger accent, ou à la détermination de son regard enflammé. *Ces gens sont comme des brebis sans berger*, songea-t-il. *Aujourd'hui, je m'appelle David.*

D'abord déferlèrent des hurlements qui frappèrent le bâtiment comme la pluie impatiente annonçant une tempête. Ensuite les portes tremblèrent et cliquetèrent. Les envahisseurs trouvèrent bientôt la porte latérale qu'on avait volontairement laissée déverrouillée. Les lourds haut-parleurs qui se balançaient dans l'allée heurtèrent les deux premiers, entrés en trombe, la machette à la main. Les premières gouttes de sang tombèrent sur le sol sacré. Le visage brisé, déformé par la haine, surpris par la tournure que prenait leur invasion, les hommes aux lames tranchantes parurent désarmés pendant ces quelques secondes silencieuses près de

197

la porte. Soudain, la foule de messagers de la haine déboula à l'intérieur, balayant l'étroit passage et piétinant à mort ses camarades tombés à terre. Les haut-parleurs ne cessaient de se balancer et de fracasser des crânes. Chaises, tables, pieds de micro, plantes en pot : tous étaient utilisés pour endiguer cette marée mortelle. Il était évident que les membres de ce commando ne s'attendaient à aucune opposition ; ainsi cette faible défense fonctionna-t-elle étonnamment bien – du moins au début. Après les premières minutes d'euphorie, Daniel réalisa que la frêle forteresse ne tiendrait pas longtemps. Dans ses veines circulaient maintenant un sang affamé et une adrénaline rageuse. Il attrapa l'une des machettes abandonnées et se fraya un chemin à coups de lame. Bientôt, les couches de sang piétiné rendirent le sol lisse et glissant. L'église était en feu. Blessé, Daniel saignait. Bien que fatiguées de taillader, ses mains continuaient à se balancer mécaniquement. La résistance des fidèles mit soudain le feu aux poudres versatiles des tensions ethniques et religieuses. Les deux camps furent rejoints par des renforts considérables et la communauté se noya dans son propre sang. Daniel comprit qu'il ne verrait jamais son enfant et n'aurait plus l'occasion de serrer sa mère dans ses bras. Sa famille, ses rêves, ses espoirs… Bientôt, il ne serait plus de ce monde.

Brusquement, il s'imagina incarner l'ange exterminateur qui se bat pour l'armée du Seigneur. Il coupait, repoussait, tranchait, frappait, saignait, hurlait ; il vivait. Daniel s'aperçut qu'il s'était frayé un chemin à coups de machette jusqu'au petit champ derrière l'église. Il s'était tiré de cette bataille en taillant l'ennemi en pièces. Songeant à son enfant pas encore né, il décida de se reposer un moment. Il lui vint soudain à l'esprit qu'il n'avait pas pensé une seule fois à sa femme dans la mêlée. Il se rappela combien tous deux avaient été heureux avant de revenir vivre au Nigeria. Il n'aurait pas dû s'installer avec Tope dans la maison de sa mère, étant donné l'antipathie que celle-ci éprouvait pour sa femme. Il avait cru que, si elles se rencontraient en chair et en os, toutes deux s'entendraient bien. Mais sa mère faisait comme si Tope n'était pas là. Peu à peu, cette mauvaise ambiance avait déteint sur leur mariage et tous deux s'étaient éloignés l'un de l'autre car Daniel ne parvenait pas à s'opposer à sa mère pour défendre sa femme. Il avait cru que l'arrivée d'un bébé changerait tout : mais à présent, il n'était pas certain d'être là pour voir se confirmer sa théorie. Daniel luttait courageusement pour surmonter sa couardise ; toute sa vie, il avait rêvé d'accomplir des exploits, mais de temps en temps, lorsque l'occasion se présentait, il reculait. Cette fois, cependant, ce serait différent.

Son corps était couvert de sang, mais la bataille l'avait tant accaparé qu'il était incapable de savoir à qui les membres jonchant le sol appartenaient. Il se sentait faible ; peut-être étaient-ce les siens ? Daniel sombrait dans un sommeil épuisé lorsqu'il entendit la voix aiguë d'une femme en détresse. Il se força à se relever puis se dirigea lentement vers le bruit. Il contourna le bosquet de grands arbres qui faisaient écran entre la voix désespérée et lui. La personne qui criait était la femme aux repas chauds et aux poignées de main froides. Un homme costaud la traînait par les cheveux, tandis que Muktar tenait fermement les mains de ses deux filles, qui gémissaient et l'imploraient.

L'énergie recommença soudain à circuler dans le corps de Daniel, qui poussa un hurlement. Profitant de ce bref moment de distraction, Halima se dégagea de l'emprise de son père et s'enfuit. Le costaud jeta la femme de Muktar sur le sol et prit l'adolescente en chasse. Alors que Daniel s'approchait de lui, Muktar dégaina un pistolet et lui cria :

« Je n'ai pas l'intention de te tuer, mais je préférerais être celui qui ne meurt pas. »

Alors qu'il appuyait sur la détente, sa femme se jeta sur lui. Saisi de surprise, Muktar lâcha son arme et sa fille. Daniel s'immobilisa, tandis que le bruyant gémissement de l'autre homme refroidissait la chaude nuit poisseuse. Lorsqu'il releva les yeux, Muktar était comme possédé, persécuté par le fantôme de sa femme qui venait de mourir. Cherchant son pistolet autour de lui, il saisit la première chose qu'il trouva, une machette abandonnée, et courut vers Daniel.

Un rire amer s'échappa de ses lèvres alors qu'il levait la main. Un coup de lame de Daniel la lui trancha aussitôt. Muktar hurla de douleur et pivota sur lui-même, aveugle de colère. On entendit alors deux cris – l'un grondant, l'autre perçant. Suivirent une douleur fulgurante, un nouveau rugissement étouffé, puis une tête rebondit avec un bruit sourd dans la boue empourprée. Muktar, la voix de la haine, était mort.

Daniel suivit la direction que les fillettes avaient prise. Arrivé au coin d'un bâtiment, il tomba à genoux. Halima était morte car elle ne savait pas vivre cachée. Alors que le grand homme essayait d'attraper Aisha, la machette dans la main gauche, Halima s'était jetée sur lui, munie d'une bouteille cassée qu'elle avait trouvée sur le sol. L'adolescente était rapide, mais pas assez. Elle planta la bouteille dans sa jambe, et tandis qu'il saisissait son mollet en hurlant de douleur, elle esquiva la main qui se balançait et enfonça l'objet tranchant dans son cou. Cette fois, l'homme agonisant hurla encore plus fort et s'agita plus sauvagement, mais l'esquive ne fut pas assez leste. La machette s'abattit sur le cou et la poitrine encore plate de Halima, qui s'effondra aux pieds de sa sœur. Aisha sanglotait sur son cadavre lorsque Daniel les rejoignit. Il la souleva puis retira doucement la lame enfoncée dans le pied droit de l'adolescente. Il en avait assez de se battre. Il en avait assez de vivre. Il ne restait qu'une chose à faire. Daniel se dépêcha de traverser le paysage trempé de sang, croisant des vies rapidement fauchées qui gémissaient, se vidaient de leur sang et oubliaient de dire leurs dernières prières. Il se glissa en hâte derrière des arbres sombres et des buissons traîtres. La petite chose roulée en boule qu'il tenait dans les mains était écarlate. La nuit n'était que sang, cris et feu. Les lourds nuages versaient des larmes tristes sur cette destruction gratuite et sur le sol profané.

Daniel parvenait tout juste à bouger car sa vie s'écoulait en grosses gouttes rouges sur la terre fraîchement détrempée. Mais il continuait tout de même à avancer, les bras chargés. Il n'y avait qu'un seul endroit où aller – il fallait retrouver Nneka. Elle habitait donc une pièce du quartier des domestiques dans la maison de son patron. Celle-ci se trouvait dans une partie de la ville qui incitait le peuple à la folie mais en était épargnée. Bientôt, les maisons calcinées et les cadavres encore chauds furent derrière lui. Daniel se faufila prudemment à travers les ombres et finit par localiser la maison coiffée de sa pyramide de verre. Mais que faire maintenant qu'il était arrivé jusqu'ici ? Brusquement, la lourdeur de sa charge, la fatigue de son âme et l'épuisement de ses membres se firent sentir. Il s'affaissa contre le mur indifférent et réfléchit à la prochaine étape. Soudain, il entendit un grattement à sa gauche derrière le mur. Daniel essaya de se cacher, mais il était épuisé. Il parvint juste à dissimuler la fillette derrière un buisson proche. Ensuite, il s'assit dans la lumière jaune du lampadaire solitaire. Quelqu'un se dépêchait d'escalader la palissade. Juste au moment où Daniel pensait se faire prendre, les lumières s'éteignirent. Pour une fois, la NEPA avait fait preuve de perspicacité ; une obscurité réconfortante enveloppait maintenant le jeune homme. Il y eut un bruit sourd lorsque quelque chose atterrit sur le sable mou à sa gauche, puis il entendit quelqu'un avancer à pas de loup. La silhouette, qui portait un sac à l'épaule gauche, passa silencieusement devant lui. Soudain, une toux brève déchira le silence de l'obscurité épaisse et le vrombissement d'un groupe électrogène fonctionnant au diesel fit voler ce qu'il en restait en éclats. Daniel était toujours masqué par la nuit, mais une vive lumière blanche jaillit d'une lampe au-dessus du portail et tomba sur la silhouette discrète de Nneka.

Elle s'immobilisa, trahissant son intention de filer ni vu ni connu. Il ne se passa rien de plus pendant quelques secondes interminables puis soudain, la jeune femme entendit son nom flotter vers elle avec un tremblement fantomatique. Quelques chuchotements secs attirèrent son regard sur le corps sanglant, étalé dans l'ombre.

« Oh mon Dieu ! s'écria Nneka en s'empressant de le rejoindre.

— N'en rajoute pas, articula-t-il lentement. Ce n'est qu'une égratignure. »

Daniel tenta vainement de lui sourire.

« Que s'est-il passé ? Est-ce que ça va ? balbutia-t-elle.

— Il ne me reste sans doute pas plus de cinq minutes à vivre, alors écoute-moi attentivement. »

Un silence brutal s'installa, le temps que tous deux prennent conscience de la gravité de ses paroles.

« Une fillette est cachée dans les buissons là-bas. Je veux que tu l'emmènes à cette adresse. » Daniel lui donna son portefeuille et posa un doigt fatigué sur la petite carte de renseignements qu'il avait un jour consciencieusement remplie.

« Je ferai tout ce que tu voudras, dit Nneka en se demandant comment lui sauver la vie.

— Il faut que tu partes tout de suite, l'interrompit-il. Cette ville est devenue folle, sois prudente.

— Et toi ? Qu'est-ce que tu vas faire ? Il faut que tu vives pour ton bébé.

— Ne t'en fais pas, je serai en lieu sûr quand tu arriveras là-bas », répondit-il d'un air presque serein. Nneka devina qu'il parlait de l'au-delà et regretta de ne pas croire aux mêmes choses que lui.

« Pars, je t'en prie, reprit-il. Nneka… Merci.

— Daniel, tu peux essayer de nous accompagner puisque tu as réussi à venir jusqu'ici… »

La jeune femme se tut en s'apercevant qu'elle s'adressait à un visage déjà éteint.

Sa mort était si rapide ! On eût dit que Daniel voulait éviter que son amie assiste à son agonie. Nneka souleva Aisha qui s'était évanouie et observa le monde qui les entourait à travers un voile de larmes.

Le lendemain, Daniel disparaîtrait dans la solitude d'une fosse commune et elle le pleurerait comme il se doit. Mais pour le moment, elle devait quitter la ville. Nneka attacha la fille sur son dos et s'enveloppa la tête dans un châle foncé. Plongée dans le désespoir, elle entama alors une marche qui lui parut interminable. Jamais elle ne parviendrait à atteindre la gare ferroviaire ! Cependant, une voiture finit par s'arrêter silencieusement à côté d'elles. Le conducteur parlait igbo, mais la gêne que lui procura le son familier de sa voix dissolut en un instant le réconfort que Nneka avait d'abord éprouvé en l'entendant. La jeune femme ne parvenait pas à la reconnaître. Toutefois, elle n'avait pas le choix, il fallait monter dans ce véhicule. Sans prononcer un mot de plus, l'homme les conduisit rapidement à la gare. L'odeur mentholée des bonbons TomTom qui emplissait la voiture faisait resurgir des parties oubliées de son enfance et la rendait nerveuse.

« Bonne chance, lança l'homme. Qu'Allah vous accompagne » ajouta-t-il en anglais.

Alors qu'elle jouait des coudes afin de repérer une place libre dans le train, Nneka reconnut enfin sa voix et se rappela où elle l'avait entendue. Il s'agissait de l'homme qui s'était présenté au bureau d'Alhaji.

Un véritable chaos régnait dans le train bondé. Des mères en pleurs agrippaient leurs enfants morts et des personnes mutilées boitillaient en guenilles sanglantes, soulagées d'être en vie. Même les hommes sanglotaient. Tout n'était que chagrin, larmes et sang. Bien qu'elle n'y fût encore jamais allée, Nneka se dirigeait vers Lagos afin d'y déposer sa lourde charge. Les wagons étaient pleins à craquer ; des gens étaient allongés sur le toit, d'autres s'agrippaient aux côtés. Il flottait à l'intérieur une odeur de pourriture et de renfermé ; seuls quelques gémissements rompaient le silence. Debout sur une jambe, un homme tenait la deuxième dans sa main et lui parlait tendrement à voix basse. Beaucoup s'évanouirent pendant le trajet, et beaucoup moururent. Nneka avait mouillé ses sous-vêtements mais personne ne s'en aperçut, pas même elle.

Enfin arrivé, le train las déversa volontiers son contenu. Dans un état second, Nneka resta plantée un moment au centre de la gare effervescente de Lagos, incapable de deviner quelle direction prendre. Un vieil homme au volant d'une Volkswagen en piteux état s'était donné pour mission de transporter les blessés à l'hôpital. Nneka accepta son offre avec reconnaissance mais lui indiqua l'endroit où elle préférait se rendre. Le trajet s'effectua dans le silence. L'homme avait entendu trop de récits effrayants au cours des précédents voyages et Nneka n'avait pas envie de parler. Il la déposa devant un portail anodin, puis un gardien empressé lui ouvrit immédiatement la porte. Il était évident que les habitants des lieux attendaient quelqu'un – un groupe électrogène silencieux continuait à éclairer chaque pièce et les chiens restaient enchaînés. Une femme rondelette sortit précipitamment de la maison, suivie d'une autre, plus jeune et plus sombre. La femme saisit Nneka par les épaules et la regarda avec des yeux qui avaient eu l'habitude de sourire souvent, mais qui portaient aujourd'hui les traces de nombreux chagrins.

« Où est-il ? Comment va-t-il ? Que s'est-il passé ? Que se passe-t-il ? »

Les questions ne cessaient de dégringoler de sa bouche car elle avait peur d'entendre la réponse qu'elle connaissait déjà.

« Je suis désolée, madame, je suis désolée, madame. »

Ce fut tout ce que Nneka parvint à répéter. On la fit entrer dans la maison, examiner par un médecin, puis on s'occupa d'Aisha et elle jusqu'à ce que Nneka s'endorme à ses côtés.

Comme on lui avait donné un sédatif, la jeune femme eut du mal à se réveiller. Son cerveau semblait se souvenir que la vie réelle s'était transformée en cauchemar et hésiter à y participer. Pendant quelques secondes, son corps refusa d'obéir à son esprit alerte et, prise de panique, Nneka resta couchée. Elle finit par reprendre le contrôle de ses membres, puis elle tourna la tête afin d'observer le visage agité d'Aisha. La fatigue émotionnelle finit par la réveiller et l'enfant pleura en silence. Leur chambre était apparemment celle de Daniel ; à l'intérieur d'un cadre démodé, un portrait de lui étreignant sa femme immortalisait son grand sourire. Nneka se dirigea vers les épais rideaux qui masquaient des portes vitrées. Celles-ci donnaient sur un balcon spacieux. La jeune femme fut soulagée de pouvoir prendre l'air avant d'affronter à nouveau sa famille.

Le soleil couchant donnait au ciel une teinte bronze remarquable. La lune était apparue trop tôt, charmée par le spectacle. Semblable à un collier, une trace de nuages dorés traversa paresseusement le firmament jusqu'à ce qu'elle atteigne sa cible. Elle s'installa ainsi autour de la lune, perle pâle reposant sur un cou infini.

« Le temps sera nuageux demain, déclara la mère de Daniel d'un ton suggérant que c'était bien la dernière chose qui lui importait. Le Seigneur a donné, le Seigneur a repris », continua-t-elle à marmonner en serrant Aisha un peu trop fort.

La femme de Daniel avait écouté l'histoire de Nneka puis s'était retirée dans sa chambre en pleurs. Sa mère restait surtout silencieuse ; elle avait épuisé ses réserves de larmes la veille.

« Tu repars donc chez toi demain ? » demanda-t-elle en insistant sur le *tu* afin de s'assurer qu'Aisha ne s'en irait pas. Sa façon de s'accrocher à elle, telle une amputée à sa prothèse, trahissait le mélange d'espoir et de désespoir qui l'animait.

« Oui, madame », répondit Nneka, soulagée d'avoir terminé son récit.

Elle avait craqué de nombreuses fois et, par une étrange ironie, c'était la mère de Daniel qui avait dû la consoler. Nneka était épuisée.

À nouveau, leurs regards se perdirent dans le ciel. Chacune resta un moment absorbée par le bouleversement et le chagrin indescriptibles qu'elles partageaient.

Puis, soudain, la mère de Daniel se leva.

« Bonne nuit, mes filles. Je te verrai demain avant ton départ, dit-elle à Nneka, avant de se tourner vers Aisha. *Omo mi* – mon enfant. *Kabo*, bienvenue. »

*

Après l'avoir déposée à la gare, il la chercha pendant un mois entier et finit par retrouver sa trace. D'abord, dans les dossiers d'un bureau poussiéreux puis dans une modeste maison auprès de la femme qu'il avait jadis appelée son épouse, à deux villes de l'endroit où toute la famille avait passé de nombreuses années de bonheur.

Emeka savait ce qu'il allait se passer ce soir-là. Aussi s'était-il assuré que Nneka, sa fille, se trouverait à l'abri dans la maison d'Alhaji. Un appel lui confirma ensuite que son plan fonctionnait.

C'était Alhaji, il avait de bonnes nouvelles : une attaque de grande ampleur avait eu lieu, et son frère, seul autre témoin du complot, était mort. Alors qu'il s'apprêtait à raccrocher, Alhaji ajouta nonchalamment que la fille s'était enfuie, mais que des gens étaient partis à sa recherche.

Emeka s'aperçut que deux choses l'ennuyaient dans cette conversation, mais l'une le tourmentait plus que l'autre. Il devait retrouver sa fille avant que la ville ne la dévore. Emeka grimpa prestement dans sa voiture et fila vers la maison d'Alhaji. Il ne fut pas très difficile de retrouver la trace des deux filles. D'après l'employeur de Nneka, elles avaient disparu vingt minutes plus tôt. Pendant les dix qu'il lui fallut pour atteindre la maison, Emeka s'imagina toutes sortes de catastrophes. Peut-être Alhaji avait-il découvert sa ruse et tué Nneka avant d'envoyer inutilement son père à sa recherche ? Ses nombreux péchés défilèrent brièvement devant ses yeux. Étaient-ils à l'origine de ce terrible châtiment ? Car retrouver sa fille pour la perdre de nouveau avant d'avoir pu se racheter convenablement lui paraissait un sort plus cruel que la mort. Pourtant, depuis le jour déjà lointain où il l'avait vue dans ce bureau, Emeka n'était jamais parvenu à trouver le moyen de se justifier auprès d'elle. De lui expliquer ce qu'il avait fait, pourquoi il n'était pas venu les chercher. Que pourrait-elle comprendre des pensées d'un homme enfermé une vie entière ? Comment pourrait-il lui expliquer que la captivité atrophie l'âme d'un être humain, qu'elle le persuade par la ruse que cette retraite est une forme de noble engagement ?

Sur le sol, il découvrit deux traînées de sang. Emeka opta pour la plus légère car les hommes d'Alhaji avaient probablement suivi les traces les plus évidentes. Il roula un moment avant de les retrouver. La piste qu'il suivait ayant finalement disparu, seule la foi en son destin le poussa à poursuivre son chemin. Au début, il crut qu'il s'agissait juste d'une vieille femme portant un paquet sur le dos. Elle avançait en piétinant devant lui, penchée en avant, la tête couverte. Ensuite, il s'aperçut que la bosse avait deux jambes et saignait. Emeka arrêta sa voiture.

Il avait la bouche sèche et ses paumes moites ne cessaient de glisser sur le volant. Il jeta un coup d'œil à sa fille qui avançait sur sa droite, rêvant de la prendre dans ses bras et de l'étreindre, rêvant de lui parler et de tout lui avouer. Mais son corps était figé par la peur. Comment pourrait-il lui expliquer pourquoi il ne les avait jamais contactées ? Comment prendrait-elle la nouvelle ? Des mois s'étaient écoulés depuis qu'il l'avait vue, mais il était toujours aussi perdu. Et plus la confusion se diffusait en lui, plus la honte l'accablait. Emeka se rendait compte qu'il avait pris la mauvaise décision. Il irait trouver sa famille dès que ce moment de folie serait passé. Ce n'était pas le bon moment. Il la regarda se pelotonner sur le siège et se tourner vers la fenêtre en versant des larmes silencieuses. La vérité serait trop difficile à supporter pour elle, conclut-il. Il parvenait tout juste à l'affronter lui-même. Mais dans un mois ou deux, très bientôt, il avouerait les atrocités qu'il avait commises. Avec un peu de chance, sa femme et sa fille auraient suffisamment pitié de lui et de sa souffrance pour accepter sa présence chez elles. Emeka était soulagé par sa décision. Son exaltation était telle que, lorsqu'il déposa les deux filles à la gare, il parvint à parler à Nneka sans trahir l'émotion qui lui étreignait le cœur.

Plus tard, il s'aperçut cependant que les mots « seul autre témoin » l'ennuyaient tout autant en son for intérieur. Connaissant Alhaji, il ne les avait pas prononcés par hasard. Si Emeka rejoignait sa famille, il risquait de la mettre en danger. Alhaji n'était pas du genre à proférer des menaces en l'air, même voilées. Emeka comprit qu'il ne ferait que gêner sa femme et sa fille. Il se demanda brièvement si O.C. était au courant de sa situation. Alhaji était trop prudent pour marcher sur les plates-bandes d'un homme de son envergure. La cabale était toujours puissante, et malgré son utilité, Emeka était toujours une pièce rapportée, un enfant bâtard. La famille l'avait assimilé mais refusait de lui accorder les droits des véritables héritiers. Le connaissant, Alhaji le pragmatique avait sans doute déjà appelé O.C. afin de l'informer de la nécessité de tuer Emeka. Et le connaissant, O.C. le méthodique avait probablement répondu par l'affirmative lorsqu'il avait pris conscience de l'influence d'Alhaji.

La nuit du massacre, Emeka roula longtemps sans but et arriva à ces conclusions en passant au peigne fin la toile emmêlée de ses souvenirs pendant de nombreuses heures, jusqu'à ce qu'il se perde dans un rêve calme. Il se trouvait dans une grande pièce aux innombrables horloges ; bien qu'il fût deux heures, toutes restaient silencieuses. Emeka se réveilla, l'âme brisée, sous un palmier presque nu. Égaré dans la recherche de son être, il perdit et reprit connaissance à maintes reprises, oubliant son corps sous le soleil implacable du Sahara. Un camion qui se dirigeait vers les fosses communes le recueillit avec clémence. Emeka rejoignit alors les nombreuses autres victimes de la folie de la ville. Son corps fut le premier à tomber. Le chauffeur s'aperçut soudain qu'il n'avait pas suffisamment reculé pour pouvoir vider sa charge dans le trou béant. Le camion roula jusqu'à ce qu'il se trouve à deux doigts d'écraser le visage d'Emeka. Les cadavres empilés dans la benne dégringolèrent mollement au-dessus de sa tête. Le chauffeur l'attrapa ensuite par les pieds et le tira de sous le camion. Alors qu'il le soulevait pour le jeter dans la fosse, l'homme sentit la chaleur reconnaissable entre toutes d'un cœur battant − bien que faiblement. Affolé, il le laissa tomber dans le trou et s'éloigna de quelques mètres en courant. Il s'apprêtait à le laisser là, mais comme sa conscience s'y opposait, il descendit dans la fosse, posa l'oreille sur sa poitrine et entendit les deux notes composant cette musique universelle. L'homme gifla violemment Emeka, plus pour calmer sa peur que pour ressusciter le mourant, puis il le sortit du trou à grand-peine et lui donna du lait frais, car c'était tout ce qu'il avait. Alors qu'il rentrait en ville sur les chapeaux de roues, le chauffeur aperçut quelques petits garçons qui vendaient de l'eau dans des sachets en plastique et se dépêcha d'en appeler un. Il lui acheta deux poches d'eau et aspergea le visage hagard de Lazare, alors que des signes de vie commençaient peu à peu à réveiller ses traits secs. L'homme s'apprêtait à crier au miracle lorsqu'Emeka le fit taire en agrippant faiblement son avant-bras.

« S'il vous plaît », parvint-il seulement à prononcer.

Le chauffeur comprit son désespoir au son de sa voix. Il le laissa reprendre lentement des forces grâce aux sachets d'eau qu'il lui fournissait. Peu à peu, la journée avait fait place à une soirée silencieuse. Le soleil était devenu d'un orange si chaud qu'il semblait rouge par endroits, puis il avait enfilé sa tenue de soirée dorée. Emeka restait plongé dans un silence pensif qui avait déteint sur son sauveur. L'homme ne savait toujours pas très bien s'il transportait un fantôme. À l'heure où le soleil disparaît brutalement, où la lune vaniteuse se demande encore si le ciel mérite bien sa présence – et où presque toute l'Afrique se retrouve indignement plongée dans l'obscurité –, Emeka découvrit enfin sa lumière. Elle jaillit de son être et, pendant quelques secondes, son corps rayonna véritablement. Le chauffeur envoûté suivit ses instructions avec la servilité qu'on s'impose face à un prophète. Ils roulèrent jusqu'à une partie de la ville que l'homme n'avait encore jamais vue, puis ils atteignirent une maison modeste, mais magnifique ; Emeka sortit un trousseau de clés et ouvrit les portes. Ensuite, il se retourna et posa les clés dans les mains du chauffeur surpris.

« Merci, dit-il calmement. Lorsque tu reviendras ici demain, tout ce qui se trouve à l'intérieur t'appartiendra. »

Et avant que l'homme puisse prononcer un mot, il disparut derrière le portail qui se referma aussitôt.

Dans cette ville, il n'était pas extraordinaire pour un mendiant de devenir millionnaire du jour au lendemain – mais, en général, son bienfaiteur portait le nom de *magouille politique*.

Emeka remplit un sac de voyage, six valises et une petite sacoche de nombreux enregistrements sur bande magnétique. Il n'y avait personne d'autre dans la maison. Il n'employait ni bonne, ni chauffeur, ni gardien, parce qu'il n'en voulait pas – il n'en avait pas besoin. Emeka bourra ensuite quelques valises d'argent ; ces dernières années s'étaient révélées extrêmement rentables car il excellait à ce qu'il faisait. Et si Emeka s'était enrichi ainsi, c'était simplement parce qu'il avait intégré le système qui avait tenté de le détruire. À aucun moment particulier de son incarcération, il n'avait senti son âme pourrir. En retrouvant la liberté, il avait tout bonnement compris que sa vie n'existait plus. Aussi avait-il accepté la première possibilité qui s'était offerte à lui. Emeka maîtrisait la langue et possédait un cerveau qui n'oubliait rien. Il s'adaptait facilement et, en raison de son caractère peu commun, les personnes corrompues avaient toute confiance en lui. Emeka esquissa un sourire triste. C'était terminé.

Il composa ensuite un numéro sur son téléphone. La voix qui répondit à Emeka lui était familière.

« Comment savoir si nous l'avons fait suffisamment longtemps ? » demanda-t-il d'un ton prudent, car il se méfiait des nouveaux soupçons d'O.C.

Retentit alors le rire habituel de son ancien codétenu.

« Le monde nous enverra un signe, répondit celui-ci.

— Et si nous ne parvenons pas à l'interpréter ?

— Alors il devra insister, nous obliger à le voir, répondit O.C.

— Te rends-tu compte de la désolation que nous semons, O.C. ? Nous tuons notre propre peuple, nous détruisons notre terre… notre avenir. »

O.C. ne dit rien pendant quelques secondes. Emeka imagina sa mâchoire qui se crispait.

« Qu'est-ce que ça peut faire ? murmura-t-il finalement. Es-tu vraiment sûr de ne pas vouloir attendre encore deux ans ?

— Jusqu'au résultat des prochaines élections, tu veux dire ? » demanda Emeka en s'apercevant brutalement qu'il s'était montré tout aussi inhumain et insensible quelques heures plus tôt. Il eut soudain peur de l'homme qu'il avait été et de la personne qu'était toujours O.C.

Celui-ci lui répondit par un rire forcé.

« J'interprète simplement les signes », conclut Emeka. Puis il raccrocha sans prendre la peine de lui faire ses adieux.

## Teacher Don't Teach Me Nonsense
## (Centre-nord du Nigeria, 2002)

B ien que rentrée chez elle depuis deux mois, Nneka restait roulée en boule sur son lit, le regard fixé sur les murs blancs où défilait le montage sanglant de l'histoire pervertie de son pays. L'horreur exprimée par ceux qui avaient vraiment assisté à la bataille l'inquiétait encore plus. Elle s'interrogeait sur les derniers instants de Daniel.

Elle se demandait comment se sentait Aisha.

Sa mère avait essayé sans succès de l'aider à redevenir elle-même. Elle se dit finalement que si Nneka pouvait regarder les informations, elle s'intéresserait peut-être aux événements. Elle tira donc la petite télévision sur son tabouret à roulettes jusqu'au pied du lit de Nneka et choisit la chaîne NTA 2 Channel 5[1]. Elle préféra couper le son au début, mais Nneka fut suffisamment intéressée par les images qui défilaient pour lui demander de le monter. C'était la première fois qu'elle entendait l'homme parler.

Nneka reconnut son visage mais, au début, elle ne parvint pas à se rappeler comment elle le connaissait. Son éloquence l'étonnait car, dans ses souvenirs, il ne s'était jamais exprimé en anglais. Elle fut également surprise de garder un souvenir aussi net de lui en dépit de son incapacité à localiser son origine. Mais lorsqu'il leva la main pour chasser une mouche, elle reconnut une cicatrice sur sa main gauche. Il était venu deux fois au bureau d'Alhaji.

---

1. La NTA (*Nigerian Television Authority*) est un groupe audiovisuel proche du pouvoir, comptant près d'une centaine de chaînes.

La première, elle avait renversé du café sur sa chaussure sans le faire exprès, et au lieu de s'emporter, il s'était contenté d'esquisser un sourire et l'avait gentiment chassée lorsqu'elle avait voulu l'essuyer. Nneka se rappelait qu'il s'était entretenu avec Alhaji en haoussa à chaque fois, et le voilà qui prononçait un discours dans un anglais parfait en le ponctuant des proverbes igbos appropriés ! Marinant dans son chagrin et ses frustrations silencieuses, Nneka regretta subitement de ne pas pouvoir agir. Son flair pour les affaires s'était rapidement émoussé et son expérience à Abuja avait considérablement ébranlé ses rêves de carrière politique. Elle resta cloîtrée une semaine encore, regardant un bulletin d'informations après l'autre, généralement mécontente du dilettantisme dont faisaient preuve les journalistes.

Nneka comprit alors ce qui la motivait. Ce n'était ni l'agilité mentale qu'exigeaient les affaires ni les querelles partisanes du monde politique, mais l'idée de révéler la vérité. Il fallait qu'elle devienne journaliste d'investigation ; mais, hélas elle n'avait pas étudié le journalisme. La jeune femme ne savait pas par où commencer. Forte de sa décision, elle se sortit tout de même du lit et s'inscrivit à une formation. Un an plus tard, armée du diplôme obtenu au terme de ce cours intensif, elle commença à frapper aux portes, mais en vain. Par chance, le destin finit par lui venir en aide. Alors que Nneka rentrait chez elle en voiture après un rendez-vous aussi improductif que les autres avec un rédacteur en chef qui avait insisté pour la rencontrer un soir au bar d'un hôtel et passé la moitié de l'entretien à lui proposer de monter dans une chambre, elle découvrit une scène stupéfiante. Quelqu'un invitait un mendiant à monter dans sa Mercedes. Le spectacle aurait été moins choquant si le mendiant et la Mercedes en question n'avaient pas été aussi connus.

La première fois que Nneka avait remarqué cet homme, c'était le jour où sa voiture avait failli l'écraser. Comme toujours, l'obscurité était tombée sur la ville, comme si des rideaux de velours s'étaient prestement refermés sur le ciel. De son côté, le soleil éclatant, qui avait brûlé la terre toute la journée, s'était empressé de battre en retraite. La lune était à peine visible, les lampadaires restaient éteints et la faible ampoule de son phare gauche clignotait. Les voitures arrivant en sens inverse avaient ainsi l'impression de voir deux motos rouler côte à côte.

Nneka rentrait de sa première journée d'école. Les yeux plissés, elle jurait silencieusement en esquivant à grand-peine les nombreux nids-de-poule qui grêlaient la chaussée. Mal habituée à ces routes, elle roulait doucement. Soudain, elle dut donner un coup de volant afin d'éviter un trou particulièrement profond, et l'homme apparut. Nneka faillit ne pas le remarquer, mais ses yeux enfoncés et bilieux paraissaient aussi menaçants que le trou dans lequel il était accroupi. Une chemise usée et déchirée enveloppait ses épaules osseuses ; son corps avachi se tassait sur ses pieds nus, paralysés et couverts de boue séchée. Il ne leva pas les yeux ni ne sembla la remarquer lorsque sa voiture fit une nouvelle embardée pour l'éviter.

« *Onyoshi*[1] ! » hurla-t-elle.

Nneka s'en voulut immédiatement. Et dire qu'elle venait d'insulter un pauvre homme paralysé et sans abri ! Par une étrange superstition, elle avait toujours pensé que celui qui injuriait un opprimé subirait un jour le même sort. À en juger par son air renfrogné, l'homme ne partageait pas ses croyances.

Nneka l'oublia dès le virage suivant, mais elle le revit le lendemain, puis tous les jours jusqu'à l'obtention de son diplôme. Par la suite, elle cessa d'emprunter ce chemin et le mendiant cessa de faire partie de son paysage quotidien, jusqu'à ce qu'elle le voie par hasard monter dans la Mercedes. C'était l'un de ces véhicules que le gouvernement avait offerts en fanfare aux hommes politiques les plus importants dans le but de « les encourager à éviter toute tentative de corruption »; mais à l'évidence, ces voitures les incitaient simplement à adopter un mode de vie plus confortable.

Par la suite, Nneka vit la Mercedes et deux autres voitures passer chercher le mendiant tous les soirs, l'obscurité de l'habitacle

---

1. Voleur.

engloutissant étrangement son âme malade. Elle remarqua cependant que le conducteur était toujours le même. Bien que chaque véhicule roulât très vite, Nneka les suivit un soir jusqu'à une maison quelconque située dans le quartier résidentiel réservé aux officiels. Les jours suivants, elle repassa régulièrement par cet endroit et finit par voir le conducteur sortir de sa voiture. Elle se demandait s'il valait mieux le suivre à pied ou plus prudemment en voiture, lorsqu'il monta dans une autre Mercedes. Au début, Nneka n'avait eu pour intention que de découvrir qui transportait le mendiant, mais son intérêt augmenta lorsqu'après quelques jours d'observation, elle remarqua que certains conducteurs ralentissaient afin de donner de l'argent au mendiant. Celui-ci jetait ensuite un petit paquet dans leurs véhicules. Il s'agissait surtout de belles voitures. Nneka convainquit un jour son ami Uche, qui en possédait une, de passer par là et de le payer. Celui-ci revint avec de la cocaïne.

Nneka fut d'abord déconcertée par le contenu du paquet. Alors qu'elle s'apprêtait à le sentir, un Uche moins surpris que ravi l'en empêcha brusquement.

« Il semble que la drogue s'impose peu à peu dans notre culture », constata-t-il avec sa décontraction habituelle. L'effet de surprise ne durait jamais longtemps chez lui.

« Tu sais, la moitié des artistes qui n'ont pas encore fait de tube passent leur temps à voyager d'un pays à l'autre : ils transportent de la drogue et blanchissent l'argent. »

Uche ne parlait jamais pour ne rien dire. Aussi, lorsqu'il faisait ce type de déclaration de sa voix presque lasse, on pouvait être sûr qu'il disait la vérité. Uche ignora la stupeur qui se lisait sur le visage de Nneka et poursuivit :

« Vu la quantité de substances illégales qui circule dans le monde des riches et des célébrités, il n'est pas étonnant d'en retrouver une partie dans la rue. Les affaires sont les affaires. »

Nneka décida de suivre la dernière Mercedes. Un soir, la voiture quitta la zone résidentielle et se rendit dans une partie surpeuplée de la ville où les maisons étaient trop exiguës pour paraître douillettes. Le véhicule se gara à côté d'un immeuble. Nneka se sentait mal à l'aise dans cet environnement ; mais alors qu'elle s'apprêtait à repartir, elle aperçut une ombre qui passait devant une fenêtre du bâtiment dans lequel les occupants de la Mercedes étaient entrés. Elle leva les yeux juste à temps pour les voir échanger un baiser fougueux avant de refermer la fenêtre en hâte. Nneka s'aperçut vite que plus elle fouinerait, plus elle en apprendrait sur ce qu'elle cherchait, consciemment ou non.

La jeune femme nota le numéro de la plaque d'immatriculation puis s'éloigna en se demandant s'il fallait faire quelque chose de cette information. Elle pénétrait rapidement dans un monde dont elle avait entendu parler mais n'avait jamais vraiment cru réel. Nneka était toujours à la recherche d'un travail et, comme un sommet régional devait avoir lieu au siège du gouvernement le lendemain matin, il lui sembla que ce serait l'endroit parfait pour faire ses preuves. La première chose qu'elle remarqua en pénétrant dans l'enceinte, ce furent les deux Mercedes garées dans une zone ombragée. Elle s'apprêtait à entrer dans la salle où se tenait le forum lorsqu'elle vit les deux conducteurs sous un arbre à proximité des voitures. Sans réfléchir, Nneka se dirigea vers eux. Ils furent si surpris par cette intrusion qu'ils la saluèrent à peine. Le cœur de Nneka battait la chamade. Elle se sentait à la fois nerveuse et euphorique. Avant d'avoir eu le temps de réfléchir, la jeune femme s'entendit demander :

« Alors, vous fétes quoi avec lé mendiant ? »

Lorsqu'il fut remis de son choc, le conducteur chargé de passer prendre le sans-abri la regarda attentivement et répondit :

« Cé pas question pour vous, madame, ça vous dépasse.

— C'est à moi d'en décider, rétorqua Nneka en essayant d'empêcher sa voix de croasser malgré sa bouche sèche.

— Vous feriez mieux de ne pas vous mêler de ces histoires, madame, c'est trop risqué », dit finalement le chauffeur. Puis il lui tourna le dos et reprit sa conversation avec son compagnon.

Nneka savait que l'occasion de leur tirer les vers du nez ne se représenterait jamais.

« Je suis au courant pour vous deux », lança-t-elle.

Soudain, leur captivante conversation sous l'arbre s'interrompit et les hommes s'intéressèrent brusquement à Nneka.

« Madame, vous mettez le nez dans une affaire vraiment dangereuse. Je vous suggère de vous en tenir aux choses que vous connaissez.

— Je suis au courant pour vous deux. Je connais une certaine adresse, poursuivit-elle avant de décrire très précisément l'appartement dans lequel avait eu lieu leur rendez-vous galant de la veille. Vous risquez de passer quatorze ans en prison en conséquence de vos actes, mais vous serez plus probablement assassinés. »

Nneka s'en voulait de profiter de leurs préférences sexuelles pour les faire chanter, mais elle était prête à tout pour en apprendre davantage.

Soudain, l'autre conducteur, Tarfa, qui s'était peu exprimé, intervint.

« Ce n'est pas ta sœur ni ta femme, alors pourquoi essaies-tu de la protéger ? Si elle veut tout savoir sur le mendiant, tu n'as qu'à lui raconter. »

Nneka devina à sa passivité désespérée qu'il ferait un bon allié lors de ses futures enquêtes. Ce type d'homme était toujours prêt à faire une croix sur sa loyauté si on lui promettait une somme d'argent. Le premier chauffeur les regarda tous deux puis haussa les épaules. Ce geste clair indiqua à Nneka qu'une fois au courant, elle devrait lutter pour rester en vie.

La jeune femme détenait enfin un bon sujet, mais elle n'était pas au bout de ses surprises : beaucoup de rédacteurs en chef préférèrent ne pas publier son article. Finalement, un journal, celui pour lequel son père écrivait autrefois, décida de prendre ce risque après lui avoir adressé le même avertissement que les deux chauffeurs. L'article fut publié comme suit :

« CEUX D'ENTRE VOUS QUI EMPRUNTENT COLLEGE ROAD AURONT SANS NUL DOUTE ÉTÉ CHOQUÉS PAR LA DISPARITION D'UN VISAGE FAMILIER. MÊME LORSQUE LE GOUVERNEUR EMEKA ONWELUE A LANCÉ SA GRANDE OPÉRATION DE NETTOYAGE DES rues afin de parquer les sans-abri et les mendiants, personne n'a délogé notre homme, dont le trône est installé au milieu des nombreux nids-de-poule qui trouent la route. Ce que la plupart des gens ignorent, c'est que le mendiant, le gouverneur et les nombreux autres membres de notre gouvernement indigne géraient ensemble l'un des trafics de stupéfiants les plus rentables de l'histoire récente du pays. Si votre journal estimé a eu vent de cette affaire, c'est grâce à la quête tenace d'une de ses journalistes. Celle-ci a découvert que le mendiant — réellement paralysé — profitait de son emplacement idéal au centre de l'une des routes les plus fréquentées de la ville pour revendre de la cocaïne et autres dangereux articles. Alors que de nombreux conducteurs innocents s'arrêtaient pour lui donner l'aumône, persuadés qu'il en avait besoin, d'autres avaient des intentions moins louables. Grâce à l'insistance de ce journal, l'inspecteur de police Tunde Balogun a fini par découvrir que, sous la planche qu'occupait le soi-disant mendiant, se cachaient de nombreux kilos de substances interdites. Lorsque des clients s'arrêtaient par supposée charité, ils concluaient en fait des transactions illégales. Cette découverte tardive s'explique à la fois par sa situation apparemment pitoyable et par la complicité d'un certain nombre de policiers et de fonctionnaires du gouvernement. Bien que l'implication réelle de l'élite politique de notre État dans cette affaire ne soit pas claire, un membre de la Chambre des députés a tout de même décidé d'annuler sa candidature aux élections du mois prochain... »

Pour finir, un membre de la Chambre locale des députés perdit son siège, mais il n'y eut aucune poursuite. La plume de Nneka retint immédiatement l'attention des lecteurs. Hélas, tous semblaient plus intéressés par le lyrisme de son style que par le contenu de ses enquêtes. Le sujet de son article fut tourné en dérision, réduit à quelques anecdotes, pour le plus grand plaisir de tous. Aucune révolte n'exigea la tête du gouverneur, et pas un membre de la police ne subit la moindre répercussion. Nneka comprit qu'il lui faudrait un sujet plus sensible si elle voulait vraiment attirer l'attention des gens. Elle s'aperçut également que les chauffeurs et autres employés lui permettraient de percer les secrets des riches. Car, aux yeux de ces personnes, il était inimaginable que les quelques bègues ignares qui parvenaient à peine à entretenir leurs voitures et demeures puissent transformer leurs conversations subtiles en récits compromettants.

*

Comme d'habitude, il y avait des mouches et de la poussière partout. Tarfa les détestait tant que, même après avoir vécu avec pendant vingt-sept ans, il les remarquait encore. Ces saletés ne cessaient de l'agacer. C'est pour cette raison qu'il était devenu chauffeur : il pouvait ainsi rester assis toute la journée dans des voitures climatisées, toutes vitres fermées, prétendre que l'air caressait sa peau au lieu de bourdonner, qu'il faisait vingt-trois degrés au lieu de trente-cinq, et rire de la poussière qui tourbillonnait autour de la grande carrosserie noire du véhicule sans pouvoir pénétrer à l'intérieur. Tarfa prenait toujours soin de garder la voiture propre et de la garer sous des arbres feuillus. Ainsi, son patron le prenait pour un bon employé.

L'homme s'appelait M. Sukonmi. Ce n'était pas une bonne personne, mais lui aussi était un bon employé. Il occupait le poste de chef de cabinet du gouverneur de l'État et savait faire en sorte que les choses louches paraissent honnêtes. Il savait quelles pattes graisser et quelles sommes donner, quelles louanges chanter et quelles bottes lécher. Il savait faire tout ce qu'il fallait pour garder son emploi tout en ignorant totalement en quoi consistait le travail. Cet homme n'était âgé que de trente ans, mais il avait déjà du ventre, une femme, une petite amie, et possédait un immeuble de quinze appartements valant chacun vingt millions de nairas. Il savait profiter de la vie, récolter les pots-de-vin et aider les autres à profiter de la vie. C'était le garçon de courses idéal pour les plus cruelles des brutes. Il aspirait seulement à atteindre un jour le statut de l'homme politique ordinaire qui, sans remords, profite de la situation des pauvres de la ville.

Des élections se préparaient. Tarfa était assis à l'ombre d'un arbre dont il ne connaissait pas le nom, un journal ouvert sur les genoux. Il ne se mêlait pas aux autres chauffeurs vautrés dans la poussière qui passaient leur temps à bavarder et à espérer une vie pour laquelle ils refusaient de travailler ou d'économiser. Tarfa s'exprimait rarement ; c'était pour cette raison que M. Sukonmi l'aimait autant. L'homme pouvait ainsi évoquer des questions gouvernementales secrètes et tripoter ses petites amies en toute décontraction dans sa voiture.

Tarfa regarda la Peugeot 504 fatiguée s'arrêter devant la salle. Elle était en retard, mais comme le gouverneur l'était encore plus, cela n'avait pas d'importance. Personne n'était jamais à l'heure, sauf son patron – une qualité qui eût été formidable s'il n'avait pas profité de ce temps d'avance pour conclure des affaires en douce et empocher de copieux dessous-de-table. L'homme sortit de la voiture. Il paraissait épuisé mais optimiste – bien que tombantes, ses épaules ne semblaient pas s'affaisser. On eût dit qu'il transportait une lourde charge dont le poids lui était enfin supportable. Tarfa regarda son patron et l'homme s'éviter. La première personne à laquelle le commissaire électoral devait présenter ses hommages était le gouverneur, cela allait de soi. L'homme paraissait aussi nerveux et agité que s'il répétait un discours rédigé par le cerveau d'un collègue pour la bouche d'un autre.

Tarfa suivait attentivement la scène. En son for intérieur, il aimait bien le rôle d'informateur qu'il jouait pour Nneka. Tout en se félicitant secrètement, il feignait la réticence au moment de lui fournir les informations récoltées car il ne voulait pas lui sembler trop impatient. De loin, il surveillait avec soin le déroulement des événements. Souriant intérieurement, il se dit qu'il avait l'impression d'être James Bond.

« Bond, Tarfa Bond », lança-t-il avant d'enfoncer une porte puis de tuer son patron et ceux qui l'entouraient.

Son agréable rêverie fut rapidement interrompue.

Un hurlement de sirène déchira l'air ; l'arrivée du gouverneur produisit l'effet habituel : il était attendu, mais personne ne s'attendait à ce qu'il vienne. Tarfa regarda tout le monde s'agiter comme si c'était la première fois que le gouverneur faisait son entrée. Cela l'amusait toujours de voir combien les gens étaient surpris par son arrivée. L'homme était invariablement accueilli par un véritable chaos, mais cela semblait lui plaire. D'un bond, un policier sortit de la troisième voiture du convoi, celle du milieu. Il le salua avec un professionnalisme exagéré puis ouvrit la portière arrière du côté droit. Des chaussures coûteuses apparurent, suivies d'un homme massif, lui aussi agacé par la poussière et les mouches. M. Sukonmi s'empressa de le rejoindre et chuchota quelques paroles précipitées à son oreille – il lui apprit qui était là et pourquoi. C'était tout ce que le gouverneur John O.C. Abari, un homme au large sourire et aux gestes encore plus larges, avait besoin de savoir. Il disait souvent que seuls les hommes politiques médiocres rédigent leurs discours à l'avance. Après sa sortie de prison, il lui avait fallu à peine six ans pour rassembler la somme d'argent et se faire les relations nécessaires à son élection. Plus important encore, il portait le nom d'Abari, qui avait beaucoup de poids dans les coulisses du pouvoir. Il trouvait amusant que nombre des hommes qui avaient permis son arrestation, et celle de son père, se montrent les plus serviables. Apparemment, l'exécution de son père en prison ne faisait pas partie du plan initial, mais O.C. continuait à se méfier de tout le monde. Il s'avança d'un pas assuré, tel un homme qui mérite son statut et reste convaincu que tous ses actes sont justifiés. Il referma l'espace entre ses lèvres, auxquelles tout le monde semblait suspendu. Même la brise inclinait légèrement les arbres dans sa direction. Il atteignit la scène et serra la main du commissaire électoral puis celle du préfet de police. Il marcha ensuite jusqu'à la place qui lui revenait, au centre de la scène. Toutes les caméras étaient braquées sur lui. Le gouverneur plongea le regard dans leurs objectifs avec assurance.

« Chers citoyens du Nigeria, je m'adresse en particulier aux natifs privilégiés de l'État de Bayelsa… »

Tarfa sortit de la voiture. Le gouverneur ne passait jamais plus de cinq minutes devant une caméra, et il avait besoin d'entendre tout ce qui se disait afin de le raconter plus tard à Nneka. Il avait lu son article dans le journal et débattu du sujet avec son coiffeur et ses amis. Les autres chauffeurs eux-mêmes en discutaient, bien qu'il ne se joignît jamais à eux. L'un des hommes avait rapporté le journal que son patron lui avait demandé de jeter, puis un à un, ils l'avaient lu aussi, avant d'exprimer très clairement leur opinion sur le mendiant et les hommes politiques. Bientôt, les jugements s'étaient mis à rivaliser d'espièglerie, prenant la forme de plaisanteries, jusqu'à ce qu'on oublie peu à peu les crimes commis. Cependant, le nom de Nneka était resté logé dans un coin de leurs têtes et Tarfa se sentait fier de lui avoir révélé les informations qui lui avaient permis d'écrire cet article. Aussi fut-il déçu lorsqu'il n'eut pas de nouvelles de la journaliste après leur première rencontre. Tarfa sortit le panier de cadeaux du coffre de la voiture puis marcha jusqu'à un endroit discret, un emplacement propre et ombragé. À présent, le commissaire électoral s'exprimait avec nervosité. Dans sa main moite et fébrile, le micro se balançait sans arrêt sur les côtés puis vers sa bouche.

« Votre Excellence, il est de mon devoir, en tant que fier Nigérian, de garantir avec votre aide précieuse des élections libres et équitables à mes concitoyens, et de servir comme il se doit le peuple du fier État de Bayelsa… »

Tarfa chassa une mouche importune qui grimpait vers le panier alléchant pendant à sa main. Lorsque le discours hâtif prit fin, il rejoignit, rapidement et sans se faire voir, M. Sukonmi, le chef de cabinet, alors qu'il se plaçait à côté du gouverneur. Nneka l'avait finalement appelé un an plus tôt, six mois après la parution de l'article. Les poils s'étaient dressés sur sa nuque lorsqu'il avait reconnu sa voix au téléphone, et ce simple souvenir le rendait joyeux.

« Félicitations », avait-il dit dès qu'elle s'était identifiée au téléphone, et Tarfa s'était senti fier en l'entendant rire. Se considérant comme un patriote, il savait pourtant que, dans un pays comme le sien, il serait violemment persécuté, même par ses semblables, si son orientation sexuelle était rendue publique. La déception et la satisfaction étaient les deux seuls sentiments que Tarfa comprenait et s'autorisait à éprouver. Lorsqu'il était à l'abri des mouches dans la voiture, il était satisfait. Chaque fois qu'il filait vers l'appartement de son ami parce que son *oga* était parti à Enugu, et cela arrivait souvent, il était très satisfait. Mais il n'avait éprouvé de vraie satisfaction qu'en rencontrant Nneka. Sa façon de lui parler, de vaincre sa réticence, démontrait une certaine sagesse. La jeune femme semblait croire en son intelligence. Par conséquent, Tarfa faisait de son mieux pour la contenter, et plus tard, il éprouvait une vraie satisfaction. Tous deux se parlaient depuis environ un an. Elle l'appelait chaque semaine et lui offrait des unités. Ainsi, Tarfa se sentait de plus en plus à l'aise avec elle. Il se réjouissait même de leur prochaine conversation.

« Cher commissaire », dit soudain le gouverneur avec un sourire mielleux, visiblement enchanté par toute cette farce. C'était cet aspect de la politique qu'O.C. préférait : cette sale comédie jouée devant une foule attentive feignant l'ignorance afin de conserver ses fragiles espoirs. Il s'empara de la main du commissaire et la serra fort, puis le laissa prononcer le vrai discours qu'il avait préparé parce que cela faisait partie du protocole.

« Cher gouverneur, votre excellence », commença l'homme d'un ton hésitant. La nervosité suintant par tous ses pores formait des taches humides sous ses aisselles. D'après ce qu'il savait, le chef de cabinet était habituellement absent, mais le gouverneur ne semblait pas vouloir le congédier ; aussi poursuivit-il : « Depuis mon arrivée, monsieur, je suis sans logement, et ceci là-bas est mon véhicule. »

D'un mouvement de tête, le commissaire désigna le break en piteux état. Cet homme ayant le double de son âge, O.C. décida de mettre un terme à son martyre.

« Il est injuste qu'Abuja vous traite de la sorte. Ne vous inquiétez pas, cher commissaire, nous nous occuperons de vous. »

Son rire habituel jaillit par vagues réconfortantes.

« Mon peuple veillera sur vous, ajouta-t-il en regardant avec insistance M. Sukonmi, dont le large sourire lui donnait l'air idiot. Tout le monde vous aidera à vous installer rapidement. »

Il termina sa phrase en adressant un regard sincère au commissaire qui esquissa un sourire soulagé.

« Gouverneur, je dois vous parler de quelque chose, dit M. Sukonmi. Laissez-moi d'abord régler ces problèmes ; je vous rejoindrai sous peu dans votre voiture. »

Dix minutes plus tard, le gouverneur et son chef de cabinet filaient bruyamment vers un autre engagement, tandis que Tarfa observait les mouvements nerveux du commissaire dans son rétroviseur. Ses lèvres épaisses articulaient des remerciements et son regard lointain exprimait toute la joie d'un homme arrivé au paradis plus tôt que prévu. Le commissaire serrait également le panier de cadeaux dans ses bras.

Le lendemain matin, on frappa discrètement à la porte de la suite présidentielle de l'hôtel Wazobia. Le commissaire l'ouvrit d'un air satisfait ; le même sourire obséquieux se dessinait de l'autre côté de la porte sur le large visage de M. Sukonmi.

« Cher commissaire, j'espère que vous avez passé une excellente nuit. Je suis désolé que vous ayez manqué de divertissement hier soir, mais nous avons pensé que vous aimeriez d'abord vous reposer.

— Ah, cher chef, votre hospitalité est déjà splendide. Je suis sûr qu'il me restera du temps plus tard pour les divertissements. »

Et tous deux rirent bruyamment. Tarfa en conclut qu'il devrait apporter un nouveau panier de divers alcools, et sans doute une ou deux filles de choix.

« J'espère que vous n'avez aucun rendez-vous urgent, poursuivit M. Sukonmi. Nous ne pouvons pas autoriser un commissaire à conduire cette voiture. Pas dans cet État, *notre* État adoré, dit-il d'un ton lourd de sous-entendus.

— Pas aujourd'hui, non. Je crois que je vais me reposer davantage puis profiter de la soirée, répondit-il en contenant tout juste sa joie.

— Commissaire, cher commissaire ! » s'exclama M. Sukonmi.

Un rire incontrôlable jaillit à nouveau de leurs bouches, tel le champagne qu'on vient de sabrer. Les deux hommes semblaient fêter la conclusion prévisible d'un futur événement.

« Le gouverneur vous passe le bonjour. Il viendra prendre de vos nouvelles demain. Je dois vous laisser à présent, mais mes hommes vous fourniront de la distraction ce soir, puis ils apporteront deux voitures demain, pour vous et votre… assistante. »

Ce dernier mot évoquait quelque chose de sombre et hideux, mais tous deux rirent de l'intelligence de ce terme. Utilité publique et plaisirs intimes font rarement bon ménage, mais cela leur importait peu.

Surexcité, Tarfa appela Nneka ce soir-là. Il habitait un immeuble si tranquille que, cinq ans après son emménagement, il n'avait toujours pas croisé ses voisins. À ses yeux, c'était mieux ainsi. Il raconta tout ce qu'il avait vu à la jeune journaliste : on cherchait à acheter le commissaire.

« Le mariage de la fille du gouverneur va bientôt avoir lieu. La réception se déroulera là-bas, dans sa grande demeure », déclarat-il à voix basse.

Tarfa faisait toujours de son mieux pour parler discrètement au téléphone. On eût dit qu'il craignait d'être enregistré s'il faisait trop de bruit.

« Tout le monde est au courant de ces manigances, mais es-tu certain du lieu du mariage ? D'après ce que j'ai vu, O.C. n'est pas le genre d'homme à planifier une telle fête aussi discrètement. Tu es vraiment sûr qu'il n'embarque pas toute la noce à Dubaï ou un endroit de ce genre ? »

Tarfa rit doucement.

« Il y aura aussi une cérémonie à Londres, bien sûr, mais si vous voyiez les préparatifs qui ont lieu dans sa maison ! Je doute qu'on ait déjà organisé un mariage aussi grandiose dans tout le Nigeria. »

O.C. donnait en effet une réception dans la demeure qu'il occupait en tant que gouverneur pour le mariage de sa filleule. Chacun de ses prédécesseurs l'avait décorée à son goût, mais les transformations d'O.C. dépassaient de loin toutes celles des autres. Il avait acheté la rue entière afin d'agrandir le terrain, appelant parfois son vieil ami Emeka pour qu'il l'aide à négocier avec les locataires les plus réticents. À cette pensée, O.C. secoua brièvement la tête. Si seulement Emeka était toujours dans le coin ! Grâce à lui, tout avait marché comme sur des roulettes. Mais Alhaji avait réussi à le convaincre qu'il était temps de se débarrasser de son vieil ami. D'ailleurs, O.C. pensait lui-même qu'Emeka en savait trop. Il s'aperçut soudain qu'Alhaji ne lui avait toujours pas raconté les événements du fameux soir. Quoi qu'il en soit, Emeka avait disparu, et c'était tout ce qui comptait. Il valait sans doute mieux ignorer comment Alhaji s'était débrouillé pour se débarrasser de lui.

Sa demeure comptait trente-cinq chambres, ce qui s'avérait assez pratique lorsqu'un membre de sa famille élargie avait besoin d'être hébergé pour la nuit en toute discrétion. La propriété renfermait également un garage assez grand pour abriter soixante voitures et une plate-forme d'atterrissage pouvant accueillir deux hélicoptères. O.C. avait fait en sorte de conserver suffisamment de place pour une piste au cas où un avion aurait besoin de se poser chez lui un jour. Le sol des trois salons du premier étage était couvert de carreaux dorés : la maison tout entière célébrait le faste et la magnificence. Mais l'ajout dont O.C. s'enorgueillissait le plus était son terrain de golf – le seul de tout l'État. Le gouverneur n'avait jamais aimé la tranquillité que procurent les chants d'oiseaux ni la sérénité qu'apporte le parfum d'une fleur. Aussi ce parcours de golf constituait-il la seule partie végétale de son immense propriété.

O.C. affichait un sourire satisfait. Il portait son *agbada*[1] préféré orné d'une coûteuse dentelle qu'il avait rendue célèbre : les vendeurs de tout le pays demandaient désormais à leurs clientes si elles souhaitaient acheter de la dentelle ordinaire ou bien celle d'O.C. Le gouverneur fit donc une entrée grandiose, son épouse

---

1. Tunique ample, boubou.

tout aussi vaniteuse à ses côtés. Les joueurs de tambour chantaient ses louanges depuis une demi-heure déjà, si bien que l'agitation provoquée par son arrivée fit presque oublier à tous la présence des jeunes mariés. O.C. buvait du petit-lait. Il affichait en permanence un sourire engageant, ravi de découvrir la présence d'un grand nombre de ses éminents collègues. Il vit le commissaire approcher mais le reconnut à peine en raison des nombreux kilos qu'il avait pris. Les deux hommes ne s'étaient pas vus depuis de nombreuses semaines – plus précisément depuis le jour où O.C. était passé le voir afin de s'assurer que son chef de cabinet lui avait bien livré les deux Land Cruiser.

« Je suis désolé d'être en retard, dit le commissaire. Mais aucune des routes n'est goudronnée dans cette partie de la ville, et la circulation était infernale.

— Oh ! s'exclama O.C. Si vous m'aviez téléphoné, je vous aurais envoyé mon deuxième hélicoptère.

— Ah, cher gouverneur, vous me gâtez trop », répondit le commissaire avec ravissement en caressant sa nouvelle bedaine.

Et tous deux rirent lorsqu'O.C. protesta :

« Non, pas assez, pas assez !

— Gouverneur, cher gouverneur, reprit le commissaire. Il faut que je commence les préparatifs des élections. Je dois d'abord recruter des superviseurs. Il me faudra les noms d'environ cinq mille hommes compétents et fiables, dit-il en insistant sur le dernier mot de sa phrase.

— Mon chef de cabinet vous recevra sous peu, répondit le gouverneur avec un large sourire. J'espère que vos conditions de travail vous satisfont, ajouta O.C. en faisant signe à M. Sukonmi de les rejoindre.

— Ma foi, votre excellence, dit le commissaire presque à contre-cœur, nous allons devoir former ces hommes, mais la commission électorale met du temps à débloquer les fonds nécessaires.

— Combien vous faut-il ? demanda nonchalamment O.C. comme s'il achetait une paire de chaussures et non sa réélection au poste de gouverneur.

— Eh bien, environ vingt-cinq millions pour chaque contingent, qui pourraient bien être au nombre de trois.

— Pas de problème », répondit O.C. de nouveau tout sourire. Il se tourna vers M. Sukonmi.

« Veuillez faire en sorte que notre commissaire reçoive trente millions de nairas avant son départ, trente autres dans deux semaines, puis la même somme dans un mois.

— Dans quelle caisse dois-je me servir, monsieur ? demanda M. Sukonmi.

— Celle des frais de campagne », répondit O.C. avant de se diriger d'un pas nonchalant vers un autre gouverneur afin de le saluer.

M. Sukonmi fit immédiatement venir Tarfa. Le gouverneur venait de sous-entendre qu'ils devraient remettre l'argent en espèces au commissaire électoral. Tous deux descendirent donc au sous-sol et sortirent trente liasses de l'énorme congélateur puis les jetèrent nonchalamment dans des sacs à carreaux « Ghana Must Go ».

« L'homme qui a eu cette idée était un génie, révéla M. Sukonmi sans la moindre inquiétude à Tarfa. Quel dommage qu'il ait disparu il y a dix-huit mois ! »

Dehors, le commissaire disait à ses superviseurs combien le gouverneur s'était montré généreux. De son côté, celui-ci ordonnait au président de son parti de recruter cinq mille hommes loyaux.

Alors que Tarfa s'éloignait de l'hôtel Wazobia, sa voiture plus légère de trente millions de nairas et sa poche plus lourde de vingt mille, son téléphone sonna.

« Tous les fidèles membres du Parti du peuple pour l'action nationale (PPAN) sont convoqués à une réunion urgente demain matin à onze heures », disait le message.

Le chauffeur sourit sournoisement ; le PPAN était sûr de conserver le pouvoir, et ses membres allaient continuer à faire appel à lui. Tarfa n'avait pas saisi que le but de sa collaboration avec Nneka était d'éradiquer les partis tels que le PPAN qui ne laissaient aucun choix au peuple. La simple existence de cette contribution lui suffisait. À quoi bon risquer de perdre son gagne-pain en cessant de participer aux activités du parti ? Il appela rapidement son amant afin de lui annoncer qu'ils devaient assister à la réunion. Ce travail de superviseur était un moyen très simple de se faire mille nairas.

Deux semaines plus tard, Tarfa partageait avec son ami une assiette d'igname pilé nageant dans une soupe pleine de bonnes choses. Ils avaient déjà vidé quatre calebasses de vin de palme depuis le début du repas et leurs rires emplissaient l'air.

« Tu sé, mon frère, cinq mille électeurs y dévaient présenté à mon bureau vote. Et y a sélement mille personnes sont véni voté.

— Ha ha ! Ta main devait être très fatiguée à la fin de la journée, répondit Tarfa.

— Mon frère, tu comprends pas. Jé voté environ dé cents fois. Un dé mé garçons – on appelle la Machine –, y trempé pouce dans l'encre et pis il fézé toute la pile. Jé jure qu'il a voté mille fois lui tout sél.

— Ha ha ! s'exclama encore Tarfa, et tous deux éclatèrent de rire.

— T'as dit quoi à ton *oga* pour qu'y té laisse parti ?

— Oh, qué ma mère a mouru.

— Mé tu pas dit ça avant déjà ? Rappél-toi, quand on a aidé pour élections à Kaduna ?

— Ah oui, hmm, eh bien, cé qui sé passe dans ma vie, ça importe pas pour lui.

— Tant mieux. Nous doit pas prendre trop risque, dit Tarfa à son compagnon d'un ton plein de sous-entendus.

— Dacco, jé dois allé. Jé vé di à mon *oga* jé viens travail démain prémière heure. La grève, elle a fini après quatoz mois, alors jé améne sa fille école démain. Tu sais qué jé gagne plus pour cé pétit boulot qué salaire qui mé donnent pour tout l'année ! dit-il avec incrédulité.

— Ils dévré faire élections tous les années. »

Les deux hommes éclatèrent de rire, puis l'amant de Tarfa sortit du restaurant en titubant, après avoir déposé sur la table une épaisse enveloppe marron en témoignage de sa gratitude. Tarfa la fourra dans sa poche puis appela Nneka.

\*

O.C. contournait avec habileté les questions, aussi facilement qu'un poids-plume dansant autour du ring. Le public était hypnotisé, même les journalistes censés l'observer à la loupe. Comme lors d'un match d'entraînement de tennis, ils lui lançaient des questions molles et faciles, et O.C. leur renvoyait des réponses énergiques, affirmant son innocence avec éloquence. Il décida d'ignorer la journaliste à la peau claire, assise au premier rang, qui s'était montrée très vexante. Le premier article qu'elle avait écrit sur lui, peu après le mariage de sa fille, avait failli gêner sa réélection. Bien que son texte n'eût pas de répercussions directes sur le scrutin, il avait alimenté un type de conversation qu'O.C. ne craignait pas mais n'aimait pas non plus. Aux arrêts de bus et dans les gares routières, les gens murmuraient – une attitude qui leur était si peu familière qu'eux-mêmes étaient surpris car, d'habitude, lorsqu'ils tentaient de décrire la demeure du gouverneur O.C. Abari aux autres, ils s'égosillaient. Ils avaient déjà vu des photos de la propriété, mais jamais personne ne lui avait attribué un contenu aussi considérable que l'article. Le texte procédait à une longue analyse, comparant la valeur de chacun de ses objets à ceux que possédaient d'autres groupes socioéconomiques. La journaliste expliquait par exemple que sa télévision coûtait autant que tout un quartier de la partie la plus pauvre de la ville, et que son prix était plus élevé que le salaire annuel de nombreux fonctionnaires. « Mais le gouverneur O.C. Abari ne devrait-il pas être le fonctionnaire le plus exemplaire de tous ? » concluait l'article de façon rhétorique. De nombreuses bouches avaient ensuite répété cette phrase à travers le pays. Au cours des trois années suivantes, la journaliste avait écrit dix autres articles sur lui. Elle trouvait toujours un nouvel angle afin d'essayer de le discréditer ; mais depuis le début, O.C. restait hors d'atteinte. Il s'agaçait toutefois de sa ténacité. Aujourd'hui cependant, la présence de cette femme, droite et obstinée, ne parvenait pas à gâcher sa joie ; c'était joué d'avance : O.C. était certain de remporter les élections la semaine suivante. La justice elle-même était incapable de résister à ses subtils moyens de persuasion – nouvelles voitures tape-à-l'œil et enveloppes brunes anonymes.

« Quelle question avez-vous donc à nous poser, Nneka ? » demanda-t-il avec mépris.

O.C. était bien décidé à l'humilier. Elle s'apprêtait sûrement à l'interroger sur le procès, mais sa réponse serait éloquente.

« Gouverneur Abari », commença-t-elle avec un sourire qui fit taire tout le monde. La profession respectait profondément l'honnêteté de Nneka, mais peu de ses collègues l'imitaient. « Comment avez-vous gagné votre premier million ?

— Quoi ?

— Comment avez-vous gagné votre premier million ? répéta-t-elle avec le même sourire.

—Eh bien, je… » bégaya O.C.

Ses sourcils se froncèrent.

« J'ai investi dans… euh, euh… Voyez-vous, lorsque mon père est mort sous les balles du régime brutal de l'époque, qui m'a moi aussi persécuté, j'ai hérité d'une certaine somme d'argent. »

Cette question inattendue ébranlait et contrariait le gouverneur. Sa victoire risquait d'être entachée ; si cette journaliste continuait, la justice n'allait plus cesser de le pourchasser. O.C. fit d'autres déclarations plus générales et lança quelques plaisanteries, mais sa joie avait faibli.

Lorsqu'ils montèrent dans la voiture, le gouverneur se tourna vers son assistant et déclara :

« Il faut qu'on se débarrasse d'elle.

— Vous êtes sûr, *Oga* ? Les gens risquent d'avoir des soupçons…

—Peu importe ! Fais en sorte que cela paraisse naturel. Des voleurs armés, un accident de voiture, les routes sont dans un tel état que ce sera crédible ! » L'idée de sa disparition lui rendait un peu de sa bonne humeur. Après quelques instants de réflexion, O.C. ajouta :

« Tu régleras cela dans un mois environ. Attendons que les soupçons qui pèsent sur moi se dissipent. Nous pourrions faire de ce jour-là une sorte d'anniversaire. »

\*

Plissant ses yeux vieillissants, il digéra lentement ce qu'il venait de lire ; son esprit assimilait ces mots encore plus péniblement. Il lut tout l'article à grand-peine puis recommença. Enfin, il ressortit la chronique de la semaine passée qui s'intitulait : « L'ex-gouverneur ébranlé par la question à cent millions. » Il étudia les deux articles à la lumière d'une bougie vacillante jusqu'à ce que l'aube se lève et inonde lentement la pièce d'une faible lumière jaune. Il ramassa ensuite son bâton et se leva sans se presser. Il étira ses vieux membres, resserra un peu son manteau autour de sa frêle silhouette puis sortit de sa chambre en titubant et se mit à laver la voiture avec des gestes lents et réfléchis. Enfin, il retourna dans sa chambre et récita sa prière. Il prononçait toujours la même, qui se composait seulement de quelques lignes :

« Pardonnez mes transgressions passées comme je pardonne celles des autres. Protégez ma femme et ma fille. Donnez-moi la force d'entreprendre ce qui doit l'être et une chance de l'achever. »

Il termina juste au moment où son patron se préparait à partir. Il aborda l'homme toujours stressé et déclara :

« Je pars et je ne reviendrai pas. »

Le patron savait qu'il était inutile de protester.

« Merci, que Dieu t'accompagne », murmura celui-ci d'un ton plein de regret.

En dehors de la pièce unique dans laquelle il logeait près du portail, il ne demandait que le couvert et les vieux journaux. Il faisait consciencieusement son travail et gagnait un salaire dérisoire par rapport à celui des autres gardes. Il remettait vingt pour cent de cette somme à l'église, soixante aux pauvres du quartier et gardait le reste. En de très rares occasions, il piochait dans ses économies afin d'acheter une bougie ou un tissu pour envelopper son corps maigre et balafré. C'était l'employé dont rêvait tout patron.

Il hocha la tête, se retourna lentement et ouvrit le portail. Après le départ de son *oga*, il enveloppa toutes ses possessions dans un morceau de tissu qu'il attacha ensuite au bâton fourchu, conservé dans un coin de sa chambre. Le bâton était aussi grand que lui lorsqu'il courbait le dos, chose qu'il faisait toujours. Quelques minutes plus tard, il était prêt à partir. Il suspendit à son épaule un vieux fusil récemment acheté puis se mit en route en s'appuyant lourdement sur son bâton.

En chemin, il s'arrêta à l'étal de la marchande de pain. Elle l'aimait bien car il lui donnait toujours de l'argent sans rien acheter. Cette fois, il lui remit quelques pièces et se servit sur la table, puis il reprit péniblement la route en marchant le plus vite possible.

Il avançait depuis un bon moment maintenant, mais cela lui était égal. Il repensait à sa vie. Vieux, mais pas sénile, il avait l'impression d'avoir vécu de nombreuses existences et se sentait relativement âgé. Plus jeune, il avait rêvé de fournir une aide considérable à la société, mais il n'était pas sûr d'y être parvenu. Cependant, il s'apprêtait à rectifier les choses… enfin.

Le premier mois avait été le plus difficile. Après avoir retrouvé sa femme et sa fille, il s'était longuement demandé comment les aborder. Il rôda sans bruit autour de leur maison pendant de longues semaines afin de les observer. Puis un jour, alors qu'il traînait derrière leur portail, une voiture approcha et mit son clignotant avant de tourner vers la maison d'en face. Les vitres se baissèrent et une voix lui demanda s'il était là pour le poste de garde. D'abord surpris, il baissa les yeux, constata que ses vêtements étaient sales et se rappela qu'il ne se rasait plus. Ainsi, il comprit enfin pourquoi sa femme et sa fille passaient devant lui sans le regarder. Sans réfléchir, il répondit par l'affirmative.

« Revenez demain », répondit l'homme d'un ton brusque, avant d'entrer dans sa propriété.

Il retourna dans la petite pièce qu'il louait au milieu d'une rangée d'habitations identiques et conclut qu'après les atrocités qu'il avait commises dans le Nord, il ne méritait pas plus grand bonheur… Cependant, il n'avait toujours pas l'esprit en paix. Il déposa l'énorme somme des richesses qu'il avait accumulées à la banque et décida de faire une croix sur son ancienne vie. Année après année, conscient de vivre juste en face d'une famille qu'il ne pouvait approcher, il lutta contre ses ambitions et ses souvenirs dans la solitude étouffante de sa cabane. Il lutta contre son âme. Parfois, l'idée d'être aussi près d'elles le torturait ; parfois, elle le soulageait. La seule habitude dont il ne parvenait pas à se débarrasser était la lecture approfondie des quotidiens. Sachant parfaitement quelles horreurs taisaient leurs titres mous et vagues, il détestait l'homme qu'il avait été. Il méprisait celui qui l'avait fait ainsi et s'en voulait d'avoir contribué à faire de l'autre ce qu'il était aujourd'hui. Lorsqu'il vit le gros titre, il sut ce qu'il allait faire avant même d'y avoir réfléchi. Le nom qui s'étalait en Une symbolisait toutes les parties du passé et de lui-même qu'il haïssait. Il frissonna de dégoût en entendant un rire vorace monter des pages sur lesquelles apparaissait son sourire figé et mielleux.

Il connaissait intimement l'esprit du gouverneur. Aussi avait-il eu presque peur en lisant le premier article, deux semaines plus tôt. Nneka, la journaliste – sa fille –, avait franchi la limite avec cette question car elle en soulevait d'autres encore plus incriminantes. La seule chose que le gouverneur détestait plus que perdre, c'était voir sa victoire entachée par un scandale. Il savait qu'il restait peu de temps. Le gouverneur attendrait un moment, mais pas indéfiniment : il fallait agir vite. Lorsque les journaux annoncèrent que le verdict du procès pour corruption impliquant l'ex-gouverneur Abari serait prononcé dans quelques jours à Lagos, il éprouva enfin un certain soulagement ; il connaissait sa mission.

Il devait se rendre au plus vite à la gare routière. Il lui restait treize kilomètres à parcourir, mais il poursuivait péniblement sa route, ne s'arrêtant que pour s'asseoir à l'ombre d'un fromager lorsque le soleil atteignit son point culminant à midi. Il mangea l'une des miches de pain, récita ses prières puis feuilleta sa Bible usée. Il n'était pas entré dans une église depuis longtemps mais lisait fidèlement les textes sacrés, de nombreuses fois par jour. C'était surtout l'histoire de Moïse qui lui plaisait.

Il atteignit la gare routière au coucher du soleil et s'acheta un billet pour Lagos ; il devait à tout prix arriver là-bas avant midi le lendemain.

Il descendit du car, étira ses membres sensibles, frotta ses yeux fatigués puis reprit son lent trajet ; n'ayant pas une minute à perdre, il héla un taxi. Le chauffeur devina qu'il venait d'arriver en ville à la façon dont il s'agrippait à son maigre baluchon. Il fut cependant surpris que les hauts immeubles et l'extraordinaire agitation de la ville ne l'interpellent pas davantage. L'homme ne semblait pas remarquer le piteux état des sièges ni la pauvreté de l'habitacle – des bouts de métal se détachaient de la portière et des fils sortaient du tableau de bord. Il ne semblait s'inquiéter que de l'heure car ses yeux se posaient sans arrêt sur une montre qui tranchait avec son apparence simple.

Le chauffeur de taxi l'escroqua grossièrement. Cependant, cela lui était égal ; il n'aurait plus besoin de son argent après cette journée. Il le quitta donc après lui avoir remis une somme trop élevée, adressé une bénédiction, et éprouva un bref sentiment de culpabilité. Il se dirigea ensuite vers la foule qu'on avait embauchée pour se rassembler devant le tribunal. Les gens chantaient les louanges d'un homme qui était pour l'instant invisible. Il poussa un soupir de soulagement en s'apercevant qu'il était arrivé à temps. Les jubilations obséquieuses de la foule étaient assourdissantes, mais lui restait impassible. Bien que le verdict du procès de l'ex-gouverneur pour corruption n'eût pas encore été lu, tous le connaissaient déjà. Tout le pays savait comment allait se conclure cette affaire, et c'est pour cette raison qu'Emeka était là.

Quelques minutes plus tard, l'ex-gouverneur sortit du tribunal, la main droite levée, la gauche saluant la foule. Son gros visage affichait un grand sourire et son ventre saillant se balançait d'un côté sur l'autre à chacun de ses pas. Lorsqu'il s'arrêta à quelques mètres de la foule, celle-ci se tut. Il prononça quelques mots et les gens se mirent à scander des slogans et à l'applaudir. Ensuite, l'ancien gouverneur leva les deux mains et le silence retomba. Mais à peine les eut-il baissées qu'une détonation résonna dans l'air et une tache rouge commença à s'étendre sur son *agbada* en riche mousseline blanche. Le silence oppressant qui suivit fut rompu par une autre explosion, et la pagaille s'installa.

La foule s'enfuyait bruyamment, filant dans tous les sens. Beaucoup de gens se tenaient la tête comme si elle risquait de déguerpir sans eux. Les banderoles et pancartes affirmant la grandeur de l'homme assassiné furent rapidement abandonnées sur l'asphalte chaud. Instantanément, les policiers qui avaient été engagés pour protéger l'ex-gouverneur prirent eux aussi leurs jambes à leur cou. En moins de cinq minutes, il ne resta plus que deux humains devant le tribunal sous le soleil brûlant : le corps sanglant de l'ancien gouverneur étalé sur le sol et l'impassible vieil homme assis à quelques mètres de lui. Son fusil était posé sur une pancarte abandonnée qui proclamait : « LONGUE VIE À JOHN O.C. ABARI. »

Emeka avait cru qu'il s'effondrerait sous une pluie de balles en regrettant la mort probable de spectateurs innocents. Il n'en attendait pas moins de la police dont tout le monde savait qu'elle avait la gâchette facile. Il s'était faufilé jusqu'à l'avant de la foule et avait soigneusement visé l'homme entre les corps agglutinés, espérant que la première balle atteindrait sa cible. En fin de compte, il avait eu le temps de tirer deux fois et avait regardé les projectiles s'enfoncer dans la poitrine de sa victime. À son grand étonnement, les policiers étaient aussitôt partis se cacher derrière le tribunal avec le reste de la foule. Ne sachant que faire, il s'était alors assis car il était fatigué.

Sa vue commençait à se brouiller mais ses yeux restaient ouverts, le regard plongé dans le vide. Bientôt, il entendit de lourdes bottes s'approcher de lui et reçut un coup à la tête. L'obscurité envahit lentement le reste de ses sens. Ce n'était pas la première fois qu'il tirait sur un homme et ce n'était pas la première fois qu'il s'endormait au son des bottes de soldats. Sa cellule était plus spacieuse cette fois et il en était le seul occupant. À son réveil, Emeka se demanda depuis combien de temps il était en prison et combien de temps il allait y rester. Partout régnait l'obscurité. Ses yeux refusaient de regarder le monde parce qu'ils voyaient bien plus en lui.

« Quelqu'un est venu te chercher », dit une voix jaillissant avec insouciance entre des dents décolorées, avant de se réverbérer sur les murs rugueux et tachés.

Emeka ne pensa même pas à demander de qui il s'agissait. Il se leva comme s'il attendait quelqu'un. Ils empruntèrent un couloir bordé de vies blasées. Emeka ne les voyait pas, mais leur puanteur lui était familière. Il ne vit pas l'ampoule clignotante diffusant une lumière terne céder sa place à quelques néons. Il sentit cependant le ciment rugueux et cassé se transformer en linoléum usé sous ses pieds ; il nota que l'air devenait plus frais et plus désolé. Ensuite se confirma une chose qu'il avait toujours soupçonnée : les maîtres très sévères que sont la pauvreté et la corruption enchaînaient bel et bien ses gardes.

« Cela fait tant d'années ! » dit une voix.

Emeka sourit car même si le rire tonitruant qui suivit échoua à faire vibrer les barreaux des fenêtres de la triste pièce, il devina immédiatement à qui il appartenait. L'homme empoigna son bras et l'emmena à sa voiture. Lorsqu'ils se trouvèrent tous deux à l'intérieur, Dolapo dit enfin :

« Ils t'ont accordé la liberté provisoire parce que tu ne t'es pas enfui et parce que… eh bien… lui et toi aviez un certain passé, et… »

Emeka posa une main tendre sur le bras de son ami.

« Je sais combien ce geste a dû te coûter politiquement. »

Dolapo avait probablement payé son premier pot-de-vin pour le faire sortir aussi vite. Emeka se demanda à quel point cette décision avait été difficile à prendre pour lui.

« Merci, dit-il sincèrement.

— Je t'en prie, ça suffit, l'interrompit Dolapo. Pourquoi lui, et pourquoi un tel geste à ton âge ?

— Il n'y a pas si longtemps, tu disais que j'étais trop jeune », répondit Emeka avec un petit rire qui sous-entendait que le temps des questions viendrait plus tard.

Dolapo évita donc de l'interroger sur sa vue.

Le trajet en voiture s'effectua surtout dans le silence. Les amis étaient assis à l'arrière côte à côte, le même sourire aux lèvres – deux hommes conscients d'aborder le dernier acte de leur vie.

« Merci encore, dit Emeka.

— Je t'en prie, je suis désolé qu'ils t'aient détenu pendant quarante-huit heures », répondit Dolapo en songeant aux trente-trois qu'il aurait pu épargner à son ami. Lorsque les policiers avaient fixé leur prix, il s'était senti incapable de payer ces « frais » de remise en liberté.

« Tu sais bien que je parlais de la guerre. Pourquoi t'es-tu engagé ? »

Dolapo resta silencieux un moment.

« Il le fallait, répondit-il à voix basse, comme s'il avait honte. Lorsque tu m'as remis ta fortune en me disant de la dépenser si tu ne revenais pas, j'ai décidé de la mettre de côté. Mais au bout d'un an de travail, j'ai senti que quelque chose clochait. Tes paroles résonnaient encore dans ma tête. Si tu mourais au cours d'une guerre à laquelle je ne participais pas, je serais incapable d'y toucher. Je me suis rendu à la caserne et j'ai déclaré que je voulais me battre. L'armée ne recrutait plus ; mais finalement, on m'a laissé partir en tant qu'adjoint du commandant. Cet homme que tu as tué dans la pièce était en mission de reconnaissance car nous pensions que la voie était libre. J'étais chargé de l'assister. »

Dolapo se tut brièvement, mais le visage d'Emeka n'exprimait rien.

« Je devrais te remercier », dit Dolapo.

Son ami restait muet. Son silence bruyant communiquait des idées d'une importance trop grande pour être formulées.

« J'ai quitté l'armée juste après t'avoir trouvé dans cette pièce… J'étais convaincu que tu allais mourir et cela me rendait malade. Une fois rentré chez moi, je n'ai pas pu retourner à mon ancien cabinet. Alors, finalement, je me suis servi de ton argent pour ouvrir le mien. Je pensais que tu serais d'accord. »

Emeka retrouva le sourire et posa sa main libre sur leurs doigts entrelacés.

Lorsqu'ils arrivèrent chez lui, Dolapo déclara avec un rire bref :

« Et voici le deuxième fruit de ton travail. Je l'ai fait construire juste après avoir acquis mon cabinet. »

La fierté des nombreux actes de générosité qu'il avait accomplis transparaissait dans sa voix. Les deux hommes entrèrent dans la maison comme si Dolapo l'avait toujours partagée avec Emeka. À les voir, on eût dit qu'ils ne s'étaient jamais quittés.

TONTON/DOLAPO

## Black Man's Cry
### (Sud-ouest du Nigeria, 1945-1967)

La maison de Tonton reflétait son caractère complexe – fier, solitaire, exclusif. La rénovation du patio situé sous le balcon de sa chambre qu'il avait d'abord hésité à construire témoignait de son état d'esprit actuel : c'était un cocon encombré de fauteuils, toujours ouvert, toujours accueillant, où résonnaient souvent les récits édifiants du passé – celui de ma mère, Ranti, et le sien. Cet été-là, dans le patio, j'éprouvai pour la première fois de ma vie une étrange nostalgie. Je m'aperçus en outre que le son du rire d'Aisha et la voix berçante que prenait Emeka pour raconter ses histoires satisfaisaient cette aspiration énigmatique.

Grâce au vieil homme, j'en apprenais enfin un peu plus sur le passé de Tonton, sur l'enfance de ma mère, des périodes de leur vie que je n'aurais jamais pu imaginer. L'époque de l'innocence sous l'aile des adultes, puis l'âge des plaisirs, protégé du regard d'aigle des parents. La subversion insidieuse des années d'adolescence et les aventures candides du début de l'âge adulte. Les peines de cœur et les slows. Les disputes, les débats et la poésie. Les fous rires et les baisers intimes. L'époque où l'amour était aussi frais que la rose africaine goûtant à sa première rosée de novembre. Peut-être ces récits devaient-ils servir à me convaincre de me réinstaller à la maison, ou peut-être Emeka était-il simplement sensible aux effets de la nostalgie et du vin de palme.

Celui-ci coulait suffisamment pour provoquer quelques bégaiements chez les personnes présentes. Ce jour-là, Oyinbo avait lancé

241

un jeu : chaque participant devait deviner sa nouvelle identité, griffonnée par les autres sur une petite carte. Le groupe écoutait alors la chanson *Beast Of No Nation* de Fela.

« Pour commencer, chacun passe sa carte à son voisin de droite. Son voisin de gauche lui donne ainsi la sienne, précisèrent inutilement ses lèvres éméchées. Tous les noms doivent être cités dans la chanson. Je sais que ça réduit le champ des possibilités, mais peu importe, nous sommes ivres. Vous pouvez seulement écrire le nom d'un ancien chef d'État. »

Un rire vint chatouiller toutes les lèvres, alors que les trompettes de Fela les réprimandaient en fond sonore. Chacun se mit à écrire d'une main lâche ou enragée puis passa sa carte à son voisin de droite. Alors que nous entrions dans la maison, Aisha et moi entendîmes les voix des joueurs. Tonton et elle m'avaient souvent parlé d'eux, et je savais que chacune de leur visite était mémorable. Mais je n'avais alors d'yeux que pour Aisha, qui peu à peu poussait la lourde porte sculptée de sa mémoire. Celle-ci s'ouvrait sous le poids de sa main avec docilité, me donnant accès à de nombreuses histoires.

Je m'émerveillais fréquemment de son élégance, de sa douceur mêlée de force, de ce sourire qui atteignait rarement ses yeux. Je savais tout de sa vie à l'époque où je vivais ici, au Nigeria, car nous avions été inséparables ; mais tandis que nous flânions ensemble dans le centre commercial, je m'aperçus que j'en savais peu sur ce qu'elle avait vécu pendant mon absence et rien sur son enfance – je devais me contenter d'imaginer sa vie dans le Nord. Nous venions de passer toute la journée ensemble, mais je préférais rester seul avec elle plutôt que de rencontrer des personnes âgées. Aussi me réjouis-je de son consentement lorsque je lui proposai de contourner le salon pour nous rendre dans le patio.

« Personne ne doit regarder sa carte, prévint une voix énergique à l'intérieur de la pièce. Il vous suffit de la lécher et de la coller sur votre tête pour qu'on puisse voir votre nom. »

Les autres participants acquiescèrent bruyamment.

« C'est moi qui commence, dit Tonton, trop concentré sur l'identité de son personnage pour observer celle de ses compagnons.

Suis-je un homme ? » demanda-t-il d'une voix forte et agressive, afin de souligner le ridicule de sa question.

Ses amis lui répondirent par des hurlements de rire, auxquels se joignirent immédiatement les siens.

Je laissai Aisha choisir son siège en espérant ardemment qu'elle opterait pour le canapé, afin que nous puissions nous blottir l'un contre l'autre. C'est exactement ce qu'elle fit.

« J'aimerais mieux les rencontrer une autre fois. Je vais éteindre la lumière pour qu'ils ne sachent pas que nous sommes là », dis-je.

Aisha se contenta de sourire lorsque j'appuyai sur l'interrupteur.

« Est-ce que j'ai un diplôme universitaire ? »

Un chœur de non hésitants nous parvint du salon alors que je m'installais à côté d'elle sur le canapé. Silencieux, tétanisés par la sensation de cette proximité, nous écoutâmes la conversation se poursuivre dans la pièce voisine.

« Je peux donc en éliminer deux : Goodluck et Yar'Adua. Est-ce que j'ai été militaire ? »

Rires et acquiescements.

« Est-ce que j'ai été renversé ? »

La confusion régna brièvement, puis nous parvinrent les réponses à peine audibles de voix pâteuses.

« Est-ce que j'ai détourné des fonds publics ?

— Bien sûr ! » hurlèrent-ils tous.

Aisha posa la tête sur mon épaule et mon cœur décida d'entamer une version à percussion débridée de l'hymne national.

Elle posa la main droite sur ma poitrine et dit :

« Je sens ton cœur. »

Aussitôt, l'embarras que j'éprouvais en raison de son tambourinement disparut. Je me sentais étrangement fier à l'idée que mon cœur révèle avec tant d'éloquence ce qu'il éprouvait pour elle. Car Aisha aurait pu m'en donner l'occasion cinquante fois, je n'aurais jamais su lui transmettre ce message aussi subtilement que le faisait mon cœur à sa paume. Je glissai la main autour de sa taille et, bien qu'elle fût déjà collée contre mon flanc, je l'attirai contre moi parce que j'avais trop peur de l'embrasser.

« Est-ce que j'ai truqué des élections ? »

De nouveaux rires répondirent à sa question.

« Tu es sur une fausse piste : il faut que tu repenses à ta jeunesse, à l'époque où le pouvoir de l'homme politique était aussi grand que sa bouche.

— Ma parole, tu essaies de l'aider ! Oyinbo, tu n'as plus le droit de répondre.

— Pourquoi donc l'empêches-tu de m'aider ? Tu veux la réponse ou est-ce que tu cherches juste la dispute ?

— C'est bien ça, le problème avec les Nigérians : vous autres adorez vous disputer pour rien.

— N'es-tu donc pas des nôtres ? »

Nous écoutâmes les adultes jouer avec une liberté que nous avions perdue depuis l'enfance. Au grand mécontentement d'Oyinbo qui avait passé une demi-heure à expliquer les règles du jeu aux autres, la conversation dévia cinq minutes à peine après le début de la partie.

« Allez, dépêche-toi donc de deviner », intervint-il brusquement.

Mais Tonton n'avait aucune intention de se presser : il était d'une gaieté inhabituelle. Ce jour-là, Dolapo Odukoya, Tonton, le principal allié d'Oyinbo lorsqu'il s'agissait de convaincre le groupe de jouer à un jeu, procurait aux autres la plus grande distraction. Nous l'entendîmes mettre une éternité à se lever. Tonton pouvait être agile, mais il se redressa lentement afin d'attirer l'entière attention du groupe indocile.

« Plutôt que de chercher bêtement à deviner qui est mon personnage dans ce jeu de faux-semblants, je vais citer un événement de notre passé, et vous devrez me dire si le président de l'époque était l'homme dont le nom est écrit sur mon front. Je commencerai donc par cette simple question : qu'y a-t-il de grand exactement chez la "grande Ife[1]" ? »

— *Wa sere[2] !* » hurla quelqu'un afin d'exprimer son assentiment.

---

1. *Great Ife* est le surnom donné à l'université publique Obafemi Awolowo, située dans le sud-ouest du Nigeria.

2. Bien parlé !

Grâce aux descriptions qu'Aisha m'avait faites du groupe, je devinai qu'il s'agissait de M. Adedoja.

« Voyez comment ce grand esprit a déjà déduit que son personnage exerçait le pouvoir au milieu des années soixante-dix. Oui, il régnait à l'époque de nos études universitaires, mais il y a eu deux chefs pendant ces quelques années.

— Voyons voir, réfléchit Tonton : une longue marche organisée par le syndicat étudiant a fait trembler le gouvernement militaire en 1974. »

M. Adedoja intervint de nouveau.

« En fait, c'était en 1975. Je ne peux pas me tromper parce que j'étais déjà inscrit à l'université.

— Mais non ! protesta bruyamment Tonton. Je sais que tu aurais adoré faire partie du folklore qui régnait ces années-là à Ife, quand le mouvement des étudiants pouvait obliger la dictature à réfléchir, mais tu n'y étais pas encore. »

Le courage que je ressentais depuis qu'Aisha avait posé la main sur ma poitrine me quittait de nouveau et j'essayais de me convaincre qu'il fallait saisir la balle au bond.

Débordé par l'agitation parcourant mon corps, je fus bientôt incapable de maîtriser mes membres, qui reposaient mollement près d'elle. Soudain, Aisha se mit à parler à voix basse – pendant quelques secondes ou une éternité, je ne saurais dire. Une appréhension silencieuse s'était emparée de moi. Muet, je l'écoutai raconter les détails de son passé. Aisha commença son récit d'une voix lente, la tête toujours posée sur mon épaule, sa position préférée lorsque, plus jeune, elle me racontait ses secrets.

Dans le salon, Tonton constatait que la nostalgie ajoute souvent au passé des éléments convaincants, mais inexacts, ce qui rendait ses affirmations peu crédibles.

« Je vais te prouver que tu te trompes. J'ai une photo de cette époque », s'exclama-t-il soudain.

Il pénétra ensuite dans son bureau. Vingt minutes plus tard, il n'était toujours pas revenu. Le récit d'Aisha avait pris de la vitesse : elle me racontait en hâte les événements du soir de l'incendie à l'église. Lorsqu'elle atteignit le moment où son père était apparu, son débit ralentit, comme si elle voyait la scène se jouer devant elle. Son ton angoissé me fendait le cœur. Je voulais lui dire d'arrêter, mais le silence n'efface pas le passé. C'est en acceptant son existence qu'on en finit avec lui. Pour la toute première fois depuis que je la connaissais, je vis Aisha pleurer. Soudain embarrassée, elle courut se réfugier dans la salle de bains tandis que je restais figé, plongé dans la consternation. Constatant au bout d'un moment que Tonton était toujours dans son bureau, j'y entrai. Debout près de sa table de travail, il contemplait tristement le contenu d'une boîte qu'il avait sortie du tiroir du bas, celui qui était toujours fermé à clé. Mon entrée sembla le surprendre et lui rappeler brusquement qu'il avait des invités.

« Elle était magnifique, tu sais, dit-il en me regardant avec un sourire triste tout en rangeant la boîte. Mais où étais-tu passé ? J'étais censé te présenter mes invités, le groupe AdN. Ils étaient très enthousiastes à l'idée de te rencontrer.

— J'étais avec Aisha.

— Depuis ce matin ? poursuivit-il d'un ton malicieux.

— Nous sommes rentrés il y a un moment, nous étions dans le patio. »

Tonton resta silencieux un instant ; je me demandai quelle émotion il s'apprêtait à exprimer. Il sourit légèrement puis laissa échapper un petit rire et dit :

« Allume donc. »

Il retourna ensuite au salon où les invités avaient oublié les cartes collées sur leurs têtes et se remémoraient les exploits de leurs années universitaires, chacun exagérant la grandeur de son institut, si bien qu'il était impossible de l'associer aux établissements actuels, réduits à néant par le manque de financement et constamment paralysés par les grèves des professeurs. Bien que Tonton se montrât beaucoup plus réservé depuis son retour dans la pièce, mon départ imminent pour les États-Unis le convainquit de nous rejoindre, Aisha et moi, et de faire venir Emeka dans le patio, une fois que tous les membres du groupe AdN furent partis.

En raison des sursauts et intrigues provoqués par l'architecture du reste de la maison, c'est dans cet endroit que nous, ses résidents, laissions vraiment échapper nos soupirs et nos rires. Aisha et moi étions de nouveau blottis sur le canapé. Peut-être était-ce dû à la magie de la douce lumière jaune diffusée par la délicate lampe suspendue au-dessus de nos têtes. Peut-être était-ce dû à la vulnérabilité qu'exprimait le visage d'Aisha depuis qu'elle m'avait raconté son cauchemar dans l'obscurité. Peut-être était-ce dû à mon arrivée impromptue dans son bureau. Toujours est-il que lorsque je demandai à Tonton ce qui se trouvait dans la boîte, il se dépêcha d'aller rouvrir le tiroir qui était toujours fermé à clé et sortit le coffret, au lieu d'éviter ma question ou de me répondre d'un ton brusque, comme il le faisait lorsqu'on l'interrogeait sur le passé. Il le posa ensuite sur la table et chacun de nous regarda à l'intérieur. Cette boîte était une capsule témoin remplie de joies et de chagrins. Lors de chaque événement, Mme Odukoya y avait déposé une babiole et, après sa mort, Tonton, vibrant d'émotion contenue, les avait toutes conservées. Entre autres bagatelles, s'y trouvaient leur première photo ensemble, leur premier album – *The 69 Los Angeles Sessions* de Fela Kuti –, les premiers documents d'immatriculation de la voiture de Tonton – une Coccinelle Volkswagen –, tous ses bulletins de notes sans exception, envoyés par le village à la mort de sa mère – Tonton était premier tous les ans –, ainsi qu'un carton d'invitation à leur mariage. Mon oncle déposa le tout sur la table et, pour la première et unique fois de sa vie, il nous parla de son passé. Il arriva ensuite qu'il nous raconte une ou deux histoires, mais jamais comme ce soir-là dans le patio, après le départ du groupe AdN.

\*

Tonton vint au monde sur la froide natte en raphia de sa mère, dans une chambre faiblement éclairée à la bougie. Jusqu'à sa mort, jamais il ne verrait les murs blancs aseptisés d'un hôpital. Sa vie débuta à l'ombre des larges et fraîches branches d'un acacia – son premier souvenir concret, aussi concret que peut l'être le souvenir d'un enfant de cinq ans. Il se souvenait aussi de l'odeur de moisi qui émanait du pagne vert et blanc de sa mère, de la vaste superficie de la propriété d'Oba que traversaient sans arrêt des corps en mouvement et des cris discordants des corbeaux qui tournoyaient juste au-dessus. Bien entendu, on ne le connaissait pas encore sous le surnom de Tonton. Il s'appelait alors Dolapo Odukoya.

Ses journées commençaient lorsque les rayons du soleil traversaient sa fenêtre sans vitre et transperçaient l'obscurité humide de sa chambre qui sentait le renfermé. Il baladait ensuite son bâton à mâcher, long comme un crayon, dans sa bouche, afin de la débarrasser du goût persistant de ses rêves pénétrants. Le coq ayant déjà poussé son cri, il savait que, d'un instant à l'autre, la voix stridente de sa mère traverserait le fin rideau qui lui servait de porte – un luxe destiné à satisfaire son besoin naissant d'intimité.

Les cinq premières minutes de la journée l'ébranlaient invariablement, aussi Dolapo rouspétait-il souvent contre la monotonie de ses matinées. Dans le salon, son père mâchait pensivement son bâton, tandis qu'une voix mielleuse et saccadée murmurait les informations du matin. Occupée à nettoyer le sol recouvert de bouse séchée, sa mère s'arrêtait tous les dix coups de balai afin de rattacher son pagne, qui refusait de rester serré autour de sa taille mince. Il obéissait enfin à ses doigts agiles lorsque le petit déjeuner lui donnait plus d'embonpoint. Plus tard, sa mère nettoyait Dolapo avec une boule de paille, un bloc de savon noir et de l'eau glacée. C'était à la fois une récompense après le trajet d'une demi-heure qu'il avait accompli jusqu'au cours d'eau avec son petit seau vert, et une punition sous prétexte qu'il possédait encore assez d'énergie après cette marche matinale pour se plaindre, faire des ricochets et se baigner avec ses amis avant le décrassage maternel. Le petit déjeuner était toujours lourd, le déjeuner se composait d'aliments récoltés dans les innombrables arbres et le dîner avait lieu tôt dans la soirée. Le petit garçon était finalement à court d'occupations lorsqu'arrivaient dix-huit heures, moment où le soleil se retirait derrière les collines boisées. Mais il trouvait beaucoup à faire pendant les douze heures que comptait sa journée.

Les divertissements n'étaient pas légion dans la ville d'Ogbomosho. Patiemment assis sous la véranda, Dolapo attendait que les lézards viennent se réchauffer au soleil. Il les attaquait par-derrière comme il avait vu son père le faire avec les antilopes.

« Il faut être patient, Dolapo, disait celui-ci. Si tu attends suffisamment, ils te feront signe quand ils seront prêts à être attrapés. »

Aujourd'hui, il savait reconnaître ce moment. C'était l'instant qui suivait le summum de l'impatience, cette vague déchaînée qui menaçait d'animer son corps contre son gré puis se retirait. Il attrapait ainsi les lézards lorsqu'ils essayaient de filer à l'abri, puis il les attachait par la queue avec du fil de pêche au grand goyavier qui poussait devant la maison, jusqu'à ce qu'ils s'en débarrassent et s'enfuient ; son record s'élevait à sept queues suspendues. Dolapo noyait également son ennui dans les profondeurs des innombrables mares grouillantes de poissons-chats. Au début, leurs longues moustaches lui faisaient peur ; mais sa cousine, Ranti, tint un jour l'une de ces créatures pendant cinq minutes. Le poisson encore vivant se tortillait violemment, la bouche grande ouverte, suffoquant. Dolapo l'avait d'abord trouvé terrifiant, puis triste. Le jeune garçon était persuadé de pouvoir faire mieux que Ranti dans tout ce qu'elle était capable de faire. Et ce n'était pas parce qu'il avait une semaine de plus qu'elle, mais « parce que c'était une fille ».

Tout en prétendant garder poliment ses distances, la pauvreté frappait insidieusement les lieux : on la devinait aux guenilles et à l'austérité des maisons. Dolapo, lorsqu'il était vêtu de son costume occidental, nageait dans le bonheur.

Dans ses souvenirs, la première fois depuis trois lunes qu'il n'avait pas passé au moins une heure à courir à travers le village, utilisant un court bâton pour pousser un vieux pneu de vélo usé devant lui, était le jour de son dixième anniversaire. Pendant ses balades, la curiosité l'éloignait des sentiers herbeux qui menaient des fermes clairsemées aux ruelles de boue séchée traversant le centre-ville. Après le petit déjeuner, il retournait au cours d'eau pour une nouvelle baignade avec ses cousines – toutes des filles à la nudité décomplexée. Il entamait ensuite sa promenade solitaire, se contentant de la compagnie lointaine des collines solennelles.

La fournaise rougeoyante de l'atelier du forgeron constituait toujours sa première escale. Les flammes dansantes avaient la même innocence que ses pensées débridées. Le forgeron était un jeune homme bavard, au sourire permanent.

« Ah, Dolapo, l'interpella-t-il un jour. Regarde un peu la houe de ton père : comment l'a-t-il encore cassée ? »

Mais avant que le garçon puisse répondre, il poursuivit :

« Cette fois, je te garantis que même un homme comme lui sera incapable de l'endommager.

— C'est ce que tu as dit la dernière fois », rétorqua Dolapo.

Le forgeron éclata de rire.

« Tu as raison, mais cette fois, je suis sérieux. Je vais faire fondre… »

D'un ton enjoué, il l'entretint ensuite des différentes techniques qu'il avait l'intention d'essayer, dans l'espoir de rendre les outils agricoles plus résistants et plus tranchants.

Dolapo ne le comprenait pas toujours, mais il aimait son enthousiasme contagieux. La dernière fois que le garçon le rencontra, c'était une semaine avant qu'il commence le lycée à Ibadan. Depuis qu'il avait cessé de patrouiller dans les rues avec son pneu, presque trois ans plus tôt, Dolapo n'était passé le voir qu'à deux reprises. Le forgeron était encore plus excité que d'habitude.

« Dolapo ! s'écria-t-il presque lorsque le garçon entra dans la forge dont les ombres dansaient même à midi. Je vais fabriquer une charrue.

— Qu'est-ce que c'est que ça ?

— Ma foi, réfléchit le forgeron, je n'en suis pas totalement certain moi-même, mais bientôt, nous serons indépendants. Les forgerons indépendants fabriquent des charrues et les fermiers indépendants les utilisent, déclara-t-il, sûr de ce qu'il avançait.

— Qu'est-ce que ça veut dire, indépendant ? » demanda Dolapo.

Il aimait bien ce forgeron car il le laissait poser autant de questions qu'il le souhaitait.

« Eh bien, commença celui-ci en grattant sa tête rasée de ses ongles tachés. Être indépendant, ça signifie que tu peux faire tes propres choix », répondit-il d'un ton ferme, avant d'essayer de redresser son dos musclé qui ne semblait jamais totalement droit.

Pendant ce temps-là, une bûche crépitait dans le feu.

« Mais qu'est-ce qu'une charrue, et pourquoi est-elle liée à l'indépendance ?

— Alors voilà, répondit le forgeron en grattant sa poitrine nue balafrée qui était noire de chaleur et de suie. Une charrue, c'est le meilleur outil agricole jamais inventé.

— Et le rapport avec l'indépendance... ?

— Attends, j'y viens », répondit l'homme. Pendant un bref instant, son sourire disparut car il réfléchissait. « Eh bien, une charrue, c'est mieux qu'une houe, non ?

— Je suppose, répondit Dolapo.

— Et si nous sommes indépendants, nous prendrons nous-mêmes nos décisions, n'est-ce pas ?

— C'est ce que tu as dit.

— Je sais bien que c'est ce que j'ai dit, s'impatienta l'homme. Donc, si nous prenons nos décisions seuls, nous déciderons de fabriquer une charrue parce que c'est mieux », conclut-il.

Son sourire était de retour, plus large que jamais. L'idée de devenir indépendant le rendait heureux. Sa réponse aussi, car il sentait que c'était la bonne.

Dolapo sourit à son tour. Il était impossible de ne pas sourire au forgeron.

Au bout d'une heure de conversation, l'homme lui apprenait généralement à siffler un nouvel air. Le forgeron était un siffleur sensationnel et Dolapo ne se débrouillait pas trop mal. Une nouvelle mélodie en tête et le sourire aux lèvres, le garçon poursuivait sa route en se faufilant entre les huttes rudimentaires agglutinées le long de la rue principale. En chemin, il courait après les poulets et tendait des embuscades aux lézards. Sa destination finale était toujours la maison d'Oba, le frère aîné de sa mère. Il rendait ainsi visite à sa cousine Ranti et partageait avec la famille un déjeuner rapide. Chemin faisant, il disait quelques mots aux chèvres au pelage noir et brillant qui mangeaient les épluchures d'igname, puis il regardait la vieille femme voûtée et édentée parler toute seule. Le garçon faisait chaque jour cette promenade très gratifiante à travers le village et passait quelques heures merveilleuses avec son cerceau rebondissant.

« Dolapo, mon chéri », l'appelait finalement Mama Ranti, un doux sourire creusant ses joues rebondies. La sévérité des six grosses marques tribales qui ornaient son visage comme des points d'exclamation s'atténuait aussitôt. L'affection de cette femme rondelette se manifestait par une forte étreinte engloutissant le garçon dans son ample poitrine. Dolapo trouvait ce geste exagérément démonstratif, sans compter que Ranti s'amusait toujours de sa gêne. Toutefois, il était prêt à endurer ce supplice compte tenu de la récompense qui suivait. Tous les jours, à midi, Mama Ranti posait un énorme saladier d'*amala*[1] fumant sur le sol de sa hutte. Rassemblées sur les nattes tissées, les cousines de Dolapo formaient un cercle approximatif, puis tous les enfants se disputaient le poisson séché qui flottait paresseusement dans l'épaisse soupe *gbegiri*[2].

Sa mère lui administra une sévère correction lorsqu'elle eut vent de ses occupations gloutonnes. Chaque coup était ponctué d'une réprimande stridente.

« La pauvreté… » Vlan !

« Est… » Vlan !

« La destinée… » Vlan ! Vlan !

« Des goinfres. »

À ce moment-là, les coups se succédèrent au rythme d'un roulement de tambour ; puis, à leur apogée, tous deux éclatèrent en sanglots.

Alerté par le vacarme, son père entra dans la hutte et demanda calmement :

---

1. Boule de pâte faite de farine de manioc ou d'igname.
2. Soupe de haricots.

« Mais pourquoi est-ce que tout le monde pleure ?

— Il a déjeuné chez Oba et volé leur repas à ses pauvres filles », bredouilla rageusement sa mère.

Son père fronça brièvement les sourcils.

« Et c'est pour ça que tu veux le tuer ? Tu ne pouvais pas simplement l'en empêcher ?

— Bâton oisif, enfant abusif », cracha sa mère en faisant allusion aux Saintes Écritures – comme chaque fois qu'elle voulait se justifier. Sans un mot, son père sortit de la maison et revint muni d'un gros bâton qu'il posa devant elle.

« Allez vas-y, tue-le », dit-il.

Son regard dur étincela de malice lorsque le corps de Dolapo se raidit d'horreur.

« Bon, laisse-nous tranquilles maintenant, rétorqua Mama Dolapo.

— Non, tue-le, répéta son mari en posant le gros bâton dans sa main.

— Laisse mon bébé tranquille ! Tu ne sais donc pas que son corps est un temple sacré ? »

Là-dessus, ses parents explosèrent de rire, puis sa mère serra Dolapo dans ses bras. Elle le frappa rarement par la suite, préférant recourir à la prière pour garantir la protection du corps et de l'âme de son garçon.

Dès lors, Mama Ranti lui donna un *agbalumo* après chacune de ses visites intéressées. Dolapo rentrait ainsi chez lui en mangeant le petit fruit rond et orange au goût sucré et âcre, crachant les pépins noirs et brillants sur les chèvres impassibles. Sa mère lui demandait invariablement :

« Est-ce que tu as mangé quelque chose chez Oba aujourd'hui ? » Ce à quoi le garçon répondait évasivement :

« *Mama Ranti funmi ni agbalumo*[1] », une ruse qui lui permettait de contourner la vérité et d'éviter un mensonge qui aurait des conséquences plus graves encore.

_____

1.  Mama Ranti m'a donné un *agbalumo*.

Un jour, Ranti et lui restèrent trop longtemps au bord de la rivière. C'était la première fois que Dolapo pêchait un poisson : il était si fier qu'il rentra chez lui en flânant. Alors que tous deux approchaient de sa maison, l'excitation fit place à la peur car le garçon était en retard pour le dîner. Il s'empressa de dire au revoir à Ranti, cacha son poisson au fond d'un seau dans l'arrière-cour et grimpa dans sa chambre en entrant par sa petite fenêtre. Dolapo déchira sa chemise au passage mais le remarqua à peine ; il craignait davantage la fureur de sa mère au moment où il se ferait prendre. Alors qu'il s'allongeait sur sa natte, elle fit irruption dans sa chambre.

« Mais où étais-tu ? Je t'ai appelé pour le dîner. J'ai préparé de l'*amala,* et ce plat est immangeable quand il est froid.

— J'étais là, mais je n'ai pas entendu », répondit-il d'un ton hésitant.

Les yeux de sa mère s'enflammèrent.

« Dolapo Oluwatobiloba Odukoya ! » Elle ne prononçait son nom entier que lorsqu'elle voulait souligner l'ampleur de sa colère. « Je t'interdis de me mentir. »

Dolapo s'assit sur la natte.

« Je ne mens pas… » protesta-t-il d'une voix tremblante, alors que sa mère traversait la petite pièce en trois rapides enjambées. Elle le frappa deux fois : la première sur le visage avec les deux mains, la seconde sur le dos alors qu'il se courbait en pleurant. Le garçon s'enfuit dehors et sanglota sous le goyavier. Les larmes ruisselaient sur son visage enflé et sa jambe gauche. Pendant vingt minutes, il pleura de douleur, de chagrin et d'indignation. *Elle ne m'aime pas, alors que je suis son seul enfant !,* songeait-il.

À son retour, l'*amala* froid était posé sur une natte dans le salon. Sa mère ignora son visage baigné de larmes.

« Tu ne partiras pas d'ici avant d'avoir terminé ton dîner », déclara-t-elle fermement avant de sortir.

Dolapo continua à pleurer en silence. Ses larmes tombaient dans la sauce ; l'*amala* était dur et immangeable. Il le tâta du bout des doigts et sanglota davantage. S'apitoyant sur son sort, il fit le vœu de mourir sur-le-champ afin que sa mère comprenne combien elle l'aimait. Quel dommage qu'il ne se fût pas effondré lorsqu'elle l'avait giflé – c'eût été une bonne leçon pour elle. Dolapo envisagea de s'étouffer lui-même en enfonçant la boule de pâte dure comme de la pierre dans sa gorge. Il resta assis ici une demi-heure à promener la nourriture dans son assiette, incapable de déposer la moindre bouchée sur sa langue, qui conservait le goût amer du désespoir. Sa mère réapparut finalement avec une assiette, dont le contenu sentait légèrement le poisson frit.

Elle s'arrêta sur le seuil, l'assiette à la main et le sourire aux lèvres.

« Mon bébé, mon chasseur, mon amour, ma joie suprême, tu n'es pas fâché contre ta mère, j'espère ? »

Dolapo haussa les épaules sans quitter le mur des yeux. Sa mère se mit à rire.

« Mon cœur, mon chéri, mon guerrier », poursuivit-elle en marchant vers lui.

Dans l'assiette se trouvait son poisson, assaisonné et frit. Dolapo réprima à grand-peine le léger sourire qui menaçait de relever les coins de sa bouche. Arrivée près de sa natte, elle posa le plat et le souleva dans ses bras.

« Tu es presque trop lourd pour moi maintenant, et vraiment trop grand pour pleurer. »

Comme sa mère le couvrait de baisers, le garçon fit semblant de lutter.

« Qui te fait de la peine ? Qui fait donc pleurer mon courageux guerrier ? » demanda-t-elle avec une incrédulité feinte.

Dolapo était déterminé à ne pas se laisser amadouer aussi facilement ; il voulait la battre à son propre jeu.

« C'est ma mère : elle me bat pour rien, répondit-il en recommençant à sangloter.

— Quoi ? » Mama Dolapo simula la surprise. « Je la connais très bien, elle t'aime trop pour faire une chose pareille. Que lui as-tu donc fait ? »

Dolapo savait qu'il ne s'en sortirait pas ainsi. Il devait avouer son crime car la preuve se trouvait juste devant lui, attendant d'être consommée.

« J'ai menti, répondit-il à contrecœur entre deux reniflements.

— Comment as-tu pu faire une chose pareille, et à ta mère chérie en plus ? Bon, cesse de pleurer, mange ton poisson et que chacun pardonne à l'autre sa mauvaise action. »

Sa mère le reposa sur la natte devant l'assiette de poisson, puis elle se mit à danser et à le complimenter.

« *Dolapo est un bon garçon, Dolapo est un bon garçon, Dolapo est un bon garçon, je le sais, je le sais, je le sais* », chantait-elle en balançant de droite à gauche ses minces hanches et son cou fin au rythme de ses phrases. Elle poursuivit son chant pendant qu'il mangeait, utilisant d'autres adjectifs tels que « courageux », « beau » et « fort » pour décrire son fils. Au moment où il termina le poisson qui, à son insu, avait été salé par les larmes pleines de remords de sa mère, l'*amala* durci et ses sanglots étaient oubliés. Mama Dolapo lui raconta alors une histoire avant qu'il aille se coucher, ce qu'elle faisait rarement.

Cette femme n'était pas cruelle mais souvent, son attitude exagérément sérieuse empêchait les autres de s'amuser totalement. Son corps léger et sa voix plus légère encore lui donnaient l'air d'un ange punisseur posé sur votre épaule qui réprouvait tout. On disait son mari de meilleure composition, mais il était trop absorbé par son travail. Tout en lui était fort – ses mains, sa voix, sa volonté. Il n'avait jamais besoin de réprimander Dolapo parce que ses instructions, énergiquement prononcées, étaient toujours suivies à la lettre.

\*

Oba Oguntoyinbo, l'oncle de Dolapo, était connu pour ses nombreuses excentricités ; mais c'étaient ces étrangetés qui faisaient de lui un homme politique très habile. Il organisait des fêtes même sans événement particulier et couvrait les siens de cadeaux pour le plus grand plaisir de ses adulateurs. Le père de Dolapo, pour qui le dur labeur et l'honnêteté étaient des valeurs essentielles, s'irritait souvent de ces dépenses excessives. Lorsqu'après son mariage avec sa sœur, Baba Dolapo avait rendu à Oba ses innombrables cadeaux, les deux hommes avaient fini par nouer une amitié joviale et désintéressée. Le 29 février les intriguait autant l'un que l'autre car ce jour-là n'existait pas dans le calendrier yoruba et n'apparaissait qu'un an sur quatre. Il arrivait sans tambour ni trompette et les gens disposaient brusquement d'une journée entière pour faire ce qu'ils voulaient. C'était le seul jour où Baba Dolapo se retenait de se lever à l'aube et de travailler dur jusqu'au coucher du soleil. Dolapo aimait particulièrement cette date car un cadeau d'Oba ne manquait jamais d'arriver pour l'occasion, et son père consentait à le garder.

Sa mère racontait souvent la fois où, dans les années cinquante, à l'époque où Dolapo était encore tout petit, Oba leur avait envoyé l'électricien afin qu'il installe chez eux un ventilateur de plafond. Dolapo était resté dessous pendant des heures à regarder fixement les pales tourner. Anormalement gai, son père le prit soudain dans ses bras.

« Tu veux le voir de plus près ? » lui proposa-t-il, et Dolapo acquiesça.

« Mais promets-moi de ne pas le toucher », ajouta son père.

Étrangement, c'était le seul avertissement de tout l'incident dont se souvenait Dolapo. Alors que son père l'approchait du ventilateur, un effroi mêlé d'émerveillement s'empara du garçon : son corps s'immobilisa, ses yeux s'écarquillèrent. Sa mère était proche de l'hystérie mais Baba Dolapo riait aux éclats, grisé par sa propre gaieté. Il laissa de nouveau échapper un rire bruyant et reposa le garçonnet sur le sol, mais ce n'était pas suffisant. Il regarda son fils, ses grands yeux trahissant la peur que le reste de son corps refusait d'exprimer, et se sentit fier.

« Nous allons montrer à ta mère combien tu es courageux », lui chuchota-t-il à l'oreille.

Mama Dolapo, qui s'approchait de l'enfant afin de l'arracher des mains de cet homme joyeux, si différent de son mari, faillit s'évanouir lorsqu'elle vit le nez du petit s'élever de nouveau vers les pales du ventilateur.

Alors qu'il approchait son fils des lames ronronnantes de l'engin, Baba Dolapo fredonna un chant religieux qui plaisait beaucoup aux enfants :

« *Sois courageux, sois fort, car le Seigneur, ton Dieu, est avec toi.* »

Le vrombissement du ventilateur rendait sa voix à peine audible. Le visage de Dolapo ne se trouvait plus qu'à cinq centimètres des pales. Il avait les yeux aussi grands que des soucoupes, le corps aussi rigide que celui d'un cadavre. Sa mère pleurait sur le sol, incapable de le regarder, incapable d'approcher ce mari soudain possédé. La scène ne dura que deux ou trois secondes, mais Baba Dolapo jura par la suite que, pendant une heure, son fils avait regardé la mort en face sans broncher. Lorsqu'il baissa les bras, le père avait les larmes aux yeux tant il était fier. Sans un mot, il remit le jeune garçon à sa mère et alla dans sa chambre. Les membres de la famille n'échangèrent plus un mot de la journée mais le lendemain, Baba Dolapo emmena son fils sur son lieu de travail pour la première fois. Le garçon assis sur son épaule, il parcourut tout le trajet jusqu'à la grande ferme comme un héros conquérant.

« Tu ne feras pas ce travail, lui répétait-il à voix basse. Tu réussiras mieux que moi, tu réussiras mieux que ta mère, tu réussiras même mieux qu'Oba. »

Il chuchota ces derniers mots comme s'il craignait que les palmiers lui volent son vœu et l'effacent de leurs bavardages. Baba Dolapo avait fait cette promesse de nombreuses fois à son petit garçon et à présent, il y croyait.

\*

Une enfance plus tard, le 1er octobre 1960. Ce jour-là, le ciel avait de nombreux visages et le peuple parlait d'une seule voix. Baignant dans l'euphorie postnatale, le Nigeria s'écriait « Indépendance ! ». Celle-ci avait l'esprit délicat et la bouche vorace d'un nourrisson.

Ce 1er octobre 1960 était une journée atypique. Tonton se remémorait souvent les faits marquants de la soirée avec nostalgie. En raison des événements, on avait décidé de prolonger les vacances d'été. De leur côté, les parents fermaient plus facilement les yeux sur les bêtises incessantes de leurs enfants agités. Il était presque minuit, mais personne ne dormait – pas même les petits. Six heures après le coucher du soleil, ils étaient toujours debout, le regard trouble, excités par le bavardage de leurs parents. Quelques-uns, affirmant qu'ils étaient encore pleins d'énergie, couraient en tous sens et tombaient sur la terre sèche et craquelée. Toute la partie ouest de la ville d'Ogbomosho s'était rassemblée dans l'enceinte d'Oba Oguntoyinbo, où se trouvait une petite télévision en noir et blanc, posée à côté de quatre radios. Était même présente la vieille veuve dont on avait enterré l'âge depuis bien longtemps auprès de ses onze enfants. Seize grosses calebasses de vin de palme avaient déjà été vidées. Tout le monde festoyait, discutait et dansait. Au cours d'un match de lutte palpitant, Kunle Kolawole avait déstabilisé Dada, son frère aîné et champion en titre ; et Fagbayi l'ivrogne venait de divertir la foule avec son hommage alcoolisé au nectar laiteux et sucré du palmier. Dans le confort intime du crépuscule, de jeunes hommes bien charpentés flirtaient avec des dames timides appuyées contre des murs cachés. Un sourire approbateur argenté brillait haut dans le ciel. Blottis dans des coins, les aînés conversaient d'un ton sérieux. Grâce à leur technologie moderne, ils entendaient et voyaient tout ce qui se passait sur le globe. Ils avaient ainsi prédit l'heure du changement.

Cinq minutes avant l'heure H, le silence tomba sur la région. On n'entendait plus que le son des radios que chacun avait monté. WNTV, la première chaîne de télévision africaine, affichait fièrement son nom en bas à droite de l'écran. L'envoyé de la reine commença à s'exprimer. On avait coupé le son de sa voix à la télévision, déjà diffusée par quatre radios. La plupart des personnes rassemblées ne comprenaient pas un mot de ce qu'il disait, mais elles gardaient les yeux rivés sur les images filmées du stade national de Lagos. Une heure plus tard, l'oncle de Dolapo proclama joyeusement :

« Nous sommes libres ! »

Et ses hommes reproduisirent le son de cette phrase sur leurs tambours. Au bout de vingt minutes, les danses improvisées s'arrêtèrent aussi brutalement qu'elles avaient commencé et la parole des aînés ratatinés remplaça les balancements des jeunes hanches.

À quinze ans, Dolapo ne comprenait les événements qu'en partie, mais il devinait qu'il se passait quelque chose d'important. Pendant ses deux années au lycée, il avait suivi des cours d'histoire « nigériane ». Cependant, on y citait surtout des noms tels que lord Lugard[1] et Hugh Clifford[2] ; aussi ne pouvait-il comprendre la joie qui faisait trembler les jambes de son oncle. Dolapo était le seul garçon de son âge. De retour du collège du gouvernement fédéral d'Ibadan, il avait découvert qu'il ne pouvait plus jouer comme avant avec les filles et affichait depuis un air de solitude mélancolique. Ainsi, lorsque les gens se mirent à danser et à se balancer sur leurs jambes fatiguées, l'esprit ivre et le cœur débordant de joie, il décida de tous les surpasser et imita les mouvements ondulants des jeunes hommes, sa fatigue se substituant à l'ivresse que leur procurait le vin de palme.

Lorsque la foule se rassembla de nouveau devant la télévision, Dolapo, surexcité, se cala entre les jambes de son oncle, aussi longues et larges que des trompes d'éléphant. Étant le seul neveu d'Oba, il jouissait du meilleur point de vue sur le déroulement des événements. Cependant, il avait beau faire de son mieux pour garder ses grands yeux marron ouverts, le garçon piquait régulièrement du nez, ses oreilles n'assimilant qu'à moitié le grondement des voix qui flottait autour de sa tête comme une couverture sage et réconfortante.

« Dolapo *ti sun lo*, dit Ranti à sa mère en dodelinant malgré elle de la tête.

— Tu devrais aussi aller te coucher, répliqua celle-ci.

— Mais nous allons rater le plus grand jour de notre histoire ! » protesta Ranti.

---

1.  Gouverneur général du Nigeria de 1914 à 1919.
2.  Gouverneur général du Nigeria de 1919 à 1925.

Elle avait le cou fort et très long. La longueur lui venait de son père ; la force, de sa culture.

Dolapo aurait eu un cou semblable s'il ne s'était trouvé au tout début de l'âge adulte. Lorsqu'il avait eu dix ans, sa mère avait décrété qu'il était un homme. Alors qu'il sortait de la maison, elle lui avait tendu un grand seau en acier. Dolapo commença par s'en réjouir car sa marche du matin, qu'il devait accomplir deux fois par jour depuis l'achat de ce seau deux mois plus tôt, allait pouvoir retrouver son caractère unique. Il n'aurait plus à effectuer tous ces trajets avec le petit seau vert posé en équilibre sur la tête.

« Tu es un homme, maintenant, déclara-t-elle. Tu ne seras plus obligé de partir avec ton *ike* en plastique deux fois par jour afin de remplir celui-ci. »

Dolapo se dirigeait vers le cours d'eau d'un pas vif : il était un homme à présent. Ranti s'y trouvait déjà. Le pagne qu'elle portait autour de la poitrine était soigneusement plié et posé sur la branche basse d'un saule.

« Je me demande bien ce que tu cherches à couvrir, la taquinait souvent Dolapo. Il est trop long pour toi. »

Fière d'être la seule fille de son âge à posséder son propre pagne, Ranti se promenait partout la tête haute, bien que le bout du tissu traînât dans la boue. Tous les soirs, elle le lavait avec application dans la rivière et le retrouvait aussi sale le lendemain.

« On fait la course, Dolapo ? lança-t-elle alors qu'il approchait de la berge.

— Je n'ai pas le temps de jouer aujourd'hui », répondit son cousin, débordant de jeune virilité. Comme il levait son seau, Ranti le remarqua.

« Où est le tien ? demanda-t-il du ton le plus autoritaire possible.

— Là-bas », répondit-elle en pointant son seau du doigt, avant de nager vers lui. Dolapo ramassa le petit récipient orange et le plongea dans la rivière.

« Tu ferais sans doute mieux de ne remplir le tien qu'à moitié jusqu'à ce que tu t'y habitues », suggéra Ranti.

Mais Dolapo l'ignora. Il replongea le seau orange dans la rivière puis versa une fois de plus son contenu dans le plus grand.

Le garçon souleva péniblement son seau en métal et se mit en route.

« Je n'ai pas le temps de jouer », cria-t-il par-dessus son épaule, le corps dangereusement penché à gauche, la main droite serrant énergiquement la poignée métallique. Son bras gauche tendu semait de minuscules gouttes d'eau sur le chemin tandis qu'il grimpait la colline. Dix mètres plus loin seulement, sa sueur commença elle aussi à laisser des taches sombres sur le sable blanc.

Ranti se dépêcha de nouer le pagne qui appartenait jadis à sa mère autour de sa poitrine. Comme celle-ci n'avait pas encore commencé à se développer, elle devait enrouler le tissu trois fois autour de son corps. Lorsqu'elle fut enfin prête, son cousin avait déjà disparu derrière la colline. « Dolapo ! » l'appela-t-elle, mais il n'y eut pas de réponse. Ranti posa le seau en équilibre sur le coussin formé par ses cheveux et une vieille chemise roulée en boule. Elle gravit ensuite la colline à vive allure, suivant la traînée humide que Dolapo avait laissée. Arrivée au sommet, elle l'appela, s'immobilisa puis sourit. Son cousin se trouvait tout en bas, et la trace humide menait à une grande flaque entourant ses pieds : la descente s'était mal terminée. Ranti le rattrapa rapidement. Sans un mot, elle vida le contenu de son seau dans le sien, qui était maintenant plein aux trois quarts.

« Tu as peut-être raison, il faut que je m'entraîne. Je ne devrais pas le remplir », concéda Dolapo à bout de souffle.

Ranti éclata de rire puis entonna :

« *La Samaritaine-taine-taine va à la fontaine-taine-taine...* Je te rattraperai, lança-t-elle par-dessus l'épaule, avant de grimper la colline en courant. Ne te dépêche pas, sinon tu vas encore tout renverser.

— Je marcherai lentement pour que tu puisses me rejoindre », répondit Dolapo.

Le rire de Ranti retentit de nouveau.

Elle le rattrapa alors qu'il se trouvait à deux cents mètres de sa maison. Ses bras lui faisaient mal et le seau était à moitié vide.

Tenant la poignée des deux mains, il s'arrêtait tous les cinq mètres puis reprenait sa marche rapide et chancelante. L'eau clapotait contre les parois du seau et débordait de temps en temps, arrosant ses pieds boueux. Ranti marchait patiemment à côté de son cousin et s'arrêtait en même temps que lui, le seau toujours posé en équilibre sur la tête.

« Pourquoi ne le portes-tu pas comme tout le monde ? demanda-t-elle.

— Seuls les femmes et les enfants posent leurs seaux sur la tête », rétorqua-t-il. Il était obligé de changer de main tous les cinq pas et renversait une bonne quantité d'eau au passage.

« Ah, j'oubliais : tu es un homme, le railla-t-elle.

— Exactement », répondit Dolapo d'un ton ferme. Tous deux restèrent silencieux quelques instants. Dolapo était en nage.

« Sais-tu pourquoi la tortue est chauve ? » demanda Ranti au bout d'un moment.

Dolapo sourit. Tous les soirs, Mama Ranti racontait les histoires savoureuses d'Ijapa, la tortue malicieuse, à ses enfants. En général, sa cousine les lui répétait le lendemain.

« Un jour, Ijapa voulut se marier. Il se rendit donc chez ses futurs beaux-parents afin de leur demander sa main.

— La main de qui ? » l'interrompit Dolapo.

Il savait de qui parlait Ranti, mais sa tâche le rendait grognon. Bien qu'il ne se sentît plus vraiment adulte, il avait l'impression de devoir se comporter comme tel.

« De sa dulcinée, bien sûr, répondit Ranti, répétant le terme qu'avait employé sa mère quand sa petite sœur lui avait posé la question la veille.

— Qui ça ?

— Tu veux bien me laisser terminer mon histoire ? » s'irrita Ranti, qui ne savait pas ce que signifiait ce mot. Elle s'était contenté de hocher la tête lorsque sa mère l'avait prononcé et constatait à présent qu'elle ne le comprenait toujours pas.

« La personne qu'on s'apprête à épouser, je suppose, poursuivit-elle. Enfin bref, comme je le disais… » C'était une expression que

Ranti employait souvent car elle était souvent interrompue. Il faut dire qu'elle parlait beaucoup.

« Dolapo, mon guerrier, mon homme fort ! » s'exclama la voix de sa mère. Tous deux levèrent les yeux ; ils ne l'avaient pas vue arriver.

« Bonjour tantine, dit Ranti en s'agenouillant légèrement, le seau toujours en équilibre sur la tête.

— Ranti, ma chérie, dit Mama Dolapo. Tu as vu le nouvel homme de la maison ?

— Oui tantine, répondit sa cousine du même ton mielleux. Il est si fort qu'il porte un seau en métal, comme un adulte.

— Oui ! Oh, ne taquine pas mon homme. Tiens, Dolapo, prends celui-ci », dit sa mère en soulevant aisément le grand seau en métal. Elle lui tendait l'ancien récipient en plastique.

« Hé Ranti, regarde un peu notre homme, il a failli remplir la réserve d'eau en un seul trajet.

— C'est notre héros », renchérit sa cousine avec délectation.

Dolapo était près de pleurer d'épuisement. Il pivota sur les talons et sans un mot, repartit vers la rivière. Dès qu'il vit la colline, des larmes ruisselèrent sur son visage sans qu'il essaie de les retenir. « C'est la fin de mes gamineries », se dit-il en les laissant couler.

Sur le chemin du retour, ses bras fatigués se prirent à espérer que Mama Dolapo leur viendrait à nouveau en aide. Mais dès que le garçon vit la maison, il pria de toutes ses forces pour qu'elle ne le fasse pas. Ses épaules semblaient sur le point de se déboîter, mais il poursuivit vaillamment sa route, le regard fixé sur la porte d'entrée. Enfin, il entra dans la cuisine, posa délicatement le seau sur le sol sans renverser une seule goutte d'eau puis regarda sa mère, qui lui sourit. Dolapo l'imita et redressa la tête, conscient de l'avoir rendue fière. Le garçon fila ensuite dans sa chambre et s'effondra sur sa natte.

Vautré sur le sol, Dolapo fut brutalement réveillé par son oncle qui venait de se pencher vers la télévision ; Jaja Wachuku, le porte-parole de la Chambre des représentants, s'était levé afin de recevoir officiellement l'acte d'indépendance des mains de l'envoyé de la reine.

« Vas-y mon fils ! » cria Oba en levant son poing grassouillet, tandis qu'un silence impatient enveloppait le reste de la ville.

Perdu au milieu d'une forêt de jambes, Dolapo leva péniblement la tête et se redressa en s'agrippant au pantalon de son oncle. Oba Oguntoyinbo baissa aussitôt les yeux vers lui.

« Ah ! Je suis désolé, Dolapo ! » gloussa-t-il avant de l'aider à s'asseoir.

On abaissa le drapeau britannique puis on hissa l'étendard vert, blanc, vert qui se mit à claquer avec espoir et fierté au sommet du poteau. Enfin en position verticale, Dolapo contempla le drapeau national. La télévision diffusa ensuite les hurlements de joie des vingt mille spectateurs du stade et les villageois les imitèrent, unissant leurs voix à celles des Lagotiens grâce à la magie de l'indépendance. C'était une victoire pour le Nigeria ; c'était une victoire pour l'Afrique. La population libre de l'Afrique noire venait d'augmenter de cinquante pour cent.

Ainsi naquit cette grande nation dotée d'une large diversité ethnique, d'une élite émergente et de ressources abondantes, ingrédients parfaits pour une histoire savoureuse. Toutefois, s'ils avaient connu le reste de l'histoire, s'ils avaient pressenti la suite, peut-être leurs cris n'auraient-ils pas été aussi bruyants, leurs danses, aussi décontractées. Ou peut-être que si, car la liberté reste la liberté, aussi imprudente soit-elle.

Ojo, le faiseur de pluie, remplit son devoir à la perfection. Alors que les derniers fêtards partaient se coucher dans l'aube glaciale, une forte tempête s'abattit sur le village et fit disparaître toute trace des festivités à l'intérieur de la propriété sablonneuse d'Oba.

Jamais Dolapo ne s'était réveillé aussi tard. Déjà les poules avaient pondu, le coq avait chanté et le soleil s'était levé. Sa mère avait aussi eu du mal à sortir de son lit. Cependant, le maïs était moulu et les *akara*[1] frits au moment où le soleil atteignit son zénith. Son père s'était levé en même temps qu'elle. À présent, la nuit était tombée,

---

1.  Beignets à base de haricots souvent consommés au petit déjeuner.

la lune brillait, les chiens hurlaient. Dolapo étira enfin ses membres engourdis, surpris que sa mère l'eût laissé dormir toute la journée.

Il trébucha sur leur chien galeux et salua ses parents à la manière traditionnelle – à plat ventre sur le sol. Puis, se grattant la cuisse gauche, il se releva comme un somnambule et partit uriner sous son arbre préféré. Le garçon s'aperçut alors tristement qu'il avait plu toute la journée et qu'il avait raté les ruisseaux orange qui, traversant les rues boueuses, emportaient les épis de maïs et les larges feuilles qu'on utilisait pour emballer de mini-festins d'*akara* et d'*eko*[1]. Dolapo remportait toujours les courses de bateaux en papier qu'il disputait avec les autres enfants. Ensemble, ils jouaient dans les eaux sales sans se préoccuper un seul instant de leurs plaies ouvertes. De maigres chiens jaunes les regardaient piteusement, protégés par les rares avant-toits et quelques arbres peu coopératifs qui laissaient passer plus d'une goutte. Il leur était impossible de se réfugier dans les maisons dont le sol venait d'être recouvert de bouse de vache. Dans l'air flottait l'arôme rafraîchissant de la terre fraîchement lavée. Dolapo se baissa et porta une poignée de terre humide à sa bouche. Un sourire de satisfaction étira ses lèvres ; la boue avait le goût de l'air, de toutes les parties de l'arbre : écorce, branches, feuilles, racines. Le goût de milliers de fleurs et de leur pollen vagabond. Le goût de la sueur des danseurs, de l'urine des petits garçons, des excréments des chiens galeux. Elle avait un goût de terre et d'enfance, cette longue période qui avait précédé son départ à l'internat, et Dolapo la trouva tristement exquise.

Ses parents étaient absorbés par leur conversation lorsqu'il rentra. La politique les obsédait tant qu'ils discutaient sans arrêt à voix basse depuis un mois. Dolapo ne saisissait pas totalement l'importance de l'indépendance, de la création de la première chaîne de télévision nigériane, de l'apparition des routes goudronnées et de l'eau courante. Il ne saisissait pas l'importance de l'homme aux lunettes rondes. Assis aux pieds de son père, le garçon écoutait d'une oreille distraite ce que disaient ses parents.

---

1. Sorte de flan fait de farine ou d'amidon de maïs et d'eau.

Certains fermiers manifestaient violemment contre les taxes… ils brûlaient les bâtiments administratifs… ils avaient jeté les Britanniques dehors… cet homme aux lunettes rondes avait carrément créé une chaîne de télévision et une station spatiale… son oncle avait acheté une télévision… Ah, cet Awolowo[1] !

Leurs paroles tournoyaient autour de sa tête comme le vieux pneu qu'il promenait partout. S'il les écoutait, c'est que Dolapo aimait bien la voix grave et apaisante de son père et les cris excités de sa mère. Il préférait tout de même les histoires d'Ijapa que racontait Fagbayi après sa deuxième calebasse de vin de palme. Et parfois, il se remémorait avec nostalgie l'époque où Ajike, la femme qui produisait la bière locale, laissait les enfants s'asseoir dans un coin de son garde-manger et offrait un peu de son *burukutu* à celui qui lui relatait une histoire amusante.

Au moment où il rentrait chez lui ces jours-là, sa mère l'abordait ainsi :

« Où étais-tu ?

— À la rivière, répondait-il.

— Et… ? l'encourageait-elle à poursuivre d'un ton méfiant.

— Et puis je suis allé chez Oba.

— Et ensuite ?

— Je me suis arrêté sous le grand arbre en face du marché. »

À ce stade, son impatience dévorante faiblissait car le garçon énumérait tous les endroits banals où il était allé sans citer celui qu'elle attendait avec une malice ingénue.

Depuis le début, ses parents formaient une union heureuse, mais une routine confortable s'était installée entre eux après leurs premières années de vie commune. L'indépendance bouscula donc leurs habitudes : du jour au lendemain, sa mère se remit à glousser comme une vierge intimidée et son père commença à la pincer indécemment lorsqu'elle se penchait pour mélanger la soupe. Ainsi, neuf mois plus tard, Dolapo eut une petite sœur.

---

1. Obafemi Awolowo fut l'un des artisans de l'indépendance nigériane.

\*

Le destin n'est autre que la collusion d'événements importants de la vie des uns visant à produire des changements subtils aux répercussions considérables dans la vie des autres. C'est le lot de toute existence et ce fut celui de Dolapo. Heureusement pour lui, les machinations du destin lui furent favorables. Lorsque sa première sœur naquit cinq ans plus tard, après une nouvelle fête d'Oba, on lui demanda de rester à la maison et d'aider sa mère. Lorsqu'il retrouva enfin suffisamment de liberté pour aller siffler avec les oiseaux désœuvrés, il constata qu'il n'avait plus envie de courir après son pneu dans les rues boueuses. Son oncle avait passé la moitié de la fête précédente en compagnie d'un homme de la ville voisine qui était allé à l'école à Lagos et celui-ci l'avait convaincu de lancer une campagne acharnée en faveur de l'instruction des enfants du village.

M. Gbadamosi, le nouvel instituteur dont le pantalon remontait jusque sous sa poitrine grâce à des bretelles multicolores jurant avec sa courte cravate à pois, avait à peine donné une semaine de cours lorsqu'une épidémie de choléra terrassa la population étudiante tout entière. C'est donc au milieu du chaos créé par la diarrhée et les vomissements que Dolapo réintégra l'univers pédagogique. Il pénétra un jour dans la classe et découvrit M. Gbadamosi debout devant le tableau, une grande baguette dans la main droite et un livre épais dans la gauche, comme s'il s'adressait à une classe pleine d'enfants. Dolapo regarda le seul autre être vivant d'un air sceptique – un agame qui le regardait depuis le mur du fond en hochant sa tête orange vif – et se demanda quoi faire lorsque retentit la voix de M. Gbadamosi, aiguë et autoritaire.

« Asseyez-vous, jeune homme. Que savez-vous de Mary Slessor[1] ? »

Sa peau extrêmement foncée contrastait avec les chaussettes blanches paraissant sous un pantalon qui semblait avoir très peur de ses chaussures poussiéreuses.

---

1. Missionnaire écossaise envoyée au Nigeria à la fin du XIXᵉ siècle.

« Je devine à votre regard bovin que vous ignorez tout de cette femme. N'avez-vous donc aucune culture ? » poursuivit-il sans attendre de réponse.

Des gouttes de sueur commençaient à apparaître sur son crâne chauve et brillant.

« Vous ne connaissez rien à rien. Je le devine à votre expression : vous ne savez rien. » Sa voix ressemblait à celle d'un magicien de cirque. « Jeune homme, c'est bien simple, je vais tout vous apprendre sur tout.

— D'accord, monsieur, dit enfin Dolapo.

— Oui, jeune homme, jusqu'à ce que vos amis cessent de déféquer et de vomir, il n'y aura dans cette classe que vous et moi. Pas moi et vous : vous et moi. Notez-le. »

Il prononça ces derniers mots en anglais et sourit de plaisir en voyant le regard perdu du garçon.

« Chacun de nous a beaucoup à apprendre, jeune homme, beaucoup à apprendre. »

Les cours particuliers se poursuivirent même après le retour des autres élèves à l'école. M. Gbadamosi avait une fâcheuse tendance à ajouter ou oublier la lettre *h* dans certains mots. Aussi, lorsqu'il essaya d'enseigner à la classe la géographie de l'Asie, il eut le malheur de leur parler de la Corée du Chud et vit avec effroi les petites bouches s'ouvrir pour laisser échapper des rires assourdissants. En outre, l'instituteur clignait très souvent des yeux ; dans ces moments-là, on eût dit qu'ils cherchaient à lancer un SOS en morse. En général, M. Gbadamosi arrivait chez Dolapo une heure et demie avant le dîner et n'exigeait en contrepartie de ses efforts qu'une large portion de la délicieuse cuisine d'Iya Dolapo. Les jours où ils étudiaient les mathématiques, il s'octroyait une petite prime et fouillait les nombreux arbres fruitiers qui poussaient dans la propriété en attendant que Dolapo résolve ses problèmes, étonnamment agile dans ses étranges tenues. À la fin de chaque journée, lorsque l'élève lui remettait ses opérations parfaitement exécutées, M. Gbadamosi le regardait avec fierté et s'exclamait :

« Eh bien, jeune homme, je n'irai pas par quatre chemins ni par trente-six : vous êtes brillant ! »

Puis il ajoutait avec un sourire gourmand et satisfait :

« Et les fruits de votre père sont les meilleurs de tout le pays. »

Même ses yeux semblaient acquiescer.

Au fil des ans, Dolapo ne cessa de prouver qu'il était un étudiant brillant ; et le programme chargé, au lieu de le décourager, lui permit d'apprendre plus rapidement. Il possédait le rare avantage de pouvoir retenir tout ce qu'on lui disait et de parvenir à le répéter mot pour mot avec quelques effets de style inconscients. Ses parents et son oncle commençaient à envisager de l'envoyer au collège du gouvernement fédéral qu'on venait d'ouvrir à Ibadan. Une fois encore, c'est une maladie qui scella son destin, un mal non contagieux nommé paludisme. Un soir après le dîner, Dolapo s'adonnait à son nouveau passe-temps solitaire qui consistait à faire des ricochets sur la rivière du village, lorsqu'il dérangea par hasard deux moustiques accouplés. Le mâle se retrouva aussitôt empêtré dans une toile d'araignée et la femelle rancunière lui infligea une morsure nocive sur le haut du bras droit. Insouciant, Dolapo la remarqua à peine. Son jeune esprit était bien trop occupé à tenter de deviner comment faire rebondir la pierre une quatrième fois. Quelques semaines plus tard, il fut pris d'une forte fièvre, et son corps tout entier se retrouva secoué de violents spasmes. Grelottant, il réclamait qu'on lui apporte d'autres couvertures mais l'instant d'après, il était trempé de sueur. Si sa mère frôlait constamment la crise de nerfs, son père, lui, restait grave. Par chance, le commissaire de district avait envoyé un inspecteur de l'hygiène dans la région afin de surveiller les épidémies récurrentes de choléra, et la fièvre de Dolapo était apparue avant que celui-ci reparte. L'inspecteur, un petit homme aux épaisses lunettes, était impatient de prouver son mérite car il était encore une fois arrivé trop tard pour qu'on impute l'éradication de la maladie, déjà sur le déclin, à sa connaissance infaillible de la médecine supérieure. Il gava immédiatement le fragile Dolapo de Chloroquine au fort goût amer et de comprimés multivitaminés, puis décida de reporter la date de son retour afin de surveiller personnellement sa guérison. Dolapo fut bientôt sur pied et retrouva un féroce appétit, pour le plus grand plaisir de l'inspecteur de l'hygiène, très satisfait de lui-même. Il fut ensuite décidé que le garçon irait au collège du gouvernement fédéral puis à l'université en vue de devenir médecin.

Au fil de ses études, Dolapo se découvrit un goût plus grand pour la législation que pour la médecine et remporta sa première affaire à la suite d'une plaidoirie passionnée adressée à son oncle et ses parents afin qu'ils permettent à ses sœurs et cousines d'aller à l'école et d'endosser le rôle auquel il avait renoncé.

Dolapo sut qu'il avait pris la bonne décision lorsqu'il rentra chez ses parents pendant sa dernière année de lycée.

*

Le 29 février 1964, le jeune homme retourna dans sa ville natale sans prévenir personne. Il avait le pressentiment que quelque chose n'allait pas chez lui. Sa mère lui avait envoyé un mot lui annonçant qu'elle ne pourrait pas lui rendre visite comme elle le faisait habituellement le dernier week-end du mois. Tandis qu'il rejoignait la propriété de ses parents, Dolapo devina qu'il se passait un événement inhabituel. Il n'y avait pas le moindre signe de festivités, pas même un soupçon de joie dans l'air. En temps normal, Oba sautait sur toute occasion de faire la fête. Le garçon découvrit alors son père plongé dans une discussion houleuse avec l'électricien et ses deux assistants qui, l'air mal à l'aise, tenaient un grand téléviseur noir et blanc.

« Je vous interdis de déposer ça à l'intérieur, s'écria son père avec véhémence.

— Mais nous ne pouvons pas le rapporter, protesta l'électricien, légèrement effrayé. Tu connais Oba, il ne verra aucun inconvénient à tuer le messager. »

Dolapo était un astucieux jeune homme de dix-huit ans ; il ne lui fallut donc pas longtemps pour comprendre ce qui se passait. Il avait en effet remarqué le fossé grandissant qui séparait son père et son oncle. Tôt ou tard, l'un ou l'autre de ces ego froissés provoquerait la rupture de cette relation tendue. Dolapo connaissait l'origine du conflit et soutenait son père, non parce qu'il était son fils, mais parce qu'il avait raison. Masquant son trouble, il rejoignit l'homme en colère.

« Tiens, Dolapo ! » fit celui-ci d'un ton surpris.

Il était si absorbé par leur querelle qu'il n'avait pas remarqué son arrivée.

« Baba, *e fi won le, e je ka soro*[1]. »

Depuis qu'il allait à l'école, Dolapo parlait rarement à son père en yoruba, aussi celui-ci accepta-t-il presque sans hésiter. Le front plissé, le jeune homme chercha ses mots. C'était la première fois qu'il n'entrait pas chez lui dès son arrivée, dans l'intention de saluer sa mère, ses sœurs ou Ranti.

Tous deux flânèrent lentement à travers la ville. Dolapo n'était ni grand ni particulièrement beau, mais tous les regards se tournaient vers lui naturellement. Il semblait doté d'une intelligence réservée qui le devançait, tels les tambours de l'ancien temps, afin d'annoncer sa présence et ses prouesses. C'était cette sorte de charisme qui incitait les adultes à l'écouter, et les autres jeunes à le respecter. Lorsqu'il était au village, il semblait presque se distinguer de tout le monde, comme un homme ayant accompli des exploits, comme le prophète d'un peuple.

J'ai souvent assimilé le destin de Tonton à celui qu'aurait connu le Nigeria si son histoire avait suivi le cours normal des choses, si on avait accordé une chance aux personnes compétentes prêtes à s'engager. Peut-être la voix du pays n'aurait-elle pas été aussi forte que voulu, mais on l'aurait au moins entendue. Lorsque j'écoutai le récit d'Emeka, je compris quel chemin le pays avait finalement suivi : une série de dictatures infantilisantes n'avait cessé de freiner le Nigeria, aboutissant au statu quo. Je comprenais pourquoi ces deux hommes étaient devenus et restés de si bons

---

1. « Laisse-les tranquilles et discutons ensemble. »

amis. Le contraste entre leurs vies maintenait l'équilibre nécessaire à leur relation car le succès et le sacrifice de l'un offraient espoir et rédemption à l'autre. Au fond d'eux, les Nigérians croyaient que la véritable histoire de leur pays ressemblait à la vie de Tonton et que les trébuchements familiers qui jalonnaient celle d'Emeka ne constituaient qu'un cauchemar passager, une épreuve à endurer : si le Nigeria gardait foi en son avenir, tout irait bientôt pour le mieux.

Dolapo et son père marchèrent en silence jusqu'à ce que le garçon comprenne enfin ce qui le dérangeait. La ville semblait partagée en trois : certains quartiers avaient amassé une importante richesse, d'autres régressaient; mais le plus affligeant, c'était les parties figées dans le temps. Il avait remarqué que de nombreux projets annoncés avec tambours et trompettes pendant les fêtes de l'indépendance n'avaient pas avancé. Le fameux dispositif qui devait supprimer la marche obligatoire jusqu'à la rivière témoignait de l'absence de tout progrès : ses robinets se dressaient dans les rues comme une hydre assoiffée. On avait creusé le bord des chaussées afin de créer des caniveaux, mais transformé les rues en monticules boueux impossibles à emprunter. Les cacaoyers et les palmiers donnaient moins car les terres manquaient d'eau. Toutes les améliorations censées préfigurer la naissance d'un nouveau Nigeria restaient paralysées, exactement comme en 1960. Le progrès semblait être mort en même temps que la nation était née. Les rêves et ambitions de la nation paraissaient morts nés.

Pourtant, la maison d'Oba respirait l'opulence. Aux yeux de Dolapo, les richesses du pays s'écoulaient par petits ruisseaux dirigés vers les poches d'hommes incompétents qui avaient habilement négocié la transition, s'attirant les faveurs d'Oba et du nouveau gouvernement. Ces hommes, incapables de se payer un vélo à l'époque où l'agriculture était reine, se rendaient maintenant à Ibadan et Lagos au volant de leurs voitures, sans avoir honte de leur incompétence ni se révolter contre la décrépitude de leur peuple, que rendait plus flagrante chacun de leurs achats effectués grâce à de l'argent qui ne leur appartenait pas.

« Que se passe-t-il ? » demanda Dolapo à son père.

Et avant qu'il puisse répondre, le garçon ajouta :

« Est-ce la faute de mon oncle ? »

Son père resta silencieux un moment puis répondit :

« Les myopes sont aveuglés par les anneaux qui brillent à leurs propres doigts ; les myopes ne voient pas plus loin qu'aujourd'hui. »

Il se tut un instant.

« N'en veux pas à ton oncle, ses yeux lui ont été volés par des hommes sans scrupule et à sa voix s'est substituée celle des flagorneurs. »

Ils atteignirent les collines du sud qui dominaient fermes et plantations. Son père l'arrêta et dit :

« Dolapo, regarde-nous : nous avons le bonheur de posséder de nombreuses choses, plus que ton oncle et ses amis pourront jamais détourner. Bientôt ce sera ton tour d'entrer dans l'histoire. » Dolapo crut que son père allait ajouter quelque chose, mais il resta silencieux. Tous deux se retournèrent, contemplèrent Ogbomosho quelques minutes puis prirent le chemin du retour.

À leur arrivée, ils découvrirent que la télévision avait été installée. Une brève colère assombrit le front de son père.

« Ce ne sera pas facile, Dolapo. Les plaisirs de ce monde sont alléchants, et les risques de se laisser appâter, très nombreux… On peut te corrompre en quelques secondes : pas besoin d'approuver les méthodes, on te demande juste d'être d'accord. À toi de décider s'il faut la garder, tu es un homme maintenant », conclut-il en désignant la télévision.

Il se retira ensuite dans sa chambre.

Dolapo essaya de lui tourner le dos, mais le téléviseur l'attirait. Il l'alluma juste pour l'essayer : peut-être valait-il mieux vérifier s'il fonctionnait. Un match de football entre le Nigeria et le Ghana se jouait au nouveau Liberty Stadium d'Ibadan. Dolapo baissa le volume afin que son père n'entende rien. Il aurait bien aimé l'éteindre, mais les coups de pied des petites silhouettes dans le ballon l'envoûtaient. La vie paraissait soudain luxueuse, et cela lui plaisait. Mais peu à peu, quelque chose s'installa dans le creux de son estomac. Dolapo se sentait nauséeux : il avait l'impression d'être un traître et ce sentiment l'embarrassait. Il devint bientôt si puissant qu'il lui fut impossible de se concentrer sur l'écran. Le garçon sortit précipitamment de la maison, mais même l'air frais ne parvint pas à calmer son inconfort. Dolapo s'aperçut qu'il courait. Il galopa ainsi jusqu'à ce qu'il atteigne la maison de l'électricien. Il frappa alors à la porte et remarqua avec dégoût les objets coûteux qui jonchaient la pièce exiguë lorsque l'homme lui ouvrit. Une vieille conversation qu'il avait eue avec son père lui revint à l'esprit : « Ces hommes-là manquent totalement d'imagination ; ils encombrent leurs petites pièces de gros objets au lieu d'acquérir une maison plus grande. Ils ne parviennent jamais à conserver leur argent assez longtemps pour cela, ils sont incapables de voir loin. »

« Venez tout de suite la chercher, ordonna Dolapo avec une telle énergie qu'il s'effraya lui-même autant que l'électricien.

— D'accord, monsieur », répondit docilement l'homme perplexe, bien qu'il eût presque trois fois son âge.

Embarrassé, Dolapo ne l'attendit pas. Ses jambes se mirent d'elles-mêmes en mouvement, mais au lieu de les mener chez lui, elles le conduisirent à l'endroit préféré de Ranti sous l'acacia. Sa cousine se réfugiait là lorsqu'elle voulait éviter ses jeunes sœurs maussades.

Pantelant, Dolapo s'immobilisa en remarquant une silhouette sombre assise à leur endroit préféré. Ranti était toujours coiffée d'une tresse élaborée, nouée par sa mère avec de la ficelle. C'était la coiffure la plus coûteuse de l'époque, et la jeune fille en était fière. Gonflée d'orgueil, elle se tenait toujours très droite. Mais la personne qui était assise là avait les cheveux défaits et le dos voûté. Ranti était très exigeante sur son apparence. Dolapo devina donc que quelque chose n'allait pas. Il savait que les liens qui unissaient leur famille, leur communauté et leur nation s'effilochaient comme la ficelle utilisée pour maintenir les cheveux de sa cousine en place.

« Je ne savais pas que tu étais rentré », fit sa voix reconnaissable entre toutes.

Cependant, Ranti ne regarda pas derrière elle.

Dolapo était fâché contre elle mais ne savait pas pourquoi. Il s'assit toutefois à côté de sa cousine puis prit tendrement une de ses mains délicates, comme celle d'une petite amie, et Ranti posa la tête sur son épaule. Pendant ces quelques instants d'intimité, Dolapo sentit son cœur fondre. Il entendit ses peurs et ses rêves fourmiller dans sa tête. Ranti devina ce qu'il allait dire avant qu'il parle et prit peur. Elle avait mal à la tête.

« Je n'arrive pas à choisir mon camp », dit-elle simplement.

Dolapo leva le visage de sa cousine vers lui, la regarda dans les yeux et caressa sa joue droite. Il passa ensuite le pouce sur la cicatrice qu'il lui avait laissée en ratant son lancer un jour – la pierre lui avait effleuré la joue. Il savait combien Ranti aimait son père, et combien Oba l'aimait en retour.

Dolapo réfléchit un instant et comprit combien il aimait son oncle et combien Oba l'aimait en retour.

Déjà la victoire faisait des victimes. Sa mère elle-même, honnête et sûre d'elle, cédait à la pression. Sa voix stridente paraissait moins forte, moins assurée, mais on n'y décelait pour l'instant aucune amertume. « Rien de nouveau sous le soleil », lâchait-elle, le cœur lourd et triste, sans s'adresser à quelqu'un en particulier. Dolapo savait qu'elle faisait allusion à son frère malavisé, certaine d'avoir raison.

Plus jeune, le garçon avait demandé à sa mère s'il pouvait épouser sa cousine. Elle s'était moquée de lui, laissant échapper un rire long et cruel, avant de répondre :

« Elle n'est pas assez forte pour toi. Étant donné la vie que tu vas mener, il te faudra une femme très courageuse. »

Puis elle s'était esclaffée de nouveau.

Sans réagir au commentaire de sa cousine, Dolapo continua à lui tenir la main. Il s'interrogea sur les paroles de sa mère et sur son rire. Ses pensées furent interrompues par le son de la voix de Ranti.

« Je suis désormais inscrite au Queen's College, Dolapo. Ce changement d'école me fera perdre quelques années, mais c'est le mieux que je puisse faire. C'est la seule façon de protester que je connaisse.

— Mais tu risques d'être beaucoup plus âgée que les autres élèves de ta classe, constata Dolapo avec un froncement de sourcils.

— C'est vrai, mais je m'en moque. Et puis d'autres le seront encore plus. On fait les sacrifices que l'on peut. Il ne m'est plus possible d'aller à l'école à Ibadan : c'est trop près d'ici, de cette corruption sur laquelle mon père ferme les yeux.

— Mais est-ce bien nécessaire ?

— J'en ai marre de tes *mais*, Dolapo, le coupa-t-elle. Quand on ne peut pas faire ce qu'il faut, on fait ce qui est possible », conclut-elle en le regardant.

Le jeune homme était fier de sa cousine. Peut-être sa mère avait-elle tort, en fin de compte.

« Les roses qui s'épanouissent à l'aube tiennent rarement jusqu'au crépuscule, et la fleur nocturne est toujours en bouton à midi », murmura-t-il soudain, prononçant sans le faire exprès le sempiternel avertissement de sa mère.

*Unknown Soldier*
(Lagos, 1967-1993)

Il possédait une maison de bois tendre aux contours saillants. D'épais rideaux protégeaient ses somptueux tapis des rayons trop curieux du soleil. Lorsque le crépuscule approchait, des ombres complexes tombaient des hautes fenêtres et dansaient au son des trompettes déchaînées de la musique afrobeat. Le long escalier en colimaçon, qui aurait pu orner fièrement une demeure gothique occidentale, paraissait tout à fait à sa place dans l'entrée. Au sommet, un millier de morceaux de verre filtraient la lumière de quinze ampoules et répandaient de ravissants éclats sur le sol de marbre vert. Le jardin, méticuleusement entretenu par le vieux Rufus, abondait en arbres fruitiers feuillus. Tonton insistait souvent sur les soins à fournir à ses rosiers – qu'il ne voyait jamais – et à son jasmin de nuit odorant – qu'il ne humait jamais. C'était selon lui la bonne façon de tenir une maison, et il se considérait comme l'éternel serviteur de l'étiquette.

Tonton restait souvent chez lui, mais il y était aussi peu visible qu'un fantôme jusqu'au dîner et ses informations de dix-neuf heures. Ces dîners devant la télévision constituaient sa seule entorse aux bonnes manières. Il ne parvenait à trouver le temps de faire les deux séparément.

À ce moment-là, la maison s'animait brusquement. On éteignait la chaîne stéréo, et le rire tonitruant de Dolapo Odukoya remplaçait la voix rauque de Fela Kuti. Ce rire démarrait au creux de son ventre, provoquait en lui tremblements et spasmes, puis juste au moment où on pensait que Tonton allait exploser, le son jaillissait de sa bouche, résonnait joyeusement dans la pièce et égayait tout et tout le monde sur son passage avec une jubilation non contenue. Subitement, Tonton se mettait à taquiner Mme Folayo, la fidèle domestique qui avait passé sa vie entière auprès de lui et affronté de nombreuses épreuves. Érudit et honnête, il passait ses journées à lire et travailler, tandis qu'elle passait les siennes à travailler et prier. Le soir venu, ils se réunissaient. Si Mme Folayo priait autant, c'était selon elle parce que M. Odukoya refusait de le faire.

Le chaudron infernal des tribunaux corrompus céda peu à peu sa place à l'isolement suprême de sa bibliothèque, d'où il dénonçait, en vain la plupart du temps, les atrocités commises par les chefs militaires successifs et les fausses démocraties – dirigées par des despotes qui se transmettaient le pouvoir comme au sein d'une monarchie. Sa bibliothèque était une véritable mêlée de bois et de papier – un bosquet d'arbres morts. S'y succédaient rangs et colonnes de livres épuisés, époussetés par Mme Folayo tous les dimanches soir, seul jour où elle franchissait l'épaisse porte en chêne composée de petits panneaux sur lesquels étaient gravées les histoires de divinités locales.

Dolapo était un célèbre activiste et avocat des droits de l'homme. C'était son engagement qui l'avait amené à rencontrer Akpokio. Tous deux fréquentaient l'université d'Ibadan. Ils passaient de nombreux après-midi caniculaires à débattre sous les amandiers et autant de soirées tranquilles à opposer leurs pions et tours lors de parties d'échecs. Après que la cousine de Dolapo Odukoya lui eut rendu visite en dernière année, la situation ne tarda pas à évoluer. Elle était petite, timide et intelligente. Elle avait de petits ongles manucurés, de petites lèvres boudeuses, de petits yeux intenses. Chez elle, tout était petit, petit, petit. Akpokio, quant à lui, était immense. Elle entra dans la chambre un dimanche après-midi, nullement impressionnée par le géant noir assis sur une chaise en bois qui lisait l'autobiographie de Gandhi.

« Mon cousin est là ? demanda-t-elle sèchement.

— Qui êtes-vous ? s'enquit Akpokio, même si la réponse était évidente : elle avait le même front haut et lisse que Dolapo, et celui-ci parlait souvent d'elle.

— Ranti, la cousine de Dolapo, rétorqua-t-elle.

— Oh, l'élève du Queen's College. Bienvenue, dit-il en prenant un ridicule accent britannique.

— Où est-il ? répéta Ranti avec un petit sourire qui laissa apparaître ses dents minuscules et lui donna un air timide qui compensa l'arrogance de son entrée.

— Il prend sa douche, il devrait bientôt revenir », répondit Akpokio.

Au lieu de reprendre sa lecture, il engagea la conversation avec elle. Au bout de quelques minutes, ils s'étaient déjà trouvé de nombreux intérêts communs et discutaient d'un ton décontracté, comme seules le font dès leur première rencontre les personnes ayant attiré l'attention de Cupidon.

Ce fut la première d'une multitude de conversations prenant pour prétexte leur amour commun pour Dolapo. Il devint ensuite évident que la présence du jeune homme représentait un obstacle pour leur flirt secret. Un jour, tandis qu'ils flânaient à travers le campus sous prétexte de laisser Dolapo étudier, Akpokio lui demanda quels étaient ses projets pour l'avenir.

« Après mes études, j'aimerais quitter l'agitation de la ville et retrouver la sérénité de la campagne.

— Tu préfères donc être une villageoise ? » demanda-t-il d'un ton moqueur.

Tous deux rirent.

« Ma foi, en quelque sorte. J'ai grandi dans ce que je prenais pour de l'aisance, puis je suis venue vivre en ville et cela m'a permis de prendre du recul. Chez moi, certaines personnes ont vraiment besoin d'aide.

— C'est un choix intéressant, constata-t-il calmement. Ne préférerais-tu pas ouvrir un hôpital à Lagos et devenir un grand médecin ? Tout le monde ne rêve-t-il pas de travailler comme médecin ou avocat à Lagos ?

281

— Peut-être, mais pas moi. J'ai vu trop de jeunes enfants mourir de maladies qu'on aurait pu éviter. Je sens qu'il est de mon devoir de retourner dans mon village. »

Bien qu'Akpokio ne le sût pas à l'époque, Ranti, la cousine de son compagnon de chambre, occupait déjà une place à part dans son cœur. Six semaines plus tard, elle revint avec un panier de nourriture. Akpokio en avala une bouchée et s'exclama bruyamment :

« Dolapo, *abeg,* remercie ta mère pour moi ! »

Puis il fourra joyeusement de grandes cuillerées de riz sauté dans sa bouche.

« C'est Ranti qui a préparé ces plats. La cuisine est son passe-temps », répondit distraitement son ami.

Ainsi Akpokio tomba-t-il follement amoureux d'elle. Car, bien qu'on pense souvent à tort que le meilleur moyen de retenir un homme est de lui préparer de bons petits plats, c'était assurément le cas d'Akpokio qui était fils unique et refusait de manger de la nourriture réfrigérée. Lui-même estimait que son destin n'était pas celui d'un citadin. Par chance, il venait de trouver la parfaite compagne auprès de laquelle réaliser ses véritables ambitions. Akpokio et Dolapo furent engagés par le même cabinet d'avocats après leur diplôme et restèrent colocataires. Si, au début, Ranti était seulement la cousine de Dolapo et Akpokio son compagnon de chambre, l'affection de la jeune femme convertit peu à peu son respect en amour, et celle du jeune homme transforma sa tendresse en un sentiment plus profond. L'année où elle obtint enfin son diplôme universitaire, tous deux se marièrent et retournèrent aussitôt s'installer dans la petite ville du delta du Niger où Akpokio avait passé une enfance heureuse.

\*

Dans le bureau de Tonton se trouvait une horloge à balancier munie d'un petit oiseau qui sortait de sa cachette pour annoncer l'heure. La causeuse très confortable installée juste en dessous semblait agir de mèche avec le balancier hypnotique : son occupant tombait peu à peu dans un sommeil imprévu jusqu'à ce que l'oiseau le réveille brutalement, le prévenant que son livre s'apprêtait à glisser sur le tapis persan. À côté, une épaisse double porte en bois menait à un patio pourvu de deux chaises à bascule et d'une fontaine murmurante (un endroit silencieux, jusqu'à ce que j'intègre la maisonnée). Les jours de grande chaleur, ce lieu frais propice à la méditation jouissait de l'ombre du balcon de la chambre de Tonton. Semblables aux troupes désorganisées d'une formation militaire, quelques orangers complétaient la voûte et attiraient les rares insectes et oiseaux que leurs camarades plus odorants échouaient à séduire. En quelques années, le réchauffement climatique – un danger dont Ojo avertit Dolapo, le jour où celui-ci s'étonna de ses difficultés croissantes à maîtriser les nuages à mesure que ses cheveux devenaient gris – avait fait grimper les températures moyennes, passant progressivement de vingt-cinq à trente degrés. Ainsi, Tonton lui-même finit par apprécier la tenue des nombreuses visites inopinées de ses amis et des conversations joviales dans ce cocon familial.

Un grand portrait de son épouse était suspendu au mur au-dessus de son fauteuil, en face de l'entrée du bureau. C'était l'objet le plus visible de la pièce. Autrefois, l'attitude de Tonton compensait largement le caractère effacé de cette femme car son rire tonitruant ne cessait de retentir lorsqu'elle était là. Chose surprenante, elle avait un penchant pour les vêtements voyants et le maquillage criard ; en fait, tout ce qui était tape-à-l'œil lui plaisait. D'après Ranti – ma mère –, cela s'expliquait par le fait que Temitope était née pauvre mais avait grandi dans une famille de nouveaux riches. Elle possédait quelques caractéristiques propres à cette classe sociale – une sérieuse réticence à jeter, par exemple. Son père était marchand de chaussures ambulant et, lorsque l'armée avait décrété que les chaussures des militaires devaient être fournies par un Nigérian, c'était lui qui avait remporté le contrat. À partir de ce moment-là, il avait rapidement acquis la technique lucrative dite de « l'enveloppe brune » qui lui avait permis d'en décrocher beaucoup d'autres. Temitope se situait au milieu d'une fratrie qui comptait sept enfants car concevoir était le seul moyen qu'avaient trouvé ses parents pour se distraire de l'ennui suffoquant suscité par la misère. Sa mère, constamment enceinte ou occupée à sevrer un enfant, avait donné naissance à deux filles, un garçon, Temitope, un garçon, puis deux filles ; tous ses frères et sœurs allant par deux, elle était en quelque sorte l'enfant oubliée. Lisant des livres seule dans son coin, elle se trouva bientôt dotée de cette intelligence redoutable qui séduirait Tonton plus tard. Généreuse à l'excès, elle trouvait presque impossible de dire non. Temitope avait un de ces caractères qui bouillent longtemps en silence et excusent les injustices sans les oublier ; subitement, tout lui revenait en tête et cette femme, qui semblait pourtant d'une patience infinie, entrait en éruption comme si un dangereux volcan se réveillait au creux de son ventre.

Les choses s'étaient passées ainsi, de nombreuses années plus tôt, lorsque Dolapo lui avait calmement annoncé un mois avant leur mariage :

« Je pars au front ».

La jeune femme ne répondit rien jusqu'au moment du départ, vingt-neuf heures avant la cérémonie. Elle éclata en sanglots pour la deuxième fois seulement de sa vie d'adulte.

« Dolapo, imagine un peu : si tu ne reviens pas, tu feras de moi une veuve de vingt-trois ans. Rappelle-toi que je ne t'ai pas demandé de m'aimer, j'ai simplement accepté ton affection. Tu es responsable de moi. »

C'était en fait l'alliance du caractère placide de Temitope et du pouvoir irrésistible de la jeune plume de Tonton qui avait provoqué leur rencontre.

À son arrivée à l'université, Dolapo possédait l'assurance caractéristique de la classe moyenne, cette confiance en soi que procure une qualité de vie exceptionnelle. Étant le neveu d'Oba, il était la personne la plus importante de sa génération au village. Et au collège du gouvernement fédéral, on le considérait comme l'élève le plus intelligent. La roue du destin avait décidé de se montrer généreuse avec lui : son étoile brillait sans cesse, contrairement à celles de ses pairs, qui se fondaient dans l'obscurité d'un anonymat partiel. Sa vie, aux yeux de tous, ressemblait à une comète programmée pour filer toujours plus haut.

En deuxième année, son compagnon de chambre et lui commencèrent à publier une chronique sous le pseudonyme énigmatique et poétique d'Anon. Ils dissertaient sur tous les sujets, de la guerre froide aux tenues criardes des prétentieuses étudiantes de première année qui se faisaient passer pour des filles pieuses et studieuses. Leur langage souvent provocateur attirait un large lectorat, dont la curiosité était également piquée par leur mystérieuse identité. Bien qu'on les soupçonnât fortement d'être les auteurs, les deux étudiants niaient tout en bloc. Toutefois, après la publication de chaque chronique, ils attiraient toujours le plus grand nombre de partenaires de danse dans les boîtes de nuit locales. L'expression calme et réservée que Dolapo portait comme un masque à l'université ne faisait qu'augmenter son mystérieux attrait. L'aisance relative dont il jouissait au village avait disparu dès qu'il s'était installé en ville : il lui était par exemple impossible de s'acheter les derniers vêtements à la mode. Pourtant, Dolapo se comportait comme si rien de tout cela ne le surprenait et, grâce à sa démarche assurée et son esprit vif, il restait un jeune homme élégant et séduisant. Sa coupe afro dodelinante et ses chaussures à semelles compensées censées faire oublier sa petite taille furent ses deux uniques concessions à la mode de l'époque. Au début, tout le monde, hormis son complice et compagnon de chambre, un grand jeune homme à la peau foncée, et quelques personnes triées sur le volet, ne connaissait de Dolapo que son rire tonitruant capable de réveiller les morts et de les entraîner dans une joyeuse fête. Cependant, deux années de célébrité et d'attention constante, bien qu'il n'eût jamais cherché à appâter toutes ces femmes séduisantes, finirent par faire ressortir son côté plus extraverti. Dolapo put enfin montrer de quoi il était capable et mieux maîtriser son environnement… ainsi que lui-même. Il conserva ses habitudes studieuses, mais à son impertinence irréprochable s'ajouta bientôt un air de total épanouissement.

Comme on pouvait s'y attendre, les deux étudiants publièrent un jour un article un peu trop dérangeant. À l'époque, la mode exigeait que les riches et ceux de la classe moyenne s'achètent des motos Harley Davidson afin d'aller et venir plus rapidement entre les trois grandes universités de l'ouest du Nigeria – celles d'Ife, Ibadan et Lagos. Sur la route à deux voies défoncée qui reliait Ife à Ibadan, un motocycliste distrait tomba un jour de son véhicule et un camion lui écrasa la tête en passant. La longue fresque mystérieuse de forêt vierge qui s'étendait sur des kilomètres le long de la chaussée fut le seul témoin de ce drame. Dans un accès de colère et de tristesse, les deux jeunes hommes rédigèrent un article mal venu sur cette mode qui consistait à conduire en état d'ivresse et à omettre le port du casque. Bien qu'il fût nécessaire de le signaler, le moment était si mal choisi que ce texte, le plus lu de tous ceux qu'ils avaient écrits, faillit bien être leur dernier. Seul avantage de cette mésaventure, une étudiante de deuxième année, jolie et réservée, que leur plume acerbe avait déjà fait souffrir, fut particulièrement offusquée et prit le chemin de leur chambre afin de leur passer un savon.

Par cette soirée humide, on vit ainsi sa petite silhouette traverser d'un pas décidé et furieux la lumière gris trouble et piétiner les feuilles tombées qui bordaient la longue allée jusqu'au dortoir des garçons. Le chemin, surtout fait de briques, était entouré de mauvaises herbes et d'arbres fruitiers aux branches tombantes. Les bâtiments étaient des constructions ternes du début du XXᵉ siècle que la peinture enlaidissait davantage, tous portant une couche de jaune. L'enduit s'écaillait, mais cela ne faisait ni chaud ni froid au vigile rondelet qui trouvait ridicule qu'un homme d'âge avancé protège cinq cents étudiants pleins de jeunesse – ce travail était cependant son seul gagne-pain. Déterminée, la jeune femme franchit le portail rouillé qui tourna sur ses gonds en grinçant et, pour la première fois depuis qu'elle s'était lancée dans sa mission, elle se sentit intimidée. Grimpant nerveusement les quatre volées de marches, elle croisa quelques hommes aux muscles saillants uniquement vêtus de serviettes et munis de seaux en plastique. Une odeur révélatrice de riz brûlé qui flottait au deuxième étage détourna son attention des détritus jonchant négligemment le sol. Après avoir dépassé les premiers étages meublés de lits superposés et de tables où les soupirs mélancoliques de jeunes hommes amoureux noyaient le bourdonnement des moustiques, elle atteignit le cinquième, habituellement réservé aux dernière année, où Dolapo et son ami avaient obtenu une chambre un an plus tôt que prévu. Alors qu'elle longeait le couloir, le courage finit par l'abandonner et l'étudiante dut s'agripper à la rampe afin de ne pas perdre l'équilibre. Elle baissa les yeux vers la cour carrée faite d'herbe piétinée et quadrillée par des fils à linge. Murmures intimes, rires insouciants, pets bruyants, rots sans retenue, crissements de chaises sur le sol et grincements de fourchettes sur des assiettes furent temporairement réduits au silence lorsqu'elle s'immobilisa derrière leur porte, paralysée par les sons de leur bavardage agressif.

« Mais il a tort ! s'exclama Dolapo. C'est vrai, le communisme est inévitable. C'est vrai, il se nourrit de la cupidité destructrice mais nécessaire du capitalisme ; mais ensuite, sa théorie ne tient plus la route.

— Enfin, qu'est-ce que tu racontes ? protesta son compagnon de chambre avec la même véhémence. Tu la comprends de travers.

— Laisse-moi terminer, laisse-moi terminer, le coupa Dolapo. D'après lui, le communisme triomphera parce que les marchés, trop instables, sont destinés à s'effondrer et que cela encouragera les masses impitoyables à se soulever contre les excès du petit monde des privilégiés, mais il oublie un aspect fondamental de la psychologie de groupe. Les masses ne se soulèveront pas parce qu'au moment où la situation atteindra ce stade, elles seront trop habituées à cette vie de soumission…

— Mais…

— Attends ! Et le marché rebondira toujours. Si les choses prennent une tournure trop délirante, la concurrence se chargera de le contrôler.

— Ha ha, tu penses donc que la concurrence est toujours la solution ? » demanda le compagnon de chambre de Dolapo, oubliant qu'il avait lui-même utilisé cet argument la veille. Car

tous deux se lançaient souvent dans les mêmes débats et chan-
geaient de camp sans s'en rendre compte, étant plus intéressés par
la conclusion la plus juste d'une discussion que par les éléments de
leurs théories alternantes.

« Non, mais puisque les masses, souvent constituées des indi-
vidus les plus vulnérables et les plus défavorisés d'entre nous, ne
parviennent pas à se mobiliser suffisamment lorsque les marchés
les punissent, elles se tourneront vers un groupe fort, tel que le
gouvernement ou un syndicat pour défendre leur cause et mettre
fin à l'instabilité des marchés.

— Mais...

— Mais ce n'est pas l'unique raison pour laquelle il nous faut un
gouvernement, l'interrompit de nouveau Dolapo, sur le point de
jouer son atout. Les ressources sont toujours limitées. Ce gouvernement devra donc s'engager à temps sur une nouvelle voie, avant
que la pénurie d'un produit mette les marchés dans une situation
intenable. »

Le débat prenait une tournure inédite. Son compagnon de
chambre réfléchit en silence pendant quelques secondes, ce qui
laissa à Dolapo le temps d'ajouter :

« Le pétrole est par exemple extrait en grandes quantités en ce
moment, mais viendra un jour où cette ressource s'épuisera. Dès
lors, ce sera au gouvernement de garantir le développement d'une
autre source d'énergie, avant que les compagnies pétrolières... »

Soudain, la porte s'ouvrit à toute volée.

Décidée à faire irruption chez eux avant de pouvoir changer
d'avis, l'étudiante avait choisi de ne pas frapper et d'ignorer le
symbole de paix aux couleurs de l'Amérique, autocollant alors très
en vogue, plaqué sur leur porte verte.

La jeune femme s'exprimait toujours d'une voix chuchotée,
même lorsqu'elle s'énervait, ce qui n'arrivait qu'en de rares occasions, quand elle était extrêmement furieuse. Elle laissa ainsi
échapper un chapelet d'injures à peine audibles et plus émous-
tillantes que menaçantes. Une serviette usée autour de la taille,
Dolapo la dévisagea, la bouche toujours ouverte après avoir été

interrompu. La tempête imminente rendait l'air électrique. Le mélange de colère et de nervosité qu'éprouvait l'étudiante lui fit vomir un torrent d'invectives pendant cinq minutes. Aucun des jeunes hommes n'entendit la moindre de ses paroles et sa voix eut pour unique effet d'exciter Dolapo. Bouche bée, tous deux comprirent cependant qu'elle était en colère et devinèrent ce qui avait provoqué cette crise. Elle prononça encore quelques phrases émues, éclata en sanglots frustrés et repartit aussi vite qu'elle était arrivée. Ne restaient du feu de ses yeux que quelques braises embarrassées.

Oubliant qu'il ne portait qu'une serviette, Dolapo se lança à sa poursuite mais ne parvint qu'à la mettre plus mal à l'aise. Il descendit les trois premières volées de marches sans réussir à l'atteindre mais la rattrapa avant qu'elle arrive en bas.

« Qui es-tu donc ? »

Ce furent les premiers mots qui sortirent de la bouche du jeune homme. Le regard qu'elle lui adressa en retour lui fit immédiatement regretter sa question.

« Je veux dire… euh… essaya-t-il de se rattraper, sans succès.

— Je ne suis peut-être qu'une fille vêtue de tenues criardes qui se fait passer pour une élève studieuse, mais je suis suffisamment sensible pour ne pas souiller la mémoire d'un camarade étudiant, moi ! Non mais pour qui te prends-tu ? » rétorqua-t-elle en retrouvant son sang-froid.

Il fallut quelques secondes à Dolapo pour comprendre que cette fille était l'étudiante de première année qu'ils avaient choisi de décrire l'année précédente. Bien qu'ils l'eussent oubliée depuis longtemps, elle ruminait une colère et une rancœur incroyablement tenaces. Elle avait dépensé plus d'énergie que quiconque à tenter de les démasquer, s'était fiée à son intuition et avait suivi leurs déplacements dès qu'elle en avait eu le temps au cours du mois précédent.

« Je suis… je suis juste un jeune homme qui ne trouve pas toujours la meilleure façon de s'exprimer », répliqua-t-il d'un air contrit.

L'étudiante s'aperçut avec embarras que dans le regard timide qu'elle avait observé pendant tout un mois brillait un éclat séduisant, que sur sa bouche dédaigneuse se dessinait un sourire engageant, et que son corps maigre avait quelque chose d'attirant.

Jamais Dolapo n'avait été contraint de s'excuser dans sa vie et il aurait été bien incapable de reconnaître ses torts autrement que par cette faible phrase. Et ce qui devait arriver arriva : il eut envie de savoir qui était cette fille à la beauté audacieuse et à la voix sensuelle, qui provoquait des émotions inhabituelles en lui.

Aussi se trouva-t-il des excuses pour lui demander pardon à maintes reprises : il tenta de se rattraper en lui offrant tantôt le déjeuner tantôt le dîner, ou en l'emmenant au cinéma. Mais à chaque fois, Dolapo échoua à percer à jour cette jeune femme froide, dont la poitrine renfermait pourtant un cœur aussi affolé qu'un lapin piégé. Trouvant son numéro toujours insatisfaisant, il la quittait découragé. Avant chacun de leur rendez-vous, il découvrait un bouton agaçant sur son nez, ou bien des auréoles sous ses aisselles nerveuses, ou alors il avalait sans réfléchir un repas bien aillé. Jamais il ne se sentait suffisamment à la hauteur lorsqu'il la rejoignait, et son assurance ébranlée le privait de son charme habituel. Mais c'était cette vulnérabilité qui attirait la jeune femme car, pour le reste du campus, c'était un solitaire énigmatique qui assurait sur tous les plans. Aussi la jeune femme, privée d'attention depuis trop longtemps, se réjouissait-elle de posséder une partie de son cœur. Lors de son sixième *mea culpa* et de sa troisième invitation au cinéma, elle lui demanda évasivement : « Pourquoi est-ce que tu n'arrêtes pas de venir me voir ? »

Elle adora l'entendre bafouiller.

« Tu veux que j'arrête ? parvint-il finalement à prononcer.

— Tes premières excuses étaient suffisantes, franchement », répondit-elle d'un air hautain. Mais voyant ses épaules s'affaisser, elle ajouta : « Tu peux quand même m'emmener voir un film si tu veux. »

Et le sourire soulagé qui apparut sur son visage lui plut encore plus.

Dans le petit monde conservateur des campus nigérians de la fin des années soixante, un amour naissant avait l'avantage d'être manifeste. Et avec cette assurance qui avait fait de lui un solitaire comblé, Dolapo se mit à projeter leur mariage sans prendre la peine de demander sa main à la jeune femme.

Il revint de la guerre plus lui-même qu'il ne l'avait jamais été. Son expérience ne l'avait pas transformé – enfin, presque. Parfois, quand il était silencieux, il semblait plus pensif ; quand il riait, il semblait exagérément exubérant ; quand il témoignait de l'amour à sa petite amie, il paraissait attentionné à outrance. Ils se marièrent deux ans jour pour jour après la date initialement prévue. Les parents de Temitope, étonnés que cette enfant introvertie et studieuse fût la première de leurs filles à conquérir l'attention d'un homme, sans parler de son affection, hésitèrent à soutenir leur union. Pour la première fois, Dolapo dut ainsi piocher dans les réserves d'Emeka.

\*

Sans le savoir, Mme Temitope Odukoya se préparait à devenir une femme dont la mémoire n'est préservée que par un portrait au cadre raffiné et dans l'esprit de son mari, unique témoin de la vaste étendue de son intelligence. Le couple n'eut pas d'enfants ; cette forme même d'héritage leur fut refusée. Cependant, en 1993, année très instable, les événements concoururent à garantir son immortalité et à la transporter des confins calmes des seuls cœur et esprit qu'elle chérissait à la condition fugace d'héroïne nationale. On était alors le 12 juin, jour où la nation retenait son souffle dans l'attente d'une annonce qui ne viendrait jamais. À l'aube, les lignes du destin et leurs conséquences implicites apparurent et serpentèrent patiemment, sans jamais se soumettre aux pluies chaudes et au soleil implacable ni prêter attention aux officiers de l'armée et à leurs fouets dansants, ou aux brutes qu'ils avaient employées. Les élections présidentielles eurent lieu, puis on compta les voix et on annonça immédiatement le nom du vainqueur. Le musulman, cet homme politique philanthrope de l'Ouest, capable de citer mille proverbes et amateur de cantiques, avait remporté presque deux tiers des voix ; aussi les célébrations commencèrent-elles tôt.

Ne manquait qu'une déclaration présidentielle, qui n'aurait jamais lieu. Pour la première fois depuis l'indépendance, les Nigérians s'étaient ralliés au même drapeau. Le réveil était brutal après l'aveuglement collectif dont venaient de faire preuve les citoyens. C'était une réplique cinglante à l'interminable transition mise en place pour laisser les masses dans le doute quant au prochain geste de Babaginda – le mauvais génie politique et militaire. Finalement, la démocratie survécut, soutenue non par le scrutin, mais par la volonté du peuple qui refusa de se taire.

Lorsque le résultat des élections fut annulé onze jours plus tard, les travailleurs cessèrent de travailler, les chauffeurs cessèrent de conduire, les gens décidèrent de tout saccager ; la nation était révoltée – s'installa alors ce chahut qui précède la révolution. Le peuple laissa éclater sa fureur à raison, et sur le territoire continental de Lagos, un carnaval anarchique se mit à défiler dans les rues. Ensuite, sa soif d'ivrogne assouvie, la marée destructrice se retira. Des voitures retournées côtoyaient leurs camarades calcinées. Blottis chez eux, les gens se mirent à craindre les représailles du gouvernement, les racketteurs qui patrouillaient maintenant dans les rues, les milices locales qui saccageaient tout la nuit et se bagarraient le jour. Mais c'était avant tout eux-mêmes et leur potentiel qui les terrifiaient car ils avaient goûté aux joies de l'anarchie, et cela leur avait plu. Avant les brèves journées grisantes de la révolution, les quartiers de Lagos n'avaient jamais connu un tel calme ou plutôt un tel état d'inquiétude, car c'était plutôt de cela qu'il s'agissait. Les voitures ne sortaient pas de leurs cours et les commerces n'avaient plus le droit d'ouvrir. Les placards se vidaient lentement, mais le vent nouveau emportait au loin le grondement des estomacs vides.

La sœur de Mme Odukoya était sur le point d'accoucher. Cependant, les rues s'en moquaient. Le travail d'enfantement est un rituel que la mère attend depuis la conception, et la naissance du bébé est pour elle une bénédiction en temps de paix, mais une joie inopportune en temps de guerre. Les lignes téléphoniques en panne ou encombrées perturbaient les communications. Major, le portier des Odukoya, entendit un coup fatigué à la porte le septième jour : un homme nommé Sule désirait parler à Madame. Mme Odukoya était aux anges car c'était le domestique de sa sœur. Épuisé, il eut besoin de deux verres d'eau pour pouvoir convaincre sa langue de parler longuement.

« Madame, lé rues sont fou madame, dit-il, tandis que les souvenirs de cette pénible journée défilaient dans sa tête. Cé miracle qué j'arrivé ici.

— Est-ce que ma sœur va bien ? demanda Mme Odukoya dès qu'elle vit qu'il pouvait enfin parler.

— Oui, madame, faut pas roulé votré voiture sur cette route madame, celles qué jé voi, elles brûlé bien bien, madame, jé failli bien mouri aujourd'hui.

— Quoi ? Est-ce que tu vas bien ? Que s'est-il passé ?

— Hmm, madame, cé gens ils sont fous, ils son cinglés. Jé marché toute cette journée madame, mes jambes vélent plus bougé. madame, jé marché marché dé Suruelere à Mushin. Ma madame mé donné argent. Elle dit prends taxi si tu trouves. Moi, jé caché bien bien billets dans lé jean pasqué dans lé rues, lé fous ils saccagé tout. »

Il se tut et but une autre grosse gorgée d'eau.

Le domestique était content de voir toute la maisonnée suspendue à ses lèvres. M. Odukoya était lui-même sorti de son bureau et l'écoutait, assis au bord de son siège. Mme Folayo continuait à remplir son verre avec dévouement, et l'homme était bien décidé à prolonger ce moment sous le feu des projecteurs.

« Madame, apré long voyage, jé crois dévoir rétourné quand jé vois Pégeot qu'il a pas lé rayures ou lé couleurs du taxi normal. Lé chauffeur il propose dé m'améner si jé payé d'avance. Il fixé prix trop trop cher, alors jé dis jé paye moitié mainténant, un pé quand on arrivé à Ikeja et reste quand on arrivé ici. »

À ce moment-là, M. Odukoya entreprit de nettoyer ses lunettes et Sule en profita pour vider un nouveau verre d'eau, craignant que l'homme rate une partie de son histoire.

« Madame, hmm, cé pas mince affaire là, on doit embauché trois types pour qui crient "SDP !" par la fénêtre. Ensuite madame, on continue roulé et lé voyous crié.

— Continue, l'interrompit impatiemment M. Odukoya.

— Ah, monsieur, madame, juste lé moment qu'on croyé arrivé sûrement, on approché Ikeja, jé cherché comment payé lé chauffeur sans qué lé voyous ils mé volent lé reste. Tout cé temps, on dépassé pneus en feu, voitures en feu, madame, vrément tout brûlé. Lé rues elles sont désertes, mé il faut roulé doucément. Y a cet homme, il bloqué lé passage et forcé nous à descendre. »

Les voyant tous penchés vers lui, il décida de boire une nouvelle gorgée.

« Madame, hmm, sors dé là, il dit, déscends, couché-toi ! À cé moment, jé dit prières, jé supplié mon Dieu. J'allongé front sur lé sol. Tout d'un coup, madame, clac clac ! Mon dos il brûle. Ils fouetté nous comme si on a pas dé mères. Et puis ils démandé nous pourquoi on roulé comme ça sans lé respect pour la démocratie. madame, les yeux d'un homme tout rouges, il a bu beaucoup, il vé tiré sur nous. Il dit nous "chanté la démocratie, cé la démonstration dé la folie". Et chaque fois on dit "folie", il fouetté nous. Madame, jé pé tout zuste asseoir mainténant. »

Se rappelant que les hommes ne leur avaient donné que trois coups, il remua sur son siège comme s'il en avait reçu cent.

« Madame, il sorti lé pistolet, il vé faire sauté tête à moi, mé Dieu, il entend moi. Jé dis lui la patronne elle a enceinte, si té plaît monsieur. Finalément, il dit nous lévé et sauté comme grénouilles et chanté *"Saute, saute, tout le monde saute, tous nos problèmes vont s'envoler comme des bulles, tout le monde saute"*. Jé sauté, madame, et jé chanté jusqu'à fatigué. Finalément, il nous rélâché et jé véni ici », conclut-il enfin.

M. Odukoya avait l'air pensif.

« Cette lutte est barbare mais nécessaire. Nous devons montrer à Babaginda que nous sommes sérieux: fini les tactiques à la Maradona. Il ne peut pas continuer à manipuler le peuple afin de rester au pouvoir. Nous voulons la démocratie, non un commandement militaire. »

Mme Odukoya était inquiète.

« Qu'allons-nous faire ? Oh, ma sœur ! » s'exclama-t-elle avec une fébrilité qui ne lui ressemblait pas.

Sule remua avec embarras sur son siège en constatant l'effet de ses légères améliorations.

« Votré sœur, elle a pas prête encore pour faire naître bébé, madame. Et notré voisine, elle a infirmière, elle dit qué vénira aider si l'hôpital pas ouvert.

— Il faut que j'aille la voir, dit Mme Odukoya.

— Hors de question ! la coupa aussitôt son mari.

— Je n'ai pas le choix, chéri, ma sœur est en train d'accoucher dans son propre salon, hé !

— Mais il faut que tu attendes, mon ange, il paraît que la situation sera plus calme dans trois jours. Les gens pourront de nouveau acheter de la nourriture, ce sera le bon moment pour y aller, répliqua M. Odukoya avec gentillesse mais fermeté. Et toi, Sule, veux-tu bien attendre le départ de madame ?

— Ah, non monsieur, jé dois léver l'aube pour parti, monsieur, jé pé pas laisser patron avec la dame enceinte beaucoup longtemps », répondit-il en sachant qu'ils lui donneraient une généreuse somme d'argent pour rentrer.

Il avait l'intention de marcher jusqu'à Mushin afin de gagner l'une des nombreuses fêtes de quartier, puis il rendrait visite à cette fille à la forte poitrine et rentrerait le lendemain matin. Il avait structuré le récit de son calvaire de façon à ce que personne ne le questionne trop précisément sur la date et l'heure de son retour, ni sur le moyen employé pour effectuer le trajet.

« Je te donnerai un peu plus d'argent pour que tu passes chez mon chauffeur afin de lui dire de se présenter ici mercredi, dit Mme Odukoya.

— Oui, madame », dit Sule en tentant de cacher son sourire.

À présent, il avait un alibi parfait.

Les rares voitures qui osaient s'aventurer dehors portaient des feuilles vertes collées sur leurs pare-brise, censées prouver leur solidarité avec la lutte du peuple, un combat semblable à celui de David et Goliath, les Nigérians s'étant souvenus qu'ils possédaient une fronde. Mais tandis que les uns faisaient la fête dans les rues, les autres restaient tapis dans leurs maisons, tous incapables de trouver les pierres lisses qui terrasseraient leur adversaire commun. Les seules personnes occupées étaient les jeunes, restés trop longtemps sans travail – soudain, les rues leur appartenaient entièrement. De son côté, le chauffeur de Mme Odukoya profitait de ses congés. Pendant neuf jours, il rampa le long d'Allen Avenue à Ikeja, le goulot d'une bouteille sans cesse collée aux lèvres. Pour finir, sa femme, indignée, révulsée par l'irresponsabilité de son mari, retrouva sa trace, le traîna hors du bar et le gifla si fort qu'il laissa tomber sa bouteille, sa fidèle compagne depuis le début de la pagaille. Avec sa nervosité habituelle, il cligna rapidement des yeux en entendant le verre de sa Guinness se fracasser sur le trottoir, un son qui lui fit presque retrouver ses esprits.

« Incapable ! cracha-t-elle avec un mépris sanguin. Ta patronne veut que tu te présentes demain, bon à rien. »

La femme le regarda cligner des yeux, marmonner et souffler. Elle était déçue que ses paroles cinglantes n'atteignent pas directement son esprit embrumé, qu'il échappe au venin qui s'écoulait de son cœur quand elle prononçait le mot « patronne ». Parce qu'elle se rendait compte, dans ces circonstances, que son mari serait toujours le serviteur des autres et n'imaginerait jamais pouvoir être plus que cela. De nouveau, elle maugréa, se retint juste à temps de cracher sur le sol près des pieds de son mari, pesta une fois encore et s'éloigna.

Major se présenta chez sa patronne le lendemain matin, nerveux et en retard. S'il ne cherchait pas sans cesse le moyen d'échapper au travail, peut-être Mme Odukoya aurait-elle été plus susceptible de céder aux caprices de son chauffeur ce jour-là. Malheureusement, cet homme était du genre à crier sans arrêt au loup et à prétexter une « météo peu clémente, madame » pour ne pas se présenter à son travail. Son visage las, animé par une angoisse permanente non déguisée, paraissait encore plus fatigué que d'habitude ce jour-là. Major se rappela in extremis qu'il devait coller des feuilles sur son pare-brise.

Malgré son attitude, Mme Odukoya n'aurait demandé à personne d'autre de lui faire traverser le chaos qui régnait dans les rues de Lagos. Indécis, peu sûr de lui, il conduisait la voiture comme s'il transportait une caisse d'œufs, et les autres conducteurs préféraient rester éloignés de ses manœuvres laborieuses. Eût-elle été de meilleure humeur, sa patronne aurait peut-être écouté la petite voix qui l'encourageait à rester chez elle. Tournant au coin de la rue, le véhicule se retrouva encerclé par une nuée de *danfo* qui remontaient la chaussée en sens inverse dans l'anarchie la plus totale, ce qui valut sa première égratignure à la Mazda 626 de Mme Odukoya. Le braquage d'une banque dans la rue princi-pale ne faisait qu'amplifier le chaos. La bande de voleurs, coincée à l'intérieur de la Union Bank de l'autre côté de la rue, n'était pas sûre de s'en sortir vivante car la foule, réclamant que justice soit faite immédiatement, avançait droit vers elle. Les bandits, effrayés par cette masse agitée, trouvèrent finalement le moyen de s'échapper à bord d'une Peugeot 505. Un passager sortit le canon encore chaud d'un fusil sophistiqué par sa fenêtre et arrosa la foule d'une pluie de balles qui provoqua la débandade parmi les véhicules. Resté bloqué au cœur de la mêlée qui battait en retraite, le chauffeur de Mme Odukoya sortit brusquement de sa torpeur et remonta la rue avec une célérité qui lui ressemblait peu. Masquée par un bâtiment à étage, coincée entre un bus sur lequel était inscrit : « Le temps de Dieu est le meilleur des temps », et un second orné des maillots rouges que portent les joueurs héroïques du club de football d'Arsenal, la voiture s'arrêta après une dernière secousse. Aussi peu habitué que son véhicule à fournir un tel effort, le chauffeur se mit à trembler sur son siège, ce qui ne fit qu'exacerber la colère de Mme Odukoya, elle-même frissonnante. Malgré l'incident qui venait de se produire, elle décida de continuer à avancer, stimulée par la voix plaintive du chauffeur qui marmonnait :

« Il serait sans doute plus sage de rentrer, madame. »

En fin de compte, il leur sembla que les choses rentreraient dans l'ordre plus tôt que prévu car il ne passa rien de significatif au cours de l'heure suivante ; de temps à autre, leur prudente progression était ralentie par des émeutiers ivres qui les acclamaient en voyant les feuilles sur leur pare-brise. Leurs aisselles qui n'avaient pas été lavées depuis des jours apparaissaient dès qu'ils levaient les bras en signe de solidarité et leurs bouches pas plus propres entonnaient bruyamment le refrain de plus en plus familier du 12 juin – jour où les élections avaient eu lieu. Tour à tour, ils chantaient les louanges du gagnant des élections et raillaient le perdant ainsi que les chefs militaires.

*« Ce jour de Noël, ce jour de Noël, on cherche un bélier à manger ! Ce jour de Noël, c'est Tofa notre bélier ! »*

*« Ce jour d'élections, ce jour d'élections, on cherche un vainqueur ! Ce jour d'élections, c'est M.K.O.[1] notre vainqueur ! »*

Sur les marchés le long des rues, les vendeurs ne proposaient que de rares marchandises aux prix exorbitants et se voyaient assaillis par des femmes désespérées en pagnes vert et blanc. Tout le long de la chaussée, on apercevait des affiches aux mêmes couleurs proclamant « Espoir 93 », ornées de l'étalon du SDP qui se cabrait fièrement. Était imprimé juste à côté le visage souriant de l'homme connu sous le nom de M.K.O. Abiola, vêtu de son habituelle tunique ample. Les restes des feux de joie avaient été hâtivement amoncelés sur les bords de la route. Celle-ci était presque exclusivement réservée aux minibus jaunes qui étaient pleins à craquer, car peu de leurs conducteurs avaient repris le travail.

Lorsque la Mazda s'engagea dans Allen Avenue, le chauffeur sourit intérieurement en se rappelant la semaine mouvementée qu'il avait passée dans le quartier puis s'énerva lorsqu'il vit les véhicules devant lui s'arrêter. Il klaxonna impatiemment jusqu'à ce que les bus commencent à décharger leur contenu, et alors seulement, l'homme songea à baisser sa vitre car on entendait le claquement confiant de fusils dans les mains de ces hommes qui brandissaient leurs armes en toute impunité. On avait finalement fait venir

---

1. Lors des élections présidentielles de 1993, Bashir Othman Tofa (NRC, parti national républicain) a été battu par son adversaire, M.K.O. Abiola, candidat du parti social-démocrate (SDP). Les résultats ont cependant été annulés par le chef militaire Ibrahim Babaginda, qui s'est emparé du pouvoir, provoquant la crise racontée ici.

l'armée. Ironie cruelle du sort, le chauffeur, après une vie d'inquiétude permanente, s'apprêtait à mourir à cause de son unique acte
de courage. À la vue des soldats armés, il bondit hors de la voiture
mais s'aperçut que Mme Odukoya était comme paralysée sur son
siège, son regard incrédule à peine visible à travers les vitres teintées. Major se précipita vers elle et frappa sur sa vitre avec ses ongles
sales et cassés ; mais, comme saisie d'étonnement, la portière de
Mme Odukoya resta fermée. Il parvint finalement à la faire sortir
de la voiture, mais alors que tous deux s'apprêtaient à se cacher
entre deux bâtiments, il ressentit une vive piqûre dans le dos et
se figea de stupeur. Puis une deuxième, et une troisième. Major
s'aperçut alors qu'il fixait les yeux déjà morts de Mme Odukoya :
un épais filet rouge s'écoulait doucement d'un trou écarlate au
milieu de son front. Avec une incrédulité et une douleur profondes,
il regarda les lents ruisseaux serpenter entre ses yeux fixes et couler
de chaque côté de son large nez, puis contourner ses lèvres et se
rejoindre sur son menton saillant, avant de goutter lentement. Le
chauffeur regardait sa patronne, hypnotisé par cette mort trop per-
turbante pour qu'il parvienne à se l'expliquer, malgré sa soudaine
lucidité. Bien qu'elle eût été une femme gentille, Major constata
qu'il ne l'avait jamais aimée, qu'il n'aimait vraiment personne, qu'il
détestait même sa propre épouse. Tous deux s'effondrèrent lentement sur le sol et son visage reposa bientôt près des tessons bruns
d'une bouteille de bière. Major repensa à la semaine passée et un
sourire grimaçant se forma sur ses lèvres sanglantes.

*

Ce 27 août 1993, Tonton regardait fixement l'écran de la
télévision, alors qu'un homme au visage aussi hagard que le sien
annonçait qu'il abdiquait sur-le-champ. Mon oncle maudit l'air
maussade de Babaginda et, prenant brutalement conscience des
événements des derniers mois, versa enfin de grosses larmes
silencieuses.

*

Tout paraissait si surréaliste ; voyant que sa femme ne rentrait pas, il ne parvenait à rester assis et se demandait sans cesse que faire. Il essaya de téléphoner mais toutes les lignes sonnaient occupé. Le voyant faire les cent pas, Mme Folayo tenta de le calmer. Tonton décida de s'asseoir à son bureau afin d'écrire puisque c'était la seule chose qui le détendait immanquablement. Mais il essuya cette fois un échec. Tonton devait être assis là depuis des heures, le regard perdu dans le vide, quand il remarqua que l'obscurité enveloppait lentement la pièce, tel un voile de deuil.

Il entendit la foule approcher dans la rue mais son esprit ne chercha pas la raison de ce vacarme – pas même lorsque le son sembla s'arrêter derrière son portail et le marteler doucement comme une vague porteuse d'une triste nouvelle. Tonton n'entendit pas le portail s'ouvrir ni le pas rapide de Major au moment où celui-ci fila jusqu'à la cuisine afin d'avertir Mme Folayo du malheur. Soudain, il entendit ses gémissements et comprit. Il eut soudain si peur de croiser le regard de sa femme, ces yeux qui ne le reverraient jamais, qu'il resta figé dans son fauteuil. La porte de son bureau s'ouvrit brusquement.

« Ils l'ont fait ! Ils l'ont fait ! »

Mme Folayo était hystérique. Dès qu'elle vit M. Odukoya, elle s'effondra puis se roula par terre. Bien que frappé de stupeur, Tonton accourut à son secours.

« Où est-elle ? demanda-t-il d'un ton calme qui l'interloqua lui-même et calma brièvement Mme Folayo.

— Devant chez vous, *Oga*.

— Devant chez moi ? répéta-t-il d'une voix fluette, indiquant que son calme n'était qu'une piètre façade. Mais pourquoi ne pas l'avoir amenée ici ? »

Mme Folayo sembla soudain comprendre que c'était la meilleure chose à faire. Elle se dépêcha de se relever, mais M. Odukoya franchissait déjà la porte. À l'extérieur, la cacophonie des voix était assourdissante. Quelqu'un avait reconnu Mme Odukoya : c'était la femme du grand avocat des droits de l'homme. Aussi un cortège s'était-il formé au cours des deux heures qu'il avait fallu aux témoins du meurtre pour ramener le cadavre chez lui. M. Odukoya contempla l'immense foule qui emplissait sa rue et continuait à grossir dans l'obscurité. Tous ces gens avaient beau pleurer la perte de son épouse, il se sentait incapable de verser la moindre larme. Tonton prononça un discours qu'il oublia aussitôt, mais dont toutes les personnes présentes se souviendraient à jamais. Il ne garda aucun souvenir de l'entrée de la dépouille dans sa maison ni de la présence d'une immense foule à l'enterrement, ni même de la cérémonie organisée par le gouverneur le jour où on donna le nom de son épouse à la rue dans laquelle elle s'était effondrée.

Tonton se rappelait uniquement avoir interrogé les gens d'une voix affolée.

« Comment… comment est-ce arrivé ? » Au début, personne n'avait voulu répondre, puis une voix craintive s'y était enfin risquée.

« C'était une balle perdue, monsieur. Celle d'un soldat inconnu. »

# Aisha

*Upside Down*
(Sud-ouest du Nigeria, années 2000)

C e soir-là, dans la pénombre du patio, Aisha me raconta son cauchemar d'une voix presque inaudible. Je m'aperçus alors que notre relation évoluait vers quelque chose de plus profond. Si elle me racontait enfin son histoire, ce n'était pas la simple conséquence de notre amitié d'enfance. Ses révélations étaient si inattendues que j'étais paralysé par l'appréhension et un désir adolescent hésitant. De son côté, c'était la nécessité d'une intimité beaucoup plus profonde qui la pressait.

« J'étais couverte de sang et l'homme à la hache s'apprêtait à m'asséner un nouveau coup. Je me suis réveillée en sursaut – c'était le même cauchemar. La pièce sombre et étrangère dans laquelle je me trouvais n'était pas réconfortante et, malgré mes quinze ans, j'ai éclaté en sanglots. Le lit était mouillé. La jeune femme qui m'avait amenée ici était repartie la veille au matin, et je détestais être seule dans cette chambre – Halima était toujours auprès de moi autrefois. J'ai retiré rapidement les draps du lit et les ai posés en tas près du cadre en bois sculpté. Puis j'ai soulevé péniblement le gros matelas, l'ai traîné sur le balcon de la chambre et l'ai appuyé contre la rambarde. Enfin, j'ai regardé autour de moi.

» C'était une nuit très couverte mais tout à coup, la lune est apparue entre les nuages. Elle était pleine et sa clarté m'apaisa. C'était une de ces grosses lunes argentées qui réveillent les loups-garous dans les forêts d'Amérique et invitent les villageois africains à se raconter des histoires autour du feu. Remarquant l'énorme saule pleureur dans le jardin, j'ai décidé que j'avais trouvé mon endroit préféré. J'ai regardé ensuite par-dessus la haute palissade qui séparait notre propriété de celle des voisins. Chez eux aussi, un vigile somnolait à côté d'un gros chien. Toutes les bêtes du quartier se sont mises soudain à hurler à la lune, mais j'ai trouvé ce son étrangement apaisant. De leur côté, les gardes continuaient à dormir. Assise sur le balcon, j'ai écouté le vacarme en observant le vélo bleu de la maison voisine, dont les rayons reflétaient la lueur argentée tombant du ciel.

» Plus tard, j'ai regardé fixement la lune claire afin d'effacer la tache rouge indélébile et de plus en plus large produite par mes rêves. Le hurlement des chiens noyait le son des cris perçants. Je suis restée assise là jusqu'à ce que les nuages avalent de nouveau la lune. Ensuite, tous mes mauvais souvenirs me sont revenus et j'ai sangloté, accroupie sur le balcon. Par chance, j'ai cessé de mouiller mes draps au bout d'une semaine, avant que quiconque s'en aperçoive. Mais ce rituel se répéta chaque nuit. »

Aisha me raconta si rapidement cette histoire que le silence qui suivit engloutit presque ses paroles. Par conséquent, lorsque Tonton se lança dans son propre récit plus tard ce soir-là, je me rappelais à peine les détails des souvenirs de mon amie. Je me souviendrais cependant à jamais de l'état dans lequel je m'étais senti en les entendant. Impossible d'oublier combien ma poitrine s'oppressait sous ses doigts, combien mon cœur s'emballait alors que j'écoutais ses paroles. Impossible d'oublier combien j'enrageais d'apprendre ce qui était arrivé à sa sœur et sa mère, car j'étais incapable de réécrire son passé. Impossible d'oublier le serment secret que je fis ce soir-là : ne plus jamais la laisser éprouver un tel désespoir. Quelque chose changea en elle, et entre nous, pendant cette soirée. Une confiance, plus puissante qu'un simple soutien moral, était née. Au lieu d'échanger des banalités sur nos vies, nous prîmes l'habitude d'analyser tout ce qui avait pu s'y produire. Les souvenirs passés sous silence de son enfance dans le Nord et les secrets de la maison voisine émergèrent alors au grand jour.

Aisha était née un 24 novembre à 0 heure 16, une heure après sa sœur jumelle, mais toutes deux n'auraient pu sembler plus différentes, même bébés. Voulant vérifier le rythme cardiaque des enfants juste avant l'accouchement, le médecin s'aperçut avec inquiétude qu'il n'entendait qu'un seul cœur. De crainte d'effrayer la parturiente, il se rendit dans la salle d'attente, prit discrètement le mari à part et lui transmit l'information. Ils décidèrent qu'il valait mieux garder le secret jusqu'à ce que le calvaire de la mère soit terminé. Lorsqu'on remit Halima, bébé potelé à la peau claire pourvu d'une tignasse noire et brillante, à Muktar, il déversa sur elle tout l'amour qu'il avait emmagasiné pour les jumelles. Si bien que lorsque l'infirmière le prit plus tard à part pour lui annoncer que l'autre enfant était finalement en vie et déposa dans ses mains un bébé fripé à la peau foncée et aux cheveux roux clairsemés, il ne put se résoudre à reprendre une partie de l'amour transmis à Halima afin de le témoigner à cette créature. Muktar se dit qu'il apprendrait à aimer cette enfant elle aussi, mais c'était la toute première mission personnelle qu'il se fixait sans se soucier du résultat. Ainsi, non contente d'avoir privé Aisha de la plupart des substances nutritives in utero, Halima fit visiblement main basse sur l'amour de leur père dès sa naissance.

Pourtant, Aisha n'aurait pu trouver meilleure protectrice que sa sœur. Au fil du temps, les gens se mirent à la taquiner en s'exclamant :

« Dis donc, Aisha, les dieux t'ont drôlement gâtée : tu es née accompagnée d'un ange gardien. »

Halima n'aimait personne autant que sa sœur et Aisha le lui rendait au centuple. Lorsqu'elles étaient petites et que Halima, la plus active des deux, entreprenait d'explorer une pièce, Aisha passait tout son temps à la regarder de ces yeux trop grands pour son visage et à s'émerveiller du moindre de ses gestes. Son premier mot fut donc « Halima », son premier groupe de mots, « ma sœur ». Elles étaient comme deux éléments d'un même être. Halima, exubérante, était leur cœur et Aisha, pensive et réservée, leur âme. Pleine d'initiative et jouant de son charme pour obtenir tout ce qu'elles voulaient, Halima était de loin la vedette des deux. L'école était son seul point faible. Enfant, elle resta toujours deuxième et Aisha, première. Toutes deux devançaient cependant largement la troisième, une fille aux longues jambes qui détenait aussi le record au semi-marathon de l'école. Lorsqu'elles arrivèrent en dernière année, le directeur de leur établissement pour filles prit Aisha à part et lui annonça que, bien que la tradition voulût qu'on nommât présidente la plus brillante des élèves, le corps enseignant avait envie de la remplacer cette année par la meilleure dans tous les domaines car l'école avait le privilège d'accueillir la plus douée qu'elle eût jamais connue. Peut-être prononça-t-il ces derniers mots pour lui remonter le moral, mais ils produisirent sur Aisha l'effet opposé : elle n'avait encore jamais été jalouse de sa sœur mais à ce moment-là, elle éprouva une profonde rancœur contre les aptitudes naturelles de Halima car, à cause d'elle, son carnet de notes serait à jamais privé d'une précieuse mention.

En fait, la véritable raison de sa colère se nommait Aminu. Ce garçon était leur petit frère de onze ans. Depuis son arrivée, Halima avait fait passer sa sœur au second plan pour la première fois de sa vie. Lorsqu'Aminu et sa mère s'étaient installés chez elles, ils avaient instantanément aimé Halima et le lui prouvaient abondamment. À l'instar de Muktar, ils ne cachaient pas leur mépris pour Aisha ni leur adoration pour sa sœur. Leur père avait insisté pour qu'on inscrive une date de naissance différente sur leurs actes mais ne fêtait qu'un seul anniversaire sur les deux, le 23 novembre. En ce qui concernait leurs cadeaux d'anniversaire, il demandait à Halima ce qu'elle souhaitait et se contentait d'acheter l'article en double, puisqu'il considérait Aisha comme l'ombre de sa vraie fille.

Sans le vouloir, les jumelles endossèrent peu à peu les rôles de protectrice et de suivante. Un an sur deux, Halima demandait à Aisha quel cadeau elle voulait mais à chaque fois, la liste des souhaits – livres et autres présents fantaisistes – ressemblait si évidemment à Aisha que Muktar achetait toujours un autre cadeau à Halima. Jusqu'à l'emménagement d'Aminu chez elles, les sœurs n'avaient jamais été rivales. Cependant, des sentiments latents, des colonisateurs d'amour, des fabricants de frontières commencèrent bientôt à apparaître entre elles. Aisha finit par se demander si elle méritait vraiment d'être invisible en raison de son apparence, et pire, elle se mit à douter de l'attachement de sa sœur.

Naturellement, lorsqu'elles partirent peu après s'installer à Jos, loin d'Aminu, le fantôme de cette trahison poussa Aisha à chercher un nouveau refuge. L'adolescente se jeta pour ainsi dire dans les bras d'une autre Halima, dont sa sœur n'était qu'une pâle caricature. Car cette Halima, qu'on appellerait bientôt Leema, était encore plus jolie, plus extravagante et plus vivante que celle d'Aisha. Et le mystérieux cordon qui reliait les jumelles, plus puissant que le simple lien unissant deux sœurs, se tissa bientôt entre les nouvelles amies. Craignant d'être abandonnée par sa jumelle, bien que ce fût très peu probable, Aisha s'était trouvé une nouvelle version d'elle. Ce type de comportement ne correspondait pas à son caractère : son attitude mesquine semblait avoir pour but d'attiser le conflit qui les opposait. Mais en creusant sous la surface, on s'apercevait qu'Aisha avait raison d'agir ainsi. Car c'était une cérébrale, une planificatrice à long terme, qui savait reconnaître les facultés variables et diverses des gens.

Halima, aimée de tous, n'avait pas pris conscience des changements en cours dans la maison avant leur départ de Kano pour Jos. Elle ne remarquait pas la barrière qu'érigeait peu à peu leur père entre sa femme, Aisha et lui-même, vouant toujours une fervente adoration à sa fille. Lorsque l'autre femme emménagea chez eux et qu'il trouva en Aminu le fils dont il rêvait, les bases de sa famille lui parurent achevées. Aisha et sa mère étaient brusquement de trop : ces deux êtres inutiles paraissaient faits pour perturber le bonheur qu'il avait toujours mérité et qui devenait enfin réalité. Comme son père, Aisha croyait aux contes de fées ; elle pensait avec la même intensité extrême que les histoires se terminent toujours bien. Cependant, les bases de leur croyance étaient sensiblement différentes, celles de Muktar reposant sur une confiance en soi inébranlable, celles d'Aisha sur l'espoir désespéré que tout le monde mérite le bonheur, sous quelque forme que ce soit.

\*

La soirée se poursuivit ainsi pour Aisha et moi, emmitouflés dans l'intimité créée par le récit de nos vies, sa main sur ma poitrine, mais toutes lumières allumées. Lorsqu'elle revint de la salle de bains après avoir séché ses larmes embarrassées, elle passa à une histoire plus récente, celles des drames ayant frappé la maison voisine. Après un mois de deuil, le fils de Daniel vint au monde et Mme Adeyemi décida qu'elle avait maintenant trop à faire pour se lamenter. Aisha resta assise à côté de Tope tout le long de l'enfantement et ce fut comme si la pauvre femme accouchait d'une bombe. Le trouble se peignit sur son visage dès qu'on lui tendit le bébé.

« Ce n'est pas le mien », déclara simplement Tope en se détournant.

Aisha prit le nouveau-né dans ses bras, le regarda dans les yeux et leurs pires craintes se confirmèrent. Elle commença à douter de Tope : peut-être Mme Adeyemi avait-elle vu juste ? Elle avait toujours traité Aisha comme sa fille, mais bien que l'animosité entre Tope et elle eût faibli depuis la mort de Daniel, une méfiance persistante régnait dans l'air. À présent, il n'y avait plus aucun doute.

Mme Adeyemi, la mère de Daniel, avait de nombreuses raisons d'être amère mais autant d'être heureuse, et elle mélangeait souvent le tout. Cette veuve acariâtre qui avait connu la richesse exprimait toute sa frustration en vouant une haine inexplicable à sa belle-fille.

Bien entendu, Mme Adeyemi ne se considérait pas comme responsable de cette situation. De son point de vue, elle avait de nombreuses raisons de détester Tope. Et si elle la détestait autant, c'était pour la banale raison que cette femme n'était pas assez bien pour son fils – en réalité, personne ne l'était. Ce jour-là, à la maternité, elle eut enfin une excuse valable pour jubiler ; Tope venait de confirmer ses soupçons en donnant naissance à un enfant qui, de toute évidence, n'appartenait pas à son Daniel. Il était indéniable qu'elle avait couché avec un autre – Aisha elle-même le pensait. Dès qu'elle apprit la nouvelle, Mme Adeyemi, restée mystérieusement absente pendant la naissance de son petit-enfant, surgit à l'hôpital.

À l'époque, si vous passiez la voir chez elle à Ikeja, Mme Adeyemi demandait invariablement à Ronke, sa domestique, d'aller chercher deux bouteilles de Coca-Cola, même si elle n'avait pas le droit d'en boire. Elle vidait la sienne d'une traite, ignorant ses problèmes de tension, puis soupirait profondément. Ensuite, elle contemplait avec respect le portrait en noir et blanc décoloré de M. Adeyemi, comme s'il pouvait venir la délivrer de ses souffrances.

« *Eti o le gbo eleyi*, disait-elle. Aucune oreille ne doit entendre ça », répétait-elle en anglais avec emphase, cette femme ayant pour habitude de prononcer ses discours dans les deux langues qu'elle parlait. Ensuite, elle vous racontait l'histoire de la sorcière qui lui avait volé son fils.

Après avoir étudié la médecine à l'Imperial College de Londres, Tope s'était mise à écrire pour un magazine de santé respecté ; mais aux yeux de sa belle-mère, tout laissait à penser que ce bourreau de travail ferait une mère négligente. Tope avait aussi été mannequin pendant sa première année et cela faisait forcément d'elle une prostituée. Avec ses manières polies et charismatiques, cette jeune femme était un loup déguisé en agneau. Si Tope et Daniel étaient amoureux, cela prouvait seulement que c'était une sorcière. Voilà ce que racontait Mme Adeyemi lorsqu'on l'interrogeait sur sa belle-fille. Elle prétendait même savoir quel soir Tope avait fait avaler à son fils un philtre d'amour.

Mais par chance, l'arrivée de ce bébé venait de faire tomber son masque. Lorsque Mme Adeyemi apprit la nouvelle, elle claqua de la langue et agita ses gros doigts, faisant bruyamment tinter les nombreux bracelets autour de son poignet. C'est le genre de geste qui fait rire les bébés, mais cette femme secouait ainsi la main quand elle était en colère. Et aujourd'hui, elle était furieuse. Elle allait enfin pouvoir exprimer tout le chagrin et l'amertume qu'elle refoulait depuis une éternité. Elle ne parvenait pas à croire qu'après l'avoir privée de petit-enfant pendant si longtemps, sa belle-fille avait eu l'audace de le concevoir avec un homme qui n'était pas son fils.

Mme Adeyemi avait patienté pendant deux ans après leur mariage, mais rien ne se passait. Elle avait fait de son mieux pour convaincre Daniel de rentrer au pays, ce qu'il avait finalement accepté. C'était probablement un stratagème de sa part visant à rapprocher les deux femmes. Naturellement, le couple s'installerait chez elle, puis Daniel effectuerait son service civique afin de pouvoir travailler en toute légalité au Nigeria. Son fils innocent et parfait n'avait rien fait de mal, mais aveuglé par l'amour malgré les sages conseils maternels, il était à présent ridiculisé par cette bonne à rien.

Autrefois, Mme Adeyemi avait été une femme riche et heureuse. M. Adeyemi dirigeait une usine de mise en bouteille de Coca-Cola. Ils donnaient souvent des dîners servis dans de la porcelaine fine et accompagnés de jus de fruits importés. Elle portait de beaux vêtements ornés de dentelle et de lourds colliers en or. Mme Adeyemi était née avec un air méprisant – nez retroussé, yeux à peine ouverts, sourcils fins comme de la ficelle, hautes pommettes saillantes, petit menton précis, lèvres minces et sévères. Jadis, sa bouche esquissait un sourire permanent, mais personne ne se rappelait vraiment le moment où les coins de ses lèvres devenus trop lourdes avaient commencé à s'affaisser. Cette moue s'était ajoutée au regard vitreux qui apparaissait chaque fois que M. Adeyemi se mettait à tousser ; ses quintes violentes secouaient ses lourdes épaules et lui faisaient cracher des glaires noires. Le jour où il avait arrêté de fumer, il était déjà trop tard. Ses poumons avaient renoncé à lutter. Souvent assise à son chevet le soir, Mme Adeyemi recueillait le sang sur sa poitrine et le versait dans un bol en argent, puis elle essuyait sa bouche avec une serviette verte. C'est à cette époque que ses cheveux étaient peu à peu devenus gris et que ses rides avaient commencé à apparaître. À chaque quinte de toux, l'amertume emplissait davantage son cœur. Bientôt, la nostalgie l'étouffa tant qu'elle parvint à peine à dissimuler son ressentiment.

Un matin de janvier, les épaules de son mari se secouèrent une dernière fois et il cessa de tousser. Ce jour-là commença le vrai cauchemar. D'abord, le frère aîné de M. Adeyemi vint réclamer la belle maison d'Ikoyi. Son autre frère s'empara du Land Rover. Les deux hommes n'en finissaient plus de venir la voir, tels des visages fantômes dans un cauchemar. Mme Adeyemi ne parvenait pas à arrêter l'hémorragie, et il n'existait aucun document juridique pour l'aider. La culture nigériane ne protège pas les veuves sans testament. Elle enterra son mari le jour où Daniel reçut sa convocation à la London School of Economics. Petit à petit, elle vendit le peu qu'il lui restait de l'héritage de M. Adeyemi afin de payer ses frais de scolarité.

« Nous n'organisons plus de dîners, marmonnait-elle en vendant la porcelaine. Je n'ai plus besoin de me faire belle », disait-elle en mettant ses bijoux en gage.

Peu à peu, elle fut dépouillée de ce qu'il restait de son sourire, et le poing qui lui écrasait le cœur se serra davantage.

Autrefois, son mari l'emmenait en voyage. En Europe, en Amérique, en Asie.

« Partout ! » s'exclamait-elle en agitant les poignets, confondant le rêve avec la réalité. Lorsqu'elle était de bonne humeur, elle vous racontait leur excursion extravagante au Taj Mahal, qu'ils avaient sans doute réellement effectuée.

« Là-bas, on me prenait pour une reine venue d'Afrique ! C'était notre deuxième lune de miel », disait-elle en claquant de la langue, tandis que ses bracelets tintaient. C'étaient les seuls bijoux qui lui restaient.

Peut-être était-ce la faute de Daniel ; peut-être aurait-il dû annoncer plus tôt à sa mère qu'il fréquentait quelqu'un depuis un an et demi. Mais il s'en était bien gardé, et le ressentiment qu'elle nourrissait contre les nombreuses jeunes filles avec qui M. Adeyemi avait couché éclatait maintenant au visage à fossettes de Tope.

Bien que Daniel eût été trop jeune pour saisir ce qui se passait, son père était un coureur de jupons notoire. Il n'employait que des secrétaires séduisantes et couchait avec chacune d'entre elles.

Le pire, c'était que tout le monde le savait, même la mère de Daniel. C'était pour cette raison qu'elle portait des tenues si tape-à-l'œil : elle cherchait à masquer la honte que lui infligeait son lit profané. Les somptueux dîners servaient à lui rendre sa dignité, bafouée par les secrétaires qui la méprisaient ; et les voyages à l'étranger rappelaient aux autres épouses qu'elle était tout de même mieux traitée qu'elles.

À son arrivée à la maternité, Mme Adeyemi entra dans la chambre en frappant bruyamment dans ses mains. Aisha voulut tenter de la calmer, mais l'autre femme la repoussa. Remarquant le frétillement de ses doigts, l'adolescente imagina aussitôt les mouvements de l'homme blanc possédant Tope. Mme Adeyemi ignora ouvertement les grands yeux marron de sa belle-fille, bouffis et remplis de larmes qui coulaient et s'accumulaient dans ses profondes fossettes, et se dirigea tout droit vers l'enfant adultérin. Claquant de la langue, hurlant et agitant les doigts, elle vit alors le bébé et se tut. Elle contempla sa peau pâle qui ressemblait à celle d'un gecko, ses cheveux foncés qui, au lieu de friser, tombaient mollement sur son front, ses yeux émeraude si reconnaissables. Aisha la regarda avec stupéfaction : Mme Adeyemi était soudain muette comme une tombe.

Celle-ci regarda fixement le bébé puis Tope et s'enfuit de la chambre en courant. Désarçonnées, les deux jeunes femmes échangèrent un regard et se tournèrent vers le bébé. Mme Adeyemi les laissa ruminer ainsi pendant une heure. Elles se parlèrent à peine pendant son absence, chacune cherchant à interpréter sa réaction. Soudain, elles l'entendirent approcher de la chambre et Aisha vit le visage de Tope exprimer tour à tour les nombreux stades de la douleur. Mme Adeyemi entra, se dirigea droit vers sa belle-fille et s'agenouilla devant elle, acte de contrition par excellence dans la tradition yoruba. Soudain, un torrent de paroles, d'excuses, de supplications et de larmes se déversa sur la jeune femme. On eût dit que sa coupe d'amertume se fissurait de toute part. Mme Adeyemi ne leur raconta pas immédiatement son histoire. Elle se contenta de répéter que ce n'était pas la faute de Tope. Lorsque celle-ci affirma qu'elle rentrerait directement chez ses parents après son séjour à la maternité, la vérité éclata enfin. Mais d'abord, Mme Adeyemi fit promettre à sa belle-fille de revenir vivre chez elle et de ne répéter son histoire à personne. À ceux qui s'étonneraient de l'étrange physique de l'enfant, il faudrait simplement répondre que c'était juste le souvenir de Daniel qui se perpétuait.

Mme Adeyemi révéla finalement à Aisha et Tope la véritable conception de Daniel, vingt-sept ans plus tôt. Debout près de la fenêtre, elle regardait, droit devant elle, cette époque lointaine. M. Adeyemi travaillait tard ce soir-là et ne pouvait l'emmener voir la tour Eiffel. La jeune femme était déjà allée à Agra sans voir le Taj Mahal, à Londres sans voir le palais de Buckingham. M. Adeyemi étant toujours occupé, elle décida de s'y rendre seule. Elle parcourut les rues de Paris dans un état d'hébétude fascinée. Alors qu'elle s'apprêtait à entamer l'ascension de l'imposante merveille, elle vit M. Adeyemi et une femme s'étreindre familièrement, comme le font les personnes qui partagent souvent un lit.

Mme Adeyemi repartit vers l'hôtel en titubant, emplie d'une sensation d'engourdissement bien différente de celle qui l'avait accompagnée plus tôt. Elle n'était pas réellement choquée car son mari la trompait au vu et au su de tous ; c'était surtout son audace qui la stupéfiait. Mme Adeyemi monta dans sa chambre et entreprit de faire ses bagages. À chaque vêtement qui atterrissait dans sa valise, elle s'envoyait une dose de l'alcool gracieusement offert par l'hôtel. La jeune femme ne s'était encore jamais soûlée. Aussi, treize vêtements plus tard, la tête se mit-elle à lui tourner. Elle fit monter le bagagiste afin qu'il l'aide à porter ses valises. C'était le même homme qui l'accueillait à l'entrée avec un sourire poli et lui tenait la porte. Celui qui la complimentait toujours sur sa tenue et affirmait n'avoir jamais vu d'aussi beau visage que le sien. Celui dont les yeux lui rappelaient son collier d'émeraudes préféré. Neuf mois plus tard, lorsqu'il vint au monde, Daniel ressemblait à sa mère trait pour trait. Peut-être est-ce véritablement ce jour-là que son sourire commença à pâlir, car elle s'aperçut qu'elle avait échoué à blesser son mari.

Après leur avoir raconté son histoire, Mme Adeyemi décida de ne plus être amère. Vivaient maintenant sous le même toit un bébé, une enfant et deux veuves. Lasse des coups du sort, elle décida de riposter. Par chance, la famille avait une maison, mais les bouches à nourrir étaient nombreuses.

Une semaine après le retour de Tope, Mme Adeyemi s'arrêta devant chez elle dans un crissement de pneus, un marteau-piqueur dans le coffre. De ses poignets tintants, elle supervisa le forage d'un puits puis entreprit de faire bouillir l'eau puisée, de la filtrer et de la stocker dans des sachets. Au début, les gens se méfièrent de sa marchandise. Mme Adeyemi comprit vite qu'elle vendait son eau aux mauvaises personnes. Elle ordonna donc à ses marchands de sillonner les gares routières et de visiter les *mama puts* – ces restaurants bon marché où la cuisine était faite en plein air et au feu de bois. Bientôt, Mme Adeyemi vendit ses sachets par milliers. Elle ouvrit ensuite une entreprise de mise en bouteille à Ijora.

Elle décida également de vendre des plats nigérians à la classe moyenne, comme ces fast-foods qu'elle avait vus en Amérique. Lorsque son nouveau projet fut fin prêt, elle invita ses amies chez elle, mais toutes affirmèrent que c'était une idée épouvantable. De loin, Aisha entendit ces femmes qui n'avaient jamais été obligées de travailler, telle jadis Mme Adeyemi, se moquer de son rêve comme s'il s'agissait d'un pur fantasme.

« Aucun homme nigérian ne quittera sa maison pour aller manger de l'*amala* ailleurs, ce n'est pas possible, à moins que ce soit chez une autre femme », rirent-elles encore, ignorant que nombre de leurs mariages se trouvaient dans cette situation ridicule.

Toutefois, Mme Adeyemi persévéra et son entreprise remporta un tel succès que tous les autres fast-foods qui passaient leur temps à imiter les menus occidentaux se dépêchèrent d'ajouter des plats « locaux » aux leurs.

Pendant ces quelques années, Mme Adeyemi ne cessa d'évoluer, telle la chenille qui se transforme en papillon. Au crépuscule de sa vie, elle apprit ainsi à déployer ses ailes et à s'épanouir. Mais c'était si nouveau pour elle que cela l'épuisait. Elle faisait tous ces efforts pour sa famille – Aisha, Tope et son petit-fils –, et pourtant, elle lui témoignait peu d'affection. Mme Adeyemi pensait peut-être que, si cette famille qu'elle s'était elle-même choisie la faisait autant souffrir, mieux valait protéger son cœur. Aisha savait immédiatement qu'elle se trouvait à la maison car le son de ses mains agitées trahissait sa présence fébrile ; mais la plupart du temps, Mme Adeyemi laissait tout le monde tranquille. Celle-ci souhaitait aux femmes de sa maison la même émancipation qu'elle avait connue. Aussi, lorsqu'Aisha fit ma connaissance et commença à passer tout son temps chez nous, la vieille femme parut soulagée. Tope, quant à elle, ne songeait qu'à son travail et à son fils. Ce garçon au physique étrange qu'elle gardait à la maison afin que personne dans le quartier ne découvre que c'était un quarteron. Aisha et lui s'adoraient, mais Tope ne la laissait jamais l'emmener chez Tonton. Aisha et moi restâmes inséparables jusqu'à la mort de mes parents, puis je disparus brusquement et mes lettres inexistantes ne firent que souligner mon absence. Enfin vinrent les confessions de cet été-là. Aisha était à présent sûre de souhaiter mon retour définitif et se moquait d'éveiller en moi un sentiment de culpabilité par ses paroles.

Un jour, elle décida de ne plus venir chez nous en mon absence, mais M. Odukoya – Tonton, comme tout le monde l'appelait désormais – ne voulut pas en entendre parler. Ensuite, Emeka emménagea dans la maison et Aisha finit par passer tout son temps auprès d'eux, comme lorsque j'étais là. Si les deux hommes s'étaient autant attachés à elle, c'était peut-être parce qu'ils avaient besoin de se raccrocher à quelque chose. Bientôt, elle commença à étudier le droit à l'université et travailla au cabinet de Tonton pendant ses vacances.

## Fefe Naa Efe
### (Sud du Nigeria, années 2000)

Ce soir-là, notre groupe veilla jusqu'à ce que le balai de Mme Folayo commençât à frotter le sol de la cuisine, puis Aisha et moi retrouvâmes notre ancienne position, sa tête sur ma poitrine, une fois qu'Emeka et Tonton se furent retirés. Elle me parla alors de Leema. Plus jeune, elle ne cessait de s'émerveiller du fait que sa sœur jumelle et sa meilleure amie portent le même prénom. Lorsqu'elles étaient toutes ensemble, Aisha hurlait « Halima ! » et s'amusait de leur réponse simultanée. Halima, son amie, décida bientôt de se faire appeler Leema car il lui était insupportable de partager une chose aussi importante que son prénom. Leema et Aisha devinrent instantanément les meilleures amies du monde. Le jour même où Aisha entra nerveusement dans sa nouvelle classe, juste après son emménagement à Jos, Leema s'imposa dans sa vie. Elle exerçait déjà une certaine influence sur deux ou trois filles sans cesse suspendues à ses lèvres. Leema leva les yeux alors qu'Aisha pénétrait dans la salle, lui adressa un large sourire et lui ordonna promptement de s'asseoir à côté d'elle. Halima avait été envoyée exprès dans une autre classe afin qu'on puisse tester la théorie selon laquelle les jumeaux se développent mieux lorsqu'on les sépare progressivement. Leema était une élève brillante, mais l'école lui importait si peu qu'elle était incapable de consacrer son temps à atteindre l'excellence. La reconnaissance lui suffisait. Elle se satisfaisait parfaitement d'être la troisième, car les gens pouvaient l'admirer dans ses beaux vêtements lorsqu'elle était assise sur le podium.

Avec un peu de volonté, elle aurait pu devenir la meilleure élève de la classe, mais c'était une ambition trop limitée à ses yeux. À tout Leema préférait la vie.

Nombre d'enfants nés dans les années quatre-vingt-dix ne connaissaient de leur pays que ses lignes téléphoniques à l'humeur changeante, ses stations-service à court d'essence et ses routes défoncées. Cette génération était l'incarnation même de l'expression, « Ce qui ne se voit pas n'existe pas ». Aux yeux de ces jeunes, il était inutile de se préoccuper des amis avec qui on ne pouvait pas communiquer, effet subtil des conditions économiques sur les normes sociales. Au début, Leema refusa de laisser le sous-développement de la nation entraver sa liberté. Elle se rebella contre l'atrophie sociale des années quatre-vingt-dix et assista à toutes les fêtes les plus amusantes du pays, puis à la première cérémonie des récompenses cinématographiques et télévisuelles organisée dans l'État de Bayelsa. Et à l'instar de ce spectacle se faisant passer pour les Oscars africains, et de cet État qui se considérait comme la future Californie nigériane, elle se rendit à cet événement parée comme Halle Berry, après avoir convaincu Aisha de l'imiter.

« Les choses sont en train de bouger, disait-elle, et nous participons au changement ! »

Leema était partout à la fois et Aisha ne pouvait s'empêcher de la suivre, sans jamais s'y sentir forcée.

Cependant, toutes les amitiés connaissent des périodes de tensions et des séparations. Un jour, le téléphone sonna chez Aisha et, bien qu'elle n'eût pas entendu sa voix depuis trois ans, elle sut immédiatement que c'était Leema.

« J'aimerais que tu viennes à mon mariage », dit celle-ci d'une voix feutrée, tandis qu'Aisha poussait des cris de joie, comme si ni le temps ni le ressentiment n'avaient émoussé leur relation. Mais l'appel fut brusquement interrompu ; on eût dit que Leema s'était empressée de raccrocher. La joie initiale d'Aisha fut aussitôt supplantée par une amertume muette, mais durable. Leema ne lui avait jamais annoncé qu'elle avait un petit ami, et maintenant, elle refusait d'avouer qu'il s'agissait d'Obinna.

Avant cette invitation, le trépas de leur relation déclinante s'était trouvé hâté par deux sorties. Le soir de la première, les deux filles avaient bu plus que de raison et Aisha, qui aurait dû freiner son amie, s'était faite complice de son ivresse.

Comme je ne lui avais pas écrit depuis neuf mois, elle était déterminée ce soir-là à m'oublier. Elle voulait me laisser tomber pour de bon et présenter au monde un aspect de sa personnalité qu'elle-même était curieuse de découvrir.

La soûlerie commença dès le dîner. Surexcitées, toutes deux picorèrent le poulet et touchèrent à peine aux pâtes. Leema, qui s'était chargée de choisir leurs tenues, déposait de tout petits morceaux de nourriture d'un geste très délicat dans sa bouche. Certes, elle craignait de salir sa robe, mais plus important encore, elle avait l'impression de devoir se comporter comme une dame. En fait, elle en avait toutes les caractéristiques et cela influait logiquement sur son attitude. La robe contraint à l'élégance et le rouge à lèvres oriente la conversation, c'est un fait – bien que peu de gens le comprennent.

Lorsqu'elles arrivèrent à la fête, la belle Leema elle-même eut un mouvement de recul en découvrant son large public. N'ayant pas l'habitude d'être l'objet d'une telle attention, Aisha se colla contre elle et marmonna quelques paroles décousues à son oreille afin de se faire entendre par-dessus le vacarme. Les deux jeunes femmes avalèrent avec assurance les boissons qui ne cessaient d'arriver sur leur table. Survoltée, Aisha ne prêta pas attention à son environnement un seul instant. Jusqu'à ce qu'elle se retrouve dans une chambre d'hôtel en compagnie de Leema et d'un homme ; la jeune femme embrassa son compagnon, puis tous deux sortirent. Aisha n'était pas naïve au point d'ignorer la raison de leur présence dans cet hôtel. Et elle n'était pas pieuse – encore que – au point de mal juger son amie. Si elles le lui avaient demandé, le père de Leema les aurait volontiers chaperonnées à cette soirée. Mais Leema veillait farouchement à l'indépendance de son âme ; elle était prête à tout sacrifier sur son autel, y compris son corps. Aisha l'attrapa par la main alors qu'elle s'apprêtait à quitter la pièce. Lorsque Leema se retourna, ses yeux reflétaient cruellement le jugement de son amie.

« C'est la liberté que tu veux, n'est-ce pas ? Eh bien, tout a un prix », déclara-t-elle froidement en sortant de la pièce.

Elle revint deux ou trois heures plus tard, sa soirée rêvée finalement gâchée par la réalité. Aisha n'avait pas fermé l'œil depuis son départ, mais elle continua à tourner le dos à la porte lorsqu'elle entra. Elles étaient soudain très fâchées l'une contre l'autre. Leema reprochait à Aisha sa frilosité et la manie qu'elle avait d'obliger les autres à lui procurer du plaisir, tandis qu'Aisha ne supportait plus la quête de liberté de son amie, qui finissait par perdre tout sens moral. Leema manquait-elle à ce point d'estime de soi ? Ou au contraire, avait-elle une trop grande estime d'elle-même ? Cependant, à sa grande honte, Aisha ne quitta pas la chambre d'hôtel. À son réveil, Leema avait disparu. Elle n'avait laissé derrière elle que le billet d'entrée d'Aisha au dos duquel était écrit : « JE T'AIME TOUJOURS, MA SŒUR CHÉRIE. »

Le problème avec Leema, c'était qu'à ses yeux, la vie devait se composer de faits marquants. Chacun était jugé à son mérite et lié aux autres par le plaisir procuré. Puisque tout ce qui arrivait était écrit d'avance, Leema se devait de saisir toutes les opportunités de s'amuser. Bien que ce mode de vie fît de son amie une véritable écervelée, Aisha lui restait fidèle car, sans elle, ses principes et habitudes l'auraient littéralement asphyxiée. Elle ne parvenait jamais à demeurer fâchée contre Leema bien longtemps. La contrariété d'Aisha ne se manifesta véritablement qu'après cette fête. Elle ne revit vraiment son amie qu'une seule fois avant d'être invitée à son mariage.

Aisha s'était inscrite à l'université américaine dans l'État d'Adamawa afin qu'elles puissent aller à la fac ensemble ; mais comme on pouvait s'y attendre, Leema abandonna ses études dès la deuxième année et se fit embaucher par la nouvelle compagnie aérienne nationale, Virgin Nigeria, dans l'espoir de voir le monde. Les deux amies restèrent tout de même très proches au début.

Puis les visites de Leema se firent moins fréquentes ; Aisha ne s'en trouva pourtant nullement affectée, jusqu'à cette fête. Ensuite, l'absence de son amie commença à l'agacer. Sa présence l'irritait tout autant, bien qu'elle ne fût jamais marquante ni longue. Néanmoins, à l'instant magique où Leema entrait et se jetait nonchalamment sur le lit d'Aisha, celle-ci était si contente de la voir qu'elle oubliait sa contrariété et constatait que son amie lui avait beaucoup manqué.

Après la fête à Bayelsa, ses visites devinrent terriblement anodines. Cependant, quatorze mois plus tard, alors que toutes deux se trouvaient à Lagos, Leema convainquit Aisha de l'accompagner chez le jeune homme avec qui elle flirtait à l'université. Par la suite, Aisha n'eut plus de nouvelle de son amie jusqu'à son invitation. Comme c'était excitant ! Jamais elle n'aurait cru que Leema serait la première à se marier. Leur entourage non plus, d'ailleurs. En même temps, personne n'était vraiment surpris. Leema était très douée pour faire le contraire de ce qu'on attendait d'elle.

Petites, les filles jouaient aux gendarmes et aux voleuses : une équipe interprétait le rôle des gendarmes, l'autre, celui des voleuses. À une extrémité du terrain de jeux se trouvait la maison des voleuses ; à l'autre, la prison. Les gendarmes devaient donc attraper leurs adversaires et les jeter au cachot. Si une voleuse parvenait à l'atteindre et tapait dans les mains des prisonnières, toutes étaient libres. Pour rendre le jeu plus intéressant, une équipe envoyait généralement ses voleuses les plus lentes en premier afin qu'elles se fassent prendre puis secourir par les meilleures qui étaient restées dehors. Ses coéquipières gardaient toujours Leema pour la fin. Vers la moitié de la récréation, qui durait une demi-heure, elles se rassemblaient dès que Halima sonnait la cloche, puis la classe de Leema et Aisha formait une équipe, et la sienne, une autre. En général, les filles disputaient deux parties, chaque équipe interprétant à tour de rôle les gendarmes puis les voleuses. Ensuite, elles partaient toutes se laver aux toilettes avant que la classe reprenne.

Ce jour-là, Leema était pleine d'inspiration. Afin d'attraper une voleuse et de la mettre en prison, elle ne se contentait plus de la toucher, mais la serrait dans ses bras. Peut-être imitait-elle le comportement des adultes qu'elle voyait souvent se faire justice eux-mêmes.

De son côté, l'équipe des voleuses développa quelques stratégies visant à envahir la prison en fonction de la position des gendarmes. Halima, capitaine à l'origine de la nouvelle organisation des gendarmes, était le cerveau du groupe. Elle disposa une équipe de cinq élèves sur le terrain : deux coureuses lentes sur les côtés, et trois de leurs camarades les plus rapides à l'avant. Elle plaça ensuite les meilleures sprinteuses à l'arrière, près de la future prison. Lorsque l'équipe de Leema, dont celle-ci était bien entendu la capitaine, envoya son contingent le plus lent et le moins agile tâter le terrain, seules deux élèves revinrent dans leur camp. Halima avait ordonné à son équipe de les laisser avancer sur quelques mètres, puis à ses coureuses les plus rapides de guider les voleuses derrière les gendarmes les plus lentes. De son côté, le camp de Leema criait de toutes ses forces à ses équipières de se retourner. Les trois gendarmes les plus rapides, restées innocemment près de la prison, partirent soudain comme des flèches et les voleuses furent cernées puis capturées.

D'habitude, seules une ou deux d'entre elles se faisaient attraper à ce stade parce qu'elles n'avaient pas vraiment besoin de chercher le danger. Leema trouva un plan pour secourir ses camarades. Elle envoya les filles plus lentes qui revinrent immédiatement, puis deux autres plus rapides qu'elle chargea de courir dans tous les sens. L'une d'elles fut capturée, mais l'autre se débrouilla pour libérer toutes les autres de la prison. Chacune se fit cependant attraper une seconde fois, même l'élève rapide qui fut capturée alors qu'elle s'apprêtait à regagner le repaire. Il ne resta ainsi que Leema contre huit adversaires. La fillette se mit alors à bondir sur place, bras et jambes écartés, comme elle l'avait vu faire dans un film, puis elle hurla en direction de l'extrémité du terrain de jeux :

« Je viens te chercher, Aisha, donnez-vous la main ! »

Et tout le monde rit parce qu'Aisha se trouvait à l'endroit le plus éloigné. Mais c'était une stratégie que Leema venait d'inventer. Pour se libérer les unes les autres, les filles devaient échanger une poignée de main. Leema pensa donc que si elles se donnaient la main, elle n'aurait qu'à toucher celle de la personne située au bout de la chaîne pour que toutes soient automatiquement libérées. Aussi, riant en chœur avec les gendarmes, les voleuses obéirent-elles. Le choix des stratégies pour libérer les prisonnières était très intéressant : il y avait tant de combinaisons possibles ! On pouvait essayer de ralentir la progression d'une voleuse en remplissant la prison de gendarmes. Il n'en restait ainsi que quelques-unes sur le terrain, à qui il suffisait de mener « l'héroïne » directement dans la gueule du loup. On pouvait aussi éviter tout risque en plaçant ses meilleures gendarmes autour de la maison des voleuses, en respectant la distance de 3,50 mètres imposée par la règle. Ce passe-temps offrait un grand nombre de possibilités, mais c'était surtout un jeu d'enfant et la stratégie était généralement choisie sous le coup de l'émotion. Halima était déterminée à attraper Leema elle-même. De toutes les voleuses capturées, Aisha était la plus éloignée et la moins athlétique de leur camp. La scène fut donc particulièrement hilarante lorsque Leema hurla ses instructions. L'équipe adverse entoura aussitôt le repaire des voleuses et les trois gendarmes les plus rapides se placèrent face à Leema.

Soudain elle s'élança, ses longues boucles formant une traînée derrière elle. Elle courut droit vers les trois gendarmes et chargea, mais les filles ne bougèrent pas. À la dernière minute, alors qu'elle s'apprêtait à leur rentrer dedans et se faire attraper, Leema s'agenouilla et se laissa glisser sur le sol, comme elle avait vu un footballeur le faire afin de célébrer un but lors du match que son père avait regardé la veille. Elle passa ainsi entre les jambes de Halima qui se tenait au milieu et s'éloigna à toute vitesse tandis que les gendarmes s'emmêlaient les pinceaux. Subitement, ses camarades captives hurlèrent son nom, aussitôt imitées par une bonne partie de la cour de récréation. L'adolescente continua à galoper tout droit vers Aisha car, Leema étant Leema, elle ne pouvait se dédire même si son amie était la plus éloignée des prisonnières. Elle courut donc droit vers elle et lui serra la main sous les acclamations des autres. À présent, toute l'école regardait et encourageait son équipe, séduite par le magnétisme de Leema. Celle-ci se retourna, hurla : « C'est parti ! » et toutes les voleuses déferlèrent sur le terrain. Les gendarmes se trouvèrent si déstabilisées par cette invasion qu'elles se figèrent momentanément. Le rugissement poussé par l'équipe de Leema, reproduit par le reste des élèves, ne les aida pas à retrouver leurs esprits. Lorsqu'elles parvinrent enfin à se ressaisir, la plupart des coéquipières de Leema avaient déjà parcouru un quart du chemin. Comme elles avaient précédemment décidé de capturer leur capitaine, toutes les gendarmes se mirent à courir vers elle tandis que la bande de voleuses s'enfuyait.

Leema resta simplement collée à un mur tandis que les filles l'entouraient. L'une d'elles la toucha, mais aucune ne la retint fermement. Entendant les élèves s'indigner de la méthode employée pour libérer son équipe d'un seul coup, elle décida de créer une diversion. Leema repartit comme une flèche et parvint à rejoindre son camp. Outrées, les gendarmes émirent alors deux objections. Souriant en son for intérieur, Leema fit une seule concession : les filles pouvaient la ramener en prison, mais son équipe était libre pour de bon parce que se tenir par la main équivalait à une poignée de main. Les gendarmes finirent par se laisser convaincre, comprenant que le bénéfice était mutuel, car elles seraient bientôt voleuses. Mais au grand agacement de Halima, les coéquipières de Leema restèrent les voleuses pendant toute la récréation. Aisha savait que la partie trépidante qui venait de se jouer avait pour cause la bataille tacite que se livraient les deux chefs d'équipe. Toutefois, elle n'était pas mécontente que sa sœur jumelle ait perdu. Elle avait été fascinée par la compétition opposant Leema, stratège se fiant à son instinct, à sa sœur prudente, qui planifiait tout et ne passait à l'action que lorsqu'elle était sûre d'avoir fait tout son possible pour que son plan fonctionne.

Muktar vivait sa vie de la même façon, raison supplémentaire pour lui d'adorer son aînée. À présent, Aisha s'apercevait que la méthode qu'affectionnait leur père n'avait rien d'infaillible. Celle de l'adolescente consistait à prêter soigneusement attention aux détails : elle faisait preuve d'un talent troublant pour trouver des solutions rapides et efficaces et résoudre les problèmes à long terme. Aussi son style se rapprochait-il de celui de Leema. Son amie elle-même avait transformé la nature du jeu car toutes les filles avaient maintenant compris que, pour délivrer de multiples voleuses, il suffisait d'en libérer une, si elle tenait la main d'une autre.

Après cette partie, Leema et Halima finirent par bien s'entendre, mais elles ne cessèrent pas pour autant de se disputer subtilement l'admiration d'Aisha. Celle-ci choisit tout compte fait de servir Leema en devenant son acolyte, son ombre, sa confidente, sa meilleure amie. Et au grand étonnement de tout le monde, Aisha et Leema devinrent même cousines.

*

Lors de l'invasion de l'église qui avait détruit leurs vies à Jos, Leema et sa mère s'étaient cachées sous un tas de cadavres et avaient passé là toute une journée sans bouger. Aisha fut la première personne à qui elle raconta son calvaire lorsqu'elle la retrouva trois ans plus tard et devint sa cousine. Leema lui expliqua qu'elles avaient parcouru des kilomètres à pied et que sa mère avait laissé deux hommes la violer afin qu'aucun ne touche à sa précieuse fille. Ce fut la première et la dernière fois qu'Aisha la vit pleurer. La mère de Leema avait épousé un *alhaji,* et toute la famille vivait maintenant à Kaduna. Aisha connaissait cet homme : c'était le fou qu'on avait convaincu de commettre ce massacre afin de se venger de son frère, son père à elle, mais à ce moment-là, personne n'était au courant de son implication. Ensuite, il s'était fait passer pour le plus tolérant des sénateurs en dénonçant bruyamment ces actes barbares. Trop malin pour laisser filer une occasion de se faire mousser, il avait retrouvé la trace de Leema et de sa mère après avoir entendu leur sinistre histoire et les avait intégrées à sa famille.

Depuis le début, la vie de sa mère était tragique. Elle faisait partie de ces personnes qui approchent le bonheur sans jamais y goûter : bien qu'ayant subi son lot d'épreuves, elle semblait destinée à ne jamais connaître la moindre joie.

La mère de Leema était donc une pauvre infortunée condamnée à survivre malgré le déluge de tragédies qui s'abattait sur elle depuis sa naissance. Sa détermination avait beau la pousser à chercher sans relâche un endroit meilleur que le précédent, elle préférait regretter celui dont elle venait de s'échapper plutôt que de se réjouir de sa nouvelle chance. Jamais cette femme ne connaîtrait le bonheur car il apparaissait déjà dans son rétroviseur au moment où elle le remarquait. Mais Leema était différente. À chaque revers et chaque déménagement, un aspect inconnu de sa personnalité se développait. Elle se lançait dans sa nouvelle vie avec une passion à la fois effrayante et exaltante. Ce fut Leema qui tira Aisha de ses cauchemars lorsqu'elles se retrouvèrent après que je partis à l'étranger et cessai d'écrire. Quand Leema lui annonça qu'elle s'inscrivait à l'université américaine de Yola, dans l'État d'Adamawa, rien n'aurait pu empêcher Aisha de la suivre.

Leema ne parvint jamais à gagner totalement le cœur de sa mère. Peut-être Ireti lui reprochait-elle secrètement les nombreux compromis qu'elle avait dû faire tout au long de sa vie.

Ireti avait vingt et un ans lorsque sa fille naquit hors mariage. Enceinte, elle s'était enfuie de chez elle car ses parents étaient des chrétiens très stricts. Lorsque le ventre de la jeune femme non mariée avait commencé à s'arrondir, son père s'était violemment emporté et sa mère avait paru bouleversée.

Ireti détestait les conflits. Pourvue d'un caractère faible, elle agit comme beaucoup de femmes indécises dans la même situation et s'enfuit de chez elle. Malheureusement, l'homme qui l'avait engrossée n'avait pas plus de volonté car, quand elle arriva chez lui avec son gros ventre et sa valise presque vide, il se fit lui aussi la belle. Ireti se retrouva ainsi seule avec son gros ventre, sa valise presque vide dans un appartement en ruines qui appartenait au père de Leema.

La jeune femme possédait peu de qualités capables de compenser ses défauts. Elle n'était ni brillante ni belle mais travaillait dur. Aussi, les joues toujours ruisselantes de larmes, elle retroussa ses manches et s'attela à sa tâche. Ireti pleurait tout le temps et pour rien ; elle éclatait sans arrêt en sanglots car tout lui semblait triste et sans espoir.

La vie se poursuivit ainsi pendant deux ans pour la petite Leema et sa mère ; dans leur maison lugubre, dans cette situation sinistre, elles pleuraient. Par chance, Ireti était débrouillarde. Leema commença bientôt l'école et l'avenir parut plus réjouissant. En ce qui concernait l'intelligence et la beauté, elle était l'opposée de sa mère. Malgré son jeune âge, l'enfant était déjà incroyablement belle, et exceptionnellement intelligente. Après avoir obtenu une bourse pour l'école de son choix, elle rencontra bientôt Aisha et Halima. Très fière d'elle, Ireti cessa enfin de pleurer pour se mettre à marmonner. « La pierre qu'ont rejetée les bâtisseurs est devenue la pierre angulaire », disait-elle souvent en regardant Leema avec un sourire admiratif. Celui-ci s'élargissait plus encore lorsque des inconnus dans la rue s'arrêtaient pour la complimenter. Mère et fille prirent l'habitude de se promener un peu partout et bientôt, la courbe des lèvres d'Ireti éclipsa le sillon qui marquait son front.

Un jour, six mois après le carnage perpétré à l'église, Ireti ramenait Leema de l'école lorsqu'une Mercedes s'arrêta près d'elles. Sans un bruit, les vitres teintées se baissèrent lentement à l'arrière. L'homme assis à l'intérieur paraissait aisé et répandait autour de lui un parfum agréablement riche. Des effluves d'eau de Cologne et de cuir s'échappaient par la vitre ouverte et, même s'il faisait plus de trente degrés dehors, on ne percevait pas la moindre odeur de transpiration. L'homme gesticulait avec la main droite quand il parlait ; ses trois derniers doigts portaient de magnifiques bagues. Le caftan dont il était vêtu paraissait si propre qu'il semblait tout juste sorti de sa garde-robe bien garnie. Il avait la voix douce d'un homme qui n'a jamais besoin de crier parce qu'on lui obéit toujours, et sa peau avait l'air aussi douce et souple que celle d'un bébé de six mois. Ireti ignorait qu'il était sénateur et qu'il les avait épiées pendant un mois avant de les aborder. Elle ignorait également que, lorsqu'il les regardait, l'homme ne voyait que Leema.

Il appela Ireti d'un signe de la main puis lui dit nombre de choses qui la firent sourire et rougir. Leema se rappelait avoir pensé qu'ils parlaient d'elle parce qu'Ireti la regardait souvent et souriait de plus en plus largement. Pour finir, l'homme prononça quelques mots auxquels sa mère répondit en secouant la tête et, bien qu'elle continuât à sourire, elles reprirent aussitôt la route. Les apparitions de la luxueuse voiture firent bientôt partie de leur quotidien : toutes deux rentraient à pied de l'école, lorsque le même gentleman riche les abordait et discutait avec Ireti jusqu'à ce que celle-ci secoue la tête puis s'éloigne. Au bout de deux semaines, la mère de Leema finit par hocher la tête. Ensuite, elle fit signe à sa fille de la rejoindre et toutes deux montèrent dans la voiture.

Tout le monde l'appelait simplement Alhaji ou l'Honorable. L'homme avait déjà deux épouses et quatre enfants, mais à en juger par son intérêt pour Ireti et Leema, il souhaitait agrandir sa famille. La première fois qu'elles se rendirent chez lui, trois mois plus tard, Leema fut saisie d'admiration en visitant la maison. Comme elle le répéta maintes fois à sa mère, l'adolescente n'avait jamais rien vu d'aussi beau. Les filles d'Alhaji, toutes âgées de moins de cinq ans, étaient trop jeunes pour comprendre la situation, mais ses épouses se montrèrent très gentilles. Bien qu'Ireti leur assurât qu'elles n'avaient aucune intention de s'installer dans la grande maison, la plus âgée les traita tout de même comme si elles faisaient partie de la famille, et la détermination d'Ireti faiblit peu à peu.

Personne ne sut pourquoi elle finit par accepter ; tant de gens l'avaient rejetée qu'elle était peut-être contente qu'on s'occupe un peu d'elle, même si elle n'était que la troisième épouse d'un musulman venu d'une autre région du pays. Peut-être avait-elle l'impression de mériter une sorte de récompense après le châtiment éternel que lui avait infligé la conception de Leema. Le mariage fut modeste et discret, et si Ireti était déçue, elle ne le montra pas. Elle ne parlait plus à ses parents depuis qu'elle avait quitté le domicile familial et craignait de se faire des amis car beaucoup de gens la traitaient de femme facile en apprenant qu'elle avait eu une fille sans être mariée. Ireti n'avait donc invité ni amis ni parents à la cérémonie. Leema était la seule de ses proches dans le cortège. Très jolie, elle portait du rouge à lèvres pour la première fois de sa vie. Alhaji lui dit qu'elle était aussi belle que le soleil levant par un matin fouetté par l'harmattan.

Alhaji se préoccupait beaucoup de Leema. Ayant grandi sans père et sans figure paternelle, cette dernière ne savait pas vraiment quoi penser de cet homme. Peu à peu, elle se mit à lui vouer une dévotion presque servile ; il était évident pour tout le monde que cela plaisait beaucoup à Alhaji. Leema commença à pratiquer l'équitation parce que c'était le sport qu'il préférait et travailla juste assez pour rester parmi les trois meilleures élèves de sa classe parce qu'il avait dit un jour qu'une jeune femme intelligente était comme une oasis dans le désert. Son foyer s'habitua facilement à leur présence et « Leema » fut l'un des premiers mots que prononça le bébé en essayant d'articuler « Halima ». Ainsi réapparut le diminutif qu'elle n'utilisait plus depuis le massacre. Les membres de la famille éprouvèrent bientôt une grande affection les uns pour les autres. Ireti elle-même était heureuse. Elle partait régulièrement à Dubaï avec Alhaja, la première épouse d'Alhaji, où toutes deux achetaient beaucoup d'or afin de le revendre à leur retour.

La première dispute entre Leema et sa mère éclata lorsqu'elle avait seize ans. L'adolescente venait de lui annoncer qu'elle voulait devenir musulmane comme Alhaji. La contrariété de sa mère lui parut incompréhensible : certes, Ireti lisait de temps en temps la Bible posée sur sa table de chevet, mais elle n'allait jamais à l'église et priait rarement plus de cinq minutes d'affilée. Alhaji, en revanche, était aux anges. Il prit le visage de Leema dans ses mains et lui adressa un regard d'une tendresse si profonde que l'adolescente rougit et ne ferma pas l'œil de la nuit.

À présent, la jeune fille était en âge de se marier. Aisha étant sa meilleure amie, elle connaissait assez bien Ireti. Aussi s'étonna-t-elle de sa réticence et de ses larmes lorsqu'elle leur rendit visite dans leur nouvelle résidence de Kaduna. Aisha finit par comprendre qu'Ireti était bouleversée parce qu'Alhaji s'apprêtait à prendre une quatrième épouse. Mais cela n'aurait pas dû détourner son attention des noces de Leema. Ireti ne rêvait-elle pas depuis son enfance que sa fille se marie ? D'après celle-ci, il paraissait évident depuis un an environ qu'Alhaji allait prendre une nouvelle femme. Elle-même avait fini par l'accepter, contrairement à sa mère. Aisha passa la semaine chez elle. Plus le grand jour approchait, plus la maisonnée s'activait, mais Ireti refusait d'aider qui que ce soit. Elle était redevenue la femme d'avant, ruminant et pleurant à longueur de journée.

Aisha trouva tout de même légèrement curieux que Leema ne parle jamais de son futur mari. Il était également surprenant que quelqu'un ait finalement réussi à la dompter. La jeune femme finit par comprendre qu'elle avait décidé de renoncer à son désir d'émancipation afin de vivre dans l'aisance. Elle s'était trouvé un homme riche qui était prêt à lui offrir une autre forme de liberté : celle de déléguer toutes ses responsabilités. Leema s'en voulait probablement d'avoir perdu son esprit de rébellion et de s'être laissé convaincre d'épouser le fils d'un associé de son père plutôt qu'Obinna ou n'importe quel autre de ses amants exotiques. Aisha avait toujours cru que son amie ne supporterait jamais qu'on la marie comme n'importe quelle jeune femme. Cependant, Leema paraissait de plus en plus enthousiaste à mesure qu'approchait le mariage. Peut-être la mine d'enterrement de la mère avait-elle empêché la fille d'exprimer pleinement sa joie. Quoi qu'il en soit, le grand jour approchait et il fallut bientôt commencer les préparatifs de la cérémonie du henné.

Sans doute Ireti était-elle un peu jalouse car la fête organisée par Alhaji promettait d'être grandiose, à l'inverse de ses propres noces. Cet homme ayant beaucoup de relations : le téléphone sonna sans arrêt après que les gens eurent appris que sa fille se mariait. Dans la maison résonnaient sans cesse des rires et des conversations inter-minables. Un jour, on livra chez lui un bélier, ainsi que quelques caisses d'eau minérale. Lorsque Leema demanda à son père pour-quoi les gens leur envoyaient toutes ces choses, il lui expliqua de sa voix douce et tendre que, lorsqu'on a de l'argent et le bras long, on n'a jamais besoin de payer les frais de ses propres fêtes.

Le jour du mariage arriva enfin. L'air vibrait d'excitation et tout le monde était euphorique, à l'exception d'Ireti, bien sûr. Aisha monta dans sa chambre afin d'essayer de la convaincre une dernière fois d'assister au mariage de sa fille chérie, mais la femme refusa net de lui parler. Même à la terrible époque où toutes deux vivotaient, Leema ne se rappelait pas l'avoir entendue pleurer aussi fort. Mais bien que son amie restât évasive, Aisha ne pouvait s'empêcher de penser qu'elle connaissait la raison de ce désespoir. Puis la fête commença et les jeunes femmes passèrent un moment merveilleux. Hélas, Aisha finit par découvrir avec horreur pourquoi Ireti était aussi contrariée. Leema, son amie si précieuse, était décidément folle à lier ! Aisha se dépêcha de retourner à la maison, mais Ireti était déjà partie. Une fois encore, elle avait fui ses problèmes.

Aisha erra dans sa chambre un peu tristement. Alors même qu'elle méditait sur l'étrangeté de cette journée, une ombre passa devant l'entrée. La jeune femme vit alors Alhaji et Leema se diriger d'un pas nonchalant vers le lit conjugal. Elle comprit enfin que son amie était hantée par plus de démons que n'oserait en affronter n'importe quel prédicateur évangéliste. À moins de disséquer son âme, personne ne s'expliquerait jamais le comportement excentrique de cette jeune femme énigmatique. Leema redoutait l'abandon, le sort débilitant subi par sa mère, jadis une fille travailleuse au grand potentiel – voilà qu'elle venait de perdre sa place auprès de son mari pour être remplacée par sa propre fille ! Après tout, qui aimait Leema plus que ce père affectueux ? Qui avait remarqué cette beauté délicate sur le bord de la route et fait le serment de prendre soin d'elle pour toujours ? Ce jour-là, Aisha comprit enfin sa meilleure amie.

Pendant leur première année à l'université, elle saisit également une chose qui paraissait évidente à Leema depuis longtemps et dont elle avait profité pendant plus de cinq ans : « Ce n'est pas pour rien que les hommes portent des pantalons et non des jupes. »

Dans la classe voisine, se trouvait un garçon au grand talent de conteur. À sa façon de s'exprimer, on devinait aisément que son grand-père avait un jour vécu avec lui. Il prononçait les syllabes de chaque mot et utilisait des termes tels que « gémir » au lieu de « pleurer ». Lorsqu'il parlait, le monde lui appartenait, et c'était un monde dont on avait assurément envie de faire partie. Leema tomba naturellement sous son charme et, en raison de la vive éloquence d'Obinna (car c'était son nom), Aisha n'eut pas besoin de se faire prier pour l'accompagner lorsque son amie voulut lui rendre visite dans sa classe. Les filles préféraient l'écouter raconter un film plutôt que de le regarder elles-mêmes car, à leurs yeux, le cinéma échouait parfois à capter aussi précisément la magie de la vie que le faisait Obinna.

Les histoires du jeune homme étaient uniques. Il les assaisonnait toujours d'une dose parfaite d'exagération afin de rendre son récit crédible, quelle que soit son extravagance. Doué d'un talent inné pour interpréter les réactions de son public, il choisissait le meilleur moment pour ajouter un peu de piment à sa narration ou l'édulcorer. Obinna cessa de venir aux cours à la fin de leur première année et déménagea à Lagos afin de travailler à plein temps au cybercafé qui l'embauchait déjà avant la rentrée. Il invita les filles à lui rendre visite avant de les quitter. Peut-être la réaction inattendue de Leema aurait-elle dû alerter Aisha à ce moment-là. En effet, la liberté était la chose la plus importante pour son amie, mais elle était prête à s'entraver elle-même si ses chaînes étaient faites d'or et lui permettaient de faire partie du beau monde. Elle avait commencé à venir à l'université avec des sacs de créateurs, dont le prix équivalait au salaire annuel du personnel d'une maison tout entière, et partait souvent en week-end. Lors d'une de ses escapades, elle avait appelé Aisha totalement ivre et désespérée. La jeune femme avait fini par découvrir que l'indicatif téléphonique était celui de l'Italie. Mais elle s'aperçut finalement, après leur visite à Obinna, que le cœur de Leema n'avait pas la même forme que le sien : il était capable d'accueillir une quantité exceptionnelle d'idées absurdes.

C'était les vacances de Pâques. Toutes deux avaient emprunté la voiture de Tope, mais dès qu'elles eurent quitté la propriété, Leema remit un peu d'argent au chauffeur afin qu'il lui laisse le volant. Elles avaient reçu pour instruction de se rendre au stade national car il n'y avait pas de place pour se garer près de chez Obinna. Seule une poignée de gens possédait un téléphone portable à l'époque, mais leur ami leur avait fourni deux numéros. La circulation était fluide, c'était une journée tranquille, un vendredi ordinaire pour la plupart des gens. En approchant des portes du stade, elles aperçurent un homme qui tenait une bouteille de bière Star Lager, bien que le soleil ne fût pas encore couché.

« Bonsoir. Où est le parking, s'il vous plaît ? demanda Aisha, l'air totalement déconnecté de son environnement.

— Mé tu débarques dé là où, madame ? » s'exclama grossièrement l'homme.

Mal à l'aise, Aisha sentit Leema se hérisser à côté d'elle, sans doute prête à couvrir le goujat d'insultes.

« Pardon ? » fit-elle rapidement, avant que son amie puisse demander à l'homme ce qui n'allait pas chez lui ou maudire sa mère de l'avoir mis au monde, dans les trois ou quatre langues nigérianes qu'elle parlait couramment.

« Fé pas attention lui, dit un autre sur son *okada*. Vénez, jé va vous montrer, suivez. »

Leema s'engagea sur le terrain qui servait désormais à tout, sauf accueillir des matchs de football. Elle gara ensuite la voiture loin de la foule dans un coin apparemment sûr, puis un vendeur à la sauvette lui promit de la surveiller contre un peu d'argent. Les filles sortirent du véhicule et comprirent à l'odeur d'urine et d'excréments pourquoi personne ne traînait dans les parages. La ligne de but était jalonnée de marchands de nourriture et de boissons. Elles passèrent devant des stands de *suya*[1], de soupe au piment et de nouilles chinoises, puis, l'air gêné, ignorant s'il valait mieux retourner à la voiture ou tenter de paraître décontractées, elles attendirent Obinna, censé arriver sous

---

1. Brochettes de viande.

peu. Les filles flânèrent un moment le long du terrain sous les sifflets des prostituées venues de toute la côte ouest-africaine. Ce n'était sans doute pas un endroit pour elles, mais malgré son statut de jeune fille aisée, Leema ne semblait pas comprendre qu'elles faisaient tache ou que leur présence finirait par poser problème. À ses yeux, cette expérience était tout aussi dangereuse qu'une autre, il n'y avait donc rien à craindre. Alors que la nuit tombait, le nombre de racoleurs augmenta et les prostituées se firent plus chahuteuses, dans l'espoir d'attirer les rares clients. Aisha regretta de ne pas pouvoir prendre ce vacarme en photo et le contempler plus tard à tête reposée, car il n'avait rien d'agréable. Toutefois, la qualité sonore de cette fin de journée lui permit de goûter la richesse et la diversité de la vie, alors qu'elle arpentait le terrain.

Au moment où Aisha crut parvenir à convaincre Leema qu'elles attendaient Obinna en vain, une BMW intrépide roula vers elle. Dès que la portière s'ouvrit, les racoleurs adressèrent au jeune homme des salutations familières et deux filles des rues marchèrent d'un pas assuré vers lui.

« Pas aujourd'hui », lança Obinna avec un sourire impatient. Au cours de l'année interminable qui s'était écoulée depuis qu'elles l'avaient vu pour la dernière fois, il n'avait conservé de ses attributs que sa voix. Autrefois, Obinna était petit et maigrichon mais à présent, son ventre à lui seul aurait pu engloutir cet ancien corps. D'épais bourrelets de chair ceignaient son cou, et ses cuisses se frottaient sans arrêt l'une contre l'autre. Obinna se dirigea vers le stand de *suya* puis prit une brochette de viande grillée épicée enveloppée dans les pages d'un journal.

« Tiens, dit-il simplement en laissant tomber de sa grande main une somme bien plus généreuse que nécessaire sur la table.

— Obinna, c'est bien toi ? » demanda prudemment Aisha, quoique sa voix fût reconnaissable entre mille.

Leema courut vers lui et se jeta dans ses bras.

« Tu es là, ma chérie ! » s'exclama le jeune homme comme s'il était surpris qu'elle soit déjà là. À l'entendre, Leema était la seule personne présente sur le terrain. Obinna la serra dans ses bras.

« Venez, venez », dit-il à ses amies. Il se tourna ensuite vers le groupe de brutes et de charmeuses puis leur lança :

« On se voit plus tard. »

Ce à quoi certains des hommes répondirent en hurlant :

« Ça marche, *Oga !* »

De toute évidence, Obinna se délectait de cette situation.

« Ah, ces garçons ! dit-il à ses visiteuses de sa voix rendue légèrement plus rauque par la bière et les cigarettes. Leems, ma chérie, comment va maintenant ?

— Ça va, on fait aller », répondit la jeune femme, alors qu'elle critiquait toujours ceux qui prononçaient ce genre de banalité.

En dépit de ses couches de graisse, Leema semblait toujours fascinée par l'ancien conteur. Aisha essaya de comprendre l'irrationalité de cette attirance. Son amie tombait sous le charme d'un homme différent toutes les nouvelles lunes, alors qu'elle-même n'avait qu'un seul amour. Et tandis que Leema témoignait à tous la même affection sincère, Aisha trouvait à peine le courage de me regarder dans les yeux et d'accepter ses sentiments pour moi. Elle tentait tant bien que mal d'enterrer ses rêves de conte de fées et m'appelait Seun au lieu de « chéri » comme elle l'aurait souhaité.

« On fait aller ? On fait aller ? Ma chérie, c'est bien peu pour une femme aussi séduisante que toi. Tu devrais croquer la vie à pleines dents ! s'exclama-t-il de sa voix rocailleuse. Comment peux-tu dire une chose pareille avec un visage aussi serein ? ajouta-t-il d'un ton hilare.

— Et que trafique donc mon chéri ces temps-ci ? » demanda Leema de cette voix mielleuse qui rendait Aisha malade, mais qu'Obinna écoutait avec délectation.

Aisha ne parvenait pas à comprendre comment tous deux pouvaient flirter et se donner des surnoms affectueux aussi facilement. Pour certains, l'amour est une caisse commune que tout le monde est invité à partager.

« Ce que je trafique ? Ma chérie, mieux vaudrait que tu ne le saches pas, mais je vais quand même te le montrer », répondit-il en gloussant.

Soudain, comme s'il se rappelait la présence d'Aisha, il se tourna vers elle.

« Alors, qu'est-ce que tu... » commença Obinna, puis il se tut, l'air de ne trouver aucun aspect de sa vie digne d'intérêt.

Étrangement, c'était une chose qui inspirait à Aisha un certain respect : aux yeux d'Obinna, toute parole comptait. Il s'exprimait rarement pour ne rien dire. Il flirtait, de façon tantôt évasive, tantôt si directe qu'on se demandait pourquoi les filles continuaient à l'écouter, mais jamais il ne posait une question si la réponse ne l'intéressait pas et jamais il n'affirmait une chose dont il n'était pas sûr. Sa question resta donc en suspens, comme s'il était naturel pour elle de planer dans l'air entre eux trois, rappelant à Leema qu'elle méritait une vie sans mondanités, qu'elle méritait Obinna ou un homme comme lui. Aisha l'en plaignit sincèrement sur le moment. Obinna se gara sur une étroite place de parking qu'un type surveillait en fumant un joint, l'air de s'ennuyer.

« *Oga* », salua-t-il son patron, avant d'adresser un signe de tête à Leema et Aisha.

On oublia vite qu'Obinna avait brièvement tenté de feindre un quelconque intérêt pour Aisha. De son côté, Leema se pressait déjà contre son corps mou tout en marchant.

Aisha, quant à elle, observait son environnement et songeait que tous trois allaient enfin pouvoir être eux-mêmes. Ils longèrent une rue bondée où tout le monde les salua d'un signe de tête sans vraiment remarquer leur brève présence. Les mélodies qui s'échappaient par les fenêtres rivalisaient d'ardeur et formaient une étrange harmonie. Tous trois traversèrent des rues étroites bordées d'égouts sales presque aussi larges que la chaussée, remplis d'eau noire et d'algues, de vieilles canettes et de préservatifs usagés flottant autour des nuages à rayures noires et jaunes formés par quelques sacs en nylon. Un jeune aux yeux rouges et à l'haleine fétide surveillait un bas portail ; il salua Obinna de la même façon que le premier type. Aisha commençait à se demander si leur ami gérait une sorte de maison close, lorsqu'ils entrèrent dans une pièce où ronronnaient dix ordinateurs et un climatiseur. Dix têtes se levèrent brièvement, lancèrent un « *Oga* » à Obinna et se remirent au travail. Le patron rayonnait de fierté. C'est alors qu'Aisha se souvint d'avoir vu beaucoup de petites voitures trop décorées le long de la rue, un gros groupe électrogène qui toussotait près du portail et un immense mât précairement installé sur le toit de la maison devant laquelle Obinna avait garé sa voiture.

Celui-ci observa son regard, tandis qu'elle comprenait peu à peu en quoi consistait son entreprise.

« Eh oui ! *First thing na Hummer, one million dollars*[1] », entonna-t-il le refrain entraînant qui glorifiait sa profession sans scrupule.

Un long rire jaillit de sa bouche fière.

« J'étais comme eux avant ; mais par la suite, j'ai monté deux arnaques géniales et ouvert ma propre affaire. Venez que je vous raconte, dit-il en tendant le *suya* à ses employés.

— Tu ne trouves pas que c'est mal de voler l'argent de ces gens ? demanda Aisha.

— Pas du tout ! protesta-t-il avec véhémence. S'ils n'étaient pas avares ni malhonnêtes, ils ne tomberaient pas dans le piège. Tenez, ce gars par exemple… »

Tous trois entrèrent dans une petite pièce encombrée d'équipement électronique. On baissa le son d'une chaîne stéréo assez puissante pour divertir toute la rue. De son côté, un écran plat diffusait des images muettes. Quatre ou cinq personnes étaient assises dans la pièce, plongées dans des conversations apparemment captivantes. Elles se laissèrent à peine interrompre par les nouveaux arrivés. Obinna adressa un signe de tête à un garçon assis près d'une porte épaisse au fond de la pièce. Des bribes de conversation parvenaient aux oreilles d'Aisha – tout le monde parlait affaires. Le garçon qui avait disparu dans la salle du fond revint avec un plateau chargé de trois bouteilles de Guinness, un briquet, un long joint et deux verres. Lorsqu'Aisha lui dit qu'elle

---

1. « D'abord, un Hummer, ensuite un million de dollars. » Paroles extraites d'une chanson nigériane très populaire, *Yahooze*, d'Olu Maintain, célébrant la belle vie menée par les cyber-escrocs.

trouvait la bière brune trop amère, il remplaça sa boisson par une Heineken. Obinna remplit leurs verres ; Aisha refusa le joint qu'il lui tendait. Le rire du gros homme retentit de nouveau quand il l'alluma ; il exhala de grosses volutes de fumée et toussa bruyamment. Par un étrange hasard, toute la pièce se tourna vers eux en même temps. À l'évidence, la journée de travail était terminée. Obinna s'enfonça dans son fauteuil, passa le joint à Leema, but une gorgée puis laissa échapper un soupir satisfait. Soudain, il se redressa, plein d'entrain. Leema, qui semblait se fondre en Obinna, imitait tous ses faits et gestes ; mais au lieu de se relever, elle s'enfonça davantage dans son fauteuil.

« Comme je le disais, reprit-il comme s'il ne s'était pas écoulé un quart d'heure depuis le début de son discours, mon premier gros coup était un classique. Admettez simplement que l'homme est un être avare ! Je me suis contenté d'imiter le style d'Abacha : "Je suis son fils, envoyez-moi vos coordonnées bancaires, blablabla…" Sans rire, on devrait arrêter cet homme ! Il n'a pas cessé d'escroquer notre pauvre pays, et après on m'accuse de fraude en invoquant l'article 419[1] ! Mais je ne fais que démasquer des criminels », s'emporta-t-il comme s'il avait besoin de convaincre quelqu'un.

Le joint étant de retour dans sa main, il tira quelques longues bouffées. Aisha balaya la pièce du regard. Ses occupants auparavant animés reposaient dans un état léthargique ; des bouteilles de bière et des joints étaient apparus un peu partout.

« Je n'ai absolument rien à me reprocher. Rien du tout.

— Obinna, comment as-tu commencé cette affaire ? » demanda Leema en choisissant si soigneusement ses mots qu'elle semblait sur le point de se lancer dans un discours assez complexe. Aisha observa ses yeux vitreux et s'aperçut que ce n'était pas le cas. Leema semblait incroyablement fière d'avoir formulé cette question puérile.

Obinna rit bêtement.

---

1. Article du code nigérian sanctionnant les personnes qui soutirent de l'argent à d'autres, grâce à l'envoi de faux e-mails, par exemple.

« Oublie tout ça, ma chérie. Gardons cette histoire pour un autre jour. Disons simplement que, puisque le gouvernement ne nous fournit pas d'emplois, nous nous employons nous-mêmes. »

Cette phrase provoqua d'interminables gloussements chez Leema. Elle pouffa une dernière fois puis partit d'un rire encore plus long et plus profond que le précédent.

« Quel a été ton plus gros travail ensuite ? » demanda Aisha afin d'alimenter la conversation. Obinna et Leema semblaient peu à peu se perdre l'un dans l'autre, noyés dans les brumes de l'alcool, de la marijuana et de l'amour inaccessible.

« Eh bien, quand j'ai eu vidé le compte de ce type, il était nettement moins riche ! Mais j'en étais toujours à exécuter des petits boulots insignifiants. Je demandais aux gens de me laisser utiliser leur carte de crédit contre un remboursement en espèces, ce genre de choses. Généralement, les personnes *mumu*[1] gobaient les âneries que je débitais. À mon dernier boulot, les gars fumaient à longueur de journée, ils n'avançaient que des idées insignifiantes. Alors qu'ici, tant que ces garçons n'ont pas amorcé quelque chose de solide, personne ne rentre chez lui. À moins que nous ayons des invités ! conclut-il avec un léger rire et un regard joyeux adressé à Leema.

— Merci, tu es tellement gentil de nous recevoir », répondit Aisha avec une gratitude feinte. La fumée qui tourbillonnait dans la pièce commençait à l'étourdir.

« Donc, un jour, j'ai rencontré ce type, reprit brusquement Obinna en pointant du doigt un homme affalé dans un coin portant un t-shirt moulant sur lequel était inscrit : "Arise, oh Compatriots"[2]. C'est un génie, je vous jure. Il voulait que je lui apporte mon argent pour l'investir.

— Mais évidemment, tu ne lui as pas fait confiance. »

Leema était presque totalement absente de la conversation à ce stade et Aisha se demanda comment elle allait la ramener chez

---

1. Stupides, crédules.
2. « Levez-vous, oh compatriotes ». Titre de l'hymne national nigérian.

elle. Elle-même n'avait bu qu'une gorgée de bière et son amie avait commencé à verser sa Heineken dans son propre verre.

« Bien sûr que non ! Je l'ai insulté. Je lui ai demandé : "Franchement, j'ai l'air si stupide que ça ?"

— Mais il avait un plan ?

— Je vous l'ai dit : ce nègre est un génie, dit Obinna qui commençait à s'animer. C'est un nègre de génie ! s'exclama-t-il en laissant exploser sa joie.

— Qu'est-ce qu'il a fait ? Nous avons acheté de l'or, tu vois, et des pierres précieuses, articula-t-il péniblement. Voilà l'idée brillante de ce plan : nous allons envoyer des e-mails annonçant que nous voulons nous débarrasser de ces trucs. »

Depuis un moment, sa voix se faisait traînante. Obinna était le seul à fumer à présent. Il s'isolait peu à peu dans sa bulle, ce monde dans lequel il se trouvait brillant.

« À ceux qui nous enverront de petites sommes, nous enverrons de petites choses ; et à ceux qui nous enverront de grosses sommes, nous n'enverrons rien. »

Il tenta de rire mais fut secoué par une longue quinte de toux et s'enfonça dans son fauteuil.

« C'était super de te revoir, Obinna », conclut Aisha, soudain pressée de partir.

Elle ne touchait plus à son verre depuis un moment et Leema avait vidé sa bouteille dans le sien. Des préoccupations différentes leur embrouillaient l'esprit. Aisha se demandait comment elles allaient rentrer. Elle craignait qu'Obinna les retienne ou que Leema insiste pour rester. À l'évidence, il n'y avait pas d'issue. Par chance, tous deux continuaient à bien se tenir en sa présence. Aisha savait que c'était une façon pour lui d'exprimer son respect. Leema reviendrait ici sans elle, bien entendu. Restait à savoir combien de temps elle se retiendrait. Elle agissait surtout comme une enfant. À ses yeux, l'instant présent était le seul qui comptait.

Soudain, Obinna se leva d'un bond.

« Tout à fait, tout à fait », marmonna-t-il.

Tous trois se rendirent dans la pièce aux ordinateurs ; quelques types étaient toujours occupés.

« Uche, tu améne lé filles à lé stade, ordonna Obinna en lançant ses clés de voiture au jeune homme. Et tu réviens sans tréné. »

Il saisit ensuite la main d'Aisha et la serra maladroitement dans ses bras. Elle sut à cet instant qu'elle ne le reverrait ni n'oublierait jamais cette soirée, mais cela lui était égal. Leema et lui s'étreignirent puis essayèrent de s'embrasser et de fixer discrètement leur prochain rendez-vous. Aisha s'empressa de quitter la pièce afin de les tirer d'embarras. Peut-être se trompait-elle. Peut-être Leema était-elle capable d'éprouver des sentiments pour quelqu'un. Peut-être Aisha espérait-elle égoïstement être le seul objet de son affection, alors que ce criminel grassouillet et elle étaient faits l'un pour l'autre.

Uche parlait beaucoup et avec nervosité. Il était plein d'ambition, mais Aisha l'écoutait à peine. Le visage tourné vers la vitre ouverte, elle espérait que le trajet du retour lui apporterait un peu de clarté. Elle se sentait incapable de regarder Leema en face après cette soirée. Après cette suite d'événements individuellement pardonnables mais collectivement inacceptables. Uche s'apprêtait à plumer son premier pigeon. Un Américain de San Francisco devait arriver le lendemain dans la matinée afin de sauver de la persécution ce prétendu homosexuel, prisonnier d'un pays répressif du tiers monde. Uche avait prévu d'aller le chercher à l'aéroport, de l'emmener dans un motel, de le dépouiller de tous ses biens puis de le déposer à l'ambassade des États-Unis. Le silence s'installa finalement entre les occupants diversement hypocrites du véhicule. Leema se comportait comme si l'amour ne connaissait pas de limites, et Aisha niait son existence même.

Plus elle me parlait de l'histoire d'amour d'Obinna et de Leema, plus je m'interrogeais sur les non-dits de notre relation. Je savais qu'elle me cachait des choses et se demandait, à en juger par ses regards, si elle pouvait vraiment tout me dire. J'étais conscient de désirer Aisha mais mes intentions restaient insondables, même pour moi. Je devinais qu'elle avait remarqué mes petits messages d'amour. Pourtant, elle hésitait. Peut-être craignait-elle de mal interpréter mon attitude car je ressemblais à un poème aux multiples vers : alors qu'elle pensait avoir compris mon rythme, celui-ci changeait. Je lui disais que la seule photo posée sur ma table de chevet était un portrait de nous, mais je ne l'appelais jamais. Je sous-entendais dans mes lettres qu'elle seule justifiait encore mon attachement au Nigeria – c'était la vérité, mais ces lettres se faisaient si rares !

Aussi, ce soir-là, lorsque vint le moment parfait pour nous avouer nos sentiments secrets, j'hésitai.

\*

Lorsque je retournai à mes études, la communication entre nous se brouilla comme après chacun de mes départs. Nous nous écrivîmes de manière intermittente, mais sans jamais nous parler, jusqu'à ce qu'un jour, Aisha m'envoie un e-mail au contenu si surprenant que je l'appelai immédiatement après l'avoir lu. Afin de la récompenser pour son diplôme, Emeka lui avait donné certaines des cassettes qu'il avait enregistrées dans les coulisses du pouvoir. Il se montra très doux en lui parlant de leur contenu, mais ferme lorsqu'il insista pour qu'elle les écoute. Aisha s'exécuta et versa les ultimes larmes de son enfance quand elle reconnut sa voix, bouche bée. Elle ne parvenait pas à croire que le bienveillant sénateur Alhaji Ahmed – le mari de Leema, son propre oncle – avait participé au massacre.

Toutes deux ne s'étaient pas parlé depuis des années, mais Aisha se décida finalement à appeler celle qui était jadis sa meilleure amie. Leema décrocha et engagea la conversation aussi naturellement que si elles s'étaient parlé la veille. Aisha faillit succomber de nouveau à son charme : tout dans la vie semblait plus excitant grâce à elle, parce qu'elle était toujours maîtresse de ses choix. Leema était à présent mère de trois enfants, des jumeaux et une fille. On la traitait comme une reine sous le toit d'Alhaji Ahmed, même sa plus ancienne épouse. En fait, elle s'apprêtait à déménager à Londres afin d'offrir la meilleure instruction à ses garçons. Leema continua à jacasser ainsi jusqu'à ce qu'Aisha lui révèle ce qu'elle venait d'apprendre. Ensuite, un silence pesant s'installa sur la ligne et comme toujours, Aisha plaignit Leema. Elle se rendait peu à peu compte que la quête du bonheur est un voyage, non une fin en soi. Aussi se sentit-elle coupable en rappelant ce fait à Leema. Son amie resta silencieuse un long moment, puis elle conclut fermement :

« Je vais régler ça. »

Depuis que la révolte de Jos était devenue la principale préoccupation de la nation, Alhaji Ahmed était visible partout mais impossible à voir. Il assistait à toutes les fêtes d'anniversaire des femmes de gouverneurs, ainsi qu'aux cérémonies de remise des diplômes de la plupart des enfants des directeurs de banque. Il fut également invité au lancement du nouveau livre de la Première dame, mais continua à briller par son absence dans les magazines de société. Lorsqu'Obasanjo, le président, menaça d'envoyer des troupes dans le Nord si la violence ne cessait pas, Alhaji Ahmed comprit qu'il avait besoin d'une nouvelle stratégie. Il lui fallait trouver une source de richesse non soumise à l'instabilité de la nation. Il décida donc de se lancer dans les affaires « internationales ». Il ouvrit un bureau à Londres, s'acheta un jet privé et monta une entreprise à Lagos. Son style de vie inspirait les rumeurs et les hyperboles les plus fantaisistes, à tel point que le terme absurde de « gros big boss de Lagos » avait été spécifiquement inventé pour décrire son train de vie secret mais fastueux.

Plus il s'efforçait d'être invisible au Nigeria, plus les Nigérians voulaient le voir. Il se trouvait à son bureau chaque jour qu'il passait dans son pays, même le samedi et deux heures le dimanche, parce que, disait-il, un bon général observe le champ de bataille quotidiennement. Au lieu de relever le fait qu'il aurait dû assurer sa fonction de sénateur à Jos, le public, savamment endoctriné, applaudissait son progressisme : plutôt que de se tourner les pouces dans son bureau gouvernemental, Alhaji Ahmed investissait sagement son argent. Personne ne posait de questions sur son électorat ni sur ses projets pour l'État – surtout pas les personnes auxquelles il pouvait être utile. Au Nigeria, tout problème est le problème du président, qu'il s'agisse des mauvaises orientations de la politique étrangère ou de l'obstruction du tout-à-l'égout. Le reste des hommes politiques se contentent de faire de la figuration.

Alhaji Ahmed était toujours indisponible. C'était du moins ce qu'affirmait sa secrétaire à la peau claire, aux longues jambes et aux jolies lèvres boudeuses à tous ceux qui parvenaient au dernier étage du bâtiment portant le nom de sa première épouse. Les jours de semaine, cette femme était sa secrétaire, le samedi, son assistante personnelle, et le dimanche, elle lui servait de masseuse. Malgré son corps menu et son visage incroyablement séduisant, elle barrait efficacement la route aux importuns bien décidés à pénétrer dans le bureau climatisé situé derrière elle, meublé d'une magnifique table en chêne et de fauteuils en cuir cousus main importés d'Italie.

Si vous souhaitiez voir Alhaji Ahmed, il fallait vous présenter à son bureau londonien. Autrement dit, seuls les riches parvenaient à le rencontrer, ce qui bien sûr ne faisait que conforter sa stature. En principe, cette attitude est néfaste aux affaires ; mais au Nigeria, vos affaires font votre réputation, aussi sa prospérité servait-elle son image. Meilleure était sa réputation, mieux fonctionnaient ses affaires. Lorsque vous parveniez à être reçu cinq fois par l'honorable Alhaji dans son bureau tout simple de Londres, où on l'appelait juste M. Ahmed, vous étiez ensuite invité à son bureau nigérian – cela afin que vous compreniez bien qu'on l'appelait aussi l'honorable Alhaji, et qu'il pouvait vous faire attendre une éternité dans son antichambre, vous obligeant à zyeuter sa collection originale d'art africain et à baver d'envie devant sa magnifique secrétaire. Il faisait même en sorte que la température de cette pièce reste très froide afin que vous voyiez ses mamelons dressés sous les chemisiers T.M. Lewin bien ajustés qu'il lui rapportait de Londres. Tandis que ses invités faisaient de leur mieux pour ne pas frissonner, la jeune femme restait imperturbable dans ses jupes extrêmement courtes, l'air tout à fait à l'aise.

Après vous avoir fait patienter des heures dans cette chambre froide, Alhaji sortait précipitamment de son bureau, l'air surpris de vous voir, et se confondait en excuses pour son retard. Il vous disait ensuite qu'il devait hélas se rendre d'urgence à un autre entretien, vous faisait rapidement entrer dans son bureau et vous mettait dehors cinq minutes plus tard en vous recommandant de prendre rendez-vous avec son bureau londonien. La rencontre avait bien sûr duré juste assez longtemps pour que vous aperceviez le Picasso au-dessus de sa table – et pour que vous vous demandiez si c'était un vrai – ainsi que la photo encadrée du président en compagnie d'Alhaji nonchalamment placée sur le meuble. Vos pieds, quant à eux, avaient à peine eu le temps de s'enfoncer dans le moelleux tapis iranien fait main, et vos fesses de se poser sur un fauteuil formidablement confortable. Ses visiteurs émergeaient toujours du bureau de l'Honorable comme d'un songe, la moitié d'entre eux énervés, l'autre, charmés. C'était sans importance pour Alhaji Ahmed car leurs impressions quelles qu'elles fussent amélioraient comme prévu sa réputation.

Peu de gens savaient réellement ce que faisait cet homme – seuls les riches et célèbres étaient au courant, et cela aussi asseyait sa notoriété. On savait juste que son nom était associé à cette entreprise et qu'il lui prêtait du terrain. Il empruntait de l'argent à une banque et déposait de grosses sommes dans une autre. Tout chez Alhaji Ahmed était nébuleux, et c'était très bon pour les affaires.

Aujourd'hui, il recevait deux visiteurs à son bureau ; l'un d'eux contemplait sa secrétaire depuis trente minutes, tandis que l'autre venait de passer deux heures le nez en l'air. En réalité, Alhaji Ahmed n'en recevrait aucun. Sa secrétaire, Morenike, était particulièrement agacée par le premier arrivé parce qu'il ne s'était jamais rendu au bureau londonien et ne l'avait pas regardée un seul instant depuis qu'il s'était installé dans le fauteuil en face de la porte du bureau d'Alhaji. En outre, elle avait eu beau le prévenir que son patron était absent, le beau jeune homme maussade gardait le regard rivé sur l'encadrement de porte en bois sculpté. On eût dit qu'il s'attendait à ce que l'honorable Alhaji apparaisse comme par magie.

Le second s'était présenté six fois à son bureau de Londres et avait pris l'avion pour Lagos dans le simple but d'honorer ce rendez-vous. Alhaji Ahmed se trouvait en Angleterre la semaine précédente et, s'il avait invité ici cet homme aujourd'hui, c'était parce qu'il avait beaucoup à faire.

Alhaji Ahmed avait organisé une énorme fête afin de célébrer le diplôme de sa fille – leur rue d'East Kent avait pratiquement dû être fermée pour l'événement. Ne regardant pas à la dépense, il avait même fait venir des artistes du Nigeria. Ce soir-là, le vin de palme coulait à flots, et vu le nombre d'*onilu*[1] venus chanter les louanges des estimés invités, chacun ayant au préalable été arrosé comme il se doit, n'importe qui aurait pu se croire à la cérémonie de couronnement du chef d'un village nigérian.

Cette idée ne lui serait jamais venue au Nigeria, mais Alhaji Ahmed adorait conduire. Lors de ses séjours à Londres, il promenait fièrement sa famille dans la voiture la plus en vogue. Notre homme s'étant émerveillé de la beauté de son véhicule, Alhaji, fortement aviné, lui avait proposé ce rendez-vous au Nigeria. L'invité allait cependant quitter le bureau encore plus dégoûté que les autres, à part peut-être l'homme silencieux, car la secrétaire aux grands yeux marron s'apprêtait à leur annoncer que son patron ne recevrait personne aujourd'hui, sans prendre la peine de leur expliquer qu'il avait eu un accident. Elle menacerait ensuite d'appeler la sécurité lorsque le premier visiteur refuserait de partir.

Alhaji n'avait pas vraiment eu d'accident. Son chauffeur avait essayé de se glisser devant un *danfo* et un bus avait heurté sa voiture. Lorsqu'était arrivé Sule, policier garde du corps du sénateur chargé d'enquêter sur l'affaire, le conducteur du bus avait déjà abandonné son véhicule et pris la fuite. Le chauffeur d'Alhaji avait solennellement examiné la voiture et rapporté qu'elle n'avait rien de plus qu'une égratignure. Mais Alhaji était tout de même trop énervé pour recevoir quiconque aujourd'hui. La seule personne

---

1. Joueurs de tambour.

qu'il voulait voir, c'était cette fille de vingt ans à la peau foncée et au *nyash*[1] rebondi qui étudiait à l'université de Lagos.

Il était si occupé à saliver à la perspective de ce qu'il allait faire du reste de sa journée grâce à son « accident » qu'il ne remarqua même pas le souffle frais et brumeux de l'harmattan ni les nids-de-poule entre lesquels se faufilait habilement son chauffeur. Il ignora totalement la pâleur menaçante du soleil et l'absence de chants d'oiseaux dans le ciel dégagé. Cela dit, Alhaji ne relevait jamais ces choses : la température était toujours la même dans son Land Cruiser Prado, et il se moquait bien que le soleil brille ou qu'il ait pris des vacances. Quant au chant des oiseaux, il aurait de loin préféré écouter celui de Stevie Wonder.

Avant de quitter le bureau, il avait fait venir Morenike, sa secrétaire, afin qu'elle lui fasse un massage et soulage certaines « tensions » : alors qu'elle venait de congédier le banquier londonien de JP Morgan et l'autre jeune homme, il lui avait demandé de fermer le bureau, de venir une petite heure, puis d'appeler le chauffeur.

Alhaji grimpa à l'arrière de la voiture et, après avoir récupéré une liasse à la banque, il en sortit quelques billets et les tendit à Sule en lui ordonnant de retourner au bureau. Il fit ensuite défiler la liste de contacts de son iPhone, s'arrêta sur le nom d'Abby et l'appela.

« Je m'apprêtais à me rendre à mes cours, répondit sa voix calme et douce au téléphone. Et tu sais très bien que je ne peux pas te voir pendant la journée. Je ne veux pas être prise pour une de ces filles.

— Chérie, j'ai eu un accident, j'ai besoin de te voir. Ne t'inquiète pas, tenta-t-il de la calmer, alors qu'elle débitait un chapelet de jurons en igbo. Il n'y a rien de grave, j'ai juste besoin de te voir. Bon, je passe te prendre à l'endroit habituel. »

Alhaji s'exprimait peu, et lorsque cela lui arrivait, il aimait ajouter à son discours des mots inutiles, tels que « bon ». Il lui semblait posséder là un privilège de riche : la rareté de ses paroles obligeait les gens à lui obéir et son expression désinvolte à le respecter.

---

1. Fessier féminin.

La voiture s'arrêta une demi-heure plus tard sur une route de terre qui se terminait par un cul-de-sac, et la belle femme plantureuse qui attendait en frissonnant dans le vent mordant monta rapidement à l'intérieur. Elle aussi portait un chemisier T.M. Lewin et une jupe très courte, parce que c'était la tenue qu'Alhaji préférait pour ses maîtresses.

« Est-ce que ça va, chéri ? demanda-t-elle immédiatement d'un ton trop enthousiaste. Oui, tu as l'air en forme. Je savais bien que tu étais un homme très fort », conclut-elle tandis qu'il faisait remonter ses longs doigts efféminés jusqu'à la moitié de sa cuisse.

Contrairement à la plupart des personnes de son standing, Alhaji avait choisi de vivre sur l'île. Il prétendait ainsi être l'humble habitant d'une petite ville, mais il y possédait un magnifique appartement où il rencontrait ses nombreuses maîtresses. Il aurait craint de bafouer la « dignité » de ses épouses en amenant des filles ayant l'âge des leurs dans la maison familiale. Ainsi, seules ses petites amies plus âgées – généralement des collaboratrices – avaient le droit de voir sa demeure d'Ikeja. Alhaji commençait à se demander si cette maison lui était encore utile car sa plus jeune épouse, Leema, venait de s'installer à Londres pour y élever ses garçons. *Mes garçons*, pensa-t-il fièrement. Leema avait eu l'idée géniale de lui faire rédiger son testament récemment et de transférer ses biens à ses garçons. Qui sait quel parti allait encore prendre le pouvoir et ce qu'il voudrait faire de ses richesses mystérieusement acquises ? Ses épouses et ses filles ne manqueraient jamais de rien, mais il tenait à ce que ses fils deviennent des magnats et ferait tout ce qui était en son pouvoir pour leur garantir cet avenir. Ses épouses les plus âgées avaient refusé de quitter Jos ; aussi, sans famille ici à Lagos, il pourrait s'installer définitivement dans son appartement sur l'île. Alhaji aurait pu louer sa demeure d'Ikeja, mais il n'aimait pas que des étrangers vivent dans sa maison. En outre, il n'avait aucunement besoin d'argent.

Sa main s'était peu à peu glissée sous l'ourlet au fil du trajet et son esprit fut bientôt assailli de pensées obscènes en raison de la manière impudique dont cette fille portait sa jupe moulante – trois boutons défaits. Tandis que l'ascenseur montait tranquillement jusqu'au treizième étage où se situait son appartement-terrasse, Alhaji enfouit le visage entre ses seins ; sa maîtresse, elle, ne songeait qu'à ses poches. L'homme ne pensait déjà plus à ses garçons. Abby réfléchit à la somme qu'elle allait lui demander pour l'avoir éloignée de ses cours – elle avait vraiment envie d'une nouvelle voiture.

S'aidant de son rétroviseur pour jeter des coups d'œil à la poitrine rebondissante de la jeune femme chaque fois qu'il roulait exprès sur un nid-de-poule, le chauffeur, certain qu'Alhaji ne le remarquerait pas, ne s'était pas aperçu qu'une Toyota Corolla rouge les avait suivis jusqu'à l'appartement.

Et le garde posté à l'entrée avait été trop préoccupé par le derrière rondelet de la fille à la peau foncée qu'avait amenée Alhaji Ahmed pour remarquer qu'un jeune homme musclé et à l'air soucieux s'introduisait dans le bâtiment puis dans la cage d'escalier.

Quasiment au septième ciel, l'honorable Alhaji Ahmed s'empressa de débarrasser sa maîtresse de son chemisier, oubliant presque de lui ôter sa jupe moulante tandis qu'il fessait son derrière rebondi. Les rares fois où le sénateur se montrait loquace, c'était quand il jouait son rôle d'Honorable – distribuant son argent sans compter à ses sympathisants flagorneurs ou à de jeunes femmes qui avaient généralement la moitié de son âge. À présent, un flot d'inepties s'échappait de sa bouche tandis que ses mains dansaient le long de sa chair pulpeuse. Il faillit bien ne pas entendre sa porte s'ouvrir avec fracas et se briser en deux sous l'effet d'un coup de pied.

Trop pressé pour atteindre la chambre, le couple s'était affalé sur le confortable canapé trois-places. Il lui fut donc impossible d'ignorer le jeune homme musclé et à l'air soucieux qui entra dans la pièce, un pistolet à la main.

« Tayo ! s'exclama l'audacieuse jeune femme écrasée par le corps d'Alhaji, avant d'essayer de se dégager.

— Tu le connais ? demanda celui-ci d'une voix mal maîtrisée.

— Oui. C'est mon petit ami, expliqua-t-elle en évitant le regard incrédule de son amant et les yeux perçants du jeune homme sur le seuil.

— Ma parole, mais tu es une vraie traînée ! » s'exclama l'honorable sénateur Abdul Rahman Ahmed Abubakar, aussitôt interrompu par un premier coup de feu.

Le jeune homme qui était maintenant appuyé contre le mur blanc s'exprima enfin, d'une voix sonore et maîtrisée :

« Ma parole, mais tu es une vraie charogne ! » cracha-t-il à l'adresse d'Alhaji.

Seule la veine saillante sur le côté gauche de son crâne rasé trahissait sa profonde colère. Il avait beaucoup de choses à reprocher à l'homme méprisable qui saignait du ventre sur le canapé couleur crème au cadre en bois finement sculpté. Il aurait voulu lui dire qu'il était un escroc, qu'il volait les richesses du pays afin de pouvoir ôter au peuple ce qu'il lui restait de dignité. Que si le somptueux tapis bordeaux absorbait aussi facilement le sang qui gouttait du canapé, c'était parce qu'il l'avait acheté avec l'argent durement gagné des Nigérians.

L'homme décida cependant que cela n'en valait pas la peine. Il tira une balle dans la tête de la jeune femme puis deux autres coups dans le ventre d'Alhaji afin qu'il souffre encore un peu avant de rendre l'âme. Ensuite, il disparut dans la cage d'escalier et fila à travers l'air déjà chaud de cet après-midi balayé par l'harmattan, bien avant que le chauffeur ne s'étonne de l'absence prolongée de son patron.

La sonnerie du téléphone lui paraissant étrangement solennelle, Leema décida de décrocher elle-même au lieu de laisser l'un des enfants s'emparer du combiné comme elle le faisait d'habitude. Elle était presque certaine qu'il s'était passé quelque chose… ou peut-être devinait-elle que l'ordre avait été rétabli.

La voix de Morenike la surprit à peine. Leema avait rencontré la secrétaire de son mari pour la première fois lors sa dernière visite à Lagos et avait immédiatement compris qu'il couchait avec elle. Cette femme portait l'uniforme des « petites amies d'Oga » : le chemisier T.M. Lewin et la minijupe moulante qu'elle-même portait fièrement lorsqu'ils avaient emménagé ensemble à Lagos, quand elle ignorait encore ce que représentait cette tenue.

Morenike pleurait bruyamment. Elle finit par bredouiller qu'Alhaji avait été assassiné lors d'un vol à main armée, mais que les cambrioleurs n'avaient rien emporté. Leema devina aussitôt que son mari avait été tué par le petit ami d'une de ces grues avec qui il batifolait. Et Morenike savait assurément qu'elle l'avait compris.

Leema se demanda si la secrétaire pleurait la fin de ses coûteux privilèges, si elle voulait la soutenir ou si elle était sincèrement affectée. Peut-être espérait-elle obtenir un peu de réconfort de la part de cette personne qui se trouvait dans la « même situation » qu'elle. Leema n'eut soudain aucune envie de discuter au téléphone. Elle raccrocha le plus vite possible et regarda ses trois enfants se disputer à l'autre bout de la pièce. D'abord, elle leur mentirait en leur disant que leur père avait été assassiné et qu'il allait beaucoup lui manquer, puis elle effectuerait le dernier virement bancaire promis au détective privé qui avait envoyé un message anonyme à Tayo.

Ensuite, elle pleurerait.

Leema décida qu'il était temps de rompre avec son passé. Ses enfants étaient maintenant toute sa vie : elle avait enfin trouvé le réconfort dont elle avait besoin. Elle ferait en sorte que ses petits ne la quittent jamais. Leema appela Aisha mais l'interrompit avant qu'elle puisse lui présenter ses condoléances.

« Je le savais, Aisha, se contenta-t-elle de dire. Au revoir. »

La jeune femme comprit qu'elle n'entendrait plus jamais parler de son amie. Elle se demanda si Leema allait lui manquer.

*

Réveillée par le chant des oiseaux du soir, Aisha écouta leur conversation interminable en se demandant s'ils servaient de messagers aux arbres indiscrets. Dans le ciel d'un bleu sans profondeur, les nuages avaient été soigneusement rassemblés dans un coin de l'horizon puis retapés, tels des oreillers. Aisha se sentait légèrement désorientée après s'être réveillée de cette sieste dans le patio voisin du bureau de Tonton. Elle sentait qu'il régnait dans la maison une agitation inhabituelle, bien qu'elle entendît seulement le craquement des poutres, semblables à des doigts entrelacés, résonner dans les innombrables recoins intimes de la demeure. Elle était tombée amoureuse de cette bâtisse avant même d'aimer son propriétaire et cela lui avait permis de mieux comprendre cet homme mystérieux. Sa maison était un vrai labyrinthe, mais un labyrinthe ouvert à tous. Si, de l'extérieur, elle paraissait compacte, sa surface intérieure semblait sans limite. Chaque pièce, unique en son genre, était séparée de ses voisines mais offrait la même satisfaction. Chaque jour, Aisha découvrait ici un nouveau tabouret, là une nouvelle décoration murale qui lui en apprenaient davantage sur l'histoire du pays que l'eussent fait quatre heures entières de cours. Tonton ressemblait à ses biens. Jamais elle n'avait connu un être d'une complexité aussi simple.

Aisha avait parlé d'amour avec Emeka avant de tomber dans un étrange sommeil. En rêve, elle avait vu la fin de nos vies, la mienne et la sienne : nous étions en paix avec nous-mêmes. Elle s'étonna cependant de n'avoir visualisé aucun des nombreux moments dont elle espérait qu'ils nous mèneraient à cet instant précis.

Emeka agissait toujours à un rythme modéré. Et de façon délibérée, comme s'il avait bien réfléchi à la conséquence de son acte avant d'agir. Il arrivait souvent aux gens de penser qu'il possédait un étrange don de divination. Alors qu'il participait paresseusement à une conversation, il pouvait soudain s'animer et exprimer bruyamment son opinion, souvent contrariante mais toujours juste. Emeka n'était attaché qu'à de rares choses et consacrait la totalité de son temps à celles qu'il chérissait. C'était, à ses yeux, la plus grande marque de respect. Le temps qui passe… ce mouvement que l'homme ne comprendra jamais vraiment. Dans certains cas, le temps se nomme minutes et heures ; dans d'autres, âge et atrophie ; mais il subsiste en nous, indomptable, et diminue notre importance par son infinité.

« La vie repose sur des moments et des choix, et sur certains choix faits à certains moments », disait Emeka avec un enthousiasme particulier, comme s'il avait foi en cette pensée. Il était le premier adulte qu'Aisha appelait par son prénom car il y tenait beaucoup, et il était impossible de lui résister. Emeka l'avait forcée à le rejoindre sous la véranda, bien qu'elle eût l'intention de rentrer chez elle. Ses doigts fins caressaient un détail sur l'accoudoir de son fauteuil à bascule. Aisha savait désormais qu'il était inutile de le presser de parler car son discours finissait toujours par reprendre son propre rythme, tel le ruisseau qu'on dirige vers un enchevêtrement de racines dans l'espoir de le déstabiliser et qui nous surprend par son pouvoir de submersion.

Leur conversation déviait parfois comme ce cours d'eau, abordant le temps et la mort, et cela pouvait expliquer le rêve étrange qu'elle fit par la suite.

« Nous faisons quantité d'expériences, mais à quelle fréquence les analysons-nous vraiment ? réfléchit Emeka. Nous plongeons tête la première et oublions l'éphémérité de chacune. Cependant, la vie ne s'apprécie que dans son entièreté. C'est pour cette raison que l'enterrement d'un homme est souvent le plus bruyant de ses hommages. »

Peut-être pensait-il à sa mort et à celle de Tonton. Aisha resta silencieuse un instant puis répondit :

« Nous recherchons tous l'éternité dans les moments marquants de la vie. Nous donnons des fêtes somptueuses et prenons sans arrêt des photos. Mais la véritable éternité n'existe que dans les sentiments que nous éprouvons pendant ces moments marquants. Ces sentiments qui resteront dans notre inconscient, qui infiltreront nos idées et impressions en se faisant passer pour des souvenirs. »

Le silence dura si longtemps après ces paroles qu'Aisha s'assoupit sans s'en rendre compte.

Elle ne savait pas que j'étais rentré au Nigeria. Elle ouvrit la porte de ma chambre en chantant faux d'une voix aiguë puis s'apprêta à déposer le linge que Mme Folayo lui avait demandé mine de rien de porter là-haut alors qu'elle essayait à nouveau de partir. Elle aurait dû avoir quelques soupçons en voyant Tonton

et Emeka traîner autour d'elle et échanger des plaisanteries for-
cées. Aisha me découvrit ainsi planté à côté de mon lit, l'air gêné,
arborant un sourire qui ressemblait à une grimace. Tandis que je la
regardais depuis l'autre côté de la chambre, elle battit brièvement
des paupières, ces délicates armures conçues pour protéger ses yeux
étincelants. Des yeux d'un noir si profond qu'ils ne reflétaient rien.
Dans ce sombre cocon, je m'imaginais voir l'éternité. Jetant le linge
à la volée pour me sauter au cou, Aisha se ressaisit à la dernière
minute. Elle parut obtenir subitement la réponse aux questions
qui la taraudaient depuis une éternité. L'amour adolescent existe-
t-il ? Oui. Avec le temps, peut-il devenir un amour à part entière,
ardent, désarmant, palpitant ? Oui. L'absence peut-elle renforcer
cet amour ? Oui. Son cœur répondit mille fois oui à tous les rêves
idiots qu'on lui avait conseillé de bannir de son quotidien. Elle sut
à cet instant que j'avais compris la même chose et cette surprise
l'enchanta. Elle avait craint que l'espoir nous embarrasse au point
de nous rendre muets. Le chemin de la rédemption, à la suite d'un
moment de gêne, est souvent jalonné de sottises audacieuses. Le
souvenir d'un engouement peut mener à bien des choses, mais la
sérénité de sa surprise me garantissait que le nôtre allait se transformer en amour. J'en étais certain.

SEUN

*Fear Not For Man*
(Washington, États-Unis,
et sud-ouest du Nigeria, 2007-2010)

C'était un week-end lagotien ordinaire marqué par toutes sortes de célébrations – mariages, fiançailles, présentations, baptêmes, enterrements, anniversaires, remises de diplômes… La douce odeur des parfums féminins se mêlait avec allégresse à celle de la sueur, du riz *jollof* et de la viande frite. Les klaxons des voitures tentaient de faire concurrence aux orchestres et à la musique étrangère que crachaient les énormes haut-parleurs. Salles et maisons étant bondées, les gens envahissaient joyeusement les rues enjouées. Soudain, les voisins faisaient partie de la famille, et les familles devenaient amies. Les fêtards se rendaient rapidement d'un événement à l'autre, la tête ornée d'une coiffe compliquée, et adressaient de rapides félicitations avant de filer au prochain rendez-vous. De retour à Lagos dès les vacances suivantes, je dînai avec Aisha sur l'île chez Tasty Fried Chicken, car c'est ce que faisaient tous les jeunes pour se distraire. Nous étions inséparables depuis que nous avions fait le tour du quartier ensemble lors de ma première visite et Aisha prenait soin de colorer chacun de mes souvenirs qui s'estompait. Toutefois, même si nous prétendions être simplement amis et nous promenions en espérant retrouver l'innocence que nous partagions enfants, je m'aperçus que j'avais oublié de lui parler de mon amoureuse. Le problème, c'était que lorsque je me trouvais en sa compagnie, personne d'autre ne comptait. Mais n'est-ce pas toujours ce qu'on ressent en présence de sa meilleure amie ?

Comme la journée touchait à sa fin, les gens se dirigeaient vers les fêtes qui leur plaisaient le plus ou s'installaient dans des recoins, munis de hauts verres et d'épaisses bouteilles. Soudain, de fortes explosions déchirèrent l'air : on eût dit que Lagos subissait une attaque. « C'est Bush qui vient chercher du pétrole », « Ben Laden est en ville », « Ojukwu est de retour » : on chuchotait craintivement toutes sortes de théories, tandis que la confusion et de sinistres prémonitions mettaient un terme aux joyeuses fêtes. Les musiciens et chanteurs de louanges prenaient leurs jambes à leur cou en oubliant leurs instruments, les *gele*[1] dégringolaient des têtes terrifiées et les chaussures coincées dans la boue étaient abandonnées.

En quelques minutes, le troisième pont du continent fut couvert de voitures enracinées cherchant toutes à fuir le chaos. Je patientai péniblement au volant en me demandant ce qui provoquait cette pagaille. À cette époque-là, les gens commençaient tout juste à pouvoir s'offrir des portables et une connexion à internet ; aussi Aisha et moi nous étions-nous peu parlé ces dernières années. Je repartais aux États-Unis dans quelques jours et espérais que cette solitude forcée procurait un plaisir aussi extrême que le mien au cœur d'Aisha. Malgré la cacophonie extérieure provoquée par les klaxons de voiture et la foule affolée, elle semblait sereine à côté de moi. Aisha savait alors que, même si je ne revenais plus jamais au Nigeria et que notre affection silencieuse restait sans effet, je l'avais aimée tout l'été. Je la surpris en train d'observer mon sourire impatient. Allait-elle me redemander de rentrer après l'obtention de mon diplôme ? Tout à coup, une puissante explosion accompagnée d'éclairs brillants survint sur le continent. Les voitures se vidèrent et leurs anciens occupants se mirent à courir dans tous les sens comme des poulets décapités. Quelques-uns grimpèrent sur leurs véhicules afin de mieux voir ce qui se passait et la rumeur courut bientôt que la station-service Mobil était en feu. Un instant de calme relatif s'ensuivit, mais les détonations ininterrompues

---

1. Turban féminin.

laissaient imaginer une cause bien différente. Tel un feu de forêt, une nouvelle théorie se répandit sur le pont : le quartier militaire d'Ikeja était attaqué. Cette rumeur souleva un vent de panique qui balaya la voie reliant le continent à l'île et paralysa les gens de peur. Aisha et moi regardâmes ce son et lumière explosif qui dura encore une heure et demie. Sur le continent, tandis que les fenêtres et les portes vitrées s'effondraient avec un fracas spectaculaire, les gens fuyaient vers les marais. Ils fuyaient vers la mort.

Enfin, les voitures se mirent à avancer lentement vers la catastrophe. Il était évident à ce stade que quiconque était l'instigateur de cette attaque avait l'intention de prendre le contrôle de la base militaire. En conséquence, Aisha et moi décidâmes de nous rendre chez la belle-sœur de Tonton qui habitait à Maryland, un quartier situé non loin du pont. Dès que nous pénétrâmes dans sa rue, nous aperçûmes Sule, le bonimenteur qui avait précipité la mort de Mme Odukoya par inadvertance ; affolé, il courait dans tous les sens. Je m'arrêtai à côté de lui. Une main posée sur la tête, il marmonnait sans cesse : « *Egba mi, egba mi*[1]. »

« Sule ! » l'appelai-je. Il lui fallut quelques secondes pour me reconnaître.

« Bonsoir, monsieur. Jé vois problème, monsieur, répondit-il.

— Qu'est-ce qui se passe ? s'exclama Aisha, inquiète et pas encore habituée aux exagérations de Sule.

— Jé perdi pétit enfant, madame, répondit celui-ci à contrecœur.

— Quoi ? Tu as perdu Abiola ? Mais qu'est-ce que tu racontes ? » demandai-je sèchement. Tonton éprouvait une étrange affection pour Abiola. Il l'aimait avec une passion qu'il réservait traditionnellement aux personnes vivant sous son toit. Cependant, il préférait ne la voir que rarement. Il lui envoyait des cadeaux somptueux pour son anniversaire et Noël, mais elle lui rappelait trop son épouse pour qu'il puisse l'étreindre.

« Monsieur, cété la confusion, monsieur. Lé verre, il tombé partout, dé fénêt, dé portes, tout il a tombé boum. Alors j'attrapé

---

1.  Au secours.

Biola, on a enfui la maison, on diré fin du monde. Déhors dé la maison, y a tout monde il sé cache, il crie y a bombe, alors on réjoint. »

Sule se tut un instant et décida de ne pas nous raconter qu'il avait lâché la main d'Abiola quelques minutes afin de parler à la fille qui vendait du pain (parce qu'elle avait oublié de boutonner son chemisier et qu'il l'aurait bien tripotée juste une fois avant de mourir).

« Ensuite jé vu pétit tomber, alors jé dit Biola pas bouger, jé vé aider lui se réléver, et quand jé mé lève, elle é disparue. Jé cherché elle bien une heure, jé démande à lé gens il a vu elle ou pas, choisit-il plutôt de nous expliquer.

— Tu as donc pensé que l'enfant du voisin comptait plus qu'Abiola, rétorquai-je sans la moindre pitié à la fin de son interminable récit. *Oya*, emmène-nous à l'endroit où tu as perdu la petite. Attends un peu que ta patronne apprenne ce que tu as fait !

— S'il vous plaît, monsieur, lé dis pas, monsieur », me supplia Sule à maintes reprises, tandis que je redémarrais et entrais dans la propriété.

Je traversai ensuite un océan de verre brisé avant d'atteindre le chaos qui régnait dans la salle à manger : les secousses des explosions avaient tout renversé. Je soulevai le combiné du téléphone ; par chance, la ligne fonctionnait. Après de nombreuses tentatives, je réussis à joindre Mme Folayo et lui annonçai qu'Aisha et moi dormirions chez ma tante. J'évitai cependant de lui dire que l'enfant avait disparu ou que les fenêtres et baies n'avaient plus de vitres. Elle avait seulement besoin de savoir que nous étions indemnes.

Après avoir raccroché, je me tournai vers Sule.

« Là où ton patron ?

— Eh monsieur, il a parti joindre madame à l'étranger. Elle pensé qué bébé bientôt va né, répondit Sule. Après les choses qui a passé à néssance dé Biola, ils vélent pas risquer naître bébé ici.

— Ah oui, ils sont en Irlande, précisai-je à Aisha. Bon, allons chercher ma cousine. »

Je songeai alors à l'ironie de la situation : une fois encore, un membre de la famille de Tonton s'était précipité vers cette maison de Maryland au milieu du grondement chaotique de la nation. La fois précédente, le mécontentement qui avait abouti au saccage des rues grandissait depuis longtemps, mais les gens avaient été totalement pris au dépourvu et ce manque de préparation avait provoqué la mort de ma tante. Toutefois, lors de cette catastrophe spontanée, la maison de sa sœur allait peut-être trouver sa rédemption en m'offrant un abri, ainsi qu'une chance de me retrouver seul avec Aisha.

Alors que nous quittions le bâtiment, Abiola franchit le portail de l'autre côté de la rue.

« Tonton Seun ! dit-elle en traversant à toutes jambes la chaussée, sans avoir conscience de l'angoisse qui couvrait mon visage de grosses gouttes salées.

— Où étais-tu ? » l'interrogeai-je avec douceur.

De son côté, Sule espérait qu'elle ne nous raconterait pas qu'il avait lâché sa main afin de serrer la vendeuse de pain dans ses bras – comme la jeune femme avait peur, il s'était empressé de l'étreindre pour la rassurer, bien que ce fût inutile.

Heureusement pour lui, Abiola répondit simplement :

« Chez les voisins. Je les ai vus dans les buissons et ils m'ont emmenée chez eux. »

J'étais si soulagé que je me contentai de la serrer dans mes bras et ne lui posai pas d'autres questions. Sule se jura d'aller lui-même la chercher à l'école à partir de maintenant et de ne préparer que du *dodo*[1] pour le dîner car c'était son plat préféré.

Plus tard ce soir-là, Aisha entra dans la pièce où je dormais. La vulnérabilité qu'exprimait son regard créait un halo angélique autour d'elle. Sans voix, je la regardai marcher vers le lit et soulever le drap.

Je me poussai et lui obéis silencieusement lorsqu'elle dit :

« Serre-moi dans tes bras » d'une voix de petite fille.

Le parfum de noix de coco de ses cheveux, de jasmin qui embaumait son cou et de menthe emplissant de sa bouche caressait tendrement mon visage. Je glissai le bras autour de sa taille et pris

---

1. Bananes plantain frites.

sa main dans la mienne. Je restai immobile toute la nuit, mes doigts croisés avec les siens, et écoutai la douce mélodie de sa respiration, trop effrayé pour avoir même une érection.

Lorsque l'aube pointa, je commençai enfin à m'endormir. J'avais passé toute la nuit dans un état d'excitation inquiète car Aisha s'était blottie davantage contre moi, frissonnant à cause des fenêtres sans vitres. Ayant soudain la sensation d'être dévisagé, j'ouvris lentement les paupières et mes cils caressèrent une mèche de ses cheveux. Un oiseau chantait bruyamment dehors et m'empêchait de comprendre le message que me transmettaient ses yeux. Au bout d'un moment, Aisha tendit la main et posa doucement sa paume délicate sur ma joue foncée.

« Tu reviendras... » murmura-t-elle. *Pour moi*, crus-je l'entendre ajouter dans ma tête. Je ne savais pas très bien s'il s'agissait d'une demande, d'un ordre ou d'une prémonition. J'avais des fourmis, mon esprit s'emballait et mon cœur battait si fort dans ma poitrine qu'il était sûr de finir par troubler sa délicate sérénité. Soudain, Aisha déposa un tendre baiser sur mes lèvres et me tourna le dos.

Avec le matin surgit l'émotion ambivalente qui suit une catastrophe d'origine incertaine. Les gens, pleins d'humour, se félicitaient d'avoir sauvé des vies faites de rien, et pleins de remords, pleuraient ceux qui avaient perdu la leur pour rien. Sule avait appris ce qui s'était passé en allant acheter des œufs, mais il hésitait à parler des événements de la veille à cause de sa grave erreur. Ne sachant pas non plus quoi penser après nous avoir vus, Aisha et moi, sortir de la même chambre, il gardait poliment ses distances avec nous. Le petit déjeuner fut avalé à la hâte, puis nous partîmes encore plus rapidement ; nous ne nous arrêtâmes en chemin que pour serrer Abiola dans nos bras. Aucun de nous n'avait très envie de parler de la nuit passée. Notre volonté commune de quitter la scène de notre idylle avortée nous poussait donc à partir au plus vite. Le reste de la semaine, Aisha parut plongée dans le charmant embarras qu'éprouve une jolie fille lorsqu'elle se sait secrètement observée par le garçon qu'elle aime.

La circulation était fluide à l'heure où les rues étaient d'habitude encombrées car les gens avaient encore peur de quitter leur maison. Nous roulâmes vers la scène du chaos de la veille, pénétrâmes dans une rue désolée puis filâmes le long d'une autre où régnaient le désordre et la morosité. Les gens s'affairaient, le visage figé. Leur regard perdu et consterné me donnait l'impression qu'ils se ressemblaient tous et m'étaient tous familiers. L'éclat du soleil ardent paraissait soudain trop faible et, bien qu'en nage malgré la vitre baissée, je me frictionnai la poitrine de ma main libre. L'une de ces femmes qui portent leurs coiffes comme si elle allait tomber de leurs têtes et aiment se faire les messagères des mauvaises nouvelles aperçut nos visages encore bouleversés et s'approcha de la voiture lorsque je m'arrêtai sur le bord de la route.

« Hmm, quelle tragédie, fit-elle du ton mièvre des commères qu'on a envie d'interrompre mais qu'on ne peut s'empêcher d'écouter. Ouais, comme du bétail, quoi, comme du bétail, ils se sont noyés comme du bétail ! » hurla-t-elle en tournant sur elle-même. La mise en scène était parfaite. « Tinubu il vé nous tué, Obasanjo il vé on meure, mais Dieu il va pas laissé faire, *eyaaa* ! » s'exclama-t-elle en laissant échapper un nouveau cri perçant. Je me demandai si elle cherchait simplement à impressionner les badauds de plus en plus nombreux. Lorsqu'un nombre suffisant de personnes se fut rassemblé autour d'elle et se mit à ponctuer son discours de gémissements et de hochements de tête affligés, elle finit par se calmer et commença son récit.

« J'étais là-bas dans mon magasin à m'occuper de mes affaires, quand on a entendu esplosion comme ça », dit-elle en mélangeant anglais et pidgin.

Elle se tut un instant afin de faire durer le suspense.

« Qu'est-ce qui l'a provoquée ? demanda Aisha, le regard terrifié, espérant de toutes ses forces que le chaos n'allait pas se réinstaller dans le pays.

— On sé pas, ma sœur, quoi, répondit la femme. Jé entendi dire, lé gouvernément il stocke les armes, toutes sortes de munitions au cas où il y aurait une attaque. Voilà ce qui a explosé.

— C'est ridicule ! intervint un homme en costume à l'accent britannique. Stocker des munitions de guerre à côté d'immeubles résidentiels ! C'est absolument insensé !

— Mon frère, qui sé y a dans leur tête ? Ils nous fé pas attention pourvu qu'on touche pas lé bureau gouverneur. Si tu touches, ils mettent bombe déssous ton lit sans réfléchi deux fois !

— Mais qu'est-ce qui se passe à présent ? » demandai-je.

Cette question me taraudait car j'avais vu des ambulances garées près du marais voisin, non devant le quartier militaire dont les cendres fumaient encore.

« Hmm, mon frère, c'est ça la vraie tragédie ! » répondit la femme.

Puis elle se tut comme si la gravité de l'événement était trop pénible à reconnaître pour sa bouche.

« Quand la première explosion a eu lieu, on a tous couru dehors pour voir ce qui se passait. Mais ensuite, quand ça a commencé à jaillir à droite à gauche comme des feux d'artifice, chacun a fui de son côté. Certains ont couru par là, ils croyé ils pouvé nager dans l'eau, mé lé plantes, y a trop, elles accrochent lé jambes mé ils font pas démi-tour pasqué lé gens derrière ils poussé pour avancer. Alors plein plein dé gens ils sé noient, juste comme ça mon frère, pfiou ! »

Ne pouvant en entendre plus, Aisha serra doucement mon bras.

« Merci madame », dis-je, puis je redémarrai en hâte tandis qu'elle recommençait à tourner sur elle-même et maudissait le gouvernement actuel sur plusieurs générations.

*

Le reste de mon séjour s'écoula rapidement. Je passai surtout mon temps à discuter avec Aisha, assis dans un fauteuil à bascule sous le balcon de Tonton. Je découvris avec surprise que je tenais plus à elle et à mon pays que je le pensais. Et je constatai que toutes les excuses que je me trouvais pour ne pas me réinstaller ici s'étaient taries dans mon esprit grâce à la chaleur exceptionnelle du soleil africain. Je fus presque soulagé de partir car, plutôt que d'être tourmenté par les fantômes du passé, j'étais hanté par les visions d'un avenir que je rechignais à accepter.

Tonton, Emeka et Mme Folayo me firent leurs adieux à la maison, de sorte que je puisse dire un au revoir plus personnel à Aisha, ce qui ne serait pas chose facile sous les lumières éblouissantes du vaste terminal de l'aéroport. Après une longue étreinte, je lui tournai le dos afin qu'elle ne voie pas la réplique de ses larmes dans mes yeux.

« Tu finiras par revenir vivre ici pour de bon, déclara-t-elle soudain.

— Et pourquoi ça ?

— Parce que tu m'aimes », répondit-elle d'un ton trop insolent, trop désinvolte, trop assuré.

Ces mots sonnaient aussi étrangement qu'elle le craignait et sous-entendaient exactement ce que nous redoutions tous deux d'admettre – j'étais amoureux d'elle, et elle de moi. Le pire, c'était que nous le savions aussi bien l'un que l'autre. Ces paroles passionnées, prononcées avec une telle nonchalance, provoquèrent une si grande agitation dans mon esprit que je ne remarquai même pas les turbulences au cours du vol. Je commençai à me sentir coupable à l'instant où l'avion atterrit ; parce que je m'apprêtais à trahir mon cœur et à retourner auprès d'une petite amie que je n'aimais presque plus.

Lorsque je la rencontrai, elle me regarda avec le détachement effronté qu'on affiche face à une personne qui nous plaît mais qu'on estime plutôt inférieure à soi. Son regard méprisant m'évoqua celui que certains Européens réservent aux arceaux dorés de McDonald's : s'ils comprennent qu'une partie de la population puisse y manger, ils jurent que cela ne risque pas de leur arriver – malgré ses efforts, le fast-food n'exerce aucun attrait sur eux. Je lui adressai le même regard, à la fois intrigué et amusé. C'était une de ces beautés rares, souvent négligées, qui, une fois remarquées, se révèlent ravageuses et se dévoilent telles qu'elles sont : enivrantes. Elle avait un regard extrêmement honnête, ce qui donnait une fausse impression de son génie et de son goût innocent pour le mensonge. Cependant, j'apprendrais bientôt à reconnaître ses haussements d'épaules imperceptibles ainsi que ses soupirs intransigeants et à deviner quand elle disait la vérité. Bien que je fusse souvent ébloui par les iris vert opaque des autres filles, qui devenaient bleu pâle quand elles étaient fatiguées, ses yeux marron foncé me rappelaient ceux de toutes les femmes que j'avais aimées. Le lendemain, lorsqu'ils me parurent d'un vert foncé militaire, je repensai à toutes celles que j'avais vainement essayé d'aimer. Fille unique d'un père aisé et d'une mère indifférente, elle avait la désagréable habitude d'obtenir tout ce qu'elle voulait. À l'époque, je constatais que mes histoires d'amour se terminaient toutes à une vitesse alarmante. Ma réticence à me lancer dans une nouvelle aventure la séduisit suffisamment pour qu'elle cherche à attirer mon attention.

J'avais beau être un étudiant brillant, il me semblait que mon statut de créature exotique me dispensait de la plupart des convenances sociales – une révélation qui m'enchanta car j'avais constaté que les gens se montraient très complaisants avec nous, les étrangers « ignorants » aux oreilles patientes. Ainsi, lorsque je m'exprimais, je prêtais si peu attention à ce que je disais qu'ils se demandaient parfois si je tentais volontairement de leur faire mauvaise impression. Toutefois, ils me quittaient toujours avec un doute persistant, impossible à exprimer. J'étais grand et séduisant mais mon visage paraissait froid, réservé, et ma peau foncée me donnait la vague apparence d'une statue photographiée. C'était l'impression que je laissais à quiconque lors de notre première rencontre ; mais dès la deuxième, je paraissais plus chaleureux et engageant, tel une sorte de volcan cultivé, et le trouble laissé par le premier échange disparaissait. Le plus étrange dans tout cela, c'était que je semblais provoquer des sentiments contrastés. Ceux qui me rencontraient pour la première fois disaient : « Ce type est grossier et impoli », tandis que leurs collègues rétorquaient avec une égale véhémence : « C'est le mec le plus charmant et intéressant que j'aie jamais connu. »

Aux États-Unis, j'avais d'abord été traité, à l'instar de la plupart des Africains, comme un Noir, puis un sauvage, et enfin une créature exotique. Je m'attribuais l'une ou l'autre de ces identités en fonction du groupe que je fréquentais car la diversité de ces supposées personnalités me plaisait. Avec le premier groupe, j'apprenais à jouer au basket et à parler de foot. Avec les personnes du deuxième, j'alternais récits barbares qui renforçaient leurs idées préconçues et idées profondes qui heurtaient leurs préjugés. Avec ma discrétion habituelle, j'essayais toutefois d'imposer à tous ma troisième identité car c'était celle qui m'amusait le plus. Comme j'apprenais différentes choses grâce aux gens qui m'entouraient, les uns pensaient que je savais tout tandis que les autres croyaient que je ne savais rien.

Mon visage saisissant de beauté poussait un tas de gens à vouloir me fréquenter ! Mais en raison de mon caractère réservé, j'avais peu d'amis. C'est avec ces rares personnes que j'adoptais l'attitude la plus naturelle – celle d'un jeune étudiant africain essayant de s'adapter à un pays étranger. Je vécus quelques idylles mais la plupart du temps, seule la curiosité les alimentait. Aussi les sentiments s'émoussaient-ils peu à peu lorsque nous découvrions, la fille et moi, que nous avions plus en commun que prévu et n'étions pas assez séduits par nos différences dérisoires. Je recherchais instinctivement l'exotisme. J'écoutais les Beatles, Bob Dylan, et ne recommençai à m'intéresser à Fela – que j'avais entendu tout au long de mon enfance – que lorsque le soleil africain me manqua subitement par une aube hivernale opaque, au cours de ma deuxième année.

C'était encore une de ces journées qui cherchaient sans cesse à me rappeler que je me trouvais à des milliers de kilomètres de chez moi. Une de ces journées où je m'apercevais que je ne pouvais pas décrire la neige à Aisha, qu'on entendait plus de guitares que de percussions dans mes chansons préférées, qu'une infirmière et un professeur me prenaient innocemment pour un athlète à cause de la couleur de ma peau. Une de ces journées qui me rappelaient que je n'appartenais pas à ce pays et qui m'interrogeaient sur le but de ma présence. Une de ces journées où je n'avais pas envie de traîner avec Leke mais en éprouvais le besoin.

Le père de Leke était nigérian et sa mère britannique, et mon ami était probablement le premier et unique métis à savoir comment tirer profit de son statut. Au lieu d'être rongé par l'incertitude, il affichait une assurance qui invitait à l'humilité. Le meilleur de ses deux mondes ne suffisait pas à le décrire. Son visage efféminé posé sur un corps athlétique produisait un effet spectaculaire. Leke savait qu'il avait un physique avantageux, mais son regard était encore plus puissant. Ses yeux étaient d'un curieux bleu-vert. Leur couleur oscillait entre le bleu paresseux de l'Atlantique et le vert éclatant du Pacifique, et quand vous le regardiez dans les yeux, Leke semblait capable de dompter les deux océans. Il avait le regard nonchalant d'une personne hautaine, mais prenait rarement la peine de s'en servir. Quand il vous regardait enfin dans les yeux, vous regrettiez généralement qu'il le fasse. En effet, les hommes se sentaient désagréablement intimidés et toutes les femmes tombaient follement amoureuses de lui. Leke était le genre d'ami dont on se méfie en permanence, mais dont on est incapable de se détacher. Il ne parlait jamais de sa couleur de peau ; toutefois, quand il lui semblait que vous vous apprêtiez à lui refuser quelque chose, il vous lançait un regard qui vous demandait franchement : « Est-ce parce que je suis noir ? » si vous étiez blanc ou « Est-ce parce que je suis métis ? » si vous étiez noir. Cette question était rapidement suivie d'un regard amusé, mais celui-ci vous échappait car la honte vous avait obligé à vous détourner et à accéder à sa demande.

Leke parlait yoruba comme un villageois, pidgin comme s'il était issu des bas-fonds de Surulere et anglais avec la sophistication d'un étudiant d'Oxford. C'est une chose rare et étonnante que de rencontrer une personne et de la détester instantanément, mais c'est exactement ce qui m'arriva le jour où je fis sa connaissance ; après quoi lui et moi devînmes très bons amis.

« Né va pas récommencé la déprime, dit Leke après avoir vu ma tête. Né va pas té fatigué pour la cette Daisy-là, elle a pas faite pour toi, ajouta-t-il, faisant allusion à celle qui n'était plus ma petite amie.

— Je ne déprime pas pour ça. C'est juste que je ne suis pas rentré au pays depuis mon départ il y a quatre ans.

— Il n'y a rien là-bas, déclara Leke pour me consoler, même s'il se rendait au Nigeria chaque Noël et en revenait avec un immense sourire, la tête pleine d'histoires fascinantes.

— J'y retournerai peut-être à Noël prochain.

— Et pourquoi pas le Noël qui vient ? demanda Leke, manifestement fier de lui.

— Je ne suis pas tout à fait prêt, répondis-je, sur la défensive.

— Eh bien, moi, je sais pour quoi tu es prêt », dit mon ami avec un grand sourire.

Et c'est à cette fête que je rencontrai Emma. C'est à cette fête que je répondis à son regard avec un détachement amusé. Et bien que j'eusse décidé de renoncer pour le moment aux filles, je fus immédiatement séduit par sa subtile aura.

Je l'ignorai ouvertement le reste de la soirée et Emma fit de même. Mais le lendemain, lorsque nous nous croisâmes par hasard, elle engagea la conversation comme si nous étions des amis d'enfance. Disons plutôt qu'elle badina, car Emma ne discutait jamais vraiment. Elle s'exprimait par phrases spirituelles et rapides qui vous donnaient l'impression de participer à un combat d'escrime. Elle passait à toute vitesse d'un sujet à l'autre puis s'attardait soudain sur une question apparemment plus importante et vous soutirait des informations jusqu'à ce qu'elle vous interrompe finalement par un clin d'œil qui semblait s'écrier : « Touché ! » Emma stimulait mon esprit comme personne ne l'avait fait depuis que j'avais quitté ma patrie, mais jamais elle n'avait recours à la question : « Comment se fait-il que tu ne saches pas ça ? », une interrogation que je trouvais assez agaçante et que prononçaient régulièrement les personnes d'une intelligence comparable à la sienne. « Tes semblables ! » m'exclamais-je souvent pour la taquiner, lorsqu'elle faisait allusion aux Blancs américains visiblement élevés dans le Nord-Est. Ce fut sur ces bases paresseusement provocatrices que se bâtit notre relation, celle-là même que je reléguai au fond de mon esprit dès que je revis Aisha.

Emma faisait partie de ces gens qui pensent à tort que l'amour existe grâce au romantisme, non le contraire. Aussi ignora-t-elle mon silence sombre à mon retour du Nigeria. Elle essaya de colmater les brèches qui apparaissaient dans notre relation à l'aide de dîners romantiques et de déjeuners improvisés. Mais lors des rares moments où elle s'efforçait de se montrer vulnérable, ses yeux prenaient la couleur de l'ambre et je me rappelais pourquoi je croyais être amoureux d'elle.

Bien souvent, celui qui se sent coupable pense aisément que le même sentiment ronge ses semblables. Pour cette raison, je lui demandai :

« Pourrais-tu être amoureuse de deux personnes à la fois ? »

Emma me répondit avec un cynisme terrible que je n'étais pas près d'oublier :

« Dans la vie, on tombe amoureux d'autant de personnes qu'on se l'autorise. »

Cette phrase fit naître en moi un sentiment de culpabilité qui m'oppressa pendant plusieurs jours. Et comme tout fautif, je commençai à me méfier du moindre des mouvements de ma petite amie.

C'était le dernier semestre de notre cursus universitaire. J'avais enfin commencé à retrouver mes marques à Washington, faisant peu à peu taire les voix des miens qui se contentaient désormais de chuchoter périodiquement dans ma tête. Assis dans le métro, Emma et moi avions décidé d'aller voir les cerisiers en fleurs, remède auquel ont recours les couples washingtoniens battant de l'aile. Nous nous laissions porter, affalés sur les sièges orange, enfermés dans le cocon tissé par nos rires. Toutefois, des soupçons continuaient à me troubler. Je remarquai soudain le bras de Leke posé sur la cuisse d'Emma avec une insouciance qui trahissait la familiarité de mon ami avec la chair nue protégée par son pantalon. Cela aurait pu rester un soupçon fugace que j'aurais regretté par la suite, mais au moment où je détournai les yeux, je croisai le regard d'Erin.

Erin était la meilleure amie d'Emma ; j'étais assis à côté d'elle, en face de mon amoureuse. Erin était une de ces filles qui, plus jeunes, avaient eu l'habitude de porter les plus beaux vêtements. Et comme elle fréquentait une école où la tenue avait de l'importance, cela lui avait donné une certaine assurance. Au fil du temps, son nez avait poussé jusqu'à ce que ses habits eux-mêmes ne parviennent plus à la rendre jolie mais aujourd'hui, cette confiance en elle lui permettait de faire oublier son physique ingrat. J'avais cependant remarqué sa réserve ces derniers jours, et comme elle détourna rapidement les yeux après avoir rencontré les miens, je compris ce qui se tramait.

Si mon indifférence à l'égard de notre relation était récente, l'intérêt d'Emma, lui, avait peu à peu faibli après les étapes initiales car je me montrais distant et vivais notre relation comme un simple observateur. Tôt ou tard, je devrais m'incliner devant cet ami à la nonchalance permanente, parce que c'était un trait de caractère indispensable pour un amant aux yeux d'Emma. Peut-être que si je lui avais parlé d'Aisha, je me serais assuré son amour un peu plus longtemps car, les derniers jours de mes réflexions mélancoliques, elle m'avait aimé aussi profondément qu'aux premiers instants de notre relation.

Ce soir-là, notre rupture ne nous peina ni l'un ni l'autre. Seule nous attrista l'idée que nos discussions n'auraient plus jamais cours.

Juste avant de me tourner le dos pour de bon, Emma esquissa un sourire faussement courageux et me demanda :

« Quel moment de la journée penses-tu être ? »

Je ne compris pas vraiment sa question et je n'étais pas d'humeur à participer à l'un de ces débats dont nous avions le secret.

« Tu ressembles au milieu de la journée… mais le coucher du soleil te va mieux, dit-elle avant que je puisse répondre.

— Qu'est-ce que ça veut dire ? » demandai-je finalement.

Soudain, son sourire se fit triste. Mais c'était un vrai sourire. Elle m'embrassa sur la joue et s'éloigna.

Je passai les trois derniers mois de mon cursus universitaire coupé du monde, car j'étais occupé à postuler à différents postes. Lorsque Tonton et Mme Folayo arrivèrent pour la remise des diplômes, je leur montrai joyeusement chacun de mes endroits préférés. Ce faisant, je tentai de me convaincre d'une chose : le problème n'était pas que je refusais de rentrer au Nigeria, mais que je voulais rester en Amérique.

J'avais rapidement oublié les derniers mots d'Emma. Toutefois, ils me revinrent à l'esprit presque un an plus tard. J'avais trouvé un emploi supportable et me rendais à mon travail avec la démarche distraite d'un homme uniquement motivé par son salaire. Un jour sur deux, je passais au même restaurant chinois qui se trouvait à deux pâtés de maisons de chez moi, afin d'y acheter du riz cantonais au poulet. L'établissement était géré par un vieux couple silencieux, dont le mari considérait comme un devoir de me fournir de temps à autre de sages conseils.

Ce jour-là, j'entrai dans le restaurant plus soucieux que d'habitude. La date du jugement d'Emeka approchait rapidement et je ne parvenais pas à déterminer si j'avais envie de rentrer au pays ou non. Chaque jour, Tonton me téléphonait pour me demander de revenir vivre au Nigeria ; j'avais remarqué que sa toux était devenue plus bruyante que son rire.

« Je rentre au pays dans deux mois, m'annonça Tao de but en blanc, de son habituel ton sec, en me tendant mon sac.

— Pourquoi ? demandai-je. Votre restaurant marche très bien et madame Tao semble satisfaite. » Je jetai un coup d'œil soupçonneux au visage de cette femme qui ne parlait jamais. Assise derrière la caisse, elle calculait le prix des commandes plus vite que sa machine.

« Parce que je suis un grand homme et qu'un homme n'est jamais grand hors de chez lui... du moins pas vraiment », ajouta-t-il.

Je me demandai si les paroles des vieux Chinois paraissaient toujours sages en raison de leur accent saccadé et de leur débit rapide, puis je me rappelai la phrase d'Emma. Alors que je rentrais chez moi, je sentis que mon passé et mon avenir commençaient à fusionner et à m'orienter dans la même direction. Le présent, lui, me semblait d'une éphémérité suspecte.

Mon cœur pleurait, mais je me demandais pour qui : mon amoureuse récemment perdue ou Aisha. Je me sentais seul comme jamais depuis mon premier mois en Angleterre. Je repensais à ceux que j'avais laissés au Nigeria. Assis devant mon ordinateur, je commençai à rédiger leurs histoires, aussi lentement, équitablement et chronologiquement que possible. Je donnai la priorité à Tonton parce que son histoire était aussi la mienne, puis je m'aperçus qu'en couchant bêtement ses récits sur le papier, j'essayais de me trouver. Je m'apprêtais à me créer une identité. « Je suis… » écrivis-je, ce à quoi mon esprit ajouta *un homme nigérian*. Toutefois, je ne parvins pas à noter ces mots. Que se passait-il ? J'en savais trop peu sur mon pays. Je souhaitais écrire l'histoire de Tonton, mais je restais bloqué au 1er octobre 1960. C'était le jour de l'indépendance du Nigeria : mais à ce moment-là, mon oncle avait déjà quinze ans. J'essayai de me représenter cette journée puis me perdis dans mes songes et fus réveillé par le son particulièrement pensif d'une trompette. Emeka m'avait offert la discographie entière de Fela Kuti. Il l'avait achetée par sentimentalisme mais n'avait jamais réussi à aimer sa musique. Je ne connaissais pas encore l'histoire entière d'Emeka. Il y avait fait quelques allusions par le passé, et elle semblait plus complexe que celle du commun des mortels. Je le plaignais sincèrement. La chanson que j'écoutais s'intitulait *Black Man's Cry*. Convaincu que j'étais capable de raconter l'histoire de Tonton, j'écrivis :

« Black Man's Cry
(Sud-ouest du Nigeria 1945 – 1967) »

L'aspect de ce titre au centre de la page me plaisait. Je commençai donc à noter ce qu'il me restait en mémoire des souvenirs de Tonton.

J'écrivis pendant cinq heures d'affilée puis me rappelai que je n'avais rien mangé depuis tout ce temps. J'allai dans la salle de bains et examinai mon visage dans le miroir tout en me lavant les mains.

Soudain hilare, je m'aperçus que celui qui me regardait ne m'appartiendrait jamais vraiment car je m'imaginais toujours mieux ou pire que mon reflet. Ce visage était un masque destiné aux étrangers, ceux qui ne me connaissaient pas et se demandaient si la cicatrice qui barrait mon sourcil gauche témoignait d'une bagarre ou d'un tacle – ces gens m'inventaient de courtes biographies basées sur les stéréotypes habituels. Tandis qu'assis dans mon salon désert, je contemplais ma vie, je compris qu'hier s'était envolé. Et cet hier avait eu lieu vingt-deux ans, six mois et quinze jours plus tôt. Ma tête tomba dans mes mains sans que je puisse l'en empêcher. Les paroles de Tao étaient soudain très claires, tout comme l'insignifiance de mes exploits. Immobile, je réfléchis alors à ce que je devais faire. L'ardeur provoquée par ces premières phrases couchées sur le papier s'était éteinte comme un feu hivernal abandonné. Tout à coup, la sonnerie monotone du téléphone interrompit mes pensées.

Au son de sa voix, je compris qu'Aisha était dans tous ses états. Le destin avait cessé d'attendre que je me décide.

*

Cela venait-il de l'eau bouillie filtrée et du smog ? Quelques jours après mon retour au Nigeria, ma voix était plus forte, mes gestes, plus énergiques ; mes sentiments s'exprimaient plus librement – mon front tardait moins à se plisser, mon rire était plus rapide à fuser. Ce qui me plaisait par-dessus tout, c'était que mon esprit semblait plus vif ; peut-être était-ce dû au fait que chacun ici était philosophe, professeur, comédien ou politicien à sa façon.

L'occasion était triste, mais je me devais de rentrer. Un an et quelques mois après mon premier séjour, tout le monde me semblait encore plus âgé, plus ratatiné. Seule la présence d'Aisha me mit un peu de baume au cœur. Tonton mourait à petit feu dans son lit. Il ne restait de son tissu pulmonaire atrophié que sang et mucus. Cependant, il refusait obstinément d'aller à l'hôpital.

« Je préfère mourir chez moi », disait-il avec une hilarité qui était tout sauf contagieuse. Atteint de la tuberculose, il n'avait plus beaucoup de temps à vivre. Le procès d'Emeka devait avoir lieu dans deux semaines, mais celui-ci refusait de changer d'avocat bien qu'à l'évidence, Tonton fût incapable de le défendre.

« Ce procès n'est qu'un simulacre », assénait-il impassiblement.

Emeka arborait toutefois un sourire serein, comme s'il détenait des informations secrètes.

Un jour que, confortablement installé dans un fauteuil à bascule, je tentais d'ignorer la toux qui faisait vibrer le balcon au-dessus de moi, Emeka apparut et s'assit sans un mot dans l'autre siège. Chacun de nous se berça en silence pendant une heure, puis le vieil homme prononça le premier mot d'un récit qui s'achèverait quatorze heures plus tard. Aucun de nous ne pensa à se remplir l'estomac pendant ce temps-là, et Mme Folayo elle-même préféra ne pas nous interrompre.

Emeka me raconta l'histoire de sa vie du ton détaché et mono-corde que prend le personnel d'un aéroport pour annoncer les départs et arrivées. Il nous arriva quelquefois de dévier du sujet afin d'éclaircir un point, une question ou un doute. Souvent, Emeka m'expliquait ses décisions d'une voix froide et plate comme s'il énumérait les noms d'une liste. Lorsque je lui demandai pourquoi il avait quitté sa famille afin de suivre le père Grey, il me répondit d'un ton pragmatique :

« Il est terrible pour des parents de mourir pauvres parce que le sort et le destin conspirent souvent à offrir un enterrement sem-blable à leurs enfants. »

Je savais qu'il ne servirait à rien de lui demander pourquoi il avait quitté le père Grey. Je m'étais toujours interrogé sur le rapport qu'entretenait Emeka avec la foi. Sa croyance n'était pas manifeste et bornée comme celle de Mme Folayo, ni impie comme celle de Tonton, mais simple et modeste. Elle semblait toutefois aussi inébranlable que le sourire d'une vieille femme mariée depuis cinquante ans. Sa foi me déroutait car Emeka avait toujours été le plus grand défenseur de la science, alors qu'on m'avait appris que religion et science s'opposaient. Lorsque je l'interrogeai à ce sujet, il garda le silence quelques minutes et se remémora son ancien compagnon de cellule qui priait toujours assidûment dans la pâle lumière de leur sombre cachot.

« Seun, finit-il par dire tendrement. Il y a des choses que tu devras découvrir par toi-même, mais disons que je considère Dieu comme le pourquoi et la science comme le comment. Regarde cet arbre, par exemple, dit-il en pointant du doigt les branches agitées de l'oranger à côté de nous. La pesanteur qui attirera bientôt cette orange mûre vers le sol, c'est un phénomène scientifique, mais le déroulement de la maturation, lui, relève du miracle.

— Mais tout cela a déjà été expliqué : on appelle ce processus la photosynthèse », intervins-je en fouillant dans les vagues souvenirs que je gardais de mes cours d'agronomie.

La paume légère d'Emeka sur mon bras me fit taire.

« Mon cher garçon, ceci est le comment, non le pourquoi. Nous les confondons souvent. »

Il laissa cette idée faire son chemin dans mon esprit puis poursuivit :

« La collision des nuages qui provoque des éclairs dans le ciel, c'est de la science, mais le frémissement du cœur du fermier lorsqu'il entend le coup de tonnerre tant attendu, c'est une action de grâce. Les battements du cœur qui font circuler le sang à travers ton corps, c'est de la science ; le tressaillement qui agite ton cœur lorsque tu touches une personne que tu adores, c'est de l'amour. La science est intéressante… mais Dieu est magnifique. »

L'obscurité était tombée sur nous comme une chaude couverture. Au lieu de se lever pour appuyer sur l'interrupteur, Emeka entreprit d'allumer la bougie posée sur le tabouret entre nous.

« La beauté de la vie, c'est qu'on est déjà mort avant de naître, dit-il en grattant une allumette qui s'enflamma puis s'éteignit avant d'avoir touché la mèche. Certains d'entre nous atteignent leur objectif, d'autres non », conclut-il avec un sourire évasif, une nouvelle allumette entre les doigts.

« Celui qui voit Dieu en chaque chose voit la beauté du monde, reprit-il un moment plus tard. Quand la beauté se révèle, l'amour abonde. La science est unidimensionnelle, alors que Dieu est partout. Les personnes convaincues que le monde est né lors du Big Bang te prendront pour un fou si tu affirmes que la voiture que tu conduis est le résultat d'une explosion accidentelle. Ne laisse jamais leurs doutes troubler ta foi, et ne laisse jamais leur foi semer le doute en toi. Ne laisse personne te convaincre qu'il vaut mieux régir ses affaires de cœur avec la tête. »

Emeka prononça la dernière phrase en m'adressant un regard éloquent. Je compris le but de cette petite digression.

« Mon cher garçon, répéta-t-il, le génie surpasse la vocation. Tu es brillant, tout se passera bien pour toi. Tous les points se rejoignent à l'horizon, mais attention aux lentilles que tu utilises pour l'observer ; rappelle-toi que la beauté est trompeuse et que l'amour est traître. Prends soigneusement tes décisions : le regret est le pire legs d'un homme. »

Là-dessus, Emeka se tut et je me demandai quel chagrin rongeait son cœur fier.

« L'homme doit avoir pour unique ambition d'être la meilleure personne ayant jamais vécu. » Il marqua un silence puis ajouta :

« Mais sa grandeur se mesure seulement au regard de ceux qui l'aiment. »

Dans l'œil de mon vieux compagnon, je crus alors voir briller une larme dorée dans la lueur de la bougie.

La seule fois où Emeka pénétra dans la chambre de Tonton, ce fut pour dire au revoir à son ami. Le médecin nous y fit entrer chacun notre tour. Aisha eut d'abord un bref entretien poignant avec lui. Mme Folayo, quant à elle, fut beaucoup plus longue et bruyante. Ses gémissements résonnèrent dans toute la pièce et se déversèrent par la porte jusque dans la rue. Emeka, lui, s'assit calmement près de son lit ; ils se tinrent la main pendant une demi-heure en échangeant un sourire silencieux. Lorsque j'entrai à mon tour, je trouvai la pièce aussi peu éclairée que lors de ma dernière visite, quand mon oncle m'avait parlé de sa famille. Tonton parvint à se redresser un peu, il me serra dans ses bras et nous versâmes tous deux quelques larmes silencieuses.

« Akpokio », dit-il finalement.

C'était la première fois qu'il m'appelait ainsi.

« Très égoïstement, j'ai changé ton nom… »

Une quinte de toux sèche l'interrompit.

« Je te demande pardon. Contente-toi… contente-toi de nous rendre fiers. »

Ces quelques mots faisaient peser sur moi une lourde responsabilité. Le médecin me demanda hâtivement de sortir lorsque mon oncle s'effondra, secoué par une nouvelle quinte de toux.

Ce soir-là, tous assis autour de son lit, nous le regardâmes afficher quelques sourires peinés entre deux accès de toux sèche agitant ses épaules osseuses.

« Ouvrez cette fenêtre s'il vous plaît, j'aimerais voir », dit-il finalement à Mme Folayo. Bien qu'il n'ajoutât pas les mots « une dernière fois », chacun de nous sut qu'il assistait à son ultime coucher de soleil avec Tonton. Les yeux rivés sur l'extérieur, il prononça, d'une voix qui s'envola rapidement par la fenêtre, des mots que j'avais si souvent entendus dans la bouche de ma mère :

« La vie repart à neuf chaque matin. »

Puis Tonton sembla se renfoncer paisiblement dans son oreiller, un sourire tranquille aux lèvres. Je mis près d'une demi-heure à comprendre ce qu'Emeka savait depuis déjà vingt minutes : ce sourire paisible était le signe d'une belle mort.

C'était un phénomène inexplicable. J'étais assis à la grande table de travail dans le bureau de Tonton devant mon travail inachevé. Des questions sans réponse ne cessaient d'éclipser mes pensées. Je m'interrogeais sur la suite. Je connaissais la volonté de Tonton – il souhaitait que je me réinstalle ici pour de bon – et ce vœu était aussi irrévocable que sa mort. Alors que j'étais assis à son bureau, j'entendis un léger tambourinement qui me déconcerta car je n'en trouvai pas l'origine. Soudain, il se fit plus bruyant et étourdissant. Je fus alors certain que le bruit émanait de quelque part dans la pièce, mais je n'aurais pu être plus précis. Et tout à coup, je les vis. Ils entrèrent en dansant, avec une vague sérénité : les rêves mort-nés de 1960. Potentiel inexploité, ils tourbillonnaient, à la fois prisonniers et libres ; ils flottaient dans la chaleur du bureau fermé de Tonton. Était-ce son legs ? Était-ce mon destin ? Je les regardai danser sur les mélodies du passé et de l'avenir. Je les regardai tanguer dans l'incertitude qui régnait. Je les regardai et assistai à ma renaissance.

Lorsqu'Emeka s'approcha de la porte, ils s'éloignèrent en dansant avant qu'il n'entre. Découvrant mon air étonné, il m'adressa un hochement de tête et un sourire entendus, comme s'il savait tout. Il prit ensuite le temps d'achever son récit. Je trouvais toute l'histoire si belle que j'avais envie d'en faire partie.

Emeka n'avait que deux ans de plus que Tonton mais après notre conversation, il me parut aussi fragile qu'un centenaire. On eût dit qu'il venait de se débarrasser d'un lourd fardeau. Il passa les quelques jours suivants assis dans le fauteuil à bascule sous le balcon de Tonton sans prononcer un mot. Emeka s'affaiblissait, mais nous étions tous trop absorbés par nos chagrins personnels pour le remarquer. Aucun de nous ne s'aperçut qu'il semblait soudain planer au-dessus de la tombe de Tonton et que son regard devenait aussi flou que celui d'un bébé. Emeka refusait toujours de parler de son procès. Aisha faisait à présent partie des associés du cabinet de Tonton. M. Adedoja et elle soupiraient de frustration en le voyant rechigner à coopérer. De son côté, Emeka les suppliait de reporter la lecture du testament de Tonton au lendemain du procès, et de rédiger le sien aussi.

C'est avec une résignation frustrée qu'ils accédèrent finalement à ses demandes. Dans le ciel délavé, le soleil radieux se battait contre d'épais nuages et le temps semblait se refléter sur le visage d'Emeka. De nouveau installé dans son fauteuil habituel, il n'entendit pas la sonnette retentir. Major lui-même commençait à montrer des signes de vieillesse ; c'est donc avec une certaine difficulté que les femmes attendant au portail parvinrent à le convaincre de leur bonne foi.

Lorsqu'Aisha ouvrit la porte d'entrée, le visage qui la salua avec un sourire nerveux fit surgir du fond de sa mémoire un souvenir qu'elle ne parvint pas tout de suite à identifier.

« Emeka Ogbonna est-il là ? Celui qu'on voit aux informations ? demanda précipitamment la femme d'une voix anxieuse.

— Oui, répondit Aisha avec hésitation. Est-ce qu'il vous attend ? Qui dois-je annoncer ? poursuivit-elle en essayant de retrouver son sang-froid.

— Non, il ne nous attend pas… euh… dites-lui… »

Nneka réfléchit un bon moment.

« Dites-lui que des personnes du passé… »

Aisha aurait aimé en savoir plus, mais l'attitude de la femme l'obligea à se taire. Elle les conduisit donc poliment, sa compagne plus âgée et elle, au salon. Alors qu'elle traversait la bibliothèque en direction du fauteuil dans lequel se balançait Emeka, elle eut le temps de se poser un tas de questions.

Lorsqu'il apprit que deux femmes souhaitaient le voir, Emeka se leva avec un grand sourire et lui demanda timidement :

« De quoi j'ai l'air ? »

Bien qu'il eût vieilli de plus de vingt ans en quelques jours, il s'était rasé de près et portait une chemise soigneusement repassée. Les effluves de son eau de toilette faisaient de leur mieux pour maintenir à distance l'odeur de la vieillesse.

« Tu es très beau », répondit-elle tendrement en se demandant qui pouvaient bien être ces femmes.

Emeka avait enfin trouvé la paix. Cette paix qu'il cherchait lorsqu'il avait appuyé sur la gâchette, cette paix insaisissable qu'il n'avait pas ressentie en abandonnant sa fortune. Cette paix qui gardait obstinément ses distances pendant ses nuits solitaires dans sa petite cabane. Emeka s'aperçut qu'O.C. l'avait égoïstement trompé parce que cette paix était née d'un amour résigné. Il déposa un petit bonbon noir à rayures blanches dans sa bouche et suivit Aisha jusqu'au salon en faisant de son mieux pour se tenir droit.

L'odeur mentholée du bonbon TomTom précéda son entrée. Nneka se leva en titubant, étourdie par les odeurs du passé et du présent.

« Oh mon Dieu ! C'est toi ! C'était toi ! C'est bien toi ! » s'exclama-t-elle dès qu'elle le vit.

Le choc provoqué par cette découverte la fit bégayer un moment, puis elle éclata en sanglots et tomba dans les bras d'Emeka en comprenant qu'il était l'homme qui l'avait déposée à la gare une nuit, des années plus tôt. La même idée germa dans l'esprit d'Aisha quelques secondes plus tard, lorsqu'elle se rappela pourquoi cette femme lui était familière. Nneka s'aperçut aussi qu'Emeka était le portier qui avait vécu en face de chez elles pendant ces années, leur faisait toujours bonjour de loin et ne prononçait jamais un mot. Les joues ruisselantes de larmes, Aisha quitta la pièce en titubant. Il ne resta ainsi plus aucun témoin aux retrouvailles tant attendues d'Emeka et sa famille.

Le dîner fut à la fois joyeux et bizarre ce soir-là. C'était un repas partagé par des étrangers mais on eût dit qu'Emeka rompait enfin le pain pour toute sa famille. Il passait presque tout son temps à dévisager sa femme et tous deux se tenaient la main sous la table comme des adolescents essayant de cacher leur béguin secret. Mme Folayo était trop submergée par l'émotion pour pouvoir parler. Nneka s'excusa auprès d'Aisha de n'être jamais revenue prendre de ses nouvelles, mais c'était inutile parce qu'il valait mieux pour toutes les personnes impliquées que les choses se fussent passées exactement ainsi. Emeka s'était chargé de bénir le repas, mais lorsque nous eûmes fini de manger, il me regarda avec insistance afin que je dise les grâces. Je compris enfin que l'étrange sensation nichée au creux de mon ventre pendant tout le repas n'était pas provoquée par la cuisine de Mme Folayo, mais par la vague intuition qu'on m'avait remis les clés d'une porte. Il ne me restait plus qu'à la localiser.

Alors que nous bavardions joyeusement dans le salon après le repas, Emeka prit sa fille à part. « Je n'ai qu'une demande à te faire. J'aimerais que tu restes jusqu'à la fin de la semaine, mais que tu partes la veille de mon procès. »

Touchée par la sincérité de son ton, Nneka accepta sans protester et n'eut pas le temps de regretter sa décision car le sourire de son père apparut soudain comme la lune sous laquelle il lui racontait des histoires quand elle était enfant.

Quatre jours plus tard, ils se dirent adieu avec force larmes et sourires ; seule l'épouse d'Emeka pleura de tristesse parce qu'elle seule avait compris. Le lendemain, lorsque Mme Folayo alla jusqu'à sa chambre afin de le réveiller à temps pour le verdict, elle trouva Emeka les paupières encore humides, les lèvres toujours écartées, mais son âme était partie rejoindre celle de son ami.

\*

La vie de Dolapo Odukoya s'acheva dans l'ombre fraîche et odorante d'un goyavier. Il n'était pas mort à cet endroit mais c'est là que son corps fut enterré, conformément à ses vœux, dans la solitude protectrice de sa propriété.

Je m'étais longuement creusé la tête afin de trouver les bons mots à prononcer lors de son enterrement, mais faisant barrage à l'inspiration, mes souvenirs s'étaient ouverts à moi comme une fille timide après un premier baiser. Événements oubliés depuis longtemps, rêves envolés, fantasmes quasiment ignorés, tous me hantaient et m'accusaient. Je n'étais pas un raté, je réussissais plutôt bien, mais je m'étais juré de choisir la bonne voie et m'en étais tenu à celle que je connaissais. Chaque jour étant un miracle, nous oublions souvent les promesses de la veille.

Tonton était mort le 1er juin mais avait souhaité être enterré le 12, afin de rappeler le quinzième anniversaire de l'événement qui avait coûté la vie à sa femme et de tourner en ridicule le procès prévu ce jour-là, qui devait condamner Emeka pour l'assassinat du gouverneur John O.C. Abari. Pour ne rien arranger, Emeka avait choisi cette date pour rejoindre son ami. La seule personne ayant deviné qu'il faudrait un deuxième cercueil était son épouse. Ce matin-là, lorsque j'ouvris le portail au corbillard venu chercher la dépouille de Tonton, je compris que le véhicule serait inutile. Une vaste foule était assise à l'extérieur ; au premier rang se trouvaient Nneka et sa mère apportant le cercueil. Nneka pleurait depuis qu'il avait été livré quelques heures plus tôt, mais ses larmes se tarirent lorsqu'elle vit le visage de son père aussi paisible que celui de son ami reposant dans le cercueil voisin.

Aisha, Nneka et moi accompagnâmes les défunts d'Ikeja à Ikoyi, aidés par la foule qui grossissait sans cesse tout au long de la journée. Plus tard, nous déposâmes les cercueils devant le tribunal mystérieusement désert, puis je prononçai un discours d'adieu qui fit pleurer toute la nation.

La tradition orale chère au Nigeria veut qu'on ne retienne de la vie d'une personne que son succès le moins assumé, généralement un acte banal dont la portée est éternelle. C'est là l'un des pièges mortels de Cupidon car, à force de se représenter et de se raconter ce geste, les témoins finissent par tomber amoureux de l'auteur et par confondre la magie de l'instant avec cette personne, comme après un premier baiser ou un compliment parfait prononcé à point nommé. Toutefois, cet acte banal n'est pas qu'une tentative de séduction, il est aussi porteur d'un message d'espoir. Aussi, lorsque les gens reparlèrent de mon discours chez le coiffeur, au bureau et dans les pièces délabrées des bidonvilles épuisés, la nation comprit qu'un nouveau Nigeria était né, quelques mois avant son cinquantième anniversaire. C'est à ce moment-là qu'ils commencèrent à se remémorer la magie de l'indépendance, l'espoir suscité par la liberté, à se rappeler les changements qui auraient dû commencer à se produire une cinquantaine d'années plus tôt. C'est à ce moment-là qu'ils exhumèrent les rêves mort-nés de 1960.

Le ciel portait un masque gris et notre émotion avait de nombreux visages. Nous connaissions à présent le contenu des deux testaments. J'étais assis à côté d'Aisha dans la propriété qui m'appartenait désormais. Nous nous étions installés entre les deux tombes, enveloppées par l'ombre rassurante du goyavier. Le parfum des premiers fruits qui commençaient à mûrir emplissait l'air. La proximité physique de la mort, de la vie, du passé et de l'avenir me rassurait étrangement. Nous n'avions pas prononcé un mot depuis notre arrivée ici. Chacun de nous regardait paresseusement le ciel gris. Soudain, une brise légère se leva, et une goyave tomba sur les genoux d'Aisha. Elle la ramassa d'un air surpris. Comme je la regardais avec un étrange sourire, elle mordit dans le fruit et me le tendit.

# Épilogue
## (Nigeria, 2010)

Neuf mois et six jours s'étaient écoulés depuis qu'Emeka avait poussé un dernier soupir satisfait et rejoint son ami. Pendant quelques semaines, le pays s'était senti galvanisé. Les habitants du bidonville d'Ajegunle s'étaient rappelé qu'ils étaient eux aussi des citoyens, et ceux qui vivaient dans les vastes maisons d'Ikoyi, qu'ils étaient nigérians. Mais peu à peu, la réalité recommença à se moquer de tous. Tandis que les flammes de l'espoir vacillaient encore dans les recoins oubliés de leurs cœurs, le pays retomba dans ses habitudes – ou presque.

À Lagos, un nouveau gouvernement s'était formé, mené par un homme déterminé. Sa mission était simple : elle consistait à sauver une ville qui pourrissait de l'intérieur. Mais malgré ses efforts, malgré le soutien du peuple, malgré l'amélioration tangible de la vie des citoyens, la cabale continuait à exprimer son mécontentement, préférant les manœuvres politiques à l'exercice du pouvoir ; à l'exception de quelques-uns, les pairs du gouverneur étaient indifférents au renouveau, et la présidence était toujours considérée comme un jouet que se prêtaient tour à tour quelques enfants suralimentés.

Le pays, lui, était à la dérive depuis des jours car une femme impénitente retenait le peuple en otage, arguant que son époux était toujours au pouvoir, alors qu'il gisait sur son lit de mort. Les vieux chefs tentèrent une fois encore de s'emparer de la présidence afin de la transmettre à leurs faire-valoir. La vieille garde, qu'on aurait dû reléguer depuis longtemps aux dernières pages des livres d'histoire, refusait de laisser sa place.

La mort de John O.C. Abari était regrettable, mais l'homme n'était pas irremplaçable. M. Sukonmi, son assistant, s'empressa d'occuper le siège laissé vide. C'était le gouverneur adjoint qui aurait dû prendre sa place, mais M. Sukonmi s'était fait les bons amis ; il s'allia avec la cabale et tous ceux qui aspiraient au poste furent arrêtés ou assassinés. Tout marchait comme sur des roulettes : M. Sukonmi commençait à imaginer qu'il effectuerait deux mandats de plus et deviendrait le gouverneur le plus longtemps en poste de toute l'histoire nigériane. Il s'installa confortablement dans la demeure officielle et s'empressa de créer la piste d'atterrissage qu'O.C. lui-même avait hésité à aménager. Ensuite, les élections eurent lieu et M. Sukonmi subit un choc qui le laissa profondément traumatisé : la masse avait eu une révélation. Ses parrains et lui furent contraints d'admettre qu'ils ne pouvaient plus cacher le destin d'une nation dans l'ombre de leur ambition personnelle.

M. Sukonmi était ébranlé ; les urnes n'étaient pas censées décider du résultat des élections, tout le monde le savait. Il avait soudoyé les bonnes personnes et reçu la bénédiction de la cabale. Il était resté un membre fidèle du parti et avait fait tout le nécessaire pour s'assurer que le résultat des élections ne dépende pas des urnes. Mais c'était exactement ce qui s'était passé, et sa rivale avait maintenant des vues sur la présidence. Son succès signerait la fin prématurée de sa lucrative carrière.

Lorsqu'elle avait fait son apparition sur la scène politique, M. Sukonmi avait passé plusieurs mois à essayer de démasquer son mentor. Lorsqu'il comprit qu'elle n'en avait aucun, il se montra assez présomptueux pour déclarer publiquement que son opposante ne connaissait rien à la politique.

« Imaginez un peu, sa campagne s'adresse aux électeurs au lieu des personnes qui tiennent les rênes du pouvoir ! » lâcha-t-il avec mépris au moment où l'identité de sa rivale fut enfin révélée. Pendant un an, personne n'avait su qui était son opposant, mais les gens n'avaient cessé d'en parler. Des affiches avaient commencé à apparaître dans tout l'État, fournissant des statistiques détaillées sur l'état de Lagos et sur le compte en banque de M. Sukonmi. Celui-ci repoussa ces « calomnies ridicules » du geste arrogant de sa main corrompue. Ensuite fut placardée une nouvelle série d'affiches soulignant le potentiel de l'État, et le peuple commença à se réveiller. M. Sukonmi resta impassible jusqu'à ce que les photos agrandies, anciennes et récentes, de régions reculées qu'on avait réhabilitées, commencent à apparaître sur les bâtiments et le long des routes, ornées d'un aigle aux ailes déployées et du logo du « Parti progressiste des masses ».

À partir de ce moment-là, M. Sukonmi oublia les convenances : il répondit sèchement aux journalistes et déclina toutes les invitations à assister à telle ou telle fête. Ses voyages à Londres se firent également moins fréquents. Le public était à la fois fou de joie et désorienté car il n'avait jamais connu que des hommes politiques flagorneurs ou indifférents ; et dans le cas présent, le mystérieux candidat n'était ni l'un ni l'autre. La révélation du nom de la rivale, Nneka Ogbonna, célèbre journaliste d'investigation, fille de l'homme qui avait assassiné le prédécesseur de M. Sukonmi, provoqua une révolution silencieuse dont personne ne prit conscience avant d'arriver au bureau de vote et de voir la foule faire patiemment la queue. Les fonctionnaires étaient terrifiés ; ils avaient reçu des sommes exorbitantes en échange du truquage des élections. Une fois que tout le monde eut voté, la foule calme s'agita, ce qui les empêcha totalement de trafiquer les résultats. Le peuple exigea que les voix soient comptées sur-le-champ ; aussi, craignant pour leurs vies, les fonctionnaires obéirent puis annoncèrent la victoire écrasante de Nneka. Chose amusante, dans les deux bureaux de vote dont ils avaient réussi à prendre le contrôle, les sbires de M. Sukonmi ne purent s'empêcher d'apposer l'empreinte de leur pouce à côté du logo du PPM. Tous pensèrent ainsi faire un sacrifice personnel, jusqu'à ce qu'ils comptent les voix et s'aperçoivent que leurs collègues cachottiers avaient fait de même.

Au début, la cabale s'amusa de cette défaite. Elle se moqua de M. Sukonmi qui venait de perdre contre une femme et affirma que les jeunes étaient des incompétents. Elle décida ensuite que l'heure était venue pour l'un de ses membres de se présenter à la présidence : il montrerait à cette débutante comment fonctionnait le système. Le candidat était âgé, mais il tenta d'apaiser le peuple en affirmant qu'il ne briguerait qu'un seul mandat (afin de montrer à la prochaine génération comment correctement influencer la politique et manipuler le pouvoir). Il continua à faire preuve d'une assurance arrogante jusqu'à ce que surgisse un défi inattendu, un défi qu'il avait d'abord ignoré, considérant qu'il résultait des « manœuvres de personnes malveillantes ».

Les manœuvres de ces personnes malveillantes avaient commencé sous les branches vertes d'un goyavier par un jour de ciel gris. Aisha me tendit une goyave dans laquelle je mordis pensivement, puis nous restâmes ainsi, silencieux pendant des heures. Soudain, je ne pus m'empêcher de sourire, ce qui m'arrive lorsque mes pensées s'éclaircissent derrière le voile de mon regard sombre et impassible. Brusquement, tout me parut évident. Sur ses lèvres se peignaient les différentes nuances du ciel – elles étaient épaisses et noires comme les nuages d'orage, rouges comme le coucher de soleil séduisant, rose tendre comme le début de l'aurore –, des couleurs qui reflétaient les humeurs de mon âme troublée. Sa bouche s'entrouvrit avec une grâce complice et scella mon destin à jamais.

Le mariage fut simple et rapide. Nous nous rendîmes ensuite dans l'État d'Abia afin de rendre visite à Nneka puis décidâmes de passer par celui de Bayelsa qui se trouvait tout près. Ignorant les menaces de kidnapping, je fis visiter à Aisha l'endroit où j'avais passé les premières années de ma vie. Au bord des flots noirs, je constatai qu'une cicatrice est le plus bel hommage qu'on puisse rendre à une blessure. À en juger par l'expression d'Aisha, il était inévitable que nous voyagions aussi jusqu'à Jos. Six mois plus tard, nous avions visité tous les États du pays. Nous avions vu les plus démunis s'accrocher à l'espoir naïf de lendemains miraculeusement meilleurs. Nous avions goûté aux rêves simples d'un peuple aux visions mal informées. Nous avions écouté les histoires de succès et d'épreuves précieusement conservées dans des cœurs lourds qui rêvaient d'être racontées. Nous avions constaté que de nombreuses vies s'écoulaient dans l'obscurité en attendant… En nous attendant.

# Table des matières

Prologue ................................................................ 7

SEUN ..................................................................... 13
*Perambulator*
    (Lagos, sud-ouest du Nigeria, 2008) ................................ 15
*J.J.D. (Johnny Just Drop)*
    (sud du Nigeria, 1985-2001) ........................................ 29
*Zombie*
    (sud du Nigeria, 2003) .............................................. 55

EMEKA ................................................................... 81
*Suffering & Smiling*
    (sud-est du Nigeria, 1943-1958) .................................... 83
*Je'Nwi Temi (Don't Gag Me)*
    (1959-1967) ........................................................ 93
*Water No Get Enemy*
    (sud-est du Nigeria, 1967-1969) ................................... 115
*Alagbon Close*
    (sud du Nigeria, 1985-1997) ....................................... 143
*Who're You*
    (centre-nord du Nigeria,
    fin des années 1990 – début des années 2000) ................. 169
*Fight To Finish*
    (centre-nord du Nigeria, 2001-2002) .............................. 193
*Teacher Don't Teach Me Nonsense*
    (centre-nord du Nigeria, 2002) .................................... 211

Tonton/Dolapo ................................................... 239
Black Man's Cry
   (sud-ouest du Nigeria, 1945-1967) ..................... 241
Unknown Soldier
   (Lagos, 1967-1993) ........................................ 279

Aisha ............................................................... 303
Upside Down
   (sud-ouest du Nigeria, années 2000) .................. 305
Fefe Naa Efe
   (sud du Nigeria, années 2000) .......................... 319

Seun ................................................................ 357
Fear Not For Man
   (Washington, États-Unis,
   et sud-ouest du Nigeria, 2007-2010) .................. 359

Épilogue
   (Nigeria, 2010) ............................................ 387

# Chez le même éditeur
## (extrait)

Ghada Abdel Aal, *Cherche mari désespérément*
Renata Ada-Ruata, *Battista revenait au printemps*
Elisabeth Alexandrova-Zorina, *Un homme de peu*
Elisabeth Alexandrova-Zorina, *La poupée cassée*
Karim Amellal, *Bleu Blanc Noir*
Omar Benlaala, *L'Effraction*
Maïssa Bey, *Au commencement était la mer*
Maïssa Bey, *Nouvelles d'Algérie*
Maïssa Bey, *Cette fille-là*
Maïssa Bey, *Entendez-vous dans les montagnes...*
Maïssa Bey, *Sous le jasmin la nuit*
Maïssa Bey, *Surtout ne te retourne pas*
Maïssa Bey, *Bleu blanc vert*
Maïssa Bey, *Pierre Sang Papier ou Cendre*
Maïssa Bey, *Puisque mon cœur est mort*
Maïssa Bey, *Hizya*
Bui Ngoc Tan, *La mer et le martin-pêcheur*
Bui Ngoc Tan, *Conte pour les siècles à venir*
Philippe Carrese, *Virtuoso ostinato*
Philippe Carrese, *Retour à San Catello*
Philippe Carrese, *La légende Belonore*
Bernard Dan, *Le livre de Joseph*
Bernard Dan, *Le garçon du Rwanda*
Andréa del Fuego, *Les Malaquias*
Dong Xi, *Une vie de silence*
Dong Xi, *Sauver une vie*
Samira El Ayachi, *Quarante jours après ma mort*
Suzanne El Kenz, *La maison du Néguev*
René Frégni, *Le chat qui tombe*, et autres histoires noires

Martine Gengoux, *Pas simple de s'appeler Violette avec un profil de baobab*
Karen Jennings, *Les oubliés du Cap*
Julien Jouanneau, *La dictature du Bien*
Denis Langlois, *Le déplacé*
Jacques Lindecker, *On a aimé des poisons*
David Machado, *Laissez parler les pierres*
David Machado, *Indice de bonheur moyen*
Ali-Reza Mahmoudi Iranmehr, *Nuage rose*
Nicole Malinconi, *Si ce n'est plus un homme*
Marine Meyer, *Et souviens-toi que je t'attends*
Anna Moï, *Nostalgie de la rizière*
Anna Moï, *Le pays sans nom*
Mohamed Nedali, *Le bonheur des moineaux*
Mohamed Nedali, *La maison de Cicine*
Mohamed Nedali, *Triste jeunesse*
Mohamed Nedali, *Le Jardin des pleurs*
Mohamed Nedali, *Évelyne ou le djihad?*
Nguyên Huy Thiêp, *Crimes, amour et châtiment*
Nguyên Ngoc Tu, *Immense comme la mer*
Victor Paskov, *Ballade pour Georg Henig*
Aurore Py, *Lavage à froid uniquement*
Aurore Py, *L'art de vieillir sans déranger les jeunes*
Daniel Quirós, *La disparue de Mazute*
Anna Roman, *Le val d'absinthe*
Igor Saveliev, *Les Russes à la conquête de Mars*
Alexandre Seline, *Je ne te mens jamais*
Hugues Serraf, *Comment j'ai perdu ma femme à cause du tai chi*
Hugues Serraf, *Les heures les plus sombres de notre histoire*
Alexandre Sneguiriev, *Je ris parce que je t'aime*
Francis Spufford, *Capital rouge. Un conte soviétique*
Olivier Szulzynger, *La maison Bataille*
Gérald Tenenbaum, *Les Harmoniques*
Victoria Tchikarnieeva, *Bye-bye Vichniovka!*
Albert Viard, *Lettres à Léa*
Samuel Zaoui, *Saint-Denis bout du monde*
Chabname Zariâb, *Le pianiste afghan*
Spôjmaï Zariâb, *Les demeures sans nom*, et autres nouvelles

Achevé d'imprimer en juin 2017
sur les presses de l'imprimerie New Print
pour le compte des éditions de l'Aube
331, rue Amédée Giniès, F-84240 La Tour d'Aigues

Numéro d'édition : 2056
Dépôt légal : août 2017


*Imprimé en Europe*

# Light

a novel

## Margaret Elphinstone

**CANONGATE**

*Edinburgh · New York · Melbourne*

First published in Great Britain in 2006 by
Canongate Books Ltd, 14 High Street,
Edinburgh, EH1 1TE

1

*British Library Cataloguing-in-Publication Data*
A catalogue record for this book is available on
request from the British Library

1 84195 805 0 (10-digit ISBN)
978 1 84195 805 7 (13-digit ISBN)

Map on p. viii created by Ian Begg

Typeset by Palimpsest Book Production Ltd, Polmont, Stirlingshire
Printed and bound in Great Britain by
Creative Print & Design, Ebbw Vale, Wales

www.canongate.net

*For Ros and Katy, who were there*

## Acknowledgements

I would like to acknowledge the help of the following people, from north to south: Anne Sinclair, Fair Isle, and Simon Hall, Orkney, for taking Ben's part so well; MV *Halton* (Stromness) and her crew – Bob Anderson, Angus Budge and Mary Harris – for the epic voyages round the Scottish islands; the Sule Skerry Ringing Group, especially Mike Archer, Adrian Blackburn and Dave Budworth, for taking on a complete amateur; Fran Cree and Chris Barrett, Rua Reidh Lighthouse, for providing both setting and frequent retreat; Miriam McDonald at the library of the Royal Commission on the Ancient and Historical Monuments of Scotland; Ian Begg, for drawing Archie's map for him; Martin Hendry for the stars and planets; Jonathan Sawday for the sailing directions and David Kinloch for the voices. I also thank Ann Bardens, Mike Brown and Ros Elphinstone, and my editor at Canongate, Karen McCrossan.

I'd like to thank everyone on the Isle of Man who gave me ideas and hospitality, particularly those at the Centre for Manx Studies who so generously let me use their knowledge and research: Peter Davey, Kit Gawne, Jennifer Kewley Draskau, Breesha Maddrell and Philippa Tomlinson; also Roger Sims and the staff of the Manx National Heritage Library. I'm indebted to Eva Wilson, Castletown, for the benefit of her research, and Celia Salisbury Jones, Castletown, for much help and hospitality; Adrian Corkill, for his survey of Manx wrecks; and Alex Maddrell, Port St Mary, for sharing his deep knowledge and seamanship, and Ray Moore, University of York, for the weather data.

I wish to thank the people who generously shared their childhood memories of India: Kumkum Dabriwala, Cleodie Mackinnon, Helen Reid Thomas, Mira Shahani, Uma Shahani and Pete Stuart.

I could not have spent so much time on uninhabited islands without the hospitality of the Isle of May Bird Observatory Trust and the Calf of Man Bird Observatory Trust. I also wish to thank the University of Liverpool for hosting me at the Centre for Manx Studies while I researched this novel. A grant from the Carnegie Trust for the Universities of Scotland helped to finance my research. Finally, I'm indebted to the Bogliasco Foundation, Liguria, for awarding me a fellowship which enabled me to write the book in ideal conditions, which included an excellent view of the sea.

*The old people said there was an enchanted island south-west of the Calf of Man, and it was seen once in seven years, when Old May Day was on Sunday. Some one of the name of Onny Vadrill was the last one that saw it; but it is often cloudy in the morning in May, and the people used to be looking for it for many years.*

Manx Notes and Queries, *ed. C. Roeder, 1904*

Clet y
Crannog veg

Clet y Crannog
Mooar

Creggyn y    arch
feeagh            Gob
                  Keyl

Eaynin ein

Cam
Vane              Baie yn geinnagh
                  veg

Kione
feayn                    keeill
                         vreeshey

Giau        Cronk
in Ushtey   Sheeant          new
                             road
Kione       Towl Doo              cliff    Baie yn
Meanagh                                    Traie Vane

                    Dreeym lang   well
Stack                            chibbyrt     possible jetty
ny ineen                         vreeshey     Giau y Vaotey

Giau                                  Magny
yn Stackey       ughta              Lane

Cronk ny                                  Cam giau
Mannanan  caves
Kione                                Tullochan
Roauyr                               glas
Giau yn Ootg
                      Lotckin
          Gob       garden          Gob ny
          glas                      Skey      ELLAN BRIDE

        slabs
              Eaynin y Rona
                          Sker ny
          Creggyn         Rona
          Mooar
      Creggyn
      Veanagh
      Creggyn Doo

Scale of feet                    half mile

0   2oo  4oo  6oo  8oo 1ooo 12oo 14oo 16oo 18oo 2ooo

PLAN of ELLAN BRIDE
Surveyed By
Archibald Buchanan 1831

# CHAPTER 1

INSIDE THE LANTERN THERE WAS ONLY LIGHT, AND THE hot rich smell of burning oil. Outside was blank dark. Close to, it was not one light, but twelve. Each lamp had its own reflector, a concave hemisphere lined with a mosaic of mirrors. Flame reflected flame across the curved surfaces until all the lights merged into a single beam directed outward into the surrounding sea. Looking into the light along the beam was like looking at the sun. If she did that she was left seeing only green spots with fiery edges swimming against her eyes, until they gradually faded away into nothing at all.

The trick was never to look into the light directly. She could look through the beam, at the floor, at the oil reservoirs, at the rectangular shapes of the six window frames surrounding her. Here at the top of the tower everything was sharp and bright, and outside this little hot space there was only emptiness.

If only that were true. If only they could have been left in peace, and overlooked, as they had been all these years.

If only it had never happened.

Lucy realised she was blaming herself yet again. But she couldn't stop wondering, even after five whole years, if she could have done anything to prevent it. Because now . . . If she'd managed to get down to the rocks that night . . . If she'd managed to reach Jim – then this other thing wouldn't be happening now.

On a day like today it was impossible to recapture the power of the wind. She of all people should know about the wind. She'd seen enough of what it could do to the sea. Of course she couldn't have stood up to it that night. Of course not. But she couldn't stop herself going over it again. She couldn't help re-living it over and over, wondering what she might have done differently.

That night she'd battled the wind with all the strength she had. She'd kept on staggering forward – she'd never dreamed of turning back – holding on to the rope. The wind kept knocking her over. Then the lantern had smashed on a rock. What more could she have done, when she couldn't even see? In the swirling dark she'd struggled on, feeling for familiar ground. The wind had eased. She'd realised she wasn't heading into it any more. Then she'd seen: down below there was white water where none should be. She'd been pushed too far to the south, almost into Cam Giau. The light never shone down there, so she'd not seen the edge through all the spray.

She'd fought her way back onto the grass, though somehow she'd lost the rope. Now the white water had gone she'd seen nothing at all. She hadn't been able to hear where the sea was, because the same wild roaring was everywhere. She'd seen the surf again just in time, right below her feet. But it was on the wrong side. Uphill had to be the way back. She'd got up high enough and there'd been grass underfoot. The wind hurled her off her feet. Her head banged on a rock. She'd been soaked already; she hadn't even noticed the blood. She'd nearly got to the top, as close as she could without being blown off. She kept being thrown down on sharp rocks. The sea was breaking right over the island. Right over the grass. She couldn't have gone closer. Only she'd had to keep close to the edge to know where she was. The wind had kept flinging her towards the water. Then she'd been crawling uphill, with the waves breaking right over her. The waves had broken right on top of the island. She *couldn't* have gone any further. It had been *impossible* to go any further.

But if only she'd managed it . . . If she'd only found the strength . . . If she'd *willed* herself not to be weak . . . If she'd not failed him that night – if she'd not failed all of them – then Jim would be alive now.

If Jim were still here, there would never have been the letter.

There was no point blaming herself, five years later. No one else blamed her. Diya had never spoken a word of blame. No one else supposed for one moment that she'd not done all that was possible.

She still thought – it was so hard now, to remember what that night had been like – that she should have tried again. Or gone with Jim in the first place. He'd said no, he could manage. He'd *told* her to stay in the house. That didn't mean she couldn't have thought for herself. She wasn't bound to do what Jim said. She knew what had to be done just as well as he did. She should have *known*.

But it was so hard to remember what it had been like. Not being able to stand against the wind. Not being able to see. Not being able to *think*.

Lucy put down the oil can, and unlatched the south window. She threw her shawl over her shoulders and sat, so that her silhouette didn't get in the way of the light, on the step of the metal platform that ringed the lantern. Now she could see out. She might feel she was suspended in a solitary bubble in the midst of chaos, but actually she was here, in this tower, in the middle of the world.

The light beamed out behind her. It made the stars very dim, but Mars shone red, low over the western horizon, and if she twisted round she could see the Plough just setting to the north of it. North-east, the two lights on the Calf flashed every two minutes. When she looked east she saw a thin pale line of light. The earth – Lucy sometimes allowed herself to be fanciful in her solitary moments – had survived the night. Somehow the thought calmed her. Human lives were so little: people did what they could in this world, and no one could do more. Lucy sighed, and rested her elbows on her knees.

The sea rose and fell against the shore like a dragon breathing gently in its sleep. As Lucy's eyes adjusted she could see pale lines of light that came and went: each rising wave caught for a moment in the beam of light before it broke. Then the next wave rose and broke, rose and broke, one white gleam for each, then nothing.

Shadows stretched away from the tower where the rocky outcrops caught the beam. There was no moon, so each elongated shadow was quite black, all of them reaching as far as they could away from Lucy, in a circle of which she was the centre. Only the tower on which she stood had no shadow. The night was almost done. She was thinking about Jim. What would he have done if the letter had come to him?

A pinprick of light appeared to the south-west about a quarter of a mile away, very pale in contrast to the thin stripe in the east, which was now tinged with orange.

Slowly the world turned grey, and then as white as ice. The water separated itself from the sky and became flat and bleak. Shapes humped out of the sea. The Calf of Man to the north-east was lightly etched in pencil, its lights dimmed by the growing dawn. Over the left shoulder of the Calf rose, faint and far away, Cronk ny Arrey Lea, and, in the far distance east of the Calf, she could just make out Snaefell. To the south, the little light went out, and turned into the ghost of a ship in full sail. Lucy fetched the telescope from the light room and held it to her eye, adjusting the focus. She saw a circle of magnified ripples, and then, after casting around for a moment, she found a brig with all sails set to catch as much of the fickle breeze as they could. No, it wasn't a brig – it had an extra mast – a ketch, perhaps? – a schooner? – no, it was a snow. It was too far away to make out her name. The ship was heading east against the tide, bound for Whitehaven probably, keeping a cautious quarter-mile clear of the tidal skerries that lay to the south of the lighthouse. Lucy saw the sails flap, and reluctantly fill again. It might be like that all day. The snow wouldn't be out of sight of the island for a good while yet. As Lucy watched, she saw the grey sails suddenly brighten, and the whole ship was bathed in yellow light.

Lucy went into the lantern, took the snuffer from its hook, and went clockwise round the twelve oil lamps, extinguishing each flame in turn. As each one was doused its mirrors all went blank. Smoke rose from the wicks, and vanished in the growing dawn.

The Calf lights were out. The sky was awash with orange and pink. The far lands turned purple. Now the sun was burning into the sea; she had to half-shut her eyes to look. A path of light shot from the heart of the dawn to the foot of the tower. The red sun was a line, a curve, a half circle. Lucy felt sunlight on her face. Down below on the island, the cock began to crow.

# Chapter 2

HE'D BEEN DREAMING HE WAS BACK ON CAPE WRATH DOING the first survey. The wind howled over the headland. They could barely stand, let alone measure. At least the chain was too heavy to blow off . . . he hoped it was too heavy but it seemed to be floating somehow, and slippery like seaweed. Spray shot up three hundred feet and drenched them. Smith, junior to him though far more experienced, was shouting in his ear, 'Get down, sir! We must get down!' They were running – he and Smith and Ben Groat the apprentice – pummelled by the wind, east down the lee slope away from the cliffs. The land curved round to the jetty – there wasn't any track – and they crawled into a sheltered hollow under the rocks. It was all Archie's fault. He hadn't wanted to be defeated, not even by the weather. Now he was being punished. He'd made a mistake. Somehow he was back on the headland being blown seawards by an almighty wind. There was no withstanding it, and the edge was very close . . .

'You all right, sir?'

Archie opened his eyes. Daylight filtered into the room through the crack between heavy curtains. The boots was leaning over him, looking concerned.

'Half past five, sir. Were you wanting hot water, sir?'

'Yes, of course I do,' said Archie irritably. 'I ordered it last night.'

When the fellow had gone Archie lay for a moment looking at the cracks in the ceiling. Where had that dream come from? He'd eaten a dish of large Manx oysters last night, but all the same . . . all he'd had to wash it down was a single glass of port. And he had nothing to be nervous about; the present job was simple enough. Cape Wrath had been far harder.

This was no time for nightmares. He was lying, for once, in a comfortable bed in a decent inn. It was worth savouring the moment: from here on the travelling would be rough. The George Inn in Castletown was a respectable coaching establishment, quite unlike anything one would find in the Hebrides. There'd even been a discreet notice downstairs advertising Assemblies for members of the *ton* on Friday nights, and sure enough when he'd been looking for Benjamin Groat last night he'd stumbled into a spacious ballroom on the first floor. The polished floor stretched emptily to a little alcove at the end, and the whole room smelt overpoweringly of wilting lilies. High society was quite beyond his touch, and anyway by Friday night they would be on Ellan Bride, God willing, a far cry from genteel Castletown.

No, he had no ambitions in that direction. He could have come post from Douglas if he'd chosen; the turnpike road was excellent. He'd preferred to travel in the gig with Groat and Scott. Ben Groat could have been trusted to look after the gear, but Archie felt happier not letting it out of his sight. He knew nothing about these Manxmen. Hebrideans, however poverty-stricken, could usually be trusted to be honest, unless, of course, it was a matter of wreck.

'Half past five, you were saying, sir.'

Archie jerked awake. He must have drifted off again.

'It's twenty to six.' The boot boy was standing over him again. 'Your hot water's on the stand, sir. And your boots is done, sir. I left 'em on the mat there, sir, and . . .'

'Very good.'

The boots got breathlessly to the end of his message, '. . . and breakfast is serving in the coffee room, sir.'

When Archie sat up the room still swayed, although the *Mona's Isle* had been pretty stable, just a trifle choppy off the Mull of Galloway. So whatever had made him dream about Cape Wrath? It was all so long ago. The lighthouse on Cape Wrath had been finished three years since. He'd visited it once since it was lit, from the *Regent*.

If he saw Mr Quirk at nine . . . And now there was this other matter to settle. Yesterday evening, while Archie had been down to the harbour, where he'd discovered that it would be much simpler to keep the gig and travel overland to Port St Mary, his two chainmen had taken themselves off to a harbourside tavern. While Archie had been planning their onward journey, his henchmen had done their best to botch the whole job from the very start.

Damn Scott! What had he been thinking of? Nothing, of course. The man never thought. And there seemed to be more taverns to the square mile in this town than in Glasgow, even: naturally that had been too much for Scott. Archie glanced at his watch again. Ten to six. He flung back the blankets and strode over to the window.

When he pulled back the curtain sunlight flooded the room. Archie looked down from his second-floor window onto the market square. Opposite was the grey posterior of Castle Rushen, much less imposing from this angle than from the river side, which had been their first view of it from the Douglas road. He looked at the clock on the castle wall, thinking to check his watch, but it had only the hour hand. 'Eliz. Reg.' said the clock face: '1597'. And yet from all that he'd heard these Manxmen insisted that they weren't English.

Archie pulled up the window-sash and knelt to lean out. He could smell the sea, and the rich tang of seaweed. There was no wind, and the drought showed no signs of abating. They'd need a wind tomorrow, but there was nothing to be done about that save whistling for it. Otherwise the day was as fine as it could be, and from somewhere below him he could smell bacon frying.

The prosperity of this little town seemed English too. The market square was overlooked by douce three-storey houses, lining the narrow paved streets which went off in all directions. The cobbles were empty and newly swept, and to the right an imposing modern church blocked the view to the sea. Next door to the George a maid was on her knees scrubbing the half dozen steps up to a pleasant modern townhouse. After years of working in the benighted Highlands, Castletown seemed a most attractive little town.

Archie found himself thinking about his dream again while he shaved and dressed. His mother would have listened to no nonsense about port and oysters. She'd taught him to respect his dreams. *So why would all that come back to you, Archie? What haunts you still?* Well, there was last year's voyage on the *Regent*, for a start. He liked his employer's sons well enough. Young David Stevenson had been there, on his first tour of the lighthouses. It had been Archie's job as Assistant to teach the thirteen-year-old David as much of the work as he could. He'd seen David's elder brother Alan put through the same process. Alan was seven years younger than Archie. Alan would be made partner in the firm before this year was out, and then it would be Stevenson and Son.

Archie tied his starched cravat carefully, and put on his frock coat. He'd have to come back here and change before they left. More waste of time. He wasn't looking forward to this morning. He hated dealing with local officials, and in this case there was nothing to say anyway. He wanted to get out to the site. If only they could get away today they'd still have two clear working days before Sunday, which would have given him enough material to start drawing. Archie had no objection to breaking the Sabbath himself, but he couldn't ask the chainmen to do so: Ellan Bride was hardly in the same league as the Bell Rock. However, as matters stood they'd probably have to leave tomorrow – Friday – unless they went with the tide this evening . . . The boatman might be willing to stay on Ellan Bride overnight. So even if this Mr Quirk kept him waiting all morning it wouldn't actually make much difference. And now there was the extra man to be thought of . . . Damn Scott! Damn him!

No one else was breakfasting at half past six, so Archie had the table in the coffee room to himself. The fire hadn't been lit, but the sun was streaming in through the window. Wooden clogs clattered in the street as folk hurried to their work. A cart rattled by, its iron wheels grating on the cobbles. A fish-wife with full basket was crying her wares, and out of the window he saw the maid at the townhouse leave her clean doorstep to buy fresh herrings. The day beckoned.

But he wasn't left in peace for long. The landlord brought the coffee himself, and hovered round Archie while he ate his ham and eggs, obviously wanting to talk.

'Edinburgh,' Mr Kneen said cautiously. 'Now that was in the papers too. This terrible cholera! We were hearing the sickness had reached Edinburgh – I was reading that but two or three months back.' He glanced at Archie anxiously. 'You yourself will have encountered it, no doubt?'

'Oh ay, it was bad. But I wasn't in town then.' That seemed rather a short answer. Archie made an effort to be friendly. 'I was working up north when the cholera broke out. Dunnet Head. That's on the north coast of Scotland.'

'Ah, you'll have built some lighthouses up there too, no doubt?'

'Ay, I've worked up there quite a lot.'

'So you weren't in Edinburgh for the sickness? They say it's very catching. Very. You just need to breathe in someone's breath, that's all, and you've caught it. And then – just in an hour or two – that's you dead – finished!'

Archie shook his head. 'Oh no! It's not infectious. I mean, a traveller from London or Edinburgh, say, couldn't bring it here. It's not like that.'

'You're sure of that, sir? I heard that when it takes a hold, folk start dying like flies, in their hundreds. Thousands, even, all in the same place. Bodies lying in the streets rotting, and no one to bury them.'

'Ah, but that's the point.' As ever, Archie was drawn into conversation by the technical question. 'It spreads, but ay in the same place. It's not infectious – not like plague, for example – where one man could carry it across a continent. It spreads some other way. No one quite knows – they talk about a miasma – a contagion in the air. When the air is polluted, anyone who breathes it is at risk. But humans don't carry air around with them.'

Mr Kneen still looked worried. 'It's these big cities that's in now. Man wasn't made for to live in great cities. These city folk think we all want to be like them, but there's some of us would be happier left alone, and that's a fact.' He took a cloth, and began polishing the pewter tankards that lined the dresser. He obviously wasn't intending to go away yet. 'But you'll be a city man yourself, sir?'

'No.' Archie added, as Mr Kneen seemed to be waiting for him to speak. 'Not originally.'

There was a short silence. Mr Kneen adjusted the shining tankards on their shelf. 'You'll have been in the lighthouse trade a long time, then? But you've not been here before? You didn't work at the Calf or the Point of Ayre?'

'No.' After a short pause Archie volunteered, 'I worked at the Mull of Galloway, though. I've often seen the Isle of Man from there.'

'Ah yes, I was hearing about the grand new light they've put there. You can see it from Peel on a clear night, so a fellow was telling me the other day. So you built that light?'

'I was one of the engineers,' Archie corrected him. He became a little more expansive. 'I hadn't seen it from the sea since it was lit, though – not till yesterday. I came down on the *Mona's Isle*, and I got a good look at it when we rounded the Mull.' He relapsed into silence. He couldn't begin to explain the excitement he'd felt when he'd come on deck to see the Mull of Galloway lighthouse from the sea. Gleaming white in the rays of the rising sun, it had looked so familiar, and yet it was strange in its completed state. There was always something extra about the finished thing – something more substantial, a little more like itself, than even its designers had been able to imagine. Odd to think that folk would sail by the Mull light for centuries to come without giving the matter a thought. They'd see it now – as the scattering of folk on the deck of *Mona's Isle* had been doing yesterday morning – as if it had been there for ever. No one would even begin to imagine the sweat that had gone into the building of it.

'So you came down from Glasgow on the *Mona's Isle*? They're telling me all the time how these steamships are actually very comfortable, and quite safe too in all manner of weather. A fellow here was saying the cabins are as well appointed as this inn! Hard to believe, out at sea, but he swore to it. And they can make the passage just the same whatever airt the wind is in. It wasn't like that when I was a boy. Indeed it wasn't. But you'll know all about these great steam engines, sir?'

'I don't know anything about steamships. But they did let me into the engine room yesterday.'

'Now a fellow here was telling me all about that. He'd been talking to one of these steam engineers. A dirty job, and dangerous awful, down in the bottom of the ship with great machines clanking round you all day long. Pitch dark too. It's an awful big ship too, the *Mona's Isle*. And they go at a terrible speed, day and night, like there was no difference between the two! You'd never get out of that engine room if she was to sink, God forbid! I don't know how big she is, or how fast she goes, but it would make me anxious, and that's a fact.'

'Two hundred tons,' said Archie absently. 'And up to nine knots. No need to be anxious though: she was built at John Wood's in Glasgow.'

Someone was shouting from the hall, 'House! House I say! Is anyone there? Kneen, are you there?'

'I must go, sir. Will you excuse me?'

Thankful for the interruption, Archie buttered his toast, and seized the chance to look over the notes in his pocketbook.

He wrote underneath them in pencil: *Watterson. Betsey? Check draught.* And then again, as he sipped his coffee: *Scott?*

Scott was the very devil. Would Mr Stevenson expect him to stand bail for the fellow? They had their own laws out here. God-forsaken ones too, probably. So long as they didn't decide to transport the fellow: if it was as bad as that Archie would have to intervene. Though why should he? God knew what sort of sentence Scott would get. Maybe God cared; Archie didn't. He was inclined to leave Scott to rot. He'd brought it all on himself, after all, and Archie had a job to do. But Mr Stevenson might have other views about it. Bound to have, in fact. Did it matter? He didn't need to please Mr Stevenson any more. Archie had given everything to this job, and it had taken him this long to realise there were no more rewards for an ambitious young fellow unless his name was Stevenson. No, there was no need to worry about what Mr Stevenson would say about Scott.

Archie poured more coffee. While he sipped he unfolded a letter that was already limp with constant re-reading. It was sheer indulgence: he knew its contents by heart, but it gave him inordinate pleasure just to see the words again. That's why he'd brought the letter with him. It still said exactly the same, and it still thrilled him every time he looked at it. He was just beginning to realise that it was all true: this thing really was going to happen.

*Dear Mr Buchanan,*

*Further to our meeting of the 17th inst, I am gratified to be able to inform you that your application for the post of surveyor to the Scientific Expedition of HMS* Beagle *has been successful. You are required to report for duty at HMS* Beagle, *currently stationed at Greenwich, by September 1st, 1831.*

*Following our illuminating discussion in London, I would highly recommend a perusal of Mr Lyell's new volume. Some of his arguments are unnecessarily ambiguous, and could even be interpreted as atheistical, but he is a man of sound observation, and, as far as I have yet read, he does allow a man the freedom to draw his own conclusions. You may find the work pertinent to our proposed expedition.*

*I should remind you that the* Beagle *is a ninety-foot ten-gun brig, and will be carrying its full complement of sixteen officers. In addition there will be five supernumeraries, including yourself. Space for equipment and personal effects will therefore be severely limited.*

*May I be the first to congratulate you on this splendid opportunity? I look forward to renewing our acquaintance.*
*Yours &c,*
*Robt. Fitzroy*
*Commander,* HMS Beagle

Four months to go. Only four months. To hell with Scott. To hell with Quirk the Water Bailiff, and to hell with this Godforsaken Island. To hell with . . . no, never to hell with Robert Stevenson. Archie owed him too much, and liked him too well. It was going to be hard to tell the old man. But, even so, Archie had his letter. He could only begin to imagine how much this was going to change everything.

# CHAPTER 3

*THE COCK WAS CROWING IN THE YARD, OUT THERE WHERE the heat flattened the parched ground. It was so hot outdoors one could hardly draw a breath. In here it was cool. She could smell the tamarind tree that cast its shadow over the steps in a pattern of leaves that sometimes moved in the breeze. There was no breeze today. Today the tree shadows were as still as if they'd been carved in clay like the jali. Where she was standing, the sunlight made a sharply-etched latticework on the marble floor of the veranda, an exact echo of the intricate patterns of the jali through which it shone. When she shut her eyes the pattern was still there, emblazoned in green and gold. The marble was cool under her feet. Her sandals were on the step. She squatted down to shake them, and an enormous scorpion fell out. She screamed and dropped the sandal. And a voice called from inside the house: she was about to hear the comforting voice from inside the house: she could remember the different sounds, the very words, almost . . . almost . . .*

The cock crowed again. Diya rolled over, and woke. A shaft of sun pierced the crack in the shutter. It fell right across the pillow where she'd been lying. The sea soughed against the rocks outside; she could hear it through the open window. At home in Grandmother's house Diya used to look out at the sea from her white bed under the rafters through the small square window of her top-floor room. She'd been able to see the whole of Castletown Bay over the top of the Garrison chapel. But that window, like all the windows in Grandmother's house, had been kept firmly closed. Here on Ellan Bride Lucy always kept the window open unless the wind was very strong. Diya had been forced to grow used to the unhealthy practice. Jim used to keep the window open too. In the beginning Diya had been frightened by the night air, laden with demons of the deep, smelling of salt and wind, stealing in through the perilous crack.

Diya didn't want the weather in her dreams, still less the sea. She could hear the sea now, and the sound of it seemed to brush her dream into oblivion. She tried to recapture the receding images, but they were dissolving in the relentless freshness of the island. She could smell salt all too plainly; in the dream it had been tamarind . . . the warm, spicy smell of the tamarind tree. What was gone, was gone for ever; only faint shadows might fall from the past into the present, and even those were merely an illusion.

Sometimes when Jim had been there he'd left the light burning by itself and come to her, briefly, in their curtained bed in the kitchen recess – his parents had slept in the bed-room then – but Diya knew that Jim was never unaware, even for a moment, of the steady beam of light outside the window. While the light was lit he would not sleep. He would come, on a calm night, and then, just as she was falling asleep, he would go again. She always woke with an empty place beside her. Now Lucy had Jim's half of the bed, and Jim was gone for ever.

They'd been so helpless. Exposed to all the fury of the elements, this island could – and too often did – turn itself in no time at all into a little hell on earth. That night five years ago had been worse than hell. In hell one despaired, and that was all. Hope was more cruel because it tantalised: it would seem to offer a glimmer of light, and then it would just blow itself away again in a night, leaving only destruction behind it. That was why the wind was the worst of all. Rain, mist, hail, fog, sleet: of all the elements that flung themselves against the island the wind was the real demon. It mocked you as it swept your strength away – you couldn't breathe, you couldn't balance, you couldn't even think. Diya hated the wind more than anything else in the world.

The wind that had swept Jim away that night had shaken the house so hard it made the stone walls shudder as if this were a house of cards. It had whined under the door, lifting the rag rug as if it were an animal come alive. When Diya had tried to look out for Jim's lantern, the shutter had jerked loose from her hand and been wrenched off its hinge. When the shutter banged against the wall, the cat had fled under the dresser, and the baby had woken up screaming.

Billy had screamed too; Diya could remember that: 'Mam! Mam!'

'Da!' Breesha had cried. 'I want my Da!'

'I'll go after him.' Lucy had jumped up and pulled on her cloak. She'd draped the heavy coil of rope over her shoulder, and lit the storm lantern from the candle.

Diya hadn't known whether to try to stop her or not. The truth was she'd wanted her to go. She'd *wanted* Lucy to risk her life, if it would bring back Jim. 'Take care!'

The door was snatched out of Diya's hand as soon as she'd raised the latch. The wind howled. Ashes flew up from the hearth, and the coals roared into a blaze. The candle had gone out. Both children had been sobbing as Lucy vanished into the swirling dark. What else could Diya have done but shove the door shut with all the strength she had? The wind groaned against it, protesting. But she'd managed to shut it out.

'Billy! Breesha!' She'd hung the nightgowns over the back of the wooden settle, just the same as usual. Why had she even bothered, when all the time . . .? But all she'd been able to think of was keeping things as ordinary as possible. 'What foolishness is this!' – that was more or less what she'd said – 'Silly children! On land there is nothing to fear. You should pray for the poor sailors, at sea on such a night as this!'

'I want my Da!'

Diya remembered how her hands had shaken as she'd unbuttoned their clothes, and pulled the warm nightgowns over their heads. She hadn't tried to make them go to bed. The whole house was shuddering. The roof beams groaned under the strain. The three of them had huddled in one blanket on the hearth while the coals blazed in the wind, and spray spattered down the chimney. Breesha was cuddling the cat tightly. All the time Diya had kept one hand on the cradle; the baby slept through everything.

At last the door had burst open. Jim!

No, not Jim. Lucy's hood had blown off. Her hair was soaked. She'd got blood on her face. She didn't have the rope or lantern. She'd tried to push the door to: Diya had run to help her. Together they'd managed it, while the wind battered on the outside with giant fists.

'Where's Jim?'

'I can't get down there! I can't get down!'

'Where's Jim?'

'I can't get down! The sea is right over the island!'

'But where's Jim?'

'I don't know, I tell you! I can't get down!' And then Lucy, who never cried – even now, Diya had never seen Lucy cry – had held her hands over her face, and drawn long shuddering breaths, as if the wind had done its best to suffocate her.

That was enough! No point going back to the past, any of it. Diya lay for a few moments watching dust motes dance in the thin shaft of sunlight. Lucy must have doused the light long ago. A harsh scraping sound started up in the room next door. Lucy was raking out the fire. Diya heard voices: Lucy's low and quiet, and Breesha's shrill treble. Diya pushed back the cover, and swung her legs out of bed.

Mally was like her mother in the mornings, slow to start. She was curled up like a dormouse under her flowered coverlet in the truckle bed in the corner. Mally had no jobs to do until after breakfast, so no one ever bothered to wake her. She didn't stir when Diya fastened the shutter back and the sunlight flooded in, chasing away the blue shadows, and turning the whitewashed walls the colour of pale honey. Apart from the sleeping child the room was empty. Diya pulled her nightgown over her head as she crossed to the washstand. She poured water from the blue jug into the matching basin, took a rough bar of soap and a flannel, and carefully washed and dried herself with a threadbare towel.

The Gaffer had made this washstand. The table top was laid with blue and white Dutch tiles that came from a wreck at Langness in the year Jim was born. The ship was on its way from Lancaster to the West Indies, and all the crew had been lost, though bits of the cargo had been salvaged later. The tiles were found in a wooden box inside the broken hull when Jim's father and grandfather had sailed over to have a look at her. Diya loved the tiles, with their neat blue and white pictures of windmills, cattle and ships. There was so little man-made beauty here, such poverty of patterns and images; every little bit was like a drop of manna.

Diya, in her petticoat, stood at the oval looking glass above the chest of drawers and brushed her long hair. The swishing sound, Mally thought as she woke, was like the sea; in fact Mally could hear the sea now, echoing her mother's brushing, outside on the rocks.

Diya poured two drops of oil from a thick glass bottle on to her palm and rubbed her hands together. Then she ran them through her hair in long strokes, turning her head first one way and then the other, still watching herself dreamily in the looking glass. The gold studs in her ears flashed in the glass as she turned her head. Now this letter had come, Diya was thinking, something else would happen. She was frightened: she couldn't deny it. She had no money. Neither of them had any money. Lucy's salary was eighteen pounds a year, two-thirds of what Jim's had been. That was incomparably greater than Island wages. Lucy's salary was all they had to keep them.

They had no home but this. Diya could work, only who would have her? And what about Lucy? And how could Diya go into service when she had Breesha and Mally? No one would employ a housekeeper or a governess who brought two children with her. And whatever would Grandmother have said if she'd known Diya had sunk to that? What would either of her grandmothers have said, come to that? Better not to even begin to think of that, not to open the sealed door to that long-gone world.

Even so, the future would be easier for her than it could be for Lucy. There was no point in pretending otherwise. At least Diya knew how to live in other ways. That didn't mean she wasn't afraid. There had been so many changes, and she had learned exactly how much each change could hurt. *Liverpool dock: a grisly sea of faces. All the faces blank and white, like a picture not coloured in. And the appalling rain, the thin grey relentless rain. Was this sea of whiteness also people? The colour they made was terrible, thin and grey and utterly relentless. And there was no sun.*

Diya twisted her long coil of hair into a knot at the nape of her neck, and fastened it with hairpins. Mally, watching through half-closed eyes, loved the darkness of her mother's hair against the bleached whiteness of her petticoat. She was aware of the suppleness of her mother's body, and the way the petticoat extinguished it, even while it still showed what her mother looked like underneath by the folds in it, and the way it touched her body here and there.

Diya put on a blue print gown over the petticoat, and a white cap that hid her hair. Immediately she became her ordinary daytime self. Mally didn't quite realise that her mother now looked ten years older; she only knew that her mother was different when day came, and that her undressed self was Mam's own secret, which Mally only saw because she happened to be there. Aunt Lucy, unlike Mam, didn't bother to wear a cap. She said it would blow off in the wind, and who was there to see or care? Mally watched her mother slide her silver bangle onto her wrist, glance for one last time in the looking glass, and turn to face the day.

When Diya had left the room there was no need to pretend to be still asleep. Mally rolled on her back and stretched out luxuriously. She dimly remembered having Breesha in the bed as well. She remembered fighting for space and Breesha jerking the covers off her, but she could also remember waking curled up against her sister like two kittens in a box. Mally could not remember her Da. Sometimes Breesha or Billy mentioned him, and more often Mam would tell them stories about him. In Mally's mind the stories about her Da were as remote as India. Although he'd actually been there on the island with them all until Mally herself was almost two, in her mind Jim belonged to the happy times before she was born, the times which other people remembered, in which she'd had no share.

When Diya went through to the kitchen she left the door ajar behind her. The door used to creak, but Lucy had rubbed soap on the hinges and now it made no protesting noise. The sounds through the open door would wake Mally in due course, thought Diya, as they always did, and Mally would join them when she smelt breakfast.

Lucy was blowing last night's coals back into a blaze. Smokey the cat was rubbing against her arm, clearly hoping to be fed. Breesha was standing there in her nightgown, but when she saw her mother she grabbed her clothes from the back of a chair, and disappeared into the bedroom to wash and dress. The two women in the kitchen could hear her shouting at Mally. 'Get up, you lazy pig!'

'I'm not a pig!'

The bedroom door banged.

Billy emerged from behind the kitchen bed-curtain, knuckling his eyes. He was buttoning his shirt when his mother called from the hearth without turning round, 'Billy, are you getting washed? Remember to wash your neck! There's a tide mark there as big as the one on Stackey beach!'

Billy sighed as he poured water from an earthenware jug into an enamel bowl. No one was watching, so washing took him less than half a minute. He dragged the comb through his curly hair. He was darker than Lucy, but he'd inherited her thick curls and her freckles. His eyes were not like hers though; Lucy had grey-green eyes, but Billy's were bright blue and very wide open, giving him an air of startled innocence. Billy fastened his breeks with a wide leather belt that was much too long for him. Lucy had helped him cut an extra hole in it. The belt had been Uncle Jim's. Billy treasured every small item that he had inherited from Uncle Jim. A leather belt, a beaver hat for special occasions, both far too large for him, were small icons to Uncle Jim's memory and to Billy's status in a family of females. Jim's shirts had long ago been unpicked and remade for children's nightgowns and women's petticoats. Jim's Sunday blacks, seldom worn, were put away in camphor for when Billy was a man. Jim had been wearing his oilskin jacket on the night it had happened, so they didn't have that. Billy kept Uncle Jim's second-best knife in its leather sheath under his pillow, and wore it for fishing and other jobs. The telescope they all used, because they had to for the light. But Billy cared about that telescope more than any of them. It was more his than anyone else's, or so he reckoned.

# CHAPTER 4

'FOR CHRISSAKE, BEN, IS YOUNG ARCHIBALD NO GOIN TAE get me oot o here?'

Benjamin Groat shifted his feet uncomfortably, but he kept his face close to the barred grille in the door down to the dungeons. Ben was a big, gangling fellow, and he had to stoop to look through. The dungeon stank of excrement and foetid bodies. His gorge rose. At least he was on the right side of the door, standing in a chilly stone alley that led inwards from the old moat of Castle Rushen. The formidable keep, which was the main part of the prison, rose like a grey cliff behind him. It was surrounded by a great curtain wall, making the old moat into an enclosed prison yard. Ben couldn't meet Drew's eyes. He'd come here to help him if he could, but the plain fact was there was nothing he could do.

'He didna say so, Drew. That doesna mean he winna.'

'Bastard! Poxy whore's son! The bastard!' Drew Scott shook the bars of the grille, but the dungeon door was too solid to budge an inch.

A harsh voice came from the darkness below him. 'Stow that racket! And get out of the bloody light.'

Drew ground his teeth. 'Pack o bloody Manxmen. Give themsels airs. Think they own the bloody place. Dinnae want to be locked up with common felons! Common felon! That's whit the bastard called me . . . I'd knock his bloody brains oot but!'

'Ay well.' Ben sighed. He glanced swiftly down at Drew's face. 'Don't do onything, Drew, however much they rile you. You've no been charged yet, even. Turnkey telt me this was just the holding cell. It's no like they've put ye in the main prison bit. But if there's any more trouble now . . .'

"Tweren't nothing! You saw, Ben! The cully spat in my face! An I floored him. What of it? What kind a man wouldnae, if a cull spits in his face and calls him another thievin Scotchman? I never got called a thief. Never! I've no stolen aught!'

'That wasna what he said. Another of Atholl's thieving Scotchmen was what he said. He wasna saying you had your hand in another man's pocket. He meant the late Duke.'

'Dukes arena anythin to do wi me! Just as well. Young Archibald's more'n enough. For Chrissake, Ben, you mean he'll do naught? He's no goin to get me oot o here?'

'Well . . . what I mean is . . . he will, Drew. He must. What would Mr Stevenson say, supposing Young Archibald left you be?'

'Mr Stevenson isnae here though, is he? There isnae nae-body here but Mr Stuck-up Lick-yer-arse Fidget-face. And when did he ever give a damn? He'd let me swing an no lift a finger to save me, so he would. I tell you, Ben' – Drew's voice grew shrill, and Ben drew back involuntarily – 'he'll let these bastards hang me, an no give the snap of his fingers for't, so he will.'

'Who said onything about hanging, Drew? Your man's no deid nor like to be. They threw a bucket of water ower him and he came roon soon enough. '

Drew put his face close to the bars and whispered, so Ben had to come right up to the grille to hear him, ducking his head and putting his ear close to the metal. The stench from inside was appalling. 'Man in there says they transported a fellow who knocked oot a man just the same as what I did. Tavern fight. Just the same. Transported, Ben! Convict ships! They do a lot o that here. That's what they'll do to me if Young

Archibald doesnae go bail for me. Christ, man, I got tae get oot o here. Where *is* the bastard?'

'Young Archibald? He's away to see a fellow,' said Ben, not meeting Drew's eyes. 'Water Bailiff, he said. About the new light. Legal stuff. But Drew, they *kinna* transport you. They kinna! You've no done notheen hardly. Few days in here, that's what it'll be, just. Few days, couple o weeks maybe. That's all.'

'All! That'll lose me ma joab! Ben, I got to come wi you. I got my joab to do. You cannae go oot there wi'oot me. Whit'll ye dae wi but one chainman? Whit'll ye dae? He's got to get me oot but!'

Ben dropped his eyes. There were a few limpet shells among the refuse on the ground, and he clumsily ground them under his boot. 'Well . . . thing is, Drew . . . Young Archibald told me to see about hiring another man. Just for this job, like. Just if you couldna mak it this time roond.'

'Bastard!' Drew spat furiously, and Ben flinched. 'He'll bloody leave me here to rot! Throw me oot like yesterday's bones! He'll report me and lose me ma joab, so he will! He isnae even goin tae see the magistrate, you mean? You mean he isnae goin tae dae naught for me, Ben?'

Ben looked down at his feet. 'He's in a hurry, Drew. Waste of time, see, having to deal with this Water Bailiff. He wants to get off as soon as possible to this Port St Mary, and find this boatman. You know how he hates politics. He wants to get on with the job. He doesna want to lose another day.'

'The devil! Doesnae want to lose a day! An me like to lose ma life! There's no justice in it, Ben. The man's a murderer. He'll have ma blood oan his hands, sure as if he'd knifed me hissel. He's killt me, Ben!' Drew's voice grew shrill.

'Stow your noise, blast you!' The voice from inside the dungeon was as hoarse as a dying crow.

'That's no fair,' said Ben reasonably. 'It's no a hanging matter, I telt ye that. It wis just a brawl. And it was you that floored the cully. No one else. Young Archibald wasna in the tavern even. It's notheen to do with him really.'

'Christ, Ben—'

'You there!' The turnkey's voice sounded from the gatehouse up above. 'Five minutes, I said. That's ten minutes gone! You'll be losing me my place, with your ingoings and outgoings. Out you come there!'

'Outgoings is right,' muttered Ben. 'I got to go, Drew. I'll speak to Young Archibald, though. I swear I will. Don't give in to the doldrums, mate. I'll—'

'Get the hell out of there, I say!' The turnkey's boots clattered on the stone steps. 'Get the hell out or I'll charge you double!'

'I'm coming!' Ben leant towards the grille and whispered. 'Keep your hairt up, Drew. They kinna hang ye. They won't even keep you in here more'n a day or two, not if I can stop it. Here' – he reached into the pocket of his frieze jacket, and pulled out a greasy packet – 'It's bread and pickled onion. Fresh fae the baker. I thought you might be glad o it.'

Drew seized the bread, and thrust it into the bosom of his jacket. 'Ay well, thanks for that. And Ben . . .'

'Ay?'

'Would you have a bawbee about you? I dinnae get no grub in here withoot. I paid ma last sixpence and what did I get? Bloody stewed limpets. Limpets! Beggars' broth! He cannae leave me in here, Ben. You tell him . . .'

'You come on out o' that!'

Ben fumbled in his purse and drew out a shilling. After a moment's hesitation he passed it through the bars. Drew snatched at it, and feverishly pocketed the coin. 'Don't let them bloody debtors see! Thanks, Ben. True blue, that's you. But that Young . . .'

'I got to go, Drew.'

'Find oot!' Drew shouted after him, as Ben followed the turnkey away. Drew clung desperately to the bars. 'Find oot what they'll do! And tell Young Archibald . . . Ben, you'll come back, right?'

'Ay, I'll do that . . .'

'Like hell you will,' snarled the turnkey, grabbing Ben's arm and dragging him away. 'Out, you! And be thankful I wasn't taking another shilling. Five minutes indeed. I've a mind to be reporting you to—'

'Stow it,' said Ben. 'You got your shilling. I doubt you'll be reporting that. I'm off.'

As soon as he was outside the great gates Ben drew a deep breath of clean air, and stood up straight, blinking. He tended to slouch, which perhaps came from stooping down to get on a level with his fellows. For Ben was known to be good company, though steady with it. He'd drink with the others, but no one had ever seen him the worse for it, and it was reckoned to be impossible to provoke him to argument, let alone fight. He had an ugly freckled face, wiry reddish hair, and mild blue eyes. His father had been employed by Robert Stevenson as a stonemason at Pentland Skerries, and stayed with the firm thereafter. He was killed falling from the temporary bridge on the Bell Rock, just a week before the lighthouse was completed. That had happened two months before Ben's birth. The widow took her new-born infant home to Orkney. A small pension was forthcoming, supposedly anonymous, but Benjamin was aware very early on of the identity of his patron. Mr Stevenson had also offered John Groat's orphan an apprenticeship, to commence when he was fourteen. So Benjamin sailed for Edinburgh within a week of his fourteenth birthday, and was promptly directed to the Survey of Sutherland as 'prentice under the assistant chainman. What his mother thought about it no one knew; probably not even Benjamin had any idea. As for Benjamin himself, even those who worked with him closely knew rather less about him than that. He was a quiet fellow, and got on with folk, and Mr Stevenson thought very highly of him.

The sun hadn't reached into the hollow of the Castle Rushen moat. Out on the harbour quay the day was already bright. Ben shuddered, and walked round the castle, past a stone-breakers' yard, and on to the harbour quay at the front of the castle. Who'd have thought such an imposing building could house such stinking misery inside? Just like people really, thought Ben, and grinned to himself. He'd done his best, but it was good to be out of that place. Being a peaceable fellow himself, he'd had little enough to do with jails, thank the Lord.

The castle faced straight onto the harbour. The tide was coming in fast over flat slabs of rock and seaweed. A couple of herring smacks were moored at the Castle Quay, with the sea running in around their exposed keels. A schooner was unloading coal, and townsfolk with baskets and barrows were queuing up to buy, their boisterous banter drowning out the screams of the gulls. Further upriver a gaggle of farmyard ducks foraged in the exposed seaweed. Compared with Douglas harbour, where they'd berthed yesterday, with its fine new pier and good lighthouse, this place was a backwater – literally, one might say.

Ben wandered along the quay, and crossed a stone bridge over the river that flowed into the harbour. An old fellow was leaning on the bridge smoking a long clay pipe, watching the tide flooding in over the exposed mudflats.

'Morning,' said Ben cheerfully, stopping beside him.

'And a good morning to you.' The old man removed his pipe, and looked Ben over sideways. 'You'll be a stranger in these parts, then?'

'Ay.'

'English?'

'Not I!'

'Scotch?'

'No that either!'

'You're not sounding like an Irishman. Welsh?'

'No. Orkney,' said Ben, leaning on the rail beside his questioner. 'But I've been away fae home a long time. You'll ken this place pretty well, then?'

'I'm living here all my days.'

'Tell me, then – when we came last night, it was just gone high tide. It falls a good way, then?'

The old man looked at him sideways. 'More'n twenty feet just now. At low tide you'll not hardly be seeing a pint of water in the harbour, barring the river. Three-and-a-half hours after high tide the whole harbour'll be dry again.'

'That must make the fishing difficult.'

The old man sucked on his pipe deliberately; he seemed to be staring out to sea, but he was watching Ben out of the corner of his eye. Evidently he decided it was worth being communicative. 'Aye well, it's dangerous awful in the bay outside. But once your boat's in she's as snug as can be, as you're seeing indeed, here in the duck pond – that's the name we're putting on it here. When the herring are coming in, you see, the smacks are mooring off Derbyhaven mostly, and that's where they're beaching them in the winter.'

'Derbyhaven?'

'You are a stranger and no mistake!' The old man looked him over, but didn't ask any direct questions. Instead he jerked his pipe in an easterly direction. 'Over that way, a mile or two. That's Derbyhaven.'

'And there's a better harbour there?'

'Harbour?' the fellow repeated scornfully. 'Bless your heart, there's no harbour there at all. But you'd never be mooring in Castletown Bay, not when there's a westerly in. So it'll be the fishing that brings you here, no doubt?'

'No.' Ben leaned his elbows on the rail, and deliberately grew confidential. It was worth getting alongside the locals, though he was wary of the old fellow's sidelong glances. So far everything he'd said seemed true enough. 'I'm in the surveying business,' said Ben. 'Chainman. I work for the company that built the lighthouses on the Calf here. That'd be what? . . . ten, twelve year ago now?'

'So that's it, is it? Surveying? Is that making a map, like? There's a map of Castletown already, so they're telling, but I'm never seeing it.'

The air of benighted ignorance seemed genuine enough, but Ben wasn't at all sure. 'Ay well, we're no working in

Castletown. Like I say, you had our company here before, building the lights on the Calf. Lot of wrecks here before that,' remarked Ben casually, 'or so they say.'

'And plenty of wrecks since too! I'm not holding with all these lights everywhere. It sets folk thinking the coast is safe, and that's not so. Never was, never will be. There were wrecks before the lights – one or two wrecks along this coast every year, year in, year out – and wrecks just the same ever since. Listen, young fellow . . . but three months since there was a smack lost in Castletown Bay. Coming from Liverpool, she was. Smashed to pieces on the rocks out there in a storm, barely a mile from this harbour. Just out yonder, not a mile from where we're standing. Them lights on the Calf aren't stopping that sort of thing, now, are they?'

'No, but a light at that headland I saw across the bay might help.'

'Langness? And what would be the use of that? It's too low. A bit of spray on a wild night – a patch of fog – no, that would do no good at all. There's the Herring Tower there, anyway. What more would you be wanting? And how about the *Atalanta* was wrecked at Port St Mary last year? Now she was from Derbyhaven – John Watterson, he had knowledge of these waters – but that wasn't helping her, was it? And you won't never see them lights on the Calf near Port St Mary. And the *Atalanta* wasn't the only one at Port St Mary last year – there was that sloop from Scotland too. They were getting the cargo off – pig-iron, that's what it was – but the ship, she was finished. No, you can't tell me them lights have changed nothing.'

'I've kent places in Scotland where they've set up lights and barely had a wreck since.'

'Ah well now, you would have done, wouldn't you? That's how you'll be knowing all about what we're needing here. Well, well, isn't that fortunate now, that you're coming here to the Island to be putting us all right?'

'It's a busy route, then, along your coast here?' asked Ben innocently.

'Bless your soul, it's the busiest route in the Manx Sea. But a week or two now, and you'll be having them all here for the fishing. They'll be out west of the Island right now, but when the herring will be coming round the coast, the boats'll be following. Once the Cornishmen are coming along, that's when the season is really starting. And not just the fishing. Now it's all them steamers, going away to Liverpool, Whitehaven, Belfast, the Lord knows where . . . Oh yes, we don't do so bad, for poor ones who aren't knowing nothing at all. Not like you educated gentlemen from Edinburgh, of course.'

'I telt you: I'm fae Orkney. We don't have any steamer routes there yet. But we – me and my master – we came on the steamer from Glasgow yesterday.'

'Well, you won't get me onto one of them things. Blow up, like as not, and what will you be doing when the engine stops working? No sails, no oars. It's not nathural.'

'And no wrecks either. Or no so many. A steamer can get itself off a lee shore where a sailing ship wouldna have a hope.'

'Well, you're wrong there, young fellow. Weren't you hearing how the *George* was wrecked in Douglas Bay just last year? At least, they were getting her off in the end, but it wasn't steam that was the saving of her.'

Ben knew all about the *George*. He'd been told the whole story by a fellow he'd met on the *Mona's Isle*. He let the old man tell it again, but he was listening to the accent more than the words. The fellows in the tavern last night had been speaking their own language. That was really what had got Drew into a fight. Ben guessed they'd been talking pretty freely about the two strangers in their midst; certainly they had very obviously seemed to regard Drew and Ben as a source of amusement. Ben had tried to make out what they were saying – he'd listened to enough Gaelic when they were working at Cape Wrath to have a smattering – but he couldn't make out this Manx language. It didn't bother Ben what they might be saying, anyway, but it had bothered Drew all right.

Lot of nonsense this old fellow was talking, anyway, but it

was useful to know what folk were saying. Ben was used to prejudice against the lights. There was always a reason for it, and this Island had been a lawless country in the past by all accounts. There was no telling but what this chap knew a thing or two more than he'd say about wrecks. And there'd been some pretty fierce smuggling here by all accounts, but that was years ago, not since the war probably. The old fellow would mind all of that – probably he'd learned to sweet-talk the excise officers just the same way he was talking to Ben now. Anyway, it was just typical of these old fishermen, saying the lights had brought no benefit. You couldn't convince anyone who chose not to listen. You couldn't ever prove how it would have been without the lights, once they were there, and how the wrecks did get less, if you took into account that the shipping was growing and growing every year that passed.

It was true about the steamships though. They hardly ever got into difficulties the way the sailing ships did, because they could get themselves off the coast whatever airt the wind was in. Look at how they'd rounded the Mull yesterday morning in the *Mona's Isle*. With almost no wind at all they'd made about eight knots ever since they'd left the Clyde. They'd never have done that in a brig. It was a shame in a way. There was something about a brig, about the feel of the sea under the keel, and the sound of the wind and the tide, that you just didn't get on the *Mona's Isle* with her engines clattering away and her paddle wheels turning. Young as he was, Ben had been bred to a different world. No wonder these old fellows took it hard.

'You ken these waters pretty well,' he remarked, as the old man relapsed into silence and pulled at his pipe. 'You'll ken Ellan Bride? The island beyond the Calf?'

The old man took his pipe out of his mouth and deliberately spat into the river. 'Oh ay. Ellan Bride . . . it's surely not to Ellan Bride you're for going, young fellow? You're never going there? It's a dangerous journey, dangerous awful. More'n half a league south of the Calf itself, right out at sea. You're surely never wanting to go out there!'

'Ay. That's where we'll be working.'

'You will? There's a light at them there already, you know that? Been a light at them these fifty years. Fifty years and over it, even, or so they say. But you'll be knowing all about that?'

'I ken about the private light, ay. We're going to replace it. Build a new one.'

'Is that right? You'll be coming here to build us a new light on Ellan Bride? Well, well, you're coming along to do us all a favour. And you'll be bringing more Scotchmen over with you, and putting them on Ellan Bride, God help them? Well, well, whatever would we be doing without fellows like you coming along?'

'You don't think a new light's a good idea?'

The old fellow shifted his gaze from Ben's face, and seemed to deliberately change the subject. 'You're seeing that castle there?' He jerked his pipe towards the grey bulk of Castle Rushen above the quay.

'I could hardly miss it.' Ben decided not to mention his acquaintance with the jail. 'What of it?'

'Well, maybe I'll be telling you something about that castle. See the big it is?'

'I certainly do.'

'Well, I'll be telling you a story about that. That castle is old' – the old man's voice sank to a dramatic whisper '– older than the memory of man.'

'Then who built it?'

'That's what I'm telling you. Themselves it was, was building it, and I'll tell you, Themselves is keeping their rooms in it that no man can be entering. There's rooms in that castle no man is knowing of. There's folk gone in, now and then, over the years – young fellows, and a taste of Dutch courage taken at them – you'll know what that is? But never a one was ever coming back. And then a fellow was going in, but he took a skein of packthread, to be marking the way, like, and he was going in. Down and down he was going, down the long passages in the pitch dark, league after league . . .'

'A *very* big castle,' muttered Ben, under his breath.

'. . . until at last he was seeing just a flicker – just the smallest little flicker – of a glimmering of light. And that seemed to him the best thing he ever did see. So he was going on and on, right away up to the light, and he was looking in on the window. And inside that window he was seeing the buggane – it's the truth I'm telling you now, mind – seeing the buggane, and he lying asleep on a great stone table, laying his head on a book he was, and gripping a great sword in his hand, and breathing hard in his sleep. So the young fellow was running for it, away from the light and back along all the weary way, following his packthread, and out into the light of day at last. And so he was the one who was living to tell the tale.'

The old man was looking at him again through half-closed eyelids, apparently gauging the effect of his tale. Ben didn't like that look. He was fairly sure he was being made game of, but when he met the other's eyes, the old man broke into the blandest of smiles.

'Is that right?' said Ben cautiously. 'And what's that got to do with Ellan Bride?'

'Ay well, that'd be another story. But if it's my advice you're seeking, young fellow – and I daresay you're not, for without doubt there's more learning at yourself in a few years of life than at myself in all of threescore and ten, you with your Scotch education and all – but if asking you were, I'd say keep you away from that island, young fellow. Don't you be going near Ellan Bride!'

'There's an island where I come from,' said Ben, watching him closely, 'that's supposed to disappear on midsummer nights. So they say. My Auld Daa lived in sight of that island, and never once did it shift from its moorings, and you could see it any old time you liked, except when the mist was down.'

'Ah, but you weren't *on* that island, young fellow. Now were you? That's the thing. You might be seeing Ellan Bride any day of the year, but this time of year particular – May-time – you wouldn't want to be going too near the place then.'

'Well, that's a shame,' said Ben cheerfully. 'In fact it's a remarkable coincidence, since it's May-time now, and Ellan Bride is exactly where we're going to be.'

Ay well, so much for that, thought Ben, as he strolled along the other quay a few minutes later. The day's work was well under way. Warehouse doors stood wide open: he could see right into the chandler's and the ropeworks next to it. There was another schooner unloading blocks of sugar, each one carefully wrapped in sacking. Ben skirted the dockers and their carts, and crossed a wooden bridge back to the townward quay. And so much for Young Archibald telling him to sound out another chainman. If the old man he'd just spoken to was right, it seemed unlikely that they'd get anyone from Castletown willing to take on the job. Maybe they'd have better luck in Port St Mary. The boatman would surely have some ideas. Ben would have to explain to Archie that it would be better to wait until they got over there. Young Archibald always wanted everything sorted out yesterday; he never seemed to learn that the further you got from Edinburgh, the less life was going to be like that.

At the end of the quay a muddy lane led past a row of thatched cabins that faced onto the bay. There was a strong smell of woodsmoke, muck, rotting seaweed and drying fish. Barefoot children and prowling dogs tumbled in the glaur. Ben came out onto a shingle beach with one or two rowing boats drawn up close to the cottages. By this time he'd collected a little group of children who followed him curiously. He addressed the biggest girl: 'Will I get back to the market square this way?'

She shook her head uncomprehendingly, but now he could see the back of the big new church towering over the huddled cottages. The bell was ringing as he passed the school, and a noisy gaggle of latecomers pushed past him to the open door. Just as well, maybe, that he couldn't comprehend what they were calling as he passed. In no time at all Ben was back in the square with its fine town houses and the George facing the back walls of Castle Rushen. But it was quiet no longer. Even though there was no market today the fish-sellers had set out their wares on the slabs, and some brisk bargaining was under way. A group of red-coated officers on horseback clattered over the cobbles, narrowly missing a couple of girls bowling an iron hoop. Ben strolled across the square, enjoying the warmth of the sun. The morning was in full swing; it was time to find Young Archibald.

# CHAPTER 5

BILLY OPENED THE OUTSIDE DOOR AND FASTENED IT BACK against the wall. The chickens scuttled forward, clucking for breakfast. Billy ignored them; they were not his job. He hooked the empty wooden buckets onto the yoke, swung it onto his shoulders, crossed the yard through a carpet of silverweed studded with papery yellow flowers, and headed along a narrow path among rushes and celandines. He stopped for a moment when he saw the snow, all sails set to catch the first whisper of a breeze. Even as he watched, the sails flapped. She was about quarter of a mile off the Creggyns, sailing directly against the tide. With so little wind she'd be there all morning. Later he'd look at her through the telescope and find out her name.

The spring flowed out from under a rock at the foot of a small cliff. It was built up at the back with an ancient stone wall. The wooden dipper was chained to a post. Billy knelt by the clear pool, and slowly lowered the dipper. He let the water swirl in over the rim, then lifted the dipper out as gently as he could. If the mud at the bottom of the pool got stirred up the water would be brown and murky, and he'd be in trouble. It was easy to be patient on a day like today, with the morning sun on his back, and the ground under his knees quite dry for once. An early dragonfly flittered above the pool, and butter-cups, bogbean and forget-me-nots trembled at the edge.

Nine dippers made the buckets as full as he could manage

without spilling. Billy squatted with the yoke on his shoulders, and hooked on first one bucket, then the other. Slowly he stood up, taking the weight. Coming back along the muddy path was a heavy, careful job. He lowered the buckets just inside the kitchen door and put their lids on. Emptying the ash bucket was much easier. Billy tipped the hot ashes out over the rocks. When he came back the chickens were gobbling scraps from the trough. Breesha, still holding their empty bucket, was squinting at the sundial.

'It's nearly at V – I – I,' she said as he passed. 'I mean seven. Mrs Black's gone broody. She never lays anything. Just makes a fuss.'

'Put her in the pot,' said Billy.

'That's what your Mam says.'

'Good.'

'But not now. After the puffins have gone. It's a waste till then.'

'She'll eat her head off,' objected Billy.

'Well, that's what your Mam says, anyway.'

'Well, I don't care,' said Billy. 'I don't mind going for puffins today.'

'She didn't say today.'

'I might, anyway.'

The truth was that they both had to do what Lucy and Diya said, but Breesha didn't bother to say so, which was kind of her. Billy opened the door of the coal shed cautiously because there were rock pipits nesting under the roof inside. A bright eye watched over the edge of the nest as he shovelled the coal. The birds were used to the noise. Billy stopped and listened for a moment, but it was still too early in the season for any sound of cheeping.

Diya was stirring the porridge when he got back to the hearth. The porridge smelt good, and Billy hung around.

'You could put the bowls out.'

It would have been better to skulk in the yard. Billy laid out five wooden bowls, and five horn spoons.

'Milk, Billy.'

He took the cloth off the earthenware milk jug and reached it down from the stone shelf, holding it carefully in both hands. It was yesterday's milk, with thick lines of cream round the inside of the jug where it had stood at various stages since yesterday morning. Billy wiped away the top line of cream and licked his finger.

'Mally, you watch the porridge till Breesha comes back. Don't just stir the top. Scrape it off the bottom as well. Don't tip the pot or you'll burn yourself.' Diya took some corn and the milking pail, and followed the path where Billy's bare foot-prints showed clearly in the mud. She passed the well and the keeill, and trod carefully between the puffin burrows over spongy grass and mayweed. The puffins watched her through black-lined eyes, retreating a yard or so when she came close and flapping their wings in case they had to fly. The puffins in the burrows below protested with low guttural sounds like so many creaking gates. Diya stepped over a puffin's carcass – two wings and the desiccated outline of a body torn open by a blackbacked gull – and climbed up to the white cairn above Baie yn Geinnagh Veg. In a hollow just below the rock there was a wooden yoke. She scanned the green patches between the rocks, and rattled the corn in the bucket.

Hooves clattered on pebbles, and two goats came scrambling up from the bay. Turk still had a length of seaweed hanging from her mouth. Mappy was slower getting up the rocks because of her bulging stomach. Diya pushed Turk aside and let Mappy have first turn at the corn. Any day now Mappy would appear with a kid at her side; it was almost five months since she'd been put to the billy over at Meayll. Diya whisked the pail from under Mappy's nose and held it so that Turk stuck her head through the yoke. Diya put the bar across, and while Turk licked the pail clean she squatted beside her and began to milk. Turk was less docile than Mappy, and twice Diya had to shove her hind legs out of the way. Two jets of gleaming milk frothed into the bucket. Diya milked until both udders were empty, then released Turk, who went skittering away.

The children were scraping their porridge bowls when Diya got back. Diya dipped a jug into the milk pail, and gave each child half a mug of fresh warm milk.

Billy drained his mug noisily and wiped his mouth. 'PleasemayIleavethetable?'

'Whose turn is it to do the light?' asked Diya.

'Breesha's!'

'Mine,' said Breesha.

Diya glanced at Lucy, who shrugged. 'Off you go then. But Billy . . . *Billy!* . . . let me finish. Bring in some driftwood. And don't be too long.'

Billy grabbed the telescope, swung himself round the door-post, and ran.

It was one of the clearest days they'd had this year. Standing on Dreeym Lang, Billy focused the telescope on the Chickens Rock to the north-east, gradually emerging as the tide ebbed. Beyond it he could see the Calf lighthouses quite plainly, the high light on the left, and the low light on the right. The lights lined up exactly on the Chickens, so ships knew that when one light was right above the other they were in danger. Billy scanned the broken south coast of the Calf. Away east beyond the Burroo lay the low-lying coast of the Island. You couldn't see Castletown from Ellan Bride, but you could see the tower of Castle Rushen rising over the low land in between. Today Billy could even make out, when he got it right in focus, the Governor's flag flying over the keep. Mam said no one ever looked at Ellan Bride from the top of Castle Rushen because the castle was a prison, and you weren't allowed to go in. If you wanted to look at Ellan Bride from Castletown, Mam said, you had to walk out to Scarlett Point, and on a very clear day, there it would be, a tiny blue hump on the horizon.

At this time of year the west side of Ellan Bride belonged to the birds. All day long their cries echoed across the whole island, and as Billy got close to the cliffs the noise grew deafening. The birds had their own lives, but with the telescope Billy was able to see a lot that would otherwise have been secret. He trained the telescope on a place he knew at the top of Giau yn Ooig, and twisted it into focus.

The eider duck was still sitting plumply on her eggs. It was rare to find an eiders' nest on the island. She looked like another clump of moss amidst the hummocks of sea campion, sheltered in a little gully at the top of the cliff. Or, surrounded by the white flowers, she could have been one of the bare patches outside the puffin burrows, brown and mottled. Through the telescope her feathers were glossy, light brown and blackish on her back, and more delicately dappled on her neck. Her beady black eye seemed to look straight at Billy, but because of the telescope that was of course impossible. Her beak was grey, pale at the tip, and quietly tucked in. She paid no attention to the ooo-ooo, ooo-ooo of the raft of other eiders that floated below her. They might be the ones that were too young to nest this year. Eiders were allowed to ignore their relations, barring their own chicks. People had to go on knowing each other for ever. It must be very warm if you were an egg underneath that duck.

There was a flicker of movement beside him. Billy lowered his telescope as two razorbills skimmed the cliff top just a yard away. He'd been so still they'd stopped noticing him. Billy sat up, blinking. The puffins were still circling round and round the island; he could hear the whirring of their wings as they sped past. Even Mam didn't know why they circled and circled like that. There were always more of them doing it in the evening, but they were doing it now, and it was – he glanced up at the sun – nowhere near the middle of the morning. He still hadn't got the kindling. He'd climb into Giau yn Stackey before he went home and fetch an armful all at once. Diya thought you could only get wood from Giau yn Stackey by boat, but she was wrong: it was easy to climb down if you knew the right footholds. He'd stay out long enough to have walked over the slabs looking for little bits of wood that had drifted in during the last day or two. That would give him a bit more time to himself.

Billy sat turning the precious telescope round and round in his hands. Its leather case was scratched and battered, but the brass was polished until it shone. He wished it were really his own. It had been Uncle Jim's, and no one ever talked about which of them it belonged to now. Of course it was needed at the light, but even Mam just used it because it was there. She didn't care about the telescope itself. If Uncle Jim were still alive Billy wouldn't be allowed to take the telescope away from the light to look at other things. But he missed Uncle Jim. It would be better if Uncle Jim were alive and Billy didn't have the telescope.

Perhaps Uncle Jim was still alive somewhere. No one had ever found a body. Perhaps he'd been picked up by a passing ship and carried off to a far away country. Perhaps he was in India. The reason why he'd never written to say where he'd gone in five whole years was that perhaps he'd been ship-wrecked on an uninhabited island, or somewhere where they were all cannibals and didn't write letters. No, not cannibals. Uncle Jim wouldn't have been eaten. Just normal savages. And one day a ship would land there to get water, and they'd find Uncle Jim, and then he'd come home again.

But Mam had said that wouldn't happen, and so Billy had never mentioned it again. Mam and Diya believed that the children didn't even think any more about Uncle Jim perhaps being alive. Mam and Diya were wrong. Mally didn't think much, but Billy and Breesha sometimes talked it over privately. Breesha said she was sure her Da wasn't dead. Sure of it. She just knew. Abruptly Billy clipped the telescope case shut, and stuffed it into his belt. He had the telescope anyway. Sometimes he thought Uncle Jim being drowned was all his fault because he'd been glad to get the telescope afterwards. But he'd never thought about having the telescope before Uncle Jim went away. He'd never, ever, wished that Uncle Jim was dead. He'd never even dreamed about having the telescope to himself before that night.

Billy stood up. It was better not even to think about all that. He'd been going to look at that snow again, see if he could make out her name. That was what to do next. That was a lot better than thinking.

# Chapter 6

'A MOMENT, SIR, IF YOU PLEASE.'

It was Mr Kneen again. Archie turned back impatiently. 'Yes?'

'A message for you, sir. From Mr Quirk.'

'Mr Quirk? I was just stepping round to the Castle to see him now.'

'That's it, sir. He won't be at the Castle this morning. He'll meet you here at the George, in the usual parlour, at eleven o'clock. He sent a message.'

'Eleven!' Archie pulled his watch out of his waistcoat pocket and looked at it, as if that would somehow help. 'Doesn't he know we have to leave for Port St Mary this morning?'

'Ay well, sir, you won't be sailing today anyway, and it's less than six miles to Port St Mary. You're not needing to be away from here till this afternoon, I'm thinking.'

So they all knew his business, damn them, even down to the innkeeper. But that was only to be expected in a place like this. Archie tapped his watch impatiently. 'No doubt,' he said coldly.

He'd no sooner stepped out of the inn than he met Ben Groat in the Square. What with the cries of the fish-sellers, and the housewives hurrying to the bakery in their pattens, baskets on their arms, it was impossible to talk sensibly.

'Come round to the stables,' said Archie.

The stables were at the back of the inn, reached by a narrow lane full of dung. A solitary cow, newly milked, lumbered out from a stone-flagged passage leading into the nearest house, and picked her way towards the green at the end of the street. Ben explained why it would make more sense to look for another chainman in Port St Mary, and, to his relief, Young Archibald absentmindedly agreed. He seemed to have something else on his mind, which was all to the good. In the stableyard a boy was rubbing down a sweating hack, but there was no sign of the head groom. In the coachhouse their gear was still safely in the gig, untouched.

'Good,' said Archie, when he'd inspected everything. 'Ben, the devil of it is I willna be able to see this fellow afore eleven. I doubt we'll be away until well after noon.'

'Well, the horse'll no mind,' said Ben philosophically. 'In fact I could put the poor beast out to grass. There's a hobble in the gig. Then we could have a bite of dinner if we're still here at midday.' Ben followed Archie into the yard. 'I speired about getting to Port St Mary too. The road's no as good as the turnpike from Douglas, but it's dry enough in this weather, and flat all the way, the old fellow said.'

Archie was looking at the sky, biting his lip. Not a cloud in sight, and not a breath of wind. The drought seemed set to continue. There was no chance at all of setting sail today, and that meant that in all honesty there was no hurry. Five and a half miles in a gig along an indifferent road – say an hour and a half at the worst. It was – he glanced at his watch again – nearly eight now. Low water was at eighteen minutes past eleven. They had to sail to Ellan Bride on the ebb to have the current with them. If only they hadn't been held up by this business, they could have gone out on the ebb this morning. But they were missing this tide, damn it . . . and as for the next one, it was unlikely they'd persuade the boatman to leave this evening, as he'd then have to come home after dark, with no wind to help him either way. If they aimed at a dawn start tomorrow, he could send Ben to buy provisions now, while he saw this Mr Quirk . . . and now Ben was coming out of the stable, leading a depressed-looking roan, and was speaking to him again. 'What did you say, Ben?'

'About Drew, Mr Buchanan. What'll we do about Drew?'

'Nothing,' said Archie emphatically. 'Scott must fend for himself.'

'But Mr Buchanan . . .' Archie strode off down the street. Since the horse was in no hurry, Ben had to call after him. 'Sir!'

Archie turned round. He had to look up six inches to meet Ben's eyes; he always found that a disadvantage, but he said firmly, 'No, Ben. It was insane, what Drew did. Doesn't he realise we've got to keep these people on our side? He could have done us no end of damage. He must take what comes to him.'

Ben knew this mood of Young Archibald's. There was never any point pleading with him. They'd worked together since Ben had started out as apprentice chainman on the Sutherland survey – so long, in fact, that Archie very seldom gave Ben direct orders. They respected each other, and Ben hardly ever got the Young Archibald treatment which so infuriated Drew. Usually he deflected any signs of it, but in this case he'd promised Drew. 'But Mr Buchanan . . .'

'Well?'

'I saw Drew this morning, sir. Yon dungeon he's in is the filthiest hellhole . . . it makes the Tollbooth look like a palace! And he's no even been charged yet – they couldna find the constable – they may no even ken he's in there! If ye'd seen him, sir. We kinna leave Drew to rot!'

This time Archie did give him a civil answer, but all the same he shook his head. 'What would you have me do, Ben? If he's broken the law of the land, what *can* I do?'

'I'm sure you could, when you speak to this Bailiff today. A bailiff would be the right man, surely? Otherwise . . . what'll they do to him? D'you ken what the law is here? Because I don't. But seemingly they transported a fellow in like case.'

'They won't transport Scott! Doubtless they'll have him up before their magistrate, and let him cool his heels for a couple of weeks in jail. He brought it on himself; he'll have to thole it.'

'Then, sir . . .'

'What?'

'We might well gang hame afore that! What if he's in jail still?'

'Then he'll serve his sentence.'

'But if we don't take him back with us, Mr Stevenson's going to ken about it. And Drew willna have the money for the steam packet, I'm sure of that.'

'Is there any good reason why Mr Stevenson shouldn't ken about it?'

'It's Drew's job, Mr Archie,' said Ben firmly. 'I doubt he'd get another.'

'For good reason, it seems. Enough of this, Ben! We're a man short now, and there's work to do!'

'Ay well,' said Ben reluctantly, 'I think we could maybe hire one of the people at the lighthouse. At least they'd be getting some good out of us then.'

'There isn't anyone to hire at the lighthouse. Only women and bairns, Mr Stevenson said.'

'Ay well, a woman or a bairn can hold the end of a chain. One of them must be strong enough to carry the oil up the tower.'

'It wouldn't do,' said Archie decidedly. 'We'll have to ask Mr Watterson.'

'That'll be the boatman, will it?'

'Ay, he supplies the Ellan Bride light. They use him for the Calf as well sometimes.' Archie stared out past a row of thatched hovels to the empty sea. 'Five mouths to feed on eighteen pounds a year,' he added unexpectedly. 'Our light-keepers get forty-five pounds a year. Did you know the Duke cut their wages by nine pounds when the proper lightkeeper drowned?'

'I'm no as surprised as I might be,' said Ben.

'No, and they don't love the Duke much hereabouts.'

'That was what did for poor Drew, sir. The Duke of Atholl being Scots. Once they found out we were Scots they started saying things in their own language. You could tell it wasna compliments exactly. They dinna love the Scots, for sure. The Duke wasna Drew's fault, and that's a fact.'

'Enough, Mr Groat! I don't want to hear another word about Scott!' When Young Archibald put on his Edinburgh English voice it was useless to say another word. Ben sighed to himself. 'No more about Scott! Is that understood?'

'Understood, sir.' Ben hesitated for a moment, as they strolled past the last cottages and on to the green above an open shingle beach. Ben bent to fasten the hobble. 'There you go, boy. Make the most of it while you can.' He straightened up, patted the horse on the rump as it hobbled away, and said casually, as he draped the leading rope over his arm, 'Seems it's a bit complicated, about this light on Ellan Bride? No just a matter of the Commissioners taking over from the private owner and building a new light, like I thought?'

'I wonder if this is the Port St Mary Road?' Archie sighed. 'No, Ben, it's not that simple. I wish we could just get on with the job and be done with it. It's like this, so far as Mr Stevenson explained it to me. Up until three years ago the whole Island – the whole of the Isle of Man, that is – belonged to the Duke of Atholl –'

'I thought he was just the Governor?'

'Before he was Governor he owned the whole place. The Crown bought him out, and made him Governor – a sort of Prince Regent if you like, but no so fat. But they're still arguing about what was sold to the Crown and what wasn't. The Duke kept the Ellan Bride light, anyway. It was a private light, and when the Duke sold all his lands on the Isle of Man, he didn't sell the light on Ellan Bride. The lawyers are still arguing about whether he sold the island the lighthouse stands on, along with all the other lands in his manor.'

'But what about the Calf lights? He sold the ground for those all right.'

'And a hell of a bargain he drove, too! Mr Stevenson showed me the letters. Sir William Rae kept writing from the Commissioners – half the time the Duke didn't even bother to answer.' Archie was getting really indignant now. 'And then he wanted to charge a ridiculous rent for the ground: fifty pounds a year for ten acres of gravel! Well, he didna get it, and the lights got built in spite of him. And this with wrecks off this coast awmaist every year! He couldna have done it under Scots law, Ben.'

'No a very public-spirited gentleman, seemingly. No wonder they don't like the Scots much around here.'

'It gets worse, Ben. For a hundred years the Atholls were favouring Scots here – everything from gentlemen's appointments down to the very house servants. And the auld Duke put a Scots family on Ellan Bride when he first built the light there.'

'Ay well. But at least he built a light. That was something.'

'For profit, Ben, profit! I'm telling ye, these private gentlemen – so-called – are just in it for what they can make! They dinna care about the lights, or the shipping, or the wrecks, or the good o the country. The Atholls have probably made half a million out of this damn light, over the fifty years it's been there. We only got the light on Ellan Bride at last when the old Duke died. And d'ye ken what we paid for it – just last year this was – £130,000! What's more, the Commissioners dinna tak ony extra dues from the Manx lights at all. No a penny. If a ship's paid its dues for the Scottish lights, that covers the Manx lights too.'

'Ay well, even if the old Duke had got the price he wanted he couldna have taken it with him. And the light itself isna much good, I'm thinking, if we're about to build a new one.'

'Och, to be fair, the light was good in its time. But it's been there fifty year. It's obsolete.'

Ben strolled along, deep in thought, adapting his stride to Archie's, then asked presently, 'So why have you got to see this other fellow this morning? That's nothing to do with the new Duke, surely? He doesna come into it any more?'

'Och, there's politics on this damn Island as well. The new Lieutenant Governor – that's Colonel Smelt – wrote to the Commissioners to say that the harbour dues ought to be coming back to the Isle of Man. They feel sore here because their taxes all get spent in London, and nothing comes back to the Island. That seems to be the gist of it.'

'There's others who could say the same as that.'

Archie wasn't listening. 'Anyway, no one's taking extra harbour dues from Ellan Bride now it comes under the Commissioners. Don't ask me, Ben. Mr Stevenson said I was to steer clear o all that. My job – and I'm no relishing it over-much – is to meet this Water Bailiff and just keep repeating that I don't know, I'm just the surveyor. But I'm to keep him informed, and tell him my conclusions when we've done the work. I just have to keep the waters smooth, Ben, and no say anything.'

Then I'm surprised Mr Stevenson picked you for the job. Naturally Ben didn't speak that thought aloud, but merely said, 'So who's the Water Bailiff, sir? Is it no the Governor you should be talking to?'

'No, thank God. I've been told to liaise with the Water Bailiff, and keep him fully informed of all developments. They have their own sort of Parliament here, Mr Stevenson said – and the Water Bailiff is part of that.'

'Fair enough,' said Ben equably. He had to admit, hard though it was for Drew, that it was going to be much easier without him. Drew and Young Archibald brought out the very worst in each other. When it was just himself and Archie, Archie seemed to relax. Their backgrounds were not so very different after all. When Archie forgot that he had become an Edinburgh surveyor, Ben noticed that he lapsed into the accents of his early years. Today Young Archibald had been harder to handle. It was always the case when he was nervous. Probably he'd been worrying about today's interview ever since they left Edinburgh. That was why he'd been so prickly. Drew would never understand that, any more than Archie would understand how Drew had got into that fight. And what Drew could never see was that Archie was good at his job. When he was roused you could see that he cared about it passionately. Too much, perhaps. He wanted more than Mr Stevenson was prepared to give. Maybe Robert Stevenson knew that, and maybe he didn't. It was no business of Ben's, and it was quite certain that no one would ever ask Ben what he thought about it.

# CHAPTER 7

AS THE TIDE EBBED THE CREGGYNS SLOWLY GREW. WHEN IT was as calm as this, at high tide there were only empty circles rippling outwards to show that the Creggyns were there at all. Once Creggyn Doo had revealed all its shining shelves of seaweed, you knew that Finn's yawl could come alongside the landing rock at Gob y Vaatey. It was too soon yet. The seaweed on the Creggyns rose and fell gently with the waves, gleaming like the hair of an underwater giant. Maybe the golden weed was the thick curls of the sea king who stirred his cauldron at the bottom of the sea and made the storms rise, but he wasn't cooking anything down there today. Maybe his storm-pot was empty. Today the sea was rippling silver so that when you half-shut your eyes you saw all the sparkles at once like stars falling.

A brig was becalmed south of the Creggyns. Mally was fairly sure it was a brig, though it seemed to have an extra mast. Mally could recognise nearly all the ships that passed. The others knew them all, except for Mam, who was the only one who couldn't read these things without thinking about it. But other sorts of reading Mam did best of all. Like words. Mam could read words much more than Lucy, but Lucy could read ships like no one else ever born.

This was a good sitting place if the wind was at all easterly. Today there was hardly any breeze, just the warm smells of the island. Mally had done the jobs Mam had given her this morning. She always had to wash and put away the porridge dishes after breakfast because she didn't work in the lighthouse yet. But when she was eight she would take her turn doing the light and not have to help with the dishes every single day. That would be better than the way it was now.

She could see the horizon all the way round, which meant that this was a very good day. Sky and sea didn't meet everywhere because of the far lands. The far lands, when you could see them, were always on the horizon, even though Billy said they weren't all the same distance away. Mally would never have wondered about that if Billy hadn't mentioned it, but now it was lodged in her mind as another of those inexplicable things, shadowy shapes on the edge of what she knew for certain.

Today the far lands had come very close, more like real earth than blue clouds, which is what they looked like most often. The Gaffer had come from the far lands when he was young. He came from Scotland, which was north. That was so long ago that Da and Aunt Lucy hadn't yet been born. Today you could see as much of the Island as was ever possible. The Island with a big 'I' was the Isle of Man. Ellan Bride had a small 'i' because it was little. Last year Mally had been herself in Finn's boat, and actually stood on the Island. It was as firm underfoot as Ellan Bride. She'd told Mam that, and Mam said the phrase she wanted was *terra firma*.

Ellan Bride was *terra firma*, and occasionally the Island was *terra firma* too. The far lands were just names, and with the names came stories. There were stories from each place, but more stories from India, because India was the mother of all stories, and in the other countries the stories were fine, but just not quite like the India ones. But India was as far from here as any place could be, and never even so much as a very faint line on the horizon which might be a passing cloud, and no one was likely to get that far, unless they were grown up. For grown-ups all things were possible, though often they didn't seem to bother.

Mally was sitting in a sheltered crevice between two angled rocks. At eye level, about six inches away, there was a little clump of pink sedums growing out of a crack in the rock. This was nearly the highest place on the island, but not as high as the light tower. The tower had been built high enough for the light to shine out to sea on all sides, because that was what it was for. The light was the reason for everything. In the dark or in the fog the light must never go out. That was their job – hers and Breesha's and Billy's and Lucy's and Mam's. All the ships that sailed the seas were safe, because when it was dark or foggy the light would never, ever, go out.

At the top of the tower, Lucy opened the window to let out the heat and the smell of oil. She and Breesha paused on the platform to look at the becalmed ship.

'. . . that's how you're knowing it's a snow, not a brig,' Lucy was saying. 'See, there's another mast next to the mainmast.'

'Maybe she's come from the West Indies,' said Breesha, enjoying the sound of the name. 'Bringing sugar and rum and tobacco to Liverpool or Whitehaven.'

'Maybe.'

'If we had the telescope we could see her name.'

'Dratted boy. He must have taken it straight after breakfast.'

'He always wants to look at things,' explained Breesha.

Aunt Lucy replied, astonishingly, 'The telescope doesn't belong to the light. The Gaffer bought it in Douglas. That would make it Billy's.'

'But you said before it had to go with the light!'

'Things change,' said Lucy.

Breesha opened her mouth to speak, but Aunt Lucy had turned her back. There is *something*, thought Breesha. She felt a pang of fear. No one had spoken, but *something* had happened, and Lucy and Mam knew what it was. Billy didn't know. Mally might have heard something, as she slept in the bedroom. Mally did sometimes hear Mam and Lucy talk when they thought she was asleep. Mally wasn't quite as young and stupid as they thought. At least, not always. Anyway, whatever it was, Aunt Lucy would know what to do. Breesha watched Lucy trim the burnt ends off the four wicks in the lowest tier of lamps, and draw them out so they were just the right length. This was a job that had to be done just right: Breesha wasn't allowed to trim the wicks yet.

'There you are. You can be making a start on those.'

Breesha always did the lowest row of lamps, and Lucy did the top two tiers. No one else could work as fast as Aunt Lucy. Breesha took a handful of tow and started cleaning her south-facing reflector. Now it was nearly summer the black film over it wasn't nearly so thick. Last night the lamps had burned for barely eight hours; in winter it was sometimes sixteen. But the summer oil was worse to clean off because it was much stickier than the winter oil. The whale oil they had now was quite good. Last winter's oil had been horrible. Sometimes they'd found bits of skin and blubber floating in it. They'd creamed off the worst bits when they opened the barrels, because usually that kind of stuff was floating on the top. When they'd first opened those barrels they'd smelt like rotting fish. The oil they were using now just smelt as if a hot animal had been sleeping in the lantern.

At last the reflector was as clean as Breesha could make it. She fetched one of the linen rags from the basket and some chalk white, and started polishing. In summer she always started with the south reflector because as the morning went on the sun got so fierce. In winter she saved south until last. Because each of the numerous mirrors inside the reflector was at a different angle to the sun, each one was a different colour. Breesha could make the colours change by moving her head around and squinting at them. She had to do that anyway to make sure there wasn't a single smear, but if she half-shut her eyes it was like Aladdin's chest of jewels gleaming in the light of the magic lamp. Then if she opened her eyes and looked straight into one of the little pieces of glass, what she saw was herself, and if she looked into more than one at a time there were many Breeshas, all at slightly different angles, like the jigsaw puzzle Diya had bought for them all from Douglas, when all the pieces were laid out and not yet put together.

The jigsaw puzzle was another matter altogether. Breesha saw her many reflected selves smile and sit back. It was almost like not being herself, seeing that girl with an oily scarf wrapped round her head so it hid her hair, and a dirty smear on her brown cheek, sitting there in the reflectors with a white sky behind her. But she was inside that girl's head, because that girl was remembering about the jigsaw puzzle, and only she, inside her own mind, knew that.

'Aunt Lucy?'

'Uh-huh?' Lucy didn't look up; she was squinting to see if her reflector was done.

'Remember how we did the jigsaw map?'

'Did what?'

'The jigsaw map that Mam got on the Island.'

'Oh that. Yes.'

'And it had the whole of Europe and Asia on it. It had India and everything, but it didn't have the Island.'

Lucy didn't answer. Breesha went on thinking about the jigsaw map as she polished. She and Billy had put it together so often they knew it by heart. Most of the land in the world was very large. India was far larger than England. England was far larger than the Isle of Man. The Isle of Man was far larger than Ellan Bride. Ellan Bride was about the smallest place in the world, and yet it was the largest, if you happened to live on it and had hardly ever been anywhere else. Breesha had been to Port St Mary, and she had twice been to Castletown, only that was so long ago she couldn't remember it. From the top of the lighthouse you could see five different countries. Six, Mam always said, if you counted the kingdom of heaven. But you might as well not count that, because you couldn't go there unless you were dead. It was good doing the jigsaw puzzle. It would be better to have another one, one day. She and Billy had got to the point when they knew their jigsaw puzzle almost too well.

'That jigsaw puzzle,' said Lucy presently. 'Never again. It was nearly driving me mad. All over the kitchen table.'

'But we always remember to do it on the tray now! We just didn't know to do that the first time until it was too late.'

'Pointless, anyway,' said Lucy.

They worked on in silence. The sun shone fiercely, until it grew so hot inside the lantern that Breesha could feel the sweat running down her back. Lucy wedged the window wide open, and that brought in a whiff of cooler air. Sunlight winked on glass and made Breesha's eyes water. Outside the island basked in the spring light. Pale tide streaks made long lines off the Creggyns. Breesha shut one eye, and squinted across the last reflector. The mosaic of mirrors gleamed without blemish, every piece.

When Breesha worked with Aunt Lucy there was almost no talking; it was quite different from being with Mam. Aunt Lucy liked it that Breesha never had to be told anything twice. So when all the reflectors were done Breesha went back to the house without being told, jumping down from rock to rock instead of following the zigzag path. Mam wasn't in the kitchen, but the broth was simmering in the iron pot. Breesha lifted the big kettle from the chain, and half-filled the bucket. The kettle was very heavy. She poured the boiling water carefully. Billy had once scalded himself doing this job, and he'd had to sit with his feet in cold water all morning.

In the yard the chickens were foraging round the ditch where Diya had thrown out the night slops. Flies clouded thickly over the empty feeding trough. When Mrs Black saw Breesha with another bucket in her hand she scuttled over, clucking excitedly, even though she knew just as well as the other chickens that breakfast came only once. Even Mally, who could be silly about chickens, wouldn't fuss when Mrs Black appeared on the dinner table. Breesha clambered up to the light again, following the path this time and using two hands for the bucket.

She topped up the bucket with cold water from the butt outside the storeroom. This side of the lighthouse gleamed in its fresh coat of white. Every summer they had to work their way round the fifteen-foot tower until all the outside was whitewashed. Only yesterday morning Aunt Lucy had touched up the lettering on the carved scroll over the door in black paint: *Et in Arcadia ego.* The Latin words meant that even though Ellan Bride was the best place in the world men would still get drowned here.

In the workroom at the bottom of the tower Aunt Lucy poured some of the water into a second bucket, and added soap to one and vinegar to the other. Aunt Lucy had already put the oil cans away; the first rule was that the clean things and the oily things must never, ever, get mixed. Even Mally knew that. Breesha took a clean rag for her soap bucket, and a crackly dry leather for the vinegar bucket, where it immediately turned soft and slippery in the hot water.

She enjoyed cleaning the windows on a sunny day. She liked the smell of soap and vinegar. At first the water was so hot she could barely put her hands in it to wring out the cloth. It made her skin red and raw, but it soon cooled. First she washed each pane with hot soapy water until it was clean, then she rubbed it with the leather until it shone. She took care to get right into every corner; Lucy always noticed if a corner got missed. That took a long time. Even after a short summer night there was a greasy film all over the glass. The light chamber had six glass windows facing all round, because shipping could come from any direction. Each of the six windows was made up of six small panes. Aunt Lucy always did the top four, and Billy or Breesha, whichever it was, had to do the bottom two. Cleaning the glass was the longest job, and in winter it could take the rest of the morning. At first the soapy water just made the glass even blurrier, and then as Breesha rubbed and rubbed it gradually got clear again. It was hardest on sunny days because she could see every single smear, and she had to go on until the whole pane was shining bright.

'Clean water,' said Lucy.

Breesha sighed; they could have made it last just one pane longer. When she came back up the ladder with the heavy bucket, she glanced out of the cleaned north-west window. A small black speck was detaching itself from the Calf. 'There's a boat coming from the Island.'

Lucy stopped cleaning and looked out of the window. 'So there is.' There was something in her voice Breesha hadn't heard before. She felt that same quick pang of fear. *There is something, but they're not telling us.* Lucy cut across her thoughts. 'That window's still mucky, Breesha.'

'It's on the outside.'

'We'll see.' Lucy stood upright and shook out her leather. 'I should be doing the outside today anyway, while the weather's so good . . .' She looked at the distant speck, and seemed to hesitate.

'Can I help?' Doing the outside meant getting onto the balcony and moving the rope ladder round that was fixed to the iron weathercock on the top of the tower, and climbing three steps off the parapet, with a leather bucket on a rope beside you, then leaning on the wooden ribs between the panes, with your face against the roof of the tower, higher than anything else in the world, while you rubbed away at the outside glass, right into the very topmost corners. On a day like this there would be just the blue arch of sky above you. In stormy weather it was different, but those were the very times that the lantern got most salted up. That was when Lucy tied the rope round her waist, and Mam and Billy both went up and held the end of the rope looped round the rail, and the job had to be done one-handed because Lucy always had to have one hand to cling onto the hooks when the wind was wild. Aunt Lucy was the strongest person in the world, and afraid of nothing.

'No,' said Lucy.

'But you let Billy!'

'Billy's a boy.'

'But *you're* not a boy!' cried Breesha.

'You can be doing the bottom panes, same as inside.'

Breesha stood between her aunt and the top of the ladder. 'Aunt Lucy. You let Billy do the top ones outside and you don't let me. I'm three months older than he is. When you were young you did all the jobs. You told us. But you weren't a boy.'

Lucy relented, and gave her an answer. 'My Da was only ever letting me do outside when Jim was away. I was older than you when I was starting boy's work. And I only did it all the time after your Grandda couldn't manage it any more.'

'So if Billy goes away one day, I could then?'

A shadow seemed to cross her aunt's face. 'God knows what you'll be needing to do, Breesha veen, before we're done. Now then, I'll fill up the oil cans while you're getting some more water. Did you refill the kettle?'

'Of course I did!' It was lazy and thoughtless not to leave the kettle full. Only Billy sometimes forgot. Indignantly Breesha seized the bucket and tipped the dirty water over the rail. There was no wind today; it fell straight down. On windy days you had to throw the water downwind, and it flew up in a shower of spray and vanished. Breesha went backwards down the ladder to the platform floor, then ran down the spiral steps, bare feet pattering on the stone, the empty bucket swinging.

When she came back Aunt Lucy was leaning over the rail, looking north towards the boat they'd seen. Just looking at her from behind, Breesha could see how Lucy's shoulders had suddenly relaxed. 'It's just a smack. It'll be slow going for them today. Poor weather for fishing, too.'

The relief in Lucy's voice was palpable. So everything was all right again; the unknown threat had passed. But Breesha knew she was right: there was *something*. And if Lucy and Diya didn't mean to tell them, she and Billy were going to have to find out what it was.

# CHAPTER 8

ARCHIE SAT IN THE PARLOUR OF THE GEORGE, IMPATIENTLY skimming the latest copy of *The Manx Advertiser*. The Water Bailiff was late. On the second page of the paper there was an outspoken article on Reform, reprinted from the *Westminster Review*, severely trouncing the recalcitrant Tories. For a few minutes Archie forgot the time altogether. That the Tories could do this! In the face of the will of the people so uncompromisingly expressed! In the face of a government majority, the Prime Minister, the whole law and constitution, let alone justice, progress, industry and equality! The Tories had forced a dissolution of parliament rather than let the Reform Bill go through, and now, after all the excitement, a landless lighthouse surveyor still had no right to vote unless he took ship to America and started life all over again. If the coming election didn't bring the Whigs back, and Reform along with them, there'd be barricades up in London as well as Paris, and what's more, if it wasn't for the *Beagle*, he'd be tempted to join the revolution himself. It was all a man without a vote could possibly do. Archie threw down the newspaper, and strode over to the window.

Twenty-five past eleven. There was no real reason for him to meet this Water Bailiff at all. The Commissioners had referred to it as a 'courtesy visit'. Mr Stevenson had been more forthright. 'The Isle of Man Tynwald has no rights in the matter at all, but they like to think they have. We'll need them to co-operate later, when we're building. In fact we'll probably have to ask for favours. So just do your best to turn them up sweet, Buchanan. There's nothing else you can do; it's up to the Commissioners really. These Manxmen haven't a leg to stand on, but don't for God's sake say so to their faces.'

'Ah, Mr Stevenson?'

Archie turned round. He'd been told that Quirk was a lawyer, and had imagined a shark-like adversary moving in for the kill. There were plenty of those in Edinburgh. In fact the Water Bailiff was a stout, genial fellow in an old-fashioned embroidered waistcoat and broadcloth suit. 'Quirk, sir, George Quirk, at your service.'

Archie shook the outstretched hand. 'Buchanan, sir. I'm not Mr Stevenson. I'm one of the Company's surveyors.'

'Buchanan. Yes, indeed. My father had the pleasure of meeting Mr Stevenson. That must have been, what . . . thirty years ago? I was a mere boy, but I remember much discussion concerning the lighthouses. Yes, there was a lot of talk about Mr Stevenson's visit – but that's thirty years since. Long before your time, sir, but I remember it well.'

Archie flushed. Just because thirty years ago he'd not yet been weaned he had no need to feel at a disadvantage now, but if that had been Mr Quirk's object it had not been unsuccessful.

'A difficult business this, sir, a difficult business,' went on Mr Quirk. 'Shall we sit down? What can I order for you? A pint of porter?'

'Nothing for me, I thank you, sir. I hope our business isn't going to be difficult.'

They sat at the window. Mr Quirk retained his kindly smile, but the way he took out a pocket book filled with papers, and laid them open on the table in front of him seemed alarmingly business-like. Archie recognised the familiar seal of the Commissioners of Northern Lights. 'Well, well, we may as well come straight to the point, Mr Buchanan. It's this matter of harbour dues.'

That was what Archie had expected him to say. 'Mr Stevenson told me there'd been questions asked about harbour dues.' He did his best to emulate Mr Quirk's urbanity. 'But it doesn't apply to us. The Commissioners of Northern Lights have never had any extra revenue from their Manx lights. The Manx dues have always been included in the charge for Scottish lights – it says so in the Act of '15.'

'For the new lights built by the Commissioners at the Calf and Point of Ayre that is correct – what you say is perfectly true so far as it goes. But the Ellan Bride light raised a very considerable income from harbour dues while it was in private hands. And that income is still going – always has gone – straight out of this country. In short, sir, all profits have gone to Scotland, to the owner's estates.'

'But the Ellan Bride lighthouse belongs to the Crown now. That means the new light will be built and maintained by the Commissioners of Northern Lights, in the same way as the ones on the Calf of Man.'

'And the revenue will go back to Edinburgh, collected by the Commissioners. I should remind you, sir, that Ellan Bride is part of the Isle of Man, and any income arising therefrom should be administered by our own government.'

'But there won't *be* an income! It's quite the opposite – the purchase of the old light, and the building of the new one, is going to be an enormous expense. It'll take the Commissioners years to recover the money! And your government isn't paying a penny for that, is it?' He'd been too forthright. For a moment he had a vision of Mr Stevenson at his elbow, shaking his finger reprovingly. 'What I mean to say is,' added Archie, as mildly as he could, 'if there are any harbour dues they'd have to be used to recoup the expense of purchasing and building the light, just like in Scotland.'

'*If* there are any dues, you say. I abhor casuistry, Mr Buchanan.' The Water Bailiff was no longer smiling benignly. 'What I think you mean to say is that the Commissioners have every intention of collecting dues for Ellan Bride, and they have every intention, that being so, of retaining all monies in Scotland, overriding the claims of the Manx government. It's all one with Crown policy on our ports and harbours, sir. We make the investment, and maintain the properties, and not a penny of the income do we recover.'

'But, sir, in this case you're *not* making the investment. The Commissioners – I mean the Crown – bought the light from the Duke of Atholl, and if there *is* any income in the future – and as to that I simply don't know – I'm just the surveyor – but *if* there is, it would have to go first to recoup the expense – the *huge* expense – of taking over the light in the first place.'

'The Duke of Atholl,' remarked Mr Quirk, 'was much inclined to promote a Scotch connection, for which, saving your presence, sir, there is no historical precedent. In 1815 it was the Duke who allowed the care of Manx lights to be devolved upon the Scottish lighthouse authority.'

'Well,' said Archie, 'it was going to be that or England, wasn't it? But the Liverpool merchants wouldn't have Trinity House here, and so you got us. I thought your Manx Parliament was pleased to have lights at Point of Ayre and Calf of Man. Now we're going to improve the light on Ellan Bride. There's no change of policy in that.'

'Allow me to correct you, sir. The light on Ellan Bride is a very different matter. It already exists – has existed for fifty years – as a Manx lighthouse.'

They seemed to be going round and round in circles. Archie looked out at the canvas awnings over the shambles opposite, and tried to work out if there was any wind at all. Even if there were, it was no use to them here. They should be in Port St Mary, standing by the boat . . . Quirk was still ranting about how much the Duke of Atholl had filched from the Isle of Man. He seemed to be implying that the Crown should have paid the Manx government, rather than the Duke of Atholl, when they bought the lighthouse. That was nonsense. In fact – Archie recollected himself with a start – perhaps it was his job to point this out.

'But Ellan Bride was a private light! It belonged to the Duke and it was his to sell!' Archie did his best not to sound exasperated.

'Are you aware, sir, of the distinction between the manorial lands, which included the island of Ellan Bride, and the lighthouse itself, which is a public service in the same category as ports and harbours?'

'Yes – I mean – I know – Mr Stevenson told me – that there was a lot of trouble over ports and harbours. But that's nothing to do with the Ellan Bride lighthouse! It was a private light, always, and the people here – your government, I mean – never had any interest in it.'

'Interest, sir! If you knew of the "interest" which the late Duke appropriated from the people of this island! But as his countryman you would no doubt wish to defend him.'

'Not at all, sir.' He was *not* going to lose his temper. He owed Mr Stevenson that much, at least. 'I keep saying: the Duke sold the lighthouse to the Crown. The Act makes it all quite clear: the Crown then handed it over to the Commissioners of Northern Lights, because they look after all the lighthouses on this Island. What I mean to say, sir, with all due respect, is that the lighthouse on Ellan Bride does not, and never has, belonged to your government.'

'But the revenue from it, if revenue is being collected, should come to the Island. After all, it is the Island which provides the light, so it should get the revenue from the ports who pay the harbour dues.'

Archie knew that if the Manx Parliament had owned it, the Ellan Bride light would have brought them a fortune. But surely he could cut this interview short? He'd been told to make this so-called courtesy visit, but he was, after all, only the surveyor. He wasn't even employed by the Commissioners, or the government. If he'd wanted to be a politician he'd have gone into politics.

'Well, sir, I'm just the surveyor. I work for the lighthouse engineers. We have a contract to rebuild the Ellan Bride light.

I've just come to do my job, sir.' He could hardly be more tactful that that; even Mr Stevenson would have admitted that his manner was conciliatory.

'Very well.' Mr Quirk suddenly seemed to abandon the question, as if he could no longer be bothered to argue about it. He wasn't smiling any more. Archie watched him shuffle through his papers again. 'There is a secondary question, of course. It's debatable whether it is in fact necessary to rebuild the Ellan Bride light.'

'That's why I'm here, sir,' said Archie. At least this was a matter he did know something about. 'The particulars we hold in Edinburgh suggest that the Ellan Bride light – which was built, as I say, fifty years ago – is no longer up to modern requirements. The beam isn't powerful enough, and also there's been confusion because in poor visibility Ellan Bride is ay mistaken for one of the Calf lights. The merchants of Liverpool have petitioned us to give Ellan Bride a revolving light too, showing a red sector as well as a white – just like at Cape Wrath – so as to differentiate the signal.'

'You say all this, sir, but I don't think you're familiar with any of our lights on the Island. You've never been here before? You've not looked at the present light on Ellan Bride?'

'No,' said Archie. 'That's why I'm going over there as soon as I can.' He thought of taking his watch from his waistcoat pocket and pointedly looking at it, but decided against it. 'The range of the present light is no more than four leagues, even in optimum conditions. In view of the vastly increased traffic to and from the ports of Liverpool, Whitehaven, Glasgow, Dublin and Belfast – to say nothing of all the minor ports – and the way the herring fishing is expanding – a more adequate light on Ellan Bride must be a priority.' Absorbed in the technical question, Archie forgot for a moment that he was dealing with an adversary. 'We'll have tae build a higher tower and design a better lighting system.'

'But the light has already been improved! The range is far greater than it was fifty years ago. In fact I've seen it from here!

Over at St Bees they only replaced the coal-burning light a few years ago! Ellan Bride has always been kept up-to-date with oil lamps.'

'I must beg to differ, sir. The lamps on Ellan Bride were installed in 1790. I agree the Duke was ahead of his time when he bought them – they were the latest invention back then – but that's more than forty years since. St Bees was an anomaly. I can't comment on that. I don't work for Trinity House.'

'But I understand the Ellan Bride light to have modern glass reflectors!'

'Have you seen them?' asked Archie.

'No, in fact I have not.'

'Have you ever been on Ellan Bride yourself, sir?'

'No, sir, I have not. But I am reliably informed that the reflectors are of the latest modern design.'

'No sir,' said Archie firmly. He was on his own ground now. 'The reflectors were modern when they were built, but the science of lens design has developed greatly since then. The lights on the Calf can be seen six or seven leagues away in clear weather. The Ellan Bride light is only visible for just over half that distance. And, as I explained, we need tae devise a signal that will differentiate Ellan Bride more clearly from the Calf. We'll probably use the latest French lenses on the new light. At the verra least we'll use modern Argand burners.'

'So, if everything is already decided by your employers,' said Mr Quirk testily, 'I fail to see the object of this consultation.'

'I came here because your Governor requested it,' said Archie. 'His letter said that you wanted to discuss technical questions with the surveyor before he went to the site. I've come to survey the island. That's my job, sir. I survey the site in detail, and take my plans back to Mr Stevenson.' Archie glanced at the bright sky outside the window and made to rise from his chair.

'I take it, then, that you'll report to me on your findings before you leave the Island.'

That meant he must be free to go. With any luck there'd be

no further official obstruction. Let them argue about the bloody harbour dues for the next twenty years if they liked. It was nothing to do with him. 'Certainly sir,' said Archie. He stood up and held out his hand. 'Good day to you, sir.'

Mr Quirk pursed his lips and looked at his papers again. 'There is just one other matter.'

'Sir?'

'The keeper of the new light. There is at present, as I mentioned earlier, a Scotch connection. The Duke was inclined to favour his own countrymen in all spheres, and that has been a cause of considerable dissatisfaction. But times, as you will note, have changed.'

'Sir?'

'Presumably you'll be making a new appointment. I can suggest a reliable, deserving man who would make a satisfactory employee.'

'You want the Commissioners of Northern Lights to evict the present keepers because they're Scots? All our employees are Scots, of course!' Archie couldn't quite keep the anger out of his voice.

'Indeed no, sir. You quite misunderstand me. In any case, the Ellan Bride light has been kept by the same family since it was built. It was one of the late Duke's appointments from his Scotch estates. Perhaps the present keepers no longer regard themselves as foreigners. I wouldn't know. But that is not to the purpose. My point is, it is unlikely, is it not, that the Commissioners of Northern Lights would employ women?'

Archie frowned. He didn't want to give way, but the ground had shifted. Besides, it was no business of his. 'That is correct, sir. The Commissioners don't generally employ women.'

'Then I may have a suitable name to suggest, sir, when you return. I take it that the policy of the Commissioners would be to employ a local man?'

'I think you'd have to approach the Commissioners about that. I'm just the surveyor.'

# CHAPTER 9

FLINT RASPED ON QUARTZ: STRIKE . . . STRIKE . . . STRIKE
. . . A spark shot up, vanished. Stone on stone: strike . . .
strike . . . strike . . . Sparks flew. A spark fell in the tin. Moss
smouldered. A tiny fire sprang up, red as blood. Brown
fingers picked up the flaming moss, held it to the wick, which
sprouted a bead of blue, and then a proper flame, yellow and
steady.

The huge dark retreated. The keeill was round them, close
and solid, corbelled up to the slabbed roof. The roof was five
big slabs like an upside down floor; the floor where they
squatted was cold earth. The altar was a single rock with shining
white pebbles scattered at its feet. The cross was propped
against the east wall beside the altar. You could hardly tell it
was a cross: its outline followed the curves of long-ago water
over the stone from which it was carved. It looked like a giant
gingerbread man with no eyes. You had to look closer to see
the faint markings etched on its surface. An abandoned star-
ling's nest filled the aumbry on the south wall; the stones below
were streaked with white. There was a faint chattering from
within the walls.

'Hark to that,' said Billy, and held up his hand to make
Breesha and Mally hush. 'It's the *kirreeyn varrey*. They've come
back.'

'Just,' said Breesha, pleased. 'It was all quiet two days ago.'

The warbling chatter stopped for a moment, and then started again. 'That means it's proper summer now. Not just spring.'

Sure enough, over the reek of earth there was a musky smell like ancient hay: that was Mother Carey's chickens: the *kirreeyn varrey*, silent in the daytime, huddled on their invisible nests within the honeycomb of thick stone walls.

Breesha put the lamp carefully in its hollow on the green rock. The green rock was hard as iron and slippery-smooth, and in the lamplight it had a strange dark glow of its own. It had taken the strength of all three of them, a year ago, to roll the green rock from its place on the right-hand side of the altar into the centre of the keeill. You could still see the hollow in the earth where it had lain since the saint left it there. Billy hadn't wanted to move it, but Breesha had said it was important to have the holy rock in the middle, so they could sit in a triangle round it with the lamp burning in the hollow in its centre.

Breesha held a sprig of bog myrtle in the flame, and watched it shrivel. The scent of myrtle mingled with the smell of singeing. Breesha laid the blackened twig on the green rock, next to the lamp. She made the sign against the evil eye, and Billy and Mally followed suit.

'Now we can begin.' Breesha always sat in what Mally thought of as the central place, with her back to the altar, facing west towards the low door. Mally sat on Breesha's left and Billy on her right. If Mally turned her head to the left she could see a line of bright sunshine at ground level, just above where they sat, and she could hear the cries of the kittiwakes circling above the cliffs. It was reassuring to look at daylight. Once you'd crawled in through the entrance the ordinary world could begin to seem too far away. Breesha said that was all right, because the saint herself had lived here and so this was holy ground. Nothing could touch them, said Breesha; they were as safe as a goat kid inside its mother, always snug whatever storms raged outside. Mam said the same thing when she tucked them up in their beds on stormy nights, but that was in the warm house with the fire burning in the grate and the proper kitchen lamp shining brightly. Mally had never been inside the cold, earthy keeill when there was a storm. She never wanted to, either, saint or no.

'I'll tell you what the matter is,' Breesha was saying. 'Bad things are happening. There are bad things happening in the far lands, and the trouble for us is that they're coming here. They could come any day, and once they do everything is going to change very fast.'

'Yes, well,' grumbled Billy. 'There's no point talking like a fairy story. You don't really know any more than we do. What bad things? There isn't a war on, is there? Finn would have told us about it if there was.'

'Is it a buggane?' whispered Mally, glancing towards the door. She wished the sun would start to reach in and touch her reassuringly where she sat. But it was still too early, and there was only the thin line of clear white light, as far away as the sky.

'No, it's not either of those things.'

'Well, spit it out then,' said Billy.

Breesha leaned forward. Her face glowed in the lamplight. Her shadow grew huge and flickered across the gingerbread cross so that its arms seemed to move. Mally looked firmly back at the doorway. 'I found the letter,' whispered Breesha, so they had to lean forward to the light to hear her.

'*What* letter?'

'I knew there was something. *Something* was wrong. There was *something* they weren't telling us . . .'

'Well, we both knew that. In fact first off, it was *me* that told *you.*'

'Yes, but you didn't guess it was a letter! But the thing is, it *had* to be. Because whatever it was happened *after* Finn went away last time. They were all right when Finn came with the coal last month. They were happy then.'

'They were laughing,' said Mally. 'And Mam made a pudding with currants in it, boiled in the broth, and Finn stopped for a whole tide and had dinner with us, and they were laughing.'

'Exactly! And nothing has gone wrong with the light, or the island, since then. We'd have known about anything like that. So what must have happened is Finn brought the letter and they didn't read it till he'd gone. They read it after he went away.'

'That's silly,' objected Billy. 'They'd open it first thing, soon as they got it. *I* would. They always do, if there's a letter. Mind when the letter came from the Duke's agent about getting the new handcart? Mam opened that the minute it came, and talked to Finn all about it. Stands to reason she'd do that with any letter, because Finn would have to do the arranging about bringing anything.'

'Ah but, I don't think Finn gave her the letter when he *came*. I think he handed it over when he *went*.'

'Why?' asked Mally.

'Because he'd know what was in it, of course, and didn't want to talk about it. So he gave it when he was just leaving'

'I don't like that!' cried Billy. 'That makes Finn a coward, and he *isn't*.'

'Don't blame me. I'm only telling it how it was – how it must have been. Anyway,' added Breesha, 'there are different sorts of coward. Don't you want to know what was *in* the letter?'

'Course we do. I told you before to spit it out! But I don't reckon you can! You don't know what was in it, and I bet they haven't told you.' And if they have, thought Billy, it will be very unfair, because I'm the man here, not Breesha. He sighed. Thoughts like that worried him: he and Breesha never used to try to get the better of each other like this. All their lives they'd thought as one, and lived as one. Everything was going wrong between them suddenly, and he didn't like it. Maybe it was because of this horrible letter. But he didn't *know* that. Where was the proof? Breesha could have made up the whole story about the letter. But she never told lies. Not unless she believed them herself, that was. Billy shook his head. It was all too complicated. The sun was shining outside. He dragged his eyes back to the little flame floating in its pool of oil. 'Anyway, if you *do* know, just spit it out and be done with it.'

'That's what I'm trying to do! But you have to *listen*! I *knew* there must be a letter. And a letter would go to Aunt Lucy, not to Mam, if it was important, because she's the lightkeeper. So if Aunt Lucy had hidden it, it would be with her things. In her chest. And I looked, and it was. It was folded in with her clean petticoat, halfway down her sea chest. It was addressed to the Light Keeper, Ellan Bride, and there was a red seal on it.'

'A *seal*?' repeated Mally. 'There can't have been! Not wrapped in a petticoat! It would be much too big and wet. Do you mean dead?'

'Not that sort of seal. A seal,' said Breesha mysteriously, 'is like putting a lock on a letter. If you break the seal everyone knows that someone has read the letter who shouldn't have. But this seal was broken already.'

Mally tried to imagine the broken red seal. It was still seal-shaped in her mind, like a little slug, or a drop of blood-coloured water sliding down the window.

'What was on the seal?' demanded Billy.

'I didn't look—'

'Well, you should have. That way you'd know exactly who you were up against.'

'How . . .' began Mally.

'—because it was more important to read the letter,' went on Breesha as if neither of them had spoken. 'Besides, I didn't know how much time I had. And it was all in script so it was very hard to read.'

'But you always say you can read script!'

'There's script and script. And this was a hard sort, so I couldn't work out all of it. But listen! The important bit—'

'We *are* listening. We've been listening for *ages*! Just spit it out for goodness sake!'

'All right, I *will*. They're going to build a new lighthouse on Ellan Bride, and they don't want us!'

For a long moment they were all struck dumb. Breesha, having spoken the terrible words out loud for the first time, was as stricken as any of them. She felt guilty, as if by having said the thing, she'd made it real. They all stared at the little yellow flame as it burned unflinchingly, untouched by their troubles. Which might be a good thing or a bad thing, thought Breesha. Callous, and yet reassuring.

'*What?*' Billy tried to gather his thoughts. 'What? I mean who? Who says this?'

'A man called Wm Rae says it. I think it's Wm. He writes from the Commissioners of Northern Lights.' Those words had been easy to read because people talked about them so often. The Calf Lights were Commissioners of Northern Lights. St Bees and Skerries were Trinity House. The South Rock and Haulbowline were the Ballast Board in Dublin. But Ellan Bride was none of these things. Ellan Bride was a Private Light, and belonged to the Duke of Atholl. But the Duke had never come to claim his light and now he was dead. Ellan Bride was *their* Private Light. It was Private because no one else ever came, except Finn with the supplies. Ellan Bride was the safest place in the whole world, or had been, up till now.

'But they can't come here!' said Mally, echoing Breesha's thought. 'They wouldn't know how to land! Finn wouldn't bring horrible people to Ellan Bride. No one else *could*.'

'Wm is short for William,' said Billy numbly. 'I could write Wm for me if I liked.'

'Is *that* all you've got to say?'

'No,' said Billy. 'I need to think, though.'

'Think about what?'

'What we're going to do, of course.'

'What does it mean, they don't want us?' asked Mally. 'Does he mean because we're children?'

'Not *us*, silly. He means they don't want *any* of us. They don't want Aunt Lucy to be the lightkeeper any more.'

'Is that what the letter said?' demanded Billy, 'Or did you just think it from what was in the letter?'

'The letter said an . . . an . . . alternat-ing arrangement.'

'Altern-at-ing? Maybe he means a revolving light like the ones on the Calf. But that would be silly, because the whole point of the Calf lights being flashing, and ours not, is that the ships know which is which. Anyway, Mam would still be able to work that. Maybe they don't know yet how good she is at working things. But my Mam could work any machine they chose to invent, I reckon. And I could help her, anyway.'

'She could do it anyway, without any help. But that's why it'll be,' said Breesha. 'They'll think she can't work the lights because girls don't. If you were grown up –' she flung at Billy, '– I bet they'd keep *you* on!'

'It's hardly my fault I'm not grown up!'

'I didn't say it was!'

But Breesha had been accusing him of *something*. Billy stared unhappily at the lamp, willing himself not to get into a fight with her. This news was far too important to squabble over. 'What *exactly* did the letter say?' he asked her. It crossed his mind he'd never have dared to look for a letter, even if he'd been the one to guess it was there. Certainly he wouldn't have had the courage to read it, even if he had been able to read script, which was not the case. No one had ever had a secret letter on Ellan Bride before, but Billy knew very well that they were supposed to steer clear of one another's secrets in other ways. Breesha, he felt, had not only been clever but also brave enough to be bad. He had to hand it to her. 'Anyway,' he added, because it was only fair to say so, 'it was something that you read that letter. Otherwise we wouldn't even *know*. And we need to know, so that was pretty good, you doing all that.'

Breesha's face lit up like the sun coming out; her moods changed so suddenly these days that Billy was bewildered. He hadn't said anything that special, only what was true.

'But *why* are they going to build a new lighthouse?' asked Mally. 'I don't see why, when we've got one already.'

'I expect they want a better one,' said Billy. 'Ours is quite old. Finn says the ones on the Calf are much more modern than ours, and even those are quite old already. They have Argand burners and we don't. And now there are new sorts of lenses too. They're better than reflectors. You can see them much further away, specially in bad weather. I don't mind if they build a lighthouse with a new revolving lens. But it's the bit about *us*. Are you *sure* the letter said that about not wanting us?'

'They don't want us,' Breesha repeated dully. 'That's what the letter said.' The light that had swept across her face when Billy praised her had vanished as fast as it came. Suddenly she clenched her fists, and tossed her head. 'If anyone comes to Ellan Bride and tries to make us go away, I'll *kill* them.'

Mally gasped. The lamp never flickered, but she was sure there was a small movement in the shadows above the altar. The gingerbread cross loomed behind Breesha, listening balefully. For the first time in her life Mally made the sign against evil without Breesha telling her she must do it.

'Don't be so silly,' said Billy crossly. 'You don't know *how* to kill anyone. And you wouldn't if you did, because you'd be hanged, and you're not silly enough for that. If this is a proper meeting, we ought to be talking about what we're *really* going to do if anyone comes to change everything. We ought to be making a proper *plan*.'

# Chapter 10

THE CALF LAY ON THE STARBOARD BOW AS THE YAWL SURGED forward with the ebbing tide into the choppy waters east of Calf Sound. They were into open water now, leaving the cliffs of Spanish Head astern. Since they'd left Port St Mary the little yawl had opened up one inhospitable bay to starboard, and then another. The cliffs were shattered by wind and weather, or some earlier convulsion of nature which a man could only begin to guess at. The rocks looked like grey slate for the most part, streaked here and there with shining quartz, but slate broken and fractured into huge blocks. Mr Lyell, in his revolutionary book, argued that aeons of unending change had created the rock formations one saw today, but in Archie's experience the sea cliffs often looked deceptively like the results of a sudden, unimaginable cataclysm, and perhaps nowhere so much as here. God knew how this Island – or any island, come to that – had actually been created. Mr Watterson had been telling Ben some tale about Finn McCuill hurling stones at a marauding giant from the Scottish hills: curious how even the most unenlightened folk required an explanation of some sort. It must be part of the human condition. And the plain fact was that Archie, and possibly even Mr Lyell, didn't know the whole truth any more than this simple Manx fisherman.

But Mr Watterson knew a lot of things that were useful, and it was Archie's job to get as much information from him as he could. Mr Watterson was the only man who did this run regularly. He'd brought his son Juan along as crew, a sulky boy who wouldn't meet the eyes of the two strangers, and who'd barely grunted a greeting when they met. Today they'd also brought along a sack of oatmeal wrapped in oilskin, a heavy wooden box from the grocer in Port St Mary, and Ben was sitting forward on a crate containing two piglets. There were occasional squeals and scufflings from within the crate, and each time Ben addressed the piglets beneath him with soothing blandishments, which, as far as Archie could tell, were having no effect at all.

This young fellow Buchanan wasn't yet realising how lucky he was, Finn Watterson was thinking. Usually there was hardly a single day in the month that you were getting out to Ellan Bride and back again. The tide was right just now to be going out there on the ebb and back on the flood in full daylight, and although there hadn't been a breath of wind for days, with this drought-like weather, just last night this easterly breeze had sprung up. They could hardly have wished for better. It was the best time of year, of course, but this Master Buchanan would soon be finding out what sort of undertaking it was to get a new lighthouse built on Ellan Bride. They'd need Finn Watterson, that was for sure. No one else landed regularly on the island, and Finn was aiming to be there once a month or so all through the summer. But these young fellows from Scotland – they'd not seen what it could be like getting the barrels of oil ashore on a difficult day. The sacks of coal could be heaved over the side and fetched by the keepers at low tide, but you couldn't be doing that with the precious oil. No, when they were building this new light they'd be needing him for sure. It would be just a question of naming his price. No doubt but his family could be using the money, with half a dozen places at least to put every penny.

It was no loss to him to tell these lighthouse surveyors as much as he could. They certainly couldn't be using the knowledge without him. Master Buchanan had been asking him about a bigger boat, but they'd never be working with anything as big as a smack going into Ellan Bride. No, they'd be coming back to him, and his yawl, that would be able to make a landing if anything could at all. In any case a smack, he'd explained to Archie patiently, would be stuck fast ashore in Port St Mary until the tide was covering the rocks at Gansey. They'd be losing too many hours that way, even with the long summer days ahead, for a smack to do the journey in a day. Finn had shown them the shore marks that gave them the only safe route out of Port St Mary harbour. And there was the Carrick – another treacherous outcrop right in the middle of the bay. When the Carrick is covered, he'd explained to them, that's when the bay goes slack. But once you could see white water over the top of the Carrick you'd have water enough to get into harbour again, but none to spare. And if there was too big a sea breaking over the Carrick, you'd not be putting to put to sea for Ellan Bride, because you wouldn't be able to land when you got there.

'What sort of rock is it on Ellan Bride?' asked Archie suddenly.

'The same thing as the Calf. Same as Spanish Head that you were looking on to starboard just now, that's the truth. The cliffs you're looking on now – Ellan Bride is made out of the very same stuff.'

Hard slate, thought Archie. On the Calf they'd built the lighthouses with stone quarried from the future lighthouse cellars. Ellan Bride was only sixteen acres to the Calf's six hundred and fifty, but if it had the same high quality slate as the Calf they'd be able to do the same thing. Unlike a rock lighthouse, the tower on Ellan Bride only had to stand up to the weather, not to the sea itself.

Yet on the drive from Castletown Archie and Ben had passed great pavements of limestone, exposed by the sea. Where did the limestone give way to slate, deep under the seabed? And what had caused the change? Mr Lyell said in his book that some rocks had been formed by the endless drift of matter down to the sea bed, others by great convulsions in the earth's crust aeons ago. What had set the whole process in motion? How had it happened? And to what end? Ah, if one knew that, perhaps one would know all.

'If the wind was fair,' said Archie aloud, 'you could sail from the Calf to Ellan Bride in an hour or so, couldn't you?'

'It's all of half a league, I'm thinking. That's far enough in bad weather. Many a day you wouldn't be sailing from one to the other at all. In fact most days, I'd say, if you wanted to be landing anything. Now, to starboard: that's the Calf Sound opening up.'

A piece of the Island detached itself and formed a separate entity. In between a thin strip of water gleamed. 'We are putting the name Baie ny Breechyn on that bay there – breechyn is breeches, indeed – if you'll look on it from the Ligghers – that cliff up there – the water will be looking the same shape as a pair of breeks.'

Finn smiled at Ben, sitting up there in the bows, and getting a bit wet too, by the look of it. Ben grinned back. Finn's boy Juan stared resolutely out to sea.

'There's a landing place at the Island there. We are putting the name Cabbyl Giau on it – that means Horse Inlet – the giau is what you'd be calling an inlet, I'm thinking.'

'Ay. We have the same word too, where I come from,' said Ben.

A pleasant fellow, this Benjamin Groat, Finn was thinking, and a good man in a boat too. The other one didn't do much to help us get off – maybe he was thinking himself too much the gentleman – but this fellow Groat wasn't above giving a hand when it was needed. Maybe I'll be working with Groat again, thought Finn – we'll see. He's a big strong fellow too, and I'd be trusting him in a hard place – more than the other. The other's a bit uncertain, I'd say. Tough enough, but you couldn't be sure what he'd be doing. I'd be taking the one without the nerves, Finn decided. The piglets were kicking against the side of their crate. 'There, there, boy,' Ben was saying through the slats in the crate. 'It'll no be long now. And ye'll no be dinner for a long time yet. And in the meantime, ye'll be living in clover!'

'What's Cow Harbour like?' Archie asked abruptly, still staring into the Calf Sound. 'On the north side of the Calf? How easy is it to land there?'

'Ah, there's a place or two you can be landing in fair weather. But the Sound's no place for what you're wanting. No place at all. Why, at full flood or ebb you'll be getting the water coming through there at seven – eight – nine knots even. And when wind meets tide – ah, you'd not want to be anywhere near the place. Now – look – just where we're at now – this is where the ebb is splitting – see how we're coming into the choppy water, even on a day as fair as this. A bit further to starboard, and we'd be swept into the Sound. And if the sea gets up at all – where we are now – well, it'll be getting a lot rougher than you'll be wanting to see.'

Sure enough there was a surge of darker water just a few feet from them, with spiralling whirlpools along its edge. The yawl seemed to hesitate, then was swept forward with the tide.

'I see. You'd not want to be working against that.'

'You would not, sir. This is bad water. Even on a day like this – you'll be keeping an eye on things. You'll never be at ease – or you oughtn't to be – not in these waters. These seas are powerful awful any day in the year. You know what they say: "Those who live by the sea sometimes die by it." You're not seeing what it can be today, sir. Not at all.'

They watched the currents swirl, and the water breaking on the distant rocks that guarded the Sound. They all knew what the sea could do. Danger was less than a hand's breadth away, even on a day like this: just one small change and everything could alter, all in a moment. There was no space for mistakes. The bright sun, the sparkling waters, the helpful breeze – these were precious gifts, but all the more chancy because of that. You never forgot the other face of the sea. You dared not. It wasn't fear you felt exactly: it was a fine tension that you'd let go of at your peril. You just didn't forget that all time out here was borrowed. A good day was a glorious gift, but you never trusted the giver, not for a moment. You took what you could get, and you always kept your eyes open.

They were leaving the Sound behind, and the wild east coast of the Calf was sweeping by them. 'I can see why you'd not want to work against the tide, whatever airt the wind was in,' remarked Archie.

'You would not. So where the tide is splitting, you see now how we're needing it to be taking us south of the Calf. So when you're coming down on the ebb, like we're doing, you want to be standing well out to sea once Spanish Head is lying astern.'

'And at the flood it'll be running through the other way?'

'That'll be right. The ebb is taking you out and the flood is taking you back. The ebb starts about an hour and a half before high water in the Sound. That's how you need to be planning it. But sometimes that's hard to get right with the daylight – no one would be doing the trip in winter anyhow, I'm thinking.'

'So the lightkeepers have to be supplied for a whole winter?'

'Yes indeed, sir. And there's many a day at any time of year you'd not be wanting to be out here.'

'Well, at least it'll be better than the Bell Rock,' called Ben cheerfully from the bows.

'At least at the Bell Rock they had a decent port to go back to.'

'I wouldna ken, sir. I only drink ale myself.'

Mr Watterson grinned, and the boy Juan stifled a snort which might have been the beginnings of a laugh.

'Now you have to be watching the cletts off the Burroo. See ahead there?' – Finn pointed out a great stone stack at the southern tip of the Calf – 'We're steering well clear of her just now. You see that arch opening up just now? That's the Eye. You can see that from just by Castletown. The Burroo's a dangerous place, dangerous awful. If you're ever bringing a ship into these waters, you'll be wanting to keep full clear of the Burroo, if you're valuing your lives, especially at the spring tides. And if there's any southerly wind you get the waves coming very steep. There's seven or eight cletts – you'll know what cletts are, Master Benjamin, seeing you're an Orkney man – so you'll be keeping well clear. With a flood tide taking you the other way, you could be finding yourselves on the rocks before you're knowing it, and that's the end of you. Oh, it's a fiendish place. Some of the trickiest waters in the world, off the Calf here, indeed.'

In his leather case with his notebooks, Archie had a tracing of the 1815 map of the Calf made by his predecessors when they'd surveyed that island in preparation for the new lights. The Burroo and the cletts around it had been named and marked with great emphasis. Archie would have liked to look at the map again now, but he could see choppy water ahead: this wasn't the place to unfold a plan. He knew the map of the Calf by heart now anyway. No one had ever surveyed Ellan Bride before. He'd be the first.

'Ay well. Some say that about Orkney too,' said Ben.

'Ah, but this is a trickier sea. Waves thirty feet high, and the current going about ten knots, when the sea gets up, in no time at all. And no distance at all between the crests: they'll be coming in so close together a ship will be having no time to make a recover. And once you're driven close to these islands, and you're finding yourselves on a lee shore . . . well, Master Benjamin, you just don't want to be there.'

'Ay well, they say the Irish Sea is a tricky spot. We were working at the Mull of Galloway. I saw some big seas there.'

'Ay. It's the whole of the Atlantic you're getting, pouring into the Manx Sea twice every day, and nowhere to be putting itself. So it's tricky water. The keepers on the Calf, now – Scotch, like yourselves – they're saying they've never seen such desperate seas as they're seeing here, in these waters.'

'And for better for worse, we've got to work in them,' said Ben cheerfully.

It was choppy off the Burroo. Ben pulled his boat cloak tightly round him as gouts of water came flying over the bows. The boy beside him turned his back to the bows and hunched his shoulders. With the wind on the port beam they were making good time. They steered well clear of the stacks, and the wicked cletts, which showed long trails of white where the tide parted around them. Ben had seen what the Irish Sea could do from the Mull of Galloway. Finn was right, he thought: this was indeed a fearsome place.

They rounded the Burroo at a respectful distance. A new stretch of water opened up ahead.

'I can see the lighthouse on Ellan Bride, sir,' called Ben.

About ten points to starboard, Archie saw an obstinately vertical mark in the distance, as if someone had jabbed a lead pencil against the horizon.

'Those rocks yonder,' Finn was saying, 'we're putting the name Chickens on them. That's because you'll be seeing the stormy petrels flying about here – what they call Mother Carey's chickens. Now the Chickens'll be the most desperate rocks in the Island. The ships are thinking they're well clear of the Calf, and they're running straight onto the Chickens. There's no mercy for them then. It was because of the Chickens they were building the Calf lights. You'll see, if you'll line up the two towers yonder, on the Calf: from the Chickens the one light is straight above the other – you keep them well apart and you'll not be in any danger. Before them lights this was a terrible place for wrecks, dangerous awful. I was going out there with my father after the *Sally* was lost – twenty years that'll be now – smashed to bits she was. And she was a Whitehaven ship that was knowing these waters as well as anyone. She was headed for Ireland, but the Chickens out there was as far as ever she was getting. Now if anyone could be building a lighthouse *there* . . .'

White water was breaking over the Chickens rocks. Archie thought of Dulsic, off Cape Wrath, which had the same configuration: a wicked skerry, right in the path of any unsuspecting ship that thought itself well clear of the headland. Like the Chickens, many a ship had been wrecked there for the lack of a light. Hard to imagine a wreck on a day like this: the noise, the terror, the chaos, the sheer power of the sea when it was roused. On rocks like these, no man or ship could withstand a big sea for more than a moment once they were caught.

The first time Archie had seen the Dulsic skerries was from the Cape Wrath headland. He'd stood with Mr Ritson – Archie had only been the under-surveyor then – looking down on a furious sea. Huge plumes of spray broke over them, nearly three hundred feet up. When he'd come back to Cape Wrath by sea a week later, Mr Ritson had gone ashore at Sandwood Bay, and sent Archie ahead in the ship to take sightings from the sea.

Archie had found the Cape transformed. They'd sailed out of Loch Laxford and edged their way north. When dawn came the sea was calm and milky. The sun slowly rose and tinged everything pink. All day he'd stood in the bows, watching that wild coastline unfold. At the Cape there was only an easy swell. The skipper said he'd never seen it as calm as this. A little crown of breaking waves, barely tinged with white, marked the fearful skerries. On a sudden impulse he'd strolled aft and told the skipper what he wanted to do. Perhaps the man was too surprised to say no; in any case he'd had the boat lowered, and sent three of the crew along with Archie.

Down in the boat the swell seemed a lot bigger. They'd come close in to the skerry. McGill was at the tiller. He couldn't time it right; a wave caught them, threw them forward, then pulled them back, a yard short of the rock. Then Angus took over. If Angus couldn't do it, no one could.

'Now!' They came in on the top of the wave. Water churned in the two-inch gap between boat and rock. 'Now, sir, now!' Archie scrambled over the gunwale. He was standing on the biggest Dulsic skerry. It was just a rock, flat and wet, ringed with seaweed. Only a sailor, or a lighthouse surveyor, could have any idea what it meant to stand here. He'd stood for fully two minutes, half-scared that Angus wouldn't be able to get him off. When the boat came in with the next wave, he'd launched himself clumsily headfirst over the gunwale, and had had to scramble up through the legs of the oarsmen. But he'd done it. He'd stood on the notorious Dulsic. He'd been a young fellow then. The skipper had not reported him to Mr Stevenson. It was all of five years ago.

Finn Watterson altered course, so that the Ellan Bride lighthouse was directly on the bow, leaving the Chickens half a mile to starboard. He watched this Master Buchanan thoughtfully. There was something he was needing to say, but he hadn't quite got the man's measure yet. Master Buchanan looked pleasant enough, dark-haired and dark-eyed – the girls would be wild after a well set-up young fellow like that – but Finn was guessing at an austerity in Archie that might be stopping him taking full advantage. So much the better for him, if that were so! But the lad had an absentmindedness about him. He'd be asking the right questions, showing a fair bit of sense, in fact, and then he'd be going off in a dream again, like he was doing now. Something on his mind, seemingly. Whether that was a good thing or a bad thing for the question Finn had in mind, he wasn't sure. Master Buchanan was a bit stand-offish, not easy in his ways, but maybe it was just shyness. Finn's own father had once met Robert Stevenson, when that gentleman had been coming to look at the Calf thirty years ago. Nothing stand-offish about *him* – a very easy gentleman to work with. Finn was wishing it were Mr Stevenson here himself, so he could be speaking to him about the matter that was troubling him. Mr Stevenson would be able to do something about it too; Finn wasn't sure this young fellow Buchanan had the power. Finn had been hearing yesterday how Master Buchanan had been seeing Master Quirk at Castletown yesterday, and seemingly Master Quirk had been saying afterwards this Master Buchanan was just a sprat, and it was the bigger fish he was after – waste of time talking to him in fact. But that was surely not fair. The lad was just the surveyor, doing his job: he'd not be coming here to be dealing in the politics.

Slowly Ellan Bride took on a third dimension. There was very little of it. It lay low and green, the lighthouse standing in the centre like an unlit candle. The sun winked on the lighthouse lantern. The island was hardly more than a rock with a strip of green, surrounded by the silvery sea. Archie and Ben had seen hundreds of islands like it, but there was still something about a new island, a sense of possible discovery. Archie felt his impatience draining away. The east wind that had brought them here might not take them back so easily, but after all, what did it matter? He had no urgent appointment until September. If he were forced to spend the halcyon days of May becalmed on Ellan Bride, wasn't that simply a foretaste of all the unknown islands yet to come?

He'd spent too many years trying to hurry along and achieve things. There had been so much work to be done, and what greater work could there be – so it had seemed, at least until last year – than the immense task of lighting up the seas? What could be more humane, more advantageous, more audacious, and more conducive to the greater good of all, than illuminating the coasts of Scotland for all the shipping that had to pass, now and in the future?

He'd only worked with Robert Stevenson a week when the old man had taken him out to the Isle of May. That was ten years ago. Archie had never been to sea before in his life. They'd had a wild crossing, the little boat ploughing doggedly through turbulent seas before a rising wind. They weren't even sure that they were going to be able to land when they got there. Somehow the boat had managed to slip through the rocks into the east landing, and then they'd struggled up to the lighthouse, which stood right at the summit of the island, against gusts of icy rain. Indoors the lighthouse was quiet and spacious, the workrooms and keepers' quarters a model of naval orderliness. Archie had been deeply impressed. The sheer elegance of the new lighthouse, the opulent restraint of the Council Chamber where the Commissioners had their annual meeting, the clean lines of the tower itself, the scale and precision of the new lighting system . . . all that had been such a contrast, not only to the wild weather, but also to the squat little tower that stood in the lee of Robert Stevenson's light. This was the ruin of the old coal-burning light, out of date and unregretted, preserved merely because of a passing poet's whimsical desire for the picturesque. For it was Walter Scott himself who'd asked for it to be kept, back in 1814 when he'd been on the May with Mr Stevenson.

Ten years ago Archie had stood on the flat roof of the new Isle of May lighthouse, leaning into the wind, while the sea crashed on the rocks below. Though he hadn't said a word, he'd been drunk with sheer happiness. Mr Stevenson's new lighthouse was not only functionally perfect, but also an outpost of civilisation, a little piece of Edinburgh illuminating the chaos and the wilderness. It seemed like the embodiment of an ideal; this, it had seemed, was what his new job was all to be about.

Even now, Ellan Bride might hold its atom of discovery. It was always like this: as soon as he got away from Edinburgh Archie began to wake up. It wasn't that he didn't like the world he lived in; it was just that he preferred to be on the very edges of it, and yet somehow bring with him everything that was good about the civilised world. In his experience that was how new ideas were most likely to happen.

'No one bides on the island but the lighthouse people?' Ben was asking. Archie brought his attention back with a start. He should be making the most of every minute with Mr Watterson, finding out as much as he could. Where had his wits gone a-begging?

'Not now.'

'So there were others?'

'There were one time. But that was a long time ago.'

'And the lightkeepers? They telt us in Edinburgh that the keeper was a woman.'

'That's right. The sister to the last keeper, him that was getting drowned. And a little family with her.'

'Have they got a boat?'

'A fourteen-foot yawl. Nothing much. But they're not going offshore but for a bit of fishing usually. I'm bringing in the oil for the light, and the coals for winter, and anything else they're asking.'

'What about mail?'

'Mail? They're not getting none of that. A few times a year, maybe. If there's a letter and I'm passing, I'll take it. I'll be calling by sometimes when I'm at the fishing. Sometimes I'll be taking a bit of extra fish.'

'Otherwise they do their own fishing?'

'They do,' said Finn, and added presently. 'They'll be putting out baulks – long lines, that is – when it's fair weather. Plenty of cod offshore – callig – ling – they'll be getting that.'

The island drew nearer. The lines of rock were tilted at an angle of thirty degrees or so, as if the island was a layered cake slowly sliding off a tilted plate. Archie wondered if the layers below extended right across the sea bed. If only one could look down into the sea as through a glass . . . but the waters kept their secrets, and it was hard to see how it could ever be otherwise.

A cloud of birds hung over the island, and as they got closer they could see that they were ceaselessly circling round it.

'Puffins,' said Ben.

'Tommy Noddies – Ellan Bride puffins,' corrected Finn. 'It was always the Tommy Noddies on Ellan Bride, and Manx puffins on the Calf. But back when my father was a boy, there were long-tails got ashore from a wreck on the Calf, and there's not hardly no puffins to be found on the Calf these days at all, for all they would be getting a good living out of them for many a year before that.' Finn glanced at the surf breaking over the Chickens. 'Wind's freshening. I'm hoping we'll be making a landing, for all.'

'You think we might not?' Archie broke in sharply.

'We mightn't be getting into Giau y Vaatey. Or if we are

getting in, I mightn't be getting out again. I was hoping the wind wouldn't be freshening. It's too late with the tide now to be putting you ashore on the slabs.'

Archie bit his lip. But there was no point saying anything. The very wind that had brought them here so easily might now be their undoing. Having got so far, it would be maddening to have to go all the way back, beating into the wind. Nothing he could do about it. Nothing anyone could do about it, but wait and see.

There were puffins in the water, and puffins flying past the boat, some with beaks full of little fish. If it wasn't for the tower at the top of the hill the island could have been primeval; the rocks and the birds belonged to . . . what? . . . the third day of Creation? The fourth? But now it was the sixth at least, because when Archie looked up he could see the lighthouse tower.

A crack appeared in the northern cliffs. They passed a stack with a pinpoint of light in its heart that gradually grew until the stack turned into an arch, and they could see the sea shining on the other side. Beyond the stack was a fissure full of tumbled boulders, and the dark mouth of a cave. Sea and sky were suddenly full of birds. A wild clamour rose from the crack, and a plume of kittiwakes, far more graceful than the puffins, soared above the headland, riding the air currents. A thin ribbon of white fringed the rocks ahead. A scatter of rounded boulders suddenly turned into seals, which humped their way down to the water and dived in a series of neat splashes. A minute later half a dozen heads surfaced close to the boat, watching the new arrivals with dark, dog-like eyes.

'If you'll be taking the second pair of oars, Master Benjamin. Juan, stand by the sail!'

The boat rounded the point, and immediately a gentler coastline opened up before them. A colony of shags watched the boat uneasily as it slipped past their skerry, then one by one the birds shambled into flight, or flopped into the sea to emerge yards away.

Now they could see the long green back of the land. The light tower wasn't built on the very highest point: a little rocky knoll rose before it, but the fifteen-foot tower out-topped the summit. A line of low cliffs ran, parallel to the shore, from the highest point of the island down to the northern promontory. Below the cliffs green turf sloped to the sea. They saw the line of a turf-covered dyke above first a small sandy beach, and then a bigger one. A rowing boat lay on the beach. 'That's good enough, they'll be getting her pulled up right now,' said Finn. 'The two of them, just – they couldn't always be managing it. But there's the boy now. That'll be helping.' Finn Watterson glanced up and looked Archie straight in the eye for the first time. 'The boy's been brought up to it, sir. His Granddad it was, was the first keeper. The family's been brought up to it, is what I'm wanting to say. Everyone wouldn't be wanting that life, but they've been brought up to it, you see. All of them.'

Abruptly Finn shifted his gaze as they passed the beach. 'Ready, boy. *Now!*' The sail came down in a series of jerks. Ben and Juan unshipped the oars. 'Keep her going as she is.' Finn was standing at the tiller, scanning the rocks. 'That's the landing place, you see? All right, we'll be taking a look.'

White water was breaking on the rocks at the entrance to a narrow giau. The water in the inlet looked smooth and green, but there were sharp waves breaking on the shingle. The yawl rocked in the swell where the sea began to funnel in. The oars dipped. 'As she is! Keep her as she is. Let's be taking a look . . . Ay, we'll be getting in all right . . . it's whether we'll be getting out again . . .'

Archie stopped himself biting his knuckles. No point worrying, or willing them to go in. It was Finn's decision, and Archie's job to abide by it. It might be days before they got so near again. Finn was looking out to sea again, testing the wind.

'Right, we're going in! Soon as we're alongside, you two get ashore. I'll be offloading the things – fast! All right! Hard a-starboard! Master Ben, take the painter. Juan, don't be shipping your oars. We'll need to be rowing out fast. All right, Master Buchanan: you're seeing that black rock up above there? And the streak of white across the cliff below it? We're lining 'em up, right? Ready then! *Now!*'

Seaweed-covered rocks guarded the dark giau. Shags nested on the rocky sides; they jabbed the air menacingly as the yawl slid in on the top of a wave. The tide was at its lowest, and the rocks were thick with seaweed. Between the fronds there were patches of barnacles and baby mussels where boots could get a grip. A yard to go – Ben stood ready on the gunwale. He glanced up, and saw three figures above him on the rock, silhouetted black shapes with the sun behind them. All female – the solid outlines of their dresses made them look as if they'd grown out of the shadowed rocks – but each one a different size. Just for a second they seemed tall and menacing, dark shadows between him and the sun.

The next wave rose. Ben threw the painter ashore, and the tallest woman caught it and tied it to a rusty iron ring in the rock. The boat fell back and rose again. Ben leapt ashore with the next wave. Then Archie jumped too, and landed on the rock beside him.

# CHAPTER 11

THROUGH THE CLOSED SHUTTERS THE SUN MADE STRIPED patterns against the bedroom wall. Between the shutter and the glass a trapped bee buzzed and buzzed against the pane. The wind murmured in the chimney, rustling the dried-out rushes in the grate. Mally's truckle bed was made, the flowered coverlet pulled up over the pillow. The floor had been swept, the rag rug freshly shaken. Lucy's print gown and petticoat lay across the rocking chair, where the cat had made itself a comfortable nest out of them, and curled up on top. The framed text above the bed was embroidered in blue and white, with a border of forget-me-nots in matching threads: *This is the day which the Lord hath made. We rejoice and be glad in it (Psalm 118: 24)*

Lucy lay sprawled across the bed in her nightgown, half-covered by the sheet. She wore no nightcap, and she'd thrown off the blanket. She was sound asleep, having gone to bed as usual after noonday dinner, and no dreams had come to trouble her.

There was no time to think; they had to help. As Finn and Juan swung the cargo across, the two strangers Finn had brought with him caught each piece and heaved it up the rock. Automatically Diya, Breesha and Mally grabbed the bundles as they were dumped on the seaweed and carried them over the slippery rocks. And what extraordinary gear it was: a long wooden box, a roll of chain, a stack of poles roped together, a heavy wooden box with a lid. 'Take care with that one!' the big fellow called as Breesha and Diya lifted the box between them. A portmanteau came up, and a canvas haversack. Mally picked up a black leather case. It was heavy, but she managed to heave it up onto the grass. Then came a sack of meal: that was more normal. And last of all: 'It's the piglings!' screamed Mally, the strangers momentarily forgotten. 'Finn, you've brought the piglings!'

'I have that, Mally, I have that!'

The crate with the piglets was heavy. Finn and Juan got it onto the gunwale. The next wave rose. Archie and Ben grabbed it by its rope and swung it across. On the slippery weed they managed to get their hands under the crate, and together they manhandled it up to dry rock. The piglets squealed furiously, and scrabbled about so the weight kept shifting. The woman was going to try to take the crate from them, but Archie brushed her off. 'S'all right. This one's heavy.' There were shouts from below. Archie and Ben shoved the crate up the last awkward step and dumped it on the grass.

When they looked round the *Betsey* was already halfway out of the giau. Two pairs of oars were working furiously against wind and tide. The yawl was barely moving. It was going to be a damn close thing. Archie straightened up, brushing his coat sleeves, as he willed the boat to get off: Finn had done the job and got them ashore – he deserved not to be stuck here. They hadn't had time to discuss the likelihood of him getting back to collect them on Monday or Tuesday. Well, Finn knew what they wanted, and he'd come back when he could. Anyway, he still had another two shillings to collect. And there were so many more things to ask him . . .

The *Betsey* fought the swell at the mouth of the giau, hung in the balance, and came up into the wind. A minute later she hoisted her sail and headed off on the port tack. 'That's it,' said Ben. 'They'll make it now. They'll get round the island while it's slack water, and beat back with the flood on the windward side.'

Once the boat was under way Diya reluctantly turned inland. The two intruders were on the grass just above them, staring out to sea. They'd still be able to see the *Betsey* from up there. A moment later the boat must have vanished from their sight, because now the men were looking down at them.

Breesha pulled urgently at her mother's sleeve. 'Shall I go and wake Lucy?' she whispered.

'Yes, go now. Quickly! And Breesha . . . put the broth back over the fire, so it'll be hot.'

'We're not going to *give* them anything?'

'Indeed we are, Breesha veen. You must always be civil to the stranger at your door. You know that!'

'But not *these* . . .' Breesha remembered she wasn't supposed to know who they were. Better warn Mally not to give anything away either. But Mally, now that the flurry of activity was over, was clinging close to Mam, clutching a corner of Diya's old gardening pinafore, thumb in mouth, like a great baby. Mally had clung to Mam like that once before, when they'd gone ashore at Port St Mary last year and Mally had been so upset by the strange people. She'd kept saying, 'Who's that, who's that?' and Mam had kept on answering, 'I don't *know* who it is, Mally veen. We don't know everybody!' Mally's voice had sounded so small and frightened, quite unlike her usual self, as she'd gripped her mother's cloak tightly in both hands. 'But *why* don't we know them? *Why?*'

How *dare* these people come here now and frighten her sister? How *dare* they step ashore as if they had the right?

*I want my Da!*

Breesha's fists clenched tight with rage. Rage at Finn, for betraying them – bringing their enemies to the island, as if he didn't *know*! Rage at her Da, for not being here any more when they needed him. If her Da were here this couldn't be happening. How dare you! *How dare you not be here now! I hate you, Da! I hate you!* Breesha caught her breath with a shiver.

'Mam!' She tugged her mother's sleeve again. 'Mam, will I go and find Billy?'

Diya was still staring numbly at the strangers standing up there on the island. She gave herself a little shake. 'For what, Breesha veen?' she said. 'Billy'll come soon enough. I told you to go and wake Lucy – and put the pot back on. Go on. I mean it, Breesha! *Now!*'

Breesha scowled, and suddenly ran, dodging past the invaders without a word of acknowledgement, and disappearing behind the Tullachan.

Diya came slowly up the rocks, holding Mally's hand so hard that it hurt. Her throat felt tight. She was trembling, but she willed herself to stop, or Mally would feel it through their clasped hands.

*The time has come, Diya beti. Koi hai – is anyone there? He's waiting for you on the veranda. Your father is here! Usually Father comes and sits on the veranda for a short time only. He brings presents – a doll, ribbons, bangles, metai. He asks what Diya has learned, has she been good, is she happy, is she well, is she clever? Yes, his little Diya is all of these things, and he smiles, and smiles again, and in a little while he takes his leave, as always. But not this time. This time Diya is going too. Her small square box is packed and tied with a strap. A label in English writing is tied to the strap. Because now Diya is leaving the safe place, the cool house, the hot garden with its enclosing walls and swept paths, the tank, the courtyard, the tamarisk tree, the borders filled with marigolds and Mittu the parrot. Goodbye, Aji, goodbye, my very own Ajoba. I never saw Aji weep before. Goodbye to all of you. Goodbye, Diya beti! But I didn't know then that it was goodbye for ever.*

She looked so mournful, stepping over the slippery rocks, clasping her child's hand in hers. For the little girl was clearly hers. The child had the same brown skin, same delicate features. And when the two of them looked up at him, they had the same dark, unhappy eyes. Was it his fault? Was it their presence here that caused such sorrow? Archie stepped forward uncomfortably, and held out his hand to help the woman over the difficult rock step.

She ignored the outstretched hand, and jumped up easily on to the grass, the child following. When she stood facing him, her eyes were on a level with his own. Both woman and child gazed at him unwinkingly, and their eyes seemed to hold all the reproach in the world. 'You will be the Commissioners of Northern Lights, I think?'

'Not in person,' stammered Archie. She spoke like a gentle-woman. He hadn't expected that. She seemed perfectly collected, not nervous of him at all. It was just that her eyes were saying something so very different. He cleared his throat. 'Archibald Buchanan, ma'am, at your service. We're the sur-veyors employed by Mr Stevenson, the engineer. I believe you've been notified ... you had a letter, I mean. You were expecting our arrival?' He hated himself for sounding so hesitant, but then, he was used to dealing with men, not beautiful women with dark eyes that looked at him as if he were a murderer.

'My sister had a letter.'

'You're not ...' He'd been about to say, 'Miss Geddes', but a woman with a child in her hand who was so clearly a replica of herself should obviously not be addressed as Miss.

'I am Mrs Geddes. My late husband was the lightkeeper.'

Every word she spoke made it seem the more extraordinary that she was here. She was a lady. She spoke the King's English. Her skin was as brown as a hazelnut. She wore gold studs in her ears, and a sacking apron stained with soil. He saw that her hands were dirty, covered with earth in fact. She didn't take her eyes off him. Ben was standing right beside him, but she didn't even glance in his direction. She was steadfastly watching Archie.

She saw Archie looking at her hands. 'You must excuse us, Mr Buchanan. We were working in the garden when my daughter saw the *Betsey*.'

'Not at all.' Everything she said somehow put Archie at a disadvantage. He pulled himself together. 'I'm very sorry if our presence on the island inconveniences you at all, ma'am. We're here to do the preliminary survey for the new lighthouse on Ellan Bride. We'll be staying for a couple of days. I believe the letter from the Commissioners asked you if you would be so kind as to accommodate us during our stay?'

'We've brought our own provisions,' put in Ben suddenly. He smiled at the lightkeeper's widow. Trust Young Archibald to get on his high horse, just when you could see the poor woman, and her bairn too, were simply terrified. They weren't exactly the sort of people he'd been expecting, but that probably made it worse for them. Foreigners – that was obvious. He wondered how on earth they got to be here – how the hell had the Ellan Bride lightkeeeeper managed to pick up anything this exotic? But that was of no consequence just now. Brown-skinned Mrs Geddes might be, but she'd turn men's heads in the Canongate. The effect in this remote place, and with the child clinging like a little elf at her side, was quite unnerving. But Ben felt sorry for her more than anything. 'We'll try not to get in your way too much, missus. We'll be out all day. But a roof over our heads at night – that's all we'll be needing, and I hope we'll no be a trouble to you.'

The big, ugly man was much the nicer, thought Mally. She sneaked a look up at Ben, who caught her eye and winked. Mally looked down, shrinking back against her mother's skirts.

And yet Ben had seen the wee lass jumping up and down, squealing with delight at the boatman when he offloaded the pigs. Ben grinned at Mally and said, 'Should we no be letting the grice – the pigs – out of that box, don't you think? They've been cooped up in there a long time.'

Mally glanced at the crate, and looked wide-eyed up at Ben.

'If you tell me where to take them, I can carry them up for you.'

Mally looked at Mam. Mam said, 'You show him, Mally.'

It was too hard to speak to a person Mally had never seen

before in her life. He wasn't like anyone she knew. But Billy had freckles too, in the summer, and when the man smiled it seemed to remind her just a bit of another smiling face she'd once known well, but couldn't quite remember. Mally, still holding Mam's hand, but not so hard now, pointed dumbly towards the house. Ben followed her pointing finger. You couldn't see the house from here; it was hidden behind the Tullachan, a low green knoll between the jetty and the garden. Mally would have liked to explain that to Ben, but it would have meant speaking to him, and that she couldn't quite do. Not yet.

'Come up to the house, gentlemen,' said Diya. 'You'll be hungry, and there's broth on the fire. You won't have had any dinner. Mally, show the kind man where the piglings are to go.'

'Ben,' said Ben, introducing himself. 'Benjamin Groat, missus. And what's your name, young lady?'

Mally opened her mouth to whisper, but the obstinate words wouldn't come out.

'This is my daughter Mary,' Diya said. 'We call her Mally. You must forgive her, Mr Groat. We don't usually see strangers here.'

Diya gave Mally a little push, and watched her silently lead Ben away. She turned to pick up one of the sacks.

'Will I take that for you?'

'I can manage it, thank you.' Diya swung the sack of oatmeal onto her shoulder. 'Perhaps you should bring that case of yours; you don't want your papers to get wet.'

How did she know the black leather case held his drawing materials? And where did she get the strength to heave a sack like that, apparently without any effort at all? Archie, temporarily as bereft of speech as Mally, picked up his drawing-case and portmanteau, and let Diya lead the way. He noticed as he followed her that her feet were bare, and begrimed with garden soil, as was the hem of her old print gown. The path wound between rushes and cotton grass. She left her bare footprints firmly imprinted in the mud as she walked. Archie trod over them in his heavy boots; the path was narrow and there was no avoiding them.

They skirted the green knoll, and there was the gable-end of a low stone cottage right in front of them. At the front, the slate roof hung down over two small windows and a central door, so the house looked like a face with beetling eyebrows frowning out to sea. The door stood wide open, and a couple of chickens were pecking at invisible scraps on the threshold. A cockerel and some more chickens – and a motley flock they were – foraged on the green turf outside the door. The pig-pen, re-fashioned from ship's timbers, had been built up against the garden wall. Ben was leaning over the fence and Mally was jumping around inside the pen, clutching a pan of scraps. Either the child or the piglets – it was impossible to tell which – were squealing wildly. Of the other girl – the one who'd run away as soon as they'd landed – there was no sign at all.

Diya stopped in front of the door, and motioned Archie to go in. 'If you please to come in, sir.'

'After you, ma'am.'

He had to duck under the lintel. A stuffy warmth met him, and the smell of broth. It took a moment for his eyes to adjust. Diya dumped the sack of oatmeal by the door. 'If you'd like to sit down, Mr Buchanan, the lightkeeper will be here shortly.'

But the lightkeeper's been dead five years! Stupid thought – the lightkeeper now was the dead man's sister – hard to think of a lightkeeper as a woman though. Archie didn't really want to sit down; he wanted to look about and get on with the job, but somehow the woman's civil clarity was impossible to with-stand. In short, she made him nervous, and that irritated him. It was hard to take his eyes off her. She was not what Archie had expected at all. He sat down gingerly at the end of a bench.

Diya unfastened her gardening pinafore and hung it on the back of the door. Then she took an earthenware jug from a shelf, poured water into a bowl, and washed her grimy hands with soap. She dried them carefully on a bleach-white towel.

Only then did she add more water to the broth pot, and begin to stir it briskly. She was dressed like a peasant, but no peasant Archie knew – and he knew many, none better – poured water and stirred broth as if every gesture were part of an invisible dance. Graceful – that was the word that came to mind – she moved with grace. He felt instinctively that she lived her whole life with grace. But her eyes were so sorrowful. Was that for the death of the lightkeeper, or was it because he, Archie, had arrived on the island? And was silence natural to her, or was it occasioned by his unwanted presence? He swallowed, and spoke to her.

'This is kind of you. The lightkeeper isn't here just now?' Silly question: there was only half a mile of land altogether, so the lightkeeper could hardly have gone far.

'She has to sleep, of course.'

Once again the woman seemed to be reproaching him. But he'd done nothing! And perhaps he was imagining it. 'Of course.' Archie fidgeted on his bench. 'Well, we'll start work as soon as we've brought up our gear. It'll be light until eight or thereabouts, so we should get well started this evening. I hope we'll not be imposing on you for long.'

'Sunset will be at one minute past eight.'

Of course, they'd have the times of sunset and sunrise tabled exactly, because of the light. But there was no need for her to correct him like that.

The room darkened as Ben's big frame blocked the door. He came in, blinking, Mally at his heels. 'Ay well, the piglings are settling in, at all events, and there's nothing wrong with their appetites. Is there, Miss Mally? The piglings are fed and watered, and Miss Mally is offering me the same, which is right kind of her.'

Mally giggled and swung the empty scrap bucket. Ben must have induced her to speak to him at last, but now she suddenly saw Archie, sitting at Billy's place at the table, and she stopped still, silent as a stock.

'Will you sit down, Mr Ben?' Diya said to him. 'Mally, give

the gentlemen spoons for their broth, and come and take the bowls for them.'

'I can take those.' Ben took two wooden bowls full of steaming broth. Mally put a horn spoon in front of him, and skittered another across the table towards Archie, as if scared of coming too close. She brought the heel of a loaf, and a crock of butter, put them quickly on the table, and then hung back, watching the strangers eat. She seemed to find their behaviour at table even more intriguing than the piglings'. Ben, fully engaged with his broth, took no notice of Mally, but Archie found her wide-eyed gaze disconcerting.

The broth was good, and very welcome after the long hours in an open boat. When Archie looked up again, Diya and Mally had gone. The door stood open, and the sun was pouring in silently across the swept earth floor.

'Good Lord,' said Ben in a stage whisper. 'It's like being in a bloody fairy story!'

Archie's rare smile made him look years younger. You could see the boy in him, but who that boy had been, Ben had little idea, even after all these years. 'Which story were you thinking of, Ben? The three little pigs?'

'One little pig sailed away without landing,' said Ben. 'I reckon that leaves two.'

'No,' said Archie. 'Scheherazade.'

'Sheer what?'

'*The Thousand and One Nights*, Ben. You ken what that is?'

'I hope not, Mister Archie! No in May-time! Give yon Finn a couple of days, like we said, and he'll be back for us.'

'Meanwhile we've got some real work to do, and there's no fairy tale about that. We're a man short still. Finn said there was a boy. I should have asked her about the boy.'

'What about yon one who ran off so quick? That was another lass. Mally's sister, so she said.'

'She telt you that, did she?'

'Well, she nodded when I asked if it were so. But I didna think to ask about the boy. The lass could do the job, I suppose, if we could catch her – the bigger one, I mean.'

'No. We're no using a girl to do our work, Ben. You should have asked that peerie one about the boy.'

'Well, you could have done that, sir. Asked the mother, I mean.' Ben scraped his bowl. 'I reckon the lightkeeper's lightsome widow had us both pretty well tongue-tied, sir. But no matter. She can cook all right, no doubt about that, and that's the main thing.'

# CHAPTER 12

ALREADY THEIR PLAN HAD GONE COMPLETELY WRONG.

Lying hidden below the horizon on the edge of Hamarr, Billy trained the telescope on Giau y Vaatey. He'd seen the *Betsey* before any of the others because as soon as dinner was finished he'd gone to watch the seals on the Cronnags. He'd just had time to count twenty-three seals basking in the sun on the west side of the cletts. The seals, full of fish, had barely been bothering to raise their heads to look about, and Billy, up on the cliff, had been lolling in similar after-dinner content-ment, enjoying the heat of the sun on his back. The seals sang softly across the sound. Sleepily Billy had scanned the shining seas beyond the cletts. Suddenly he'd caught sight of the *Betsey*'s brown sail. Everything Breesha had said in the keeill yesterday had come flooding back to him. In a moment he'd clamped the telescope to his eye, and had focused it on the *Betsey*.

The *Betsey* drew nearer. She was quite definitely coming to the island, and fast: the wind was about as favourable as it could be. Soon Billy could make out a figure up in the bows. Juan? He couldn't see who else was there because the sail was in the way. But when the *Betsey* was just off the cletts he'd been able to see her broadside on. He'd counted four figures in the boat. Four! So it was all true! Breesha had been right about that letter. Even now the enemy were on their way. He'd only half-believed it until that very minute. He'd had no time to warn

Breesha. He'd run up the Dreeym Lang, keeping pace with the *Betsey* out at sea, until he'd been on top of the cliff just above the well. Then he'd wriggled into a cleft where he couldn't be seen from below, and focused the telescope.

Someone had shouted up by the lighthouse. Billy sat up and peered over the edge of his little hollow. Someone had been up at the light – they must have seen the *Betsey* – but no one was there now.

'Breesha! *Breesha!*' No answer. Had it been Breesha? He couldn't leave his vantage point to go and look. Billy wriggled into position again, and focused on the boat.

The *Betsey* was coming round the point. Now she was opposite Giau y Vaatey. The sail came down. The oars were unshipped. Two people were rowing: Juan and someone bigger than Juan. The *Betsey* was hanging around, not coming in. There was a fair bit of white water on the cletts. This east wind would be funnelling straight into Giau y Vaatey. Maybe they daren't come in. Maybe they'd just go away again.

He heard shouts below. Breesha came running full-tilt past the Tullachan. A minute later Aunt Diya and Mally appeared behind her. They were – they *couldn't* be – this was no part of the plan – but they were – they were heading straight for Giau y Vaatey. Billy was furious. Trust Mally to forget what they'd decided – but *Breesha* – had Breesha lost her mind completely?

There was nothing he could do without giving himself away as well. And maybe the *Betsey* would just go away again. She was still hanging about out there. Maybe they'd just go away . . .

But they didn't. Suddenly the *Betsey* swung to starboard, forged into the Giau on the crest of a wave, and was lost to sight below the cliff.

Minutes passed. Billy was tempted to climb down and creep in closer. But that was bad tactics. Supposing he was a smuggler, and they were excise men . . . he'd know to wait. This wasn't a game. This was just as important as the old days of the Running Trade. An old-time smuggler would tell him to wait. Uncle Jim, if he'd had to plan this, would have known to wait.

Someone moved at the top of the rocks. Aunt Diya. Then Mally. Carrying stuff. Just as usual. If it were just as usual he ought to be down there, helping. If he were, he'd see Finn and be able to find out about the strangers. Suddenly Billy longed to see Finn and be able to ask him all about it, but of course he couldn't without giving himself away. The two extra figures hadn't been his imagination. The enemy were absolutely real, and he must stick to the plan, even if no one else did. There was Breesha. She was helping Aunt Diya. They were carrying what looked like a bundle of long poles. What did Breesha think she was *doing*? But all he could do was wait.

The strangers came next. Two strangers, struggling under the weight of a big crate. They dumped it at the top of the rocks.

Breesha suddenly appeared again, pushed past the enemy and rushed back towards the house. Billy couldn't call to her because those men were standing there. What did she think she was *doing*? He'd just have to keep the enemy in sight without her help.

Although . . . if those men went on up to the house he could maybe slip down to the boat and catch Finn and Juan while they were still down there. Because once Finn came up to the house, Billy wouldn't be able to get him alone. Whereas now . . . but no – it was too late. The *Betsey* was in sight again, slipping away from the island. Through the telescope Billy saw Finn and Juan straining at the oars. For a moment it looked as though they'd be driven back in . . . but no . . . they were making way . . . they were almost there . . . the *Betsey* was out of the giau. They were well offshore . . . the sail was going up again . . . Billy couldn't speak to Finn after all. It was just themselves now: he and Mam and Breesha and Aunt Diya and Mally, on their own against the enemy.

The enemy didn't look so very formidable from here. Billy twisted the focus so that one after the other the strange faces appeared in full detail inside his circle of vision. The shorter one wore a wide-awake hat, and a thick sea jacket. He didn't look as dangerous as the tall one. The tall one had a face like a pirate. He ought to have carried pistols and a cutlass, but he didn't; instead he had a battered carpet bag and a large parcel done up in oilskin. As Billy watched he laid both of these on the turf, and picked up the big crate instead. And now he was heading off towards the house, staggering a bit under the weight of the crate, and Mally was running ahead of him, evidently showing him the way. Had Mally forgotten the meeting at the keeill? And what was in that crate?

The shorter man was following Aunt Diya. She had a sack on her shoulder and he was carrying a portmanteau and a black leather case. I'd like to know what's in that case, thought Billy. I bet that would tell us something. Maybe Breesha will get the chance to look.

Diya and the stranger disappeared behind the Tullachan. Billy thought for a moment, and then ran, stooping low to keep below the horizon, in the opposite direction. Then he scrambled down to the keeill, and cut cautiously across open ground to the top of Giau y Vaatey. No one was about. He kept his eye open for attack, while he examined the stuff they'd offloaded from the boat. It was all piled up together. The oddest thing was a great length of chain tied up in a bundle. It had mysterious tags hanging off it, all different shapes. Then there was a long wooden box with a broad carrying-strap of battered leather. And a much smaller box, padlocked. Billy tested it for weight. Whatever was inside was pretty heavy. Next to it were three metal legs joined together at the top, all tied together. There was also a bundle of thick wires like arrows, but they looked too top-heavy to shoot with. And there were a couple of painted poles. Billy couldn't see how anyone could build a lighthouse with tools like these. Perhaps Breesha had read the hard script wrong. He couldn't make sense out of any of this stuff, anyway.

All the time Billy kept glancing back towards the Tullachan.

He hadn't reckoned on an approach from the north. When someone whistled from up by the keeill, he jerked round, and froze. But it was all right. The whistle came again. He knew that signal.

Billy whistled back, and doubled back to the keeill. Breesha was standing with her back to the turf wall, watching the path behind him. He dropped back against the wall beside her.

'What were you *doing*? I thought we'd agreed we'd hide if anyone came, and spy on them before they knew we were there!'

'Ah, but I found out *much* more this way!'

'But it wasn't the *plan*!'

'Well, that doesn't matter now,' said Breesha impatiently. 'Your Mam went up to the light – I ran ahead to warn her – because she wants to speak to you first.'

'First before what? Did you speak to those men?'

'Before we have to go and meet them of course. No, but I *saw* them, close to. And I saw their stuff that they brought.'

'So did I,' said Billy. 'But it didn't make any sense.'

'Ah, but it does! It's what we knew would happen. They've come to measure!'

Measuring meant standing still while Aunt Diya decided how much he'd grown, and watching her cut up cloth for shirts and trousers. Billy frowned, but decided not to admit his ignorance.

But Breesha knew he didn't know. 'Measure the *island*, silly. That's what Mam said the stuff was for. But they mustn't. We have to stop them.'

Billy didn't answer at once. Things were clicking into place inside his head. That chain . . . poles with numbers on . . . In the lighthouse there was a chart of the Manx Sea, with all the far lands a white blank, and the sea covered with lines to show how many fathoms deep it was in each place. They had no map of Ellan Bride. There never had been a map of Ellan Bride, of course, but that didn't mean there never *could* be. And oh, thought Billy, how grand it would be to have a map of the island! They could put the names of all the different places on it. He'd like a map of Ellan Bride more than anything in the world, except for the telescope and Uncle Jim's knife. But *how*? Just for a moment he wanted, to the exclusion of every other desire in life, to see the map of the island in the making.

'. . . *whatever* it takes, Billy, we have to stop them!'

'Why?' The dream dissolved. Billy remembered that the enemy wanted to turn them out of Ellan Bride, and felt a pang of deep disappointment. It could have been so much more glorious, he thought dimly, even while vaguely conscious of his disloyalty, if the dark man, and the man with the pirate's face, had not been enemies at all, but bringers of gifts from unknown far horizons. Supposing they were friends, and would let him see how to make that map! And he couldn't go on hiding from them much longer anyway, now that they'd gone into the house, because eventually he'd miss his supper.

'Did you say Mam was at the lighthouse?'

'Yes. I went back to wake her, see. And when she woke up properly she said, "Oh God, oh no. Not already", and then she said, "I have to think." And she got up and put her gown on, and she was doing up the buttons as fast as she could, and I helped her, and she said, "Are they coming here now?" and I said "Yes" and she said "I'm going up to the light, Breesha. Do you know where Billy is?" And I said "No", because I didn't. And Aunt Lucy said to find you and tell you to come back to the light. She said "I have to think" and she ran out of the house before they got there, and went straight up to the light. I guessed you'd be watching them with the telescope, so I came along Dreeym Lang looking for you. Then I saw you down at the giau, and so I came down here and signalled, in case they were about.'

Billy rubbed his head. What Breesha was saying made him feel anxious in a way he didn't like. But his Mam was never anxious. 'Let's go up to the light then,' he said.

\*    \*    \*

Lucy had known this would happen, but somehow she'd not quite believed it. The strangers had come. They were on the island. They were here, and with them came all the old terrors. The last strangers were the men who'd come five years ago, asking about Jim. Those two cold-faced men who'd asked all the questions . . . the endless dreadful questions: 'Where did he go?' 'When did you see him last?' 'Why did he go outside?' 'A block and tackle – why hadn't it been brought up already?' 'Why did he leave it until so late?' They'd never met Jim; they hadn't known who he was. They hadn't known anything about him. They'd believed he was careless, which was never the case. They wouldn't understand that the block and tackle had been left on the rocks because they'd still been bringing the barrels up. They wouldn't believe the storm had blown up so quickly. They refused to realise there just hadn't been time . . . They didn't care about Jim, and there was no kindness in their relentless questioning.

It had been like those other terrible questions before Billy was born. Lucy hadn't been able to answer those either. That hadn't been because there was no answer, but because she'd refused to tell. She didn't know which was worse, to be pressed for some answer that didn't exist, or for one that did. She just knew how much she'd hated the strange men asking, as if they'd had a right to know: the master of the house – 'sir' – speaking to her for the first time since she'd been in his employ . . . the doctor, the drunken vicar . . . 'Who is the man?' 'Who is the man?' 'You know who he was, you must tell us.' 'You have to tell us.' 'We need to find the man.' She hadn't told. She'd been punished for that as much as for what she'd done in the first place, and even now she wasn't sure why she'd been so desperate not to tell. To protect him? Had she felt she owed him that? But he wouldn't have got punished in any case, only her.

The one safe place was the island, but they were going to be cast out. What would happen to her and Billy now? I can't go back to Castletown, Lucy thought. I can't. But the strangers were already on Ellan Bride, and she knew there was no longer any choice.

No one still alive had ever seen Lucy cry. That must not change, whatever else did. Lucy sat up, shaking, blew her nose hard on a piece of tow, and rubbed her wet cheeks. They mustn't know that she'd been crying.

The sun still shone, winking against the glass of the lantern. The arch of sky was still azure. The island still basked in the brightness of a spring afternoon. The only sign of the strangers was the little pile of cargo at the top of Giau y Vaatey. Otherwise it was just like any other lovely afternoon, except that everything had changed.

It was foolish to think she could control their lives, even on the island. Lucy had felt so strong all the time she'd been the breadwinner for them all. She'd kept the light burning. Her faith in herself had never faltered. Yet even on the island there had been times when she couldn't make everything right. A memory flitted past: her mother's face, the face she'd known all her life, only completely changed. Lucy had long buried that memory. Usually, if she thought about the past at all, her mind's eye focused on the Mummig she'd had when she was little: a powerful figure, enduring as the island itself, firm-voiced, solid and rosy-cheeked. Only in those last months had the familiar face been grey and skeletal, lines etched where none had been before, and huge eyes avidly watching Lucy, Jim, and Jim's baby Breesha, as if trying to take them in for ever more. There had been a terrible beauty in that dying face, but until this moment Lucy had buried the memory along with the pain. Mummig was dead and buried, far away at Rushen Church. Twice Lucy had walked that long mile from Port St Mary behind a coffin. Since the day her Da had followed that road Lucy had never set foot on the Island again. Lucy and Diya were the only ones on Ellan Bride who could remember Mummig. There'd been no anger in her mother's face as Lucy remembered it – the anger had been all Lucy's – only a heart-breaking resignation. But the acceptance was

Mummig's, not Lucy's. Lucy didn't have any resignation inside herself. She tried now to search herself for some borrowed store of silent suffering, but her chest was empty.

But how could she fight? She had no way of protecting herself against that other world. She had no way of protecting any of them. She'd tried not to tell the children – perhaps that was wrong – but when Breesha came running to wake her, it was clear Breesha already knew . . . never mind how; it didn't matter now. Lucy had put all her trust in the sundering seas that kept them safe, just as long ago the islanders had been enveloped in the cloak of the sea-god himself, hidden in the mists and storms against all comers. Mummig used to tell them that story, and all her life Lucy had trusted in it. She'd been right to do so: the sea had kept them safe from everything but Death, because Death had his own way in to every place on earth, and even Mannanan in the olden days had not been able to conquer Death. But now something worse than Death had got through. No – Lucy gave herself a small shake – it could not be worse than Death. That was stupid. Lucy had always found a way through everything that had happened. Things were better than they had been eleven years ago, and she'd got through that. Then she'd been stuck, terrified, in the other world and she'd had to find her own way of getting back. Now, at least she was still on her own ground: for the moment anyway.

The door opened at the foot of the tower. Lucy stood up, rubbing her eyes. She must not look as if she'd cried. This was no time for tears: no time for fear either. It was her job to play the man's part, and she mustn't give in to her own weakness again, whatever happened.

'Mam?' Billy's voice sounded cautious, as if some unseen enemy might be lurking in the tower.

'I'm up here, Billy.' Her voice sounded perfectly normal. 'Come on up.'

Bare footsteps pattered up the stairs – two pairs of feet – then came up the ladder. Billy and Breesha erupted into the lantern. 'Mam!' cried Billy, and she see could at once that under the bravado he was scared too. 'What are we going to do?'

'Take them by surprise and throw them off the cliffs?' said Breesha. 'We *could*, you know.'

'Breesha, don't be silly! Billy – Breesha – you're understanding what these men have come for?'

'They want to build a new lighthouse,' said Billy. 'They want to send us away. But, Mam . . . we *can't*. We don't want to go anywhere!'

'Aunt Lucy, how are we going to stop them? What do you want us to do?'

Lucy pulled herself together. 'Billy, Breesha . . . I'm not wanting you to do anything. Certainly not anything foolish. These men are just the surveyors. It wasn't their decision. We can't stop them doing their job, and if we're making it difficult for them it'll be worse for us in the end. So what we do – your mother and I are agreeing on this, Breesha – what we do is we treat them as we would any other guest that was coming to our door. If they're telling the men who sent them that we're good people, then we have a better chance of being allowed to stay. And if they are forcing us to go, they'll have to give us compensation. But they won't if we do anything stupid. Are you understanding me?'

The children looked unconvinced, which was no wonder, because Lucy herself had no faith at all in what she was saying. It was all she could do to speak the words. But if she had no faith herself, she was managing to keep faith with Diya, as she'd promised to do when this time came. The plan – in fact the very words she'd just spoken – was all Diya's. When the letter came it was Lucy who hadn't been able to think straight, although until then she'd always thought of herself as the one who was really in charge. It was Diya who'd been able to think it out and have a plan ready, not Lucy.

'Mam said we had to give them broth. I think she should *poison* them.'

'Oh stow it, Breesha. Mam's right. If we kill them we'll be

hanged. Won't we, Mam? We can't go around doing things like that, can we, Mam?'

The world-weariness in Billy's voice shocked Lucy more than Breesha's histrionics. 'Children, *of course* we wouldn't *dream* of hurting them. We're living in a civilised country! We'll be all right – no one can *really* hurt us – and of course we won't be doing anything to hurt these men either.'

'We're *not* in a civilised country. We're on the island! And the island's *ours*, and these people have no right to be here!'

'Yes they do, Breesha. The island isn't ours. It's belonging to –' Lucy hesitated. Since the Duke had died she wasn't exactly sure who the island did belong to – 'Well, it's up to the Governor, or Tynwald, or the Commissioners of Northern Lights. It's not *ours*.'

Breesha looked at her aghast. 'Aunt Lucy, what do you *mean*? Of course it's ours! You call it our island! You know you do! Always! And we're here, aren't we? How can you *say* that?'

'Because it's true,' snapped Lucy. Had the child no notion what was real? She seemed to be saying it was Lucy's fault. Always her fault . . . But that was true too, because every irrational word the child spoke so wildly met its exact echo in Lucy's own mind. Breesha knew nothing of the real world they lived in, but she knew what was inside her aunt's mind all too well. And those things must never be voiced, never. 'I'm not wanting to hear any more of this nonsense! It's *not* our island. We know that perfectly well! And we'll behave like civilised beings. However we're feeling. Are you understanding me, Breesha?'

Breesha stared at her. Then she spat. The spit went nowhere, but Billy and Lucy were frozen in shock. 'Traitor!' The scream was high and wild as the gulls above the tower. '*You!* No! No! No! *Traitor!*'

Breesha slid down the ladder. They heard her bare feet smacking down the stone steps. The door slammed. To his utter shame, Billy found himself sobbing, still hugging the telescope to his chest. He let his mother put her arms round him.

Neither of them ever cried. It was all getting too difficult to bear. He sniffed, and dragged his shirt sleeve across his eyes.

'Oh, Billy veen, it's not as bad as that!' Lucy was herself again in an instant, now that her own Billy, who was always so equable, was upset. 'I've lived through worse. We'll manage all right. Of course we will. We always do, Billy veen, you and me, and we always will. True blue, Billy! That's us. True blue!'

He swallowed, and gave her a watery smile. 'True blue!'

'That's my boy. We'll be finding our way through this.'

'Shake on it?'

'Shake on it!' Lucy spat in her palm, as Billy spat in his. They solemnly shook hands. 'Now then, let's be going down to your poor aunt, and giving her a hand.'

He smiled at her a little shyly. After all, he was the man of the family. 'Like civilised beings, Mam?'

'Like civilised beings, Master William. We'll show them what we can do. Forward now!'

# CHAPTER 13

ARCHIE AND BEN WERE AT THE SUNDIAL. THE SHADOW ON the dial fell exactly halfway between two and three. The east wind had moderated, and sunlight flooded the island. Archie was checking the sundial against his watch and pocket compass when Ben said, 'I think this must be the lightkeeper, sir.'

Archie looked up. The lightkeeper was coming down the zigzag path from the lighthouse. She was bareheaded and barefoot, and she wore a blue print gown, rather short – it barely reached her ankles – and a tattered apron. Of course, they hardly needed to dress for company in this place. She was followed by a boy in a threadbare shirt and patched nankeen trousers, with a leather telescope case slung across his shoulder.

'Ah,' said Ben in an undertone. 'Yon'll be the boy.'

'He's verra young.'

'So were we all – once. I wasna much older than that when I started this job.'

Archie smiled fleetingly. 'I mind it well.' He raised his voice and stepped forward as the lightkeeper approached. 'Miss Geddes?'

'Yes, sir.' Lucy had thought at first that the one dressed like a gentleman seemed quite friendly. But when he turned towards her he stopped smiling and looked remote and forbidding. She was an obstacle in his way, and he didn't like her. Lucy felt cold inside, and wished Diya were here. But she had Billy with her, and she was fighting for the whole family. She had to: there was no one else. Lucy walked straight over to the invaders, and faced them firmly.

The lightkeeper didn't curtsey. Instead she stood there sturdily, looking them over. This woman was much more what Archie had expected. She was quite pretty – though that was not to the purpose – with thick curly hair and a fair, open face marred only by the weathering of an outdoor life, and too many freckles. She looked tough. It wouldn't surprise him to see this one swing a sack of oatmeal onto her shoulder and stride away. She wasn't as tall as the other; in fact in every way she was less disconcerting than her sister-in-law. Also, she couldn't quite hide her nervousness, although she held out her hand like a man, and shook Archie's hand firmly. Then she turned to Ben.

Ben shook hands with her too, and smiled. 'I'm Benjamin Groat,' he said. 'And this'll be Billy, will it?'

Billy's mouth dropped open in surprise.

'Your friend Finn telt us about you.' Ben held out his hand to the boy. It was like edging a halter towards an unbroken colt, and for a moment he thought the lad would shy away.

Billy had never shaken a stranger's hand before. He slowly held out his hand, staring wide-eyed at Ben's face. Ben shook hands with him heartily. Billy couldn't take his gaze off this tall man, who was not like Finn, and not at all like Uncle Jim had been, but who met Billy's eyes as if he knew him already, or might wish to make his acquaintance. 'How do you do?' said Ben easily.

Billy tried to reply, but somehow the words got stuck in his throat.

'The letter said you'd come,' Lucy said to Archie. Her voice shook a little. 'You're the surveyors sent by Mr Stevenson?'

It wasn't Ben's place to discuss matters with the lightkeeper, but as always it was hard to restrain himself. When he'd suggested once to Drew that Young Archibald suffered from acute shyness Drew had snorted into his pint pot and ended up in a choking fit. Not for the first time, Ben found himself wondering if Archie ever talked to any women at all. He had ten years' advantage over Ben – though Ben hadn't altogether wasted his twenty-one years as far as pretty girls were concerned – so why on earth couldn't Young Archibald set this poor Miss Geddes at her ease by showing her that, painful though their errand might be, they were friendly creatures who'd do their best to repay the enforced hospitality of her little family by being as pleasant as they could? Archie was talking to her now as if she were a committee of elderly Commissioners. And as for the lightkeeper herself: the other woman had been something out of a fairy story, but this one was a real, honest-to-God, healthy woman, and none the worse for that. She didn't look much older than Ben himself. If the boy was hers – and he looked as if he was – he must be ten or eleven – then she'd have to be – what? – twenty-five – twenty-six maybe – at the very least. It would be good to see her smile, but in the nature of things, given what they'd come here to do, that was hardly likely. Ben felt a faint twinge of disappointment. But when the subject of Billy came up, he broke his silence. Young Archibald would make such a mull of it, he had to intervene.

'The fact is,' Ben broke in, smiling reassuringly at Billy, 'we lost our second chainman in Castletown. Never mind how – that doesna matter. But we're a man short. And your friend Finn said there was a strong boy here who might be glad of a job. Finn thought very highly of you, Master Billy – that was clear – so we were hoping we might be able to take you on to help us. What would be we paying, now, sir?'

Archie had forgotten to mention that; in fact he'd forgotten even to think of it. 'Twopence,' he said hastily. 'Twopence a day. For two or three days' work, probably.'

'There you are, young sir. Would you be so kind as to join the crew, while we're here? Is tuppence a day acceptable to you?'

Billy stared at him, his eyes wider than ever. 'Tuppence?' he whispered. 'For me?'

'Tuppence a day. That might be a groat, or even a whole sixpence, by the time we're done. Sixpence, Master Billy, if you do well! We'll have to train you, mind,' said Ben. 'Show you the ropes and that. Maybe you'll end up a surveyor yourself. You never know. I was fourteen when I started. You're no fourteen yet?'

Billy shook his head, overwhelmed. He'd never had a farthing of his own in his life – had never even dreamed of such a thing. It was Mam who earned money. Sometimes he'd seen her counting coins, and giving them to Finn, but he'd never thought of having anything to do with that. And this strange man thought he might be fourteen! A man, in fact, as far as doing a job of work was concerned. He cleared his throat, and met Ben's eyes squarely. 'I'm ten.' This time his voice came out properly. 'But soon I'll be eleven. And . . .' He looked doubtfully at Lucy. 'If my Mam says . . . I don't know . . .'

'That's a man's wage, Billy,' said Lucy, her voice very firm and clear. 'And you'll be learning too.'

Billy looked at Ben, and slowly nodded. He didn't so much as glance at Archie. 'All right.'

Billy was following the men about like a tantony pig. He'd changed sides within five minutes of making their acquaintance. Billy was a traitor. No, that wasn't fair. Billy hadn't had a choice, and anyway, he was in the best position now to spy on them. So far as that went he was in a much better position than Breesha was.

Breesha lay on her stomach on the lighthouse parapet, and cautiously edged the telescope forward between two of the iron railings. They couldn't possibly see it from below, unless they looked up at the exact spot. The two men wouldn't think of doing that, and Billy wouldn't give her away. Billy knew she was here. He'd lent her the telescope. She'd whistled from behind the keeill when she'd seen him going down to Giau y

Vaatey with those two men, and he'd run back to speak to her. He wouldn't stay, but he told her the tall man was called Benjamin and he was nice, and not an enemy. And Billy was working for him, and he was going to get twopence for each day that the men were here. Benjamin had arranged all that. It was the other one who might be an enemy, but not to worry: Billy had his eye on him.

Breesha was in no way reassured by anything Billy said, but at least Billy had lent her the telescope. That showed he was still on Breesha's side. She knew he wouldn't give her away by looking up to the tower. From here she could watch exactly what those men did, almost wherever they went on the island. Billy could have said to the men, 'Breesha must come too.' No he couldn't. It was Aunt Lucy who'd said the men could take Billy. Billy had told her that much. Aunt Lucy never listened if anyone argued. That meant Billy had had no choice. But he could choose not to be pleased about it, and Breesha had seen very clearly that he was as glad as anything to go with those two men and pretend to be like one of them.

Breesha focused the telescope. The men and Billy were standing on Dreeym Lang, at the very top of the island. They'd finished carting all their strange gear up from the jetty, and the tall one had wheeled the handcart back to its place by the outhouse. When they got to the garden wall they stopped. Breesha twisted the focus so she could see better. The tall man had a pot and a brush. She watched him make a white mark on the corner of the garden wall. Whatever for? She felt it was taking a liberty; after all, it wasn't *his* garden wall. Now the two men were following Billy past the garden towards the slabs. In a few minutes they were out of sight.

So why had they gone down to the slabs? They wouldn't be building their lighthouse there. Anyway, Breesha knew where they were, and if she waited long enough she knew exactly where they'd reappear, whichever way they came back. She sat up, cradling the telescope in her lap. She wondered where Mally was. It was lonely doing all the spying by herself.

That was a new thought: she was lonely. She didn't like it. All her life up until now, either she was with the others or on her own, but neither of those states had ever troubled her. She'd never really thought about the change from one to the other. But Billy wasn't just somewhere else today; it was more as if he'd left her behind completely. That had never happened before. Those men could have picked her to go with them. She was the eldest. It didn't occur to Breesha that she hadn't given them much chance; she knew that no amount of chances would have changed the way things were. It was because she was a girl. Breesha turned the telescope round and round in her hands, and stared out to sea, frowning.

What made it even more confusing was that it didn't make sense to be angry about both things at once. The most terrible thing of all was that they would be made to leave the island. Nothing could make a person angrier than that. Breesha wouldn't leave Ellan Bride unless they dragged her. She just wouldn't get on the boat. They'd have to carry her, and if they tried to pick her up she'd bite them. But she was beginning to realise even that wouldn't work. Mam wouldn't fight. Aunt Lucy wouldn't fight. Mam had taken the enemy into the house and given them broth. If Breesha bit anyone Mam would probably slap her, and apologise for her to the enemy. You couldn't resist properly if all your allies deserted you. The real thing to be angry about was having everything taken away from them, but no one else was *being* angry. Even Breesha herself was unfaithful to the real cause: she was also angry because the men had ignored her, and taken Billy with them. But she couldn't *want* to go with them, because if she did she'd be a traitor. And yet she *did* want to, because she could show them that, girl or not, she was just as much use as Billy. If they were measuring, in fact, she was better than Billy, because Billy was much more careless at sums than Breesha was. He still didn't know all his tables, even though Mam insisted on both children reciting them by heart at every lesson.

But there were the men again! They were coming up Gob

Glas, following the coast round to the deep-cut inlet of Giau yn Ooig. Breesha lay down on the parapet and focused the telescope.

Billy was leading the way. They all stopped at the edge of the giau. The short man had a big notebook – Breesha twisted the focus to make the outline sharper – and he was writing things down in it very quickly. Billy seemed to be talking. He had his back to the lighthouse, but Breesha could tell from the way he waved his arms about that he was telling them things. *Telling* them things – about the island, no doubt! How *dare* he! Breesha gave a little hiss, and shifted her sights onto the tall man. He was looking down at the shore below, where Billy was pointing. He carried a big canvas knapsack on his back, and the bundle of metal arrows slung over his shoulder. He said something. Maybe it was something funny, because he smiled. And the other man stopped writing, looked up, and laughed. Breesha caught the shorter man's face full on, framed by the lens. It wasn't villainous. On the contrary, it was a vivid, merry face, lit up by laughter. He looked like Ali Baba after the Forty Thieves were all vanquished, not that Breesha had ever seen Ali Baba, but the stranger looked just the way Breesha always pictured him when Mam told them the story. It was the way the man looked up from his busy writing, and suddenly laughed – he looked *happy*. Somehow that compounded Breesha's confusion. She didn't know what to think about it, so instead she concentrated on following the three figures as they skirted Giau yn Ooig, following the coastline.

'And the stack out there?' Ben was asking, raising his voice above the screams of the kittiwakes. He added, in unconscious imitation of Finn: 'What name would you be putting on yon?'

Billy drew breath. No one in his life had ever asked him so many questions. The strangest thing was, he was beginning to realise that these men didn't know any of the answers. When the children did their lessons with Aunt Diya, she asked much more difficult questions than Mr Benjamin Groat or the

Writing Man were doing, but Aunt Diya knew the answers all the time anyway. That was why Billy didn't like lessons very much: the ignorance that lessons exposed always seemed to be his. Somehow Breesha seemed to know things without being told, and even if the facts were new to her she always had an opinion about them. Billy avoided lessons when he could. Even Mally never seemed to get caught out the way he did, and now she could read almost as well as Billy. But these grown men weren't pretending; they truly didn't know anything at all about the island.

'You mean Stack ny Ineen?' said Billy wonderingly. 'Because that's the Maiden's Stack, of course.'

'And who was the maiden who gave her name to a bit of old rock like yon?'

'Keep to the point, Ben,' muttered Archie. His eyes darted here and there across Giau yn Stackey, and the pencil flew across the paper. He was standing a few feet from the edge, where half a dozen puffins were eyeing him warily, ready to fly if he came any closer. The racket and smells of thousands of nesting birds came wafting up from the giau. Tier upon tier of birds lined the cliffs opposite: kittiwakes above, razorbills and guillemots perched on the precarious ledges below, barely out of reach of the high-tide mark. The dark swell below the cliffs was dotted with stray feathers, and scattered rafts of guillemots. Unseen waves washed in and out of a hidden cleft beneath their feet.

Billy watched Archie in awe. The Writing Man could walk and look and write and draw and talk all at the same time. It would be exciting to see what was in that notebook. Breesha would want him to find out in any case. He cast an involuntary glance back to the lighthouse, but Breesha was keeping well out of sight. 'The maiden lived on the Calf and she wanted to marry a man who came across the sea from the Island and her father didn't want her to so he brought her here and put her up on the stack so she'd die and no one could get her only the man climbed up and got her and took her off and they went away and the father never saw either of them ever again,' said Billy. 'Did you *really* not know that story?'

'Actually I did,' said Ben, following Billy's glance up to the lighthouse tower. There was a little flash: something had moved and caught the westering sun just for a second. Ben had heard the whistle from the keeill, and recognised it at once as an oyster catcher that had never sprouted feathers in its life. Nor had it escaped his notice that when Billy had come running back from the keeill his telescope was no longer slung across his shoulder. He was equally certain that Archie had totally forgotten that one of the children was still unaccounted for. 'I heard just the same story about another Maiden Stack when I was a boy. There must have been a hell of a lot of stranded maidens in those days, don't you think?'

Mr Benjamin had said 'hell', but there was no one here to scold him. Billy grinned back a little doubtfully.

The Writing Man said, 'We'll put another station at the top of the Giau.' He climbed a few yards to higher ground, so he could look back to the last station. Billy followed his gaze to the little red flag fluttering by the lonely boulder at the top of the slabs. They'd also put a white paint mark on the garden wall at Gob Glas. Ben carried the paint, the brush, some measuring twine, and other undivulged mysteries in his big canvas knapsack, as well as all the arrows. The Writing Man only carried his notebooks; Billy wondered if he was weaker than he looked. Just then the Writing Man stopped and looked up to Cronk Sheeant. 'Ay, you can see that summit from here too. That's fine.'

Billy watched as Ben took another of the long metal arrows, and twisted it neatly into the crumbly soil by the Writing Man's foot. The tattered red flag caught the breeze, and began to flutter as if it were a big butterfly just come alive.

'I'd reckon the cliff's two hundred feet,' remarked Archie. 'Maybe a bit less. We'll find out. But the boy's right. Nocht could land on the west side. I doubt there's even a way down.'

'There's *lots* of ways down!'

'Into this giau?'

Billy hesitated. The climb down into Giau yn Stackey was his own closely-guarded secret. 'I reckon you *could*,' he said cautiously.

'I doubt it,' said Ben. 'Mr Buchanan can climb a bit, but he hasna been practising. Which way do *you* go?' He caught Billy's doubtful glance and said. 'We won't split on you. I swear it. Cross my heart and hope to die. And so does Mr Buchanan. Is that no right, sir?'

The Writing Man didn't seem to be listening. After a moment's hesitation Billy pointed across the turf. 'You start *there*,' he whispered to Ben. 'It gets a bit sliddery, specially now 'cos the birds shit all over the place. You have to kind of wind your way across, past where the kittiwakes are. Then you lower yourself backwards down into the gully and go down over the big rocks. There's lots of shags' nests in there. Coming up is easier 'cos you can see where you're going.'

'Maybe we can cross that off our list of landing places.'

'But the landing place is where you came in! No one *ever* landed on the west side!'

The Writing Man suddenly gave Billy his attention again. Whereas Ben was friendly all the time, the Writing Man took no notice of anyone unless he wanted to know something at that moment. Billy didn't mind that. His Mam was a bit the same, and there was nothing muddling about her. 'So where does Finn Watterson land, if it's too rough for the slabs, and he canna get into Giau y Vaatey?' asked the Writing Man, as he led them uphill. Away from the cliff edge, the noise from the giau was immediately deadened, so they could talk in ordinary voices again.

'There's Geinnagh Veg and Traie Vane,' explained Billy. 'But Finn wouldn't be running ashore there except on a rising tide because of getting beached. Except just sometimes he stays a whole tide. He puts the coal off at Traie Vane on a high tide, and at low tide we barrow it up. And now we roll the oil barrels up at Traie Vane too.'

'Traie Vane will be White Beach?' asked Ben. 'That's the one we passed on our way in? North of Giau y Vaatey?'

'You said "now"?' asked Archie sharply. 'You used to bring the barrels ashore somewhere else?'

It was hard to tell them. Billy looked out to sea unhappily, while they waited for him to speak. The puffins had started their evening circuit, thousands and thousands of them whirling round the island, silent but for the endless whirring of their wings. 'At Giau y Vaatey,' Billy said at last. 'But not after Uncle Jim . . . my Uncle Jim isn't here any more. We used to have a block and tackle at Giau y Vaatey, only that night . . . it was the same night, you see . . . that's what he went down for . . . to move it . . . And the block and tackle was swept away as well. In the morning it was gone. It was a long time ago now. And we can't get the barrels up the rocks by ourselves. So there was no point getting another block and tackle. So now there isn't one any more.'

'That's a shame,' said Ben, watching him. *It was a long time ago now* . . . five years, thought Ben. In his mind's eye he was seeing another boy, just about Billy's age, walking the banks at Woodwick, watching the horizon . . . always watching and still hoping, long after all hope was gone. Tam had been Ben's friend. When no one could persuade Tam to leave the shore Ben had stayed and walked with him, up and down, up and down, with the spray flying in their faces, looking out over the great grey rollers into the storm-tossed sea. There could be no funeral because there were no bodies. Tam's father and brothers had never come home again.

'Two sandy beaches, and the landing place, all facing east,' muttered Archie. 'And the slabs, of course. Fine in a westerly, but . . . Well, we'll have a look at the rest of the west side in any case. Lead on, Billy!'

Mally found out where the strangers were by going up onto Dreeym Lang and watching the birds. A cloud of black-backs had risen over Gob Keyl. Mally ran to the top of Cronk Sheeant. The turf where she stood was studded with thrift and eyebright, and the shadows of the circling puffins made the ground shimmer like the sea. In the west the sky was turning gold, and a cold little breeze was coming off the sea. The gulls at Gob Keyl were settling again, but now the terns beyond Geinnagh Veg were rising into the air with cries of fury like a sudden snowstorm. Sure enough, a moment later Mally saw three figures skirting the nesting grounds. Billy was leading the way, taking the strangers by the higher path. They were almost above the beach. Mally hitched up her skirt and started to run, leaping from rock to rock as she skirted the tumbled edge of Hamarr, down towards Geinnagh Veg.

She met them, as she had planned, right beside the keeill.

'Well, well, Miss Mally. So you've abandoned the piglings?'

'This is the keeill,' Billy was explaining.

Archie laid down his notebook, weighted it with a stone, and walked round the keeill, examining it carefully. He found the entrance. They watched him get down on his hands and knees to peer in. Then, without a word, he disappeared inside.

Mally and Billy looked at each other, nonplussed. The strange man wouldn't have walked into their house without asking. Was the keeill different? It was difficult to tell; nothing like this had ever happened before. But it was a relief when Archie came out. He stood up, dusting the earth off his knees.

'Interesting,' said Archie. 'I wish I had a light.' He turned to the two children. 'Was this once a chapel, dae ye ken?'

They stared at him, puzzled. 'That's the keeill,' said Billy again.

'Breesha's keeill,' added Mally, suddenly finding her voice.

'Breesha?'

'Not my *sister*, I don't mean. I mean the real one.'

'She means the Saint,' said Billy.

'Saint?' asked Ben. 'So this is the saint's chapel?'

'This is the saint's *island*,' said Mally. Now she'd actually managed to speak to them, ordinary talking didn't seem difficult any more. 'She lived here. That's why the island has her name.'

'St *Bride*, you mean?' asked Archie, his attention quickening. 'Breesha is Bride?'

'Of *course*,' said Billy. How could they be so ignorant? He wondered for a moment if they were making it up.

'So you do know her?' Mally asked Archie seriously.

It was the first time one of the children had addressed Archie directly. He couldn't smile at her easily as Ben did, but he could answer this particular question. 'Oh ay. I grew up by one of her chapels too.'

'Where?' demanded Mally, frowning over the possibility of other islands, other keeills. 'On another island?'

'It wasna an island at all,' said Archie. 'It was by a muckle great river, and St Bride's chapel was just upriver, jist aboot as far as your keeill is from your house.'

'Did you have a house like ours then?'

'No.' Mally opened her mouth to ask another question, but Archie went on suddenly without being prompted. 'It was a mill. St Bride's Mill above Kilmahog. We didna have an island, but we had the river, and we had a grand mountain. And the mill too, of course. And all the places we kent had their own names, jist like here.'

*Ask him some more*, thought Ben, willing Mally to go on. She'd just elicited more information from Young Archibald than any of his colleagues had managed to do in ten years. Perhaps he'd had a young sister of his own – would Mally ask him that? Ben willed her to do so, but Mally had no idea she'd rushed in where none had dared to tread.

'Our chapel is bigger nor yours,' said Archie, speaking to Mally as if she were just as old as he was, 'but it's a ruin. Just a few peerie stanes left, that's all.' He walked round the keeill again, and glanced at his watch. 'Very well. We'll take a look at the bigger beach, and then we'll be back where we started. Billy, can you show us the highest tide mark? The height of your highest spring tide?'

'Course I can. It's marked anyway, above the giau. My Gaffer marked the place. I can show you where. And I know how far down the ebb goes too, but you can't see that now, of course.'

'I'm coming with you,' said Mally.

No one answered, or took any notice of her. She followed the three of them doggedly, down to the sands at Traie Vane, where the seals flopped into the water at their approach, leaving only the scuff-marks of their bodies where they had lain basking, undisturbed, on their primeval sands.

# CHAPTER 14

DIYA AND LUCY WORKED THEIR WAY ALONG THE ROWS, earthing up young potato plants. If this drought went on much longer the garden would be seriously short of water. They ought to keep a close eye on the well too. It was many years since they'd been reduced to fetching water all the way from Towl Doo for every purpose except drinking. Diya realised, as she hoed the dusty soil, that it was the hot weather that was triggering so many recollections in her mind, both waking and sleeping. At this time of year India sometimes seemed to come almost close enough to touch, if only one could simply stretch one's hand out across the intervening years.

As the sun dropped, the garden wall cast a long shadow over the potato patch. They'd nearly finished when Lucy straightened up and wiped the sweat out of her eyes, leaving streaks of mud across her forehead. 'Mind you,' she said, as if they'd been in the middle of a conversation, 'I don't know why we're doing this. We'll not even be here to eat them.'

Diya said nothing until she got to the end of the row. Of course she'd thought of that, but unlike Lucy she hadn't said anything. Eleven years Diya had worked in this garden. The first year she'd worked with Jim's mother when Lucy hadn't been there. From Mummig, Diya had learned the times to dig and the times to sow in this particular place. She'd learned to cart up seaweed from Traie Vane, and to mix it with the winter's muck from the midden. She'd learned about the soil and the wind and the weather: things that were unique to each garden. When Diya first came, Mummig had grown potatoes for the whole year, and a few rows of kale, beans and onions. Like Diya, Mummig had loved flowers, and her rows of vegetables were bordered with marigolds, heart's-ease and stocks. She'd put in lavender that attracted clouds of small blue butterflies, and a patch of mint in one corner. That was all. When Diya, who'd known such very different gardens, suggested other things, Mummig would shake her head and say, 'No, no, Diya veen. You'll never be getting that to grow *here.*'

Mummig had been wrong. Mummig had not been off Ellan Bride for twenty-five years. She used to say, what was there to go for, when she had all she needed where she was? But Diya couldn't be like that. Back then, she used to sail over to Port St Mary with Jim, and think nothing of it. When Breesha was a baby she'd twice taken her to stay with old friends in Castletown for a few weeks. It had been a breath of another life. She hadn't been in touch with Sally for at least two years. She must write to her today so Finn could take the letter when he came back. Sally would take them in for a month or so, surely, when they had to leave, and give Diya time to look about while she worked out what to do next.

It would be hard to leave the garden. Diya had planned this garden as if they'd been going to stay for ever. That was the only way one *could* work in a garden. Some things would take twenty years or more to mature, like the apple trees along the south wall. Last year's apples had given them pies and puddings until the end of October. In another ten years they'd probably have apples to store all winter. Mummig had scoffed when Diya had brought the infant trees home. She'd been suspicious of the currants and gooseberries too, though she'd conceded that the raspberries might do all right. Mummig had never thought of building rectangular shelters out of driftwood, and setting honeysuckle, briars and dog roses to climb over them until they were like hedges, protecting each little square of ground.

Mummig had never even seen some of the plants that Diya brought back from Castletown. The fuchsia hedge that grew so thick it had to be cut right back every year – that hadn't even been known in this country when Mummig was young. Diya knew that you could transplant some plants but not others, and the only way to find out was to try. Now they grew carrots, turnips, leeks, radishes and lettuces, as well as a whole variety of flowers that Mummig had never even dreamed of.

Flowers were holy. Mummig would never have put it like that – she was shocked, in fact, when Diya once said so – but her feeling for them was the same as Diya's. Now, in the most sheltered south-west corner of the Ellan Bride garden, hedged about with phlox and moon daisies, the white jasmine grew. There were already buds on it; in June it would flower. On still summer nights you could smell it from the house. It came from Grandmother's garden at Castletown. Once when Diya had been staying with Sally she'd asked the new tenants if she could go in and take cuttings from her old favourites. They hadn't minded; the walled garden was nothing to them. They hadn't looked after it as Grandmother had done. When Diya went back the lawn was straggly and unkempt, the borders full of weeds, the apple tree unpruned. Some of the old plants had vanished, while others flourished untended. Breesha had been a toddling infant then, playing on the unscythed lawn while Diya slowly filled her trug with cuttings. Breesha wouldn't remember that day now. Did she remember those visits to Castletown at all? Probably not. They'd never been back after the child turned three.

But jasmine – as Diya hoed up the dry earth against the small potato plants she saw it clearly in her mind's eye – jasmine was one of her earliest memories. Jasmine and roses had grown tall in the shade of the garden wall; the air was loaded with their scent. Aji used to bring swathes of flowers into the house each day, and arrange them before morning puja: *tulsi* – that was basil, which only grew under glass in this country – and *hava dhania* – what would that be in English?

Diya wasn't sure. Aji would give people flowers to wear when they came to the house. She'd put bright flowers in Diya's hair in the morning. Then at Diwali she'd make wreaths of marigold and mango leaves to hang on the door. The Indian garden hadn't been like a Manx garden at all. The colours had been so bright, and every tiny patch of shade was a benediction. The trees had towered over her. Bluebirds and little green parrots flashed to and fro among the branches. The wall was flaky stone and stretched away into the burning sky. Diya kept away from the wall because snakes and scorpions liked to crawl into the cracks. There was only one way to see out of the garden, and that was to scramble up by the tank until she was almost as high as the wall and she could peep over. The white road lay below. She seldom walked on the road because she never set foot outside the gate without an adult. The road was a strange world. When the rickshaw coolies came pattering past, she hated the sound of their bare feet on the dusty road. When she did walk outside the garden gate she always came home covered with dust. The dust got into her eyes and she felt it gritty between her teeth. She hated dust, but in the garden, with its brick paths watered from the tank at dawn every day, there was no dust at all.

Diya carefully earthed up the last potato plant, and straightened up. 'Even if we're not here to eat them,' she said calmly, as if Lucy had only just spoken, 'it's worth doing. In fact – you know what – if the world were going to end tomorrow it might as well find us in the garden.'

'Diya,' Lucy burst out, as if she could contain the thought no longer. 'What are we going to *do*?'

'Something,' said Diya calmly. 'Have the surveyors said anything to you about when we must go?'

'Nothing at all. But the letter was telling us!'

'The letter didn't say when. We need to ask them when. In fact we should ask them all about it. Mr Buchanan's probably got all their future plans with him, written down in that notebook of his, no doubt. I wish I could have a look at it.'

Lucy shuddered. 'And when they are telling us? What then? I don't want to ask!'

'*I'll* ask them, if you like. And then – we need to have a plan of our own.'

'What sort of plan?' Lucy had never felt so helpless. She hated herself for not being able to think straight. She was the one who'd never been afraid of anything, all the time they'd been together. But elsewhere – that was another thing. 'How can we be making a plan?'

'First we need to know when we have to leave. I'm going to write to Sally – my friend in Castletown when I was a girl. And to the vicar at Malew. Finn says the new vicar is a good man, and my friend Sally knows his wife. He doesn't know us, but after all I was christened and married in Malew Church, and my grandparents are both buried there. He'll recognise a duty to us, I'm sure. When we get there—'

'Castletown?' Lucy looked at her in horror. 'We're not going *there?*'

'Where else?' Diya hid her impatience. Of course it was harder for Lucy. 'It's the only place where I know anybody. You don't know anybody anywhere else, do you?'

Lucy looked at her with frightened eyes. 'I don't know anyone anywhere! Except Finn.'

Diya knew that wasn't true, but Lucy never talked about that part of her life, and Diya knew better than to pry. All she said was, 'We can't go to Finn. Not with all those children in a cottage smaller than ours!'

'I'm not saying we should. I'm just saying he's the only person over there I know.' Lucy brushed her hand across her hot forehead. 'Diya, I don't know what to *do*.'

Sometimes Diya forgot how vulnerable Lucy could be. It was eleven years since Diya had seen what the outside world could do to her. 'Listen,' said Diya. 'We'll find a way. Why don't you leave me to think of something? I promise you I will.'

'That's not fair on you!'

'Yes, it is. It's the sort of thing I know about. Making changes. Having to start again. I'm good at that. You're still the light-keeper, Lucy. Keep your mind on that – that's what you must do. I'll work out what to do afterwards. I'll write my letters, and Finn will take them when he fetches the surveyors. The only thing is . . .'

'What?'

'Money,' said Diya. 'We have to think about money. I told you before: you need to write a letter to the Commissioners of Northern Lights and ask if they're going to give you a pension. That's what they ought to do. It won't be much. It can't mean anything to them, but it'll mean a lot to you.'

'To us,' said Lucy, looking dazed. 'Not just me.'

'Well, we'll see.' It had clearly never crossed Lucy's mind that the family might have to separate. This was hardly the moment to suggest it to her. 'But you need to write the letter before the surveyors leave, so they can take it with them.'

Lucy looked panic-stricken. 'Now? Write it *now*? But I don't know what to say!'

'Then I'll write it. They won't know my hand from yours. Do you want me to do it?' There was no point saying to Lucy that the letter might be useless. Neither Lucy nor Jim had been employed by the Commissioners of Northern Lights. It was the Duke of Atholl who'd paid them. If the Commissioners won't be responsible, thought Diya, I'll write a letter to the new Duke over in Scotland. But there was no need to worry Lucy with that idea now.

Diya's task would have been easier if she'd been sure that what was right for the family was also what she wanted for herself. She knew that Jim would expect her to look after his family – not just his children, but also his sister and his nephew – as willingly as he would have done himself. Jim would never have been disloyal to Diya. She'd always known that; perhaps that was why she'd married him: she'd been certain she could trust him, and she'd been right. She'd also known what she was giving up, but she hadn't realised, in the turmoil of those days following Grandmother's death, how much those things would matter to her. It wasn't the material things she missed, although she did like to have beautiful things around her. In any case, Ellan Bride had its own sort of beauty, when the weather was good, and she'd reluctantly learned to love that too, in a way – but no, it wasn't possessions. It wasn't status either. If you lived on Ellan Bride there was no one above you, and no one below. You were a whole society, rich and poor, mistress and servant, all on your own. Sometimes when Diya started work in the kitchen in the morning, she pretended to be her own servant, doing the daily tasks to satisfy an exacting mistress who was herself.

It was easier now she was her own mistress than it had been at the beginning, working for Mummig. That was a wicked thought. She mustn't think it, even to herself. But when Diya first came to Ellan Bride it was always Mummig who said how things should be done. Diya had to admit now she'd learned more useful things from Mummig than she had from all her expensive education in Castletown, but it had gone against the grain, however well she'd hidden her resentment. The cook's sister! Diya could never admit to a soul how much easier her life on Ellan Bride had been after Jim and Lucy's beloved Mummig was dead.

But at least Diya didn't have to feel guilty about Jim. There was nothing to hide about that. She'd missed Jim every day since the night he'd gone. And even more she missed their broken nights. The light had come first, of course: the light must always come first. But the other part of Jim's nights had been Diya's, and no one else's. She'd married him because she trusted him, it was true, but also because – though she'd never admitted to it until the day before Grandmother's funeral, when he'd found her in the kitchen – every time she'd laid eyes on him she'd been aware of an attraction. Of course such a thing could never have been dreamed of while Grandmother was alive, and Diya was still Miss Wells. But even now Diya could remember the day – she couldn't have been more than fifteen

– when she'd gone down to the kitchen and first found a rough-looking young man standing before the chidlagh, gobbling – there was no other word for it – one of Annie's hot scones. His patched jacket was stained with salt, and he smelt of the sea. He looked at her so directly, while he stuffed the rest of the scone into his mouth, that in anyone else she'd have thought it impudence. His eyes were the same colour as the sea. Diya had only been fifteen, after all: a mere child, and one, more-over, who read far too many novels from the Circulating Library. In her fancy this strange young man was like a gust of wind blowing off the sea – it must have been one of the first gales of September – forcing itself right into the base-ment of Grandmother's stuffy house. It was shocking, like the northern weather when she'd never been used to it, but curi-ously exhilarating too. Diya hadn't really understood what she'd felt, at the time.

Then, four years later, what else could she have done but marry him? No one from the Castletown world – the world she still missed more than she dared to acknowledge – had come to help her after the bailiffs came. Grandmother was dead. Her father was dead. Only Jim had come, and offered himself. He'd saved her. What would have become of her, if it wasn't for Jim?

But even when he was alive she'd had ungrateful thoughts. She'd never told Jim what she missed. What would have been the point? He wouldn't have understood. He didn't know what it was like to sit at dinner, with the white cloth spread, and the silver dishes sparkling in the candlelight, and talk of matters that made the world grow larger, as if the bounds of thought were infinite . . . No one opened up subjects like that on Ellan Bride. The world they all thought about was as small as the island itself. Diya had felt wicked, even when Jim was alive, because in the depths of her heart she was ungrateful. And now, when Jim's sister was so helpless, and relying on Diya completely – *trusting* her, as Diya had once trusted Jim – Diya was, in her secret heart, feeling more disloyal than Lucy would ever dream of.

Diya came to the end of the row, looked up, and found Lucy on the other side, looking into her eyes. 'I'm a fool,' Lucy whispered. 'I'm sorry, Diya. I'm sorry to be no use.'

'Don't be ridiculous.' What Diya had successfully hidden from Jim could be much more easily kept from his sister. Faced by the immediate task, Diya was quite capable of hiding her inmost thoughts even from herself; there was no point doing otherwise. She and Jim's family – after all, her own children were Jim's family – were bound together for ever. Hadn't she promised him that, when she married him? 'You're the light-keeper,' said Diya aloud. 'I couldn't be that. We all do what we can. Will you leave the letters to me, and stop worrying? Just keep your mind on what we have to do here, and deal with the surveyors. All right?'

There were eggs for supper, as well as broth and bread. 'You missed your dinner, being at sea,' Diya said to the two surveyors. 'You'll be hungry, no doubt.'

That was an understatement. Archie was thankful when Ben brought out some ships' biscuit from their own supplies and added it to the food on the table, somehow without causing offence to anybody.

'Has it got weevils in?' Breesha asked her mother. She still hadn't addressed a word to the two strangers, but nevertheless contrived to take her fair share of biscuit without acknowledging Ben's presence.

'Shouldna have,' said Ben cheerfully, though Breesha was pointedly not looking at him. 'It was fresh from the chandlers in Castletown yesterday morning. You'd have to take it to sea for a few months to give the weevils a chance to hatch.'

'But it might have their eggs in,' remarked Billy with his mouth full.

'Mally, don't spit your food out like that!'

'But Billy said—'

Breesha ignored them, and tapped her biscuit on the table like a proper sailor, but no weevils fell out. 'Were there weevils on the India ship?' she asked her mother, when everyone was quiet.

'Not that I remember,' Diya replied. 'But the food wasn't very good. Salt beef and salt pork – I couldn't touch it. Mind you, I'd never seen meat on the table in my life. Luckily there was rice aboard, and I remember they used to give me a bowl of that. But that was all – no vegetables, which was what I'd always been used to. They said the meat was bad. It certainly looked very bad to me. Everyone complained to the captain. When we went ashore at Cape Town we bought lots of fresh fruit to take back on board.'

'And a goat,' put in Mally. 'Tell them about the goat.'

'Oh, the goat! Yes, my father and Mr Grant – he was bringing his family to England too – they clubbed together and bought a goat. After that we children had fresh milk as far as St Helena, but I think the goat was left behind there for some reason. Or maybe it died. I can't recall.' She turned to Archie and said politely, 'But you'll have travelled yourself, sir, no doubt.'

'Me?' said Archie. 'Only in Scotland really, although I visited London recently. I've never been anywhere else.'

'Mrs Grant had the goat's milk too,' corrected Mally. 'You told us so before. And you couldn't guess why, because no one explained. But all of a sudden when you were crossing the Equator she had a baby. It was a boy, and your Da said she ought to call him Meridian. Only she didn't. She called him Henry George.'

Diya ignored this addition to her tale, and went on talking to Archie. 'But you know the sea. All Scotchmen know the sea.'

'Not really,' said Archie. 'My father never laid eyes on the sea in his life. I never saw it myself until I left home.'

Even Breesha looked at him then. Archie found six pairs of eyes fixed upon him, expressing varying degrees of pity and amazement, and to his annoyance he felt himself flush. He seldom thought of home these days – of the still pond above the mill, and the great wheel turning, and the water racing back into the river, down into the Falls of Leny where the river fell tumbling through the pass to the green meadows below. On an evening like this the sun would have set behind Ben Ledi, and the glen be all in shadow, but if you climbed up to the ridge you'd see the red sky and, below it, ridge upon ridge of Highland hills stretched out in the last rays of the sun. That was where he belonged, and he wasn't ashamed of it either. Archie looked away from the group at the table, almost hating them for their ignorance, over Breesha and Billy's heads to the gable-end above the fire. There was a shelf above the hearth, with a piece of whitened driftwood curved like an antler, a couple of sea urchin shells, and – 'What's that?' asked Archie sharply, forgetting to be polite.

Breesha and Billy swung round to see what he was looking at. 'Which?' asked Diya, staring at the gable wall, as she held the broth ladle poised over the pot.

'At the end there.' It was all Archie could do not to jump up from his bench to see. 'A fossil of some kind, I do believe. A very fine specimen, too.'

'That's the goniatite!'

'That's our goniatite!'

'That's Master Forbes' goniatite!'

The children all chorused at once, even Breesha. Lucy, who hadn't said a word since everyone came in, got up and fetched the lump of limestone from the shelf, and laid it on the table in front of Archie. 'Have a look at it, if you like,' she said to him.

Archie picked up the goniatite and turned it over, examining it closely. It was made of solid limestone, but its form was that of a coiled shell. It fitted snugly in the palm of his hand. He could see every ripple in the shell, every delicate convolution. It wasn't hard to imagine that a quivering creature huddled inside, alive as anyone in the room. But the shell had turned to solid stone.

'Master Forbes said it was once a live snail-thing,' said Mally. 'But now it's turned to stone.'

'He didn't know why,' said Billy.

'There's a standing stone at Meayll,' remarked Breesha suddenly, to no one in particular. 'It used to be a troll. It ought to have gone home before the sun rose but it didn't. As soon as the light struck it turned to solid stone. That's true, because I've seen it – the stone, I mean.'

It was the first time Breesha had entered a conversation that included the visitors, but Archie wasn't listening. It was Ben who answered, keeping his tone deliberately casual, 'Sometimes you get whole rings of stones like that. You'd think those trolls would be more careful, would you no?'

'It belongs to Master Forbes, you say?' said Archie.

'No,' said Billy. 'He gave it to us.'

'Really? Did he find it here?' asked Ben.

'He couldn't have,' said Archie absently, examining the goniatite. 'There's no limestone here.' He turned suddenly to Lucy. 'Is there? At low ebb, perhaps? Certainly there's none on the surface.'

'No,' said Lucy doubtfully. 'I don't think so.'

'He brought it on the boat with him,' Billy said. 'It comes from Langness. He'd been looking at rocks all along from there to Port St Mary, so he had it with him. Finn brought him, and left him here for three days to look at our island.'

'He was the first stranger who ever came,' said Mally.

'That's not true,' said Lucy. 'When I was little the engineers came from Liverpool to put in the extra reflectors. They brought toffee in a brown paper bag. Jim and I hadn't ever had toffee before – we didn't know what it was. But we tried some, and it was first rate.' She didn't mention the other visitors who'd come five years ago, and she hoped neither Breesha nor Billy would decide to remind her. Luckily they were absorbed in watching Mr Buchanan examine the goniatite.

'What's toffee?' asked Mally. 'Can *we* have some?'

'But Master Forbes was the last visitor we had,' went on Diya. 'And that was the summer before last. A very interesting young man, Master Forbes. He was only sixteen, but he'd

studied rocks all over the Island – the Isle of Man, I mean –
he'd been looking at the rock formations at Langness. Then
he walked along to Port St Mary, and met Finn on the shore,
just loading the boat to come out here. So he asked if he could
come along with him.'

'Finn liked him too,' said Billy.

'I knew Langness well when I was a girl,' remarked Diya,
making conversation, 'but I'd never thought of the different
kinds of rock all being piled up in layers before. Or about the
fern-patterns on the rocks being fossils. Master Forbes had
been making drawings of them – he'd taught himself all about
them. I should think that young man will go far.'

'Where is he?' asked Archie abruptly. 'This Master Forbes?
Is he in Castletown?'

'Oh no, he's left the Island now. He went away to college,
Finn said. London, or Edinburgh – somewhere like that,' said
Diya vaguely.

Archie pushed his bowl away, and took a magnifying glass
from an inner pocket. He'd obviously forgotten the family were
at table. He examined the goniatite, oblivious to them all, even
though Billy and Mally were craning over his shoulder, trying
to see through the thick lens as well.

'Master Forbes stayed here for two nights,' Diya told Ben.
'He went all over the island, studying everything.'

'We saw a minke whale while he was here,' said Billy, without
looking up.

'We liked him,' said Mally.

The goniatite would have lived in the shallows of the sea.
It had once been a gastropod like a whelk or a winkle, or more
like a sea snail really, but much larger. There was no living
creature left in the world, so far as anyone knew, that exactly
corresponded to it. Or not in these seas. Perhaps when he was
on the *Beagle* they'd find living examples of species long
thought to be lost . . . Captain Fitzroy had thought so: why,
he'd argued, would anything have been created, only to be
extinguished long before the end? Archie wasn't sure about

Captain Fitzroy, though . . . he hadn't told him everything he'd been thinking about. There'd been a painful scene at home, last time Archie had visited his parents, when his father had called him a blasphemer, and his mother had ended up sobbing into her handkerchief. Archie's parents were not untypical; perhaps on the *Beagle* he'd be able to discuss these matters in a true spirit of philosophical inquiry. But what else had lived in that primeval sea where the goniatite had once flourished? And how long ago? It was long before the Sixth Day dawned – metaphorically speaking, of course – and there could have been no eyes to see. No rational eyes, anyway. No consciousness, no thought. *Why?* That was the question Mr Lyell – and this young Forbes, whoever he might be – found written on the rocks all round them.

The rocks . . . but perhaps the real answer lay in the sea. The eternal sea, untrammelled by thought or reason, where perhaps nothing had changed . . . These good people thought Archie had been deprived, never setting eyes on the sea until he was four years older than the unknown Forbes had been when he came to Ellan Bride. They were wrong. It was a gift to come first to an unknown element long after one had attained the age of reason, and to be able to perceive it with a clear mind. And yet it hadn't been quite like that.

Archie's yearning for unknown horizons had already been whetted on the banks of the Clyde, where he'd seen the great sailing ships from all around the world moored at anchor, and the steamers docked at the new piers. Sometimes he'd watched a brig or a schooner unfurl its sails, and glide silently downriver towards that world he'd never seen: the open sea . . . And then, that first week in Edinburgh, standing on the summit of Arthur's Seat – for his instinct in any new place was to get an overview as soon as he could – he'd looked out on an expanse of blue, and found no horizon, only a distant haze where sky and sea merged into indefinable brightness. That was before he'd ever heard the waves breaking on the shore, or felt the salt spray on his skin. But even then, watching the light play across the distant waters, he'd felt a quickening of the heart that had had – if he were totally honest with himself – nothing to do with reason. Rather, it was a sense of awe as overwhelming as the element that inspired it. And now, sitting in the lighthouse kitchen on Ellan Bride, if he shut out their voices, and listened only to the sound of the waves outside, and the cries of the circling gulls, the same sense was with him still, accompanied by an infinite number of questions. Only the answers remained as unfathomable as ever.

# CHAPTER 15

OF COURSE LUCY SHOULD HAVE KNOWN THAT THE SURVEYORS would want to come into the lighthouse. Ever since they'd arrived she'd been longing for the evening, when she could leave everyone behind, as she always did, and return to her real work. So much had happened since dinner-time she'd started to feel as if her head would burst. Talking to two complete strangers was exhausting, and Diya's words in the garden had brought back too many memories. She was tired, too, because she'd been woken less than an hour into her afternoon's sleep. She wanted to get back to the simplicity of darkness, her own company, and the familiar light.

That was why she'd come up to the lantern early. She sat on the parapet with the window open behind her, watching the sun slowly set in a glow of pink and orange behind the dark blue hills of Ireland. To the north-west, a dozen or so herring smacks were coming in to fish off the Calf. High in the sky above the boats, streaks of cloud, purple in the evening sun, were moving slowly westward. The Creggyns were under water, and only the long tails of the changing tide showed where they were. It was one of those evenings when the far lands moved in closer, while the sea seemed like a silvery lake. The speck out to sea between here and Wales was the steamship on its way from Liverpool to Dublin. It was earlier than usual because of the calm weather.

She'd walked out on the tussle between Diya and Breesha.

She never had that sort of trouble with Billy. Maybe he'd get more difficult too. Lucy hoped not. She had a certain sympathy with Breesha – when Lucy had been a child she'd resisted the girl's part, too – but this particular fight was merely stupid. No, not stupid – Breesha had more wit than most – it was more a desperate sort of innocence. Didn't the child *realise*? Obviously not, and someone ought to tell her, before – before they had to leave the island, anyway. Lucy caught her breath at this sudden new light on the reality of their departure.

The fight had started because Lucy and Diya had made up the kitchen bed, where Breesha and Billy usually slept, with clean sheets for the guests. They'd done the same for Master Forbes two years ago. Lucy had laid out a bolster and blanket for Billy by the hearth. Then Breesha and Mally had come in from feeding the pigs, and Diya had told Breesha to move her nightgown through to the bedroom. Luckily the surveyors had been out – painting marks all over the island without a by-your-leave, no doubt – so at least they hadn't heard the row. But what did Breesha *expect*, at her age? It was time, Lucy thought grimly, that her mother explained a few things to her. Lucy had had to learn the hard way, but she wouldn't wish that on Breesha, especially with no island to go home to.

The sun was almost touching the mountains of Mourne. Lucy got up and went into the lantern, ducking under the lintel of the open window. She'd just picked up the taper and tinderbox, and laid them out, ready to light, when she heard the door open at the foot of the tower. Men's voices echoed up the spiral stair. Damn them! *Damn* them! They were taking their time, evidently having a good look round down there. Well, they'd find nothing amiss. Shod feet stamped up the steps. They probably thought of the lighthouse as theirs already. Certainly they hadn't hesitated to paint a great black stripe on the north side of it. No doubt they had their reasons, but they might have asked.

Lucy was standing by the light, holding the unlit taper,

when Archie, and then Ben, appeared at the top of the ladder.

'Can we have a look at the light?'

At least Mr Buchanan had *asked*. Lucy had been ridiculously afraid he might not. After all, what difference did it make now?

'Of course.'

It was irrational, but Lucy couldn't help hoping they were noticing how well-maintained the lights were. She'd realised that what Ben Groat thought of her wouldn't change the Commissioners' minds, and even Mr Buchanan probably had very little influence. It wasn't that she hoped for anything; it was simply because the lights were these men's work, as they were Lucy's, and she wanted them to see that she was good at her job. Even though she didn't want them here and didn't care what they thought. No, that wasn't true. She *did* care, and wished she didn't, because she was going to lose all this anyway.

'It's a fine example of a primitive catoptric system,' said Archie, when he'd walked twice around the light. 'These must be some of the earliest parabolic reflectors in a Scottish light. And these are early Argand burners – dae ye ken where they came from? They're no the original lights, obviously, but Atholl's records dinna mention any replacements.'

'This isn't a Scottish light,' said Lucy coldly. 'These lights were installed in 1790. My grandparents had cresset lights here before that.'

'In 1790? But no all three tiers,' said Archie, peering into the shining reflectors. 'I think masel that the top tier was installed a little later.'

Maddeningly, he was quite right. 'Yes, they started with eight reflectors. But the Liverpool merchants petitioned the Duke – that's what my father told me – to make the light brighter. So he had the other four put in later.'

'When?'

Lucy did a quick sum in her head. *When I was four* was much too personal to say to the ice-cold Mr Buchanan. 'In 1808,' she told him.

'So now you can see it from four leagues away?' Ben asked her.

Lucy nodded. 'In very clear weather you can see it from Scarlett Point, just by Castletown.'

'The Duke was abreast of the times,' said Archie. 'The first Argand light like this in Scotland was in '87 – that's when they built the light at Kinnaird Head. These are gey fine examples – I've no seen so many facets in a single reflector. Look, Ben, it's a superb piece of craftsmanship.'

'They were made in Liverpool,' said Lucy to Archie's back.

'I wish we'd seen it from the sea,' Archie said to Ben. 'Mind you, a dioptric system should increase visibility to eight leagues. Wi the new lenses you'll see this light a lot further away than Castletown. You might even see it frae Ireland.' He turned abruptly to Lucy. 'Can you ever see the South Rock light from here?'

'No.'

'Have *you* ever seen this light from just by Castletown?' Ben asked her.

'Yes.' Lucy looked past him. The sun had almost dipped behind the mountains. 'Excuse me, sirs. I must light the lamps.'

She knelt down with her back to them. They heard the scrape of the strike-a-light. Lucy blew out the tinder, and stood up with the lit taper in her hand. She began to go carefully round the lights, tier by tier: west, south, east, north. Slowly the lantern filled with light. The surveyors stopped talking and watched the lightkeeper. Through the open window the waves breaking on the shore sounded like the breath of the sea itself, bringing the lantern alive with its light. Gradually the sunset dimmed as the light inside grew stronger. When all twelve lights were lit, they merged into one strong circular beam, reflecting outward into sudden night.

Ben sat down on the top step of the stair, below the beam of light, and considered the lightkeeper, while Archie made notes on the light.

'Sir,' said Lucy, from behind Archie, 'would you mind not standing in the way of the beam?'

Archie squatted on his heels, still writing, apparently oblivious to her tone.

The lightkeeper obviously wanted them to go away. When they didn't, she sat on the floor, out of the path of the light, and evidently prepared to wait. Ben watched her, wondering when she'd been to Castletown, and what had happened to her there. He was willing to bet it must be about eleven years ago. Only one male stranger ever seemed to have stayed on Ellan Bride since she was a toddling bairn, and that was the youthful Master Forbes, two years ago. So Lucy had been to Castletown, had she? Clearly she wasn't willing to talk about it. Living here all her life, with just one brother, must have been a curious life for a lass. Maybe it had made her too straightforward. When she was sure of herself she treated a man as if she were another man herself. Then suddenly she'd turn as prickly as a hedgehog – much more like a lass – but Ben reckoned that was only because she was scared. The other one – Aunt Deer, was it, Billy called her? – she'd survive leaving Ellan Bride all right. Ben had a feeling she mightn't be entirely sorry to go, either. Ellan Bride was a far cry from India, and Aunt Deer seemed to be a woman who knew the world, perhaps better than anyone currently on this island. But the lightkeeper – that was another kettle of fish – a fellow could only hope she'd manage to make her way in the world. Would she put a ring on her finger when she left here? He had a feeling she wouldn't want to, and by the time she realised that she must, it would be too late, for her, and for the boy too. But there wouldn't be anyone to tell her that.

'Are you going to replace these lights then?' asked Lucy suddenly.

Archie, absorbed in his writing, seemed to have no notion how hard it had been for Lucy to ask that question. He replied at once, 'Oh ay. We'll probably use the new Fresnel lenses.'

Lucy looked blank.

'Fresnel lenses?' Archie looked up at her. 'You don't know? Och, they've been using them in France for near on ten years. Fresnel designed the first for the lighthouse at Cordouan. The way it works – instead of having a single dioptric lens, you have a central lens, and concentric rings built up round it. That way you refract far more light back into a single beam – nearly a third more than you'd get from any catoptric system. Here –' he held his notebook so she could see '– like this.'

She reluctantly moved near enough to look. As Lucy watched Archie draw, Ben watched Lucy. She frowned in just the same way as Billy when she was concentrating. It was Aunt Deer who taught the children their lessons. Did that mean that the lightkeeper was not used to book-learning? Ben suspected that might be the case. Who would have taught her, anyway? Archie was explaining to her about the necessary refractive index of the glass to be used in the widening concentric lenses, and Ben was fairly sure that she wasn't taking in one word. But there was absolutely no doubt that she knew her job. Ben had seen more than a dozen lighthouses in operation over the last seven years, and this was the best-maintained light he'd come across yet. All was in perfect order – the tower, the store room, the log book, the tools, and not least the lights themselves. The standard of the Ellan Bride light would be hard to beat, and the chances were it would never be as good as this again. It was a crying shame. And however many concentric lenses they put in the new tower, something good would have gone for ever.

'You see?' said Archie to Lucy, putting his pencil back in its case.

'Mmm,' said Lucy, heartily wishing that they'd go. They'd been in the tower the best part of an hour, and she wanted to see the planets appearing. The night was as clear as could be, and just now Saturn, Mars, Venus and Mercury – from south declining to north – were all lined up in the western sky in a most unusual fashion. Tomorrow, if it stayed clear, the new moon would join them, almost due west between Mars and

Saturn. Lucy wanted to watch, on her own, and have a chance to think in peace.

'I'm thinking we should leave the lightkeeper in peace now, sir,' said Ben, uncannily echoing her thought. 'That's if we're going to look at the light from outside, and get a good night's sleep, and you're wanting an early start.' He smiled at Lucy. 'Thank you for showing us your lights. They're in the best condition I've ever seen, if you don't mind me saying so. And I've seen a few.'

She gave Ben a fleeting, troubled smile, but clearly her mind was elsewhere. Archie closed his notebook. 'Thank you, Miss Geddes,' he said curtly, and followed Ben down the ladder.

# CHAPTER 16

CLEANING THE LANTERN NEXT MORNING WAS JUST THE SAME as usual, except for what was happening on Dreeym Lang. The puffins were circling the lighthouse tower as they had done since the day it was built. Through the open window of the lantern Breesha and Lucy could hear the cries of the kittiwakes from Giau yn Stackey. The basking shark was back offshore, close to Stack yn Ineen: they could see the big triangular fin, and the tail fin about fifteen feet behind it, cruising slowly along the wide entrance of the giau, as the great fish grazed among the seaweed forests. All these things had been there since long before the lighthouse, from before the keeill even, perhaps from the very beginning of time itself. When you thought about the island in that way, the lighthouse, and with it the arrival of Gaffer and Gammer fifty years ago, had sprung into existence just in the very last second of the island's history. Lucy's whole life – nearly – had been spent here, but as far as the island was concerned that was of no more moment than this year's eggs incubating in the puffin burrows. Less, in fact, because the eggs, if you considered them as a whole, and not as each one separate from the others, had been here for ever. But then, Lucy's mind was able to imagine the island – as she was doing at this very moment – lying here uninhabited ever since the world was made. Everything the island was, and ever had been, existed inside her head, like the idea of a bird in the yolk of an egg. But nothing was more easily broken than one little egg.

Whatever it was the surveyors were doing down at the foot of the tower, it marked the beginning of an ending that neither Breesha nor Lucy could quite fathom. Two days ago it had seemed as if nothing would ever change – no, that wasn't true: the letter had already come. Lucy just hadn't fully taken it in. Whereas Breesha, Lucy thought, sighing, had grasped their plight immediately. Perhaps the child's crazy defiance had arisen out of a clear-sightedness that Lucy lacked. Lucy wasn't sure. But neither of them was able to concentrate this morning, and, after all, there was no hurry. The day stretched ahead; it didn't matter if they were up here until dinner-time. It was easier than being in the garden, sowing vegetables that might never be harvested, or only by unimaginable strangers. Of all the family, unlike each other though Lucy and Breesha were, they were probably the most vulnerable to what might happen. Obscurely aware of all this, Lucy made no attempt to stop Breesha leaving her work to watch what was going on. On the contrary, where Breesha led, she was occasionally willing to follow.

'Aunt Lucy, you have to look!' Breesha wriggled further along so Lucy could crouch beside her on the parapet. 'They've hammered an iron peg into the crack on the high rock of Hamarr. *That's* what all the hammering was. See? Over there! But they can't put a new lighthouse *there*. It'd fall down the cliff!'

'They've got to do all the measuring first,' said Lucy. 'It'll be to do with that.' She went back to her polishing, but she didn't call Breesha away.

'They've got another of those arrows with the red flags at the top of Cronk Sheeant,' reported Breesha, loud enough for Lucy to hear, but not the men. If the surveyors knew they were being watched they gave no sign of it. 'And now Mr Groat's given Billy one of the long poles. Look, they're right down below us. He's making Billy hold the pole right by the lighthouse ... Now the Writing Man is walking away ... He's going in a straight line towards Cronk Sheeant . . . He's meas-uring, like for planting potatoes.'

Lucy stopped polishing the top reflectors and glanced down to Dreeym Lang. Archie was pacing with a peculiar long stride. 'Yards,' said Lucy. 'He'll be pacing how many yards.'

They could see the top of Billy's head down below, where he stood holding the pole, which was a good deal taller than he was. Breesha and Lucy watched Archie stop pacing when he reached the top of Cronk Sheeant, and look back towards Billy. He made a note in his book.

'Well, well,' Lucy sighed. 'We've work of our own to do, Breesha veen.'

'Aunt Lucy?' said Breesha presently, rubbing away at the many little mirrors as they winked in the morning sun.

'Mmm?'

'If they're building a new light . . . if there's going to be a new lighthouse . . .'

'Mmm?'

'What's going to happen to all these?' Breesha stopped polishing, and squinted across her reflector to check there were no smears. An infinite number of Breeshas, all at slightly dif-ferent angles, squinted back. The glass was perfect. Breesha sat back so she could breathe out without misting it up. 'To our lights? Will they cast them all away?'

Lucy stopped polishing and stared at her. Outside, they heard the rattle of a metal chain.

'What's *that*?'

Back on watch, they saw the big chain had been undone. Ben was holding each end of it by a brass handle. They watched him pull both ends until the chain was lying in a double row stretched across the turf. Then he took one end of the chain. 'Right, stay by your mark, Billy!' they heard Mr Buchanan say.

Mr Buchanan was beside Billy now, out of sight below the lighthouse tower. Breesha stood up and leaned over the iron parapet so she could see where he'd gone. 'He's down there,' she hissed to Lucy. 'That's where they painted that line yesterday, right on the tower.'

Ben was walking backwards very slowly towards the arrow on Cronk Sheeant. He laid out the chain as he went, and he kept looking back to the place where Archie must be standing just below them.

'Mr Buchanan's pointing,' whispered Breesha, leaning as far over the parapet as she dared. 'Left, and left. Right. What's he doing that for?'

Lucy stood up cautiously, and leaned over beside Breesha. Archie had no idea they were directly above him. 'I could spit on his hat,' whispered Breesha beside her.

'You will not!'

Being directly above Archie, Lucy saw that a straight line from the circle of his hat would go through Billy's pole and the summit of Cronk Sheeant. Ben was laying out the chain along the line; whenever it deviated from the line Archie signalled him back into position. Gradually the unfolding chain revealed a pattern. Through the telescope Lucy could see how the markers along its length all had different outlines, though the same ones were repeated regularly, like the varying wings of different birds. She didn't worry about Archie looking up and seeing her. If ever a man were absorbed in a particular task – and Lucy knew very well what that was like – Mr Buchanan was absorbed in his. When the chain reached the arrow on Cronk Sheeant, he hurried over to Ben, and wrote in his book. He had his big book with the leather cover, and a small green notebook. At the moment he was using the green notebook. There was something innocent, thought Lucy, as she focused the telescope directly on his face, about his complete concentration. That's why he takes no notice of us, she realised. Diya said last night she wondered what he was writing: well, I don't wonder. I *know*. Not how to do the measuring – I don't know that – but I know *how* he's thinking about the measuring and not about us. It'll be like doing the lighthouse records – the dates each new barrel is opened, lists of supplies and notes on the ships and the weather. Anyone would be allowed to read that notebook. It would all be very carefully recorded and quite transparent, so nobody could get it wrong. Sometimes Diya wrote things down in a notebook of her own which no one else ever saw. Lucy didn't see the point of that. Maybe that was why Diya thought Mr Buchanan's book would tell them something they didn't know. Well, thought Lucy, it wouldn't. It would be too straightforward for that. That meant that Mr Buchanan was not the enemy, however rude he might be. He was just the surveyor. Lucy wondered if she could explain all this to Breesha, and whether it would help the child if she did. She sighed, and went back to polish the south-facing reflectors, which was as far away from the surveyors as she could get.

'The Writing Man's going back to the high rock mark,' reported Breesha from the parapet. 'What's he going to do now? Mr Groat's coiled up the chain again. He's taking it back to the first mark and laying it out double like it was the first time. Now he's pulling it out. Aunt Lucy, you have to come and *look*. Look there! See – now they're measuring between Billy's pole and the high rock mark.'

'They'll be at it all day,' said Lucy presently, and went inside again.

There was silence for a while except for the waves breaking and the distant clamour of birds, punctuated by voices from below. Presently Lucy heard the chain rattle once more. The sound was followed by a long pause.

'They've coiled it up,' called Breesha. 'But they've left arrows in each place they measured to. Now they've gone back to the high rock mark. What's the Writing Man doing now? He's standing on the rock, right on the mark they painted. Aunt Lucy, you *have* to come and look!'

Lucy came out with the telescope. No one was looking up at the tower. She quietly raised the glass to her eye and focused on Archie again. 'It's a compass,' she said. 'He's taking bearings, like we do on the ships.'

'Three three eight,' Archie said, loud enough for them to hear. He wrote something in his notebook. Then he took another bearing on Billy's mark. 'Two four three.'

He put the compass away, and Lucy went back into the lantern with the telescope. Breesha stayed where she was. She watched the men gather up the chain and arrows, and move away towards Cronk Sheeant, where they seemed to be starting off with the poles and chain all over again. Billy had to stand in a different place holding the pole, and once the Writing Man spoke sharply to him for not keeping it straight. It was all taking a long time. Breesha sighed, and followed Lucy back to the reflectors.

'Oh look,' said Billy to Ben Groat, as soon as he was allowed to put the pole down again. 'There's the basking shark!'

Archie and Ben followed his pointing finger. They could see the shark cruising slowly off Giau yn Stackey. The Writing Man immediately took a miniature telescope from his pocket. Billy watched him clip the covers back from the lens, and pull out two brass sections until the telescope was three times as long. Archie trained it on the shark, and twisted the smallest brass section until the focus was right. Torn between wanting to see how a telescope that folded in on itself like that could possibly work, and wanting to show that he knew all about the basking shark, Billy said to Ben, 'It comes in the spring and autumn mostly. We think it's the same one. I've looked at it through *my* telescope. If it turns over you can see its white belly under water. It does that when it's eating, I think. But it doesn't eat people or anything. A killer whale might, though. Sometimes we have *lots* of killer whales. They go round and round the island looking for seals. But the basking shark is always just by itself, and it only eats fishes.'

'Hardly even that,' said Archie absently, still looking through the telescope. 'It eats very small creatures – plants and animals – that float below the surface of the sea.'

'How do you ken *that*?' asked Ben. 'You've looked inside its mouth?'

'Yes.'

Billy gazed at him, his own mouth dropping open. 'In the *sea*?'

Archie lowered the telescope and smiled. Billy hadn't noticed him smile before; he looked quite friendly. 'No. I was once working on an island called Islay, and there was a basking shark washed up in Laggan Bay. I went over and had a look very early one Sunday morning. It was the only day we had off – though unfortunately somebody saw me, even at that hour. It was worth it, but smelly. I cut through its gills with my knife, and I could see – it has great huge bristles inside its throat and gills, like filters. It couldna swallow anything big.'

'But it's got a huge mouth!' cried Billy, forgetting to be shy. 'I've seen it!'

'Ah, but it's like this.' Archie squatted beside Billy, and opened his notebook at the back. One side was already filled with the drawing of the goniatite, and some very neat script underneath. Archie was making a rapid sketch on the blank page. It looked more like a fat worm than a fish. Archie drew a big gaping mouth, a little eye, and five big grooves along the side. 'Those are the gills, see. So if it cruises around like that one out there is doing, wi its mouth open, it picks up all the wee plants and animals floating in the surface water, and then it spurts out the water through its gills. Like that – see?'

'You mean like spitting through its nose.' Billy considered, and then said, 'Why?'

'What do you mean, *why*? The beast must eat.'

'But why like that? *Why* does it have bristles? *Why* does it spit through its gills? Why doesn't it have teeth? Other fishes have teeth.'

An image of the goniatite flashed through Archie's mind. The limestone beds by Castletown were crammed with inexplicable creatures. In the hard slate of Ellan Bride there were probably none. *Why?* The boy was right: that was the question one had to ask. Mr Lyell must have asked himself the very same thing, and now his book was boldly suggesting some possible answers. Had Archie himself known, when he was ten years old, with the same certainty as Billy, the correct question to ask? And if so, who had led him astray? He was certain there were more answers lurking, like an unseen presence, here on Ellan Bride and in all the other places he'd observed in one short life-time. Archie gazed out at the basking shark. The sea around it was bubbling like a pot on the boil, with all the little fishes jumping to the surface in turmoil as the great black shadow swam over them. Evidently they didn't know the huge fish had no teeth. *Why* didn't they know? What atavistic instinct told them what to fear, even if it was all illusion? But the answer eluded him: slippery as a will o' the wisp, the unknowable seemed to mock him – to mock the whole world he came from – because he'd only been taught how to ask questions that already had an answer.

Billy was still looking at the drawing of the basking shark. He evidently abandoned the larger question for something that Archie could reply to. 'Can you draw *anything*? Can you draw a killer whale?'

'Ay.' Archie stood up, shaking off his reverie. 'But we've work to do. If you want, I'll draw you one later.'

'Tonight?' Billy looked at the Writing Man with a new respect. 'I mean, I've seen *lots* of killer whales, of course. And when they jump you can see them all right. But I've never seen one except in the sea.'

'Nor have I. But there are illustrations.'

'Illus – rashuns?'

'Illustrations – engravings – in books.' Archie closed his own notebook dismissively, but then he seemed to think of something else. He suddenly turned his attention to Billy, as if he were a specimen laid out for observation. 'Has anyone taught you to read and write?'

'We do lessons with Aunt Diya,' said Billy a little sulkily. He wanted to talk about whales, not lessons. 'I can read print. And I can write a bit. And we do sums and things.'

'You have opportunities for field observation here that few

boys have,' remarked Archie. 'If you can write, you should keep a record of what you observe.'

Ben caught Billy's puzzled glance. 'He means you see lots of animals and birds that boys in other places canna see. You could have a notebook like his and write down what you see. And the date you saw it on. Your Aunt Deer hasna telt you about whales? You havena got any pictures of sea creatures in books?'

Billy wriggled. He preferred the sort of questions they'd been asking before, which he could answer with easy authority. And he didn't want a notebook in the least, though he wouldn't mind having a pocket telescope with folding-up sections. 'Stories,' he mumbled. 'Like Jonah.'

'Ay well,' said Ben. 'I doubt you'll be wanting to observe your whales from the inside.'

Billy grinned. Archie had turned away from them. He was looking across at Towl Doo, and writing something in his notebook. 'We used to play Jonah in the keeill,' Billy told Ben, quietly so Archie couldn't hear. 'Breesha said we could pretend it was the whale's belly. We covered the entrance with a blanket to block out the light. But Mally had nightmares and Aunt Diya said we had to stop.'

'I think I'd have had nightmares too. Does your cousin often think of games like that?'

Billy thought it over. 'She's the best at thinking of games. But she doesn't like just looking – I mean *observing* – observing things much. She could write it down all right, but she gets bored with just looking.'

Through the telescope Breesha was looking at the fish jumping all round the shark in Giau yn Stackey. It was just like on the island, she thought. They all had to stop what they were doing and get into a great turmoil because the enemy had come. From the top of the tower she was beginning to see a pattern in what the men down below were doing. Bit by bit they were moving across the top of the island, measuring between the red-flagged arrows they'd put in yesterday. That must be what the Writing Man was putting in his notebook. She couldn't work out why they were doing it, but they must be getting the shape of the island from the way all the arrows connected up to one another, like writing invisible lines between the stars to make pictures of men and animals. If they weren't enemies she could ask them. Lucy had gone, but Breesha went on observing the enemy, waiting to see what they did next.

When they got to Carn Vane they used the Carn itself to measure from. When Breesha focused on the heap of white stones on the bare turf she saw they hadn't bothered to mark it; obviously it was enough of a marker in itself. That was what it was for: when you were out in the boat in late summer, if you lined up Carn Vane with the Saint's cell below the keeill, you could get right over the best place for mackerel. Breesha wondered if Billy had told the enemy that. Surely he wouldn't! Finn said you should never tell anyone your fishing marks. They hadn't even told Master Forbes, and he'd been a friend. Even if it didn't matter any more – even if they were sent away and never went fishing again – Billy wouldn't betray them all like that.

All of a sudden Mally appeared below the tower. Breesha watched her running her fastest along the ridge to Carn Vane. It was too far away to hear what she was saying to the men, but Ben Groat laid the gear in a neat pile by the cairn, and the Writing Man put his notebook away. As they strolled back towards the tower Breesha could see they were talking. Billy walked beside them. When Breesha set the sights on Billy's face she saw he was smiling.

Mally ran ahead, vanished out of Breesha's line of sight below the tower, and a moment later Breesha heard the patter of footsteps on the stone stair. 'Breesha? Are you up there? Mam says dinner-time!'

# CHAPTER 17

DIYA SQUATTED BY THE WELL, DIPPED HER CUPPED HANDS into the cool water, and drank. When she'd finished she didn't get up at once. Under the lee of Hamarr, the sun, trapped in the hollow of the cliff, was actually hot. The air smelt of clover. The long crescent of sand at Traie Vane shone white as the moon. Small waders were running up and down the receding tideline, where little waves curled and broke. If she half-closed her eyes and looked at the sea, it turned into an endless pattern of shifting sparkles, almost too brilliant to bear. The blue hills of Cumberland were three-dimensional today, they'd come so close. But nothing was quite as it seemed. As soon as she left the shelter of the cliff she'd feel the wind. The pattern of the waves was not just reflections; there were little white-caps out there as well. Lucy would write in the log book 'a light easterly breeze'. None of them – not even her own children – had any notion of what Diya meant by 'cold'.

Cold had been her enemy for more than twenty years. Did one ever become accustomed? Cold was a metallic shade of grey. Sailing north, twenty-two years ago, the sky had vanished, and gradually a lowering greyness had crept into its place. Even to look at the grey had made her heart turn cold. When she went on deck the wind had blown its ice-laden breath right into her face. It was like being gradually pushed down a deep well. One had to get out into the light, but even the light was cold. The garden at Castletown had been enclosed by high walls, and there were places where Diya could turn her face to the sun and actually feel its warmth. That's how she'd first become friends with the cat. The cat sought out just the same places, and in her first loneliness Diya felt she'd found a friend.

But that was long ago. Diya jumped up, slung her knapsack over her shoulder, and ran down the hill to Traie Vane.

The sea was cold too. She walked along at the edge of the breaking waves. The waders ran ahead, keeping out of her way, then took to their wings in a flash of white, and settled back to their feeding a few yards behind her. Traie Vane was one of the best places on the island. In India there'd been a white beach too, fringed by coconut palms. The sea was so warm they could walk right into it. She remembered walking with her cousins in their bright saris, the colour reflecting on the blue water as the cousins walked in, waist-high – almost up to Diya's neck. She remembered clutching their hands, jumping up and down in the sea and being able to jump so much higher than on land, like magic . . . and then when they came out their clothes were dry in a moment. Not like here – now – with her wet gown flapping round her ankles. She could no more walk into this sea than fly over it. Traie Vane was made for the waders, not for human beings.

She made a quick gesture of reverence as she passed the keeill. It was curious how the weather – and the letter, perhaps – had brought so many memories back . . . it was the future she ought to be thinking about, not the long-ago past. The future was in her hands – all their futures – because she was the only one capable of making any sensible plans. But it wasn't just plans that had to be thought of. It was also a question of being honest with oneself.

As Diya skirted the top of Baie yn Geinnagh Veg, half a dozen seals humped their way down to the water when her shadow fell across them. It was a help to be alone so that she could think things over. Unlike Lucy, Diya had been able to take in what the letter said when it first came, and she'd considered the matter from all angles before the surveyors ever set foot on the island. But now that the surveyors were here, somehow, in an odd way, they'd allayed some of Diya's fears. Not by anything they'd said or done, but simply by *being*. They came from the outside world, and they reminded her that that world was not a huge and overwhelming mass, but simply another set of places, another set of people. You didn't encounter them all in a lump, but one by one. Few were wholly unpleasant. Some were not only well-disposed but also intelligent. One could talk to them, and that was what made life interesting.

That goniatite . . . There'd once been a clergyman, on his holidays, who'd come from across. He'd sat in Grandmother's drawing-room – he must have brought an introduction from somebody – and spoken enthusiastically about the fossils he'd been finding in the limestone beds between Castletown and Port St Mary. Diya – would she have been ten then? eleven? – had thought him yet another tedious old man. So many people visited Grandmother. They were all old, and they all talked a great deal. Diya hadn't realised, when she was a child imprisoned in that drawing-room while the sun shone beckon-ingly against the windows, that she was gradually learning to talk like that too. Even less had she realised how much she would miss discussing the sorts of things one found in books, when there was no one who was interested. It had been a real pleasure to meet young Master Forbes two years ago, but he'd gone away now, into the wider world. He was a young man, and free. Of course he'd gone.

This Mr Buchanan was neither an elderly clergyman nor a hobbledehoy. On the contrary, he was a very personable young man. He was a gentleman, if not by birth – Diya had no way of judging that – then certainly by education. His profession was respectable enough, although Diya had never actually heard of a gentleman being employed as a surveyor. If Grand-mother had still been in Castletown, it was unlikely that Mr Buchanan would have had an introduction to the Wells' house. But if he *had* had an introduction, he wouldn't have disgraced himself. Jim had never been invited Upstairs – of course he had not – any more than Mr Groat would have been. But Mr Buchanan would have been as at home Upstairs as in the kitchen, and he and that long-ago clergyman could have talked quite happily about the goniatite.

Diya was not worried about a change of place, or new people. In fact she'd been thinking about it for a long time. She did worry that Breesha was far too clever to live for ever in a world of her own imaginings. Breesha was already growing unruly, in thought if not in deed. It was one thing for her mother to teach Breesha all she could, but some things one could not learn in solitary lessons. Breesha needed more than a little sister and a stolid boy. She needed a friend as quicksilver as she was herself. She needed what Diya had found when she met Sally. If only Breesha could realise it, Mr Buchanan was not her arch-enemy but the embodiment of opportunity – a messenger from the world outside. But Diya was the only one of the family to recognise that Mr Buchanan was not an enemy. Their real problem was, much less straightforwardly, money.

Diya had had no money when she married Jim. He'd never have come near her if she'd had an income. He could only think of her as being within in his touch when he heard that she was destitute. And if Grandmother had still been alive, Diya would never have been allowed to consider his offer for a moment. If Diya had had money when Grandmother died, there'd have been no Jim, no Breesha, no Mally . . . she'd never have been here on Ellan Bride. So life went on, even without money. Perhaps she was wrong to be so afraid of poverty. Had she not learned better, twelve years ago? For twelve years money had not been important. Diya almost feared that she wouldn't know how to use it any more. Going to market in Castletown, haggling with the fishers, the butcher, the baker, the farmers with their carts of vegetables . . . She never used to go to market with Grandmother, of course, but with Annie. Annie ruled the big kitchen in the basement of the house at Castletown. The kitchen had always been warm. Annie used to let the little cold eight-year-old waif from India sit in the big rocking chair with the cat, right up close to the iron range that took up the whole of the south wall. If only Annie were still in Castletown – she was Breesha and Mally's great-aunt, after all – she'd have done what she could to help them now. But Annie was far away in America, and they probably wouldn't ever see her again.

That had been a shock too, when Diya first arrived: having white servants. Even on the ship, being waited on at table by a white man . . . and then the docks at Liverpool . . . the white porter wheeling their trunks ahead of them on a handcart . . . she'd never seen a white man doing anything like that before. She hadn't even realised that they *could*. Well, one possible solution – Diya had thought about this quite a lot – was to become a servant herself. Not in a private house . . . no private employer would take Breesha and Mally as well . . . but a school, perhaps, or an orphanage . . . something like that. One asset Diya had in abundance was what Lucy called book-learning. Grandmother had seen to that. That was the only thing Diya really did know about – from both angles – how to teach girls. God knew, most girls, whatever their background, knew little enough. She'd be quite capable of running a school of her own, but for that she needed money. Money. Always money.

Diya trod from tussock to tussock between the puffin burrows. Murmurs of disapproval came from underground, while the puffins on the surface waddled grudgingly out of reach. Diya stopped just above Gob Keyl. Someone had stuck a red-flagged arrow in the ground above the arch. Everything else was just the same as usual: the shags clustered on the rocks, the crowded tenements of guillemots and razorbills on Creeggyn y Feeagh. This was the height of the nesting season, and the racket was deafening. By the time the birds left again, so might they – the human inhabitants – have gone too. Where did the birds go to when they left the island? Nobody knew. All one could say was that one day the ledges were filled, and the air filled with the raucous screams of avian family life, and then, within a week, the little ones would be enticed down to the water in the safety of the dark, and one morning they would all be gone. Unlike the human species of Ellan Bride, the birds must know where they were going. Some inner certainty must take them – for surely a puffin or a guillemot was not capable of rational thought – to . . . to *somewhere*. Did puffins *remember*? Or did some blind instinct lead them, old and young alike, over the horizon, none knowing whither? It was a waste of time to speculate. Unless one came back into the world as a puffin the question must remain forever unanswerable. At least if that happened one would never need to know what 'cold' meant.

Diya knelt among the burrows, and took a pair of thick leather gloves from the knapsack. They were big enough to come almost to her elbows. She lay prone on the sandy ground and reached into the nearest burrow. It was empty to the length of her arm. The next burrow was more fruitful. Her hand closed on solid flesh, and even through the tough leather she felt the nip of a powerful bill. The puffin came out struggling and jabbing furiously. With a violent twist Diya wrung its neck, and dropped it, warm and lifeless, into the knapsack. Nothing in the next burrow, and a single egg in the one after that. The fifth burrow yielded another adult, not quite as plump as the first, but good enough. Soon the knapsack was weighed down with five fat puffins. Five puffins – seven people – those surveyors would bring hearty appetites to their Sunday dinner. The birds wouldn't be properly hung – they were best left for up to a week – but if she hung them up this morning, and put them in the pot first thing tomorrow, they could simmer until dinnertime. They should be tender enough. So that was tomorrow taken care of . . . today they'd have to make do with fish stew. It would only be dried fish, but there was no chance of getting the boat out while the men were here, what with everyone having to do extra work. The surveyors hoped to leave on Monday or Tuesday. They were not alone in their hope. Diya prayed that the weather would hold and Finn would be able to come.

Coming back past the keeill, Diya saw Mally on her own, paddling in the shallows of Traie Vane. There wasn't anyone to play with this morning. Billy was working with the surveyors, and it was Breesha's turn to do the light – she'd have to do it every day, in fact, while Billy was working. This might be the moment . . . Diya left the knapsack on the shady side of the keeill, and ran down to the sands.

Diya and Mally met about halfway along the beach. 'Mam,' said Mally, pleased, as Diya fell into step beside her.

They walked along in silence for a bit. It was a good way of thinking, going to and fro while the waves broke and swirled round their feet. On the firm sand they didn't have to be distracted by finding places to tread. When they got to the end of the beach they turned round and started again.

'Did you see what the surveyors were doing today?' asked Diya presently.

'They didn't want me. But the piglings did. I scratched their backs.'

'The piglings' backs? Or the surveyors?'

Mally thought that was very funny. 'I couldn't scratch *their* backs anyway. They'd be *much* too high.'

'You know why the surveyors are here?'

'They're going to build a new lighthouse, Breesha said. It was all in the letter.'

'Breesha?' asked Diya sharply. 'What did *Breesha* know about that letter?'

Too late, Mally realised her mistake. 'Nothing,' she mumbled.

I *see*, thought Diya. Breesha was growing up too fast; sometimes Diya felt she hardly knew her any more. And yet hadn't she just been thinking about Breesha, and her education, and future opportunity? The part of Breesha that was like herself was the very part that alarmed Diya. It was the part that could not rest content, but must always seek to know more, and do more . . . but there was no point pursuing the point with Mally.

'You know, Mally, that when they build the new lighthouse, we're going to have to leave the island?'

It was quite different when Mam said it. When Breesha had told them about the letter in the keeill, it was like a game. It was the sort of game that Breesha *did* think of: a bit frightening and only half-comprehensible, but not exactly real. But when Mam said the same thing, it sounded real, like something that was actually going to happen. That was much more frightening: so frightening, in fact, that Mally couldn't make it mean anything.

*Leave* the island? Leave the *island*? However hard she tried Mally couldn't make the thought add up to anything at all. 'You mean, go away on the boat with Finn? Like when we went to Port St Mary?' Mally shook her head. 'I don't want to do that any more,' she said decidedly.

'Yes, we'll go on the boat with Finn. And I'm afraid we will have to go to Port St Mary. But we won't stay there. We'll go on to somewhere else.'

Mally looked across the sea to the mountains of the far lands. They were looking quite close today, but they were still blue and unreal. She thought about 'somewhere else', and tried to make it into a real place. 'Castletown?'

'Maybe Castletown. That's where we'll start by going, anyway.' Diya looked down at Mally, who'd begun stamping big splashes into the sea with each footstep, wetting both their skirts. Mally was Jim's daughter, much more than Breesha was; what Mally felt was what Jim would have been feeling. Impossible even to hint to the child that her mother's own feelings were mixed . . . 'It won't be like when we went to Port St Mary, Mally. That was just for a day or two. This will be for good. We're going to live over there. We aren't going to be coming back.'

'What?' said Mally, and jumped very hard, landing on two feet so water splashed all over them. 'See that? I'm a gannet, diving!'

'Mally,' said Diya. 'We're going to go away from Ellan Bride. We've got to. And we won't be coming back.'

Mally stopped jumping. She stood still, staring at her mother, while the next wave broke around her. Her hand crept to her mouth.

'That's what the letter said,' said Diya. 'We have to leave here, and go and live somewhere else.'

Mally bit her fingers so hard that it hurt. But that didn't make Mam say she didn't mean it. She could see the cliffs of Hamarr behind her mother's head, and the tower of the lighthouse, and the blue sky arching over all. She knew, for absolute certain, that she'd remember this moment – the shining sky, the dark outline of her mother's head, the sun-touched cliffs of Hamarr, the circling puffins and the gleaming tower – she would remember this exact moment for ever. She knew that, but this other thing – what Mam was saying – she couldn't grasp it. She felt as if the whole island was wheeling round and round them, like the puffins. Nothing was firm any more, except for the moment they were in, that was suddenly turning everything ordinary into something else.

'You mean . . . leave Ellan Bride . . . leave it for *ever*?'

'Yes.'

Mally looked down as a bigger wave swirled around their feet. It made white lace-like patterns on the sand. Then it went away, and the lace-marks soaked away and vanished.

Diya looked down onto Mally's dark head. She couldn't see her face. 'I'm sorry, Mally,' she said gently. 'But we have to face it.'

'No.'

'What did you say, Mally veen? I can't hear you. Look at me!' Diya took Mally's hand.

'No!' Mally wrenched her hand away. She screamed at Mam, louder than she'd ever screamed in her life. 'No! No! No! Go away! I hate you! I hate you! I won't go away! I won't! No! No! No!' She rushed up the beach and flung herself face down on the sand, screaming. 'No! No! No!'

But when Mam sat down beside her, Mally soon let Mam pick her up, and hold her on her knee and rock her. Mally's screams subsided into desperate sobbing. Diya didn't tell her to hush. She didn't say anything at all. She just rocked Mally in her arms the way she did when she was a baby.

At last the sobs subsided into hiccups. Diya said, 'Mally veen, I think you've cried enough. It won't be all bad. Some of it will be good. None of us wanted it. But it's happening, and now we have to face it.'

'I won't!' Mally didn't sound defiant any more, just exhausted.

After a while Diya said, 'I was a bit older than you when the same thing happened to me. I didn't want to leave my home any more than you want to leave yours. But I had to, all by myself. You won't be all by yourself. We'll all be together.'

'You had your Da,' said Mally, reluctant to be drawn into conversation, but still having to point this out. 'I haven't got a Da.'

'Ah, but I didn't really know him. I'd never lived with him. He just came to visit sometimes, but we always sat outside on the veranda. My Da never came into the house. I'd never eaten with him. He wasn't of our religion, so he never ate with us. The first night I was with him, in Bombay, I couldn't touch the food. I didn't know how to eat, away from my family. I thought I would die, being taken away. But I didn't. Sometimes on the ship I was even happy, although I was sad. And after a while I got used to everything being different.'

'But you didn't like the weather,' murmured Mally in spite of herself.

'No, I hated that. But I'll tell you what I did like. Shall I?' Surely, young as Mally was, she'd begin to see, even if she couldn't admit it yet, that there were other possibilities. Breesha would understand better if only she could be brought to listen. That wasn't going to be easy either: Breesha could be much more obstinate than Mally.

There was a pause. 'All right,' said Mally reluctantly.

'The thing I liked best about the new life,' said Diya, 'was being allowed to go out without a grown-up. In Castletown I was allowed to go out to play. I could go out of the front door and down the steps into the market square all by myself. In India I never went outside the garden on my own. Imagine if you could only go into the garden here, and not go anywhere else on the island! That was what it was like for me at Ajoba's house in India. I used to climb up by the tank in the Indian garden and look over the wall. I could see the road, but I couldn't go out on it even if I wanted to. I could see the people going past down below. The only time I ever saw them on a level was if an elephant went by. I can remember being up on the wall when some white people came riding by on top of an elephant. I could see their faces, right on a level with my own. I was so scared I jumped down and hid.

'But in Castletown I could go out and play with other girls. I'd never had anyone exactly my own age to play with before. My cousins were all much older than me. My Mam had been the youngest, you see, so all my cousins were older. I was the baby, and I'd never had a friend who was my own age and didn't think I was just the little one –' Diya shot a glance at Mally's face when she said that, then went on, staring out to sea while she talked '– but then Annie – I told you about your great-aunt Annie – she was Grandmother's cook – when she was tired of me being in her kitchen "getting under her feet" – that was what she used to say – she used to tell me to go out. "Why don't you go out to play, Miss Diya? There's Miss Sally and Miss Diana, just gone across the square. Why don't you take your hoop and run after them?"

'At first I wouldn't. I was too scared, and it was all too different. But soon Sally was my best friend. She was just the same age as me; our birthdays were the same month. She'd come and knock at our front door, and say, "Can Diya come out?" And I was allowed to go. We could run around the square, or down to the harbour, or out to the fields and the beach. It was the *freedom*, Mally. I'd never felt free like that before.'

'We're free here,' said Mally, sniffing. She smeared the back of her hand across her nose, and wiped her hand on her skirt.

'Another thing I liked was playing with Sally at her house. Sally's Mam was always nice to me. I think she was sorry for me because I'd never had a mother of my own.'

'You did,' pointed out Mally. 'You said everyone has a Mam, only yours died when you were born so you can't remember her.'

'True. The other thing I liked was doing lessons,' went on Diya. 'Mrs Grant taught me to read when we were on the ship. I didn't like it at first. Then I realised it meant I could read books if I wanted to, by myself, whenever I liked. When I got to Castletown I had different teachers for different lessons. Grandmother saw to that. Most of them were nice. I had music lessons with Miss Quayle, and Sally and I had French lessons with a French lady – Mademoiselle Dupin. Later she married a Mr Cunningham. When I was older we had dancing lessons in the ballroom at the George. That was fun, Mally! We did country dances, and quadrilles, and when I was eighteen I was allowed to learn the waltz. But what I always liked doing best was reading. Grandmother had a lot of books, but the books I liked best came from the library. I was allowed to go by myself to the Circulating Library – that's a place with lots of books and you can choose whichever one you want to borrow – I could choose any book I liked, Mally, and take it home to read! All by myself! I'd never have been able to do that in India, even if I had learned to read there.'

'I don't like books with lots of writing in.'

'Yes, you do. You liked *Robinson Crusoe*, and *The Thousand and One Nights* and *Gulliver's Travels*! You liked all of those!'

'But I wouldn't have if *I'd* had to do the reading bit.'

'Ah well, that part gets easier. And when you don't need someone else to read to you, you can do all the choosing. You can read whatever you like!'

'Well, I don't want to,' said Mally. 'I'd rather *do* whatever I like and stay at home on Ellan Bride. I don't want to go away, and you'll never make me want to! You didn't want to go away from India. You told us so! You can't pretend different now!'

'I'm not pretending anything. I'm just saying when you have to do something that seems horrible, you can still look at it from another angle.'

'I don't want to look at it from *any* angle!' Mally began to sob afresh. 'I just want to stay at home on Ellan Bride. I don't want to go *anywhere*!'

# CHAPTER 18

WHEN DIYA AND MALLY CAME INTO THE KITCHEN THEY FOUND Lucy unpacking the box of provisions brought by the surveyors.

'Mr Groat said to unpack them all and help ourselves,' said Lucy, 'seeing as how we're feeding them entirely. Look, they're bringing *three* different sorts of cheese. Three! Look, what do you think this is? It's looking a bit mouldy, isn't it?'

'No,' said Diya. She picked up the cat, who was trying to climb into the box, and dumped her on the floor. 'Get out, Smokey! That's Stilton. What a huge slice, and fancy bringing Stilton cheese on a trip like this! Grandmother used to buy half a Stilton at Christmas. By the time we'd finished it, it was always practically walking. But it's *good*. Here –' she cut a piece off, and crumbled it into three '– try that.'

'Ugh!' said Mally.

'Don't spit! Well?'

'It's a bit strong,' said Lucy. 'I think I like it. I don't know.'

'What's in there?' asked Mally, tugging at an unopened brown paper parcel.

Mally had been crying, but Lucy didn't remark on it. She just said, 'Why don't you open it and see?'

'Salt pork.' Diya was delving in the box. 'More ships' biscuit. Couldn't they have brought fresh bread? What's this? Butter! He should have told us! It's been sitting in the warm kitchen all night – never mind, it'll be fine. Look, Mally, yellow

butter made from cows' milk! It'll be *good*. Potatoes, onions
. . . what's this? A pie! I know where he bought this! If only
we'd known . . . we can heat it up for dinner today. Look, Mally,
a real bought meat pie! It was made by the butcher in
Castletown. I haven't had one of these since Grandmother
died.'

'What are these?' asked Mally, looking at her opened parcel.

'Let's see . . . Oh Mally, he's brought sugar plums! We used
to have them for treats when I was a little girl. See, it's a
preserved plum on the inside, all coated in sugar. Six sugar
plums! Who'd have thought it!'

'So that's what engineers live on!'

It was the first time they'd laughed together since the
strangers had come.

'Actually,' said Diya more soberly, 'I think it's what engineers buy when they've heard they're staying on an island that
has children.'

'It was Mr Groat who did the shopping,' Lucy said. 'He told
us so.'

'What's this big book?' asked Mally, picking up a large blue
volume from the other end of the table.

'Be careful with that! That's Mr Buchanan's book,' said Lucy.
'I found him in the yard reading it when I was coming in this
morning. Everyone else was still asleep.'

'I don't suppose he slept very well,' said Diya, turning the
book round so she could see it. 'The kitchen bed isn't that big.'

'And Mr Groat would have to sort of lie across to fit in it,'
pointed out Mally. 'The Writing Man probably got squashed
out.'

'*Principles of Geology*,' read Diya, looking at the title page,
'*Being an attempt to explain the former changes of the earth's
surface by reference to causes now in operation.*' There was a marker
about a third of the way through. Diya turned to the first page
and started reading.

'What's it about?' asked Lucy, as she put the ships' biscuit
on the shelf.

'Geology,' said Diya absently. '*Geology is the science which investigates the successive changes which have taken place in the organic and inorganic kingdom of nature* . . . that means things like rocks and water – how islands like Ellan Bride got made, Mally – and things like plants and birds and animals – creatures like us.'

'You mean things that aren't alive and things that are?' asked Lucy. 'Just so you know – I'm putting the pork in the meat safe.'

'Everything's *alive*,' said Diya. 'At least, it's all part of the same thing.'

'Part of the whole world?' said Mally.

'Listen to this . . . *We trace the long series of events which have gradually led to the actual posture of affairs; and by connecting events with their sources, we are enabled to classify and retain in the memory a multitude of complicated relations . . .*'

'I'm surprised he couldn't sleep if he was reading that,' said Lucy. 'Shall I put the pie in the bread oven?'

'Oh, the pie! Yes, do.' Diya went on reading. 'But it's *interesting*, Lucy,' she said presently. 'What he's saying is, whether you're talking about the rocks that make an island, or people living their lives in history, it's the same thing happening . . . an impulse . . . no, not an impulse . . . more of a *process*. What I mean is – what I think he means – everything is always changing, and you can't understand why properly if you don't work out what happened before, and how everything got to be how it is now: *the state of the natural world is the result of a long succession of events* . . . And that's *true* – I mean, Ajoba taught me that. Everything in the world has come and gone before, more times and through more ages than we can ever imagine. In India we knew that. That's why when I had to be christened and go to church with Grandmother it all seemed so *silly*.'

Silly, reflected Diya, as she went on unpacking the box, and yet oddly reassuring. She could remember going to the temple with Aji – had it been once, or many times? – and being slowly pushed forward in a hot crowd of all castes until they were past the courtyard. They'd queued to be anointed with kumkum, then laid their wreath at the foot of the wonderful, frightening, life-size image of Aji's beloved Ganesha. The Temple had been full of the smell of incense, flowers and sweaty bodies. The parish church at Malew could hardly have been more different, but one thing Diya had learned from Aji and Ajoba was that difference was unimportant. Grandmother, on the other hand, had been convinced that it mattered greatly. Diya and Grandmother had worshipped sedately from their enclosed pew in the new wing of Malew church, where the come-overs sat. Sally sat out of sight with her family in the old part of the church where the landed families had their hereditary pews. Strangers and servants sat upstairs in the gallery. Everything was carefully ordered and in its correct place.

There were so many different ways of looking at things. There was no single principle that made sense – however much the vicar of Malew preached that there was – or at least, no principle that a mere mortal could comprehend. There was no point saying any of this to Lucy. It wasn't that Lucy had no comprehension – it would be unfair to suppose that – but that she wouldn't want to discuss it. Mr Buchanan, now, who'd brought *Principles of Geology* with him to read: *he* might be interested. On the other hand, he might be shocked. Diya had learned in Grandmother's house not to talk too much about the Indian part of her life, because it was too upsetting for people. Diya had kept so many thoughts secret since she was eight years old. It was like keeping the fire doused all the time, never letting it flare up, never letting anyone *see*. But a man who carried *Principles of Geology* around with him . . . she had a notion *he* wouldn't mind seeing what she had to say, if he had the chance.

'There's something else in the box.' Mally was standing on a chair so she could reach right in. She unwrapped the little parcel. 'It's got another bag inside with writing on. What does that say, Mam?'

Diya glanced up and read the label. 'Coffee. Lucy, they've brought *coffee*! They must live like kings!' She put Archie's book down and sniffed the little parcel. 'Oh, how wonderful – it's actually *coffee*! Lucy, smell that. Coffee!'

Lucy laid the bread oven in the grate, and raked hot ashes up all round it. Then she came over and sniffed the bag of coffee. 'Not bad.' She passed it to Mally. 'We could make some after dinner. Can we make it in the teapot?'

'I don't see why not. Mally, sniff that!'

'Ugh! The sugar plums smell a lot nicer than that.'

Later on, when the pie was hot, Lucy sent Mally to call everyone home for dinner. As soon as Mally had left the kitchen she said to Diya, 'You were talking to her, then? Is that what was upsetting her?'

'Of course.' Diya sighed, and laid *Principles of Geology* on the kitchen bed so there was room to lay the table. 'In a way I wish I hadn't. But she has to know. Better to hear it from me and be done with it.'

'You had to be honest.' Lucy frowned as she cut a slab off the big block of butter. She wrapped the rest of the block in a clean cloth, and put it in the water bucket by the door to keep cool. 'Mr Groat understands what it's like for us,' she remarked. 'At least, I think he does. Is there any point asking him . . . I mean . . . he might know if the Commissioners might change their minds. I mean, these surveyors . . . they've seen now that we do know how to look after the light.'

'No one will listen to Mr Groat.'

'I don't know: this Mr Stevenson, who runs it all . . . Mr Groat likes him, you can tell. He *might* be able to have a word with him.'

Diya shook her head. 'No, he wouldn't. Put that out of your head, Lucy. The one who could put in a word is Mr Buchanan. You'd need to talk to him.'

'Why?' Lucy put the bread down on the table, and looked directly at Diya. 'Because he's the right class, you mean?'

'Exactly.'

Lucy sighed again. 'It's the sort of thing I'm never knowing. Mr Groat . . . being a chainman is not so important, really?'

'No. But the surveyor – he could talk to Mr Stevenson.'

'Ah, but can *I* talk to *him*? I'm not sure that I can.'

'Well, I'll try to have a word with him if I get the chance. And you do the same. But Lucy . . .'

'What?'

'I wouldn't hold out too much hope. Better to make other plans.'

Lucy clattered the horn spoons in a heap on the table, and went outside.

When she came back everyone was sitting at the table, and Diya was helping them all to hot meat pie with kale. No one remarked on Lucy's lateness as she took her place at the head of the table, or on the fact that she was out of breath from running furiously twice round the garden wall as the simplest antidote to too much emotion.

'I *like* this pie,' Billy said, with his mouth full.

Breesha glowered at him.

'So what's all this about a road?' asked Diya, as they settled down to eat. She was much more skilled than the rest of them at talking and eating at the same time, and it was a moment before anyone was able to answer her.

'We'll be building a track up from the jetty to the light,' Archie said thickly. He swallowed, and went on more clearly, 'To bring up the materials. And afterwards it'll serve the light.'

'*What* jetty?' asked Breesha suspiciously, glaring at him.

'The one we're going to build. We—'

'Not for big boats?' broke in Lucy in alarm. 'You're not never doing that! They'll be bringing long-tails, like on the Calf! The long-tails destroy everything – the birds – the puffins – the *Kirreeyn varrey* – They'll be eating the lot! You can't never be bringing big boats here!'

'Bring what? Och, you mean—'

'Don't say that! I'm talking about long-tails.'

'There'll be nothing bigger than a smack,' said Archie. 'There couldn't be. We'll make sure there are no . . . long-tails.

But there'll have to be a jetty at Giau y Vaatey. We'll need to bring the heavy supplies in alongside. We'll put in . . .' Archie's voice trailed away.

. . . *a block and tackle*. No one spoke for long moments.

Presently Ben said easily, 'So we'll start levelling this afternoon between the lighthouse and Giau y Vaatey. That means we'll measure all the heights. This morning we were doing the surface work. The chaining doesna show the difference in heights. But once you know the heights, you can work out the surface measurements so they come out right on a flat plan.' He saw that Mally and Billy were looking puzzled. 'Your island isna flat, is it? But a map has to be. So on a map you have to find other ways of showing how high the land is. And you have to measure along the ground *as if* it were flat. That means you have to do a sum.'

'Ugh!' said Mally.

'Do you no like sums?'

'Not much. I like doing stories though.'

'I like sums,' said Breesha suddenly. She was breaking her vow not to chat to the enemy, but it was unbearable to be excluded when they were talking about things that she was good at.

'There were lots of sums this morning,' said Billy loftily. 'Measuring triangles.' He shot a sideways glance at his aunt and cousins. 'The angles of a triangle add up to a hundred and eighty degrees. And if you know one angle and the length of two sides you can find out what the third side is. Or if you know how long all the sides are you can know what the angles are. And then you can do offsets and make sure you've done it right. *Ow!*' He glared at Breesha. 'What . . .?' He stopped himself in time, even though she'd caught him just on the ankle bone where it hurt most.

'That's very good, Billy,' said Diya calmly. She turned to Ben. 'So how do you measure the height of the land?'

'They have a level,' interrupted Billy, who was getting above himself for once, and enjoying the sensation. 'It's a telescope, except what you see comes out upside down. Because yesterday at low tide we made a mark halfway between the flood and the ebb which is the mean-tide mark. So this morning we went down there and put the measuring staff on it and took a reading. And after that Mr Groat had the staff up at the keeill, and we looked through the level again – I mean Mr Buchanan looked through it – and we measured up as far as the keeill where Mr Groat was. And after dinner we're going to set the level up by the keeill, because that's the next station, and I'm going to have a look through it myself, Mr Groat says, just so's I know what we're doing.'

'That's very interesting,' said Diya. She held Ben's gaze and said, 'I teach the children arithmetic, but my daughter here is getting beyond me. She has a natural aptitude, you see, and she often wants to know things I can't tell her. I'm sure Breesha would like to have a look at your level too. I believe she was watching you this morning from the lighthouse when she was doing her work. Of course, one has a bird's-eye view from up there. She saw how you measured the distances and the angles between the points. In fact, I'd be quite interested to look through your levelling telescope myself, if you can spare the time.'

Trust Ben to bring this on them! They had other things to do on Ellan Bride than to give elementary surveying lessons to a parcel of women and bairns! Naturally Archie didn't say so. Instead he flushed, and said, 'Och well, ay . . . ay well . . . of course, ma'am, if you wish it.'

'Thank you,' said Diya gently. 'Now, sir, may I offer you more of this excellent pie?'

Lucy couldn't think how Diya managed it. She herself knew of only one way to conceal her feelings, and that was to remain silent. Probably even silence was ineffective. In all the years they'd lived together Lucy had never found Diya as remote as now. She almost mistrusted her; Diya's cool politeness to the two surveyors seemed so false, although Diya was only behaving as she and Lucy had agreed beforehand. Diya had insisted, and Lucy quite agreed, that there was no point alienating the surveyors, or indeed any representative of the Commissioners of Northern Lights. Probably no tactic would gain them any advantage in the end. Diya had told Lucy not to imagine that she'd be allowed to work at the new lighthouse, and yet Lucy, who didn't know how to be strategic, was the one who kept hoping against hope that she might, even now, be able to stay on as lightkeeper. Perhaps it was easier for Diya because she didn't share that hope. Behind that thought lay the awful suspicion that Diya not only didn't hope to stay, but actively hoped to leave. She'd never said so. Could Lucy accuse her of treachery if she secretly longed for the life she'd left behind when she married Jim? Diya couldn't help it if that's what she really wanted. However that might be, Diya had also told Lucy that there was no going back to her old life anyway. When she'd married Jim she'd lost caste – Lucy wasn't familiar with the term, but she'd been in service long enough to understand what Diya meant – and once that was gone, Diya said, it could never be got back.

The meat pie was good, but for once Lucy had no appetite. She toyed with the helping on her plate and longed for the meal to be over so she could retire to bed. It was all too confusing. Diya had turned into a stranger, and the one who met her eyes across the table with something like sympathy in his own was the big, ugly surveyor, Benjamin Groat. Mr Buchanan had no time for her, that was clear enough, but Mr Groat seemed to have an inkling of what they might all be feeling ... *if* they were all feeling the same. Perhaps they weren't any more. Mally was upset, of course, but she was too little: she couldn't really understand what was happening. Lucy's own Billy was so easy-going, and at the moment he was so seduced by his twopence a day, and being treated seriously by two men – and no wonder, when he'd hardly met anyone of his own sex since he was five – that he seemed to have temporarily forgotten the family's plight. Only Breesha felt as Lucy did, and that was odd, because Lucy had always had to hide her impatience with her volatile niece, who seemed to have inherited a character totally alien to her father's Scottish forebears. Lucy knew she mustn't regard Breesha as any kind of ally. Breesha needed to be guided, not encouraged. She faithfully reflected Lucy's most dangerous thoughts. Poor Breesha; she little knew.

And now Diya was talking to Mr Buchanan as if they were old friends, which was ridiculous. No, that was unfair. She was talking to him as if he were paying a social call at her Grandmother's house in Castletown. Lucy recognised that kind of talk from her own disastrous encounter with gentlefolks. She couldn't help hearing it now as the discourse of deceit. Scenting danger, she dropped her eyes to her plate, and tried to imagine herself alone at the table, nothing to do with what was going on at all.

'I understand,' Diya was saying to Archie, 'Mr Lyell is saying in his book that in order to understand the present conformation of the land, we have to understand its history. So what you mean is: thousands of years ago there wouldn't have been any island that we'd recognise as Ellan Bride – in fact, the materials that make up this land wouldn't even have come together, let alone be a recognisable entity – and if we want to know how Ellan Bride came to be here, we have to read the rocks, and in that way we might be able to discover the story of its past.'

To hell with the island's past, my lass, Ben was thinking. What *I'd* really like to know is how *you* came to be here. I'd give me granny to ken the story of *your* past. He wondered if Young Archibald had found his tongue all at once because someone was actually interested in discussing what he was really thinking about, or whether it was because he'd suddenly noticed that Mrs Geddes was a raging beauty. Ben reckoned it was probably the former. The only way he'd ever seen Archie show any awareness of the female sex was by relapsing either into painful shyness or a daunting formality.

Ay well, this new departure was all very entertaining, but Ben couldn't see that anything would come of it. The whole thing would be a grand joke, in fact, if it weren't that the lightkeeper was in such a state of vexation. Ben looked thoughtfully across at Lucy's downbent head. She hadn't eaten her dinner either. What was she thinking about? The future? Maybe she was realising her sister-in-law didn't belong here and would be glad to get away. The bairns would be all right, no doubt. Bairns could adapt. But the lightkeeper was old enough to be set in her ways, and from what Ben could make out she'd made a right mull of mainland life so far. It was all a sad coil, and no mistake.

'Not only read the rocks, ma'am,' Archie was saying, 'but also correct all the false readings men have made before. You see, what's really *unimaginable* is the time scale. Not just thousands of years: *millions*. Two hundred years ago men were trying to explain the sequence of events – right through from the debris of early volcanic activity to the evidence of previous life we find in fossils – and fit it into the four thousand years calculated by theologians. That meant they *had* to think it was a miracle. For example, if you were convinced that mankind hadn't inhabited the Nile delta until the nineteenth century, you'd look at the pyramids, and the Sphinx and all the rest of it, and you'd *have* to believe that there'd been an unnatural cataclysm – a miraculous intervention in the course of human history. If you thought the pyramids had been raised in a day you'd have no choice but to think it was done by supernatural agency. But once you admit that the whole thing took thousands of years, you give yourself permission to believe that the laws of history, or of nature, as we know them have *never* been violated. They've held since the beginning of time. Take Ellan Bride, for example: if this island had been conceived in a single night, and no through millennia, that would indeed be no sma' marvel. In other words, when you accept the true time scale, and measure the history of the natural world accordingly, the verra idea of a miracle becomes simply *unnecessary*.'

'It's a fascinating theory, Mr Buchanan. What gods do you worship?'

Archie stopped short, and gaped at her. What gods? In his country a question like that would have been a hanging matter not so many years since. Although he was lucky enough to live in more enlightened times, the shadows still fell long across the generations. His father had called him an atheist the last time he went home, in that painful episode which he preferred not to recollect. He didn't think he was an atheist. But what did this woman mean? What *gods*? *What* gods? She showed neither shock nor incomprehension. She merely looked at him with civil interest, and all the certain ground of Natural Philosophy on which he stood seemed suddenly to shift under his feet. A cataclysm – an intervention in the inviolable laws of nature – Archie struggled to recapture the thread of his argument. 'I dinna think I do worship,' he stammered. 'I was taught, of course . . . I was brocht up in the Scottish Kirk . . . But we were speaking of geology, I think.'

Diya nodded gravely over the children's heads as they noisily scraped their bowls. The way she addressed him, she and Archie could have been alone in her Grandmother's drawing room. 'Of the immutable laws of nature,' she agreed, 'as exhibited in the conformation of the earth. In that context our lives become so small, Mr Buchanan, do they not? What can one do in the face of that but turn to one's own gods?'

'I'm sure I don't know, ma'am.' Archie tried to make a recover. 'The whole trend of Natural Philosophy, as I understand it . . .'

Lucy pushed her chair back and stood up abruptly. 'I must go. I have work to do tonight.'

'Goodnight, Mam,' said Billy. 'Aunt Diya, is there any more pie?'

Ben just got a glimpse of the bedroom before Lucy slammed the door shut behind her. He saw a double bed with a patchwork quilt, and a text on the whitewashed wall above it. He didn't think the lightkeeper would sleep very well today. It was her bad luck to be born a woman, and there was nothing anybody could do about that. But he was sorry for her; there was no denying that. Aunt Deer wasn't going to do much to comfort her from what he could see. For two pins, if it wasn't against the immutable laws of society – Ben gave a wry grin – he'd go after the lightkeeper himself, and tell her that he for one was on her side. But he couldn't do that, not without an unnatural cataclysm of some sort, and they didn't need that while they were stuck on this island; indeed they did not.

# CHAPTER 19

'SO THIS IS ONE OF THE BENCH MARKS,' EXPLAINED ARCHIE. 'Once ye've fixed your bench marks, you can measure the height of everythin else in relation to them.'

'Why here?' asked Breesha, looking round. They were all standing in the hollow that sheltered the keeill. Out of the wind the thrift was coming into bloom, a pink carpet with threadbare patches where the bedrock broke through. There were white splashes on the rock where a gull had been feeding; it had left behind a blue-grey pile of half-digested mussel shells. On the south side the keeill was covered with orange lichen, except that on the biggest rock the lichen had been scraped away and a rough cross newly painted on the stone.

'Because the track'll go past here on its way from sea level to the lighthouse.' Now they were back at work Archie was listening to sensible questions. 'We're calculating the height of each fixed mark above sea level, until we get to the summit of the island.'

'A fixed mark?' said Diya, looking from the keeill down to Baie yn Traie Vane, where a mallard with three chicks at her tail breasted the gentle swell just beyond the breaking waves. 'So you know exactly where you start from?'

'That's it. The bench marks will never change, so we have to make sure they're there for whoever needs to read them in the future. That's why I picked the Celtic chapel for one of them.'

'That's not a Salty Apple! That's the keeill!'

'Ay, so you said yesterday. *What* is it you call it?' asked Ben curiously.

Mally felt as if Mr Groat was challenging her. She shrank back against her mother. Her thumb went to her mouth.

'Keeill is the Manx word for chapel,' explained Diya. 'Legend has it that Saint Bride lived as a solitary on this island for many years. She was – how would you put it? – awaiting enlightenment. This is her keeill. And the turf wall there was her garden, and over there her cell. Here she prayed, and this is a holy place, where you've set up your mark.'

'You don't mind?' That was so unexpected, coming from Mr Buchanan, that Diya wasn't sure she'd heard him aright.

'Mind?'

'It's common practice to put bench marks on kirks,' said Archie abruptly. 'Although I hadn't thought of this one as still in use. You dinna mind?'

'How we use it is no matter,' said Diya. 'Nothing we do now will change this place.' She caught Archie's puzzlement. 'No,' she added simply. 'I don't mind. For your fixed point you could do worse.'

'*And* she was the lightkeeper!' put in Breesha, challenging them.

'She?'

'Saint Bride, of course. She was the *first* lightkeeper. And nobody stopped *her*! *I* should know. I've got her name.'

'My daughter is referring to the legend that when Saint Bride lived here, sailors would watch for her light burning inside the keeill, and know to steer clear of Ellan Bride on dark nights. When Bride heard of this, she used to set her lamp above the keeill so all the ships would be able to see it, and keep safely away from the rocks. The miracle was that although she only had a tiny oil lamp, the sailors could see the light from far away, in all weathers and seasons, whenever they needed it. This was a great crossroads of the sea even then, and many ships sailed between the far lands.'

Mr Buchanan nodded, but he didn't answer. Diya would have liked to know what he was thinking. He'd been shocked by the question she'd asked him at dinner. That had been disappointing, because she'd somehow deluded herself she could speak her mind to him. That had been foolish: she'd known for long enough that her real thoughts must always be held back. But did he half-believe the legend about Saint Bride? Did he think there was some sort of truth in it? It was pointless to think he'd even be interested.

'So that's what Finn Watterson meant, when he said "And long before that, too",' remarked Ben. He was watching the duck with her chicks in the bay. She'd probably started out with more than three; it was more than one duck could do to fight off all the black-backs. Mrs Geddes grew no less formidable on closer acquaintance. She would be very attractive if she were not so alarming.

'Did he?' replied Diya. 'I expect that's what he meant. Everyone knows about Saint Bride's light.'

'That's why it's called Ellan Bride, of course,' said Breesha, who was watching Ben and Billy as they unfastened the long wooden box. 'What's *that*?'

Once Ben had dismantled the box, they could see that it wasn't a box at all, but a long flat pole in three five-foot sections, with numbers boldly marked on it like an outsize ruler.

'It's for measuring the level,' said Ben. 'We set it against the bench mark here, and then we measure the difference in height from the next station. We're following the line of the road – the one we'll build – up to the top of the island.'

'But you're putting it upside down!' Breesha protested.

'Ah now,' said Ben, winking at Billy, who knew the secret. 'You wait and see! Now we'll go up to the next station.'

The next station was halfway between the keeill and Dreeym Lang. As they followed Archie uphill, Ben said, 'From halfway, you see, we can take a backsight – a measurement back the way – onto the benchmark on the keeill, and a foresight – a measurement further on – up to Dreeym Lang. Then we do one more along Dreeym Lang to the highest point. Then we'll ken the exact height of the highest point on the island. We can work out any more heights we need from that.'

When they reached the next station Archie swung a square wooden box off his shoulder, and laid it on the ground. Meanwhile Ben untied the legs of the tripod, and set it up so it stood firmly in the short grass. The children crowded round as Archie opened the box.

The instrument inside looked like a short fat telescope mounted on a metal frame. They watched Archie lift it tenderly out of its travelling box, mount it on the tripod, and screw it into place. He adjusted the legs of the tripod until the instrument seemed to be level. It was much more complicated than their telescope. It had lots of brass wheels of different sizes, and knobs in different places. The biggest wheel had degrees marked on it like the compass in the lighthouse, but there was no arrow to point north, only the strange telescope fixed on the top of it.

'What's it all *for*?' asked Breesha. She couldn't help showing that she was interested.

Now that they were on site Archie's irritation melted away. The first apprentice he'd taught had been Benjamin Groat, seven years ago when they did the Sutherland survey. He forgot that he was talking to women, to whom the information would be useless because they could never do anything with it. He wasn't looking at them, but at the level, so it seemed quite natural to explain its intricate science as precisely as he could, just as he would have done to a potential engineer.

'All right. The first thing you have to do is get it completely level. You see this glass, here on the side of the telescope. That's the level. That's right, look closely. What do you see?'

'Numbers on it, like a ruler.'

'A bubble at the end.'

'Right. So that's an air bubble, floating in oil. So if you want to make sure that the instrument is absolutely level . . .'

'I know,' cried Breesha. 'You have to get the bubble exactly in the middle.'

'That's it. It'll float into the middle when you've got it completely level. So you've got these wheels, see –' Archie showed them the brass wheels under the big circle with the degrees 'These are all for levellin the instrument. You calibrate – I mean, you set it – by turning the wheels very slowly – ken, like this – so you get the wee bubble in the right place by levellin the whole machine. Here, do you want to try?'

Breesha was quicker than Billy, and got in first. Archie was unable to remonstrate, with her mother standing there. To his surprise the girl was quick to get the feel of the instrument. Keeping her eyes on the bubble in the tube, Breesha turned the wheels. 'The bubble keeps wriggling about. There – no, it's gone again – wait, wait, I can do it . . . It keeps *wriggling* . . . Like that? Is that better, look? Is that it?'

'Good,' said Archie. He bent down and looked through the level, and rapidly adjusted the four brass screws below it with his thumbs. 'That's fine.' He'd forgotten the child standing next to him wasn't his apprentice, let alone a boy, so he said without thinking, 'All right. Now, have a look through the glass. What dae ye see?'

Breesha put her eye to the glass and looked through it. 'Nothing,' she said. 'It's all grey. Oh . . . I can see a grey line . . . Two grey lines . . . three. One going up and two next to each other going across. I can't see anything else, just grey.'

'Turn the wheel at the top. Slowly . . . slower than that.'

Breesha turned the little brass wheel. 'I can see . . . it looks like bobbles . . . like raindrops on a window pane . . . no, more like seals on a very foggy beach. That's what it looks like.'

'Keep turnin the focus.'

'No, it isn't! It's the sea! And there *are* blobs . . . I think it's birds. It's those eiders! It's focused much too far out! It needs to go down. Oh no – it's turned into the sky. Let me try again

'. . . Now I've got land as well as sea. No, it isn't, it's the measuring pole. I want to get the pole into focus . . . it's gone! I
can't do it!'

'Ye're movin it the wrong way. Move it the opposite way.'

'But it's *that* way.'

'No, it's in reverse.'

'He means like a tiller,' said Billy. 'Let *me* do it!'

'No! Wait. Ah,' cried Breesha. '*Backwards!* Like that. You
have to do everything the way you don't think . . . Now I've
got the pole in it again! I can see the writing!'

'Can you read it? Bring it into focus. Here, turn this wheel.
Slowly now, until you can see.'

'I can! I can see it! I can see 4 . . . 5 . . .' Breesha looked up,
startled. 'But, but – it's the *right* way up. Only when I look
with just my own eyes it isn't! The pole's upside down and the
telescope turns it back over! How can it? *Why* does it do that?'

'Because it's no jist a telescope. It's like a telescope – there's
a lens in there which collects the light rays from the object,
jist like a telescope, and the refraction from the lens forms an
inverted image . . .'

'He means the lens turns everything upside down and back
to front,' put in Ben quietly.

'But in a telescope you have an extra lens to correct the inver-
sion. That's no necessary in the level, because the function isna
the same . . .'

'He means it would be no good looking at the world upside
down through a telescope, but it's all right for making a map.'

'If you like, I'll make you a drawing of it tonight, and show
you how the refraction works. But noo ye ken you have to see
everything through the level in reverse. So: what you need to
dae next is get the vertical line lined up wi the pole. Can ye
dae that?'

'Wait. No . . . It's going backwards again . . . There . . . wait
. . . Yes, all right, I've got it in a straight line now.'

'So is there a number between the two horizontal lines?'

Breesha told him without hesitation. 'Six.'

'When can I have a turn?' interrupted Billy.

The question brought Archie back to his senses in a flash. This wasn't a young Ben Groat he'd been instructing; these children – two of them girls at that – were nothing to do with the job. They'd wasted quite enough time already. And did their mother damn well expect to have a shot at the level too? They'd be here all afternoon, getting under his feet. Archie frowned, and opened his mouth to speak, but Ben got his word in first.

'Everyone can have a turn,' said Ben firmly. 'Billy, then Mally, and then Mrs Geddes. After that we must get on. It's Mr Buchanan who really does the levellin. It's very skilled. When he's taken all the readings he has to add up all the foresights and all the backsights and tak them away from each other, and the result is the difference in height from the first fixed point to the last.'

'Ugh,' said Mally. 'I hate sums.'

'So I just keep the levellin pole absolutely straight, and Billy will help me with that. But this evening Mr Buchanan will do a drawing of the optics for Miss Breesha so she understands how they work. After supper. Will you no, sir?'

'Eh?' said Archie, startled. He looked out to sea but there was nothing there but a mallard with some chicks bobbing about near the breaking waves, and that was no help at all. 'Ay well . . . I mean, yes. Yes, quite.'

*Only in dreams can time ever go backwards. In the dream Jim was alive and young, but even that was no good, because it was too late. The boat was pulled up above the tide line at Traie Vane, and Lucy and Jim had to haul it down to the water before the sea began to ebb. The boat was so heavy, and there was so little time. If they didn't get the boat down they wouldn't be able to cross. Only it wasn't Traie Vane after all; it must be somewhere else because the island was on the other side, far across the sea. If they were properly on Ellan Bride they would be able to see the keeill from here, just above the shore. But if the keeill had gone then they were in the other place, and they had to launch the boat in time because otherwise they'd never get back. Lucy stopped hauling and looked up to see if the keeill was there. It wasn't. Instead it was Mummig standing there, smiling and waving to them. She thought at first Mummig was her familiar self, with her plump red cheeks, and her grey gown stretched tight around her comfortable waist, just the way it used to do. But when Lucy looked again she realised that her mother was dead because now she could see how her skin fell off her bones in ribbon-like shreds, and the grey gown was hanging loose in mouldering tatters. And Mummig was laughing because Lucy and Jim weren't strong enough to launch the boat by themselves, and the tide was ebbing, and there was nothing the two of them could do to stop it. They were only children after all, and anyway no one could ever stop the tide and that meant that they wouldn't be able to get home after all . . .*

The only way out was to wake herself up. Lucy rolled over, and forced herself to open her eyes. Her fists unclenched themselves; slowly her breathing fell into rhythm with the waves on the shore outside. Listening to the sea, the nightmare in her chest gradually dissolved. There was the white ceiling above her head, with the familiar cracks running across it. There was *This is the day that the Lord hath made* hanging on its nail as it had done for the last fifty years. There was the tiled washstand, and Lucy's – no, not Lucy's any more: Lucy was grown up now – Mally's – truckle bed in the corner. All these things were the same. Yet the dream could not be entirely banished, because so many other things had changed.

Lucy always saw Jim's face much more easily in dreams than in waking life. It was harder to remember his voice, even in dreams. Voices were more difficult to hold on to: she couldn't recapture any of their voices, however hard she tried. It was horrible to dream about Mummig like that. In real life Mummig had never mocked Lucy or condemned her. All she'd said, when Lucy had come home, was 'I'll take in any child of our family, and not never be ashamed, wherever it came from. If you'd been coming home with another woman's man, you'd be finding the door shut on you. But a child – no, I'm not shutting the door on any child of ours. You know I wouldn't do that, Lucy veen.'

But her mother had insisted on knowing the truth. She'd made Lucy tell her most of what had happened in Castletown. Probably she'd told Lucy's Da as well. That was such an appalling idea that Lucy couldn't even think about it. Some things were private. Mummig had never understood that. Lucy had managed not to name the man, but she'd been forced to tell almost everything else. It had felt like a second violation, and, like the first, it came cloaked in treacherous kindness. Both times it had been somebody wanting something, and getting it by pretending to be kind. It felt very wrong to couple her mother with that other treachery, but in her heart Lucy felt it was true. There was no one now who wanted to take anything from her at all, fairly or unfairly. Was that better? Lucy frowned at the text on the wall. She honestly didn't know the answer to that.

When Jim was alive he'd treated Billy and Breesha alike, as if they'd been twins, and both of them his own. When Lucy first came home she'd been nervous of Diya. She hadn't seen her sister-in-law since Jim's wedding, because Jim and Diya had come straight back to the island. Of course she hadn't known Diya before that. Servant girls were not acquainted with the daughters of East India Company officials. Diya's grandmother was a Captain's lady, and she'd belonged to the Quality of Castletown.

The first time Lucy had ever seen Diya, Diya hadn't seen her. Lucy had been visiting Aunt Annie, her mother's sister, who was the cook at Mrs Wells' house. Mrs Wells lived in one of the most imposing houses in Castletown. Three storeys of big windows faced onto the market square, but of course Lucy didn't go upstairs. The way to the kitchen was through the back door. The front kitchen was one of the biggest rooms Lucy had ever seen. It was half-underground, and when you looked up through the windows, which gave onto a narrow area, you could see the skirts of the women as they passed on the pavement above, and the thin black legs of the gentlemen. It was very snug in Aunt Annie's kitchen, and for a homesick girl who'd never been in a town before it was sanctuary. Aunt Annie's rocking chair was drawn up close to the big iron range in the south wall. Lucy never saw Aunt Annie sitting in that chair, because she was always bustling about. Lucy and the over-fed grey cat always had the chair to themselves. The kitchen at Mrs Wells' house seemed so comforting and secure: if Lucy had known, in those first days at Castletown, that within two years all this would be gone, and her own high hopes for the future all gone too, she'd never have believed it. Perhaps that was just as well.

Lucy had only been able to visit Aunt Annie on alternate Thursday afternoons, because that was her day off. Mrs Wells had given Annie permission to entertain her niece in the kitchen on those precious days. The big house where Lucy worked was about a mile from Castletown. On her days off, Lucy walked to Scarlett Point if the weather was good, and then along the shore into town, where she had her dinner with Aunt Annie. She never went anywhere else; she didn't know anyone else in Castletown except the other servants where she worked, and of course they never had time off on the same day. Lucy had never met Aunt Annie before either, because Aunt Annie couldn't stand the sea and was never likely to come to Ellan Bride. (And yet when Annie emigrated with her new husband, she was willing to brave the whole Atlantic. Perhaps, thought Lucy, that's what love can do for a woman. But I don't know anything about that kind of love.)

But Aunt Annie – who can't have been so very old after all, though she'd seemed so to the fifteen-year-old Lucy – hadn't yet become engaged to her Johnny when Lucy first arrived in Castletown. Aunt Annie took it upon herself to bring Lucy up to snuff, and did so by telling her as much of the local gossip as she could. That was how Lucy first heard about Mrs Wells' scandalous granddaughter.

'Oh no, they're not Manx,' Aunt Annie had said, in answer to Lucy's question. 'No, no, you're more Manx than they are, though your Da's as Scotch as they come; at least there was enough sense at him to pick a woman from the Island. But that's by-the-by. No, no, the way it was, the Captain was losing his leg at Trafalgar, and after that he took a terrible fever, and was never the same again. So they were discharging him on half pay, and like many another half-pay officer he came to the Island. Oh, there's a good few on the Island fought at Trafalgar. There's Captain Quilliam for one – lives next door – he's a local man, though of course he married well above his station. I think it was maybe himself was suggesting to Captain Wells he should settle here in Castletown. Cheaper for these English half-pay officers to come here, when there's not a living wage left to them. But the Captain wasn't like some. He was a respectable man with a lady wife. No drinking or dicing for him. Not that he'd have had the health for it even if he was showing a bent that way, which I'm thankful to say he wasn't.

'No, no, the Captain was a respectable man, and well into middle age. He must have had an income from somewhere, because how else could they be renting a house as grand as this? His widow was able to stay on in it too, and she's not one to pinch and scrape, indeed she isn't. I don't mind. It's better to be working for a woman that isn't asking a lot of questions, but is knowing that if you're wanting good food you must pay the price. Though her health's not good – not that she admits to it – she never says nothing about it, but if you're working in a house, you can't help but know . . . But where was I? Yes, indeed, they weren't spring chickens any more, the Captain and his lady, when they came to Castletown. We never saw the boy. He was already gone away to India. They'd got him a berth in the East India Company, seemingly, and off he'd gone to heathen lands as soon as he turned eighteen, long before ever his Mama and Papa landed on the Island.

'Oh, when I was first here as scullery maid – fifteen years ago, that was – and myself about your own age then – there was always talk Downstairs of the Young Master out in Bombay. That boy was the apple of his Mama's eye, and when the Captain died – oh quite heartbroken, she was, stuck here in this place where she didn't belong, and her man dead less than two years since he was invalided home – so when the Captain died she had little to be doing but dote on the boy. Which she did. He sent his portrait home – one day I'll take you Upstairs and show you where it's hanging yet, in the dining-room – and oh, the thrilled she was with that picture! I'd be going Upstairs to lay the table, and there she'd be, in the dining-room, just standing there looking at that there picture. When she saw me she'd pretend she wasn't – pretend she'd come in there for some-thing else – but I knew what she was doing. Oh, it was a sad state of things, indeed it was. Out there in India – those young fellows – chances are they'll never be coming home again. Though this one did, for better or worse, as you shall hear.

'When he did come at last he didn't stay long. As soon as his leave was over off he went away back to India again, leaving the mistress with . . . well, it seemed a selfish-like way of acting at the time, or so we were thinking. But maybe it was all for the best, after all. But the poor little waif – for so she was, back then – she had never a letter from him, barring the first year. But twice only he was writing that child a letter, and after that I reckon he forgot, for so far as I know she's never had word from him since. Now I'm not a letter-writing woman, but that Mr Wells – book-learning enough at him for half a dozen. He could have spared a few words for his own child, surely. But she never seemed too sad about *that*. I don't think he'd ever been much of a father to her, and that's a fact. It was the other life she was missing, poor little thing. Such a sad waif she was, when she came first. You'd hardly believe it now – she used to be feeling the cold so terrible hard – she'd come creeping down here like a li'l ghos', and I'd tuck her up in a shawl, in that rocking chair with the cat, just where you're sitting now, and there she'd sit by the chidlagh until she got warmed through. But the little she was; I reckon she soon forgot to be homesick. Anyway, she never really complained much, and soon enough she settled down.

'She's a pillar of society, Mrs Wells, and the Church, and all of that, but I'm telling you, until that little girl came, she was a lonely woman after the Captain died. And for all the shock it was to her, that child turning up was maybe the best thing that could have come on her; it was indeed. Though the shock must have been terrible. The young fellow never said a word about it, you understand. Never said he was married – if married he was – for whether it was a heathen ceremony or a proper church wedding no one is knowing for sure – but either way he never said. And there's no doubt but his Mama had plans for him, when he came home . . . He never told them he was married to a heathen, see. Not one word about any of it! Maybe you couldn't be blaming him for that. But the Indian lady died, seemingly, when the child was born, and still he was never writing home a word about it. So the Captain went to his grave not knowing he had a grandchild at all, and by that time the little girl would've been all of seven years old, and ourselves not even knowing she existed.'

'That's sad,' said Lucy. 'Would the Captain have minded so much?'

'That's what we'll never know,' said Aunt Annie sagely. 'The dead don't talk, and maybe that's just as well. His Mama would have forgiven him anything. She'd have forgiven him if there'd been a whole harem of foreign ladies at him, and babes too – but I shouldn't be speaking that way to your innocent ears, so we'll say nothing of that. The fact was she knew he was coming home all right – his leave was due – and – Jee bannee mee – the excited she was about that! She'd not seen the boy in fourteen years! That's what she kept telling us. Going around the house, half-laughing, half-crying she was: "I've not seen my boy for fourteen years!" she'd say, and wander on, from room to room, not able to settle to anything.

'And then the letter came. Don't you never trust an unexpected letter, Lucy veen. It's like letting a viper into your bosom. You're taking it in, easy as you please, and you're opening the thing, and just a few words on a bit of paper – and all of a sudden your whole life is shattered all through others. Oh, a letter is a powerful thing, and I thank my stars I don't get none, not being a writing kind of woman, and I reckon I never will be, either. I don't like letters.'

It was true, Lucy thought, as she lay staring at the ceiling. While she'd been thinking of Aunt Annie her eyes had been unconsciously drawn to the bright square of light framed by the window, and now when she looked at the ceiling it had a shining green square swimming across it. There was a fiery cross in the middle of the square the same shape as the window panes. Outside, the sound of the sea was strengthening; in her mind's eye she could see the swell getting up. There'd be white water breaking over Sker ny Rona by now. The wind was starting to whine around the house. The wuthering in the chimney meant it was shifting southerly. The *Betsey* wouldn't be able to land in this. Sure enough, when Lucy looked at the window again the sky was no longer blue but grey, and the clouds were scudding past. No good expecting Finn tomorrow then. The surveyors were stuck, and they all just had to thole it.

No, Aunt Annie would never write a letter, and that was a pity, because it meant they'd never hear from her again. How wonderful it would be if Aunt Annie were in Castletown now . . . but there was no point even imagining that. When Mrs Wells' household had broken up, less than a year after Lucy went to live in Castletown, Aunt Annie announced that she was marrying her Johnny and going off to America. Oh, if only Annie had stayed, and there'd been someone to turn to when Lucy had needed it! What would Aunt Annie have said to Lucy, in her great trouble, if she'd still been there, and there'd still been the safe kitchen to run to? But perhaps even that was just as well . . . Lucy had thought about it sometimes over the years: Aunt Annie had been a woman of the world. She knew much more than Lucy ever would. Would Aunt Annie have suggested a solution that might have meant there'd never have been Billy? Lucy didn't know; the thought, now, was impossible to contemplate. And what would Lucy have done if Aunt Annie had said . . . no, no, she didn't want to think about that!

And why had she started thinking about Aunt Annie, anyway? (Was that a spatter of rain against the window pane? The gulls were screaming of a change in the weather. Would that mean everyone would come back to the house, God forbid? Lucy could do without that if she was to get any sleep at all.) Aunt Annie, bless her, had gone cheerfully out of their lives eleven years ago, and never been heard of since. Oh yes, Lucy recollected, she'd been thinking about Diya. The day she'd first seen Diya.

It had been a Thursday afternoon, and Lucy had been crossing the market square on her way to see Aunt Annie. The front door of Mrs Wells' house was at the top of five stone steps that projected out into the square. Just as Lucy reached the house the front door opened and a tall girl came out. She was fashionably dressed in a green bonnet and pelisse, with matching kid boots, and she carried a reticule. The door closed after her, and she came down the steps into the square. She was a very smart young lady, and yet her face was as brown as peat. Lucy had never seen anyone that colour before. She knew at once that this must be Mrs Wells' granddaughter, whose arrival had caused such terrible consternation ten years ago. You'd never guess now that the young lady had arrived under such a shadow. She looked so confident and bright, so at home on the grand doorstep of her grandmother's house. She didn't see Lucy, of course. Lucy was just a common servant girl in a print gown and frieze cloak, part of the crowd in the square. Miss Wells wasn't looking at any of the people. She came down the steps, walked briskly through the crowd in the square, and disappeared down Arboury Street.

Lucy had never told Diya about that day. She'd seen Diya quite often after that, but she'd never spoken to her. Jim had seen Diya too, and he *had* spoken to her. In those days, when their Da was still looking after the light, Jim had been able to come into Castletown sometimes. He had friends there, which is more than Lucy ever did, though friends had been what she'd hoped for when she'd insisted on leaving home. But when she arrived in Castletown she'd realised it was quite different for a girl. Lucy wasn't allowed out for long enough to go into town, except on those precious alternate Thursdays. Jim had known Aunt Annie's kitchen long before Lucy ever set foot in Castletown. And though Lucy never met Diya in that kitchen, she knew from Aunt Annie that Diya still clung to her child-hood habit of coming down to the kitchen to sit in the rocking chair with the cat, just as Lucy did, and chat to Annie. Lucy's brother had met Diya there more than once, but never, for some reason, on alternate Thursdays. Until Jim and Diya's extraordinary wedding day, Lucy had never seen the unlikely couple together. Probably no one had except Aunt Annie, and she – for Aunt Annie kept her secrets, in spite of all her talk – had never said a word about it.

The outside door opened, and a rush of cold air came in under the closed bedroom door. The kitchen was suddenly full of treble voices: it was only the children back again. Lucy had learned long ago to sleep through as much noise as three child-ren could possibly make. So many rainy days, sleeping through the afternoon with the cries of the gulls on the one hand, and the shrilling of the bairns on the other . . . That was life as she knew it. If only it could always be like this . . . Lucy rolled on her side, and shut her eyes, listening to the sounds of the day, just as her father had before her, and his father before that. The children, the island, and the light – those had always been the things that mattered, down to the third generation. For the moment nothing had changed, if only Lucy could hold time still, and not have to wake up to a different day . . . not have to wake . . .

# CHAPTER 20

ARCHIE AND BEN LOOKED DOWN ON THE LANDING PLACE FROM Gob y Vaatey. The tide was flooding across the mouth of the narrow giau. Sharp waves rose and jostled each other, throwing up spurts of white water. Two seals rolled in the surf, vanishing into the waves and bobbing up again on the far side.

'Sea's getting up,' remarked Ben. 'And we're no seeing England any more, either.' He pointed eastward towards a line of grey cloud. 'I reckon that'll be on us in an hour or two, sir.'

Archie folded his telescope and put it in his pocket. 'So long as the rain holds off . . .' He was studying the rocks down in Giau y Vaatey. 'I was right; it's the only place . . . if we build the jetty over that shelving rock – raise it by six or seven feet maybe – it's far enough out to give enough draft except at spring low water, though it canna be as sheltered as the present landing place. But if we build a sea wall on the south side the jetty'll provide its own shelter.'

'You'd get five or six hours at each tide if you built the jetty right in the giau,' objected Ben. 'You couldna come in as far in as Finn brought us, I grant you that, but' – Ben pointed – 'down there, say.'

'Five or six hours for a yawl like Watterson's. We canna bring all the men, *and* the supplies out here in a yawl. It'll need to be a smack – or something around that size anyway. We're talkin about a draft of five feet at the verra least, and we have to be able to use it for as many hours as possible.'

'So you'll no need Finn?'

'Oh ay, we'll be using Finn. We'll need him to pilot the smack – if we use a smack – to begin with, anyway. All right, let's get down there before the tide gets any higher.'

By the time the rain began, just over an hour later, they were both wet and breathless from scrambling over seaweed-covered rocks. Archie stopped writing, carefully wrapped his notebook in oilskin, and stowed it in his pocket. 'We canna do more in this. I can write it up indoors. I hope to God this weather passes through tonight.'

'There's a good wind behind it,' said Ben reassuringly. He hesitated. 'The gear'll be all right in the keeill, sir. Were you wanting me for anything more just now?'

'No.'

'Thank you, sir. I'll follow you later.'

'Verra well,' said Archie absently. He was frowning at the rain. 'I think it's only a shower. No matter – there's enough to do . . .'

Ben strolled away past the keeill. People didn't trouble him much, but he liked to be alone sometimes. He didn't mind the wet. It was only a shower, anyway – he could see the sky already brightening behind it – although there'd be more rain coming. The circling puffins were being blown about a bit, wheeling untidily as they rode the wind. Probably the rain would send all the children back to the house. Young Archibald wouldn't have planned on that. Ben grinned to himself. If Aunt Deer wanted her Breesha to have a Natural Philosophy lesson, he'd be willing to wager that a Natural Philosophy lesson was what she'd get. Though Young Archibald could be stubborn too. He'd get his plans drawn all right, even if he found himself doing them in the middle of a nursery. The kitchen would be full of people, snug no doubt, but stuffy – it must be getting on for supper time too. Well, they wouldn't be missing Ben for a bit.

This rain was just a shower; the drought-like weather would still be holding. Anyway, they'd done at least four hours since the other bairns had been sent off. He'd reminded Archie to dismiss Billy too, when they'd stopped levelling and gone to look at the harbour. Billy had run off somewhere. Ben looked out to sea. There was a fair bit of white water out there. The weather would decide what time they had; they wouldn't be seeing Finn tomorrow for sure.

Ben passed the keeill, and picked his way from tussock to tussock among the puffin burrows. The puffins turned their glossy heads to watch him pass. A brig, sails spread to the east wind, was making its way north-west; on that course it would pass less than quarter of a mile north of the cletts. It must be taking its chance on the channel between Ellan Bride and the Chickens; maybe it was bound for the Clyde. So there was someone else who'd be praying that the weather wasn't about to take a turn for the worse. Ben stood still, the rain blowing in his face, and watched the brig. White water rose and fell over the half-submerged cletts; he could hear the waves breaking harder on Gob Keyl. A brig like that – she could be going anywhere in the world . . . China, India, the Americas . . . Ay well, there had to be a first step on every journey, an irreversible moment when the ship pulled away from the quay, and the gap of water widened. For the time it took for a wave to break, you could still step over the gunwale, if you changed your mind, and get back on shore, but then the next wave would come, and the ship would slide away, and that was you – committed to the voyage and no going back at all.

The rain was getting harder. Ben stopped on Gob Keyl. He must be standing over the arch they'd seen from the *Betsey*. There were lush clumps of campion and mayweed at the edge where the cliff fell away; even a goat couldn't get down there. The cleft below was tightly packed with guillemots. The sea roared under Ben's feet, and he felt a faint tremor through the soles of his boots. He liked a rough sea – if everyone he cared about were safe ashore, that was – somehow it set a man's thoughts a-flowing, and cleared his mind.

On Gob Keyl it was hard to tell the difference between the sea and the rain. Ben's lips tasted salt. Black-backs had been feeding up on the headland; they'd left a scattering of whitened fishbones behind them. Ben pulled his hat hard down over his head, and headed south again down the rugged west coast.

The shower cleared, and once he was in the lee of Carn Vane the wind fell away. Suddenly it was like springtime again. It *was* springtime. He'd weathered the long winter and he wasn't even unhappy. Time was the great healer. His mother always said that. His mother was right at that. Time *had* healed. He'd not thought about Maisie once since he and Young Archibald had left Edinburgh. Or had he? Once or twice, maybe . . . not more. Last summer was a hundred years away – measuring it by how he felt, that was.

The eyebright was already out on this part of the hill, along with clumps of primroses around Towl Doo. The water in the pool was brackish from the birds, and unhealthily green around the edges. Perhaps he could begin to think about last summer without pain. If they'd only stop hurting, his memories were worth having, after all: those long summer nights in the green woods by Penicuik. At the time he'd thought himself lucky to be kept in Edinburgh, surveying new streets and terraces in the ever-expanding city for a whole season, though he'd have found it tame work after the Sutherland survey if it hadn't been for Maisie. It had been a long walk out from Edinburgh to see her every time, but he couldn't doubt, now the hurt was over, that it had been worth it. He'd known, of course, deep down. He'd known the first time they lay together that she couldn't be as innocent as she'd said. Ay well, he hadn't been the first, but he'd chosen to believe – well, she *had* protested as much, often enough – that whatever she'd done before, Ben Groat was the only one she cared for now.

He'd been gulled, of course. Looking back, he realised how much he'd chosen not to know. Otherwise why did they have to meet in secret? Why hadn't she taken him home? When the summer ended they'd had nowhere to go. Maisie hardly seemed to care; in fact she'd seized on the autumn weather as an excuse. And yet she had her own bedchamber, now that her sisters were wed, and a wee lattice window through which a man could easily creep, were he invited. Ben had reached the point – for he'd been besotted enough – when he'd have been quite willing to meet her parents anyway. There was no reason for them to disapprove of him. It was true he was no beauty, but he had a steady job and he earned a good wage – you'd expect that would matter more to her family than a handsome phiz.

The thing that hurt most – because it did hurt, even now – was her parting shot. 'No, Ben Groat!' she'd said. 'Not never! Not never! And that's all about it, see! And if ye want to know for why – if ye truly want to know for why – I'll tell ye. Ye're too damn *kind*. A lass wants more than that – a lass doesnae want a man to be so *kind*. It makes her feel bad. No – what she wants is a man that speaks for himself – ay, and fights for himself too – so she does – a proper man that isnae so peely-wally *kind*.'

Ben had been cut to the quick, though he hoped he'd not shown it – he'd had that much pride left. But when he thought about those scented summer nights, lying in the grassy hollow in the shelter of the blackthorns, maybe he'd not been a fool to take what Maisie gave, and ask no questions. No red-blooded man could have said no. Because Maisie . . . Ben stared unseeing at the white waves gently licking the feet of Stack ny Ineen – she'd been a bit on the plump side, it was true, but that was nothing, compared to the softness of her under his hands . . . and her own hands on him . . . oncoming, she'd been, to say the least . . . and she knew how . . . and as for . . . luscious, that was what Maisie had been . . . altogether luscious . . . and now it was eight starved months ago . . . a whole long winter . . .

'Hey! Did you see it, Mr Groat?'

Ben nearly jumped out of his skin. But by the time Billy

had slid down the grassy slope and landed beside him, he'd recovered himself, and said easily, 'Seen what, young Billy? The raree show?'

'The what?' Billy looked puzzled for a moment, then hurried on, 'There was a killer whale just off the stack. I saw the grey stripe behind its fin – that's what it was. I saw the fin roll over and then it went behind the stack. There might be a whole pod of them. There were last time! You didn't see? But you were looking that way. I saw you! I was watching you through the telescope from up there!' Billy pointed up towards Cronk Sheeant.

Somehow it was disconcerting to have been in the boy's sights, even though the telescope could hardly illuminate his private thoughts. 'No, I didna see it,' said Ben. 'But it'll maybe come back if we keep watching.'

They watched for a while, but there was no sign of anything like a whale. The sea was grey and yeasty. 'It's hard to see them when it's like this,' said Billy, disappointed. 'Last time they came the sea was calm and sort of white, and they showed up pretty well.'

'Ay well, I daresay they'll be back.'

'It was going south. If we went to the end of Kione Roauyr we might see it again.'

Ben hadn't the heart to refuse. It didn't surprise him, though, that when they stood at the end of the next headland there was no sign of any whale. 'No luck this time,' he said to Billy. 'It's a bit rough to see much, anyway.'

'Well, I'm going to watch for a bit. When they go round the island they do keep coming back if you wait long enough. There's a good place . . .' Billy led Ben along the edge of Giau yn Ooig, and showed him where the soil had eroded away to make a small sheltered platform at the top of the cliff. 'It's fine as long as it's not a southerly.' Billy jumped down the foot or so into the hollow. Ben didn't follow him, although there was plenty of room for two. There was a moment's pause. 'I'll see you later then, Mr Groat,' said Billy doggedly.

Ben would have liked to walk on, thinking his own thoughts: the rare chance of solitude was much more appealing than a passing whale, even supposing there were one. It was the hint of wistfulness in the child's voice . . . if Billy had *asked* him to stay Ben could easily have said no, but Billy would not ask. Ben hesitated, and was lost.

When Ben stepped into the hollow beside him, Billy's face lit up, but he didn't say a word. He moved up, and put his telescope to his eye, scanning the empty sea. Presently he looked round, and held out the telescope. 'Want a shot?'

Ben twisted the focus and saw a shifting swell flecked with white caps. Through the glass it looked close enough to touch, though the muffled crashing of water on rock two hundred feet below gave the lie to that.

'Is our lighthouse just like all the other ones?'

Ben still had the glass to his eye. He almost lowered it, and then grew still. There was an urgency about Billy's question he couldn't quite fathom. *Never look a wild creature in the eye.* Who'd told him that? He didn't know, and it didn't matter. Ben went on watching the waves through the glass without really seeing them, and said casually, 'Ilk lighthouse is different. Your lighthouse is the best-kept one I've ever seen. And the standard of our Scottish lights is very high.'

'But our lighthouse isn't any good any more. It's too old.'

Ben laid down the telescope, but kept his eyes on the sea. From here he could just see the waves break over – Creggyn Doo, was it? – in showers of foam. 'Not everybody would say your lighthouse was too old. Some lighthouses are much older than Ellan Bride, and any lighthouse is a lot better than nane. But the Commissioners of Northern Lights are wanting to make all the lights in Scotland as good as possible. They build more of them all the time, and – ay, it's true – they make the old ones better too.'

'And the Isle of Man as well,' Billy pointed out. Then he asked, 'Do you think everything they do is good?'

There was a pause. 'That's a hard question,' said Ben. 'My

mother might tell you "no". That's because, before I was born, Mr Stevenson was building the greatest lighthouse of all time – for that's what it is, without a doubt, and I reckon it always will be – a lighthouse that's already saved more lives than you can begin to guess at – at the Bell Rock. Have you no heard of the Bell Rock? It guards the Firth of Tay, and no one can begin to guess how many ships have been lost there since men first put to sea.'

'The Bell Rock goes under the water at high tide,' replied Billy. 'And before there was a lighthouse, the Abbot, who was a very holy man, put a bell on it, and it rang to warn the ships, only there was a wrecker who didn't want a bell because he didn't get any wrecks and so he took it off, and then he got wrecked on it himself and he was drowned, and that served him right.'

'Ay well, that was a long time ago. But the lighthouse I'm speaking about was finished in October of 1810. My father worked on it. He'd worked on lighthouses since he was a boy. His first job was on an island in the Pentland Firth – that's between Scotland and Orkney – and he got on so well that when Pentland Skerries was finished he stayed working for Mr Stevenson – him that built the lighthouse – and left Orkney. His sweetheart – that was my mother – waited for him ten years and then they were wed, and she went away sooth with him.

'My mother telt me my father was proud to be working on the Bell Rock. It was a terrible dangerous job, and he was there right from the beginning, working with the great blocks of granite. They had a sort of platform where they lived – it seemed like it could have been swept away any old time, but Mr Stevenson knew what he was doing, and it held. Then, when the tower got too high to raise the stones, they built a temporary tower with a pulley for getting the stones across, and a swinging bridge between it and the light.

'The lighthouse was nearly finished, and they were about to take the bridge down. Just before they did, twa-three fellows ran across – really for the sake of it just – in high spirits they were, see, with the lighthouse about to be finished. Only the bridge broke, and all three of them were killed. And one of them was my father. So my mother canna be glad of that lighthouse, for the way it blighted her own life. But would it no be worse if the Bell Rock light hadna been built, and those three men had had their lives out, while dozens more ships fell foul of the rock and hundreds more lives were lost to it? I dinna ken the answer to that myself, Billy, and that's a fact. It's a sum without an answer. So I dinna ken what's good or not. I canna tell you.'

'So was your Da dead before you were even born?'

'That's right. I was born twa months after.'

'So you didn't ever see your Da?'

'No. But my mother's telt me all she can about him, so I seem to ken him even though I didna.'

There was a long pause. Either Billy was trying to calculate how old he was, thought Ben, which wouldn't be too difficult, or he was working out something a good deal more complicated. He was a little apprehensive, but not altogether surprised, when Billy spoke again.

'I didn't ever see my Da either after I was born. But he *isn't* dead.'

'Is he no?'

'No,' said Billy positively. Instinctively he reached for his telescope, then realised Ben had it. Ben handed it back to him. 'My Da sailed away on a brig,' Billy told him, cradling the telescope.

'A brig, was it?'

'Yes.' The cloud had come lower so they could barely see the Creggyns. It was beginning to rain again. Billy turned up his collar and shifted round so he had his back to the wind. 'To the China Seas,' he informed Ben.

'Opium trade?'

'It might be.' Billy sounded uncertain.

'Tea, maybe?'

'Yes.' Billy knew about tea. 'And silk,' he offered. 'And spices and stuff. Things like that.'

'But whiles he must sail hame again?'

'No, not really.' Billy followed Ben's gaze out to sea. The shreds of passing cloud were already lifting. Beyond the rocks Billy caught sight of the smoke from a distant steamer, but the ship itself was lost in mist. 'He decided to stay in China,' said Billy presently. 'He's been getting very rich because of the China trade. That's why he hasn't come back yet.'

'That's tough for you,' remarked Ben. He hesitated, then decided to take a risk: 'You must have missed him all the more when your Uncle Jim was drowned.'

'Well . . .'

'You and your Mam,' said Ben.

'Well . . . you see . . . my Da might know about that.'

'About what?'

'About if Uncle Jim wasn't *really* drowned. Because you see . . .' Billy had stopped looking for the steamer and was watching Ben anxiously. Ben was quite aware of it, and so he kept his eyes resolutely on the distant tail of smoke. 'No one knows *for sure* that Uncle Jim got drowned. And if he'd been picked up by a ship, see, after he fell in the water – well, a lot of ships go past here on their way to the China Seas. And if my Uncle Jim is still alive: well, you see, my Da might even know about it.'

It wasn't Ben's business. He was sorry for them, of course, but none of the troubles of this small family were any of his business. *A lass doesnae want a man to be so kind* . . . But his mother wouldn't have said that. She was never one to hold back her hand, or her word either, if help were needed. *For what were we put on this earth for, Ben, if not to help one another?* That's what Mr Stevenson went by, too – if he'd not given a hand to a boy who had no claim on him, Ben wouldn't be on Ellan Bride today.

'Billy,' Ben laid his hand on the boy's damp sleeve. 'Billy, I've been working close to the sea all my life. If your Uncle

Jim was swept out to sea from Giau y Vaatey on a bad night, he was drowned. I'm sure that's what your Mam telt you, is it no? She wouldna lie to you about that, would she? Because you ken very well, do you no, that your Uncle Jim would never have stayed away without telling you all if he was still alive? Not that I kent him, of course, but if he was anything like you and your Mam he *couldna* have done that to you. *Never!* It's more important to ken that than to ken just exactly what happened to him. Believe me, it is!'

Ben glanced at Billy. The boy had gone quite white under his tan. He was hugging the telescope tightly to his chest. Ben didn't let go of his sleeve: there was a two-hundred-foot drop in front of them, and if the boy moved suddenly . . . but Billy was used to the cliffs. There was no need to fear for that – only he couldn't get himself out of this one, poor lad, not by himself, anyway.

'Talking of brigs,' said Ben, a few moments later, 'I saw one going north-west off Gob Keyl. It must've been steering a course between here and the Chickens. I doubt you'd be wanting to do that in rough weather. I'll wager you dinna see many ships take that route? No?'

Billy made a small movement that might be a shake of the head.

'Mind you,' Ben went on cheerfully, 'I've been through narrower straits than that in my time. I've sailed through the Sound of Harris, for example – that was one of the tightest bits of sailing I ever saw. We were heading back to Eilean Glas: we'd been taking a look at the west coast of the Outer Isles. A wild, exposed coast, yon is. It's got the whole Atlantic battering against it, and no the glimmer of a light the entire length of it. Will I tell you about that?'

Billy gave an almost imperceptible nod.

'We'd been lying off the Monachs, see, west of Uist. That's a tricky group of islands if ever there was one. Just a few flat stretches of sand, that's all they are – in bad weather you'd be grounded without ever even seeing them at all, that's how hard they are to spot. There's no anchorage. We'd moored off to the north-east, but there was no shelter to speak of – just as well the weather stayed fair. Anyway, we beat back to the Sound next day in good time for the tide.

'We'd a local man to pilot us – a stranger couldna get through that place without – the channel's awful narrow at the beginning, with islands and cletts all around you. We were passing so close to the skerries you could see the barnacles on the rocks. The swell was nearly as deep as those waves on Creggyn Doo right now' – Ben noticed that Billy's eyes followed his pointing finger, so it must be worth blethering on like this – 'and we were barely a yard from white water, both port and starboard. The channel's that narrow – you can only get through on a high tide – and when the rocks are covered you canna tell where they are without a local man to show you. Even a light wouldn't help much with that passage, it twists and turns so much among the skerries. I'm telling you, it was a relief to get to Eilean Glas. No that there's much shelter there, either.'

'What's Eilean Glas?' Billy sounded subdued. He thought for a moment, then asked, 'Is it a grey island? That's what it would be here.'

'And so it is up there. But it's a lighthouse, too. Have you no heard of the Eilean Glas light?'

Billy slowly shook his head. He'd stopped hugging the telescope quite so hard.

'It's one of the first lights the Commissioners built in Scotland.' Ben stood up. 'It's going to rain again, Billy lad, and I'm cold. D'you think it might be getting on for suppertime?'

Billy fell into step beside him as they climbed up Cronk ny Mannanan. 'Is Eilean Glas a light like ours? Or is it different?'

'I telt you before: ilk lighthouse is different.'

The boy wasn't looking distressed any more, and he was back to asking his interminable questions. That was all right. Ben could deal with questions that had sensible answers. For a moment Billy had given Ben a glimpse into a more complicated world altogether. Ben reckoned the gap was safely closed again now, just in time for supper. That was what they were both needing, thought Ben: a good meal. He interrupted Billy with a serious question of his own: 'What would you guess Aunt Deer will be giving us for supper, then?'

# CHAPTER 21

*WHEN MANNANAN RIDES IN HIS CHARIOT OVER THE WAVES, HE looks down through the water at the lost lands lying at the bottom of the sea. In fair weather the rising sun shines through the water, and Mannanan can see all the sunken world which he created. But when Mannanan is angry he stirs the seas with his stick and makes the storms rise. When that happens the drowned lands are lost to sight, and if Mannanan stirs the sea hard enough it turns to blood.*

*Mannanan helped Bran to cross the sea by taking him in his own chariot. Very few mortals have ever ridden in the chariot of Mannanan. Hardly any have looked down through the waters at the sunken lands.*

'The drowned lands are India,' said Breesha. 'But we have to look very quickly because we're going so fast, and any minute the weather might change.'

'Well, supposing it's *not* going to change,' argued Mally. 'Supposing we can go quite slow and the sun is keeping on shining. That's what it does in India.'

'But we're not *in* India. We're still in the chariot, and we're still going over the sea. We're still in *our* country. We're only looking *at* India, and it could change any minute.'

'Well, supposing we don't change it. Supposing we say it just keeps on being nice.'

'No. Otherwise it doesn't work. You can't just suppose it's nice all the time or there isn't any game. Anyway, we have to look over the edge.'

'I *am* looking. If I lean any more I'll fall out.'

'Well, hold on tight then. Because supposing it's getting a bit rough. What can you see?'

'Elephants,' said Mally promptly. 'I can see elephants.'

'Only one elephant,' corrected Breesha. 'With a young rajah in a howdah.'

'Supposing there are *lots* of elephants,' said Mally obstinately. 'I can only see one.'

'There are *lots*. Or else I won't play. Because I think supposing we could get down there and ride on one. And then this could be *our* howdah too.'

Breesha took a moment to weigh the advantages of such a transformation. The main disadvantage was that it was Mally's idea. Breesha preferred the ideas to be her own. Another disadvantage was that Mannanan couldn't come into India with them, because he was the god of the sea, not India. India had its own gods. The part of the game that Breesha always kept to herself was the vital presence of the sea god in his chariot. Mally tended to forget the god was there, and Breesha seldom reminded her. But for Breesha the god was the most important part. She'd never paused to wonder why, but she was aware it was to do with the fact that when she was falling asleep at night she always imagined herself in the chariot of the sea god, speeding over the water as the waves rose and fell, rushing towards some other country, which she longed and yet feared to reach. It was comforting, and yet also a little alarming, to feel the presence of the god with her in the chariot. He held the reins, and he always sat a little behind her, on her left. She was always asleep before they came anywhere near to sighting the other country. Breesha never felt like supposing that the chariot was actually arriving. But just now it was daytime, and she was awake, and with Mally. She had to decide. If they went down into India they couldn't take the sea god with them. Or could they? Supposing they did, would that be too great a confusion? There was a sea in India, wasn't there?

'Supposing all the elephants are by the sea,' said Breesha aloud. That was a good way of making a concession without saying so, and also providing the sea god with his own element so he could come too. She didn't need to tell Mally the rest of her thoughts.

'Bathing,' said Mally, pleased. 'The sea in India is so hot you can walk into it. That's what our elephant is doing now.'

'But *we're* not getting wet.'

'No, we're *much* too high up, even for the big waves.'

The first floor of the lighthouse was a good place when it was raining. They weren't allowed to play in the lantern; in fact they weren't supposed to go up there at all if no one was working. But they were allowed to go on the first floor. It was warmer than the ground floor because it had a wooden floor, and it was less full of things. It was rather dark, because the only light came down through the trapdoor from the lantern. They were allowed to go up and hook the trapdoor open so as to get some light. The first floor was really only a platform between the store-room at the bottom of the tower and the lantern at the top. There was a spiral stair made of stone down to the ground floor, and a wooden ladder leading from the platform up to the light. Stairs and steps took up most of the space inside the tower. The only things that the lightkeeper kept on this level were a bolster and a couple of blankets. There wasn't a proper bed because the lightkeeper must never sleep on watch, but she could sometimes make herself comfortable down on the platform. At night it was easier to see down here, because the light streamed through the trapdoor once the lamps were lit.

Breesha and Mally had brought up a few things of their own. They'd used driftwood to make the sides of the chariot. The seat was a heavy log, whitened by the sea, that had come ashore on the slabs a year or two back. The lightkeeper's blankets and bolster made the chariot comfortable inside. It had been very difficult getting the log for the seat up the stairs, but they'd managed it. There was no question of asking for help. This game was private. They didn't even play it with Billy. It wasn't a boy's game. Obviously the lightkeeper had noticed the presence of a chariot in the middle of the light-house, but Aunt Lucy could be trusted not to comment on that sort of thing if she felt it didn't matter. All she ever did was to pile the chariot away against the wall when they weren't using it, so it looked as tidy as everything else in the light-house. They had string for the reins, because sometimes Breesha or Mally took a turn at driving the magic horses, and an old tinder box for supplies. Mam almost always gave them provisions if they said they were going on a very long journey. Today they had ships' biscuit, which was satisfying because it made it seem more like a real voyage than ever.

'We're running out of provisions,' said Breesha presently. 'We'll have to forage.'

'Do you mean get off our elephant? But supposing there are tigers? Let's not get off.'

'No, we needn't get off. We can pick fresh coconuts from the trees as we pass.'

'Green coconuts?'

'Yes. In fact, supposing they're coconuts like they used to sell on the beach when Mam was little. And the seller is coming up to our elephant, and he's taken a big knife and sliced off the soft green flesh at the top, and we can drink the milk . . .'

'"Just like taking the top off a boiled egg."' They both knew the coconut story by heart, so Mally was quoting Mam verbatim. 'And first we can drink the lovely sweet milk, and then we eat the big moist chunks of coconut.'

'"And sometimes it's soft inside like butter and it all falls apart in your hand, and sometimes it's hard like cheese from the Island. You don't know until you open it."'

'Mine is all squishy and juicy.'

Silently they conjured up lush visions of imaginary coconuts.

'Are they as nice as the sugar plums that Mr Groat bought?' asked Mally presently. She sounded rather wistful.

'They're a lot nicer. *Everything* in India tastes better than it does here. All the sweets in India are much sweeter than any sugar plums!' Breesha's imagination swept ahead of her, and suddenly she found herself saying something she'd never thought of before. 'When I'm grown up I'm going to go to India – not just supposing but *really*. I'm going to go and find Ajoba. And Aji. That's what I'm going to do when I grow up.'

'Oh,' said Mally. The idea was so new she had to think hard about it for a moment. 'Can I come too?'

'I don't know. I don't know how I'm going to do it yet.'

'And if we did that, it would be easier supposing there were elephants because they'd be real ones.'

'If they were real we wouldn't *have* to do any supposing, silly.'

'The elephants went by as high as the garden wall where Mam was a little girl,' said Mally.

'And if we did go, we could *really* go in that very same garden too.'

'And the best sweets – sweeter sweets than any of Mr Groat's sugar plums, even – would come at Diwali. That's when all the children have sweets. As many sweets as they can eat without being sick. At Diwali all the houses would put out little lights and we'd see them shine, and it would seem just as though there were little lighthouses everywhere.'

'And we'd go from house to house and visit our friends,' put in Breesha. 'We wouldn't have to light just one little lamp in the keeill on an icy cold November night. We'd have lamps lit everywhere. And it would be *hot* even though it was winter. And we'd have other places to go to as well. And other people.' Breesha frowned with the effort of imagining it. 'We'd have cousins – more cousins than just Billy. Lots of cousins to go around with, and they'll take us everywhere we want to go.'

'But Breesha . . .'

'What?'

'It wouldn't be . . . we aren't supposing that India would be better than if we stayed on Ellan Bride?'

'I'm not talking about a game,' said Breesha. She sounded quite fierce about it. 'I'm talking about when I'm grown up, and then it won't be just a game. It'll be *real*. I'm going to make it real, one day! And anyway, we're not going to be allowed to stay on Ellan Bride any more, so that's that!'

*Et in Arcadia ego* . . . Archie absentmindedly drew a border, just like the ornamental scroll on the original carving, around the words he'd copied from over the door of the lighthouse. He was alone in the kitchen with the only person on the island who might conceivably be able to tell him what the Latin words meant, but nothing would have induced him to ask her. Having no Latin was one of the things that distinguished him from a gentleman. The enigmatic motto presumably represented some fancy of the deceased Duke of Atholl. It was hardly relevant, in any case, and by the end of the summer the old lighthouse, inscription and all, would be reduced to its constituent stones.

The only sounds in the kitchen were the wind in the chimney, the flames crackling round the logs on the hearth, and the occasional chink of crocks. Diya made no noise at all as she moved from dresser to table to hearth and back again. She'd kneaded the bread for the second time and set it to bake in the bread oven. As the afternoon waned the smell of new bread began to fill the room. She'd gone into the larder and hung the sour milk in a muslin cloth to make cheese. She'd brought a bowl of water to the table and peeled half a dozen wizened potatoes, chopped them up, and added them to the broth pot. She'd set the broth to boil and brought in fresh fuel for the fire. And now she was sitting at the other end of the table letting out the tucks in a child's nightgown. She hadn't said a word to Archie since he'd sat down to work. The kitchen was as clean and peaceful as a kitchen could well be.

When Archie had attended the school in Callander, he'd

often sat with his slate at the kitchen table in the evenings writing out his sums for the next day. His mother would work around him, just as Mrs Geddes was doing now. Unlike Mrs Geddes, his mother wouldn't have been able to read his work under any circumstances, but she'd protect his right to do it, even when his brothers scoffed at him and called him a sook. Both Archie's brothers were working in the mill back at Kilmahog, while he, Archie, was here on Ellan Bride. And in October he'd be sailing a good deal further than the Irish Sea, and you might say it was all because of those long-ago evenings at home spent writing numbers on a slate.

It didn't matter that they'd got rained off. They'd done a fair day's work, and there was enough material now to be able to make a start. Already Archie could see the map in his mind's eye. Ellan Bride was so small – barely half a mile long – that the whole island would fit easily onto foolscap, even at a scale of twelve inches to the mile. Archie had brought with him a dozen loose sheets of foolscap, as well as his drawing instruments and log book, and while he was waiting for the weather to clear, he began to adjust the chain measurements to the heights they'd logged this afternoon. As he did his calculations, he drew each triangle with compasses and ruler to the corrected dimensions. Before long he was able to look through the network of ruled lines, and, as if he were watching the fog clear on the other side of a barred window, he began to see the actual shape of Ellan Bride forming on the flat page. For over an hour he was absorbed, unaware of Mrs Geddes moving softly around the room. It was almost as if he were creating the island himself; certainly it had never been represented on paper before. There was more data to collect – another day's work – but he had enough material now to see pretty well what the island was going to look like.

He didn't become aware of his surroundings again until Diya took the loaves out of the bread oven, and laid them upside down to cool on a wire tray at the other end of the table. They looked as good as they smelt. He was hungry. It must be getting on for supper-time. It wasn't just the new bread; he could also smell the broth simmering in the pot. They'd been alone in the kitchen for a long time, he and Mrs Geddes. She certainly knew how to be silent. That was a rare blessing in a woman.

Diya must have noticed he was looking at her, and not at his work, because suddenly she spoke. 'Do you like the hot crust? I sometimes let the children have a bit as a treat. It's not good for the digestion, of course.'

'Ay. I mean: yes, I do.' His voice was hoarse after the long silence. Archie cleared his throat.

She picked up a much-sharpened, lethal-looking knife. It went through the fresh loaf as if it were butter. 'Here.'

'Thank you very much, ma'am.' No one had cut off a crust hot from the oven for him, and passed it to him in her fingers, since he was about ten years old. It was a little disconcerting to be treated as if he were her nephew Billy. The bread tasted very good. Archie watched Diya stirring the broth with a long wooden spoon.

He was tired, he realised as he chewed his bread. He'd slept very badly the previous night. He could hardly blame Ben for that; the man had been sound asleep, but he'd taken up a lot of room, and at one point he'd certainly been snoring. The last time Archie had woken, the dawn had been creeping in at the kitchen window. He'd given up at that stage, and got up. Besides, he'd had a bad dream. Unconscious that he was still staring at Diya as she stirred her broth, he gradually pieced together what the dream had been.

*The brig was racing before the wind. The swell was piling up behind them, pushing them onto the lee shore. If they couldn't round the Cape they were done for. Sheets of spray shot up from the lethal skerries. They might get round, but there was no light . . . He couldn't draw the plan because the wind was too wild, gusting over the cliffs where the waves broke far below, and trying to blow him off his feet. He couldn't navigate; he couldn't take the papers from his knapsack, and because of that the ship ... But he had been in the ship ... No, that was in the dream ... All of it had only been a dream.*

It wasn't the first time Diya had moved softly around a kitchen, fully aware that a young man's eyes were fixed on her wherever she went. Mr Buchanan was not in the least like Jim, and the kitchen on Ellan Bride was not in the least like the high-ceilinged kitchen in Grandmother's house. Moreover, Diya herself was no longer the young girl she'd been back then. She was a widow, the mother of two growing daughters, and it hadn't crossed her mind in five years that there'd ever again be a man who'd be unable to take his eyes off her. Diya went on kneading the bread as if nothing unusual were happening, but she was very conscious of being watched.

When Jim had erupted into the basement of her Grandmother's genteel feminine household, Diya had been half-shocked, half-fascinated. She'd had very little knowledge to guide her; she'd discovered more about sexual matters in the years before she was eight than anything she'd learned since. What was normal in India was apparently non-existent in Castletown. As she grew older Diya had become aware, without being able to define her feelings precisely, that this was a lie. But a man like Jim was unthinkable, and so Diya obediently did not think. As she rolled the dough into soft round loaves, Diya wondered how she could possibly have remained so ignorant. But there'd been other ways of knowing than thinking. And now Diya was a widow, and not innocent at all; in fact she knew precisely what Mr Buchanan might be thinking about as he watched her leaning over the hearth, setting out the loaves to rise.

Diya was less sure what she thought about him. He came from a world that was closed to her for ever. Unless ... but no, she wouldn't even think about that. Diya straightened up quickly, and hurried into the larder to hang up the sour milk to make cheese.

It was ironic, she thought as she unfolded the boiled muslin, that this man had, like Jim, suddenly appeared in the very heart of her house, bringing with him disturbing intimations of other ways of life, other possibilities . . . The difference was that Diya recognised the world Archie came from, whereas Jim's world had, when she first met him, been a complete mystery. But that might also be a delusion. What did she know about Mr Buchanan? That he was a Scotch surveyor who was interested in geology. That he had fine dark eyes, was a well set-up, athletic young man, although not very tall – exactly her own height, in fact. That he was polite when he chose to be, although often uncivil when his mind was engaged on other matters. That, as ever, she must always be aware of the boundaries of what he found acceptable, and take care not to transgress them. That he could hardly take his eyes off her. And that was about all.

It wasn't even worth thinking about. Diya poured the milk into the muslin, and hung it from a hook so the whey could drip slowly into the pot beneath. There was something else about Mr Buchanan: she didn't even dare formulate the notion. It was too dangerous. Diya took an enamel bowl and started to select usable potatoes from the bottom of the sack. But she couldn't help her thoughts: she knew she didn't want to stay on Ellan Bride for ever. She didn't want her daughters to grow up here, knowing nothing else. At the same time she was terrified – though no one must ever guess that – because she had no money and nowhere to go. Wasn't that the only thing that had driven her here in the first place?

No, that was a wicked thought. She'd loved Jim. Not true: she hadn't loved him when she'd married him. She'd been fascinated by his complete unlikeness to anyone else she'd known – by the way he didn't hide what he was, in the way that Grandmother's male friends seemed to do so adeptly – and, also, she'd been desperate. Diya scrabbled in the bottom of the sack. There weren't enough of last year's potatoes left to do another meal; she might as well finish them now . . . And then she'd married Jim, without proper consideration really, and sex had immediately ceased to be an unmentionable mystery. And what that had led to, in the end, was that she'd loved him.

But that was all over. Diya tumbled the potatoes into the enamel bowl, and came back to the table. Mr Buchanan was bent over his drawing and seemed not to notice her. Diya poured cold water over the potatoes, and picked up the knife. Jim was dead and Diya was a widow, and that was that. There'd been an aunt in India who'd been a widow. Diya didn't want to think about that; it wasn't the same on the Island. There hadn't been potatoes to peel in Aji's house either: this was another world altogether. But perhaps some sense of abasement had lingered. Diya recoiled from the memory of that resigned, white-clad figure, who'd drifted around the edges of Ajoba's household, with no place to call her own, tolerated but not respected, and certainly not welcomed. Diya dropped a peeled white potato into the pan. She couldn't even recall the woman's name. She didn't want to. There were more immediate things to think about. Potatoes, for example. She was having to cut big chunks out of them where they'd started to rot. This year's crop wouldn't be ready for a month or more. By that time they might all have left the island.

Diya didn't wish to remember anything bad about India. India was all sunlight and what seemed, in retrospect at least – for who could really see clearly through the long dark tunnel of the intervening years? – to have been a happy childhood. Only the brightness of the sun, as Diya recalled it, was certainly real and true. Sometimes, as in the present drought, there were rare golden days when that sun came as far north as Ellan Bride and Diya knew that her memories had not been playing her false. But as for the rest . . . there was no going back. She had lost her place in the other world long ago. And if a woman must be a widow, she was in a more compassionate country now, whatever happened to her and Breesha and Mally when they had to leave the sanctuary of Ellan Bride.

Only she hadn't expected that anyone would look at her

again as this man kept doing. She didn't flatter herself that Mr Buchanan was as interested in her as Jim had been, although when she came back into the kitchen again with a basket of logs he looked up, stared at her, and said nothing, just as Jim had once been used to do, when Diya would go down to Annie as usual, and find that Annie's young nephew from the remote island was once again visiting her in the kitchen.

Diya had recognised as soon as she'd arrived in Castletown, even at eight years old, how the class system worked. Aji would have understood it at once; in fact Aji would have found it very lax. Aji would have been horrified to think of an unwashed young man of low class, in sea-stained breeks and a tattered seaman's jacket, polluting the sacred centre of the house. In Aji's house no man, not even Ajoba himself, ever entered the kitchen. Aji's kitchen was not down in a basement, but right in the middle of the house, and the cook was not a menial, but Aji herself. Before Diya was permitted to enter that kitchen – which only happened when she was allowed to help – she had first to take off her shoes, then wash her hands and feet, and then put on clean clothes. There was a sacred niche in the wall just where you went into the kitchen, where Ganesha dwelt as a little jade image; the presence of the god blessed all the food that was prepared and eaten in the house. Aji wore a special silk sari when she cooked, and she worked alone in the kitchen for many quiet hours before each meal. Diya was never allowed to take food outside the kitchen. At meals Aji served everyone herself. When the men had eaten she would put Diya's food on her plate for her, along with any of the cousins who were in the house, and last of all, when everyone else had finished, Aji would serve herself. Diya had been taught, and she had never forgotten in spite of everything that had hap- pened since, that the making and eating of food was a very sacred thing.

Diya was glad, therefore, that this man sitting in her kitchen was not trying to disturb her. He'd stopped looking at her now. He was absorbed in his drawing, and no longer seemed aware

that Diya was there. As she passed close by his chair she
see that he was ruling a whole network of triangles o.
paper. There must be a way of working out the chain meast...
ments in relation to the heights to get the outline of the islan
to come out right. Mr Buchanan must have worked it out to
his satisfaction, anyway, because at last he stopped drawing,
and now he seemed to be thinking instead. While he thought,
he kept his gaze fixed on Diya as she opened the bread oven
and turned the brown loaves inside. He obviously didn't realise
he was doing it.

On board ship she'd realised that English people had very
different views about kitchens. On the voyage, the man who'd
cooked Diya's rice for her in the galley had been roughly
dressed, like Jim, and roughly spoken, also like Jim. He was
more like a street seller than a cook. Diya had been slightly
less shocked than she might have been, thanks to her cousins.
Some of the young cousins were much less strict than Ajoba.
There'd been a memorable occasion when one of the boys had
bought them coconuts from a man who was selling them on
the beach. The coconut man sliced off the top of each coconut,
and handed them over in his bare hands. There hadn't even
been a plate! The forbidden fruit had been so sweet, so deli-
ciously green and juicy: afterwards they'd all had to walk right
into the sea to wash off the tell-tale stains from their hands
and clothes. If Ajoba had known about those coconuts the scene
would have been truly terrible. Even now Diya felt a little
frightened at the thought.

But all that was long ago. Both Aji and Ajoba – Diya had
never known their ages – were probably dead by now. That
was another terrible thought. Diya couldn't help worrying
about it sometimes. If she were taken back to the white road
that led along the shore next to Aji's house, she would know
her way home at once. But she would never be there again.
How could she go back: a woman without a husband, without
caste? It was impossible. And perhaps 'there' no longer even
existed. Grandmother in Castletown had made sure Diya was

taught to read and write, and post a letter, but all that was in English, and nothing to do with Aji and Ajoba.

Diya's father had promised, when he went back to India . . . But that was long ago, and now her father was dead, without having written another word to her, even to say goodbye. The letter from the East India Company had been sent to Grandmother, at the Castletown address, where it had arrived six months after her father was buried in the English cemetery in Bombay. It had taken another three months for it to be forwarded to Mrs Geddes, on Ellan Bride. But there was no point dwelling on broken promises. If one did that, the past years would hold nothing but endless disappointment, and that was not true. Diya would not let a thought like that be true.

She could smell that the bread was ready. Diya raked back the ashes and pulled the bread oven to the front of the hearth. She lifted the cover with a cloth, and took another clean white cloth to handle the hot loaves. She brought them over to the table and laid them upside down on the wire rack to cool. When Mummig used to lay out the hot loaves, when Diya first came to the island, she'd cut off a slice of the hot crust and give it to whoever was there – Jim or Lucy or Jim's Da. She'd offer it to Diya as well, but with the shade of Aji standing over her, Diya found it impossible to accept. And yet she'd learned to continue this small domestic custom with the next generation of Ellan Bride children – but then, life was never logical. If it had been Billy watching her now, instead of Mr Buchanan, Diya would have known at this moment exactly what he was thinking.

'Do you like the hot crust?' she asked impulsively. 'I sometimes let the children have a bit as a treat. It's not good for the digestion, of course.'

'Ay. I mean: yes, I do.'

He sounded dazed, as if his thoughts had been very far away. He was quite forgetting to be formal; perhaps he didn't feel shy any more. 'Here,' said Diya, and passed him the piece she'd cut off, holding it in her fingers in exactly the way that Mummig would have done.

'Thank you very much, ma'am.'

Diya took her sewing box from the dresser, and sat down at the other end of the table. There was just time to take out the tucks in Mally's nightgown before supper. The children had no way of telling the time but somehow they always knew when the next meal was ready. Soon the long peace of the afternoon would be shattered. Diya caught herself up on the thought, and was surprised. This man had been in her kitchen all the time, and yet there had been peace. Lucy said Mr Buchanan was rude. Perhaps he was, sometimes. But the ability to be peacefully silent in another's company seemed to Diya the epitome of politeness.

Suddenly she broke the silence herself. Her own speech surprised her: it was just a passing thought, and there was no reason at all why she should be sharing it with this stranger, except that all of a sudden it seemed an ordinary thing to do. She stopped stitching and held the needle poised above the cloth. 'My grandfather in India used to sit drawing plans just as you do. Plans of streets and buildings. That was what he did for his work. He worked in a company in Bombay that was making new buildings for the city. An English company. Sometimes when he was at home he used to sit on the veranda drawing. And sometimes I would sit there with him. We didn't talk to each other. The garden outside was very hot, and every-thing was quiet. I had a parrot – a little green parrot called Mittu. Mittu could say his own name: *Mittu Mittu.* I would softly get Mittu to talk, and my grandfather would sit and draw, all through the long hot afternoon in the shade of the veranda. And my grandfather and I, we were at peace together.'

She'd taken him entirely by surprise and he forgot to be shy. 'I like that,' replied Archie without even hesitating. 'There isna enough peace in this world – or so it seems to me. When you do get a little bit of peace sometimes, it's worth remem-bering, anyway, if nothing else.'

# CHAPTER 22

HAVING A CANDLE MADE ALL THE DIFFERENCE. ARCHIE dripped hot wax into the centre of the large green stone which sat in the middle of the floor, and stuck the candle down firmly. He squatted on the floor of the keeill and opened his knapsack. It would have been more comfortable to sit on the big stone at the east end, only some atavistic, half-acknowledged taboo prevented him. However, it seemed fair enough to use the altar as a writing desk. By no stretch of the imagination could the inside of the keeill be seen as relevant to his work, so Archie opened his notebook not at the next page of his survey notes, but at the back. The last pages were already filled with drawings: a basking shark, and a detailed sketch of the goniatite, drawn to scale. Archie turned the page backwards. He wrote a new title at the top of the fresh sheet: 'Celtic Chapel, Ellan Bride.' Then he laid the book open on the altar and took a measuring tape out of his pocket.

He could easily stand up in the centre of the chapel. From the top of his head to the slabbed roof was about three feet, as far as he could judge. He made a note: *Height c. 8′ 6″*. The oblong chapel was roughly twelve feet long and five feet across at its widest points. The west door had a pointed arch, measuring two feet three inches from ground to apex. It was impossible to tell how far the floor had risen over the years. At the present ground level the door was nineteen inches across.

There was a small window, measuring six by nine inches, above the west door; there were signs that it might have been added later. The chapel walls had at one time been covered with lime mortar. There was an aumbry in the south wall close to the altar, ten inches across and nine inches high. In it lay an abandoned starlings' nest. The altar at the east end was a half-buried, almost rectangular, single stone. There were no signs of masonry above ground; evidently that was its natural shape. Archie noted its visible dimensions: $10^{1/2}$" x $25^{1/2}$" x $12$".

He deliberately didn't study the objects in the chapel until he'd surveyed the building. Then he had a look at the cross. It was a rough, weather-worn thing, so crudely carved one could only infer that it was a cross from its obviously ecclesiastical context. There were faint carvings on its surface, so worn by the centuries that Archie could no longer trace the pattern. Altogether the cross was disappointingly primitive, and a closer inspection yielded nothing of significance.

Perhaps the most curious item in the chapel was the large green stone in the middle of the floor. It had been moved recently. He could still see the indentation to the right of the altar where the rock had lain for a long time. There was no indentation in its present position. That stone had never come from Ellan Bride. At a guess – Archie took notes so that he could look it up when he got back to Edinburgh – he'd describe it as green serpentine marble. Where could it possibly have come from? Ireland, he suspected, but he couldn't be sure; with any luck the answer would lie in the Advocates' Library.

When he'd finished with the stone, Archie sat down and began to make sketches, starting with the roof. The candle-light flickered in a breath of wind, and the five flat stones that constituted the ceiling seemed to quiver as if a wave had washed softly over them. As once it had: those slabs had originally been formed over long centuries at the bottom of a shallow sea. Over the aeons little particles of matter would have drifted down to the sea bed, slowly forming a layer of solid rock. And only in the last moment of time – in the mere flicker of an eyelid, as it were – if gods had eyelids – would those same stones have been taken and dressed, and laid over the corbelled walls to make a chapel roof.

As Archie sat drawing he gradually became aware of other things. Alongside the odour of damp earth, which was stronger than ever after the rain this afternoon, he caught a more subtle smell, musky but sweet, like old hay. The walls were no longer silent under the weight of the passing centuries; they were filled with little liquid rustling noises inside the stone. The sounds grew more insistent, and now it was not just rustling but curious twitterings. Mother Carey's chickens . . . now that the sun had set the stormy petrels were waking up. When it was fully dark they'd come out. It would be worth watching for that . . . later on, maybe, he'd come out again to see them. Archie's uncomfortable bed seemed a poor alternative. If he wasn't too sleepy he'd come back here later; now that the rain had passed he ought to be able to see well enough, even with no moon.

Aunt Diya had left a candle burning on the kitchen table because neither of the surveyors had come in. They'd both gone out after supper. It had stopped raining, and although there was a bit of wind Mam reckoned it was going to be a fine day again tomorrow. Aunt Diya said the rain hadn't been enough to do the garden much good. Billy didn't care about that. He wanted to go out with the surveyors again in the morning, and for that the weather needed to be fine.

Aunt Diya hadn't let Billy go out with the two men after supper; she said it was bedtime. Mally had gone to bed already. Billy had undressed unwillingly by the fire. It was odd getting ready for bed by himself. This was the second night Breesha had had to sleep with Aunt Diya because of the surveyors. She had to get undressed in the bedroom too, even though it must be colder than their usual place by the fire, and that was also because of the surveyors. Aunt Diya had taken away Billy's shirt when he took it off because somehow he'd ripped a hole in the elbow. Billy didn't remember how it had happened. Aunt Diya had laid out his other shirt, freshly washed and aired, for him to wear tomorrow, even though it would only be Saturday.

When Billy stood at the window in his nightshirt he could see the beam from the lighthouse shining on the sea. It never shone into the kitchen because the windows looked the wrong way. That didn't matter; you could almost always see the reflection of the light by looking at the sea. When Billy lay in bed he could look across to the window and tell by the colour of the window panes that the light was lit. The colour of the dark changed a lot with the weather and the moon, but there was a certain lightness inside even the thickest dark, which came from the lighthouse, right through the very worst storms of winter.

It wasn't as comfortable sleeping on a straw pallet as it was in his own bed. Also, there was that candle burning on the kitchen table, making the room too light. Billy lay wondering where Mr Groat and the Writing Man had gone. Surely they couldn't do any more work tonight because it was pretty well dark out there? Surely that would make the measuring much too difficult, and the Writing Man wouldn't be able to see to write?

There was a heaviness in Billy's chest which hadn't been there before. He was noticing it now that he was lying in bed with nothing else to do. At supper he'd forgotten about it, but now it had come back. In fact he felt sad. He even felt like crying, only Mr Groat might come back at any moment. Girls cried. Billy was emphatically not a girl. But even so he couldn't help feeling sad. Mr Groat had said that Uncle Jim was dead. Mam had said the same, long ago, but when Mr Groat said it there was something so true in his voice that Billy had no choice but to believe him. That meant there was no way of escaping it any more. For the rest of his life Billy would have to go on being quite certain, all the time, that Uncle Jim was dead.

In his mind Billy saw a bright vision of a far away island, white sands fringed with palm trees, a little hut, Friday's footprint . . . and in the middle of it all Uncle Jim, patiently waiting for the inevitable ship that would come to bring him home. But the picture had got very small and far away. It had gone all out of focus, and nothing Billy could do now would bring it back. Mr Groat's words had slammed the door on that other country, and Billy would never be able to look into it properly again.

Even though that made him feel like crying, Billy wasn't angry with Mr Groat. He liked him. It wasn't Mr Groat's fault if the things he said were true. Billy thought sleepily about Mr Groat. Mr Groat had started to be a chainman when he was fourteen. He'd grown up on an island, and he'd left it and gone all on his own to Edinburgh. Perhaps he, Billy, could be a chainman too. If he couldn't be the lightkeeper on Ellan Bride maybe being a chainman would be the next best thing. And then he could go wherever he liked, and stay up at night as late as he liked, with no Aunt Diya to tell him not to, just like Mr Groat . . .

*The wind was growing stronger. There were huge whitecaps on the sea. The magic horses were pulling at the reins. They insisted on galloping much too fast. They were huge and white and reared their heads. They tossed their great necks in a shower of foam. She didn't want to go with them. It was dark at sea, and it was all right here because the lighthouse was lit and she could see. The spindrift caught the light and the horses were shining bright. But the dark was deep and frightening. She didn't want to go into it. It wasn't horses any more, it was elephants, and they were pulling so hard she couldn't hold them . . . she couldn't hold them back . . .*

'Mally veen, what is it? Mally, wake up, wake up! Mally! It's all right, Mally veen, did you have a bad dream? It's all right now, Mam's here. Wake up, sweetheart, try to wake up!'

Ben was saying, 'But you ken, do you no, Miss Lucy, that men in offices in Liverpool and Castletown and Edinburgh and London are all arguing with each other about the harbour dues that ships should be paying for Ellan Bride?'

'No,' said Lucy obstinately. 'I'm not knowing and I'm not caring. All right, so you're telling me that the old Duke was making half a million pounds, while we're getting eighteen pounds a year. So what's that to do with anything? If the Ellan Bride light is saving a single man from drowning, or a single ship from foundering, then it's all been worth it. That's what the light is for. That's what it's *always* been for.'

'That's no true,' answered Ben. 'It's what it's for to *you*. It's what it was for to your father and your grandfather, I don't doubt. But 'tis no why it was built. There's no but one reason it was built. For money! If the Duke still owned the light I doubt you'd be any better off than you are now. He'd be doing whatever would make him richer. If that meant selling to the Commissioners of Northern Lights, and no keeping your family on here, then that's what he'd do. He wouldna stop to think about it for a moment. 'Tis what any rich man would do.'

'But it wasn't just the Duke! The Liverpool merchants were the ones petitioning to have the light here, so's to save people's lives! And it does! All these years it's done that!'

'Oh ay, all these years it has! And that's good – I didna say it wasna. Make no doubt of that! All I'm saying is, the light-house wasna put here out of charity, or loving-kindness, or because poor sailor-men value their own lives, God help them. It was done just because – and *only* because – rich men could make money! To hell with the sailors; 'twas their *property* those men were wanting to protect. What costs the most? A ship? A cargo? Or the scum of the earth who sail her to the four corners of the world for five pound each a year?'

'I never heard anyone speak so!' cried Lucy. 'I don't like it! Do you not believe in *anything*? Because if not, I'm wishing you'd go away and leave me in peace! I can't be arguing all night, but I *know* you're not right! Why, there's a rich man on the Island – a very rich man – who's doing all he can to save poor sailors, and he's not asking for anything back at all. He was leading the rescue of the sailors from the *George* last year.

And now he's trying to set up a boat which'll just be there to go out and save ships that are in trouble. Mr Hillary isn't never doing that for money! He's doing it out of . . . of what did you just say? Out of charity and loving-kindness. And that's the *truth*. And now I'm going up to check the light.'

Lucy picked up the oil can, which she'd put down on the bottom step of the spiral stair, and turned to go.

'I'll leave you in peace, if you like,' said Ben, suddenly humble. 'But I'd like to come up and look at the light. That's if you dinna mind.'

'You and Mr Buchanan were looking at it for long enough last night!'

'No. Mr Buchanan looked at it. I was just keeping out of your way, if you recall.'

'And you're thinking if you come up again tonight you won't be in my way?'

'I hope not.'

'Well, come if you like.' Lucy tossed her head, and went up the stair. 'I'm not caring. But I don't want to *argue*.'

'I winna argue,' promised Ben. 'It's just . . .' He followed her up to the platform. ''Tis just the way of it, see. Sometimes I do wonder . . . it's no just you, Miss Lucy. 'Tis everywhere. I'll tell you one thing: I'm glad I work for Mr Stevenson. And I'm glad Mr Stevenson works for the Commissioners of Northern Lights. We all have our living to make, and that's a fact, but I wouldna wish to be putting money in a rich man's pocket, just. No, I wouldna want only to be doing that. Will I help you with that?'

For some reason there were bits of driftwood arranged in a rough square in the middle of the floor, with a couple of blankets draped across the middle. Ben helped Lucy roll a large log against the wall.

'Thank you. Sometimes the children are playing here when it's wet . . . Mr Groat?'

'Ay?'

'Are you what they call a Radical?'

'I doubt it,' answered Ben. 'I'm a peaceable man myself. I just get to thinking sometimes that the world could be arranged a mite better than it is. These are supposed to be enlightened times, but in Edinburgh there're bairns younger than your Mally begging on the street. Peedie girls . . . I wouldna like to say what happens to them . . . But I said I wouldna argue. Will I leave you in peace now? D'you honestly want me to go, for I'd as lief stay? Missus Deer was putting the bairns to bed in the house, and I thought I was in the way. It's a little early to be turning in myself.'

'Mr Groat!'

'Ay?'

'When you tell me things like that it fairly makes my blood run cold. They're making us go away from here, you know that. We'll be leaving Ellan Bride before the summer's out. Sometimes I wonder what's going to become of *us*.'

Before he could reply to that Lucy quickly disappeared up the ladder. Ben hesitated for a moment, not sure what to do, and then he put his hand to the rail, and followed her up into the brightness of the light.

When Breesha woke suddenly she couldn't think where she was. It was dark, but she could feel the absence of walls around her. Of course, she wasn't with Billy in the kitchen bed. She was alone in Mam and Aunt Lucy's bed. There was some kind of commotion in the room. She heard Mam's voice, and Mally sobbing. Mam was hushing Mally . . . Mally had had a nightmare, that was it. Nothing to worry about after all.

Breesha felt wide awake now they'd woken her up. She couldn't even try to go back to sleep. Before she'd fallen asleep the first time, her thoughts had been racing around inside her head, and now they were roused again they wouldn't leave off. Her mind seemed to be full of anxious voices. Breesha tried telling the horrible thoughts to be quiet but they wouldn't. It would be easier if they were simply black or white, but they were all mixed together in a chaotic whirl of different colours.

Breesha didn't like not being able to decide at once what she thought about anything.

For example, there was the Writing Man – Mr Buchanan. Through the telescope she had seen him look, for one instant, like Ali Baba. Then this afternoon, when he'd shown her how to use the level, she'd almost felt as though she liked him. No – it wasn't liking exactly – she'd been able to forget for a moment that she didn't like him, because he'd been showing her how to use the level, and that had been interesting. Also, he'd treated her as if she were a proper person, just for that once. As if she were a boy. He hadn't been looking at her, of course. Perhaps he'd forgotten for a few minutes that she wasn't Billy. Hadn't he noticed that she was cleverer than Billy? No one ever mentioned the fact, but Breesha knew she was the cleverest at lessons. One could hardly help noticing a thing like that however much Mam never said so.

Then Mam had asked the Writing Man to show Breesha about the chaining and the triangles. It wasn't so much that Breesha wanted to do sums in the evening – that was Mam's idea, and even the cleverest of people would hardly want to spend their time doing that – but that Breesha had expected him not to forget. With Mam and Aunt Lucy, if they said they'd do something they always did it. Even if they forgot, you only had remind them they'd made a promise, and then they'd keep it. *Had* the Writing Man promised? Probably not exactly, but he *had* given his word, and Mam said that to give your word was as good as making a promise. Anyway, the Writing Man had ignored her completely for the whole of supper-time, and afterwards he'd got up and gone out without a word to anybody.

Mally wasn't crying so loudly now. It must have been a very bad nightmare . . . It wasn't quite true that the Writing Man hadn't said a word. He'd thanked Mam for the meal, and asked her for a candle. Mam had given him the candle without asking what it was for. And what *was* it for? What could the Writing Man be doing with a candle out of doors anyway? It was – Breesha listened to the waves and the wind through the window – a moderately windy night. The rain had gone past, but the wind was certainly rising. Where could the Writing Man possibly be using a candle? It couldn't be the lighthouse – you wouldn't need a candle inside the light, and anyway, Aunt Lucy would have a lamp there if she needed to go downstairs – and surely the Writing Man wouldn't ask for a candle if he was just needing the outhouse? The store shed, possibly? None of them were allowed to take lights in there because of the oil. Had the Writing Man designs on the oil store? No, that made no sense at all. There was only one place he could be going.

Breesha sat up in the dark in furious indignation. How *dare* he? The keeill was nothing to do with Mr Buchanan. Mally had told her how the Writing Man had suddenly stooped down, and without a by-your-leave to anybody, had crawled into the keeill, right in front of their eyes. But the keeill wasn't part of the survey. The keeill belonged to the Saint, and it was their own private place. And anyway, why on earth . . . But there wasn't anywhere else where he could possibly be using a candle.

Now Mam was softly singing Mally back to sleep. Breesha knew that chant almost better than she knew anything in the world. Mam had sung it to her since she was in her cradle, and then Mam had sung it to Mally too. Breesha lay down on her back, staring into the dark. The chant soothed her. Her unruly thoughts stopped whirling through her head and began to settle, one by one, like dragonflies on the murky waters of Towl Doo. Their strident colours were easier to bear when they stopped still. Breesha could almost see each thought properly, looking at them one by one, but the chant was making her sleepy, and she didn't feel like bothering any more. Mam sang:

> *Vakratunda Mahakaya*
> *Suryakoti Samaprabha*
> *Nirvighnam kuru me deva*
> *Sarvakaryeshu*
> *Sarvada*

Mam chanted the same words over and over again. There was comfort in their sameness. Breesha knew every sound by heart although she couldn't understand the words. Mam said that when you sang that chant Ganesha would bring his light into your life, and that all the difficult things that frightened you would vanish away. And sure enough Breesha's horrible thoughts were beginning to dissolve away. They had no choice . . .

Diya listened in the dark. Mally's breaths were soft and even. Diya quietly eased her hand free, but Mally's fingers instantly tightened around her mother's thumb. When Diya tried to prise the small fingers away one by one, Mally gave a little gasp and clung even tighter. Diya gave up for the time being, and tried to make herself comfortable, sitting cross-legged on the cold floor beside Mally's truckle bed. At least she could lay her head on the pillow . . .

She'd once sat cross-legged like this before Aji on the cool floor. Aji had sat cross-legged too, combing Diya's hair with a fine ivory-toothed comb. Diya had just come out of her bath and her hair was still wet. Aji had scoured Diya's head with the sharp comb. 'Aji, don't! It hurts!'

'We have to get the horrible lice out of your hair, beti.'

'But Aji . . .!' Diya had jerked her head away. The beautiful ivory comb had snapped in two.

'I didn't mean to break it! I didn't mean it!' Aji had stood up slowly, and fetched another comb. The two pieces of ivory lay on the floor beside Diya. She'd picked them up, and pressed them back together.

In the centre of the carved comb there was a peacock. The ivory was hard and white and didn't seem to be alive, and yet the peacock was unmistakeably the same as the sapphire- and emerald-coloured peacocks that danced on the roof with their gorgeous tails in full display. The top of the comb was the peacock's extended plume. Its body swept down the sides.

'Aji, may I keep this comb?'

Aji had laughed. She'd sat crosslegged again, and gone on combing Diya's hair with a different comb. She'd rubbed in oil, and braided Diya's hair with a ribbon the colour of marigolds. 'That's it. You can go and play now.'

'Aji, may I keep that comb?

Aji had handed her the two broken pieces. As Diya ran out to the veranda, she'd heard Aji speak to herself: 'Silly child!' and then her soft laughter through the open door.

Diya had brought that broken comb with her on the ship to England, in her carved sandalwood treasure box with her beads and bangles. Those silver bangles didn't fit her any more; sometimes the children wore them, but bangles weren't really part of life on Ellan Bride. And the comb? Perhaps the pieces were still at the bottom of the box. They must be. She'd never taken them out, not for years. The box was at the bottom of Diya's clothes chest. She didn't often delve down to it, but always when she opened the chest there was a very faint whiff of sandalwood. Suddenly it seemed desperately important to know if the pieces of Aji's comb were still safely in the box. Diya controlled the urge to pull her hand away from Mally's and go to look. This was foolishness. She could perfectly well search in the daytime, when she was alone. She *had* had the broken comb on Ellan Bride though: she remembered now – one winter day when it was snowing – finding the bangles for Breesha, and seeing the comb still there. In fact she'd told Breesha the story. Surely she'd not given her the comb to play with? Breesha could only have been five or six years old. No, Diya wouldn't have done that. She was being nonsensical now; there were far more important things to worry about. But in the morning she would go and look.

# CHAPTER 23

THE CANDLE ON THE KITCHEN TABLE BEGAN TO GUTTER, AND in the fitful light the shadows wavered on the walls like uncertain ghosts. When Archie came in at the door the light flickered and almost went out.

Archie took the candle he'd been using from his pocket, lit it at the dying flame, and stuck it in the hot candlestick. Light filled the kitchen. There was no sound beyond the wind in the chimney. Billy was sleeping by the hearth, huddled in his blanket. The bed curtain was closed. Presumably Ben had already turned in. Archie took out his watch and turned its face to the candlelight. Nine twenty-five. That was still too early for stormy petrels. The fire had not been smoored. Did that mean Mrs Geddes was still up? There was no sign of her. Archie found it hard to believe she'd forgotten to attend to the fire.

Luckily he'd left his book on the dresser, so he didn't have to disturb Ben. Archie stuck the candle on the mantelshelf so the light fell on his page, and made himself as comfortable as he could on the wooden settle. The fire was nearly out. He quietly picked some fresh coals from the bucket, one by one, so as not to wake Billy, and laid them on the glowing ashes.

*Assuming, then, that man is, comparatively speaking, of modern origin, can his introduction be seen as one step in a progressive system*

*by which, as some suppose, the organic world advanced slowly from
a more simple to a more perfect state? To this question we may reply,
that the superiority of man depends not on those faculties and attri-
butes which he shares in common with the inferior animals, but on
his reason by which he is distinguished from them . . .*

The bedroom door opened with a little creak. Archie looked
up. Mrs Geddes was standing there. She wasn't wearing her
cap and her hair was coming loose. He'd not seen her without
her cap before. Her hair was as black as night. She had an
unguarded look about her, like someone roused from untimely
sleep. Scheherazade . . . *Principles of Geology* nearly slid to the
floor, but Archie clutched it just in time.

'Oh!' said Diya, when she saw him sitting there. 'I thought
everyone was gone to bed.'

'So did I.' Archie swallowed. 'I mean, I think they all have.
I was going to stay up. I heard the stormy petrels in the keeill.
I thought I'd go out later to see them fly.' She might think
that was ridiculous. He wanted to explain that he was acting
in a spirit of objective scientific inquiry but he couldn't find
the right words. 'There'll be sufficient visibility, I think,' added
Archie.

'I don't know,' said Diya. She still sounded dazed. 'The
wind's rising.'

'Well, I can wait and see. That's if you don't mind.'

'I don't mind what you do, sir.' Diya came over to the fire.
'Oh, thank you for doing that – I thought it might have gone
out. I fell asleep . . . I had to sit with my daughter . . . she had
a bad dream . . .'

'I'm sorry.'

'Oh, she'll be all right now.' Diya glanced at him. 'It's the
uncertainty. About the future, I mean . . . It unsettles the children, naturally.'

Perhaps she shouldn't have said that. She was still sleepy
and not thinking very clearly. Diya didn't want Mr Buchanan
to think her importunate. She certainly intended to enlist his

help, if he had any influence at all with the Commissioners, but it wouldn't help to be too direct. She knew what she wanted him to think, but it must seem like his own idea. Diya sat down in the rocking chair opposite him, pulling her blue shawl more tightly round her shoulders, and gazed into the fire, apparently quite abstracted.

'Mrs Geddes!'

'Sir? – but please – keep your voice low.' Diya pointed to the sleeping Billy.

'Of course. I'm sorry – I wanted to say: I was thinking about that. What I was going to say . . . I mean . . . I hope you understand: the policies of the Commissioners of Northern Lights regarding their employees are not . . . I don't necessarily endorse them, you understand. Mr Groat and I . . . we're not employed by the Commissioners. We're employed by Mr Stevenson. I'm just the surveyor. If the appointment were in my gift . . . the appointment of the Ellan Bride lightkeeper, that is . . . if I could, I would . . . What I mean to say, ma'am, is that Mr Stevenson is both a kind and a charitable man. I don't know if the lightkeeper has written . . . What I mean to say is, a personal letter to Mr Stevenson might draw his attention to your plight.'

'It's very kind of you to think of us, Mr Buchanan,' said Diya, with an air of surprise. 'I appreciate your concern.'

In spite of the fact that her hair was coming down and her eyes were still sleepy, she was as capable of standing on her dignity as ever. Archie, on the contrary, had been stammering like a bashful boy. He was annoyed with himself, but neither was he ready to abandon his point. 'If you wish, ma'am, I could speak personally to Mr Stevenson when I return to Edinburgh. As I say, I'm just the surveyor, but I shall be making a full report, and I shall certainly make your situation known to him.' Archie was aware of spoiling the effect of his measured sentences the moment he added abruptly. 'He's helped others before.'

She came straight to the point. 'You, sir?'

'Ay,' admitted Archie cautiously.

Diya moved the rocking chair in front of Billy's pallet, closer to the fire. 'Thank you, Mr Buchanan. It's most generous of you to desire to help us.'

'Anything I can do, of course. Not that I . . .'

'I thank you. That being the case – for which, as I say, I thank you – I would like to know a little more about Mr Stevenson. As you say, it would be as well if I – I mean if the lightkeeper – were to communicate with him personally. Would you mind telling me a little more about it?'

'About me, do you mean? How he helped me?'

'Only if you have no objection.'

'Why should I object? I just . . .' Archie collected his thoughts, and carried on, remembering to speak quietly. 'Very well: I wasn't a rich man's son, Mrs Geddes. My faither was a miller by a small town. I was a country lad, but from as far back as I can remember I was always interested in the natural world about me. I was always asking *why*. About so many things . . . my older brothers didna seem ever tae ask . . . And then I found at school that I had a natural bent for mathematics. And working in the mill, of course, I was interested in the mechanical properties. There seemed so many possibilities.

'When I left the school I took myself to the City of Glasgow. I walked fifty miles. It took me into a new country, the like of which I'd never seen before. I walked for two days. I had to keep asking the way. When I got there Glasgow seemed to me quite monstrous in its immensity . . . the sheer noise . . . and so much diversity within it I couldna begin to comprehend . . . such contrasts of affluence and beggary . . . such elegance and iniquity . . . all existin cheek by jowl in such a little space . . . I'd never imagined the like of it. To be frank with you, ma'am, I was terrified.' Archie wished as soon as the words were out that he hadn't said that; it struck entirely the wrong note.

'I'm not surprised, sir. I remember arriving at the port of Liverpool. I saw very little of it, but to be honest, I thought

– I was only a child at the time, you understand – that we had docked in hell.'

'Is that so, ma'am? Coming from so far away, it must have been a shock indeed.' Archie cleared his throat and carried on more rationally: 'I enrolled myself in the classes they held for working men. I had no money for the University so I attended classes at John Anderson's Institute – that's a place of *useful* learning – where a working man can attend evening lectures on the applications of Chemistry and Mechanical Science. But I liked my classes in Natural Philosophy and Mathematics much better. First I supported mysel by doing whatever jobs I could get' – he'd worked as pot boy in a tavern to begin with, but Archie stopped short of telling Mrs Geddes that – 'then one of my Professors gave me work helping him with some chemical experiments. When I wasna in the laboratory I had to make fair copies of his notes and drawings for him, and copy citations in the library. I did that for a year because I needed the money: I'd much rather have been reading Natural Philosophy. And then: Professor Ure had known another Glasgow man, Thomas Smith, who'd made his fortune designing street lighting for the city of Edinburgh. Mr Smith had died a few years before, but when I was ready to move on, Professor Ure gave me a letter of recommendation to his partner, Mr Stevenson, in Edinburgh.'

'So Mr Smith moved from street lighting to lighting up the sea? I know about Mr Stevenson, of course, because I remember them building the Calf lights. It was a great matter in Castletown when I was a girl. But please, go on. You went to Edinburgh to meet Mr Stevenson?'

'Ay – that is – indeed, yes, ma'am. I had high hopes, but of course I was nervous. I mind well arriving on the doorstep of Mr Stevenson's office in Baxter's Place and summoning up the courage to gie a chap at the door. In fact they just told me to come back when Mr Stevenson was there. When we did meet, he gave me a month's trial without wages. I wasna working with lights after all. I was sent off with Mr Ritson to work on harbour plans in Fife. I was very happy. I wanted to travel as much as possible.'

'Well, indeed, sir, in your employment you must have as much travel as a man could possibly desire.'

'Well . . . maybe . . . Anyway, Mr Ritson must have given me a good report. I'd only been back in Edinburgh two days when Mr Stevenson sent for me to go with him to the new light-house on the Isle of May. That's an island just a bit bigger than Ellan Bride which guards the entrance to the Firth of Forth – where Edinburgh is – do you know the geography of the country?'

'I've never been there, but I've studied the use of the globes. I know where you mean.'

'That was the first time I'd ever been to sea, Mrs Geddes. It was the first time I was ever inside a lighthouse. Mr Stevenson conducted me around the lighthouse himself. I realised later he'd been watching to see how I coped with the trip, because while we were still on the island, he offered to keep me on permanently – to join his staff. Mrs Geddes, that was one of the happiest moments of my life!'

Diya had learned the art of captivated attention in her Grandmother's house. She suspected that Mr Buchanan very seldom talked to anyone about himself, and she knew better than to interrupt him now.

'But all this is no to the purpose,' Archie continued. 'What I wanted to explain to you was that Mr Stevenson not only employed me as an apprentice surveyor, on the strength of what I'd achieved for myself – for my education was all got by myself – I told you I'm not a rich man's son – but he sent me to do more classes at the University in Edinburgh, to complete my education in Natural Philosophy and Mathematics. You might say – indeed, Mr Stevenson did say – that an educated man was of more use to the firm – but you might equally well say that he had no practical incentive to provide for my interest in Natural Philosophy, which is not a discipline which has any immediate application. He could tell, though, that I would do better with it than without it, and so it was that Mr Stevenson gave me what I wanted most in the world, which I was unable – certainly at that period in my life – to acquire for myself.'

There was a short pause. 'I'm grateful to you for telling me this,' said Diya. 'It gives me a good notion of how I should proceed.' She hesitated. 'I don't wish to be impertinent, sir, but your story interests me. I would like to ask: will you stay always with Mr Stevenson? For it seems to me that your real interest is in Natural Philosophy, rather than its mechanical applications. Do you think you will survey lighthouses all your life?'

It took Archie's breath away, how acutely this woman observed matters without appearing to do so. Was she equally aware that in her present state of déshabillé she was also intoxicating? Archie took a long breath before he answered her. 'You are very acute, ma'am. The truth is – if I may speak in confidence?'

'Your confidence is safe with me, sir.'

'Because' – Archie glanced towards the bed curtain, and lowered his voice a little further – 'Ben doesn't know this. No one at Stevenson's knows yet.'

'There's no need to speak unless you wish it. However, your confidence is safe with me.'

'I *do* wish it!' whispered Archie vehemently. 'I would like to tell someone. I have had to keep the maitter verra much to myself, until I tell Mr Stevenson. I shall do that when I return to Edinburgh. It won't be easy, of course. But here' – he took out his pocket book – 'I can show you the letter. The thing is, you see, ma'am, I was in London last year. I was sent to Greenwich, to look at chronometers ... that's by-the-by. While I was in London I was invited to dine at a gentlemen's club, and I sat next to another guest, a Captain Fitzroy. We had a very interesting discussion. The long and the short of it, ma'am, is that in October of this year there is to be a scientific expedition to study Natural Philosophy in the remoter parts of the globe. And I have been invited to join it! We sail first for the Americas ... Here, let me show you my letter.'

Archie watched Diya peruse his letter. As she did so, he was aware of a curious sense of relief. Naturally it was good, after so much pent-up excitement and imposed reticence about his appointment to the *Beagle*, to share the marvellous news of his good fortune. But it wasn't just that . . . Watching her, he found himself at last able to admit that he found her extraordinarily attractive. He had found women beautiful before, of course, but never quite like this . . . Mrs Geddes had a natural intelligence too, and a vast intuitive understanding. How easy it would be to fall in love with her! Impossible, of course, because he was leaving the country in October, and would probably be away for years. However, it was a relief to admit his feelings, even if only to himself. It was like being able to breathe out properly for the first time since he'd laid eyes on her. From the moment Archie had landed on Ellan Bride he'd been aware of an indefinable tension . . . at least now he knew what it was. If only he were not going away, he would be tempted to speak to her. The temptation was very great anyway. But impossible, of course – it would not be fair on her, even supposing she were willing to listen. It would be quite wrong of him to say a word, because in October he was going away.

Archie was not as inexperienced with women as his chainman suspected. It had been his ill-fortune, however, that every time he had fallen passionately in love it had been doomed from the start. If the lady were not inaccessible, through previous marriage or some other calamity, then she had been about to remove to some distant locality. Or she had been so superior to him socially that he could never make her an offer. Passionate liaisons, in Archie's life, had always been tempestuous, clandestine, desperate and necessarily all too brief.

'But this is excellent!' said Diya in a low voice, when she'd thoroughly read the letter. 'You must be delighted beyond words, sir! It will suit you excellently!'

'Ay well, so I think.'

'I remember you said before that you had never travelled beyond the British Isles. Now you will truly see how wide the world is, Mr Buchanan. I think that will please you very well.'

'So I think,' repeated Archie. 'But I wish . . .'

'Wish what, sir?'

'I wish I may do a little more to help your own situation, ma'am – the uncertainty that you and your family face – before I leave Edinburgh.'

'I won't deny that I'll be grateful for whatever you can do.'

It crossed his mind that there was one thing he could do, but must not. She looked so beautiful, sitting there with her hair as dishevelled as if someone had already run his fingers through it – and how desirable it would be to do that – yet it was not to be thought of. But he couldn't help but be aware that in her current predicament, he could offer her a hope – merely a hope, of course, because there was no guarantee whatsoever of his ultimate return. The voyage was not only long, but dangerous and uncertain. It would be unfair on any woman to speak now. He'd be away for years on end . . . Moreover – the recollection was like a sudden douche of cold water – she had two children. They wouldn't grow up for years, and no man could desire such a responsibility. This was absolutely not the moment to speak, and yet her predicament was so dire that she might have every reason to listen. Was the offer of years of uncertainty better than no hope at all? But another man's children . . . that was the last thing he wanted in his life. His thoughts were racing much too fast. He mustn't say anything he might regret.

'Did you speak to the Lieutenant Governor when you were in Castletown?'

The cool question brought him to his senses, which was just as well. Obviously she had no idea what he was thinking.

'No, ma'am,' replied Archie, recovering himself. 'I was instructed to speak to the Water Bailiff.'

'Mr Quirk?'

'You know him?'

'Of course. He used to visit my Grandmother. I expect when

he spoke to you he wanted the House of Keys to have some say in the appointment of a new lighthouse keeper for Ellan Bride.'

'There's no question of that, ma'am. The Commissioners appoint their own people.'

'Scotch?'

'Of course. We're a Scottish institution.'

'But this is a Manx island. Not that it signifies; it makes no difference to us.'

'Your father was Manx, I take it?'

'No, my father never even lived here. My grandparents settled here, as so many half-pay officers did, after the War. My mother-in-law – Lucy's mother – was Manx. The Duke of Atholl appointed Lucy's grandparents from his Scottish estates, and their son – my father-in-law – married a Manxwoman. Naturally he did so; by that time he belonged here.'

'So the original lightkeeper brought his wife from Scotland with him?'

'Exactly so. She was from the Highland country, I believe. Her name was Mcfarlane. What is it? That strikes a chord with you, sir?'

'My mother is a Mcfarlane.' Why the coincidence should fill him with consternation was beyond Archie. Even supposing that the lightkeeper were a remote cousin – which was highly unlikely – what of it? He'd hardly imagined her to be of a different species. But Archie's mother wouldn't have seen it like that. If his mother were to encounter a woman of her own name she'd think of her as kin. And if Lucy were kin, then Archie could no longer comfort himself that the lightkeeper's distress was no business of his. That dream he'd been having – the dream that had kept coming back ever since they started on this trip – his mother wouldn't have discounted that so easily either. *So why would all that come back to you now, Archie? What haunts you still?* Always in the dream the wind and the sea were overwhelming him, forcing him towards a perilous edge where he didn't wish to go. Archie hadn't been to see his parents since the letter from Captain Fitzroy had come. It wasn't going to be easy to tell his mother about it. There was no question of hiding anything; she'd know from the moment she set eyes on him that something was afoot. She'd probably guessed already, come to that. Archie's mother was as acute as this woman he was talking to now, who, in spite of her Scottish name, was as alien a creature as anyone he had encountered in his life. At least Mrs Geddes was no kin of his: that much was certain.

'So you too are of the Highland country?' said Diya. 'I've read about that. Yes, I can see it in you, I think. You take after your mother, do you not?'

'So they say.' It was time the conversation took a more rational turn. 'As far as the Commissioners of Northern Lights are concerned,' said Archie, 'there would be no point in petitioning the Water Bailiff, or the House of Keys. However, I don't know if Mr Quirk knows that your mother-in-law was a Manxwoman, but it might weigh with him.'

'I think what will weigh with him more,' said Diya drily, 'is that he knew my Grandmother.' She glanced at Archie. 'In a way I'm more concerned for Lucy than I am for myself, sir. I've lived in the world before, Mr Buchanan, and Lucy has not. She was born and bred to the lighthouse here, and I was not. Of course, you weren't aware until now that you might be connected to her by blood, but I've read enough about your people to know that this is a matter of great significance.'

'It would have been once,' admitted Archie. 'The world I come from is changing very fast.'

'So kinship is no longer important to you?'

A brief image of his parents and elder brothers flashed across Archie's mind. 'Maybe not in the way you're thinking. I have my family, of course. But as I say, things change.'

'For the better, sir?' said Diya sharply.

Archie was obscurely aware of having offended her, but he couldn't think why. He had no answer of his own to give. 'It's true my mother would say no.'

'She sounds like a woman of great wisdom,' said Diya. She stood up. 'Do you mind if I cover the fire now, sir? Otherwise it won't keep in until morning.'

Archie watched as Diya raked out the ashes. When she'd emptied the last of the coals, and laid damp turfs over the fire, she remarked, 'Like you, sir, I was fortunate enough to be brought up by women who were very wise.' She took the brush and started sweeping the hearthstone clean. 'I'm sorry the fire is not so cheerful to sit by any more, but now I must go to bed. The children will be up early.'

'It doesna matter. It'll stay warm enough while I wait.'

Diya stood up and went to the window. 'The wind is rising, sir, and there's more cloud coming in. I doubt you'll be lucky to see the *Kirreeyn varrey* tonight. But it isn't raining.'

'I'll take my chance on it,' said Archie. 'I'll see what it's like out there in an hour or so. Goodnight, ma'am!'

'Goodnight, Mr Buchanan. I hope the weather holds for you.'

# Chapter 24

DIYA LAY WITH HER BACK TO BREESHA, KEEPING VERY STILL so as not to disturb her daughter. Breesha slept on her back, her arms flung out, diagonally across the bed. Even as a baby Breesha had managed to take most of the room. As an infant she'd not slept well. She'd had an uncanny knack of waking and crying whenever Jim came off his shift at the light. In her parents' bed she'd want to lie between them, and in her sleep she'd somehow manage to force them as far apart as she could, until they were each balanced on the cold edges, facing away from her. Mally, on the other hand, had slept contentedly in her own crib from the first, except on the rare occasions when she had nightmares. That had been a bad nightmare tonight.

Of course the children were upset, thought Diya. This was the only life they'd known. Jim hadn't worried about that. He'd known no other life either, but there'd been as much future for him on Ellan Bride as he'd ever hoped for. In his view his daughters were fortunate indeed to belong here. Once he'd brought Diya back to his island he was content. More than content: Jim had wanted a woman – and marriage was the only way to get a woman on Ellan Bride – but to capture Diya was far beyond his expectations. He'd thought himself so lucky, but at the same time he genuinely believed he'd rescued her from all that could possibly threaten her. That had been a little hard to accept, but Diya had never directly contradicted Jim. Aji had never contradicted Ajoba. Aji just thought her own thoughts, and when it was necessary she did things her own way.

Perhaps rescue was always another word for a kind of trap. There was always a price to be paid. But it had been done with love – whatever that was. Oh yes, there had been love. Grandmother had been married and had had a son, but she'd never mentioned married love to Diya. The closest anyone had come to an admission of the truth was a phrase that stayed in Diya's mind from her marriage service: 'With my body I thee worship'. That was so unlike anything else Diya had been taught about the Castletown sort of worship that she couldn't help noting it, even as she stood, outwardly unshakeable, before the priest at the austere St Malew altar, which was adorned only with its wooden symbol of the tortured god. The priest had intoned the words they had to say, draining them of meaning; Jim had repeated each of his phrases with husky hesitancy, as though he honestly believed in what he was saying, and over those particular words he'd stumbled a little. The phrase had immediately become entangled in Diya's mind with another image: herself standing with a wreath of marigolds, her hand in Aji's, in the noisy glory of the Temple; above their heads a stone image showed the smiling god and goddess sinuously entwined. The image had stirred her then; even now it was mixed up in her mind with the smell of heat and crushed petals, and the colours of kumkum and marigold.

That was the image she'd taken to Jim's bed with her, and that was the living source of the private life they'd once shared. That was why her unlikely marriage had not only been tolerable, but in its secret way a delight. In the dark of their bed in the kitchen there was nothing Diya had to hide, and nothing to be held back. *Et in Arcadia ego* – the inscription on the lighthouse had held its own kind of truth while Jim was alive. But it had not been true for Diya since he was drowned, and was certainly not true now.

So Mr Buchanan was going on a great voyage. How foolish

Diya had been ever to think . . . No, she never had thought . . . she'd not let herself, and that was just as well. He'd opened a door for her, that was all. He'd let her see that, in spite of all the very real things that she had to fear in the short term, a different sort of future, perhaps even a better future, was actually possible.

But Diya couldn't help thinking what it would be like to be Archie Buchanan, and to be able to take ship and sail away: to expand the horizons of the known world and of one's own thoughts at the same time. And on Mr Buchanan's ship there'd be the other scientists, the other scholars . . . the possibilities were infinite. One couldn't begin to imagine the ideas they might bring home with them. Mr Buchanan, being a man, and childless, had the chance to sail off, unencumbered, into the future, of his own free will.

Diya turned over cautiously. Breesha stirred, and muttered in her sleep. Diya was growing sleepy. Sometimes while she fell asleep she used to imagine herself on board ship again, feeling the lift and fall of the waves under the keel, like being rocked in a cradle, sometimes softly, sometimes so roughly you had to hold on or else be flung out onto the floor. Of course it had been terrible to leave India, but at the same time there was something new about the voyage . . . the idea of going somewhere else . . . sailing forward into the unknown, and not forever having to look back . . . She remembered very clearly the moment when the great ship began to slide away from the quay on Bombay. A sliver of space had appeared between the ship's rail and the shore, then a thin strip of clear water, then a widening gap that she could never cross over again. She'd wept out loud for what she was leaving, but hidden very deep in her heart there was also expectancy. Diya hadn't let anyone see that, because it seemed disloyal. She hadn't admitted, even to herself, that the emptiness of the future had not only been a terror, but also, even then, little as she was, a faint glimmer of possibility.

\*    \*    \*

In Breesha's dream Saint Bride sat at the arched doorway of her cell. The Saint was eating her breakfast, a mug of milk and a plate of honeycakes, while she sat warming herself in the first hot sun of the year. The sky arched blue above her, and the far lands had come in so close that you could see the folded curves of the Mountains of Mourne. In the dream Breesha was partly herself, looking at the saint from the outside, and partly she was the Saint, because she was seeing with the Saint's eyes, right from the inside. Saint Bride came from Ireland, and when she looked west over the sea to the far lands she was looking home. It made her sad sometimes to see home from the outside, looking as if it were not quite real, but at other times she was content to be where she was, knowing that there was nothing more sacred on this earth than to be alone on Ellan Bride: no better way to serve the god who sent her than to live like this.

Suddenly, out of the still brightness of a May morning, she smelt danger. She – Breesha – Bride – whichever one of them it was, because there didn't seem to be a difference any more – stood up, and looked around in sudden fear. Because perhaps this was the end of her life here, this unknown thing that she could feel coming towards her. Perhaps the island would not always be lonely, or at peace. Perhaps one day the whole world would change, and no saint would be safe on a lonely island any more. And when that happened . . .

Breesha sat up in bed, wide awake in a moment. Had that really been a dream? There were dreams and there were also visions. Mam had explained that to them. Visions were when you saw something else . . . something outside your own head. Breesha caught her breath. There it was again – a sound, something moving outside the window. The window was in the wrong place. And it was open. She could hear the sea. That was it: an open window. She wasn't in her own bed. She was in the bedroom, and it wasn't Billy beside her. Breesha put out a cautious hand and felt the curve of another body under the blanket. It was Mam. She could hear Mam's quiet breathing. She was in Mam's bed, and the odd sound had come in through the bedroom window which was always kept open.

Another sound. A scraping noise, and a door closing. Light. A light outside the window, moving away.

Aunt Lucy? No. Breesha knew it wasn't Lucy. Lucy came into the kitchen at night when they were asleep, but nothing Aunt Lucy could do would have woken Breesha like this. This was different. The strangers . . . but it wouldn't be Mr Groat, because he was quite nice. The Writing Man? Billy and Mally said the Writing Man had gone into the keeill without stopping to ask anyone. Perhaps the Writing Man wasn't just an ordinary person. That could be a disguise. Mam said they had to be civil to him because he was a guest. But if Breesha's dream had been real, it was more important to obey a vision from a Saint than to obey Mam about something as dull as just being polite. And supposing it was really the Saint: the shreds of Breesha's dream – if it was a dream – still clung about her. Suppose that the Saint knew that something was wrong. That there was danger. Breesha stared at the dark with wide-open eyes. The fitful light at the window had vanished. Now there was only the steady beam of the lighthouse reflecting off the sea. But that other light *had* been there. That wasn't part of the dream. She hadn't imagined it. There *had* been a lantern, and it wasn't Aunt Lucy. Something *was* happening. Something real.

Breesha was terrified. If she went after the Writing Man he might be very angry with her, and then Mam would be cross too. But the dream . . . she'd had the dream. Nobody else had. If it wasn't just the Writing Man, but a ghost, or a demon . . . or supposing it *was* the Writing Man, then for all anyone knew he might be in league with the powers of darkness. No one could scold her if she'd had a real vision; a vision wasn't the sort of thing even Mam could argue about. If the Saint had known . . . Silently Breesha pushed the cover back, and slid out of bed.

It was cold. Breesha groped on the chair until she found Mam's shawl. She wrapped it tightly round her, then she turned the door handle, and opened the bedroom door, swiftly so it didn't creak. She closed it behind her the same way.

The kitchen fire was smoored so the room was dark. Breesha thought of waking Billy. But if either of those men were to wake up – if they were both asleep in the kitchen bed after all – Mr Groat would be there anyway – no, it was better not to try to wake Billy. Silent as a ghost, Breesha opened the outside door and closed it again behind her.

She saw the light of the lantern. It was going along the path by the Tullachan, towards the keeill. Breesha didn't know how she knew that, but she did, for certain. If it was the Writing Man, the Saint wouldn't want him doing anything to her keeill. After all, it was the Saint who'd called her, in the dream . . . There was an east wind blowing. It found its way through Mam's shawl and through Breesha's cotton nightgown, and touched her with icy fingers. She shuddered. The lantern vanished behind the Tullachan.

The Saint was in danger.

Breesha was trembling with fright and cold, but she knew what she had to do. The Saint had lived on Ellan Bride all alone. She'd had no Mam, no Aunt Lucy, no Billy . . . not even a little sister. If the Saint had no one in her hour of danger to call upon but Breesha, her namesake, then there was only one thing to be done.

Breesha was as familiar with the path to the well as with her Mam's face. Even so, in the dark it was different, and she had to feel where to put her feet. The light didn't shine down here because the path to the keeill was in the shadow of Hamarr; it was one of the darkest places on the island. She'd been to the well in the dark before, in winter, but not without Billy, and if it had been as dark as this they'd have had the lantern. But Breesha knew the dark well enough to realise that after a little while she'd start to see better. That was true: by the time she'd passed the Tullachan and saw the lantern again, she could see the shapes of the rocks several yards away. She had the profile of Hamarr to guide her, as the beam of the lighthouse shone over the cliff above her head. She couldn't see as far as the sea on her right, but she could hear it. It was telling her that she was in the right place. Breesha put one foot in front of the other, and the very mud between her toes told her exactly where to go.

The path grew fainter after it passed the well. But as Breesha felt each rock under her feet she recognised it. The rocks were showing her the way, telling her each step through the soles of her feet. And there was the lantern, darting about like a will o' the wisp – *was* it a will o' the wisp? If that were so, then she was in terrible danger, much worse danger than if it was just the Writing Man. Everything was different in the dark. Things you might not believe in daylight suddenly became much more real. Only the Saint would not have betrayed her to a demon. It was preferable to believe it was just the Writing Man after all. But supposing it *really* was something else . . .

Faith . . . Mam talked about having Faith. Faith in the Saint was what Breesha had to have. She stopped and took a deep breath, trying to summon up Faith. She felt Faith's reluctance, but Breesha had a strong will, and knew it. She forced Faith to come to her aid. The Saint would never let her down. This was *their* island. And *they* were in danger. Still trembling with fear, but utterly determined, Breesha crept towards the keeill, where, sure enough, the darting light had settled, like a bee on an unsuspecting flower.

It would have been better to do this last night, Archie thought. Last night the sky had been as clear as one could wish, but tonight the afternoon's rain had left a heavy cloud cover behind it. When he first stepped out, just after midnight, the dark had come in so thick he couldn't see across the yard. He waited until he could see the dim outline of the gable, and the water butt beneath it. But that was all. There was not a single star in the sky to give him a bearing, only the pale beam from the lighthouse, but that didn't shine directly into the yard, and it wouldn't help him on the path to the keeill either. Archie hesitated. If he lit the lantern his eyes wouldn't grow accustomed; on the other hand, the track to the keeill was rough and narrow, and he needed to see where he was putting his feet. Reluctantly he went back into the kitchen, took a taper from the mantelpiece, and lit the lantern from the fire. When he went back outside with the lantern, everything beyond his little sphere of light was blacked out entirely.

After Diya had gone to bed, he'd had another idea. It had been prompted by a late foray into the larder looking for some bread and cheese to stave off the midnight pangs. As he was cutting off a large hunk of Stilton, he'd noticed five puffin carcases, plucked and drawn, hanging from a hook. Sunday dinner, no doubt. So they did harvest the puffins. In which case . . .

Sure enough, when he'd taken a candle and looked in the outhouse, he'd found a fleyging net lying across the rafters, next to a well-sharpened scythe and a couple of fishing rods. It had been quite a job to extricate it; obviously no one had used it for a while. At this time of year it would be easier to take the puffins straight from the burrows. He'd examined the net in the lantern light. It had been mended more than once, and one of the poles that held the triangular net open had split and been roughly splinted with a sliver of driftwood. But it would do. He'd knocked over a metal bucket – luckily not the privy one – and a couple of flower pots trying to get the twelve-foot-long pole through the outhouse door, and that had made a fair bit of noise. The outhouse was only a few feet from the bedroom window. Archie had stood in the yard, listening. He'd heard no sounds of anyone stirring. Not that it would matter much if they were. He was sure Mrs Geddes wouldn't mind lending the fleyging net for an hour or two.

He was hampered by carrying the net and lantern as well as his haversack. The much-trodden path to the well was fairly easy going, but after that he had to avoid tripping over the rocks on the way to the keeill. The beam of the light-house threw the high edge of Hamarr into relief on his left, and the sound of the waves on his right kept him more or less straight when he lost the path. He wasn't quite sure where he'd got to when he suddenly stumbled over a pile of loose stones, and realised he'd reached the broken dyke behind the keeill. When he held up the lantern he could see the keeill a few yards away, a round black shape like a monstrous animal. Archie sat down on the small circular wall nearby, the one Mrs Geddes had called the Saint's cell, and drew the shutter over the lantern.

From the lighthouse tower it looked almost as bright as day along the summit of Dreeym Lang, as far as the white cairn on Carn Vane. The beam shone out to sea on all sides, catching the tops of the waves in its light, illuminating the stacks and skerries. The east side of the island, below Hamarr, was dark under the lee of the cliffs. The wind had shifted, and now they were looking the other way, west out to sea, where the thin beam of light disappeared into the night. Ben stared after it as he went on telling his story.

'Twa-tree years afore I was born they stopped using the light-house on North Ronaldsay and moved the lighthouse to Start Point on Sanday. The only other lighthouse in Orkney is the one at Pentland Skerries. That's where my father went to work when he was a boy, and that's where he met Mr Stevenson. There are more ships sailing round our coast now than there've ever been. The ships nowadays sail what they call the Great Circle – it's quicker to cross the Atlantic as far north as possible because of the world being round. Ships come out of the North Sea and head to North America past our coasts. So one day they'll build more lighthouses in Orkney. They're bound to. It'll be *necessary*; there's no question about that.'

'So you might be sent to survey new lighthouses in your own country one day?' asked Lucy.

'I might.'

'And would you like that?'

'A chainman doesna stay in one place for long,' said Ben. 'I like to see the world.'

'Well, I don't!' cried Lucy.

In spite of the east wind the night was still warm, and very dark. The stars, always dimmed by the presence of the light, had now gone out entirely. When Ben and Lucy had first come up to the lantern there'd been a new moon, a finger-nail crescent just dropping to the sea east of the Calf lights. The moon had long set, but the cloud was still high enough for the flash of the Calf lights to be visible in the north-east. It was quite sheltered on the west side of the parapet. From where Ben and Lucy sat they could see a steady pulse of white water where the waves crashed on Stac ny Ineen and caught the light.

'That's a shame,' said Ben. 'To dismiss the whole world. I doubt you can do that, Miss Lucy. It makes no sense.'

'I don't mean here. I mean the world outside.'

'I ken that. But for all that it makes no sense. There's a lot more in the world than you ken aboot – than either of us kens aboot, come to that. I grant you it's no all good. But good and bad – you canna say anywhere is one or the other. You like it here, but you canna say it's all been good. You've lived your life, like the rest of us – good and bad together – and that's all there is to it.'

'I think you just like to see the good in everything,' said Lucy. 'But that's as much a lie as the other.' She shivered, and pulled her shawl closer round her shoulders. 'It's almost low water. See – it's dark now on the Creggyns, where there was all that surf before. There's still quite a sea though – hark!' They were silent for a moment, listening to the crash of water on rock. 'Only we're not seeing it from here. Wind's easterly, and the tide's almost at the ebb, that's why.'

'When's low water? An hour after midnight?'

'An hour and sixteen minutes past. It must be about half past twelve now.'

'You dinna have a chronometer?'

'We have the sundial.'

'I'm thinking that's what Mr Buchanan would call a fairly abstract proposition just at the moment.'

'You mean because it's dark? What of it? It's often easier to tell the time at night; there's always *something* to go by.'

'But you must be using tables to tell you the exact times of the tides, and sunrise and sunset too? Yet you dinna have a chronometer?'

'Of course: and the moon too. The tides do different things anyway – you just have to watch them. But the times are all in the almanack. I get Finn to bring one over every year.'

'But without a chronometer you dinna ken what the time is anyway,' objected Ben. 'So I canna see what use the almanack can be to you.'

'I wish you wouldn't *argue* so, Mr Groat. You seem to look at everything backwards. Why would I be wanting a chrono-meter when it's the light and the tides that give me the time? I'm never needing a clock to tell me it's sunset, but when it's sunset I can read off the number in the almanack, and that way I always know what time it is.'

'But . . .'

'Well, I should have thought it was obvious, anyway,' said Lucy impatiently. 'Would you like to be doing something useful, Mr Groat?'

'Delighted to be of service, ma'am, in any way. But why do you no call me Ben?'

'Because I don't know you.'

'You ken me better than you did four hours ago – Lucy.'

Lucy said irritably, 'I don't know why you don't go and get a decent night's sleep like a sensible man. But since you *are* here—'

'Ay?'

'I usually go down to the house about now and make some tea. Do you like tea, Mr . . . Ben?'

'Ay. I didna ken you had any.'

'I only take it at night. There's a teapot on the dresser. It's got tea leaves in it already. Unless you'd like to put in fresh ones?' Lucy suddenly sounded uncertain. 'I mean . . . I usually make them last four nights – but this is only the second.'

'I'm no here to plunder your tea stores. Second brew is fine. You'd like me to fill the teapot?'

'There are tankards on the dresser . . . it's easier than cups. And there's bread and cheese; in fact there's that peculiar smelly cheese you were bringing with you. Take the lamp, and don't be waking Mr Buchanan. I can't deal with him up here as well.'

'Or Billy. No, I winna do that.'

'The children never wake when I'm in the kitchen at night.'

Ben ducked under the lintel, and disappeared behind the light. A gust of cold wind blew like a live creature across the empty space he'd left behind him. Lucy clutched her shawl round her, and gave a little shiver.

The stormy petrels were out. Archie stood with his hands spread flat against the keeill, as if he could hear through his palms. It felt like that: the walls were filled with a strange warbling chatter. The darkness all round him was filled with flittering shapes. When he tried to look at them the dark came in between. All he could see – or sense, rather – was the tantalising fluttering at the edges of his vision. It was no use unshuttering the lantern; that would only kill the little natural light he had to see by. He'd laid the lantern and his haversack at the door of the keeill. He'd have to wait until it started to get light. Supposing it were one o'clock now, there should be a bit of light in the sky in an hour – two hours perhaps, with this layer of cloud obliterating the stars.

Very little was known about stormy petrels. There were all sorts of legends, no doubt going back as far as people had inhabited these islands, concerning Mother Carey's chickens. Some said the birds never came to land at all, even to nest. He'd even heard someone say they nested at the bottom of the sea. In winter they vanished off the face of the earth – of the ocean rather, for it was on the sea that one saw them, gliding and fluttering over the waves with a confidence extra-ordinary in any creature so small and seemingly delicate. Certain it was that these little swallow-like sea birds were as elusive as the spirits of the deep. Archie knew it wasn't true about never coming to land. He'd been told about nesting places on far-flung islands, where these shy birds could breed as far from human habitation as any creature could hope for. He'd heard of remote colonies in rocks and ruins, where the stormy petrels could sometimes be heard singing from within the stones, although they only came out at night. He'd seen petrels at sea, almost always at dawn or dusk, dipping and darting alongside the boat, but never stopping long enough for him to focus on them through his telescope.

He'd once talked to a Shetland man he'd met at Kinnaird Head, who'd told him how the stormy petrels nested in an old Picts' castle on one of the islands. That fellow had said to him – and Archie had proved now that it was true – that what gave the elusive birds away was the smell. He'd said to watch for a musky smell, like old hay. That was the very smell Archie had noticed when he'd crawled into the keeill. When he laid his cheek against the keeill wall now, he could smell it again. As a boy he could remember climbing up into the hay barn, where it was always warm, even in winter. The hay barn had been a good place to hide. That was what the keeill smelt like now.

The stormy petrels fluttered around him in the dark. He'd never come so close to them before. He could hear them, smell them, and almost see them. Yet still they eluded him. Even now he had very little idea how big they were, whether they really were a sort of swallow, whether they were all one species, or two, or even many . . . There was so much to find out. The very air seemed to mock Archie with its twittering. They were here in their scores – it was all true – they did nest in the keeill, but he'd already discovered that short of dismantling the building stone by stone, which he was neither able nor willing to do, he couldn't get any nearer to the nests. He couldn't come near to touching one. Unless . . .

Archie felt his way to the keeill door and picked up the fleyging net. It seemed huge and much too clumsy for its present purpose. This was truly hunting in the dark. There was no chance of deliberately aiming it. All he could hope for was to get the net into the flight path of the birds, and hold it still and just hope that one bird – it only needed one – might fly into it. It was a very small chance, but better than none at all.

'You make a good mug of tea,' conceded Lucy. She'd settled in her usual place on the bolster, down on the platform below the light. Ben had set the tray on the floor between them, and was sitting on the big driftwood log the children had carried in for their game. Light streamed down the ladder from the open trapdoor. The dark lurked in every corner where the light couldn't reach.

'You should thank my mother for that.'

'Is your mother in Orkney still?' It didn't come naturally to Lucy to ask personal questions, but Ben Groat seemed to do it so easily, and apparently with such genuine interest in the answers, that Lucy found herself tempted to try this style of conversation herself. After all, she *was* beginning to be interested: she'd so seldom encountered strangers in her life that she'd never really thought before about enquiring into the different lives they must lead. Ben Groat, and even Mr Buchanan, came to Ellan Bride bearing intimations of other worlds. Everything they said, or did, was an unconscious revelation of something alien. Foreign though they were to Lucy, from their point of view, their way of seeing things must seem normal and familiar. For the first time in her life Lucy found herself trying to imagine what it was like to be somebody else. To do that, she was finding it necessary to ask questions – either aloud or just in her own mind – of a sort which hadn't occurred to her before. She was wondering now what it was like to be Ben Groat. To know the answer to that she had to know about his family and where he came from. She wanted to understand things he might not even have noticed about himself. These were new thoughts; in spite of herself Lucy was beginning to be intrigued by them.

'Indeed she is,' replied Ben. 'She's back in Evie where she was born. I doubt she'll ever leave the place again either. She's like you – she likes her own country best. Not but what there's more folk in Evie than there are on Ellan Bride. My mother would think this was a lonely place. But all her kin are in Evie. She went straight back to her family when her man was killed. They waited years to be wed, my parents. They'd grown up in the same parish – been sweethearts fairly much all their lives long – and then when my father was sixteen he went away to work on the lighthouses. They didna get married for another ten years. I dinna think I'd wait that long if I found the lass I wished to wed. But my parents did, and the only way it could be, in the end, was for my mother to follow him sooth. She hated it, for she no more wished to be in Dundee than . . . than in Bombay. But she left home to be with him, and twa years was all they had together – and him on the rock a lot of that time, too – when he was killed. And my mother's lived a widow ever since.'

'That's a sad story.'

'I'd no be too sorry for her, though, if I was you – at least, I wouldna show it if ever you meet her. My mother's made a life for herself, among her ain folk, and there isna a soul on this earth she'd envy. She's no made that way. Though' – Ben paused for a moment, and added more soberly – 'the truth is, she'd no be sorry if I were to go back home, or a bit nearer to it. But there's no way for that to happen, as matters stand, and she wouldna stand in my way by repining. She's no the sort to make a fuss. Lucy, there's more bread and cheese on this plate. Are you no going to eat it?'

'You made about twice as much as I usually do,' said Lucy, taking another piece.

'That's because there's twa of us.'

'I mean twice as much *each*.' Lucy smiled. 'My brother Jim

and I – we used to share the watches even in summer – half a night each – and he used to make a proper feast when we changed over. Not just bread and cheese, but bacon, sometimes, and pickled onion: that was his favourite. Pickled onions.' She chuckled at the memory. 'And always in winter we have broth.'

'But you do both watches yourself now?' Ben glanced at her. 'Even in winter? Sixteen hours? Surely not?' What a strange life she led, an extraordinary life for a woman. To be sure, all lightkeepers had to work at night, but for a young woman like Lucy . . . and even if Aunt Deer helped her sometimes, all the responsibility was on Lucy's shoulders. And her a mother too . . . she'd have had to sleep through half the day even when the boy was wee. Ben didn't think it right, but all he said aloud was, 'You live like one of the stormy petrels yourself, so you do.' And you're about as elusive too, he thought to himself, which is no wonder, seeing what your life has been like.

'No, no, Diya takes first watch in winter, and I take second, usually, though I always light the lamps for her. Because in the daytime we have the children. Though Billy and Breesha are big enough now to watch the light in the afternoon – they did it together this last midwinter. When Jim died they were still very little. Mally wasn't even two, but luckily she usually slept through the night by then. It would have been hard to manage else. Well, it was hard anyway. Diya hadn't ever worked with the light, you see. My Da was still the lightkeeper when Diya first came here, and he had Jim to help him. When Diya married Jim she didn't have to do anything with the light. My Mam was alive then too.'

'When did your parents die?' asked Ben diffidently.

She told him without reservation. 'My mother died six weeks before Billy was born, and my Da died two years after. I'd only been home three months when Mummig died. They'd not told me she was failing . . .' There was a little tremor in Lucy's voice. She cleared her throat fiercely and continued. 'I think – being with her every day as they had been – they didn't see what I saw at once, the moment I laid eyes on her again. If I'd *known*! If I'd known I'd have come home at once – months earlier. And if I had . . .' Lucy's voice trailed away, and she kept her face turned away from Ben.

'If you had, I don't suppose you could have cured her,' remarked Ben. He glanced at her sideways. 'And if you had come hame, you'd no have Billy now.'

The silence that followed filled Ben with trepidation. He'd taken a risk, and maybe he'd gone too far. He knew that he had when she pointedly changed the subject, but at least she didn't send him packing, which was what he'd feared.

Lucy was thinking that this asking of questions might be a dangerous game. It was intriguing to ask, and there was a certain pleasure in answering – a certain pleasure, indeed, in finding anyone who was interested in constructing the details of one's own life inside his head – because it was a novel, and slightly intoxicating, experience. She found herself wanting to say more. But now Ben Groat was venturing onto territory she'd guarded so long – and from her own family too – that her instant reaction was to repulse him. Lucy didn't want to be rude, however, because she wanted the conversation to continue. It was a shock to admit it, but she was enjoying herself, up to a point. So she changed the subject as politely as she knew how. Anyway, it was a chance to ask him something else that she had found curious. 'Does your Mr Buchanan *always* talk in . . . in abstract propositions?'

Ben accepted the rebuff at once. 'He's no "my" Mr Buchanan. But no. He's very shy with women. Your sister-in-law puts the fear of God into him, I'm thinking, which is hardly to be wondered at. Missus Deer is an unexpected kind of lady to be finding here, I have to say.'

'It's "Diya". D – I –Y – A. It's an Indian word for light. If she frightens you I'm surprised you call her "dear".'

'Di – *ya*. How came she to be married to your brother? If you don't mind telling me, that is.'

'How nice of you to ask. Perhaps later you'll ask if I mind

you stopping half the night and distracting me from my work,'
said Lucy chattily. She was beginning to feel quite at ease with
him; it was almost like talking to Jim. 'How did Jim get to marry
Diya? A lot of people were asking that at the time. In fact it
was a terrible scandal. Terrible for Castletown, that is. In fact
it was almost – if you looked at it like that – *funny*. Because you
see, I was hearing it all. Of course. The thing about being a
serving maid – I don't know if I was telling you, but at the time
I was a serving maid for one of the old Manx families near
Castletown – they think you don't see or hear *anything*. They
think you don't *think*. I had to wait on the ladies when it was
the other girl's afternoon off. I was really only the under house-
maid, but they didn't have a second parlour maid, so sometimes
it had to be me. I was *bad* at it, Ben. Really bad. I wasn't never
getting the idea of how to hand things, and which side of them
to pass the plate. It was all so *silly*. But that's what I was having
to do. And I was doing it, in the parlour on a Thursday afternoon – that was the Mistress's At Home day – when the news
had just got out about Jim and Diya's wedding. Of course they'd
no idea I was his sister. I don't suppose they were even noticing
that I was in the room – apart from the cakes being handed
somehow, you understand. You're just sort of turning into an
arm with a plate on the end of it, and the rest of you's invisible. At least that's how it's supposed to be. *You'd* be finding it
hard, Mr Groat. I don't think they could have missed *you*.'

'Ben,' corrected Ben. 'I've nivver been invited to a ladies'
tea party. That would set the cat among the pigeons, would
it no? I'd be terrified. So what did they say?'

'They were like this: "*Oh my dear!*"' said Lucy, simpering,
'"have you not *heard*? About Mrs Wells' granddaughter? Have
you not heard what she's *done*?"

'"Oh, I knew about the money, of course. I heard at *once*!
Before the news was out, really, because the *lawyer* . . . oh yes,
we heard . . ."

'"We heard that there was *nothing*! And that Mrs Wells –
she lived as high as a coach horse . . ."

'"But she couldn't hold household. Indeed she could not! In fact, ever since the Captain died, I believe . . ."

'"She had not a *notion* . . ."

'"She could easily have ended up in the *jail*! There were debts going back *years*. I even heard that her dressmaker . . ."

'"And the girl . . . would you believe it? . . . the girl left *destitute*! Nothing but a pile of debts. Even the *rent* was in arrears. How Mrs Wells managed it . . ."

'"And that girl, who thought herself so high and mighty, giving herself airs . . ."

'"They were come-overs, that family, of course, and when all's said and done . . ."

'"Too much *pride*. Though goodness knows why. Her *mother* . . ."

'"A *native*. *Blood tells*. Mrs Wells made too much of her, but I could have told her. Sharper than a serpent's tooth . . ."

'"I don't think the girl was exactly *ungrateful*. But naturally she had heathen tendencies . . ."

'"Impossible to eradicate . . ."

'"But the *cook's* nephew!"

'"The grandmother would turn in her grave, and her scarce buried! The headstone not yet raised, even, and that girl goes off and . . ."

'"Hard to know what she *could* have done else. She inherits *nothing*."

'"But what about her father?"

'"Wells? He died in India – it would have been a year or two ago. But they'd not heard from him for ever . . ."

'"There's no saying but what he took another *native* wife. They get a taste for it, I believe. Having done it once . . ."

'"My *dear*, he probably had dozens! In a *heathen* country, after all . . . God *knows* how many children . . ."

'And so on,' finished Lucy. 'That's the sort of thing I had to listen to. I didn't know whether to laugh or cry.'

Ben had had no idea that Lucy could mimic so well. He'd thought of her as much too direct for satire. It crossed his mind that he and Mr Buchanan might be grist to her mill. That would be a joke indeed, but probably not one she'd ever share with him. Did Lucy and Aunt Deer – Di-*ya* – ever laugh together? It was hard to imagine. What was less hard to picture, though, was what Lucy might have been like when she'd had her brother with her. Being brought up together the way they'd been, they were bound to be close. No, that wasn't necessarily true. An only child himself, Ben was inclined to think that the possession of a brother or a sister was a welcome gift, but he'd known folk for whom that had hardly turned out to be the case. However, he had a strong notion that Lucy had been very attached to her brother Jim, and he to her. And her Da – she said very little about her Da – had she loved him too? Ben had no idea, but he thought it might well have been so. Perhaps those two children, growing up in mutual isolation on this island twenty-odd years ago, had made their own kind of fun. The way Lucy could take off those society ladies, Ben almost felt as if he was in the room with them. She'd learned to do that somewhere. Here, in fact: for Lucy there'd never been anywhere but here.

Ben laughed, 'Ay well, Lucy, I canna picture you handing cakes in a ladies' drawing room. I just canna. But you – what did you feel yersel when your brother married Miss Di-*ya*?'

'Me?' Lucy frowned, thinking about it. 'I was all a-mazed. It happened so quickly. They didn't read the banns – Jim went to the Bishop and got a special licence. He went right up to the Bishop's Palace away north beyond Peel, and asked for one – just walked up to the door, as bold as brass, and asked to see the Bishop. The Bishop wrote him a note to take to the Vicar General, and Jim walked on again, over the hills to Douglas. There wasn't any . . . any cause or just impediment, and because Jim lived on Ellan Bride, and couldn't take time away from the light, the Vicar General gave him the licence – sold it, rather, because it cost Jim a lot of money. Jim wasn't scared about getting his way when he needed to. Not at all. So then Jim walked all the way back to Castletown. He came to the back door of the house I worked at, and asked to see me. He told them it was urgent family news, so they *had* to let him talk to me, although I wasn't really allowed to see any visitors except on my day off. But Cook was nice – I don't think she ever told the mistress. So I went down to the back door, and then Jim and I were standing there in the yard, and Jim said, "Lucy, I'm going to be married tomorrow. I'm wanting you to come to my wedding!" And I was so surprised . . . Ben, I had no *idea*! I knew he liked Miss Diya because he'd told me so, but she was *Quality*. Our sort doesn't marry gentlefolks! I never *dreamed* . . .

'But Jim was explaining to me how Diya had been left with nothing at all – not a penny in the world – nothing but a pile of debts. And the rent was overdue . . . she had just one week to leave the house, and it was *full* of things. Everything was going to the auction, and Diya wasn't getting any of it, because it all had to pay the debts. Even the things that were supposed to be her very own were taken away. And everything was harder to sort out because there wasn't any will. Aunt Annie said it was all the most terrible muddle. But Diya stayed calm all the way through. Aunt Annie said that girl was a marvel, the way she was bearing it, and her only nineteen years old. She talked to the lawyers, and arranged the funeral just as her grandmother would have liked.

'She – the old lady – was buried at Malew Church. Everyone came to the funeral – all Castletown polite society. But were they there afterwards when the will was read? Or when Diya realised her situation? They were *not*. There was only one person sticking by her, and that was her friend Sally, but she was just a young girl like Diya. She couldn't *do* anything.

'So that's how it was that Jim was daring to ask. He was over in Castletown, and he heard the news as soon as he got there. He went straight away to see Aunt Annie, because obviously Aunt Annie would be out of a place too, unless the next tenants were wanting her with the house. He knocked, and Aunt Annie didn't come, so he let himself in at the back door, and there was Diya – that's what he told me – on her own in the kitchen, sitting by the chidlagh in the old rocking chair with the cat on her knee, not doing anything at all. I think she must have been there because she was upset, but Jim didn't talk about that. Aunt Annie was at market. So Jim said he had nothing to lose, and all to gain . . . well, of course he didn't tell *me* all about what happened then, but the long and the short of it was he was asking her to marry him, and she said yes. Don't ask me to explain it any more, because I can't. I wasn't there and I don't know.

'I got permission to go to the wedding. I probably wouldn't have – not from the Mistress – but Cook talked to the house-keeper privately, and I was allowed an hour to go over to the church and go to Jim's wedding and come straight back. They weren't never telling on me. So I was one of the witnesses. The only other people in the church were Miss Sally and Aunt Annie. The vicar was drunk. Diya said maybe that was just as well. The old vicar – Mr Harrison – he'd known Diya ever since she came, and he might have tried to stop Diya marry-ing Jim. But Mr Christian wasn't giving a damn, Jim said, so that was all right. There was no wedding breakfast. I had to go back to the house, and obviously Miss Sally wasn't sitting down at table with Aunt Annie and Jim. So we were saying goodbye at the church door. Jim had borrowed a gig, and he took Diya back to Ellan Bride the very same day. And the cat. The cat went too. Aunt Annie brought him to the church in a basket. We were hearing him yowling in the porch right through the service, but luckily the wedding didn't take very long. Diya couldn't leave the cat behind, you see. And the bailiffs certainly weren't wanting him. So he went back to Ellan Bride too.'

'That's no the cat you have now?'

'No, the old Smokey died, and Finn brought us this one – his full name is Smokey Two. T – O – O or T – W – O,' explained Lucy carefully. 'Diya says it's a pun. Anyway, that's one problem we're not getting here: kittens. My mother said we should be thankful. She grew up at Meayll, and they were always having to drown kittens.'

'Sad for the cat, though. But perhaps he doesna ken what he's missing.' Even sadder for the people, thought Ben, because they presumably did know that life might offer a little more. He wondered how often Lucy thought about that. 'So your brother and Diya came straight back to Ellan Bride?'

'The very same night. Jim had come over in our boat, you see. When Jim was alive we used the boat to go to the Isle of Man and back, and we went much more often – at least, Jim did. Mother never left Ellan Bride, not in thirty years. She was always saying she had everything and everyone she loved just where she was, so what was the point of going anywhere? There was plenty to do – that's what she used to say – plenty to do in the place where God was putting her, and that was enough.'

It was freezing, and she was terrified. Breesha was shaking all over: big, violent shakes that seemed to come from the pit of her stomach, and make her teeth rattle. If she clenched herself tight all over, she could stop her teeth chattering, but it was a strange kind of relief to hear the sound, like making sure she was still there, inside herself. She could go home. She knew she could just go home, and crawl back into bed and press herself against her Mam's warm body. That was the coward's way out. The Saint had woken her, on purpose, because the Saint herself needed her. Breesha didn't know why, or how, because nothing like this had ever happened before. It was like a game coming real. All the frightening games they'd ever played – and Breesha knew how to make games frightening all right – had been building up to this. She'd stepped over some invisible boundary, to a place where the unknown wasn't play any more, but real.

The *kirreeyn varrey* were out. That was good. Their presence sustained Breesha through her fearful watch. Breesha had once come here before at night to see the *kitty varrey*. Mam had brought her and Billy, very late, long after bedtime. They'd

sat in the lee of the keeill. There'd been a full moon. Breesha
had sat between Mam and Billy, feeling the warmth of them
on either side, forgetting to feel sleepy, as she watched the
hundreds of little dark birds flittering and twittering through
the air before the round face of the moon. Mam had told
Breesha and Billy how these were Saint Bride's own birds.
Saint Bride, whose name Breesha shared, also used to sit outside the keeill listening to the *kirreeyn varrey* at night. She too
had loved to watch them fly before the moon. The *kirreeyn
varrey* were the Saint's friends, and ever since she'd gone away
they'd stayed faithfully at her keeill, remembering. Even
though Saint Bride had left so long ago, the *kirreeyn varrey*
still returned to her each spring. The Saint could understand
the languages of all the birds, and when she listened to the
*kirreeyn varrey* at night, their mysterious twittering told her as
plain as day what they had seen and where they had gone, far
away across the sea.

The Writing Man had been standing by the keeill for a very
long time. It felt like hours and hours. He held something
long. Breesha couldn't see what it was. It looked like a spear
but there was something big at the end of it. Occasionally he
moved around the keeill. The spear thing moved too. Breesha
could see the faint outline of the keeill. The Writing Man had
gone round to the seaward side. She couldn't see him properly because he was hidden in the shadow of the keeill. The
keeill itself looked different in the dark, big and round, like
the way Mam drew elephants on the slate. Far overhead the
sky was pale where the light beamed out to sea. The light was
much too high and pale to help her now.

Then it happened. The spear leaped in the air. Breesha
heard a sound – a gasp, or a flutter – a sudden movement. She
didn't know what it was. The spear was gone.

The Writing Man was moving around in the dark. He was
back at the door of the keeill. She could see him standing
there, and then he shrank down, as if he were disappearing
into the earth. There was a little click.

He'd unshuttered the lantern. That was why it had clicked. He was crouching over the sudden beam of light. He was holding something. The light shone on it. A net! He had a net, and in it . . .

In spite of the fearful thumping of her heart, Breesha had to see. She crept forward a pace or two, trusting the dark to cover her. Now he was looking into the lantern, he wouldn't be able to see her even if he did look up. He didn't. He was looking down at the thing he held in his hands. He wouldn't see her, and if he did – her heart gave a sickening jolt at the very thought – if he did, she could run better than he could, so long as it was dark, because her feet told her where the path was, whereas he had to have a light.

The struggling thing in the net was a bird. It was one of the *kirreeyn varrey*. He'd snared one of the Saint's own birds. It was the fleyging net he'd got there. *Their* fleyging net. And now he was doing something to the bird . . . pulling it . . . he was twisting it round inside the net. Was he *killing* it . . .?

The light went out.

'Damnation!'

What did he mean by that? What was he doing? He hadn't blown out the lantern. It had gone out by itself. He'd let the oil run out, leaving it shuttered all that time. The lantern *knew*.

The Writing Man stood up. She couldn't see what he was doing. Why had he taken the bird? Was he killing it? Was he murdering one of the Saint's own birds, under the cover of the dark? Breesha crept back to her hiding place behind the rock. He was moving . . . he was moving away from the keeill. He was coming towards her. Breesha scuttled backwards like a frightened mouse.

He'd not seen her. He was near the path. He was looking for the path. Of course he'd been looking at the lantern light. He couldn't see . . . If he was trying to find his way back . . .

He'd taken one of Saint Bride's birds. He still held it. She hadn't seen him let it go. Why? What demon drove him? She had no idea what the Writing Man meant to do. She knew in her bones that it was wrong. Even to *touch* one of Saint Bride's birds, let alone *capture* it, to *kill* it, if that's what he'd done . . .

As Breesha fled through the dark, her feet somehow finding the right way, she could see the beam from the light high in the sky above her. You couldn't see the lighthouse from here, so it didn't help . . . the light didn't help . . .

Terrified as she was, wrought up far beyond being able to think straight, Breesha suddenly *knew*. The dream . . . the spear . . . the kill . . . The Saint had *told* her . . .

She already had about twenty yards' start on him. Abandoning herself to sheer instinct, Breesha plunged into the dark, and ran.

# CHAPTER 25

NOT LONG AFTER LOW TIDE, LUCY WENT ROUND WITH THE oil can checking the lamps. She carefully trimmed a couple of wicks which were beginning to smoke. It wouldn't be long now before it started to get light. There were no stars, only the thick darkness of cloud beyond the steady beam of light. Lucy opened the west window again, and sat down on the parapet.

'D'you think it'll be fair the morn?'

Lucy gave a start and swung round. 'I thought you'd fallen asleep down there! Don't stand in the beam, please, Mr Groat.'

Ben squatted down just behind her. 'I only dozed off for a moment. No enough time to become "Mr Groat" again, I hope.'

'All right, then: Ben. You've been sleeping above an hour. They'd better not be setting *you* to keep a light!' Lucy didn't say how, half an hour earlier, she'd stood looking down at Ben where he'd lain sprawled across the blankets on the platform, his mouth slightly open, snoring a little. She'd remembered that two days earlier – was it really only two days? – Mally had called Ben 'the ugly man', and no one had contradicted her. That seemed a long time ago already. Ben had looked younger when he was asleep. And if his face was unusual, there was nothing wrong with his body; in fact if he'd remember not to slouch he'd be a remarkably well set-up young man. When Lucy and Jim used to take the night watches together, Jim used to look very much the same when Lucy went to wake him up in the small hours. But that was long ago . . . In fact Ben Groat couldn't be so very many years older than Billy. Billy would soon start to grow up too. It took so few years for a boy to turn into a man, it frightened Lucy a little to think of it. Where would Billy be when he was Ben's age, and what would have happened to them all?

Up until that moment when she watched him sleeping, Lucy had felt slightly in awe of Ben Groat. He knew the world so much better than she did that she'd somehow taken a notion that he was a good deal older and wiser than she was. That no longer seemed to be quite true. If he'd been born the year the Bell Rock lighthouse was first lit – Lucy had done a quick calculation as she stood over the unconscious Ben, lamp in hand – why then, he was five years younger than she was. In a strange way that allayed a certain fear inside her head – a fear that she hadn't even been aware existed until that moment.

'Have I?' said Ben, looking rather put out. 'Ay but, *I* was working all of yesterday. If I had to keep a light I daresay I'd grow accustomed. Would you like me to go and make some more tea?'

'What, tea twice in one night! Oh, very well, then, if you want it.'

'I do,' said Ben, rubbing his head sleepily. 'This is thirsty work. And I'm hungry. How about some biscuit?'

'Why not indeed? And a sugar plum or two, perhaps!'

'Your children ate all the sugar plums, ma'am. I'll be back shortly.'

Of course he should have checked the oil in the lantern before he'd set out. Archie was annoyed with himself, but it could have been worse. He'd extricated the bird in time. In the lantern light it had been a lighter brown than he'd expected. Under its feathers it was just a little scrap of flesh, though it must be as tough as wire to fly far over the ocean the way it did. He'd taken great care not to hurt it. Anything that felt so delicate in his hands, and yet could do so much, must be fine-tuned to the highest pitch. The least dislocation might be fatal: he'd never have got the bird out of the net undamaged without the light. As it was, he'd already disentangled it, and was holding it safe in his cupped hands when the lantern went out.

It had taken him a moment to think what to do. He could feel the little creature light as thistledown in his hand. At first it was struggling, trying to flap its wings against his closed fingers. Then it lay still, but he could feel a quickening heartbeat against his palm.

The obvious thing to do now was to kill it. It was easy to study a dead bird. One could weigh it, measure it, and write a description of it, all at leisure and with no difficulty at all. He'd not seen a stuffed specimen of a stormy petrel. Archie had never attempted taxidermy. He could probably do a reasonable job if he set about it, but the conditions here were not ideal. All those children . . . he wouldn't get the peace to concentrate. And yet . . . there were hundreds of the birds flying about all round him: to take a single specimen would make no difference. For some reason he was preternaturally aware of the small pulse against his palm. He might as well let it go alive if he wasn't going to use the carcase. He could make notes and a drawing whether it were living or dead, anyway.

With some difficulty Archie used his left hand to pull his handkerchief from his right-hand pocket. He wrapped the live bird loosely inside it, as well as he could in the dark, placed it carefully in his pocket and tucked in the flap. He found his haversack and slung it over his shoulder. The useless lantern and the fleyging net could stay where they were until tomorrow.

It must be about one o'clock, nowhere near dawn yet. He'd have to feel his way back as best he could. If he kept the lighthouse beam on his right, and the sound of the sea on his left, he'd come to no harm. He didn't want to trip over, though, because of the bird in his pocket. Gingerly Archie set out, feeling for each step. He wasn't on the path, but that didn't matter. There was little chance of finding it anyway.

He'd hoped to get to the well by keeping close to the Hamarr cliff, but after a while he realised he must have missed it in the dark. He walked on for a bit. All of a sudden it got lighter: too light, in fact. He looked round, and saw a solid sphere of brightness high up, almost directly behind him. He'd gone too far seaward; he ought not to see the lighthouse from the path. Archie retraced his steps, and a moment later the light disappeared again.

A small, single light shone out just ahead. It must be a light from the house: the lightkeeper, perhaps, fetching refreshments from the kitchen. Relieved – because the simple walk was harder in these conditions than he'd expected – Archie took a step towards the little glimmer.

No.

That light was in the wrong place. The beam from the lighthouse coming over the Hamarr cliffs was too low. The angle from the well path to the top of Hamarr was in no place less than sixty degrees. From here it was more like forty. That would only make sense if he were passing east, not west, of the Tullachan. The Tullachan . . . From the Tullachan to the top of Cam Giau was thirty-three yards, and the bearing from the summit of the Tullachan to the end of the Cam Giau cliff was sixty-nine degrees. Which meant that if the Tullachan were on his right, and not on his left . . . Wait a minute . . . the fact was he oughtn't to be able to see the house lights at all. In fact, he'd *only* be able to see a light from the kitchen window if he were almost at the cliff edge. Which he wasn't, because the sea didn't sound close enough. And that could only mean that this glimmer of light was coming from the far side of Cam Giau, where quite certainly no light should be.

But why would anyone . . .? Unless they'd deliberately set a light, knowing he was coming back from the keeill. No, that was impossible! And yet . . . was there any other explanation? The light wasn't moving. Someone was staying quite still on the far side of Cam Giau. Impossible! But he needed to be sure . . .

Now that he'd stopped to work out exactly where he was, Archie moved forward cautiously, but with more confidence. He went very slowly, and in less than two minutes he heard the sound he'd been listening for: the swish of waves below, and with it a sudden awareness of emptiness. That was it. That dangerous twist at the top of Cam Giau . . . it was nineteen yards from the kink in the Giau to the declivity in the ground where the chasm ended. Archie paced it as well as he could in the dark, and sure enough the ground fell away into a small hollow exactly where he'd calculated.

From the foot of the hollow it was safe enough; if he was going uphill he had to be moving away from the precipice. On Gob ny Sker the vegetation changed from turf to heather. Yes, now he was in deep heather, having to pick his way. And there was the false light, not very far away now, above him on the height of Gob ny Sker, between the Tullachan and the sea.

The sound of the sea hid the rustling in the heather. Archie came up close to his quarry, close enough to see that the light was a makeshift lantern, a candle stuffed into a bottle with the bottom knocked out. He'd seen that very lantern on the kitchen dresser. As for the person holding the lantern up so it that was clearly visible across Cam Giau: all he could see of her was her black hair, and the corner of a blue shawl. He'd seen that shawl round Diya's shoulders less than two hours ago. He stopped, feeling cold inside. He'd been betrayed before – that feeling at least was familiar – but not since he was a child – not like this – no one had ever tried to do anything like *this* . . . And all this time he'd thought that she . . . He'd thought of her as . . . And all the while she was . . . what? Laughing at him? Or merely hating him? *Why?* She must be a devil incarnate . . . Or simply mad?

He didn't want to know. He could turn and run. It was too horrible; better not to know. But if he left now he'd never find out . . . He'd never face her again, knowing this, and that meant . . . no, he couldn't leave it like that. Something as bad as this

– whatever nightmare notion had brought her to do this – he *had* to know.

He'd been standing there, not knowing what to do, almost shivering from the shock of realising it was her. Suddenly he was aflame with rage. Was she *mad*? Not she – there was nothing mad about her whatsoever, he was sure of that – but if she were sane, then she was as wicked a woman as ever played with a man's feelings – not just his feelings: his *life*. Impossible to believe, but there she was – she wanted his *life*. He came softly up the slope towards her, to within a couple of yards.

She hadn't heard him. There was no doubt at all about what she was doing. She was holding up the bottle lantern so that it would shine across Cam Giau. From the keeill path it could easily be mistaken for a light from the house. She'd *known* he was going to the keeill to watch the stormy petrels – she was the only person who'd known. She'd sat so douce in the rocking chair across the hearth while he'd told her about it. She'd listened to him talk – oh, how civilly she'd listened! When he thought how much he'd told her about himself – more than he'd told anyone in all his adult life – he wanted to fling himself on top of her and throttle the life out of her. She'd seemed so *interested*. Was she deranged? He'd thought her kind, for all her manner was so cool – he'd thought she'd *liked* him.

The bottle lantern shifted. She was changing her grip on it. It must be hard on her arms, holding it up high like that. The blue shawl slipped. For a moment the light shone on her face. He was behind her: he couldn't see properly. The outline of her cheek was illuminated through a stray tendril of black hair. Her cheek, where the light shone on it, was softly rounded. But Diya wasn't . . . Diya's face rose vivid in his mind's eye; he'd had the chance to study it very well that evening. What he'd noticed the first time he'd laid eyes on her – what he'd thought about ever since – what was beautiful about her, in fact – was her clarity of feature – the fine shape of her bones beneath the skin – whereas this . . .

The lamp flickered, and flared up, as if a whisper of wind

had found its way inside the bottle. She was wearing some-thing white. The same small breeze that had caught the flame made her skirts billow round her ankles. For the first time he saw that she was little. He hadn't realised. Because of the slope of the ground she was above him. That's why he'd thought she was tall. It wasn't . . . It was . . . It was the girl! It was only the girl! Thank God for that! The relief was so overwhelming he found himself shouting at her furiously.

'What the *devil* d'ye think you're doing?'

Breesha swung round. Her mouth was wide open in terror. But she didn't scream. She just stood there staring, all mouth and eyes. Then she took a step nearer, holding up the lantern, and stumbled over the heather. Of course, she'd been staring at the light. She couldn't see him. The light fell on his face, and he blinked. He opened his eyes and saw her looking at him aghast over the lantern light. For a second their eyes met. Then Breesha started, and flung away the bottle lantern. It shot into the giau, and the dark swallowed it.

He couldn't see. He'd been looking at the light, and now all he could was bright greenness against his eyes. Where was she? The sea echoed from below so he couldn't hear her either. He groped forward, and made out a dim shape, no longer silhouetted against the stars. That's why he'd not seen her: she'd backed away, down into the shadows between the height and the edge of the cliff. But that meant . . . they'd measured this ground only yesterday . . . It fell away steeply, crumbling down to the edge. She was much too near . . . She must be out of her wits, or else just blinded. He could see the faint out-line of the edge behind her.

He slithered down the slippery space between them, and pounced, grabbing her by the arms. He caught a flash of white below: the surf funnelling into the giau. Then, still slipping, he pulled her down flat, holding her to the ground with all his weight on top of her. They weren't sliding, thank God. She was screaming. Archie was barely aware of it. There was no ground below his feet. Still forcing Breesha down with all his weight, he scrabbled for a purchase, found rock under his feet, and managed to push them up the slope. It was steep, but now he could crawl. He had to drag her with him. She did nothing to help herself; she didn't seem to *realise*. He got a grip round her middle. She was so slight he was feared she'd slip right out of his arm. Then he dragged her back, a safe two yards up the slippery grass. It was steep, and the ground was crumbly. He didn't loosen his hold until they were on solid grass. Then he managed to stand up shakily, pulling her upright with him.

Once she was on her feet she struggled like a demon. He still had her round the waist. She put her head down and bit his hand, hard. Furious, he slapped her head away with his left hand. She screamed, and twisted her elbow into his guts.

She was no match for him. He had her pinioned against his chest, holding her in his left arm. He remembered something else – if it wasn't already too late – and held his right hand over his pocket to protect the bird. He could feel his own heart hammering. Another step – if she'd pulled backwards when he caught her – Christ, it had been close . . . he was just beginning to register how close to the edge they'd been. He was trembling – with fear or fury or both at once. He jerked her roughly round to face him.

'What the *devil* . . .?'

She didn't scream again. Instead she fought wildly. She hadn't a chance. He was far stronger than she was. 'Stop that! Stop it at once, ye besom!' He was beside himself with rage, now that they were both safe. This bairn . . . this *monster* . . . she'd tried to *kill* him. 'Or I'll throw *you* over, you wee devil!'

She heard that. She suddenly went limp. It was like holding a dead thing. If she'd fainted . . . She was breathing all right. Whimpering. She was terrified . . . she thought that he . . .

*His brothers . . . they had him, one at each end, holding him by the wrists and ankles. They swung him high, right over the edge of the mill race. White water surged below. The great wheel clanked. He dare not struggle, because if they let go he'd go flying . . . he dare not scream . . . they were laughing at him . . . laughing all the time*

*... and him swinging there between them ... helpless as a ... as a ...*

A bairn. That's all she was. A bairn. And he'd said ... She was whimpering ... She'd believed that he would ...

'Don't be so bloody daft,' said Archie roughly. 'I'm not a damned murderer! But *you* ...! What the *hell* did you do that for?'

Such a childish trick as it had been! But – suddenly it dawned on him – the reason he felt so furious – the reason he'd like to beat her black and blue until she screamed for mercy – was that it might have worked. It was so *stupid*, so *crude*. No one could have believed for a moment ... But to his eternal shame he *had* been duped. Oh, only for thirty seconds, it was true, but that was long enough. He'd been fooled, and not just about the false light in the bottle lantern. He'd thought that her mother ... What he'd thought was unforgivable. He wanted to bury it, deny even in his own heart that he'd ever imagined for one moment that it could have been Diya. Of course the very notion was preposterous. But he *had* believed it. It was that shawl ... she was wearing her mother's shawl. He'd never tell anyone, but *he* knew. He'd always know. Just for that space of time, Breesha had fooled him. The worst part she'd done unknowingly, but he felt none the better – she'd deceived him anyway. He couldn't forgive her, bairn as she was, for that.

'Very well, if ye've nothing to say to me, we'll see what your mother has to say about it!'

That brought her back to life with a vengeance. 'No! No! No! You can't make me! No! No! I hate you! I won't! I hate you!'

'Ay, ye've made that fairly evident.'

She refused to walk, and he couldn't make her. She just dragged her feet when he tried to pull her along. Without further ceremony he swung her over his left shoulder, where she couldn't kick the stormy petrel. She rained blows on his back with her fists, but they were so puny he barely felt them. It was harder to stop her wriggling off altogether. Twice, as they stumbled back, he'd had enough of it, and slapped her really hard. But she didn't stop fighting. God knew what demon possessed her, but she was a fighter. Never had Archie been so glad to reach the shelter of a house.

He had to find it in the dark, but by that time his eyes had grown accustomed again. There was no light in the window. The only light came from the lighthouse up above on Dreeym Lang. He had to face her mother now. Thank God he was so angry that he didn't care. He was beyond caring about any of them. The sooner he and Ben were off this accursed island the better it would be.

The baby was crying . . . No, not a baby; that was long ago . . . One of the children . . . Breesha! Diya was out of bed before she was properly awake. That was Breesha, sobbing desperately. Breesha never cried like that, not even when Jim . . . But then Breesha had never believed . . . This was something real. Over there. In the kitchen. Diya flung the door open.

It was too dark to see. 'Breesha? Where are you?'

'Mam! Oh, Mam!'

Breesha was in her arms. She was icy cold, and shaking violently. She clung to Diya, weeping wildly.

'It's all right, Breesha beti! It's all right, stop it now. Come on now, take a breath.' Diya could feel the hysteria rising through the child's body. 'Stop now, Breesha! Stop crying! Mam's here! You're not hurt. Try to stop.' Breesha's hair was damp, and the smell of wet grass hung about her. She'd been out! Outside . . . On the ground . . . Diya was shaken by a pang of terror. What . . .? Who . . .? 'Everything's all right now. Try to stop, Breesha veen. Then you can tell me what happened.' She heard her own voice sounding ordinary and calm. 'Come on now, beti! Mam's here.'

There were other voices in the room – there had been all the time – making a great deal of noise. Diya paid no attention to them. Only when someone lit a candle and placed it on the table did she look up. It was Mr Buchanan, looking scared and dishevelled. He'd been out too . . . He was still fully dressed. Of course . . . the stormy petrels . . . But what . . .? And how . . .? And someone else was crying too. Not crying: shouting, in a high, terrified treble. 'Breesha!' screamed Billy. 'He got Breesha! He got *Breesha*!'

'Mrs Geddes – ma'am – please, I can explain – something happened –'

'He got Breesha!' Billy yelled, drowning out Mr Buchanan. 'He did something to Breesha! He hurt Breesha!'

'Ma'am, if you'd just let me . . .'

Mr Buchanan came a step nearer Diya. Breesha screamed, and buried her face in her mother's nightgown.

'Stop it,' shouted Diya. 'Stop it *at once*! All of you! Billy, be quiet! Breesha, stop crying at once. You *must*! You, sir, be quiet! Now, then. All of you! Stop!' She'd shocked them into dazed silence. Billy, in his nightshirt, stood with his mouth still open, staring at her with frightened eyes. His hair was all standing up on end from the way he'd been lying on his pillow. Breesha clung to Diya, trembling all over, her teeth chattering, but she stopped making a noise. Over her head Diya met Archie's eyes. The look in her own was enough to make any man quail. 'Now, sir, an explanation, if you please!'

It was the way they looked at him: that woman looking at him as though he were a prisoner in the dock – and the boy too, for God's sake – the little boy, as if *he* . . . And that woman – how beautiful she was, and that made it so much worse – looking at him as if *he* – and all the while that devil's daughter – that little *demon* – yet they were looking at him as though *he* . . . It dawned on Archie why he stood accused, that they thought . . . at least, the woman was thinking, if not the boy . . . The *injustice*!

'How *dare* you!' Archie flung back at her. 'How dare *you* ask *me* to explain! Why dae ye no ask *her*? That's right, *her*! *Your* daughter! Ask her what *she* did – what she tried to do! And don't ye *dare* to look at me like that! Don't ye dare! As if I . . . as if I . . . as if I would *ever* hurt a bairn! Not even a damnable little demon like *that*!' He flung out his arm at the quivering Breesha, who began to sob afresh.

'Don't you call my daughter a demon! Don't *you* dare! Explain yourself, sir! Explain yourself at once!'

'You're no even going to speir what she did? What she tried tae dae to me?'

'Control yourself, sir. What could a little girl possibly do to *you*? You're a man grown: I hold *you* responsible! And don't you try to get out of it! I won't have you blame her!'

'I canna be responsible for your bairn, ma'am. If you like to teach her to murder – to aid and abet her to wander around the place *killing* people – then God help ye baith, that's all I can say! I want naethin whitever tae dae wi either of you. You can damn well explain to ain anither, for aw I care, God rot ye!'

Diya shoved Breesha aside, marched up to Archie, and slapped him across the face.

He raised his arm, as if to hit her back. She gasped. Just as Archie let his hand drop again, Billy threw himself against Archie's chest, battering him as hard as he could with his bare fists. 'No!' screamed Billy. 'No, you shan't! No, no, no!'

In the red-hot centre of his rage Archie suddenly remembered what was in his right pocket. His head cleared at once. He got Billy by the wrists and held him away from his body. 'Stop it, Billy!' He wasn't yelling any more; he was relieved to hear his own voice sounding cold and determined. 'Billy, dinna do that. You'll hurt the stormy petrel. It's in my pocket. Billy, you'll kill the petrel! Stop.'

Billy stopped. The voice of authority was back. This was the Writing Man he recognised. Billy had no idea what was happening. He just knew he didn't like it when everyone suddenly stopped being like themselves and turned into something else. But if the Writing Man said he had a bird in his pocket, then a bird in his pocket was what he had. He wouldn't tell a lie. It was all too muddling. Billy stood back, shivering, and sucked his skinned knuckle.

'Mammy!' It was Mally, in her nightgown, her hair flying

loose around her shoulders. She flung back the bedroom door and rushed to her mother. Diya picked her up and held her on her hip. With Mally clinging to her shoulder, Diya turned to face Archie.

'Now see what you've done!'

'That's no fair,' said Archie icily. 'If I'd had any choice in the matter I'd not have woken a soul, ma'am, except yourself. As it is . . .' He looked round, and realised who was missing. As soon as he thought of him, he found himself wishing, embarrassing though all this was, that Ben was there. 'Where's Mr Groat?'

'I should have thought that was *your* responsibility, sir. And now, perhaps you'll be good enough to tell me what upset my daughter?'

Diya sounded fiercer than she felt. Furious though she was, she had to admit – though never to him – that her worst fears were unjustified. He'd behaved unpardonably. *That damnable little demon* . . . She'd never forgive him that. But if the man truly had a live stormy petrel in his pocket, that had to prove his innocence. He hadn't intended violence, and he could hardly have perpetrated any, or the bird would be dead. That didn't exonerate him from the fact that *something* had happened. Only Breesha . . . An icy trickle of doubt was beginning to dampen Diya's wrath. Her own Breesha, whom naturally she'd defend with the last breath in her body, whatever happened . . . *What had she done?*

'Your daughter, ma'am, set a false light on the south side of Cam Giau. She hoped to lead me over the precipice when I was walking back from the keeill.'

'But that's *preposterous*!' Except that the moment he said it, Diya knew it was true. 'The child was in her bed! She didn't even know you'd gone out!'

'It can hardly have escaped your notice, ma'am, that the child was manifestly *not* in her bed, and' – Archie's cold formality suddenly failed him – 'the bairn kent damn well where I was. Because then she damn well tried to murder me!'

'Nonsense!'

'D'ye call it nonsense to set a light on the far side of Cam Giau, so I'd think it was a light from the house?'

'You must have known it wasn't!'

'Ay. That's why I'm alive now.'

'Nonsense! Of course she couldn't have killed you! I don't share your taste for melodrama, sir!'

'*Melodrama*!'

Mally didn't want the Writing Man to start shouting again. It was terrible to be suddenly woken in the night by angry voices and find Mam not there. And now all this crying, and shouting, when Mally had been fast asleep and then found herself suddenly and terrifyingly awake, was more than she could bear. Mally began to cry loudly. Sensing a way out, Breesha also began to sob, and clung to her mother. Archie, hard-pressed, instinctively looked at Billy. Billy looked back at him helplessly, with quivering lip.

'Och, s'truth!' cried Archie. 'Can we no leave this until the morn?' And take your appalling brats away – no, he couldn't say that out loud. 'Mrs Geddes, I havena muckle time. If I dinna set this bird free before dawn the gulls will get it. Can these bairns no go to their beds and be done wi it? I'll speak to you the morn, ma'am, if you're so set on it. But I've telt ye what happened, and that's that. It's up to you what you do with her. She's no mine, thank God, and I dinna want to give the matter anither thought. So, if you please: goodnight!'

What Diya wanted to do most was to hit him. But she wasn't in enough of a rage any more. Short of that, she wanted to tell him what she thought of him – after all, he'd flung enough insults at her, and hers. With two weeping children holding her down she couldn't do that either. The worst thing of all was knowing, deep down in her mind, that at least half her anger was with Breesha. Diya would never let Mr Buchanan know that. She'd never betray her own daughter. But Mr Buchanan was telling the truth. If only she could doubt him, she'd hate him less. As it was, his protestations of innocence were unforgivable, because in her heart she knew they were just. And there was Billy, standing there all by himself, not knowing what to think . . .

'I'd thank you, Mr Buchanan, to speak to us all more civilly. It's certainly true that I have nothing more to say to you tonight. I hope you manage to sleep well, sir, with all this lying upon your conscience. Goodnight!'

Diya swept herself and her daughters out of the kitchen in one magnificent gesture, and left Archie standing. What it had cost her to do it he never knew, because the bedroom door was closed firmly in his face, and he heard no more from them that night.

A thin light came creeping in before the dawn. Standing in the yard outside the kitchen door, they could begin to make out, as if they were looking through smoke, the low part of the island beyond the Tullachan, over Cam Giau to the corner of Gob y Vaatey. A chill west wind was bringing the smell of the sea in with it. The cloud had blown away, and the empty sky was turning grey. No birds were flying; the island lay as silent as if no living creature had ever inhabited it at all.

Billy was so tired it was like being in a dream. He'd never been up for so much of the night. At first, after everyone had gone into the bedroom and the kitchen had been mercifully quiet, it had been hard to stay awake. He'd felt so very sleepy. But he'd wanted to see what the Writing Man would do. He was very glad now that he'd managed not to fall asleep.

At first the Writing Man had been quite shy. Billy understood that. After all, the shouting and crying that had been going on were enough to make anyone feel shy. But then the Writing Man had looked Billy in the eye, and said, 'I think we deserve a nightcap after all that, don't you?' That had been puzzling, because in Billy's family they only wore nightcaps in winter. It turned out that what the Writing Man had meant was a drink. He'd asked Billy what was the strongest drink they had in the house? Billy had shown him the teapot. Mam must have been down from the light not very long ago, because the teapot was already by the hearth, and the tea was still hot.

Billy and the Writing Man had each had a cup of tea, sitting one on each side of the hearth. They didn't talk. Billy had enjoyed it in spite of all the horrible things that had happened earlier. He'd never been allowed to drink tea before, though naturally he didn't tell that to the Writing Man. The tea itself was bitter, and too hot. But it was like being a man grown, sitting there in the middle of the night with the Writing Man, and the others all gone to bed.

When they'd finished the tea, the Writing Man had said, 'D'you want to have a look at the stormy petrel?'

Billy had never seen one of Mother Carey's chickens close to. It was almost as small as a wren – which was why it was called a sea wren, of course – but more like a swallow. It was dark brown, with a broad white patch above its tail, and it smelt – the Writing Man told Billy to smell it, and asked him what the smell made him think of – like grass in autumn. Its feathers were smooth and very soft, and through them its flesh felt warm. It must have been frightened, but its eyes were expressionless, like black beads.

When they'd finished looking at the bird all over, the Writing Man asked Billy to hold it. Billy held the stormy petrel for a long time while the Writing Man did a drawing. When that was done, the Writing Man used a ruler to measure how long the bird was, and then he drew another picture of it as it lay in Billy's hand. The picture was very clever; it looked just like the real bird.

'Look at its beak,' he said to Billy. 'See how the nostrils are formed so it can dive.'

'They don't dive,' objected Billy. 'They just sort of hover and run over the water, and dip in when they're catching something. That's why they're called petrels. Aunt Diya told me that. Because of St Peter. He ran over the tops of the waves too. Only that was magic, like Mannanan in his chariot.'

'Magic?' The Writing Man sounded as if he was shocked.

He opened his mouth as if he was going to say something, and then closed it again. Then he wrote something in his notebook.

Next the Writing Man gently stretched out one of the petrel's wings. It was remarkably long for such a small bird. There was a thin white stripe under the wing, at the end of the inner row of feathers. The Writing Man made a note and measured the length of the wing. He wrote down *6.1"*. Then he made another drawing of the outstretched feathers.

'Very well,' said the Writing Man at last. He seemed to be speaking to the bird, not to Billy. 'I think that's enough, don't you?' He turned to Billy. 'Will we let it go now, d'ye think?'

'All right,' said Billy. He was sniffing his fingers. 'My hands smell like the bird. Like dead grass.'

So now they were standing in the yard, looking at the cold sky. 'Time enough,' said Archie. 'It'll find its way back to the keeill afore dawn.'

'Because at dawn the gulls will be out?' said Billy.

'That's right. But if we let it fly now, it'll get back safely.'

Archie was holding the bird in his cupped hands. It kept so still he was almost afraid it wouldn't recover. It would be in shock, if birds felt shock. Did birds suffer, or remember? It would know its own way home, one could be sure of that. He held the stormy petrel in the hollow of his hand. Then he threw it up. Even though it seemed to weigh nothing at all, he almost expected to see it fall like a stone, but the moment it was in the air, it spread its wings, fluttered skywards, and was gone.

Towards dawn the low cloud cleared. Much higher overhead, a great stripe of mackerel cloud slowly took shape in a pearl-pale sky. A few puffins began to circle the island. The birds on the cliffs were just beginning their daytime chorus. Ben and Lucy had moved round the parapet as the wind changed, so now they were facing due east. The ghost of a grey curve on the horizon might be the far hills of Cumberland; it wasn't yet light enough to tell.

About an hour, thought Ben. Sunrise was at four-fifteen. It must be past three now. He'd stayed up all night with the light-keeper because he wanted to. He was a man grown, and if that's what he chose to do, his time was his own and there was no one on God's earth to stop him. Certainly the lightkeeper had not stopped him. That was her choice too. Ben was still not completely sure why he'd done it. Not sure in his mind, that was. Both his heart and his body knew damn well why he was here. In the east the sky was a delicate shade of yellow, just beginning to show a tinge of pink. He and the lightkeeper were sitting very close, side by side in the open window.

'There's still a bit of biscuit left,' said Ben. 'Will we finish it?' He unwrapped the napkin. 'And some of that cheese. I'll cut you a bit.' He unclasped his knife and tried to slice crumbly lumps of cheese onto the fragments of ships' biscuit. 'It's a bit of a mess, I'm afraid. Help yourself.'

'D'you ever stop eating, Ben?'

She was laughing at him as she leant over his knees, gathering up bits of broken biscuit. Her hair brushed his face. A quiver of delight ran through him. 'Ay,' he said, 'I do sometimes. Dinna take all the broken bits. Have the whole one.'

'It was me that broke it!' She brushed the crumbs off the cloth. Ben felt her fingers gently brush across his knee. Then she was licking her fingers, looking out to sea again.

At ten past four Lucy would stand up, ready to put out the lights. Ben glanced south, where the waves were breaking on Sker ny Rona. The tide was flooding in over stranded rock pools; another fifteen feet or so and it would have covered all the seaweed. Ben had calculated over an hour ago that mean tide must be at six minutes after half past three. It was now or never.

Ben put his arm around Lucy's shoulders. She was away in a dwam; when he touched her she gave a start, as if her thoughts had been very far away, and looked round at him. Now or never, thought Ben, and kissed her. He tasted biscuit crumbs on her lips.

To his surprise Lucy didn't resist him at all. Had she been expecting this all the time? Surely not? Then she suddenly pulled herself away. 'What do you think you're *doing*, Mr Groat?'

'I dinna think, I ken,' said Ben, and tried to do it again.

But this time Lucy pushed him off. 'No!' Clearly she was upset. 'I suppose you're thinking – *No!* – You're thinking just because my son must have had a father . . . you're thinking that I . . . that I . . . that I *know* about all this. But you're wrong. Mr Groat, you couldn't be more wrong!'

'No!' protested Ben. 'I wasna thinking anything of the sort! I was thinking that I . . . I was thinking about *now*. How we could be – now. Like this.'

This time Lucy didn't try to stop him. She knew that she ought to, and somewhere at the back of her mind a small voice whispered insistently that she would be sorry, that once again she was flinging herself headlong into a lifetime of regret, while he – this man whom she hardly knew – could, and would, walk away and never spare a thought for her again, if that's what he chose to do. But the voice of reason was drowned out by a rush of feeling that had been pent up so many years she'd forgotten even to acknowledge it was there. Taken by surprise, it wasn't Ben, it was her own body that betrayed her. There was no question in Lucy's mind, this time, that the choice was hers. She wasn't in the least afraid of Ben, or anything he might do to her. Too late, she realised that the sheer joy of not being afraid of him was her undoing.

Lucy stood up suddenly, took Ben's hand and pulled him to his feet. Then she turned away and disappeared down the ladder.

Ben was aghast. She'd *liked* it! She hadn't told him not to! He hadn't forced her! And now she'd got up and rushed off. Why? Where? A horrified vision rose in his mind of Lucy rushing back to the house, rousing them all with her screams, and making a formal complaint to Young Archibald . . . Even in his consternation it occurred to Ben that it must be the first case of a lightkeeper accusing one of Mr Stevenson's surveyors of assault. Only she'd *liked* it! Horrified and bewildered, Ben clattered down the ladder after her.

She was still there, on the platform. She was facing him, as though she was waiting for him. When he held his hands out to her she didn't run away. When he took her in his arms she twined her own round his neck and embraced him fervently. There was no mistaking that. He hadn't got it wrong.

Ben couldn't believe his luck. He'd have thought himself lucky to steal a kiss. But this . . . it was the kind of thing he'd dreamed of – in fact he'd been dreaming of it since he was ten – but never what he'd expected to happen, or, at least, not to him. Maisie hadn't been coy, it was true, but this . . . Lucy wasn't pretending anything. She never did pretend. She wanted him, Ben Groat. She didn't just let him kiss her passionately, she wanted – and she was completely honest about it – to kiss him back. She wanted to unfasten his clothes and caress his body. She wanted to make love with him, there and then. She wanted to do everything that was possible just as much as he did. She did nothing to stop him touching her, or taking her clothes off. She let him caress her as much as he liked. She wanted him as straightforwardly as he wanted her.

Lucy had thought she was strong, but Ben had found his way to the one place in her life where she had no defences. She'd never learned any. Life had cheated her once, and she'd been alone since then, and lonely, and her dreams too often left her burdened with unfulfilled desires. It was true what she'd said to Ben: to love this way was almost unknown to her, but her body knew what it wanted, and Ben seemed to know too. The voice saying she ought not was still whispering in her head, faint but insistent. She smothered it. The years of longing would get paid for, just once, and she didn't care what it cost.

For over an hour Lucy and Ben lay together on the platform below the light, with two blankets and a bolster for their bed. Delighting in one another, they forgot everything else in the world except the light. The moment a shaft of yellow sunshine leaped through the trapdoor Lucy pulled herself out of Ben's arms for the second time, and sat up. 'The light! I have to put out the lights!'

She grabbed her petticoat, pulled it over her head, and was up the ladder in a trice. Ben blinked and sat up. He had a glimpse of her going up the ladder. With the light above her, her petticoat was transparent and he could see her body quite plainly – the same body she'd just given to him. He still couldn't quite believe his luck. Ben groped for his shirt and breeks, whistling under his breath, as blithe as any man could be. Lucy was Lucy, and Lucy was his, and last summer would never cast its blight on him again. The dawning day was shining bright. That was all Ben cared to think about at the moment; the rest could take care of itself. He suddenly felt desperately sleepy. He recollected that it was Sunday, and breathed a quite genuine prayer of thanks that no one could ask him to do a serious day's work. If he curled up in the blankets, just as he was, and went to sleep, surely no one could object? Young Archibald would realise he hadn't slept in his bed anyway. No, he couldna really do that. But it was only four-fifteen. Surely she'd come back, just for an hour or so . . . surely no one else would be up until gone five. If he put on his shirt, in case anyone came . . . Ben sleepily put his shirt back on, did up one button, then rolled himself up in the blanket, and shut his eyes.

Something terrible had happened. Something that couldn't be mended. Jim. Jim was gone. The colourless future loomed, forcing its way in as it did every morning, and Diya struggled not to wake to it. Day succeeded day, and every morning the grey light came back inexorably, and every morning she shut her eyes against it, and did her best not to wake up. However late she slept, it could never be long enough . . . But all that was over. It was finished years ago, and now . . . Then what . . .? It wasn't Jim pressed against her side in a small tight heap . . . Breesha. It was Breesha. The last shreds of sleep fled away, and

Diya remembered. Mr Buchanan . . . the Writing Man – that's what the children had called him always – the Writing Man. And Breesha . . . Breesha had tried to lure the Writing Man over the cliff with a false light. And she, Diya, had slapped his face. Never, since they dragged her from Aji's clinging arms, had she so far forgotten herself in public. He could never forgive either of them now. Something more precious than she'd realised had been broken last night, and now it could never be mended.

'Mam?'

Reluctantly Diya opened her eyes. Mally was standing by the bed in her nightgown, looking down at her anxiously.

'What is it?' Diya felt so tired; she didn't want to face any of this.

'The sun's well up, Mam.'

No wonder Mally was disconcerted. She'd never been the first to wake before. 'Then we'd better get up too. No, don't wake Breesha. Let her have her sleep out.'

Diya slid out of bed and pulled the curtain back. It was long past dawn; the sky wasn't grey at all, but blue. It was going to be another lovely day. Where was Lucy? Diya hadn't heard her come in. Melodrama. That's what she'd accused Mr Buchanan of. And she'd slapped his face. She couldn't imagine how any man could forgive that. And after what Breesha had done to him, he'd surely never want to see any of them again. Diya felt so weary. Friendship was not so easily found if one lived on Ellan Bride. However fleeting it might be, one could hardly afford to snap it in two and fling it away. But that's what she'd done. Or rather, it was what Breesha had forced her to do. Diya glanced back to the humped up shape under the bedclothes. Breesha hadn't understood what any of it meant – either what she'd tried to do to Mr Buchanan, or what it would mean to her mother. Or had she? Mr Buchanan had called Breesha a demon. Diya had enough self-knowledge to understand why that had enraged her beyond the point of control: it was because she saw some truth in it. Oh yes, she'd been angry with him, indeed she had. What's more, she'd held back none of her rage. A demon, he'd said. Like daughter, like mother, he'd be thinking now.

He'd want to get away from them now as soon as he could. Diya looked out at the chickens foraging on the grass outside – they'd have had no breakfast either – and gave herself a little shake. What did it matter? He'd go off on his voyage and forget that any of them even existed. It was foolish to mind what he thought of her – of them. He'd have gone away anyway, and left them all behind without a backward look. Nothing had materially changed. However badly they'd behaved towards him – yes, mother and daughter both – he could hardly punish them for it.

'Mam!' Mally needed the buttons at the back of her pinafore done up. As Diya bent to do it, Mally said in a hushed whisper, eerily echoing her mother's thought, 'Is Breesha going to be punished?'

'I think Breesha's sorry already.'

'I don't mean sorry. I mean *punished*. Because she tried to kill the Writing Man, didn't she?'

Diya looked down at her daughter in consternation.

'I heard you last night. I couldn't *help* hearing you. And if you kill people,' said Mally, her brow wrinkled in anxiety, 'you get punished. I don't mean *scolded*. I mean *punished*. I know you do!'

'Dear God!' whispered Diya. 'Don't say that, Mally. Oh, dear God!'

# CHAPTER 26

THE GOATS KNEW SOMETHING WAS WRONG. PERHAPS THEY smelt fear in the air, or felt it in the touch of Diya's hands. Mappy, with her swollen belly, gobbled her corn quickly and skittered away over the rocks before either of the humans could come near her. When Turk came to be milked, she tried to pull her head out of the yoke, and to kick away the bucket.

This wouldn't do. Diya took away the bucket, and made herself be calm, squatting on the ground beside the restless animal. If even the goats felt her anxiety, how unfit she must be to deal with the child. She gazed out to sea. The water was grey and wrinkled, with shadowy lines across it where the swell rose almost imperceptibly over the hidden cletts. So many mornings Diya had come out here, through so many summers when the goats were out on the hill. Not for much longer. Their days here were numbered. Indeed, all days were numbered, but it was not given to humankind, thank God, to know the exact figure until the numbers became small enough to count.

The days of Breesha's innocence had also been numbered. There was no going back to yesterday. Nothing on earth could change what had happened last night. If Diya could have known . . . But what had there been to know? Should Diya have known her child better, and recognised her danger? Had Breesha always been marked, or was this a terrible accident, a whim of fate that no one could have predicted or prevented? God knew. Diya had not known, but that didn't mean that she wasn't responsible. If she hadn't known, then she was also to blame for her own ignorance.

If only Breesha's father . . . But Jim had also vanished in a night, five years ago. How could he! How *dare* he! Irrational rage welled up inside her, not for the first time, but Diya was no less shaken by it. She was still furious with Jim for dying, for leaving her to . . . Oh yes, she'd done her best to be a mother to them, but she was a poor hand at being a father. If Jim hadn't gone out that night . . . If only Jim . . . then Diya wouldn't have had to . . . and then Breesha . . . Ah, if she'd had her father, perhaps none of this would have happened. If only Jim were here now, then at least . . .

'Mam, aren't you going to milk Turk?'

Breesha's voice was small and subdued, quite unlike her usual self. She knows how upset I am, thought Diya – at least she knows she's responsible for that – but does she know the worse part of what she's done? She stretched out her hands to Turk again, saw that they were trembling, and let them fall.

'I could milk her, if you'd rather.'

Breesha often came here with Diya, on the mornings when it was Billy's turn to do the light. Breesha was good at milking the goats. Her fingers were strong and deft. Breesha had a sure touch with all the animals. It was one of the things Diya loved about her.

'Very well. You milk her.'

Clearly it was a relief to Breesha to have something that she was able to do. Oddly enough, the moment she put her hands to Turk's udders, the goat calmed down. She didn't try to kick, and she didn't hold the milk back. In a moment two gleaming streams of milk were squirting into the bucket.

No child was irredeemable. And this child was Diya's own.

*Punished*, Mally had said. Diya should have thought of it herself. Breesha had attempted murder. She had come within a hand's breadth of deliberately killing another human being.

Diya watched her daughter's hands vigorously milking the goat. Breesha's small fingers confidently gripped and pulled, gripped and pulled. Turk knew that she was safe in Breesha's hands, and the milk flowed easily. Turk's udders were almost empty. Those same child's hands had held up the bottle lantern, with intent to kill a man.

To kill a man . . . Archibald Buchanan, a stranger. He could press charges. To set a false light was a capital offence. It was murder. A hanging matter.

There'd once been a hanging in Castletown while Diya was living with Grandmother. Diya remembered the crowd milling round the house, pushing its way through to Castle Rushen. Then she and Grandmother, alone in the big drawing-room, had watched the 95th Regiment march past, and presently they'd heard the dreadful dirge of the funeral psalm. A little while after that the black flag had risen slowly over the Castle keep, telling the world a man had died, just a few hundred yards from where they sat. If Breesha's case came to court . . . it must not come to court. A ten-year-old . . . If a ten-year-old committed murder then that ten-year-old was a murderer, and therefore justice demanded that same ten-year-old be hanged. That was the law. If Mr Buchanan chose to press charges, Breesha would be in the dock.

They might decide she was too young to hang. There'd been a ten-year-old sentenced when Diya was in Castletown – what was his name now? – Thomas something – the Deemsters had said he should hang, but in the end he'd only been transported. All he'd done was steal a little money and a pair of shoes. He'd been transported for seven years. Diya had heard Finn tell of others, since she came to Ellan Bride: little children shipped off to Botany Bay or God knew where, usually for the pettiest of thefts. But not one of them had attempted murder.

Breesha had had no provocation. She could plead nothing. Ignorance? Breesha was not ignorant of death. She knew what she was doing. Breesha in the dock . . . A hanging matter. Or, if the Deemsters were merciful, what then? Even if they did transport her instead . . . Those other cases had all been boys. Innocent as Breesha was, what would become of her? Her mother would never know, except that in her heart she would know all too well. They couldn't do that to a little girl as innocent as Breesha. Except that Breesha was not innocent. She'd attempted murder.

If they charged her, they'd take her away. Even though Castle Rushen had lain just across the square, Mrs Wells' granddaughter had never seen inside the great gates. She'd never entered the prison. If Mr Buchanan saw fit, this child in front of her, who was just raising the bar over the yoke to release the small brown goat, could be immured in Castle Rushen before the week was out. Did Breesha know that? No, her mother was certain she had not the remotest idea of it.

She'd been right to think Breesha would be better away from Ellan Bride. But already perhaps it was too late. It was a cruel irony to think of Castletown as a place of terror. It couldn't be true: surely if they were in Castletown now, everything would become simple and civilised. Breesha could have grown into – oh dear God, if she could still grow into – a normal little girl in an ordinary world. She could have found an outlet for her vivid imagination in the Circulating Library, and kept her wild fancies within the safe bounds of fiction. Diya had thought of Castletown as a civilised society all these years, and yet Castletown was also where the prison was, where people died, or were exiled for ever – punished, in fact – whoever they were, if they were found guilty. And who, thought Diya bitterly, is without guilt?

Breesha had not killed a man. She'd surely not even understood what she was doing. Perhaps Diya was letting her thoughts run out of control. *Punished*, Mally had said. But Mally hadn't meant this! Mally knew nothing about such things. Breesha had made a mistake, a silly childish mistake. She'd not killed anyone!

Only it was mere chance that she had not . . . But the man

lived, and now he held them in the hollow of his hand. When Diya thought about what he might do to them . . . but he had not done anything. It was Breesha who had done it . . .

Turk, free, ducked under Breesha's arm, and trotted away.

For a crazy moment Breesha thought of running after Turk. She knew lots of places where Mam could never reach her. With enough of a start she could climb down into Giau yn Stackey. She was fairly sure she could run faster than Mam, and she could certainly climb better. Not as well as a goat. Breesha was not a goat. The goats could stay out on the hill for ever. Breesha couldn't. Sooner or later she'd have to go back. There were thousands of safe places on the island, but not for her. She'd have to go back where the people were. That made her their prisoner, only she'd never realised it before.

She was terrified. Not when she'd been asleep: the terror hadn't followed her there. But the minute she'd woken this great weight had settled on her again, as if it knew her very well, and had just been sitting on the end of the bed, patiently waiting until she came back from sleep. The weight felt like a yoke. Like the yoke, its wood had worn slippery-smooth on the shoulders from much use. This imaginary yoke fitted Breesha exactly. She hadn't seen it before, but it had known her and been waiting for her all this time. Perhaps it would never go away again. The hours – though really they'd only been minutes – of long terror last night, when she'd held up the bottle lantern: the fear that had settled on her then hadn't been just for the present. Perhaps it would last for ever. The fear was not being able to see into the enclosing dark, not knowing what was happening out there . . . the fear was holding the little light in her hand and the dark swallowing it up as if she were in the belly of a monster . . . the fear was trying to keep Faith with herself, to call upon the Saint who suddenly seemed so very far away . . . the fear was being determined not to waver, because she was strong and would never give in. But all the time it had been a wrong thing to do. That was why it had been so fearful: Breesha realised now that the reason it had been so difficult was because she'd made a terrible mistake. But it couldn't be undone. Whatever she did now, yesterday would never come back. The Breesha of yesterday still seemed so close she seemed to be her own self, and yet she wasn't. Yesterday's Breesha had turned into a stranger. Breesha missed yesterday's Breesha so much she wanted to throw herself on the ground and howl.

That was impossible. She was being accused, and Mam, sitting there looking at her like that, was the cruel judge. Breesha could only hide what she felt, and stand up for herself as best she could. There was nothing left to do except brazen it out. That meant she had to carry this great weight. It meant knowing that Mam was her enemy: Mam was her judge, her accuser. But Breesha couldn't run away. There was nowhere to go.

'Breesha veen, sit down. I need to talk to you.'

Breesha hesitated. Diya had never seen her daughter look at her with so much fear in her eyes. 'Sit down, Breesha.'

Breesha sat down reluctantly about three feet away.

'Breesha, if Mr Buchanan had fallen into Cam Giau he'd have been killed.'

'I don't want to talk about it!'

'Breesha, we *must* talk about it. Do you understand what you tried to do?'

'I didn't mean it!'

'What do you mean, you didn't mean it?' Diya held her breath, and then said levelly, 'Breesha, if Mr Buchanan had fallen into Cam Giau because you set a false light, he'd have been killed. You tried to make him fall into Cam Giau.'

'I don't want you to say that!'

That was too much. 'You don't want me to say that! But you *did* it, Breesha. Don't you understand? Are you stupid? Don't you *realise* – you tried to *kill* him. If he hadn't realised where he was in time, that man would be *dead*! And it's no use crying. You can't get out of it that way. If you're old enough to try to kill a man, you're old enough to hear me say so!'

'Well, all right! But I can't help it *now*! What do you want me to say *now*? You can't just shout at me! What d'you expect me to do *now*?'

Never had Diya felt so helpless. Her own child was suddenly a stranger. It wasn't only what Breesha had done: it was the way she looked at her mother with such terror – perhaps even hatred – in her eyes, like a cornered animal. She wasn't even sorry. She almost seemed not human any more – a little demon, Mr Buchanan had said – but of course Breesha was human. Breesha was still herself, still the little girl she'd been yesterday, only suddenly Diya could see something else in her. The horror of it was, she was sure that this new aspect of Breesha had come to stay. The little girl of yesterday was dead, overlaid by this wild stranger with terror in her eyes. Mixed with her immediate fear Diya felt immense grief – but that couldn't be addressed yet.

'I expect you at least to be sorry,' said Diya coldly. 'I expect you at least to be aware of what you tried to do. And I would like to know why you did it.'

'Don't talk to me in that horrid voice!'

'Breesha, pull yourself together! You should thank God I'm here to talk to you in any voice at all. Don't you realise that it matters – that you tried to *kill* Mr Buchanan?'

'I didn't! I never touched him! I only had the light! I didn't *do* anything!'

'Breesha, you tried to kill Mr Buchanan.'

When Diya said it like that, Breesha did begin to cry. She wasn't cold and strange any more; she cried like a child, the way Mally would have cried if she'd done something bad and found herself in trouble. When Breesha cried in that way Diya was at last able to comfort her in the same way she'd comforted Mally the day before, when Mally had cried about leaving Ellan Bride.

'It'll be all right, Breesha veen. Mam's here. We'll think what to do. We'll find a way through this. Mam will do her best, Breesha.'

Yet behind the comforting words a cold fear remained in Diya's heart, embodied in the image of the prison in Castle Rushen: justice and retribution. Punished. A hanging matter. Mr Buchanan held them in the hollow of his hand. Diya would have to talk to him, and find out what he meant to do.

When Breesha was quiet, Diya said, 'Breeshaveen, can you try to explain it to me? What really did happen?'

She waited patiently for an answer. 'I dreamed about Saint Bride,' said Breesha shakily. 'She was frightened, and that made me frightened too. So I got up and he was there, and I followed him. He was at the keeill. And I saw him – he caught one of the *kirreeyn varrey*. And in the light – I saw him pulling at it. He pulled its wing.' She began to sob again. 'I don't know! I don't *know*! Mam, I didn't know what he was doing! But I'd had the dream – and I *knew* – he oughtn't to have done that – it was in the dream – and I thought – I don't *know*! – I just thought he oughtn't – and then I thought of . . . of that – and it *didn't* seem bad – it didn't – because of what he'd done – I don't know why he pulled its wing. But he pulled its wing and he oughtn't – it would hurt it!' Breesha could hardly speak for tears. 'I don't *know*! I'm sorry, I'm sorry, I'm sorry! But he was hurting it! And . . . I don't *know*!'

'Oh Breesha!' Diya didn't know what else to say. What Breesha said was the truth. Breesha always told the truth. Diya understood that, but she also knew with total clarity that it was the wrong kind of truth. It couldn't possibly satisfy the Deemsters in the court at Castletown. Seen in that light, what Breesha had to offer was no explanation at all. Diya had always known that Breesha lived in a world where dreams and facts flitted across unguarded boundaries. Did that make the child innocent? Innocent or guilty – what did that mean? Her own daughter had tried to kill a man. The one saving grace was that the man was not dead. He was alive, and on Ellan Bride, and he held them – the phrase was beginning to haunt her – in the hollow of his hand. Diya couldn't begin to explain to Mr Buchanan why Breesha had done it. She didn't even understand herself, but she understood what *kind* of thought had prompted her daughter. Diya would have to talk to Mr Buchanan, not as an equal any more, but as a suppliant. If he wasn't prepared to show them mercy, then there would certainly be no mercy in the world outside. Diya would do anything within her power to persuade him to be merciful, anything at all. Her little girl could never be wholly innocent again, but if Mr Buchanan chose – if she, Diya, could make him choose – her Breesha might still go free.

# CHAPTER 27

WHEN ARCHIE WOKE HE HAD NO IDEA WHAT TIME IT WAS.
That in itself was disconcerting. He was alone in the kitchen
bed on Ellan Bride except for a grey cat, which had curled
itself into the warm hollow behind his knees. A small circle of
light showed at a gap in the closed curtain, just under the rail.
Archie caught the tail of a dream; he closed his eyes again and
tried to focus on it, but the last shreds were evaporating even
as he tried to grasp them. Beltane night, and the fire on Ben
Ledi . . . they'd been carrying wood up to the fire . . . he and
his father, walking side by side, bearing the wood for the fire
. . . They did that every year . . . But something had been
wrong: there was something he didn't recognise in his father's
face – an unspoken intent – it vanished even as he tried to
remember . . . Danger. Archie had been in danger of his life.
Yet all he could remember of the dream was walking up the
ridge to the summit of Ben Ledi, he and his father: the two
of them walking side by side, carrying the wood.

The dream was gone. Last night had been no dream, though
it was hard to believe it now, in the broad light of day. Because
it *was* daylight, although the kitchen seemed quite quiet. Archie
reached out and pulled the curtain back so he could peep out.
There was no one in the room but his chainman, who was
sitting at the table eating porridge. One other place had been
laid but it was empty. The rest of the table was bare. A large

pot was simmering over the fire, and a savoury smell, which was certainly not porridge, permeated the kitchen.

'Ben?'

'Is that you, sir?'

'What time is it?'

'About nine, I think, sir.'

'*Nine!*'

'I think so, sir. But no matter: 'tis Sunday, if you recall.'

'*Nine!*' Archie was out of bed in a moment. He grabbed his breeks and began pulling them on. 'That's half the day gone!'

'Ay, but it's Sunday anyway, like I said. Will I get you some porridge, sir? She's left plenty in the pan.'

'She . . .? Where *is* everyone?'

'Well, sir, the lightkeeper had her breakfast and went to clean the light. She took the peedie girl with her – Mally. Pleased as Punch, she was, the peedie lass – seemingly she's no worked with the light before today. It should've been Billy, but he's still sleeping, if you look over there, sir. Dead to the world, that boy. I dinna ken what's been going on here, I'm sure.'

'And . . . the others? Mrs Geddes?'

'She had the dinner in the pot before I came in. We're having puffins to our Sunday dinner, sir. That's the stew simmering away just now – I had a look – you can surely smell it? Then she took the other lass and they went to milk the goats. That was maybe an hour since. *I* dinna ken why they're no back yet. 'Tis no matter, anyway: there's plenty o porridge in the pan. And it's Sunday, sir, so there's no need to be in a taking about the hour.'

Archie tucked in his shirt. It was none the fresher for having been slept in for two nights, but there was no one here who'd be caring much about that. He delved in his portmanteau for a clean cravat. 'Nine o'clock, Ben! I canna believe it! And where were *you* last night? For I surely didna see you here.'

'Out, sir,' said Ben stolidly. He ladled porridge into the other bowl. 'Here you are, sir. The fact of the matter was, I took a fancy to watch the light.'

'What, all night?' Archie hadn't meant to sound irritable, but realised he must have done when he got no answer. 'Ay well, it's nae matter. Thank you.' He hadn't realised how hungry he was until Ben put a bowl of steaming porridge in front of him. For a while the two of them ate in silence.

'Ben?'

'Ay, sir?' said Ben cautiously.

'Whit would ye say . . . I mean to say: would you object at all, Mr Groat, to doing a small amount of work this afternoon? I wouldn't ask you to act against your conscience, naturally, but if . . . if you did feel able to do so, why, I think we could be ready to leave tomorrow, in spite of yesterday's weather.'

Mr Stevenson had strong views about working on the Sabbath. Both Archie and Ben knew it. Only on the Bell Rock had Sabbath observance given way to the more imperative dictates of tide and weather. Ben didn't answer at once. Instead he got up, went over to the hearth, and helped himself to more porridge.

'The fact is,' said Archie, 'I'm anxious to get away as soon as possible. If Mr Watterson comes tomorrow, I'd want to be ready to go with him immediately.'

And you slept until nine, thought Ben. *Something's* been going on here, and no mistake. Aunt Deer was in a right taking this morning too. When he'd come in from the light – for Ben had slept late himself, until nearly eight o'clock – he'd found the two wee girls silently finishing their breakfast, very late, and looking scared and anxious. Lucy and Aunt Deer had been in the bedroom, and when they came out it was obvious that something was amiss. He'd thought at first it might be him, but no one had said anything to his face; in fact they seemed to take him so much for granted that clearly whatever the matter was, it was nothing to do with him. It didn't seem a sensible moment to try to get a private word with Lucy. He'd contented himself with remaining in ignorance, and eating a substantial breakfast. And now here was Young Archibald suddenly so desperate to get away he was asking Ben to work on Sunday, which was dead against company rules. Young Archibald would know that Ben would never betray him, but it was quite unlike him, hasty though he was, to even dream of asking. Ben came back to the table, and sat down.

'But of course,' said Archie, 'if you have any objection at all, I won't mention it again.'

Ben suddenly realised he had a monumental objection. He hadn't thought about it – he hadn't thought about the future at all – until Young Archibald talked about being ready to leave tomorrow. Tomorrow! It struck Ben like a flash of lightning: he didn't want to leave one bit. He wanted to stay on Ellan Bride as long as possible. He wanted to lie with the lightkeeper, not just tonight – if she'd let him – she hadn't even said that much – but the next night as well. And the night after that. He wanted to make love to her every night, as far as he could see ahead. And if he couldn't see ahead, he still wanted to lie with her again, right over the horizon of possibility. He wanted that – he hadn't really thought it out, but he knew he wanted it – and the one certain thing he could say about the future was that he didn't want to leave Ellan Bride with tomorrow's tide.

'I'm no sure but what I do object,' said Ben.

'Ay well,' said Archie, looking haggard, 'in that case of course there's no more to be said.'


Mally carefully rubbed the south-facing reflector with a piece of tow. The reflector was very smeary where the lamp had burned all night long. She had to rub hard for a long time. Gradually the little mirrors began to shine again. When they got clean they started to wink in the sun. When Mally leaned forward she could see her face in them. Mally seldom saw her own face; the looking glass in the bedroom was too high. The dark-brown eyes that looked back at her now from all the little mirrors looked very responsible and serious. Mally wouldn't be eight for a long time yet, but here she was, working with

Aunt Lucy in the lantern. Breesha and Billy had each started after their eighth birthday, but Mally was starting much sooner than that.

Mally had entirely forgotten that this was not for ever. Lucy didn't remind her; what would be the point? Mally was happy this morning, and that was enough. Lucy needed time to think. She needed to think about Ben Groat, although when his image rose in her mind it was more a matter of remembered delight than sensible thought, and that was no use at all. She also needed to think about what Diya had told her when she came in from the light. Diya had hustled her into the bedroom and told her this appalling thing about Breesha . . . Breesha had set a false light for Mr Buchanan. Breesha had done that, while Lucy had been letting Ben Groat stay on watch, uninvited, in the lighthouse. Not that the two things could be connected in any way, except that they'd happened at about the same time. But what Diya told Lucy this morning had added itself to the growing heap of troubles at the back of Lucy's mind. If only none of this had happened! If only that letter had never come!

But Mally was happy this morning, even though she'd been woken in the night. She'd already forgotten to worry about Breesha. Mally was more pleased to be working in the lighthouse than either of the others had ever been. Lucy realised, watching Mally, that she loved her like one of her own. Mally had been so little when Jim died. The other thing Diya had said this morning, for the first time ever, was that the family might have to part . . . that perhaps it couldn't go on being all five of them together when they left Ellan Bride, especially now that Breesha had done this terrible thing. Diya said Mr Buchanan could charge Breesha with attempted murder. Surely not! Surely he wasn't as vile a man as that! In fact Lucy had stopped thinking he was vile at all. But Diya had told Lucy she'd been thinking about it all night. She said Lucy oughtn't to have anything to do with what might happen to Breesha. Diya had said that it was quite enough that Lucy had Billy without having – Diya had actually said this to her – 'yet another source of shame'. Diya had been more upset than Lucy had ever seen her, but Lucy still couldn't believe that she'd said that. Diya had been talking about Billy – their own Billy – when she'd said Lucy oughtn't to have 'yet another source of shame'. Had Diya always thought that about Billy? It would be unbearable to think that all these years . . . Lucy would not think it. She didn't want to think about any of it.

The way Mally set about her new task was typical. It had taken Billy a long time to learn to clean the lights thoroughly. At the beginning he used to leave smears all over the reflectors, and miss every corner when he did the windows. Breesha, to begin with, had done everything much too fast, and then had to be set to do it all again. She used to get angry about that, but doing the light was a step towards adulthood, and to be demoted would have brought shame on her, and so Breesha had obeyed. But Mally wasn't like either of the other two. She was working away at the south-facing reflector very slowly and carefully, with the utmost concentration. Mally would still be trying to make it perfect when Lucy had done all the other eleven reflectors and cleaned the windows. It didn't matter. Lucy hadn't expected any material help from Mally on her first day anyway, and they had all the time in the world. Also, Mally, unlike Breesha, was very quiet, absorbed in her own world. Lucy was glad of that. It gave her time to think.

Only she wouldn't think about what Diya had said. She wouldn't let herself keep remembering those words. There were much healthier things to think about than that. Benjamin Groat, for example. But that too was not so easy . . . 'Yet another source of shame.' What she and Ben had done last night meant that it could happen again: 'yet another source of shame'. Diya was upset beyond thinking clearly, because of Breesha. Lucy had no intention of telling Diya that she'd once again courted disgrace herself – had brought on them, perhaps, 'yet another source of shame' – another, and another . . . The family might have to part. Probably Diya wouldn't want to know Lucy any more anyway, if Ben Groat had fathered another child on her. Which – if that's what had happened last night – Lucy had willingly let him do. And now Ben could walk away, if that's what he chose, while Lucy and Billy would have to live with it. If there were another child now, as well as the retribution that might fall on Breesha . . . Breesha had tried to kill Mr Buchanan. Breesha too had become 'yet another source of shame'. But if Ben Groat came to Lucy again tonight she might fail to say no to him. Because – did she love him? She thought she did, but on the other hand, Lucy had also been convinced that what she'd felt for Billy's father had been love. She'd been wrong. Love was, in fact, what she felt for Billy. And for Mally. And for Breesha. Before that Lucy had loved Jim and Mummig and Da, so she should have known very well what love was all the time, but this other thing . . . She wanted Ben Groat. Her whole body wanted him, but it wasn't just her body. She didn't want to think about it. If those two men had never come, then there wouldn't have been all this confusion. If only they could all have been left in peace!

Lucy didn't send Mally to fetch the boiling water because she was too young to do that. When Lucy went down to the kitchen herself, she found Ben Groat standing at the table cleaning the porridge pan in a basin of hot water.

'You don't have to do that!'

'Someone has to do it,' said Ben. He wiped his wet hands on his breeks, came round the table, and put his arms round her.

Lucy pushed him off, but didn't make him let go her hands. 'No, no, not now – the children – where *is* everyone?'

'I dinna ken. At least, I ken Young Archibald had his breakfast, for I gave it him. He went oot after that. He's in a rare taking, Lucy. I don't ken what happened – maybe thu kens? But he's wanting to get this job done and be away from here the morn's morn if he possibly can. He was wanting me to work today – that shows he's in a bad way. He wants to be away from here as soon as maybe. At least, that seems to be the wy o't.'

'Oh!' So Ben was leaving tomorrow. And that was that. 'Oh,' said Lucy again. It was too much to take in. She had to get back to Mally, and the light. 'I must go.' She unhooked the kettle from the chain. 'So if Finn comes tomorrow, you'll be leaving at once?'

'No if the job's no done. If we're no finished when Finn comes back, he said he'd wait a day. Are thu taking yon kettle up to the light? Will I carry it for thee?'

'I carry things up to the light every day of my life!'

'Ay well, thu can have a day off doing it for once.' Ben took the kettle from her.

Lucy swept ungraciously out of the kitchen ahead of him, but when they were going up the path she said, 'Why wouldn't he be wanting you to work today anyway? Don't you have to, if he says so?'

''Tis Sunday.'

'Oh,' said Lucy again. 'I was forgetting. It doesn't make any difference to us: the light must still be lit. But he – what were you calling him just now – Young Archibald?'

'Ay. He's been ca'd that ever since he joined the company, so I believe. Not to his face, of course,' explained Ben.

'Oh. And now Young Archibald wants you to work today so you can go tomorrow?'

'Ay, that's what he asked me to do.' Ben followed Lucy into the lighthouse. 'I said no.'

'Oh,' said Lucy. She was a little surprised; it was hard to imagine Ben saying no. 'Thank you. You can put it there.' She called up the stairs, 'Mally! Mally! I'm needing you down here now.'

'I'm coming!' They heard the patter of light feet above. 'Thank you, Ben,' said Lucy dismissively.

'Ay well,' said Ben. 'I'm no going far.'

When Lucy and Mally had finished work, Mally had a turn at looking through the telescope. It was too heavy to hold still while she focused, so she balanced it on the top of the railings, which were just the right height. Mally twisted the focus, and studied the island carefully from the top of the tower while Lucy cleared away the cleaning things. Someone was on Gob Keyl, because the gulls had all risen. That would be Mam and Breesha milking the goats. There was also a cloud of kittiwakes over Gob y Vaatey; Mally moved round the parapet, and carefully focused the glass.

'The Writing Man is doing writing all on his own on Gob y Vaatey. Now he's put his notebook on the grass. He's got *his* telescope. He's looking at the rocks in Giau y Vaatey again. He was doing that yesterday. Yesterday he was watching the tide go out. Now he's watching it coming in. And now he's got his notebook again and he's writing in it.'

'The Writing Man?' repeated Aunt Lucy, suddenly paying attention. 'Can I have a look?' Mally waited patiently while Aunt Lucy focused the glass on Gob y Vaatey. 'Mally,' said Aunt Lucy presently, 'you've done a very good morning's work. I'm proud of you. Now I'm going down to Gob y Vaatey, so you can go and find the others, if you want.'

'I want to go on looking through the telescope.'

Aunt Lucy hesitated, then she said, 'Take great care of it, then. And don't take it away from the lighthouse. And don't lean over the parapet. Promise?'

Mally had never been alone at the top of the tower with the telescope all to herself. 'Promise.' She seized the telescope with alacrity, and was trying to focus on the circling puffins when Lucy disappeared quickly down the ladder.

In fact there was a lot of work that could be done without Ben's help. Archie now had a clear picture in his mind of what Giau y Vaatey was like at all stages of the tide. The rock where he and Ben had come ashore was useless for anything larger than Finn's yawl, and even a yawl could only float alongside for an hour each side of low tide. Archie was working out now how to build the jetty over the shelving rocks further out, in the place he'd pointed out to Ben. The jetty would need to have a protective curve that would act as a sea wall on the south side of the harbour, within which a boat twice the size of Finn's yawl could shelter from the prevailing south-westerlies. Ben was right when he said that it wouldn't be as sheltered as Finn's landing rock: in any serious weather a support vessel would be forced to run back to the Isle of Man to find an anchorage.

Archie was absorbed in working out a building plan in relation to the minimum underwater depth of his jetty, and the building hours available at each tide, when a shadow fell across the page. He looked up, still focused on his columns of figures, and saw the figure of a woman silhouetted against the bright sky. He blinked, and realised it was the lightkeeper. A twinge of disappointment mingled with intense relief. He'd forgotten about last night; as soon as he remembered, an undefined apprehension settled itself around his heart. He hadn't realised he'd shaken it off until it came creeping back.

'Good morning, sir,' said Lucy.

The first time Archie had seen the lightkeeper, she'd planted herself sturdily in front of him and shaken his hand. She'd given no trouble since, and so he hadn't given her much thought. It occurred to him now that if one had to do business with a woman, Lucy was about as uncomplicated as one could hope for. If she'd been a man he'd have heartily recommended that the Commissioners keep her on.

'Guid morning, Miss Geddes,' said Archie. 'Did you want me?' That was a singularly foolish question, as she had the whole island to walk in, and had chosen to come and stand within two feet of him, but at least with Lucy one didn't always feel at a disadvantage.

'Yes,' said Lucy. She looked down at him, frowning. 'D'you mind if I sit down? You're busy, aren't you?'

It was Sunday. Automatically Archie covered his page of notes with his hand, but this wasn't the Hebrides; she meant no more than she said.

'Well, I won't take long,' said Lucy. She sat on the grass beside him, her legs tucked under her. An image flashed through Archie's mind of a neighbour's daughter at Kilmahog.

They'd played together as children, hardly spoken to each other between the ages of eleven and fourteen, and then stopped to chat when they met on the hill, which they did sometimes because she often did the rounds of her father's sheep. There'd been a time when Archie had liked Jessie very much, but he'd forgotten all about her as soon as he'd left home. Waiting for Lucy to find words – she seemed to be having a little difficulty with that – the adjective that occurred to Archie, with just the faintest shadow of regret, was *wholesome*.

'It's about my niece,' said Lucy abruptly. 'Breesha. I was hearing what happened last night. It was very bad, and I'm sorry.'

'It wasna your fault!' Archie didn't know why he felt indignant. It wasn't merely that he didn't want the subject mentioned: he also couldn't help feeling that it wasn't in any way the lightkeeper's responsibility. He certainly didn't want to discuss it with her.

'Breesha's my niece,' said Lucy. 'You're our guest. It was very wrong, and I'm sorry.'

'Please, Miss Geddes, *you* don't have to apologise.'

'I do. But I also have to ask you something. Her mother's very upset, of course. And she's very worried.'

'She may well be!'

'Why, sir?' Lucy turned pale under her freckles. 'What are you going to do?'

'What am *I* going to do? I hardly think it's my responsibility!'

'What do you mean, please?'

'I'd have thought it was obvious! If I had a daughter and she tried tae kill a man I'd be more than worried! I'd ... I'd ... My God, I dinna ken what I'd do! All I can say is, I thank God I havena.'

'Haven't what, please, sir? You mean you haven't got a daughter?'

'Of course I havena! But that's not to the point.'

'Well, I wasn't to know that, sir. For all I know you might

have a dozen daughters, but that's no concern of mine. *My* concern is Breesha. Please, sir, her mother is so frightened – and I can tell you, honestly I can – it wasn't just bad, what she did – it was more *stupid*. Very very stupid. Breesha knows that now. She'd got herself into such a state – it wasn't your fault – but such a state about us having to leave Ellan Bride – she wasn't thinking straight. Truly, that was what it was. She knows now how bad it was. She won't *ever* do it – do anything like that, I mean – ever again. That I promise you, sir.'

'I should damn well hope she willna! But it's nae concern o mine. I hope I'll be away from here tomorrow, and frankly, I never want to see that girl again – or her mother either. For your sake, I hope you're right. I'm sorry for ye. You're left with this, but it's no your fault. In no way do I hold *you* responsible, Miss Geddes. But – to be honest – I dinna think there's much point you talking to *me* about it.'

'So you're not going to do anything?'

'Do anything? How d'ye mean?'

'Tell anybody?'

'Who the hell would I want to tell?'

'You're not going to try to get her punished?'

'If she was mine I'd give her a damn guid hiding, if that's what ye mean. I doubt her mother's capable of doing that, though, more's the pity. But 'tis naught to do wi me.'

Lucy drew a deep breath. 'Sir, you set my mind at rest, indeed you do! I'm heartily grateful to you, and I'll tell Diya so too. So when you go away from Ellan Bride you'll just please forget that it ever happened. Won't you?'

'No,' said Archie. 'I'll no forget an attempt on my life quite that easily. But I willna be losing any sleep over it, I promise you.'

'Sir,' said Lucy, 'my son was telling the truth: you're a right one! Indeed you are. And I thank you from the bottom of my heart!'

She held out her hand. She was the very spit of Jessie – odd how he'd never noticed – Jessie at sixteen – he'd been away from Kilmahog a long time. Archie shook Lucy's hand for the second time. Her hand was very firm: of course, she was used to hard work. She was like her boy too – a nice lad – he'd made himself useful in spite of being so wee – a proper, steady boy, not like that little demon – cousins, too – you'd never think it. For the first time since they'd met, it occurred to Archie to wonder who Billy's father might have been.

'I'll go and tell Diya,' said Lucy happily. 'Sir, I *thank* you.' She got up, and added, 'You'll remember to come for your dinner, sir, won't you? In about an hour? And that's a good thing too – I couldn't think how we were all going to sit through dinner together, indeed I could not! And it's puffins – my sister's making them with suet dumplings, and it would have been such a waste to have had no appetites. But *now* it'll be all right. I'll send one of the children . . . or indeed, you have your own watch, sir, so you're knowing when it's midday.' Relief had made Lucy quite garrulous. She made herself stop short, and turned away.

Archie had already gone back to his notes. He was vaguely aware of her speaking again, as she set off up the hill. 'Oh sir, I do *thank* you, indeed I do!'

# CHAPTER 28

BREESHA SAT ON THE TOP OF THE TULLACHAN. THE DAY WAS getting hotter. The sky was deep blue all round, except to the south where the sun made the blue so bright that it was almost white. Even the puffins had stopped circling in the noonday heat, except for a few hardy stragglers. Breesha could feel the sweat running down her back. She felt sick. This was the most dreadful thing she'd ever had to do. She couldn't imagine it ever being over, or that normal life would ever go on again. Everyone else – Billy, Mally, Mam, Aunt Lucy and even Mr Groat – seemed to have retreated behind a dark glass. They lived in a world of sunshine and hope. Only Breesha was immured, all alone, in the shadow of what she had to do.

There was no choice. She couldn't go home until she'd done it. It was puffins for dinner with suet dumplings. Breesha loved suet dumplings. But she couldn't have any – in fact she could never sit down to dinner again – until this appalling trial was over. She glanced up at the sun. The time of horror was almost upon her. She swallowed. Her throat felt tight. Perhaps she really was going to be sick. The one saving grace was that Mam had finally agreed that she could do it on her own. Mam wouldn't have agreed if Aunt Lucy hadn't stood up for Breesha. Aunt Lucy had said Breesha could be trusted. Aunt Lucy had said that if Breesha said she'd do a thing, then she would do it. Breesha, Aunt Lucy had said, had never been known to lie.

Breesha loved Aunt Lucy better than anyone in the world. She hated Mam. Her hatred might not last for ever – though there was no need to admit that – but just now Breesha hated her.

He was coming.

She could see him coming up from Gob y Vaatey. He was skirting the bog. He'd reached the path by the well. He was coming towards the Tullachan, on his way back to dinner, just as Aunt Lucy had said he would. He'd taken off his coat and he was carrying it slung over his shoulder. He'd rolled up his shirtsleeves. He was feeling hot too. His canvas knapsack hung from his other shoulder.

Breesha was quite sure she was going to be sick.

The Writing Man was close enough to hear. Breesha caught her breath. She couldn't believe it: the Writing Man was whistling. He was whistling a cheerful little tune. Just like Da! She'd forgotten. She hadn't realised – in fact she'd never thought of it in all these years – but suddenly it came back to her as if her Da had never gone away. Da used to whistle. Whenever he'd been around, when Breesha had been little, they'd hear Da whistling. Whatever he was doing, he'd be whistling a cheerful little tune, just as the Writing Man was doing now.

Breesha stared at the Writing Man, open-mouthed. Part of her felt sick and cold. That part wished she could die. A different part of her was flooded with astonishing warmth. There wasn't a moment to work it all out, because the Writing Man had almost reached the Tullachan. In a way the whistling made it far, far worse. Breesha leaped to her feet, and jumped and slid down the grassy slope.

She landed at the feet of the Writing Man. He stopped whistling. He stood quite still on the path and looked at her. Clearly he was not in the least pleased to see her. Perhaps he hated her.

Breesha wasn't used to being hated. She looked straight past him, and said very fast, 'Sir I'm very sorry that I held up a false light. It was a very wrong thing to do to you sir and I didn't mean it and I hope you'll forgive me now please because I'm very very sorry. Honest.'

'Oh,' said the Writing Man. He didn't say it didn't matter. Instead he said, after thinking for a moment, 'Ay well, I wasna best pleased about it masel.'

'I'm very sorry,' said Breesha again, because she couldn't think what else to do.

'Ay well,' said the Writing Man again.

Breesha stole a glance at him. He didn't seem to be filled with fury, or an uncontrollable desire for revenge. In fact he looked puzzled, as if he couldn't quite think what to do next. It occurred to Breesha that he didn't know what he was supposed to say. She'd had time to rehearse this horrible conversation, and he hadn't.

Obscurely aware that she'd somehow gained an advantage, Breesha said, 'Please, sir, it would be very kind in you to forgive me before dinner because Aunt Lucy said I had to come and say sorry first or we can't all sit round the table in any comfort. And it's puffins,' added Breesha, 'and suet dumplings that my Mam made specially because you were here.'

'Ay well,' said the Writing Man for the third time. 'Ay well.' After a moment he added, 'Bygones should be bygones, I suppose.' He gave the glimmer of a smile. 'Especially if it's dinner time. But, lass . . .'

'Yes, sir?' asked Breesha breathlessly, when he hesitated.

'See, lass, if I'd no kent this island, I'd have walked to my death, followin that false light of yourn. Ye need to ken that – that would have been the end o ma life – o ma whole *life*, ye ken – and' – Archie was surprising himself: he hadn't thought he had anything at all to say to her, but even as he spoke he realised that he needed to tell her – 'and 'twould have blighted your own. If ye'd killed a man – a wee girl like you – your life wouldna ever have been the same again either. Ye ken that?'

Breesha hadn't expected him to talk to her. The trial she'd envisaged had been about exchanging a form of words – humble abasement on her part, and righteous justification on his. It had seemed to have no meaning other than being a huge ordeal that she somehow had to get through. In her eyes the Writing Man had always been cold and stiff and formal. Now she'd discovered, all in a minute, that not only could he whistle a tune, but he could also look her in the face and talk to her as if she were another person, equal to himself. That *really* hurt, because – it dawned on Breesha for the first time – it meant that she'd done him, the Writing Man, a great wrong. She'd thought it wouldn't matter if he were dead. But if he had been dead – if she *had* made that happen – why then he would never have whistled so cheerfully ever again: she would never have heard that little tune and he would never again have talked to anyone as he and she were talking now. Breesha hung her head. A moment later a large tear ran down her nose, and fell into the grass.

'Ay well,' said the Writing Man awkwardly. 'Maybe we'd better get tae our dinner, lass, seeing that, as it happens, there's no harm done.'

Diya had stewed the puffins in a rich broth. There were potatoes and carrots and onions in it, as well as the dumplings, which were a triumph of their art, and the whole was flavoured with rosemary and thyme from the garden. When the pot was scraped bare they all wiped their bowls clean with fresh bread. It was easy to believe that the silence in which they ate was entirely caused by the excellence of the food put before them.

It was Billy who finally broke the silence, after he'd eaten two helpings of stew and a quantity of bread and gravy. 'Please, sir, you said before that I could look at the map of the island.'

Archie had planned to go out again at once. He had plenty to do, and he didn't want company. However, he had indeed, in a misguided moment, given his word about the map, and with any luck tomorrow would be too late to keep his promise. 'Ay,' he said reluctantly. 'I did say that.' He hoped to God that this wasn't going to involve the whole family. He could hardly plead work as an excuse today.

'You can have the table when we've done the dishes,' Diya

said. 'Because then I'll be in the garden. Breesha, you can come with me, and I'll hear you do your reading while I work. Can you wait half an hour, sir?'

'Willingly,' said Archie, relieved.

When he came back half an hour later there was no one in the room except Billy and Ben Groat. Ben looked to be dozing in the rocking chair with the cat on his knee. Billy was unenthusiastically sweeping the floor. He put the broom away at once when he saw Archie. 'Are we going to look at the map now, sir?'

Ben watched through half-closed eyes as Young Archibald took out his sheets of foolscap. He could go out and lie in the sun, but that would mean disturbing the cat, and he couldn't be bothered to move. The lightkeeper had retired to bed ten minutes ago. Ben would have given much to be able to join her, but they didn't live in a world where such things were possible, which was a pity. Ben felt full of dinner and very sleepy. And there was Young Archibald explaining his map to Billy as if he really wanted Billy to be able to read it. What's more, he was actually finding the sort of words that Billy would understand. Ben hadn't thought Young Archibald had it in him.

Ben watched Archie turn over the page, and show Billy how to shade in a height of land. Archie even let Billy try to draw Dreeym Lang himself, with one of Archie's own drawing pencils. If Ben hadn't been feeling too sleepy to react to anything short of an earthquake, he'd not have been able to believe the evidence of his own eyes. What had come over Young Archibald? *Something* had happened. No one had said a word right through dinner. The stew had been as good as Ben had ever tasted, but the lack of drawing-room conversation had been distinctly noticeable. Not that Ben cared for that. He closed his eyes. When he opened them again, twenty minutes later, Billy and Young Archibald were still talking quietly at the table, and Young Archibald was putting his pencils back in their case,

'We've got a map too,' Billy was telling Archie. 'We've got a jigsaw puzzle map of Europe and Asia. It's all in little bits and you have to put it together. It's not as good as having a real map of Ellan Bride, of *course*. But it's a good one. Would you like to see?'

'If you want to show me.'

Billy dragged a wooden box from under the dresser. Both he and Young Archibald had apparently forgotten that Ben was there, or else they thought he was fast asleep. They seem to *ken* each other, thought Ben, as if they'd been in the same family all their lives, and yet only yesterday they'd not been able to speak a single word to one another without Ben's help. A lot had been going on, seemingly, while Ben and the light-keeper had been at the light. Ben watched under his eyelashes as Young Archibald and Billy laid out the wooden pieces of the jigsaw map. 'Usually we do the sea first,' Billy was explaining, 'because then you can start with the edges. You have to look for the straight bits.'

'I think I ken,' said Young Archibald meekly.

Billy *likes* him, thought Ben, surprised. He likes both of us. What that boy wants . . . No, he didn't want that thought! Ben felt a faint chill creep into the warm sleepiness of the afternoon. Billy was Lucy's son. They belonged to one another. Ben liked Billy: there was no difficulty about that. It was just the beginning of a fear, like a little touch of ice, that Ben might find himself needed in a way he hadn't reckoned on, and not be able to get away.

'I dinna think that piece fits,' said Young Archibald. 'It's the wrong sort of blue.'

'I think you're right.' Billy undid the piece of jigsaw he'd forced into place. 'You're very good at doing this jigsaw puzzle, sir. Have you been practising?'

'No,' said Archie. 'I canna say that I have.'

No, he hasna, thought Ben, and nor have I. Ben had refused to work for Young Archibald today, but tomorrow they'd probably be away in spite of that. It was likely, but by no means certain, that Ben would be sent back to work on Ellan Bride when they came to build. If he wasn't, he could ask for a week's leave before the year was out, and then he'd be able to come back on his own. He meant to tell Lucy before he left – he'd been thinking about it most of the morning – that he would come back. But supposing he did, then – this was what had suddenly dawned on him – it wouldn't just be Lucy. There was also Billy, who, young as he was, obviously had desires and fears of his own, and who would probably want to do jigsaw puzzles on Sunday afternoons, and look at maps, and other things, no doubt, that were all very well once in a way, but not as a permanent responsibility. Except that Ben liked Billy. He also liked Billy's mother very much indeed. This was beginning to feel like very deep water, but in spite of that, Ben was almost certain that he didn't plan simply to go away from Ellan Bride and never come back again.

Lucy was quite right: there was no point in keeping the garden going if they weren't even going to be here for the rest of the summer, let alone for all the seasons yet to come. Diya hadn't realised, until she'd known for certain that they were leaving, that she came to the garden not only because it was essential for the garden, but also because it was necessary for her. She squatted now between two rows, delicately thinning the carrots. Even if the family weren't here to enjoy the full-grown vegetables, they could still eat the thinnings and have the good of that. But she'd have thinned the carrots anyway. She did it because the garden demanded it.

This garden had seen her suffer greatly – for it wasn't like another person; Diya didn't have to hide the truth from it – and it had also seen her as happy as she'd ever been. The garden was one place where Diya never had to pretend. That was why she liked best to be alone in it. Plants came and went according to their nature, and unlike human beings they didn't make any fuss about it. The garden made it very clear to her – and this she found reassuring – that her own life, whether or not it seemed to her like suffering, would simply go on until it stopped, and that was all there was to it.

She had no idea where she'd be living in a month's time. At the moment that seemed a minor detail. Diya was feeling as the garden must feel after a great storm: scoured and exhausted. The most important thing was that Breesha was sorry. She'd apologised to Mr Buchanan, and he'd accepted her apology. Perhaps all Diya's anxieties had been for nothing. Perhaps *she* was the one who'd given herself over to melodrama. But no, a different kind of man might have wreaked havoc on them all. Mr Buchanan was kind. It was odd – that was how Lucy always judged people: by whether or not they were kind. Perhaps Lucy was right to make kindness so important. In any case, Mr Buchanan had been kind to Breesha, and Diya could tell that Breesha was genuinely sorry for what she'd done, now that she'd been made to understand.

In a day or two the surveyors would be gone. It seemed strange to think how she and Lucy had dreaded their arrival. The surveyors were nothing to the purpose. They'd only come to draw their plans, and the fact that their job was almost done didn't really change anything. She and Lucy had already known perfectly well that they had to leave. Perhaps Mr Buchanan would still be kind enough to mention their predicament to Mr Stevenson, who might bring it to the attention of the Commissioners. Whatever happened, it was stupid – melodramatic, even – to think that they'd be left destitute. Once they were on the Island, Diya knew enough people who could be asked to speak for them. For the Commissioners, or the Governor, or Tynwald, to cast the whole family into beggary would make far too great a scandal. Lucy might not believe that; that meant it was Diya's sole responsibility to make sure they were provided for.

In any case, the surveyors were of no importance, and would soon be forgotten. And yet they seemed to have lived through so much together in the last three days. It was not true to say that the encounter with Mr Buchanan had not been important. It mattered, in the same way as it mattered to thin the carrots. It was important to leave everything right and civilised between

Mr Buchanan and herself – and her family too, of course. It would be insulting to both of them to part in disorder. Also, Diya had some new ideas to thank him for, and it would be unjust not to acknowledge it. Just because there was no future, it didn't mean there hadn't been any point.

Diya was sorry that she wouldn't see Mr Buchanan again. For one thing, she was curious about his voyage. If she had a great voyage like that to look forward to, how different the future would look . . . As it was, she was disappointed that she'd never hear the end of the story. Even if it were ten years before he came back, she'd still be interested to know what he'd discovered. She was sure of that, even though she had no idea who or what she would be, in ten years' time, or even in ten months' time. Because in ten years . . . Whatever happened, in ten years' time she would *not* be living like this. Mr Buchanan had made her realise that. It meant losing too much.

In more ways than one, Jim Geddes' widow was living half a life. Oh, she'd keep faith with Jim. She'd hold him dear in her memory all her life, and she'd do her very best to bring up his children well, and to make up to them for what they had lost. Nor would she desert Lucy and Billy while they needed her. After all, they were her family too. She'd known Billy all his life – had she not been the first to hold him, when he was born? She'd been so frightened – Mummig was dead and Diya had had to help Lucy all by herself. Having her own children had not been nearly so frightening. Perhaps that was because Diya had always been sure she could look after herself. But in childbirth that was nonsense, and when she thought now how much she and Lucy had had to help each other – how close they'd *had* to become – she felt disloyal for even imagining that they might one day be separated. And Billy . . . when she'd cradled that slippery scrap of a child in her arms – alive, a boy, and whole – she'd registered all those things in a flash, but definitely in that order – she'd felt a great wave of relief. And love too: from the moment of his birth he'd felt like one of her own. Billy and Breesha, through all their lives until now, might as well have been brother and sister. That was how Jim had wanted it – and how delighted he'd been when Diya had unhesitatingly agreed with him – and that's how it had been, from the day Billy was born.

But that hadn't stopped Breesha last night. The children – the whole family – would always have each other – Diya didn't deny that for a moment – but that didn't mean it was enough. Surely that was no reason why they couldn't also have something more? Surely it wasn't wrong to prepare – that was only common sense, after all – for other possibilities?

Diya straightened up as she finished the row. The newly-thinned carrots looked straggly and naked, too weak to hold themselves up in their unaccustomed isolation. They'd want more nourishment too, when they started to swell. Diya fetched a bucket from the shed, and, carefully closing the gate behind her because of the goats, she strode downhill towards the shore, swinging the empty bucket.

Billy had said it was possible to get onto Creggyn Mooar at low water. Archie didn't say, when he went out, that this was what he was intending to do, because Billy would certainly have offered to come too. Archie kept out of sight of the garden by keeping to the west coast of Gob Glas. There was a pleasant westerly breeze, quite cool, and high overhead the sky was streaked with mackerel cloud. Once Archie was on the slabs he was safely out of anyone's sights unless they were deliberately watching from the top of the lighthouse. That felt better. The slabs fell away to the sea in a series of giant steps. Archie jumped from one to the next, feeling like Gulliver in Brobdingnag. The sun glanced over the dancing waves so brightly it almost hurt to look. The Creggyns were marooned in fields of gleaming seaweed. Seals basked in the sun on the dry skerries, and a colony of shags stood sentinel on Creggyn Doo. Archie didn't realise he was whistling out loud, but the same tune kept on running through his head:

*There's nought but care on ev'ry han*
*In ev'ry hour that passes, O:*
*What signifies the life o' man*
*An 'twere na . . .*

He jumped down the last dry rock into a field of gleaming seaweed. Someone was in front of him, a pillar of darkness against the blazing brightness of the sea.

'Mr Buchanan,' said Diya.

Archie slipped, and almost fell headlong. Once he'd got his footing again in the slippery seaweed, he could see Diya without the sun behind her. She looked as startled as he felt. She was wearing the old gardening pinafore she'd had on when they first met. The mischievous breeze tugged at her skirt, showing her bare ankles. Her hair fell down her back in a long braid, and she'd tied a red scarf round her forehead. The gold studs in her ears winked in the sun. Her feet were buried in golden weed. There was a wooden bucket on the rock beside her, half-full of fresh seaweed. Without her cap she looked like a young girl. She certainly didn't look like anyone's mother.

'Mrs Geddes!'

'I'm sorry. Did I startle you?' Perhaps Diya felt the apology was inappropriate, because she added at once, '*You* certainly startled *me*.'

'I'm sorry.'

She was immediately repentant. 'No, no, sir, you mustn't say that to me! Lucy told me she'd spoken to you this morning.' Diya stood up very straight and looked Archie in the eye. 'I must apologise to *you*, sir. I apologise for my daughter's behaviour, and for the fact that I didn't listen to you last night. In short, sir, I was distraught.' In spite of the garden soil on her cheek, Diya looked very far from distraught now. 'But Lucy has told me that you don't intend to pursue the matter, and all I can say to you now, sir, is that I'm very sorry for any way in which I or my family have wronged you, and I thank you for your generous response.'

She could have been dismissing an imperial embassy at the conclusion of a peace treaty. Archie couldn't help smiling at the thought. Two days ago her self-command would have reduced him to incoherent stammering. Had he learned so much in her company? 'Not at all, ma'am. She did me no harm, as it happened. I spoke to the lass myself. Least said soonest mended' – he realised as he spoke that he was quoting his mother – 'that's what I always say.' Why had he said that? He'd never used the phrase before in his life. His mother was always used to say it when his brothers had been particularly cruel; he'd never thought the words could rise so naturally to his own lips.

'I know you spoke to her. She told me. Sir, I can only thank you for your kindness. We remain forever in your debt.'

He'd told her about the *Beagle*. Why Archie should recollect that when she said she'd remain forever in his debt he couldn't think, but so it was. Only last night he'd shown her his letter from Captain Fitzroy, and she'd said that it was excellent, and he must be delighted beyond words. At the time he'd been thinking that of course he was delighted, but at the same time there was just the smallest twinge of regret, because he was speaking to a sympathetic and very beautiful woman who was unattached to any other man. She'd said then that it was excellent that he was going away, and that he must be delighted beyond words. She'd said it without a trace of self-consciousness: if she'd thought that there were any reason why it might not be excellent, or that his delight might not be entirely unmitigated, she'd given no sign of it. But then – Archie hadn't fully realised this before – she was more adept at hiding her true feelings than any other woman he'd encountered. Most of the time, that was. Last night she'd slapped his face. How could he have forgotten that, even for a moment?

Perhaps she'd remembered too, because her eyes dropped as if she were embarrassed, or confused. Perhaps she was just waiting for him to answer.

'I don't think you need,' said Archie awkwardly. 'Remain

forever in my debt, I mean. I'm leaving the country soon anyway. I wouldn't want you to feel indebted to me.'

'I don't think your whereabouts will alter my feelings, sir.'

What the hell did she mean by that? What she certainly couldn't mean was that she was preparing to forget all about him. The sea shone so blue behind her, and the seaweed sparkled so brilliantly at her feet that Archie felt as if he couldn't quite see straight. He could almost have said to her . . . But what had he said to her last night? Had he called her child a devil's daughter to her face? He'd certainly thought it. Surely he'd not said that to her out loud? Five minutes ago he'd never wanted to see her again. Last night he'd shown her his letter about the *Beagle*. She'd said it was excellent. His whereabouts would not alter her feelings, and he must be delighted beyond words.

'That's kind of you,' stammered Archie. Why did she do this to him every time? Five minutes ago he'd been as free as the bright May air, with a tune running through his head. But wherever he was – he knew this for certain, as he stood in the slippery weed, looking at her with the dancing ripples behind her – he would always remember how he'd spoken to the light-keeper's widow, down below the tide mark by the Creggyns, before he went away on the longest voyage of his life. Would he be sorry he'd never said anything? 'I . . . I'm not sorry that I came. I won't forget, either.' It occurred to him she might be thinking he was going to hold a grudge. 'Meeting you, I mean, ma'am. I won't forget that.'

'Thank you, sir.' Diya turned away and looked out over the Creggyns. 'It's a fine day again, sir. I think Finn will be able to come for you tomorrow. I hope you've managed to do all the work you needed.'

'Ma'am,' said Archie, 'I shall be gone for a good few years, I believe. It'll be a long voyage, and I hope I'll return from it. If ever I find myself in Castletown – if that's where you are – I hope I might have the pleasure of visiting you again.'

'I have no idea where I shall be,' said Diya. 'If we're at home

– if we have a home – you would of course be welcome to call on us. I hope you have a very fruitful voyage, sir. I think it will be a most important journey of discovery. You may be about to change the course of human thought: a privileged position indeed. Perhaps one day we shall be reading all about you in the newspapers.' Diya hesitated, and just for a moment her eyes dropped. 'And naturally I would be most interested, if you did happen to return to the Island, to hear about your explorations from your own lips.' She looked up and coolly met his eyes again. 'However that may be, I wish you well. And I must repeat: I remain forever in your debt.'

Diya picked up her bucket. It was only half-full, but evidently she'd decided not to collect any more seaweed that day. 'I won't keep you from your researches any longer, sir. If Finn is to come tomorrow, I'm sure you have much to attend to.'

Archie watched her climb lightly up the slabs, bare feet stepping easily into the footholds over the rocky steps, the wooden bucket swinging. Then he picked his way cautiously down to sea level over the clumps of weed. He was just too late: already the tide was swirling back through the channel between the slabs and Creggyn Mooar. It was still narrow enough to step across, but there were all the treacherous banks of seaweed to negotiate on the far side. By the time he'd got onto the skerry it might be too late to get back. He'd look worse than a fool if he got himself marooned, and came back soaking.

And after all, what did it matter? What difference did it make, in all the years that lay ahead, if he'd once stepped onto a little outcrop of grey rock that no one had ever heard of, or if he hadn't? Archie turned away, and began to walk back up Gob Glas instead. By the time he got to Giau yn Ooig he was whistling under his breath again:

*For you sae douse ye sneer at this*
*Ye're nought but senseless asses, O . . .*
*What signifies the life o' man*
*An 'twere na for the lasses, O . . .*

# CHAPTER 29

THE BREEZE OFF THE SEA HAD GROWN CHILLY. LUCY PULLED her shawl tightly round her shoulders. In the north-east there was a thin crescent moon, pale against the still-daylit sky. The sinking sun had set the sky aglow behind the Irish hills. It would be fine again tomorrow. The water butt by the house was almost empty, and between the rocks the lighthouse path had turned to dust. The well had never failed them, but they couldn't waste well water on the garden. If life had been ordinary they'd have been taking the handcart over to Towl Doo tomorrow, and filling up two big barrels of water for the garden. Towl Doo itself might be getting low. As things were, it didn't matter if the garden dried out completely. Lucy had a sudden vision of her mother in the garden at twilight, watering her precious seedlings. Diya was right, Lucy thought: as long as we're here we have to look after the garden. In spite of every thing we'll take the cart to Towl Doo tomorrow. In spite of everything.

Up in the lantern, Lucy prepared to light the lamps as usual. Then she stood watching the sun slowly sink below the horizon. A ship, bigger than a brig, was sailing southwards between the Calf and Ireland. Lucy looked at it through the telescope. It flew the White Ensign: a Royal Navy frigate. Beyond it were two other sails, invisible to the naked eye, off the coast of Ireland.

Lucy lowered the telescope. In spite of everything . . . What if Ben Groat had fathered a child on her? What then? Had she been mad last night? If so, she was mad still, because she didn't in the least regret what she'd done. She knew that she ought to feel great guilt because in the eyes of the world she'd once again been very wicked. There was also that shadowy God that her Da used to teach them about whenever it occurred to him that she and Jim weren't learning enough Scripture. Da had said that God was watching them all the time. Lucy, at six, had thought that was rude of God, and that he might at least avert his eyes when she went to the outhouse. But she'd felt far more aware of being watched in Castletown than ever she had on Ellan Bride.

Lucy and Ben had committed what people called fornication. Lucy's Da had taught Lucy and Jim to recite the Ten Commandments by heart. Fornication was not one of the Ten Commandments. Adultery was different: that was the seventh commandment, and as a child Lucy had thought that one must be the easiest to keep, because you either did or didn't do it, and it would be quite easy not to. But in Castletown the punishment for fornication was just the same as for adultery, so really it made very little difference. The punishment was being forever cast out, and being called a fallen woman. The punishment for Billy, whose fault it wasn't, was a much worse thing to think about. And now there might be another child, who would also get punished. It was not a person's own sin to be a bastard, but in Castletown it might as well be. In any place at all, out there in the world, it might as well be. One day, Lucy knew, she might be sorry for what she'd done last night, but at the moment her heart was filled with joy because of it, and her whole body tingled with life in a way it hadn't done since she was very young. She could not make herself believe, while those feelings lasted, that she had done anything wrong.

In fact, if Ben Groat came again tonight . . . Lucy felt a sharp pang of apprehension – supposing he didn't? Oh, that would hurt! She wanted him. She wanted his body more than she wanted anything. And maybe she wanted something else as well – but that was deep water and she didn't dare to think about that. Had she put herself in his power so much? When she'd lain with him she'd felt so strong herself, so sure it was her own choice, but now she was suddenly assailed by doubt. Suppose he didn't come? He hadn't said he would. But he'd looked at her across the table at each meal that day as if he wanted her, as if he were only waiting for a chance to be alone with her again. She hadn't said anything to him either. Had she looked at him the way he'd looked at her? She didn't know. Had anyone else noticed? She didn't know that either. But she wanted Ben to come back again tonight. And after that? There was no point wanting anything more, or even thinking about it. It never occurred to Lucy that she could do anything to change what happened next.

The sun was almost gone. Only a little sliver of bright orange light touched the horizon. Lucy knelt over the tinderbox, and lit the taper.

Outside the dark quickened into life as soon as the lamps were lit. Lucy sat on the parapet looking out to sea. She could see Ben's body so clearly in her mind; she could still feel how her hands had touched him; she remembered every detail of what they had done together last night. She didn't want to lose any of it: it might be all she'd ever have. She could have told him she wanted him to come back tonight. It was too late now. This morning he'd come to the light when she and Mally were cleaning, and she'd sent him away. She'd had every chance to speak to him again since, but she hadn't done it. And now perhaps he'd never come back again.

'Lucy?'

What Lucy had forgotten to think of was any strategy for if he did come. She jumped up joyfully and flung herself into Ben's arms. Then she said, 'The light! Ben, we have to keep out of the light!'

They sat on the parapet below the beam. There was no

point in pretending she wasn't pleased to see him, and anyway, thought Lucy, Finn might come tomorrow, and pretending was a waste of time. Meanwhile they had one more night, and that was riches enough for a lifetime, while it lasted.

'If you'll excuse me, sir, I have letters to write,' said Diya.

'Of course, ma'am.'

Diya took a bottle of ink from the dresser shelf and blew the dust off it. She tried to twist open the top, but it had stuck hard. She got a cloth and tried to get a grip with that. Then she put it in a bowl and fetched the kettle. She was about to pour a little boiling water over the recalcitrant lid when the Writing Man said, 'Will you allow me, ma'am? If you do that, the glass may crack first.'

Reluctantly Diya handed over the ink bottle. The Writing Man twisted it hard, and the lid came off almost at once. The Writing Man laid the open bottle down carefully at her end of the table, beside her leather writing case.

'Thank you, sir.' Diya sounded more annoyed than grateful.

'Not at all, ma'am.'

It was impossible to go to sleep with Aunt Diya and the Writing Man in the room. Billy wished he could have his own bed back. He'd always liked it when he and Breesha had drawn their curtain, so they could still hear Aunt Diya moving around, but they were safe together in their private enclosed world. Billy missed having Breesha beside him, and he didn't like lying on the pallet by the hearth, down on the floor where he might get trodden on, and where the grown-ups could see him without him seeing them, if he had his eyes shut and fell asleep right there in the kitchen where anyone could look at him. For the first time Billy found himself wishing the surveyors would go away soon, but that was only because he wanted his own bed back.

The kitchen felt unrestful. The room was quite dim, lit only by two pools of candlelight above Billy's head. Neither reached into his corner by the hearth. One pool of light was at the far end of the table by the door, where the Writing Man sat reading *Principles of Geology* with one candle, and the other was at the near end of the table where Aunt Diya sat writing her letters. Lying with his eyes half shut, Billy tried to work out where the two lots of candlelight overlapped. But light wasn't like that. It didn't have any firm edges, yet at the same time there was definitely a circle of more brightness round each candle.

Aunt Diya's pen went scratch-scratch-scratch across the paper. The noise set Billy's teeth on edge. He wished Aunt Diya would stop. Aunt Diya never liked it when Billy's slate pencil squeaked. Sometimes if you licked your slate pencil you could make it squeak more on purpose. Aunt Diya wrote fast and fluently. Billy couldn't write like that. Sometimes Aunt Diya sat writing in her notebook when he and Breesha had gone to bed. They'd occasionally peeped through their bed curtain and seen her doing it, sitting all alone at the kitchen table. The Writing Man also wrote a lot in his notebook, not just at night when he was alone but also in the daytime when everyone was working. But tonight Aunt Diya was not on her own, and she was writing on separate sheets of paper. She folded the first sheet in three, sealed it with a wafer, and wrote a few words on the front. That would be the direction. Billy knew about letters, because Finn sometimes brought a letter for them to Ellan Bride.

Last night Aunt Diya had hit the Writing Man. It was hard to believe it had happened, now that they were both being so polite and quiet with each other. It had all been because of Breesha. Billy missed Breesha. He didn't see why he couldn't have moved into the bedroom with her while the surveyors were here. Then he needn't have had to witness that horrible scene last night. In fact Breesha wouldn't have followed the Writing Man without Billy in the first place, if Billy had been sleeping beside her as usual. Everything would have been different, because Billy would have had more sense.

But today he'd betrayed Breesha. He hadn't meant to do it. When the Writing Man and he had finished the jigsaw puzzle this afternoon, and the Writing Man had gone out, Mr Groat, who'd been asleep in the rocking chair, had opened his eyes and said to Billy, 'What happened here last night then, Billy?'

It was hard with grown-ups to know what they already knew and what they didn't. Billy hadn't meant to be the one who told Mr Groat what Breesha had done, but he'd been taken by surprise, and he had told Mr Groat about it. He felt bad about that now. He and Mally were always getting into trouble with Breesha for telling secrets, but no secret in the past had ever been as important as this one.

Mr Groat hadn't said much. It was all right telling him about the stormy petrel, of course. That hadn't been any sort of secret. Oddly enough Billy hadn't worried about being indiscreet until he'd said to Mr Groat, 'Where were *you* then, anyway? Because you weren't here in bed. Everyone was wondering what had happened to *you*.'

For the first time in their acquaintance Mr Groat hadn't met Billy's eyes. 'I went to help your mother with the light.'

Billy had been puzzled by that. 'Why?' he'd asked. 'Mam never wants us to help.' That wasn't quite true, and it might make Mr Groat think the family were no use to Mam, so Billy quickly added, 'Except in winter, I mean. In winter Breesha and I do the afternoon together, up until supper-time. We started doing it on our own last year. And when the nights are long Mam and Aunt Diya split the watches between them. But this is summer. So why did Mam need help *now*?'

'Ay well,' Mr Groat had said. 'Maybe it was more just the company.'

That was even odder. 'But Mam *never* . . .'

'So what was the stormy petrel like then, close to?' Mr Groat had asked.

Lying on his pallet, Billy closed his eyes and thought about the stormy petrel. He wondered if it had got home all right. Maybe it had slept all day on its secret nest inside the keeill. Maybe, now that the night had come again, it was waking up and getting ready to fly. Maybe it had forgotten about being a prisoner last night. The Writing Man said that a bird's brain was very small and not big enough to remember things. The Writing Man said no one knew how many years a stormy petrel could live. As long as *he* lived, Billy would remember last night. Some of it, like the stormy petrel, had been good, and some he would much rather forget. But there it was: he was a boy, not a bird, and he couldn't forget, any more than he could fly away, and that was that.

Just before the dawn came, Ben whispered in Lucy's ear, 'I *love* thee, Lucy. I love thee.'

Billy's father had said that too. When Ben said it, Lucy was silent. It was too much to have to think what it might mean, when all she wanted to do was lie naked against him, like this, and make the most of him for the little time that they had left.

But Ben propped himself up on his elbow so he could look into her eyes. 'Lucy, I *love* thee. I have to go back to Edinburgh. The morn's morn, maybe. But if they dinna send me back to Ellan Bride this summer I'll ask for leave anyway. I'll come back and find thee. Will I no?' There must have been something in her expression, for he sounded suddenly doubtful.

'Why?'

'*Why?* Because . . . because . . . Lucy, marry me. Will thu marry me?'

Lucy gazed into his eyes. They looked frightened. Frightened of her saying no, maybe, or maybe Ben was even more frightened that she might say yes. Lucy felt scared herself. Deep water . . . She'd never thought of anything except how she'd manage on her own: herself and Billy, as it had always been, and a future she dared not think too much about. She hadn't expected to keep anything but memories. Memories of remembered delights with Ben Groat, memories of the island – no other riches but these – which she could hoard away and possess for ever. But that wasn't what Ben was offering now; no wonder he looked afraid.

'I don't know,' whispered Lucy. All of a sudden she was trembling, and realised he must be able to feel it. 'I mean . . . I'm much older than you, Ben.' That was a foolish thing to say, nothing to do with anything, but the words came out instead of whatever it was she'd meant to say.

'Five years,' said Ben at once. 'What difference does that make to anything? I *love* thee.'

Lucy saw in a flash what that might mean, and gasped aloud. Was *that* it? Could *Ben* be the solution to everything? Could *Ben* be lightkeeper on Ellan Bride? The Commissioners would employ *him*, if he applied to them. They'd employ Ben, just as they'd have employed Jim, if he'd been alive, or Billy, if he'd been old enough. If Lucy had *Ben* . . . if *that* were the case, they wouldn't make her leave the one place on earth where she belonged. They wouldn't cast her out, not if she had *Ben*.

'Lucy!' Ben gave her a little shake. 'Lucy, will thu no answer me? I asked thee to *marry* me! Thu has to say something to that!'

Lucy put her arms round him and held him tight. He wasn't aroused by her this time, not now he'd said that about marrying her. He was too scared. Even as they clung to one another, Lucy knew she couldn't say what she was thinking . . . not even suggest it. Of course it wasn't possible. Not for Ben, who liked other people so much, who liked to travel and see the world, and had friends in Edinburgh and acquaintances in every lighthouse in Scotland, and a mother in Orkney, and a good wage, and pleasures of his own out there in the wide world that Lucy knew nothing about and probably never would. So if he meant what he said – she was sure he hadn't really thought about it until the moment he'd spoken it aloud – then he was inviting her to come back with him into his own life, in which case *she* would have to change, and face new things, and become someone else altogether. She wasn't sure that she could.

'Ben,' said Lucy. She pushed him away again so she could look into his eyes and tell him the honest truth. 'I might love you. I don't know. I love Billy best, of course, and I have to think about Billy first of all. You couldn't just have me. You'd have me and Billy. And maybe another one now, of course. Have you thought of that?'

No. She could see it in his face. Of course he hadn't. He might have thought of one of those possibilities, but not both at once . . . Or if he had, he hadn't wanted her to mention it, or not quite so directly. But Lucy didn't see how else she could have made it all quite clear.

'Lucy,' said Ben, after a moment. 'I love thee. And if . . . if . . . I'd no leave thee with my bairn, thu kens that, surely? And Billy . . .' Ben swallowed. 'Lucy, I'll *marry* thee, I tell thee. And where thu goes, Billy goes. I ken that.'

'Ben,' said Lucy, hugging him hard. 'I think I might love you. I might love you very much. I think you're the third-kindest man I ever met, and that makes me *want* to love you. And . . . and . . . and I think I have to think. And' – she looked over his head – 'it's starting to get light, and I have to check the lamps again anyway.' Lucy stood up, and reached for her petticoat. 'I'm sorry not to know better what to say,'

Ben knelt at her feet, groping for his shirt. 'Thu needna be sorry.' He watched her go up the ladder in her thin petticoat through which the light shone so revealingly. 'Lucy!'

She stopped halfway up the ladder. 'Yes?'

'I'd rather thu told me the truth than anything else at all,' said Ben. 'I'm hoping it'll be what I want to hear, that's all. But thu never needs to be sorry for that, Lucy. No to me.'

# CHAPTER 30

ABOUT HALFWAY THROUGH THE MORNING MR BUCHANAN SAID to Billy, 'That's fine. We don't need you now. You can go, if you want.'

Billy didn't mind. It was a great thing to do a man's work for a man's pay, but it involved quite a lot of standing still and doing what he was told. When Mr Buchanan sent him off, Billy went running and leaping as fast as he could all the way over to the keeill. From there he saw Breesha and Mally down on the beach, digging. Billy slid down the dunes, and ran across the sand to see what they were doing.

'This is our boat,' said Breesha. Billy could see that it was: they'd built up the gunwales out of sand, and hollowed out the inside. The boat was the same shape as Finn's yawl. It was shipping quite a bit of water, but as the tide was going out the sand would soon be dry enough to sit in.

'We're going on a long voyage,' said Breesha. She showed him a bottle and a small package done up in brown paper. 'We've got supplies. Water and ships' biscuit. Are you coming?'

'I might. Where're you sailing to? Why aren't you doing the light?'

'Far off oceans,' said Breesha. 'We don't know what's there yet. Aunt Lucy and I finished the light a long time ago. Soon we'll be hull down over the horizon.'

'The surveyors have nearly finished too,' said Billy. 'They

don't need me any more. Is Mam still up at the lighthouse?'

'That's fine,' said Breesha. 'Soon the surveyors'll go sailing off too. They'll go in a completely opposite direction to us. Yes, I think so. She was checking oil in the storeroom.'

'I tell you what,' said Billy.

'What?'

'I'll be back in a minute. And then I'll come too.' Billy left them suddenly. He ran the length of the beach, and scrambled up the rocks. He didn't go round by the keeill, but climbed straight up Hamarr behind the well, clinging with the ease of much practice from one foothold to the next.

Lucy was in the storeroom opening a new barrel of oil when Billy came to the door.

'Don't stand in the light, Billy. Come in, if you want.'

'Mam?'

'Yes?' Lucy was examining the new oil as well as she could in the dim light.

'I had a Da too, didn't I, Mam?'

Lucy went very still. She stopped looking at the oil and looked at Billy. She couldn't see his face because the light was behind him. He was just a dark figure standing there: bigger, she realised, than he used to be not so very long ago.

'Yes,' said Lucy, 'You had a Da. Everyone has a Da. Do you want me to tell you about him?'

'Yes.'

'Then come outside where we can sit down.'

Sitting on the doorstep of the storeroom they could see the high rock of Hamarr, and the sea behind it. The sea was a delicate blue, silvery-pale on the horizon where it met the sky. At this hour of the morning the clouds of circling puffins were thin and straggly. The doorstep of the storeroom was quite small so Lucy and Billy had to sit close together, shoulders touching, looking out to sea.

Lucy knew exactly what to say because she'd been preparing her answer to this question for the last eleven years. Billy was the only person she'd ever intended to tell, because he was the only one who had any right to ask.

'Your father,' said Lucy, speaking very clearly, 'is what they call an antiquarian. His name is Michael Elliott. He came to the Isle of Man eleven years ago because he was writing a book. He was coming here to collect stories from people: stories and songs and charms and legends about the past. He was coming from the part of Scotland we can see from here, from Galloway. Are you wanting me to tell you more?'

'Yes.' A bumble bee buzzed among the silverweed at their feet. The shadow of the storeroom fell across the ground in a straight line. The grass was yellowy-gold on one side of the line, and blueish-green on the other. From where they sat Billy could see the kittiwakes like specks of silver against the sky, circling over their nests in Cam Giau.

'He began writing his book in Galloway,' said Lucy. 'That's where he was coming from, but he was a gentleman, so he went away to Edinburgh to get his book-learning, and when he'd got a lot of that he began to think about his own country, the place where he came from. And he was thinking that all the stories and songs and everything were going to get lost if no one was writing them down, so he went back to Galloway and he started collecting them from people and writing them down.'

The day was so clear that if Billy got up and walked round to the other side of the storeroom he'd be able to see Galloway. Galloway was a pale line on the horizon north-west of the Island, so far away that it very seldom had any visible shape. 'So why did he come to the Island?'

'All his life long, from when he was very small, he used to look at the Island across the sea from where he was living in Galloway. Sometimes the Island was looking close enough to throw a stone across to it, and sometimes it was far away on the horizon, and sometimes it was lost in mist so that for all anyone could tell it mightn't have been there at all. But in fact the Isle of Man isn't very far from Galloway. And on the Island people still speak the same language that they stopped speaking a long time ago in Galloway, so your father decided to come over here and start collecting stories and everything here too. D'you want me to go on?'

'Yes.' The bumble bee had stopped buzzing over the silver-weed. It was delving deep into a red clover just beyond Billy's bare toes, its hinder end quivering. On afternoons like this it was hard to imagine that anything could ever change. Billy had never thought of that before, never quite realised until this moment how great the difference was between one long summer day and for ever. It was a new and complicated thought, and he couldn't quite grasp it, not at the same time as listening to Mam, anyway.

'Well, the way it is with gentlefolks they're mostly knowing one another, or else they know people who know each other. You know how I went to be a serving maid near Castletown when I was young? I've told you stories about that. Well, your father came to stay with the gentlefolks I worked for. He was staying for a few months. He'd go travelling round the Island, but he used to come back and stay at the house. My Mistress gave him the blue bedchamber. They moved a big desk in there and while he was staying he used it as a study. He kept it full of papers and books. And it was my job to go in there every day and clean and tidy the room. It was quite difficult because there were papers in piles everywhere and I wasn't supposed to disturb anything and at the same time I was supposed to tidy up and do the dusting. Do you want me to go on?'

'Yes,' said Billy, imagining a roomful of green foolscap note-books filled with drawings of birds and animals.

'I never got much book-learning,' said Lucy. 'But I can read a bit. And I couldn't help seeing that some of the printed books had stories in. I had to clean the room while the gentlefolks were at breakfast. And then one day there was a book lying open on the desk. There was writing in it I couldn't read – in fact it wasn't English – and next to it someone had been writing on a bit of paper. The letters had been written almost as good as print, and I saw – I couldn't help seeing – a word I recognised. The word was *Mannanan*.'

'You mean *our* Mannanan?'

'Yes indeed. So I started to spell out the rest of the writing on the paper, and I forgot about the time, and I was still trying to read the words when Mr Elliott came upstairs.

'I thought he would be angry with me but he wasn't. He asked me what I was looking at and I told him. He asked me if I knew about Mannanan, and I said of course I did, because my mother had told me the stories about him, and lots more stories as well. I'd known them all my life. He was interested, and he told me the poem I'd been looking at. It was in Manx – your Gammer would have understood it, of course – but Mr Elliott was writing it out again in English, and that's what he read out to me. Afterwards I learned it by heart. The bit about the Island goes like this:

> *I will with my mouth*
> *Give you notice of the enchanted Island:*
>
> *Little Mannanan was son of Leirr,*
> *He was the first that ever had it;*
> *But as I can conceive*
> *He himself was a heathen.*
>
> *It was not with his sword he kept it,*
> *Neither with arrows or bow;*
> *But when he would see ships sailing,*
> *He would cover it round with fog.*

'There's more, but I can't remember the next bit. Anyway, Mr Elliott said the poem came from an ancient legend, and the poem was the first place anyone had ever written the story down. I told him how it wasn't an ancient legend because I came from an island where all these things were still true. And so he asked me about Ellan Bride, and I began to tell him Mummig's stories, and he started to write them down. After that he wanted me to come every day and tell him stories. The Mistress said that was all right, but it wasn't very easy with the other servants, because of the work – not very easy for me, I mean – but he was a gentleman, so he wasn't knowing anything about that. So that's who your father was, Billy, and that's how I met him.'

That was Lucy's story, the exact truth as she'd planned all these years to tell it, as soon as Billy should ask. The part of the story she didn't tell Billy, and never would, was as vivid in her mind as the day it had happened. Lucy had no intention of ever telling anyone how, during the story-telling sessions, Mr Elliott began to touch her sometimes, and how his caresses, so unlike anything that had ever happened to her before, had filled her with desire, which was so enticingly unfamiliar, even though it seemed to come from deep inside herself, and how she'd longed and yet dreaded that the touching might go on. She'd felt like a bird in a net, hating her own helplessness, and yet she'd liked it far too much. But she'd not wanted to lie with Mr Elliott; at least, she *had* wanted to, but that had seemed so far over the horizon of anything she knew about that she'd let herself think it was utterly impossible. But it had happened, and to this day she couldn't say for sure if at the last moment he'd forced her, or whether, just in that very moment, she'd been willing. All she could say – but no one would ever ask, and if they did she'd never tell – was that she'd never meant to do it. But it was no good saying that: whether she'd known what she was doing or not, she'd paid the price, and would go on paying it for the rest of her life.

'Where is he now?' asked Billy.

Lucy caught her breath. She hadn't expected Billy to ask that. She should have done, of course: she realised that at once. 'I don't know,' she said. 'He left and went back to Scotland. I suppose that's where he is still.' She added, 'Perhaps he finished the book. I don't know that either.'

'If he was a writing man,' said Billy slowly, 'does that mean he was very old?'

'I don't think you need to be very old to write a book,' said Lucy doubtfully, unsure of her ground. 'He was older than me. But then I'd only just turned sixteen.' Billy was asking all the wrong questions. Lucy searched for a satisfactory reply. 'I'm thinking he was older than Mr Buchanan is now. But I'm not sure.' Lucy added anxiously, 'Am I telling you what you want to know?'

'I'm glad I've got a Da too.' Billy stood up, and remarked, 'We've got a sand boat on Baie yn Traie Vane. Breesha and Mally made it.'

'So you're going back there now?'

'Yes.'

'Remind them to come back in time for dinner then.' Lucy had to call after him, as he was already on his way, tearing full-tilt back along Dreeym Lang. Lucy stood at the store-room door for a minute, watching him running across the island under the noonday sun, among the ever-circling birds.

When Finn's yawl sailed past Traie Vane only Mally was still at the sand boat, which was now high and dry. They'd all three come back to it after dinner, and then Breesha had told Mally to stay and guard the stranded boat against hostile natives while she and Billy went to explore the undiscovered country. Mally had spent some time decorating the sand thwarts with lines of shells, but the others had vanished over the horizon a long time ago, and she was beginning to get tired of standing sentinel against nothing at all. When she saw the *Betsey* she forgot the game entirely, and ran as fast as she could to Giau y Vaatey.

It was sheltered in the giau because the wind was westerly, but the landing rock was still half-underwater. There was another man in the *Betsey* as well as Finn and Juan. Mally watched Finn bring the yawl right up to where the rocks were uncovered. Juan leapt ashore, and the stranger, with his knapsack on his shoulder, stepped easily onto the gunwale and followed him. Juan waved to Mally briefly, and ran to fetch a big stone from the beach. Mally came closer to watch. She'd seen Finn do this before when he'd arrived before the tide was out. Finn fastened a rope round the stone, tying it like a parcel so it couldn't escape, and balanced it on the bow. The other end of the rope was tied to the *Betsey*. Finn stepped ashore, holding the painter. Juan pushed the boat away from the rocks, stern first. When it was a couple of yards out Finn yanked the painter, and the stone splashed into the water. Mally watched Finn make the painter fast.

Finn straightened up and looked up at Mally. 'Well now, Mally,' he said. 'Here we are then, anyway.' He saw Mally was eyeing the stranger doubtfully. 'I'm bringing you another visitor, you see. This is Mr Scott.'

Mr Scott was a big hefty man wearing a fisherman's smock with the sleeves rolled up. His forearms were large and hairy with blue pictures on. Mally could see an anchor on one arm, and a heart up above it. She couldn't see what was on the other arm. At first she thought Mr Scott was alarming, but when she looked at his face he gave her a broad lopsided grin. He didn't have any front teeth, but his eyes were blue like Billy's, and twinkled in a friendly way, not in the least like a hostile native.

'Mr Scott is one of the surveyors,' said Finn. 'He was left behind last time, but here he is now.'

'Oh,' said Mally to Finn. 'That's why Billy had to do the measuring instead.'

'Ay, that's right,' said Mr Scott. 'And here's me hoping your brother made a good job of it, miss, and saved me a hard day's work.'

Mally wanted to put Mr Scott right, but he was too much a stranger to address directly. She hoped Finn would explain that Billy was her cousin, not her brother, but he didn't.

'Would you ken where Mr Buchanan might be just now?' asked the strange Mr Scott.

Mally pointed south towards Gob Keyl.

'In that case,' said Finn easily, 'we could be walking up to the house together. Juan, you're watching the boat just now, but we'll not be leaving you to starve when there's food on the table. Mally, I'm needing to talk to Lucy and your mother. Will they be up at the house just now?'

Mally led the way up to the path. 'But you'll have to wake Aunt Lucy up, if you want to talk to her now.'

'I'm thinking that's what I'll have to be doing. Juan and I, we'll need to go back with the tide in a couple of hours.'

Mam wasn't in the kitchen, so Mally had to wake Aunt Lucy herself. Aunt Lucy leapt out of bed in a flash when she heard that Finn and another surveyor had come. She pulled on her clothes, ran a brush quickly through her hair, and came into the kitchen. Mr Scott wasn't in such a hurry to find the Writing Man that he didn't accept a bowl of broth after the voyage. Mally was sent down to Gob y Vaatey with bread and the small milk churn with broth in it for Juan. She sat beside him on the rocks for company, and shared his bread with him. They didn't talk. Juan never talked. Presently Mally remembered something else she ought to do.

'Billy and Breesha went exploring. They won't know you've come. D'you think I'd better go and find them?'

'If you like,' said Juan. He held the churn to his lips, tipped back his head, and sucked up the last of his broth.

'It isn't *like*,' said Mally. 'Just whether they'd be cross if I don't.'

'I wouldn't be bothering then,' said Juan, wiping the inside of the churn with the last bit of bread. He settled himself on his sheltered rock, still chewing, stretched himself out in the sun, and shut his eyes.

'If you've got your eyes shut you won't see if the mooring doesn't hold.'

'You be watching her then.'

'All right,' said Mally seriously. She sat down next to Juan on the warm rock, and settled down to watch, keeping her eyes fixed firmly on the boat. The *Betsey* swayed gently in the swell, her stern to seaward as the tide tugged at her. The painter still had some slack in it, but you could see the anchor rope was pulled tight. It would stay like that until slack water. The landing rock was already almost out of the water. The shags were settling back on their nests since everyone had gone. There were no waves, just a gentle surge and fall over the flat rock. Juan seemed to be asleep. It was entirely Mally's responsibility now to keep watch. That meant she couldn't go and find the others however much they might say later that she ought to have. The *Betsey* would be safe with her.

Lucy, Diya and Finn sat in the sheltered corner of the garden facing south. Bees buzzed in the lavender, and the puffins flew to and fro overhead against a blaze of blue. Lucy and Finn sat on the driftwood bench under the apple blossom, their backs to the warm wall, and their faces to the sun. Diya sat on the grass in front of them, still wearing her gardening pinafore. As they talked she absentmindedly worked the dandelion roots in the grass loose with her knife, and carefully extricated them one by one. But presently she laid down her knife, and listened intently to Finn, as if she couldn't quite believe her ears.

'What it is that I'm telling you,' Finn was saying, 'is that when I was leaving those surveyors here on Friday, I was going away home and I was worrying about you all. For I was knowing what it all meant, you see. I was knowing ever since you were getting that letter a couple of months back. In fact I was knowing that you were having to leave Ellan Bride before that, because they were speaking of it away in Castletown, and the news was coming into Port St Mary – just bits of talk and none of it entirely certain – but I was knowing that behind it all there were great changes on the way that would be forcing you away from Ellan Bride. So when this Mr Buchanan came and was asking me to bring them over to the island, I was knowing at once that this was what we'd been hearing about, truly coming to pass. And I was thinking as well that your own family on the Island was all dead or gone away to America – for Annie Christian was the last one to be leaving, and that was twelve years back – there is none of them brothers and sisters left on the Island now, and if maybe you've far-off cousins, why then I'm thinking they're maybe too far off to be counting on now. It wouldn't always have been like that, indeed it would not, but the world is changing very fast, even in the Island. I thought maybe you wouldn't be knowing about that, and maybe were counting on a kinship that might be there no longer.'

'No,' said Lucy. 'I was knowing I had no kin to count on any more.'

'Well, sad to say you're right to be thinking that. So then I was thinking too that you were away here on Ellan Bride, and not able to be speaking up for yourselves, and maybe there was no one on the Island thinking of what was to become of you, and able to be speaking for you. And I was thinking to myself, "Finn Watterson, there is one man that's knowing them all these years, that was a friend to Jim Geddes, and Jim Geddes would have done the like for him, and that man is yourself: Finn Watterson." For I'd been seeing the surveyors by then, Lucy, and it was very clear to me that this Mr Buchanan, though he may be a great man at the surveying, is not the man for you to be relying upon if you're thinking of your own futures. Because he wouldn't be the man to be thinking over-much about that.'

'No,' said Lucy. 'I was knowing that too.'

'Well, again, you're right to be thinking that. So I was speaking to Mary about it on Friday night when I was getting home, and she was saying, "You're right, Finn. There's no one will be thinking about Jim's family but ourselves, and if anyone's to be speaking for them, as well you as another, Finn, and that's what you'd best be doing before another day goes past. For Jim was a good friend to you, Finn" – that's what my Mary was saying to me, and right she was – "and now this is him needing you to do a small thing for him." And once Mary has an idea in her head, there's no two ways about it: the thing must be done at once. And so she was seeing me on my way the very next morning, and I was at Castle Rushen before the Governor had full finished his breakfast.'

'You went to the *Governor*?'

Finn was addressing himself entirely to Lucy. That was fair enough: Lucy was the lightkeeper. Diya knew quite well that Finn had never felt comfortable with her, whereas he'd known Lucy since she was a baby. Diya didn't mind Finn ignoring her now; in fact it was a relief. She was already beginning to guess what was coming, and her thoughts were so complicated that she'd have been hard put to respond if she'd tried.

'Indeed I did, Lucy,' said Finn. 'And by ten o'clock on Saturday morning he was seeing me in his library. And a great grand room that is – I never saw the like. But I wasn't letting that put me off what I was having to say to him. For he's not a man to be fearing: I knew that for the way he was dealing with the riots in Castletown two years back. I knew he was a man I could be speaking to, for I was hearing much about him at the time of the riots, and all good. And so I was telling him about you all, Lucy. He was knowing about the new light-house, of course, and that the surveyors were already on the island – he was knowing that, too, already – and I think it was knowing all that made him willing to let me speak in the first place.

'But what were you *saying* to him, Finn? Oh, that was so brave of you, to be thinking of doing that for us!' Lucy's face was alight with hope. She hadn't looked so happy since the day Billy was born. Yes, thought Diya, Lucy had had that look in her eyes when she'd first laid eyes on her son. But she was wrong: Finn wasn't about to say the words that Lucy longed to hear. Even the Governor couldn't make the Commissioners of Northern Lights agree to *that*.

'It wasn't exactly courage I was needing,' said Finn. 'For the Governor's not but a man, when it comes to it. It was more – as Mary was saying – just seeing quite clearly that this was what any man – any man's friend – should do. So I was just telling Governor Smelt about how it was that Jim was drowned, and how you were the fourth Geddes to be the lightkeeper, and how your own mother was a Christian from the Island,

and how you and Mrs Geddes had the three little ones to think of, and no living at all but the light, which had been kept burning here, for the good of all, especially the fishermen of the Island, for fifty years and over it. And now the Duke, him that employed your family, was gone, should it not be the Island government that was giving you a home, and a pension, so that you could go on living comfortable enough after all the work you had done for the Island by keeping the light on Ellan Bride?'

'Oh, Finn.'

Obtuse Finn might be, thought Diya, but he couldn't help noticing Lucy's face fall. He looked startled, and then dismayed. Stupid man! He should have realised – none better – what Lucy had hoped for against all hope. He must have known there was only one thing in the world that she wanted. Hadn't it occurred to him how she'd interpret his story? A home! A pension! As if Lucy cared about that! Diya might have been worried to death all these months because they had no money and nowhere to go, but if they had to leave Ellan Bride, it was all the same to Lucy whether the Governor offered her his own castle, or they were reduced to begging in the streets. Finn should have addressed himself to Diya after all: at least she had some notion of the reality of the situation.

'Finn,' said Diya firmly, so that he had to turn and face her where she sat on the grass. 'That is truly kind of you, and a very practical thing to do. You're the only one who's done anything to help us. We're very grateful. God knows what would have become of us if you'd not gone to the Governor like that. We thank you with all our hearts. Don't we, Lucy?'

'What?' Lucy was looking dazed.

'I'm saying how kind it was of Finn to do this for us,' said Diya sternly. 'Was it not?' She fixed her eyes on Lucy, conveying not so much a message as a command.

'Kind?' Lucy seemed to recollect herself, for she turned to Finn, and gave him a thin, unhappy smile. 'Finn, yes, what you did was *kind*. I knew that; I was always knowing you were the second-kindest man in the world, and indeed you are! You mean the very best for us. I know that!'

'What did Governor Smelt say?' asked Diya.

'He said yes,' said Finn. 'What else could the man say? It would be rank injustice to be saying anything else. Indeed, Colonel Smelt was saying himself that it was a shameful thing he'd had no word of the matter before, for he would have been dealing with it at once, if he had known. But no one told him. But once he was knowing, he was calling his secretary in and getting out his pen and paper, and dealing with the matter then and there. What's twenty pound a year to a man like himself, or to Tynwald either? Twenty pound a year, and a fisherman's cottage at Port St Mary. Why, nothing at all! They'll be spending more than that on one breakfast, I'm thinking, those grand gentlemen.'

'Twenty pound a year and a cottage?' repeated Lucy numbly. 'Do you mean it, Finn? At Port St Mary? I mean, is that what he actually *said*?'

'That's what he was ending up saying,' said Finn. He reached inside his smock. 'Here, the letter's in my pocket.' He took out a sealed paper and handed it to Lucy. 'This is what the Governor was writing to you – he was just sitting down and writing it, in his own hand – he did it before I went away.'

With trembling fingers Lucy broke the Governor's seal, and smoothed out the paper. The letter was quite short, and written in big straggly script. Lucy glanced at it and handed it to Diya. 'You read it, Diya.'

Diya read aloud:

*Dear Miss Geddes,*

*It has come to my notice that the Commissioners of Northern Lights will no longer require you to fulfil your duties as lightkeeper at the Ellan Bride lighthouse. I understand that you and your family have faithfully served the light on Ellan Bride for fifty years, to the great benefit of all shipping in these waters, and particularly to the fishing fleet on this Island.*

*The government of this Island will therefore grant you a pension of £20 per annum for your lifetime, further payable, if so be she survives you, to the former lightkeeper's widow, and also to any dependents whom you may leave who have not yet attained their majority, and will in addition provide you with a suitable cottage, on the same conditions, at Port St Mary or Castletown, whichever you shall desire.*

*Yours &c*
*Cornelius Smelt (Governor, Isle of Man)*

'And the date,' added Diya, and paused. There was no need to say so – she hadn't had time to reflect anyway – but already she began to see possibilities. Of course this wasn't what she desired, any more than Lucy. She certainly didn't intend to spend the rest of her life in what amounted to an almshouse, along with Jim's sister and nephew, tarnished by – for the fact had to be faced – their undoubtedly dubious status. Diya would never openly acknowledge such an uncharitable thought – that would be disloyal – but inevitably it lurked in the recesses of her mind. How could it not? Lucy must not have the faintest inkling of it, but for Breesha and Mally's sakes, this cottage could only be the first step.

But as a first step it was – literally – an answer to prayer. It paved their way back to the Island, independently, respectably, and not beholden to anyone. Once on the Island, there would be opportunity to think, to plan, to make gradual changes . . . But the excellent thing – the thing that filled Diya's heart with gratitude towards their unlikely saviour – was that it meant she did not have to be afraid. For Diya was aware that, unlike Lucy, she had never dared to hope for the very best, because she knew so much more than Lucy did about despair. Finn couldn't give Lucy back her island, but he could rescue Diya from the greater terror of losing absolutely everything. 'Oh *Finn*!' said Diya, her voice warm with genuine gratitude. 'You've been a true friend to us – and to Jim – a true friend. Indeed you have. Oh Finn!' Diya drew a great breath of relief. 'How can we ever thank you?'

Finn looked embarrassed. 'I'm telling you, Jim Geddes would have done the same for me. I'm not needing you to be thanking me at all. That will suit you then, Lucy? I was telling Colonel Smelt what I was thinking you'd be wanting mostly. I'm hoping I was telling him right, Lucy?'

Finn didn't care what Diya thought – of course he did not: she realised her thanks were nothing to him. He was watching Lucy anxiously, trying to read the conflicting emotions that flitted across her face. Lucy, for all her stoicism, had never learned to guard her expression. Diya willed her not to disappoint Finn. Of course the man had got it wrong – he was but a man, after all – but the truth was he'd saved them, in the immediate term. They had somewhere to go, and they would not starve. Surely Lucy would see that? Or, even if she did not, surely she had the innate courtesy to thank Finn Watterson for doing his very best for them according to his lights? He couldn't have done more. He couldn't have reprieved Lucy from losing Ellan Bride, any more than he could give back to Diya her own lost past, about which he knew less than nothing. Surely Lucy would not be so uncivil as to hurt him, just because he could not give the impossible?

Diya needn't have worried. Lucy set too much store by kindness to deal out cruelty herself. 'Indeed you were, Finn,' she said firmly. 'No man could have done more. I thank you with all my heart; indeed I do.'

# CHAPTER 31

TWO RAZORBILLS WERE MATING IN GIAU YN OOIG. THE NOISE
they made was like the creaking door into Lucy and Diya's
bedroom being opened and shut very slowly. The female was
opening her beak very wide and shutting it again. The male,
his beak wide open, in ecstasy perhaps, clambered on her back,
wings flapping, thrusting and shoving hard, so that through
the telescope it looked as if the two birds might go hurtling
off their ledge. There was a final triumphant flapping of wings,
then the male slid off wagging his tail feathers, and the two
birds stood side by side on their ledge again, eyes expressionless, looking out to sea.

'That's it,' said Breesha, lowering the telescope. 'They've
finished again.'

'All right, now it's my turn to look.'

Breesha handed Billy the telescope, and scanned the serried
ranks of birds. 'I can't see anybody else doing it just now.'

It was mostly guillemots on this part of the cliff, with just
a few patches of razorbills crowded in between. A low growling
noise arose from the colony. 'They might not be,' remarked
Billy, scanning the ledges through the telescope. 'Most of them
have gone onto eggs already.'

Down in the sea a few seals were rocking lazily in the swell,
floating upright with their heads just above water. One rolled
forward in a single graceful movement, and dived. Through

the telescope Billy watched it swim down and down until it merged with the deep shadows under the cliff. He looked out to sea, where big rafts of guillemots and gulls were floating in the sun.

'There's another pair!' said Breesha.

'Where?' Billy looked round to see where she was pointing.

'Down there. See their wings flapping? There!'

Breesha waited patiently while Billy took his turn. Without the telescope, all she could see of the brief ritual was a distant flapping of wings. 'I suppose they must enjoy it, to keep on doing it like that.'

'It's just instinct,' said Billy. 'They have to be made that way – so as to want to keep on doing it, I mean – to be sure of getting chicks.'

'And then the gulls eat most of them. The chicks, I mean. But if you're a razorbill I suppose you can't decide not to bother because of that.'

Billy stood up. 'Let's go down Gob Glas and look there.'

They were just coming over the hill to the slabs when Breesha suddenly threw herself flat on the ground. 'Get down!'

Billy flopped down beside her. 'What? Where?'

'*There!*'

'That's only the Writing . . . *Who's that?*'

'Three of them,' breathed Breesha. '*Three!* Let me look!'

'No, wait. I'm looking.'

In fact the surveyors were close enough for Breesha to see quite well with the naked eye. *Three* men were working on the grassy slope between the slabs and the garden wall. Ben Groat had the levelling pole down at the slabs. The Writing Man was setting up the level close to the painted mark on the garden wall. The third man had another pole set up nearer to Gob Glas. He was barely forty yards away from where Billy and Breesha were lying.

'What does he look like?' whispered Breesha.

'Ordinary, really. Quite big.'

'Let *me* look.' Breesha seized the telescope as soon as Billy reluctantly handed it over. 'Oh Billy! This one really *is* a pirate. He looks *much* fiercer than Mr Groat. And all muscly. I bet he's even stronger than Finn.'

'Well, that doesn't matter. The point is, Finn must have come, and if he's still here, we want to find him. Now, before he goes off again.'

Breesha thought for a moment. 'If we go back to Giau yn Ooig so we're under the skyline, then we can get across to Giau y Vaatey without anyone seeing us. If the boat's still there it means Finn is.'

'Oh, the boat'll still be there.'

'How do you know?'

Billy was looking at the Creggyns. 'It's not slack water yet. If he went away on the ebb he'd have gone south round the island, and that means we'd see him now. And the breeze is westerly. He'll stay in Gob y Vaatey till the flood. In fact the landing rock won't even be uncovered – he'd have to . . . Hey, Breesha, we left Mally to guard the sand boat! That was *hours* ago!'

'Never mind Mally. I think we should get over to Giau y Vaatey *now* without letting them see us.'

'Mr Groat's coming back up the hill! If they're coming this way . . .'

'We need to get over the skyline!'

'Follow me.' Billy began to crawl towards the rocky slope above them. As soon as they were off the bare hill they ran, crouching low, until they could see the chimney of the house below them, and the hill sheltered them.

'That means you won't need to take the letters I wrote last night,' Diya was saying. 'In fact I should write different ones before you go if there's time. And we must answer Governor Smelt's letter. How long can you stay, Finn?'

'Ah, there's no hurry on us. We'll need to be away three hours before high water to get back on the flood. I was telling Mr Buchanan just now I could be giving him four hours to be finishing his work here, so you've plenty of time yet. I'm sure you're a quick writer, Mrs Geddes. But there is another thing I was wanting to tell you, which is not so important to you now, perhaps, but about the surveyors.'

'Oh yes, what *had* happened to the other surveyor?'

Diya suspected that Lucy's renewed cheerfulness was put on so as not to disappoint Finn. The light hadn't come back into her eyes since she'd realised that it hadn't even crossed Finn's mind to ask the Governor to let her keep her job on Ellan Bride. It was possible, however, that the concrete offer of a cottage and an income might have begun to move her thoughts in a new direction. They wouldn't be able to talk freely until Finn had gone. By that time the surveyors would have gone too. Diya felt an unexpected little jerk of the heart. Too much was happening too quickly. But farewells were always like that. After all the fearful anticipation, there was always the one moment – painfully awaited and then gone in a flash – when the last tie was severed, and after which there was no going back.

'That's it, Lucy. I was just taking my leave of the Governor – I had the letter safe in my pocket to bring to you – and the servant came in and was saying that Mr Quirk was there. And the Governor said, "Excellent, the very man we want in this case" – Mr Quirk being the Water Bailiff as you'll know. So Governor Smelt was telling Mr Quirk all about what he and I had been saying together, and telling him to be taking the matter of your pension to the House of Keys, and Mr Quirk was saying, yes, indeed he'd be doing that.

'And then Mr Quirk was saying – and there's me standing there mum, for I was thinking I wished to hear, and not wanting to be sent away, as they might be doing if I brought the gentlemen's attention upon myself – that he was awful angry about this young surveyor you have here, this fellow Buchanan who's on the island now. For Mr Quirk was saying how he'd been speaking to Buchanan himself, on Thursday morning at the George, and this matter of what was to become of the lightkeepers hadn't been mentioned, and Mr Quirk was thinking how naturally the Commissioners of Northern Lights would be looking after the matter themselves, them having such revenues from the Ellan Bride light as there may be from this time on.

'Governor Smelt was telling Quirk how it was no matter: the point was that we were speaking of a Manx family – broadly speaking – who'd done the Island good service, and that was all there was about it. But it turns out – or so I was understanding, listening to the pair of them – that it wasn't so much that Mr Quirk was grudging you the money at all, but that he was wishing to complain – in fact 'twas the very reason he'd come that morning to the castle – about this very man Buchanan. Because the day before – that was on the Friday while I was bringing the other two out to you – there was this other fellow – this Mr Scott – who'd been in the jail the last couple of nights. He'd got himself into a fight at the Harbourside, and knocked a fellow out. I know who the man was myself, and I'd give my oath that this man Scott gave the fellow no more than what he was asking for.

'They were releasing Scott that morning without a charge, and the Deemster was informing the Water Bailiff about it – it being a maritime matter, so to speak, because the fellow was supposed to be working at the lighthouse – and this is when Mr Quirk discovered that Mr Buchanan had gone off to Ellan Bride leaving his man in the town jail, and making no provision for him, and not even bothering to inform anyone. And Mr Quirk was saying that if this was how these Edinburgh engineers were behaving we were wishing to see no more of them on the Island.

'So Governor Smelt was saying that the Edinburgh lighthouse men were here to stay, and that was the fact of the matter, but if Mr Quirk felt so strongly about it he could be writing to Edinburgh himself and making his views known. Which is what he'll be doing I make no doubt, because he was awful angry about it. But the Governor was cutting him short, saying

"Where's this fellow now, then? For here's Finn Watterson who can be taking him back to Port St Mary this very day, and be getting him out to Ellan Bride which is where he ought to be." And there was Mr Quirk saying "So who's going to pay for that?", and there's the Governor reaching into his own pocket then and there and giving me a florin, and saying "Enough, sir" – to Mr Quirk – and then to me – "Here, Watterson. Go into Castletown and find this man Scott, and get him out to Ellan Bride so he can get back to work. This is too much ado about very little" – that's what the Governor said – "Watterson will deal with it, and I wish no hear no more about it."'

'It sounds as if Mr Buchanan's going to be in trouble,' said Lucy listlessly. She had quite enough to think about without starting to worry about what would happen to Archie. 'What's this new one like? I hope he's not going to start fighting *here*.'

'Ah, he's all right,' said Finn. 'He can row a boat pretty well, which is what we were having to do to get out of the bay this morning. I'm thinking myself he was hard done by, for I was speaking to a fellow who was in the Harbourside that night, and he was saying this Mr Scott was not the only one drinking – not by a long shot – and they were making game of the two Scotchmen something awful, speaking Manx, of course, but making it pretty clear what they might be saying of them. This Scott, he was maybe a bit too ready with his fists – his friend was trying to hold him back, so they were telling me – and so the landlord sent a fellow to rouse a constable, but none could be found. So a couple of strong fellows hauled him over the road to the prison, and that's really all there was about it. There's no harm in the fellow, or I'd not have been bringing him out to you, you can be sure of that.'

'Well,' said Diya, 'at least it means they can get on and finish their job, and go away and leave us in peace.' Even in her own ears she sounded dismissive. That was good: Diya didn't wish either Lucy or Finn to guess at the turmoil of her thoughts. The Water Bailiff was an influential man in the government, and related to half the old Manx families. It augured ill for

Archie that he'd alienated Mr Quirk. Should she warn him? No, thought Diya, thinking quickly: there was no need. Although Mr Quirk was an important man in Castletown, his opinion would carry little weight in Edinburgh. And in October Archie would leave both Castletown and Edinburgh behind, perhaps for ever. When – if – he came back he would be far beyond caring for a bad word from Mr Quirk the Water Bailiff. Once the *Beagle* had her castors away, and her course set for the southern hemisphere, Archie would be free of all this . . . free of his whole past, as no woman – especially a mother of daughters – could ever hope to be.

Three hours before high water . . . Lucy relapsed into silence. Finn and Diya were still talking, but she wasn't hearing what they said. In four hours Ben Groat would have gone away. He'd said he'd come back before the year was out. But that was the future, and at the moment Lucy had no picture of the future in her mind, just a jumbled mass of fears and possibilities. Now – at this very moment – Ben was here, on the island. He'd be working until it was time to leave. That was what Mr Buchanan had said: the three surveyors would work right up to the minute when they had to go. Four hours and five minutes from now Ben would be gone. The *Betsey* would pull away from the landing rock, and that would be that. Lucy might not have a chance even to speak to Ben before he left.

'So that was it,' said Drew. 'He let me off with a warning, and I tell you, Ben, I'm no wanting to see the inside of that Castle Rushen again in a hurry. And then I hung around for a bit – just getting used to the light like, Ben, and a bit o clean air in me lungs – and I was swithering about what to do next, for I'd no a penny to bless mysel with, after I'd bought a bit o pie to be going on with, for a man must keep body and soul agither. I could've done with a pint of heavy, but I had naught in my purse but twa farthings, and what can a man do wi that? So I was just thinking to myself maybe I should set oot on the road to this Port St Mary and wait for ye there, and see what was doin, but I was in twa minds about that, ye ken, thinkin I'd no chance of a lodgin wherever I might find myself come nightfall. So there I was, crossing the market square again, no sure what to do or where to go, and this cully comes up to me and says the Governor of the Island, for God's sake, has telt him to take me out to Ellan Bride. And that was Finn Watterson, and the rest ye ken, for I telt ye. But I'm tellin ye now, Ben: Young Archibald will be findin himself in hot water when we get back again, and I'm no sorry. I telt ye he should have bailed me out the very next day – and now, see: the Governor of the Island is with me all the way, and that's a fact.'

Ben knelt on Dreeym Lang, tying the metal arrows into a bundle. He was too tired to think straight, let alone listen to Drew. He'd barely slept for three days now, and so much had happened his mind was still reeling. The turf of Dreeym Lang was studded with flowers: milkwort, eyebright, thrift and tormentil, just the same flowers as in Orkney. As Ben had walked around the island, pulling up the surveying arrows from each station, it had felt like plucking up tentative roots of his own. For seven years he'd been happy to move on, free as a bird – only even the birds were not free, thought Ben bitterly, driven as they were to come back to the same island every year, and wear themselves to a shadow every spring by the call to nest and breed. Only man was free to choose. Free too, to change his mind.

Not that Lucy had given him an answer. She'd eluded him all morning, and then she'd gone to her bed, only to be roused again when Finn arrived with the *Betsey*. And Finn had brought Drew. As soon as Young Archibald laid eyes on Drew he'd set them to work. Four hours, Finn had said, and Young Archibald had kept them to it for every minute. The job was done. Trust Young Archibald for that. Oh yes, he'd get his survey out of it, whatever happened. As for the lave of it . . . what were men, but cogs in the wheel of enterprise, and Young Archibald would keep the wheels grinding to the end, you could be sure of that.

Not that it was entirely fair to blame Young Archibald, for

he had no notion of what was in Ben's heart. He'd had eyes for nothing but the job in hand. Young Archibald hadn't noticed when Billy and Breesha had appeared above the slabs, watched them through the telescope, and then crept away again on hands and knees, just as if the surveyors were their sworn enemies. Just a game, no doubt, and it was foolish to worry about it . . . foolish to think for a moment that Billy might know, and judge, matters that had probably never entered the boy's head for a moment. Billy was Lucy's son. *Just because my son must have had a father you're thinking that I know about this* . . . That's what she'd said, but it hadn't been what Ben was thinking about at the time. But now . . . she'd still not told him anything more than that. Perhaps it was all she'd ever say. Did that matter? Ben wasn't sure. And now . . . he'd not heeded the risk they'd been taking, but now . . . *You're the third-kindest man I've ever met* . . . Ben couldn't stop thinking about that, either, and he was still no nearer working out exactly what she'd meant.

Before the tide turned he had to leave Ellan Bride. Even if they sent him back this summer Lucy wouldn't be on the island. He'd have to ask for leave if he wanted to find her. If he gave her his direction at his lodgings in Edinburgh, would she write a letter, if she needed to? Ben knew Lucy could write: he'd seen the lighthouse records. He wasn't sure she'd know how to send a letter.

And so Ben tramped round the island for the last time, collecting the metal arrows, his thoughts going round and round in circles, until he met Drew up on Dreeym Lang, and they put together their two sets of arrows into one bundle. At least, Ben fastened the bundle, while Drew went on talking.

'Ay,' said Ben, when Drew paused. 'Young Archibald shouldna have left ye, maybe, but if this Mr Quirk is truly going to write to Mr Stevenson, it winna just be Young Archibald that's in hot water. I'm hoping for both your sakes we never hear another word about it.' He stood up, and glanced at the sun. 'Time to be on our way, I think.' He wearily swung the bundle over his shoulder, and Drew fell into step beside him.

'So these folk here,' Drew was saying. 'The lightkeeper's wife. How comes it about she's a blackamoor?'

'Same way as any of us come about, nae doubt. But 'tis true I didna ask her.'

'Ach, Ben, ye ken what I mean. Was the lightkeeper a sailor mebbe, and was bringing her back from foreign parts?'

'No. She's fae Castletown.'

'Away ye go! And I'm a Dutchman! So how many weans has she? I ken there's the boy – I've no seen him yet – if Young Archibald was gettin him tae work he must be older than the wee girl I saw?'

'The boy is the lightkeeper's son. There's another lass, sister to Mally.'

'I thought the lightkeeper wiznae married?'

'Neither she is,' said Ben shortly.

Drew gave a low whistle. 'Is that the way o't? Ye're after tellin me that lass we saw has a bastard wean? Ay well, 'tis a gey lonely life out here tae be sure, and a rerr treat for the passing trade, nae doubt. And there cannae be much o that.' He chuckled. 'If there were, nae doubt she'd have a sight more weans at her tail than just the one.'

If Drew had rained blows down on Ben with his mighty fists it would have been a lot easier. It hurt, but Ben was feeling so weary he couldn't seem to do anything to stop it. Anything he said would make things worse anyway. He'd just give himself away, and that would betray Lucy too.

'Ken what I mean, Ben?'

'Ay well,' said Ben, and felt like Judas.

They passed the lighthouse. There was no one up at the lantern, and the door to the tower was closed.

'I widnae mind a look at the old light,' said Drew.

'Go and look, if you like,' said Ben, without stopping. 'I've seen it.'

'Ay well, maybe I'll no bother. A light's a light, just, and that's all there is tae it.'

'Ay.' Ben led the way down the well-trodden path.

The handcart was in the yard where they'd left it already loaded with their gear. Chickens were foraging over the slops in the ditch beside it. Through the open door of the house came the sound of voices. Ben hesitated for a moment on the threshold, then ducked under the lintel.

When Archie came into the kitchen, he found Lucy and Diya at the table, deep in discussion. As soon as they saw him he was vaguely aware of a change in the conversation. Archie stacked his precious notebooks at the other end of the table, loaded with all the data he'd collected on Ellan Bride, and packed them into his leather case. He reached into the kitchen bed and stuffed his few belongings into his portmanteau. Everything else was already loaded onto the handcart. Presently Ben and Drew came back with the last of the gear. Diya offered them refreshment, but time was running out, so as soon as they'd had a drink of water Ben grabbed his haversack, and Archie sent them to man-handle the cart down to Giau y Vaatey. Finn had already gone ahead to the giau. He was worried about keeping the *Betsey* off the rocks now the tide had turned. Billy and Breesha had gone with him. Diya had been writing letters. She hurriedly drew the last one to a close, and sealed it with a wafer.

'There,' said Diya to Lucy, putting the last letter with the others. 'That's Governor Smelt, the Reverend Gill at Malew, Mr Quirk, and this one for Sally.'

'That's very well done,' said Lucy. 'I never saw anyone write so quick.'

'Well, they're not as polished as I'd like, but they'll serve.' Diya screwed the top on the ink bottle and got up. 'We must go!'

The path to the well was churned to mud by heavy boot-marks. Diya's bare footprints were firmly imprinted on top. Lucy, following Diya, was aware of her own footsteps doing just the same. She avoided treading where Diya had trod, so as to leave both patterns separate and clear.

The children were standing in a row at the top of Giau y Vaatey next to the empty handcart. Mr Buchanan had arrived just a moment before Diya and Lucy. Billy had the telescope slung over his shoulder, so he and Breesha and Mally could run straight to Gob Keyl and watch the *Betsey* on her voyage home. The *Betsey* was already alongside the landing rock. Ben and Drew were swinging the last of the gear aboard. Diya jumped lightly down the rocks, and handed her packet of letters across to Finn, who stowed them in an inner pocket.

Ben scrambled up the rocks to the watching family. 'Mr Buchanan, sir!'

'Ay?'

'Billy's wages, sir! We owe Billy a sixpence!'

Archie was furious with himself for forgetting. It was exactly what a gentleman would never do. He took his purse from his pocket, found a sixpenny piece, and handed it to Billy. 'Thank you for your services, Master Geddes.' Archie looked down at Billy, and an image of a stormy petrel, flying back to freedom, flitted across his mind. This wasn't just any boy; this was Billy. 'Ye did a fine job, Billy. I'll tell Mr Stevenson, and ask him to speak for you if you ever need him to. I won't be in the country myself.'

Archie held out his hand. Billy looked at it. Then he remembered about shaking hands, and held out his own. He and the Writing Man shook hands. Then the Writing Man shook hands with Mam and Aunt Diya, and thanked them for having him and Mr Groat in the house. 'Come on, Ben,' the Writing Man said then, and hurried down to the waiting boat.

Ben Groat shook hands with Billy too. He turned to Breesha and held out his hand. It was the first time in Breesha's life that a stranger had ever offered her his hand. Mr Groat was treating her the same as he'd treat Mam, or Aunt Lucy. Breesha's face lit up. Ben had never seen her look like that before: it was like the sun coming out. Breesha smiled at him for the first time, and shook his hand.

Then Ben shook Mally's hand, and Diya's. 'Thank you,

ma'am. You've been very good to us. Thank you all.' Ben turned to Lucy. Everyone was watching him. 'Thank you, ma'am,' said Ben. He pressed a scrap of paper into her hand. 'I said I'd give thee this. And I'll be writing thee a letter.'

'Will you write it in print, please?' said Lucy.

'Ay, I'll do that.' Ben squeezed her hand between both of his, then turned and leapt down the rocks to the waiting boat.

# CHAPTER 32

NEITHER DIYA NOR LUCY FOLLOWED THE CHILDREN UP TO Dreeym Lang. There was no point watching the *Betsey* until she was out of sight, but if that occupied the children for the next little while at least they'd have some time to themselves. The moment of parting was over, and that was that.

'So,' said Lucy, as soon as Mally, running after the others, was out of earshot. 'What do you think about all *that*?'

'Which bit?' asked Diya cautiously.

'What Finn was saying, of course. What else is there to think about?'

I could be thinking about that scrap of paper that Mr Groat pressed into your hand, thought Diya, and what you said to each other then. I could certainly be asking you about that, only I know you wouldn't tell me. Aloud she said, 'What Finn said? About Mr Buchanan, do you mean? Or about us?'

'Us, of course! That's what matters! But Diya . . .'

'What?'

'Why d'you think Finn wasn't asking the Governor about the light? About whether we could stay? Surely he'd *know* that's what we were wanting? You don't think he's not telling us everything?'

'Of course not. What wouldn't Finn be telling us?'

'What I mean is,' went on Lucy, as if Diya had not spoken, 'Finn's our *friend*. He'd *know* what to ask for – what we were wanting. And that leaves me thinking maybe he *was* asking the

Governor about us staying, and the Governor said no – at least, when Finn was asking him, he said no. Finn might not have explained properly how important it was to us. That's the only explanation I can think of. And maybe Finn wasn't wanting to tell us that bit in case it was too painful.'

Either Diya could tell the truth, or, which would be easier, she could let Lucy believe what she liked. They had a long way to go together yet: it had better be the truth. 'I'm sure Finn didn't ask at all,' said Diya. 'He knew already there was no hope. The Governor can't tell the Commissioners of Northern Lights what to do. That's the whole point of the 1815 Act. I'm sure Finn and Mary talked about it. I'd hazard a guess that Mary told Finn the best thing to say. If you haven't much time to make someone listen, you have to talk sense right from the beginning. It's much better just to ask one thing, and make it something you've some hope of getting. I'm sure Finn and Mary decided not to waste Finn's chance with the Governor asking if we could all stay on Ellan Bride. Because, Lucy – I've *told* you, over and over – it wouldn't have been the slightest use. There was no hope we'd be allowed to carry on here. No hope at all.'

They'd been walking slowly back along the foot of Hamarr. Lucy had gone ahead on the narrow path, but now she suddenly swung round and faced Diya. 'I know what it is! You're *wanting* there to be no hope! You're *wanting* to leave! And I *trusted* you. Right up until I saw you talking to that man, I trusted you! And then – the way you were going on with him – that man – I *realised*. You're not caring, are you? You're not even *wanting* us to stay here! You don't care about the light!'

Lucy was scarlet in the face, and shouting. Diya flinched. This had never happened before. 'Lucy, be reasonable . . .'

'That's what you're always saying! All it really means is *you're* wanting to go back to your old life in Castletown!'

Diya suddenly lost patience, and forgot to be afraid. 'Well, want must be my master then! Because I'll never have that life again! And if you think I have any influence with the Commissioners of Northern Lights – or anyone else come to that

– you must be all about in your head! I've thought about what to do as much as anyone can – and I've *done* a lot more than you have. Who wrote the letters? Who even *knew* who to write to? But we can't change the way things are. And just because *I* don't choose to act like a spoiled child because I can't have my own way it doesn't mean you can't trust me. Because that's *nonsense*!'

'It's not *my own way*! It's what we do – what all my family do – it's who we are! It's what happens to us! All of us! Because we're the lightkeepers!'

'No,' said Diya. 'It's what *you* want. Jim's dead.'

The brutal words hung between them.

'I'm sorry,' said Diya. 'I shouldn't have said that.'

Lucy regarded her stonily. 'Jim's dead,' she repeated. 'And you're not caring. That's it, isn't it? And Billy's not Jim's son. He's just his nephew. Not your blood. Mine. So you're not caring.'

'Don't you bring Billy into this!' flashed Diya. 'Don't you *dare* say I don't care for Billy! Are you going to deny *everything* we've been through – because that *would* be disloyal!'

'If Billy was your son,' pursued Lucy inexorably, 'you'd be doing your – your – your *damnedest* not to let them evict us – just for such a few years – because it's *Billy* you're betraying, and you know it! Because *he'd* be the next lightkeeper. And it's only a few years! And you were never mentioning *that* in your letters, were you?'

'That's unfair! I never thought of it – and neither did you! You never said a word about putting that to them! Ever! And anyway' – Diya looked Lucy steadily in the eye, although she quailed inside – 'is that what Billy wants? Has he ever said so? Because as far as I know you've never mentioned it to him. It's what *you* want, Lucy, and you don't want it because of the Gaffer, or Jim, or Billy. You want it because you don't dare face anything else. That's the truth, isn't it? Billy's just an excuse.'

'That's not *true!*'

'Well,' said Diya, 'you know what you think. I don't. But I think it's time you admitted that other ways of life are possible.

You might even begin to think that they might not be so bad. But you've never let yourself think about that for a moment, since that letter came. Have you?'

To her astonishment Lucy's face suddenly softened. She even gave a small, far away smile. 'Oh yes,' said Lucy. 'I have thought about it. More than you know.' She stopped smiling and gave Diya a hard stare. 'And I might not want to stay with you for ever, any more than you're wanting to stay with me. Because you aren't. Are you?'

'Benjamin Groat!' exclaimed Diya.

Perhaps Diya was more astute than Lucy had expected, because she recoiled at once. Then she recovered herself and said coldly, 'Answer my question. You *don't* want to live with me and Billy, do you? Because we're another source of shame. Are we not? Isn't that what you said?'

'That's not fair! You know I was worried to death about Breesha . . .' Diya was suddenly seized with remorse. 'Oh Lucy, please don't let's quarrel. We never have! Don't let them do this to us! It was you that made it all right about Breesha. *You* talked to Mr Buchanan. I was quite wrong to say you didn't do anything to help. Haven't we always helped each other, ever since . . .?'

'Since Jim died,' supplied Lucy grudgingly. She met Diya's pleading gaze dispassionately. 'We had to, didn't we? No one else was going to help us.'

'Please, Lucy. We can talk about the future. We can decide what we each want, and we can try to make it happen. But let's not be like this with each other. I think those surveyors have bewitched us, for we never quarrelled before. And I don't want to start now, indeed I don't! Please, Lucy!'

Lucy didn't meet Diya's eyes. 'I need time to think,' she mumbled, and slipped past Diya, heading back towards the shore. 'I'll come back later,' she called over her shoulder, as she broke into a run, leaving Diya standing there gazing anxiously after her.

\* \* \*

Breesha, Billy and Mally stood on the arch at Gob Keyl watching the *Betsey*. She was running east before the wind, so they could see Finn in the stern at the tiller with the white sails behind him. It was getting harder to make out the other figures, even through the telescope, but Billy and Mally went on waving until it was impossible to see whether anyone was signalling back or not.

When at last they stood still, Breesha said accusingly, 'You're sorry they're not here any more, aren't you?'

'Well, yes,' said Billy, surprised. 'They weren't enemies after all. That was a mistake.'

'Mr Groat was nice,' said Mally. 'And I quite liked the new one.' She thought for a moment. 'Even the Writing Man wasn't horrible in the end.'

'We still have to leave the island because of them. And they caused us a lot of trouble.'

'No,' said Billy. 'We're having to leave anyway. It's not their fault. You *know* it's not their fault.' He thought of saying something about who'd caused the most trouble, but thought better of it.

'I know *you* liked them.'

'Well, yes, so I did like them. And so did you, some of the time. You liked working the level!'

'Well,' conceded Breesha, 'I suppose that part was all right. But I wasn't allowed to do much of it, was I?' she flung at Billy. '*I* wasn't their favourite, was I? *I* didn't get the chance to follow them about everywhere like a tantony pig, did I? *I* didn't get a sixpence!'

'I couldn't help it! It wasn't my fault!'

'It's because he's a boy,' explained Mally helpfully. 'He can't help it. They didn't want girls.'

Breesha swung round and swiped Mally hard across the ear. '*You* keep out of it! You don't know anything about it!'

Mally's face went tight. She pressed her lips together, and flung herself on her sister, pinching her as hard as she could.

'You can't fight here! Stop it, you two!' Billy pulled Mally off and held her arms down by her sides. 'Not on Gob Keyl! Go and fight somewhere else, if that's what you want to do. Mally, stop it!'

'Don't hold me then!'

'Will you keep off her if I let go?'

'Oh stop it, you two!' said Breesha, as if she'd had nothing to do with the quarrel at all. '*We* shouldn't be fighting. We should be . . . what we should be is united against our common enemy.'

'Our what?' said Billy. 'I haven't got any enemies. And even if we had, they're not here now.'

Breesha stared at him, frustrated, then all of a sudden her mood changed. She looked away from them, out to sea at the diminishing white sails of the *Betsey*. 'Oh let's not fight. It's boring. They've gone away and they're not coming back. Let's not think about them any more. I hope we never see any of them again.'

'I'd *like* to see them again,' said Mally defiantly, wriggling in Billy's hold. 'I hope we do. Especially Mr Groat.' A new thought occurred to her. 'I liked having them here. It was fun. And now . . .' – she searched for words – 'now it feels more empty.'

Breesha stared at her, frowning. Billy let Mally go. Mally didn't move.

'It's—' began Billy.

'No, wait,' cut in Breesha. 'She's right. That's the trouble – I said those men brought trouble, didn't I? What they've done is . . . It means nothing's going to be quite the same any more. I mean, we've not actually gone yet, and maybe it's not their fault that we must, but what is their fault is that it's all changed, even without us going anywhere. I mean – look at us now. What we're doing – right this very moment – already we're being all different.'

'What?' said Billy. 'Oh don't go on – who cares? It's ages until supper time. Let's stop wasting time and *do* something.'

'Billy,' said Breesha.

'What?' Billy was letting his impatience show.

'How much do you mind going away? I mean, seeing that anyway we're going to have to. Are you sad about it?'

'Of course I am!'

'No, I didn't mean anything bad. I mean, are you *completely* sad?'

'Of course. What's the point of talking about it?'

'Because you mightn't be. Because . . . because . . . because although this is the best place in the world, you liked being with those men, didn't you? No, please, Billy, listen. I'm not being angry. I'm just saying.'

Billy looked at her, puzzled, wishing she wouldn't keep changing her moods so fast. 'Can't I like more than one thing at a time?'

'Of course you can! That's what I'm *saying*. I'm saying *that's* what's difficult – more difficult than it was before. Oh, I can't –' Breesha made an impatient movement, then she said, 'Did you know the Writing Man could whistle?'

'*Whistle?*' If Breesha had gone out of her mind they weren't going to be able to do anything interesting with the rest of the afternoon.

'I heard him whistle a tune. Like this.' Breesha pursed up her mouth, and, concentrating hard, tried to reproduce the first two lines of the Writing Man's tune. She'd been practising as much as she could earlier in the day, but even in her own ears her whistling sounded very feeble.

'That's not a tune. That's all one note.'

'I have to practise more,' said Breesha with dignity. 'But that doesn't matter. What I'm saying is our Da used to whistle. Do you realise,' said Breesha, laying a peculiar emphasis on every word, 'we haven't none of us ever heard anyone whistle – not tunes, not like that – not since Da was drowned?'

She'd never said those words before. In fact it was Breesha who'd refused to hear it all these years. It was Breesha, when she and Billy were alone together in their bed at night, who'd started thinking up all the stories about what might have happened to her Da. When Ben Groat had told Billy that

Uncle Jim was truly dead, it had crossed Billy's mind afterwards that the one person he could never tell was Breesha. And now . . .

'But you mustn't whistle at sea,' said Mally. 'Finn says so.'

'We're not at sea.'

'But it might be . . . like the long-tails,' said Mally nervously. '*You* know.'

Breesha looked stubborn. She stared out to sea. The *Betsey's* sail was a tiny splash of white, hard to see amidst the sparkling waves. From the *Betsey* Ellan Bride would be a small blue hump on the horizon, the same colour as the far lands. One day soon they too would be out there, sailing away, and watching Ellan Bride disappearing behind them. After that Ellan Bride would only be a memory, and not quite real.

'That's the whole point,' Breesha said, suddenly reverting back to what Billy had said. 'You can like two things at once. You can be thinking two quite different things at the same time, even if they don't make sense next to each other. And you can't do anything about it, that's the trouble.'

'It's all right to whistle tunes on land,' remarked Billy. 'It must be or Uncle Jim wouldn't have done it, and nor would the Writing Man. In fact' – Billy grinned suddenly – 'let's see if we could do it now. Whistle tunes, I mean. Now *that's* something useful we could be doing meanwhile.'

The island was still shining and peaceful, but inside herself Lucy could find no peace at all. The turmoil that she felt instead was horribly familiar, but she'd never noticed how it had gradually faded away, first after she'd come home from Castletown, and later after Jim had been swept away. Now that the feeling was back she recognised it all too well: a kind of queasy tightness just under her ribs that made her feel shaky all over. If only they could have been left in peace, as they had always been!

All through her childhood there had been peace on Ellan Bride. Why had she ever wanted to go away? It had been entirely her own idea. Da and Mummig had tried very hard to persuade her not to go. In fact her Da had been very angry with her, and . . . no, no, she didn't want to remember all that. She'd been fifteen . . . The truth was that if she really tried to bring it all back, she was forced to admit there had *not* always been peace when she was young. Those early golden years when nothing had come to disturb them, and Death had not yet made his presence felt on Ellan Bride, were partly – she had to face it – just a trick of her memory. Memories were like that: they made the past seem better than it was, or, sometimes, much worse. Memory made the past look simpler than it had actually been.

Looking at the island now, from the white cairn on Cronk Sheeant, Lucy was conscious in a new way of how well she knew this place. From the cletts beyond Gob Keyl, fully exposed now with their shelves of shining seaweed where the seals were basking, the white beaches, the soft green turf of Dreeym Lang, studded with daisies and eyebright, thrift and tormentil . . . the screams and smells from the nesting birds in the western giaus, right down to the shelving slabs and the Creggyns . . . Lucy knew every inch of Ellan Bride. She very seldom saw it at this hour on a spring afternoon, because usually at this hour she was in bed and asleep. Which was what she ought to be doing now . . . she'd be exhausted tonight. That was something else that was going to be different: there weren't going to be any more solitary nights, alone up at the light. She'd turn back into a daytime person, just like everyone else. She wouldn't have the long summer dawns to herself any more; she wouldn't be the first one to see all the different birds returning in the spring. The puffins that came back every April, and circled and circled the island, as they were doing now, round and round her where she sat . . . in three months they'd be gone again, wherever they went when their nesting was done, and so would Lucy be gone. She'd never see the puffins come back to Ellan Bride again.

But sometimes when Lucy had been growing up she'd felt

restless and angry. She found it hard now to remember what it had all been about, but then she'd never tried to remember before. She wasn't much given to trying to work out what she thought about herself, or anyone else, come to that. She'd preferred to be left in peace to get on with the things that needed to be done.

Only now it seemed as if there was very little to be done, and far too much to think about. Lucy wasn't used to so many things happening at once. In the last three days three complete strangers had come for the first time in five years, and one of them had turned out to be Ben Groat. She'd lain with Ben for two nights. Last night, in fact . . . the memory of his touch, the feel of his skin under her searching hands, the smell of him . . . all that was so recent that it almost seemed as if Ben was really still here, and not just an image inside her head. That image would fade, of course, as time passed. Memories, even of people you truly loved, didn't stay properly alive for ever. Lucy might even truly love Ben Groat. She'd never expected that sort of love to happen since she'd come home from Castletown.

And now she'd quarrelled with Diya. They'd argued sometimes before, but they'd never had an actual quarrel. They both hated that kind of thing too much. Diya thought the family might have to separate. More than that – Lucy realised that what she'd shouted at Diya was actually true – she'd known it, deep down, all along – Diya didn't *want* the family to stay together. *Another source of shame* . . . Supposing they were forced to stay together, was it going to be possible to forgive Diya that?

What mattered more was that while all these things were going on, Lucy had told Billy who his father was. She'd waited ten years for him to say something, and, in the middle of all this upheaval, he'd finally asked. What a moment to choose! Except that, when Lucy thought about it, he must have asked at such a time *because* the surveyors were here. That might be because they'd made him notice that he didn't know any men

– didn't know his own father, in fact. Billy had asked several things, and she hadn't had time to think properly about any of them – had that whole conversation only been this morning? So much seemed to have happened since. She'd had no chance to notice how Billy was feeling now. Had he been thinking about it too? He'd asked where his father was *now*. Did that mean . . . A chilling thought struck Lucy: Billy might not see that the whole story was actually *over*. It had never crossed Lucy's mind that her encounter with Billy's father belonged anywhere but in the remote past, something that had once happened, and could not be forgotten, but would certainly never reappear to trouble their peace in the present. But Billy had asked where Michael Elliott was *now*. Why? Could that mean that, in addition to all the other unknown terrors of the future, they were also to be haunted by a ghost that had long, in Lucy's mind anyway, been laid tidily to rest?

The last three days had been like a landslide. Sometimes a handful of soil would get loosened from the top of a cliff after heavy rain, and it would start to slide a little. And then the crumbly rock beneath would start to move. It would reach a certain point, and suddenly a whole slice of cliff would fall away and crash into the sea. It had happened four years ago at Giau yn Stackey. What might start with one tuft of thrift dislodged from its crumbling ledge, might end as a cataclysm, sweeping away plants, birds, nests, paths, beaches – people too, if they happened to be in the way. Little movements of rock and earth were happening all the time. Ellan Bride was imperceptibly getting smaller and smaller. Before the end of the world the whole island might have vanished into the sea.

Well, at least Lucy wouldn't live to see that. But since the surveyors had come, everything had got so much more complicated than it had been before. Perhaps in the middle of all the complexity there was something good. She missed Ben Groat. There was a part of her that would, for two pins, have leapt aboard the *Betsey* beside Ben Groat, and sailed away with him there and then. She couldn't say she'd have done it without a backward look – even if she'd been free to do it, her feelings would have been very mixed – but if it hadn't been for the light, and Billy – maybe she could have done it. Well, it was just the light really. If it hadn't been for the light, she and Billy could have gone with Ben together. If he'd asked them, of course. He hadn't asked. But then he couldn't have, could he, because he knew they had to stay with the light? He'd said he'd come back. But he might change his mind, because when he went back to his own world he might forget all about Ellan Bride, or it wouldn't seem particularly important any more. There was no point counting on Ben Groat. She had to take it as fate really: either he'd come back, or he wouldn't. She wouldn't think about it unless it happened. Except – Lucy couldn't help being honest with herself – the truth was she *was* thinking about it a good deal.

And what would Billy have said to sailing off with Ben Groat? Would he have left the island so easily? It occurred to Lucy for the first time that he might have been more willing to leave the island than to leave his cousins – to leave Breesha. Billy and Breesha had been brought up as if they were twins. Had that been wise? It had never occurred to Lucy to question it; in any case there'd been no choice. If she'd thought about it at all, she'd been glad that Billy had never had to be alone.

Diya had accused Lucy of never asking Billy what he wanted to do. Now, sitting alone on Cronk Sheeant, with no one to confront her, Lucy had to admit that it had never crossed her mind that Billy might not want to live all his days on Ellan Bride. But it had never crossed her mind either that he might ask her where Michael Elliott was now, and he *had* asked. Billy was thinking things that Lucy didn't know about. He must always have done, of course, because he and his mother were not the same person, and never had been, even before he was born. But now he was growing older, and soon he'd be able to do what he wanted whatever Lucy thought. He might even choose to do things that destroyed her peace of mind.

There was no peace now anyway. All these things that had

started to happen would not suddenly stop just because the men had gone. They had to think about what to do. Finn had got them a cottage and twenty pounds a year. That was the fact of the matter. It would be far more sensible to think about this cottage than to ask imponderable questions that had no answers. The cottage had to be faced.

It would be better to be in Port St Mary than in Castletown. Finn and Mary were in Port St Mary. Da and Mummig were buried in Rushen church. Nothing horrible had happened to her in Port St Mary. You couldn't see Ellan Bride from anywhere very close to Port St Mary because the Calf was in the way. It was a longer walk to Scarlett Point from Port St Mary than it was from Castletown. It wouldn't be a good idea to live too near Scarlett Point because it had too much past attached to it. Diya would want to go to Castletown, but it was up to the lightkeeper, whose cottage and pension it was after all, to decide. Everything would be less terrifying and more possible if she faced it now and made a decision.

The lightkeeper, sitting by the white cairn on Cronk Sheeant, took her courage in her hands and took a long hard look at the future for the first time. Four people depended on her entirely: she couldn't evade it any longer. Lucy gave a little shudder, and made up her mind. She would accept a cottage in Port St Mary and a pension of twenty pounds a year. A great weight of uncertainty fell from her mind. She should be glad – indeed the immediate relief was greater than anything she could have imagined – but all of a sudden she found herself crying. Big tears were pouring down her face and dripping off her chin. Lucy put out her tongue and tasted salt. It was oddly pleasant to taste her own tears. Her tears were making little circles of wetness on her skirt, dark against the faded blue, like drops of rain on parched soil. She watched, fascinated, as they went on falling. She'd always thought of crying as painful, but this didn't hurt. It hurt less than anything that had happened in a long time. She'd never seen so many tears before, or such big ones. It astonished her. She was sad – of course she was sad – because of what she was losing, but at least she didn't have to hold on to it any more. At last she could let go of the old life and look ahead. At last she knew exactly what to do.

Diya sat at the kitchen table with her pen poised over a blank sheet of paper. She'd wedged the door open so she could see the sunlit yard. The sun never shone into the kitchen in the afternoon so it was rare for her to stay in after dinner if the day was fine. But now there was work to be done. She was feeling so many conflicting emotions all at once – but that would have to wait. She urgently needed to sort things out with Lucy. The children must never know that Lucy and Diya had disagreed: all that must be resolved before they came in for supper. It had to wait, though, until Lucy chose to come back. Lucy would be exhausted, too, which wouldn't help. She ought to be sleeping at this very minute, but there was nothing Diya could do about that either. But making plans – that was something useful she could be getting on with, and it stopped her unruly emotions from swirling around so chaotically, which was all to the good.

Someone had to think about what to do. The quarrel with Lucy had shaken Diya more than she cared to admit. Neither in Grandmother's house nor in Aji's had people stood shouting at one another like that. There were more subtle ways of making one's feelings known. It was the second time in three days that Diya had been confronted by another adult saying unpleasant things directly to her face in far too loud a voice. The sooner she could remove Breesha and Mally to a civilised society the better it would be. Ellan Bride had been all very well for their infancy; in many ways it had been ideal – she couldn't deny that – but the last three days had brought so many shocks upon them that the one thing that emerged clearly was that the sooner Diya and her daughters were away from here the better it would be.

But there was much to be done. No one else seemed to have

any idea of that. At least now there was something definite to plan for. This cottage that Finn had arranged would only be temporary, but for now it meant security, and a practical beginning. Diya would always be grateful to Finn for that. In the letter for the Governor she'd given to Finn to deliver, she'd said that they would prefer to go to Castletown. She hadn't told Lucy she'd written that. It might be very difficult, especially now that they'd quarrelled, to explain that there just hadn't been time to discuss the matter. Someone had had to make the decision. She'd also asked the Governor in her letter when they might expect to be able to move. Obviously they couldn't leave the light until the next lightkeepers arrived. They'd actually have to meet them, of course, to hand everything over. Diya doubted whether Lucy had thought of that. She doubted if Lucy had thought of *anything*.

There were the animals too . . . would this cottage have land with it? If they were close to the town they wouldn't need goats, or pigs, or even chickens. If they'd known sooner they wouldn't have needed to buy the piglets, but now that they were here they might as well be fattened up for sale. That would bring in a little money at a time when every penny was going to be needed. There were bound to be expenses over the move. The goats must certainly go. Diya would miss the daily routine, only there were going to be so many other things to do in the new life she couldn't possibly be milking goats twice a day. It would be ridiculous anyway. Goats were a menace when they could stray onto other people's land – anyway, they probably wouldn't have any pasture of their own at all. There was no doubt about it, the goats must go. And that would bring in a little more cash. Mappy had her kid as well – two nannies, one with a kid. A shilling or two, perhaps? It would all help.

Diya wrote a heading on her paper: *Things to Do*, and underlined it neatly. Underneath she wrote: *Sell piglets. Sell goats. Chickens?* A moment later she wrote: *Smokey*. If they still had the lidded basket in which the first Smokey had travelled from Castletown twelve years ago it must be in the outhouse somewhere. It might have perished long ago, but Diya couldn't recall that it had ever been used for anything else. All of a sudden Diya felt tears welling up inside her. That was ridiculous: she'd only been thinking about the cat. It was just that she'd come here bringing almost nothing except a cat in a basket, and she'd be leaving still carrying a cat in a basket. But taking with her so much else . . . Breesha, Mally . . . and more memories than she dared to think of at the moment. She was determined not to think about any of that yet. Meanwhile, why would anyone weep because of a cat in a basket? It was ridiculous.

'Aji, what about Mittu? Can I take Mittu with me as well?'

'Diya beti, Mittu wouldn't be happy on a long journey. England would be much too cold for him. No, no, beti, leave Mittu here in the place he knows. Ajoba and I will look after Mittu, you can be sure of that.'

'But will you talk to him, Aji? He likes talking. You won't let him forget all his words, will you, Aji?'

'No, no, beti. We'll talk to the parrot, if you wish it. There, there, I promise you, beti. We won't let him forget the words you taught him.'

But it was not Mittu who had forgotten the words. Diya was quite alone in the kitchen. The whole house was empty. Suddenly she dropped the pen, pushed her list away, laid her head down on her arms and began to weep bitterly. She hardly made a sound. She'd learned the art of silent weeping long ago on a heaving ship, where the sound of the wind and the waves slapping against the hull would conspire with her to hide any small unhappy noises. Diya knew how to keep quiet while her whole body was shuddering with an overwhelming grief that seemed to come out of the very depths of her soul. She didn't ask herself why: all she was aware of as she wept was loss. She was weeping for everyone and everything that she had ever loved, all the people and places that had gone, all the things that she'd tried so hard to remember and keep

alive, all the while knowing that, whatever she did and whatever happened to her, not one of those moments that had
been so violently swept away from her could ever be brought
back.

# CHAPTER 33

ARCHIE FOCUSED HIS TELESCOPE ON THE CHICKENS. HE WAS sitting in the stern next to Finn, just out of the way of the tiller. The swell was heavy, and as the *Betsey* went down into each trough the Chickens would vanish, and then come back into his sights as they reached the crest of each wave. He'd have liked to get a proper look at the Chickens. The tide was right: the reef was well exposed now, with its shelving platforms of seaweed. But there was too much sea, and the wind wasn't favourable, so he hadn't even suggested it to Finn, and now the Chickens, like Ellan Bride itself, were rapidly diminishing astern. It was disappointing that they were keeping so well out to sea, on a direct course for Scarlett Point, but with this northerly wind it was the obvious thing to do. They'd only need to go about once, to head north-west, close-hauled on the starboard tack into Port St Mary Bay. That dashed Archie's hopes of getting a closer look at the Calf, and the fascinating cliffs of Spanish Head. Already they were far enough out to sea for all the lands around to have turned themselves into hazy shapes in the blue distance. Archie glanced back to Ellan Bride and saw a two-dimensional hump on the horizon, a shade darker than the sky.

Archie had done all the work he was supposed to do, and done it well, but still he was plagued by a vague feeling of dissatisfaction. He had his measurements and his reports, and the map of the island would be finished in a day, back at his desk in Edinburgh. But there was something nagging at him – as if the job had somehow not been concluded properly. He'd like to have circumnavigated the island, and studied the coast from the sea. Finn had given him the choice of sailing round the island or finishing the work on land, and of course the survey had had to take precedence. But it would have been helpful to see the west side of Ellan Bride from the sea.

'Mr Watterson!'

'Ay?'

'Suppose we wanted to get to the Calf before we left? If we stayed the night in Port St Mary? We could walk over to the Sound, maybe, if you weren't able to sail us out there. Would anyone be able to take us over?'

'That would be depending on the wind and the tide, I'm thinking. If you're not minding a wait – a day or two, maybe – indeed myself or another could be taking you across.'

Archie frowned. 'A day or two? We ought to be on our way. But still . . . If maybe it could be done tomorrow?'

*No!* Ben was amidships, sprawled among the gear, where he'd managed to make himself moderately comfortable, with his oilskin-clad back to the gouts of spray that came flying over the gunwale. He strained his ears to hear what Archie and Finn were saying. Archie's latest notion filled him with dismay, but of course it wasn't up to him. Hadn't Young Archibald had enough? The last thing Ben wanted to do was to look across at Ellan Bride from the Calf, knowing that it might as well be as far away as the moon. One hard parting was plenty to be going on with. But Young Archibald wouldn't be thinking of that; he'd be thinking about the job in hand. Well, then, maybe he was a better man than Ben. Or just not so lucky.

'What it is though,' said Finn to Archie, 'is that I was also having a message for you. There wasn't the chance to be speaking of it on the island. I was thinking there'd be plenty of time later, as there is indeed just now.'

'A message?'

'From the Governor indeed. He was wishing to see you before you're leaving Castletown. I was saying to him that as soon as I was fetching you off Ellan Bride you could be going straight to him in Castle Rushen. I'm hoping I was not inconveniencing you, Master Buchanan, but from what you were saying before, I was thinking this arrangement would be suiting you quite well.'

'The *Governor*! What does he want to see *me* for?' Archie was so startled he forgot to be aloof. He didn't want any more dreary interviews in Castletown; surely these Manxmen hadn't thought up any more difficulties?

'I'm thinking – I'm knowing, in fact – that the Water Bailiff was speaking to him.'

The mention of the Water Bailiff brought Archie to his senses: he should never be discussing this kind of business with the boatman. Still less should he let Finn Watterson see that the mention of the Water Bailiff filled him with an ill-defined apprehension. It was the feeling he'd had as a schoolboy when he'd forgotten to prepare his lessons. But he was a man grown, and the Governor – let alone the Water Bailiff – was hardly likely to give him the belt. 'Thank you, Mr Watterson,' said Archie stiffly.

Finn was silent, his eyes on Scarlett Point. It looked closer now than Ellan Bride did when he looked astern. He had a fair idea of what might be going through this young man's head. He'd not seen much of him, but he reckoned he'd got his measure. The more arrogant Master Buchanan's manner, the more frightened he was inside; Finn had met others often enough who were made the same way. Master Buchanan was the sort who got into trouble because they were too confused about who they were themselves to think clearly about the effect they might be having on everybody else. Either Finn could give him a little help in spite of himself, or he could accept the rebuff at face value, and let the poor fellow be getting on with it in his own way.

They were half a mile nearer Scarlett Point when Finn spoke again, quietly so that Ben couldn't hear. He didn't need to worry about Drew or Juan; they were away in the bows. Drew had pulled his sou'wester over his face and appeared to be sleeping, using the coiled anchor rope as a pillow. Juan was perched on the gunwale, gazing moodily ahead. That was just his shyness: the change that came over the boy when there were foreigners present was remarkable indeed. He was seeming quite a stranger to his own father when these surveyors were around. But he'd grow out of that sort of thing when he got to an age to be more comfortable with himself. It wasn't worrying Finn.

'Master Buchanan.'

'Ay?' said Archie absently. He had his telescope to his eye, trained on Spanish Head.

'Perhaps you should be knowing that the Water Bailiff was speaking to the Governor about you. It just so happened I was there in the room at the time, for I was visiting the Governor myself about another matter.' Finn lowered his voice so even Archie could scarcely hear him. 'It was about your man there. Master Scott. The Water Bailiff was not very pleased about Master Scott being left behind in the jail, and no one knowing a word about it until you were gone away to Ellan Bride. And I think you should be knowing that there may be a little trouble brewing about the matter.'

Archie slowly folded his telescope and put it in his pocket. He mustn't let Finn see what he was thinking. That was his first concern. But inside himself he was furious: furious with Drew, furious with the Water Bailiff, furious with these gossiping, prying Manxmen who couldn't mind their own business and took it into their heads to go around concerning themselves with everyone else's. He was also, just for a moment, panic-stricken. The very mention of seeing the Governor had left him with a shaky feeling that was half guilt – not that there was any reason for that – and half alarm. And now this . . . But he hadn't done anything! Drew had brought it all on himself! It wasn't Archie's job to chaperone his men whenever they had time off! What did all these busybodies think he should have done?

*We kinna leave Drew to rot.* That's what Ben had said, when they were leading that damned flea-bitten horse out to pasture. Archie hadn't listened. And now Ben, not for the first time, damn him, was apparently in the right of it. At least, there seemed to be all these other people who thought so. *We kinna leave Drew to rot.* But that's just what Archie had done. Ben wouldn't have done it. Mr Stevenson wouldn't have done it. This Finn Watterson certainly wouldn't have done it, Archie could tell. Already Drew had made it all too plain that he was holding a grudge, although he'd said very little, and been far less truculent than usual, while they'd been working on Ellan Bride this afternoon. In fact Drew's forbearance had been a bad sign. Archie had been dimly aware of that ever since Drew had turned up on the island, but there'd been so much work to do there'd been no time to waste on what was going on in Drew's mind.

*We kinna leave Drew to rot.* Three days ago, before it was all too late, Archie could so easily have listened to Ben. If he'd known at the time, he could so easily have dealt with it all differently. But he hadn't had any idea . . . *We kinna leave Drew to rot.* Oh God, he should have known that. And now everyone knew . . . Archie said nothing to Finn. He didn't care a whit for any of these God-forsaken Manxmen, but at the same time he felt utterly exposed.

It was infuriating to have to deal with all this just when the job he'd been sent to do was reaching a satisfactory conclusion. He ought to be cynical enough by now to realise that life was never like that. You did a good piece of work; you made sure everything was neatly tied up at the end and nothing forgotten, and just when you were going over the last paragraph of your report in your mind, a whole new set of problems would suddenly loom over the horizon. He'd finished his survey, the map was almost drawn, and all Archie wanted to do now was close the door on Ellan Bride, go home, and forget all about it. But even before Finn had mentioned the Governor he'd had that nagging feeling that there should be more to come.

In any case, he hadn't planned to go home and forget all about it. He'd half-promised – at least, he'd mentioned the possibility – that one day he might come back. Not that he'd committed himself, of course. He was in no position to do that. Maybe the desire to do so would fade away in time, but at the moment the memory of the lightkeeper's widow was still so fresh in his mind it didn't feel like a memory at all. It still seemed like part of the present, even though the chances were that they'd never meet again.

And now there was this other trouble waiting for him in Castletown: that made it all even more complicated. Diya knew the Water Bailiff. She certainly knew Finn very well. Possibly she even knew the Governor. When she came across to Castletown she'd hear all about Drew, and what Archie had done about it. She'd hear him discredited by all the gossips, male and female, of this benighted island. She'd realise that he wasn't what she'd call a gentleman.

What the hell did it matter, anyway? He'd probably never see her again. All he'd said was that he might call on her one day. Meanwhile, as soon as the *Beagle* left Tilbury dock, all these small affairs would fade into total insignificance. No one on the *Beagle* was going to know if he'd failed in any way; he wouldn't carry the past aboard with him – or only such private memories as he chose to take. If ever he came back to the Isle of Man, in five years, ten years maybe, even supposing he took his courage in his hands and went to call on Mrs Geddes – supposing she was still here – so much would have happened in between that he'd be free of anything that had gone before. Or, if that turned out not to be the case, he could just keep away altogether, and that would be that.

'Ready about,' Finn called, and Archie ducked as the boom swung over.

\*   \*   \*

Ben sat up and looked round. On this new course he could see straight ahead into Port St Mary Bay. There was a big schooner at anchor, and fishing boats moored against the quay. He could see a row of buildings above the shore. They were getting more distinct every moment. Presently he could see the catch being unloaded, the piled up herring barrels, and the busy warehouses with the row of houses behind all looking out over the water. He'd only been gone three days. It felt like much longer. After the green and blue distances of Ellan Bride, this bustling village – for it was no more than a village really – looked so foreign, and so full of people, that it almost frightened him. But that was nonsensical; Ben had seen plenty of new places, and plenty of strangers; it was a very long time since he'd approached anywhere new with anything more than easy curiosity.

He'd been half-dozing most of the way from Ellan Bride. He'd waved his handkerchief at the three children on Gob Keyl for as long as they could see it, because it would have been unkind not to do that, but the moment they were out of sight he'd turned his back on the island, wriggled down into the bottom of the boat, shut his eyes, and tried not to think about anything. Into this half-comatose state – he might even have been dreaming – a voice had intruded itself. It was a persistent, irritating voice, and it was telling him a story. After a while it came to him: the old man on the quay at Castletown. He'd told Ben some story about the big castle in Castletown. But the story Ben found himself thinking of now hadn't come from the old man. His mother used to tell it when Ben was just a bairn. In the dream – if it was a dream – the movement of the boat was like being rocked in a cradle, the way it sent a man to sleep when there was nothing else to do – it was the old man's voice, but definitely his mother's story. Now that he was properly awake, and they were coming right into Port St Mary Bay, he couldn't help recalling it, even though he didn't want to in the least.

It was about an elf-woman who fell in love with a young

man from Evie. The elf-woman used to watch this young man when he went to the hill to mind his sheep or cut his peats, and one day when she saw he was thirsty she came boldly up to him with a brimming churn of milk, and offered him a drink. He'd never seen her before, but to his eyes that day she looked very young and beautiful – for she had him bewitched, that was the truth of it – and he was glad of the milk, for he'd been working hard, so he never thought to ask who she was, or why he'd never seen her before in all his life. So he drank the milk, and as soon as he'd done that he forgot who he was, and where he came from, and his family waiting for him at home. So away he went with her. She took him to her own green howe, and there he stayed three nights. Ben's mother never used to say just what the young man and the elf-woman did together – Ben had only been a peedie boy when she used to tell him the story – but certain it was that the young man fell so deep in love with the elf-woman there was no chance in the world he'd ever get over it. On the third day, though, he found himself lying alone out on the bare hill, with no memory at all of how he'd got there. He looked for the green howe but he never found it again, so all he could do was make his way home. And when he got there he found he'd been gone for seven years, and everyone thought he was the ghost of himself come back to haunt them. Whether it was the shock of that, or the sorrow of losing the elf-woman, no one knew, but certain it was that he was never the same man after, but just grieving all his life for what was gone for ever.

Coming away from Ellan Bride was the hardest parting Ben had ever made, even though he'd only been there three days. It felt so much longer because so much had happened. He'd met Lucy. He'd lain with her two nights. He'd wanted her so much he'd asked her to marry him, because that was the only way he could see of keeping her. Already he missed her so much it hurt. The worst part about missing her was that Lucy had nothing to do with the life he was going back to. Just seeing all the ordinary life going on in Port St Mary made Ellan Bride seem very far away. In a few minutes they'd come alongside the fishing boats. Juan was standing by the sail, ready to haul in the sheet. Drew, in the bows, had stirred himself at last, and held the painter coiled in his hand, ready to throw ashore. In five minutes Ben would be back in the world he knew. Already it felt almost as if Lucy didn't exist any more. Ben didn't like that feeling at all. He had nothing to remind him of her – he could so easily have asked for something – a keepsake – anything – but he hadn't. All he had to hold on to were his memories. But that would be enough, if he willed it. That would just have to be enough, until he was able to come back.

And then what? By that time Lucy would have left Ellan Bride. Would that change her? Would it change how she felt about him? By that time she'd be living in Port St Mary, or Castletown. Would she want to face anything more?

At fourteen years old, Ben had docked in the port of Leith for the first time, and followed the busy road south. The first thing he'd seen of the great city ahead was a pall of grimy smoke. When the open fields gave way to rows of houses, and the dusty road turned to cobbled streets, he'd had to walk right into the reek. The fume and the smell had made him choke. The noise was awful: hooves and iron-bound wheels on cobbles, people everywhere, making such a din it was a wonder they could hear themselves speak. Ben had felt as if he were being swallowed into the belly of a monster. It was the sheer size of the place that had frightened him; the monster itself hadn't been wholly unrecognisable. Edinburgh had rows of houses along streets and wynds just like in Stromness, only in Stromness you came out on the hill at the top end, or the shore at the bottom end, and it never took more than five minutes if you wanted to feel the wind and get a bit more space around you. In Stromness there were houses two storeys high; in Edinburgh the buildings were so tall it was like finding yourself in a maze of chasms at the bottom of the sea. Stromness on market day could be left behind when evening came, and you could walk away from it into the quiet gold of a summer night. In Edinburgh you couldn't get away. The smells and the din had once kept Ben awake at night, and when he had fallen asleep at last he'd had dreams about getting lost in endless dark wynds between towering faceless houses, and not being able to see out.

But Ben was at home in Edinburgh now. He hadn't had dreams like that for years. He'd served his apprenticeship to the city for seven years, and it no longer had the power to frighten him. In that time he'd travelled all over Scotland, by land and sea; he'd seen more new places in seven years than most men saw in a lifetime. And yet, as Juan lowered the sail, and they slid neatly alongside the fishing boats moored three-deep against the jetty, Ben wished he could just turn tail and head straight back to Ellan Bride.

It almost felt as if it wasn't his own thoughts he was thinking, but someone else's. Had she bewitched him, making him sud-denly see the world through her eyes? If only he could have taken her with him now, it would have been so much easier than having to wait, and think, and wonder . . . He couldn't have done, of course, because of the light. If it wasn't for the light, for two pins he'd just have persuaded her to come home with him now, just like that. Would she have come? Billy would have come – Ben was pretty sure of that – and that might have helped her make up her mind. It was an odd thought that Billy, whom Ben didn't particularly want, would be no trouble at all, while his mother, whom Ben wanted more than he could begin to think about at the moment, would probably give Ben as hard a time as she was likely to give her-self. Would any of this ever happen, or was he dreaming? However hard it might be for him to have Lucy, it would be better than this aching sense of loss. Or would it? Ben didn't know; he was tired of even thinking about it. There hadn't been any choice anyway, because of the light.

# CHAPTER 34

'DIYA?'

Diya stopped slicing bread, and looked up, with the knife still poised over the loaf. She regarded Lucy warily. Lucy stood in the doorway, blinking, as her eyes adjusted to the dim kitchen after the golden light outside. Diya looked gaunt and hollow-eyed. Perhaps it wasn't just the light: Diya looked as though a layer had been stripped off her, leaving her skeletal and defenceless. Perhaps she'd been crying. Lucy couldn't read anything in her face except exhaustion.

One of them had to begin. That was one of the things about Ellan Bride. You had to go on being with people. There wasn't any choice. Lucy had learned that when she was younger than Mally. You could rush out of the house, hating them all, vowing never to speak to any of them again. But, especially if it was raining, there was nowhere else to go. You had to swallow your fury, or resentment, or pride, or whatever had driven you away, and just come back. In winter particularly you had to do it within minutes. It had been useful training in a way. Nothing less extreme could have taught Lucy to say things she didn't mean.

'I'm sorry,' said Lucy.

She'd guessed right. Diya had been crying. That wooden look wasn't indifference. Diya just didn't want Lucy to see how hurt she was. Lucy could understand that. Was this how Jim had seen Diya, when he came upon her unexpectedly in the Castletown kitchen, alone in the deserted house except for the grey cat on her knee? Lucy had never felt so strong in Diya's company before.

'It's all right,' said Lucy. 'We don't need to fight any more. We have to stop now anyway, because the children will be coming back.'

'I never wanted to fight.'

'No.' Lucy considered her sister-in-law. Diya had never had a brother. She didn't even know what fighting was. As far as Lucy knew, Jim had never been tough with Diya. He'd never even argued with her. Diya would have beaten him at that anyway, because Jim was a man of few words, and Diya, when she first came, had bewildered them all by her ability to find things to say about everything, and quite often – so Lucy's Da used to say – about nothing much at all. 'Well, then, let's not fight,' said Lucy. 'I said I'm sorry.' She waited.

'Sorry?' said Diya, considering the word. 'Oh that, yes. But that doesn't mean we can go back to where we were before.'

Lucy had never seen Diya in this mood before. 'Of course we can't go backwards. Time doesn't. So we go on.'

'Do we?'

'You're thinking we have a choice about it?' asked Lucy. Diya was being hopelessly unfathomable. It was very irritating, but the children would be back in a minute, so something had to be done. Perhaps Jim had had to put up with this sort of thing when he and Diya were alone together. Diya had some-times been uncharacteristically quiet when she first came to Ellan Bride. Mummig used to complain – behind Diya's back, of course – that Diya sulked. And Jim – Lucy remembered it all now – had quarrelled with Mummig. He'd shouted at Mummig as she stood there kneading her dough with her mouth set in a hard line, saying it was hardly surprising that Diya should be unhappy when no one tried to understand what it was like for her. In fact, now that Lucy thought about it, when she first came home there'd been other trouble afoot in the house besides her own. Perhaps – it had never crossed her mind before – that was partly why Mummig had been so forgiving to her erring daughter. It might explain why, although Lucy had come home expecting a storm of anger to break around her ears, it never had.

'Diya,' said Lucy. 'I'm sorry about what I said. It's true that I believe you're wanting to get away from here. But maybe I can understand why.'

Diya looked up. 'Can you?' She sounded oddly wistful.

'Yes,' said Lucy. 'And what you were saying – it's a long time we've been together. And there was Jim, too. We'll be going on together – for a while, anyway. And maybe that'll be ending some time too. But even if we're parting, it doesn't mean –' Lucy hesitated, trying words that would fit what she wanted to say. 'Parting doesn't have to mean *breaking* anything.'

'Does it not?'

Lucy had never heard Diya sound so like Mally. Mally was one of the people Lucy loved, and certainly Lucy had never been in the least in awe of her small niece. It didn't come naturally to her – not with Diya – but Lucy made herself cross the empty space between the doorway and where Diya was standing by the table. She put her arm clumsily around Diya's shoulders. 'Whatever happens,' said Lucy sturdily. 'We're not breaking anything. We can't. Not with Billy and Breesha and Mally to be thinking of. This family is where they're *belonging*. That's how it's been all their lives – you and I had to make ourselves belong to each other on purpose, and that was harder – but we're not breaking it now. Whatever happens.'

Diya's face quivered. Lucy managed to stand her ground all the same. Diya laid her hand over Lucy's where it lay on her shoulder. There were sounds outside, coming nearer: treble voices calling to one another. Diya pressed Lucy's hand and let it go. 'Here they come,' she said. 'I'm sorry, Lucy. I never meant to say that about Billy. It wasn't true. I'm not . . . I'm *proud* of him, Lucy. Of all of them.'

'Of course we are.' Lucy stepped back, relieved that there were to be no more tears or heartsearchings. 'We ought to be telling them, Diya. About the letter and everything. About the cottage, and going to Port St Mary.'

Diya's eyes suddenly dropped. The children's voices were almost at the door. There was a little pause, and then she said, 'We'll tell them at supper. And then – what we've not done, Lucy – we should write another letter. We'd better do it together. We should write and say exactly where we want to go, and that we've both decided to go to Port St Mary. And then Finn can take it next time he comes. Otherwise the Governor might be assuming . . . he might have the wrong idea.'

'Hush, here they come!'

It seemed odd to have so much space round the table. They were back in their old places, with Lucy at one end of the table and Diya at the other, and Breesha and Mally on the bench on one side, and Billy, with his back to the fire, on the other. It was poached eggs on toast, which was a favourite, but when they first sat down everyone was so subdued that it might as well have been watered-down fish soup. Soup from dried fish was what they had quite often in the hungry gap of early spring, when there was sometimes very little to eat.

'Is Mr Groat having his supper too?' asked Mally wistfully, after she'd been trying for a while to cut her toast into strips with the bread knife.

'Mally, do you want me to help with that?'

'No, I can do it myself. Is Mr Groat having his supper too?'

'I expect so.'

'In Castletown, I expect,' said Breesha. 'They might be in Castletown by now.'

'The Pirate Man was left behind in Castletown before,' said Mally. She reached for the butter dish. 'Why was he left behind, Mam?'

'Not with the bread knife, Mally! Use this. And you don't need that much butter.'

'Why was the Pirate Man left behind in Castletown before?' asked Mally, carefully spreading butter into all the corners of her toast.

'I expect he killed someone,' said Breesha, with her mouth full.

'Nonsense, Breesha. You mustn't make up ridiculous stories about real people!'

'No, but I expect he did. Being a pirate. Perhaps supposing they were going to hang him, but he leapt off the – the whatever it is they hang you from – is it a sort of platform? – and fought his way through the crowd, and—'

'Breesha, that will do! We don't want to hear—'

'Anyway he didn't,' said Billy. 'Because Finn would have told us about it. Can I have some more toast?'

'You'll have to toast it yourself.'

Billy slid off his chair, while Aunt Diya cut another slice of bread. He squatted before the fire, watching his bread slowly brown, and holding the toasting fork at arm's length because the coals were still very hot from the cooking.

'I'll tell you what Finn *was* saying to us today, though,' said Lucy suddenly. She took a hunk of bread and began to wipe the egg from her plate. 'Much more important than about the Pirate . . . I mean Mr Scott. It's about us.'

Breesha and Mally stopped eating and looked at her with enquiring eyes. Billy looked round from his toasting.

'It's all because of Finn,' explained Lucy. 'Finn was doing everything he could to help us, after he went away from here last time. Because he was knowing that we had to be leaving very soon, now that the surveyors were here. And he was knowing that we had no money, and nowhere to go. So Finn went to the Governor himself. The Governor is the most powerful man on the Island, and he's living in Castle Rushen, right inside the walls of the Castle in a grand house that's looking over the harbour. And Finn went there for us, and was talking to the Governor. He was telling him how we were not knowing where to go or what was to become of us. And the Governor was very sorry that no one had been thinking of that. And because of Finn he arranged it all, there and then. The Governor is giving us enough money to be living on – all of us – and a cottage at Port St Mary. So that's where we'll be going to live, just as soon as the new lightkeeper comes to Ellan Bride.'

There was a short silence. Mally looked at Breesha with frightened eyes, to see what the three of them were going to say to that.

Billy looked up from the hearth. 'Can we live on the same bit of hill as Finn and Juan? Can we live right near *their* house?'

'We can ask,' said Lucy doubtfully. 'I'm not sure how it'll be arranged for us. But surely we can say what we're most wanting. And anyway, everywhere in Port St Mary is quite close to everywhere else.' She looked directly into Billy's face. 'Is this what you—'

'Billy, you've dropped your toast!'

'Hell!' Billy raked in the ashes with the toasting fork.

'*What* did you say?'

'He said "hell",' said Breesha with peculiar satisfaction. 'Like the surveyors. "Hell and damnation."' She let the juicy words roll off her tongue. 'You'll never get it out now, Billy. It'll be all burnt.'

'What I'd like to know,' said Diya, with her eyes on Breesha, 'is what you all think.'

'What about?' asked Mally, still looking frightened. She wanted Breesha to storm and rage, and say this couldn't be happening. But Breesha wasn't doing anything of the sort. But Mam *knew* what Mally thought. Did no one care about Ellan Bride any more?

'Billy,' said Lucy. 'Stop raking about there and listen, please. Then you can have another slice. Are you happy about that, then, to be going to Port St Mary?' She fixed her eyes on Billy.

Billy fiddled with the toasting fork, and nearly burned his fingers on the hot prongs. He wanted to wriggle away from such a complicated question but there was nowhere to go. It was like lessons. At other times his family were usually too busy voicing their own opinions to try to pin him down.

'Do you want to go to Port St Mary?' Diya asked him straightly.

Billy countered with a question of his own. 'Are we going to see Mr Groat again one day?'

His Mam suddenly went very still, but it was Aunt Diya who answered him. She was smiling a little, as if she thought Billy had said something he didn't mean. 'Do you want to see Mr Groat again?'

Billy stopped staring at the toasting fork and looked defiantly at Breesha instead. 'If we went to Port St Mary,' he said, 'maybe I could do some more measuring. I could get money for that. The Writing Man said so. I could do work like Mr Groat.'

'You could,' said Aunt Diya. 'But perhaps before that you could go to school – oh, not to do boring lessons like the ones I give you – but learn about measuring and other things like that. With other boys. And if you've been to school you'll be qualified – you'll know enough – to learn to do really interesting work. Maybe even the sort that Mr Groat does.'

'But doesn't he want to be a lightkeeper?' Mally's question sounded more like a cry of anguish.

'Boys!' exploded Breesha. 'Hell and damnation!'

'That will do, Breesha! We'll come to you in a minute. Billy,' said Aunt Diya gently, 'what Mally asked you – do you want to be a lightkeeper?'

Billy wriggled. The fire was getting very hot. He glanced at Mam. Then he stood holding the toasting fork across his chest, and looking at Mally, because she was the easiest. 'I could maybe *measure* for lighthouses,' he offered. 'I could maybe work for Mr Stevenson. I could maybe go to lots of *different* lighthouses. And that would be *like* being the lightkeeper on Ellan Bride, but maybe just not exactly the same.' His glanced at Lucy again. 'Couldn't I, Mam?'

To his astonishment Mam wasn't looking upset at all. She was red in the face and very bright-eyed. 'I don't know, Billy,' she said softly. 'I don't know, but if you're wanting it to happen it may well be possible. The Writing Man said he'd speak for you. We all heard that. But if we go to Port St Mary, maybe you could be going to school like Aunt Diya said, and be learning about the measuring. And maybe you could be going in the boat with Finn and Juan and learning more about the sea and everything too. And maybe – I can't be sure, mind – maybe Mr Groat will be turning up again too, and you can be asking him about it.'

Billy was grinning, but at that moment Mally burst into tears. 'You don't *care*! You don't none of you care! Breesha, *you* care! Breesha, tell them you care about staying on Ellan Bride!'

Diya went to pick Mally up, but Mally pushed her off, sobbing. 'You don't none of you *care*!'

'Mally,' said Diya. 'I told you before, beti, we don't have any choice.'

'Of course we care!' said Breesha suddenly. 'You know that! We'll never stop caring. I swear it! In fact' – a gleam came into her eye – 'maybe we could *all* have a swearing. A solemn vow – I know how we could . . . That we'll always go on remembering . . . Maybe in the keeill . . . And then every year, wherever we were, we could . . . But anyway' – Breesha suddenly became brisk – 'Mam's right, we don't have any choice. And – and – Mam, why is the school all boys? Why can't *I* go to school too?'

'Why do you want to go to school, Breesha beti?'

'Because, because . . . you said he'd have other boys. Well, I *hate* boys. I want to have other *girls*.'

'You don't hate Billy!' screamed Mally.

Diya glanced anxiously at Billy. Billy was looking at Lucy, who raised her eyebrows at him and pointed to the half-cut loaf. Billy nodded, and came over with the toasting fork while Lucy cut another slice. When she handed it to him she winked at him. Billy winked back, and returned to his toasting, turning his face to the warm fire, and his back to his family.

'That's nothing to do with it, stupid. I just hate *boys*. I want there to be *girls*.'

Mally wiped her nose on the back of her hand and said defiantly. 'Well, *I'm* a girl, so you don't hate *me*.'

'You! You're so small no one cares *what* you are!'

'Breesha, don't be unkind!'

'I'm not unkind. It's true! Anyway, it doesn't matter. Can I go to school too, Mam? Is there a school that just has girls?'

'We'll have to see about the school, beti,' said Diya, looking doubtful. 'There might not be one. But there will be other girls, I promise.'

Mally looked up. She'd smeared snot from her nose all across her cheek, and her eyes were puffy from weeping, but she'd stopped crying. 'Can I have a girl too?' she asked, suddenly eager. 'Can I have one the same age as me?'

Mally was remembering a story Mam had told her long ago, about a little girl in a red frock and a frilled pinafore who'd bowled an iron hoop across the market square outside Great-Grandmother's house in Castletown. Mam had heard the sound of the hoop and looked out of the window. Mam had been all on her own in the big cold house, looking out, and it turned out later that the girl in the red frock was called Sally, and she was the daughter of Great-Grandmother's friend and so Sally and Mam had been allowed to play together. Mally had never seen Sally, and it didn't occur to her that by now Sally must be quite grown up, but she had a very clear picture of her in her mind. She leaned over and pulled Mam's sleeve to get her attention: 'Can I have a girl? Can I have a girl too? A girl the same age as me?'

'I could put the horse to yon bit of pasture,' said Ben. 'Where we put the other one before.'

'If you like,' said Archie absently. He checked over their gear where it lay in the gig. 'We'll leave all that there. It's as safe as anywhere.' He looked bleakly at the other two men. 'We'll be off as early as we can the morn. I've an appointment here first, but with any luck I'll be finished quite early. I'm hoping we can be away by noon, or maybe even earlier. We'll wait for the next steam packet in Douglas, not here. And' – he glanced at Drew, as if he'd been about to say something, but thought better of it.

'Ay well,' Archie sighed. 'I'll be seeing you the morn.'

'We'll be getting a bite to eat then.' Ben added suddenly, 'Will ye no join us, sir?'

Drew jumped as if a wasp had stung him, and looked at Ben in horror.

'That is,' pursued Ben, 'if you're maybe no wanting to eat all alone in yon grand dining-room place. But maybe you are, and I'm meaning no offence. But when I've put this horse to grass, Drew and me'll be looking for a bite of supper, and you'd be welcome to join us.'

'That's kind of you, Mr Groat. I don't know that . . . I don't know but what . . . well, then,' said Archie, flushing. 'Maybe I will.'

'For Chrissake, Ben . . .' muttered Drew, as he followed Ben and the piebald mare along the muddy lane past the cottages. 'Whit the hell are ye thinking o? Are we takin Young Archibald all roon the toon – ken whit I mean? – for the rest o the night, for God's sake?'

'I'm no staying out late,' said Ben. 'And no more are you, Drew. We'll keep our heads down an our noses clean until we're all of us well out of this toon. And we're no going to yon Harbourside tavern again either. We'll just go along to that inn we passed on our way – I noted it specially – and we'll get a pint and some supper there. And that'll do for tonight. We'll be turning in early.'

'For Chrissake. Keep our noses clean, but! And me just oot o jail! Have a hairt, man!'

'Ay, a heart is just what I'm having! Do you no realise you've got Young Archibald into a fair bit o trouble? That's what's worrying him. Can you no tell?'

'*Me* get *him* intae trouble? Are ye oot o yer mind?'

They stopped on the threadbare turf, and Ben bent down

to fasten the hobble. 'There you go, lass.' He patted the mare on the rump. 'Mak the most of it while you can. Come on, Drew.'

'But . . .'

The taproom of Ben's chosen inn was half full, mostly with respectable travellers who'd stopped for a meal at the end of a long day. There was a low buzz of conversation, and although it was a fine summer evening a generous log fire blazed in the hearth at the gable end. The fireside seats were all taken up, but there were places at the other end of the long table. The three men sat down. Drew was openly disgruntled, and Young Archibald was shy and awkward. Ben left the two of them sitting in frozen silence, not meeting one another's eyes, and strolled over to the bar. Two minutes later he was back.

'It's fish stew and potatoes. The boy'll bring it over. Will I get you a pint, sir?'

Archie hesitated. Ben earned less than half of what he did. Archie should have thought of that sooner. It would be insulting to say anything now. If they had another round later he'd be ready to get in first. Two rounds . . . Then they could go back . . . Surely Drew wouldn't offer . . . Now that they were here Archie was wishing to God he'd said no in the first place. He couldn't think why he hadn't. 'Ay,' mumbled Archie. 'Thank you, Ben.'

'Drew?'

Drew glared at Ben. He was still furious. 'Ay, might as well.'

Ben came back with three tankards, apparently quite at ease. 'Ay, ay,' he said, sitting down opposite his companions. 'It's a bit of a change, this. Is it no, sir? They fed us pretty well on Ellan Bride. Mrs Geddes did all our cooking for us, Drew, and a good cook she was too. Was she no, sir?'

'Ay,' said Archie, and, making an effort, he added, 'indeed she was.'

'Ay, they were good to us,' went on Ben, 'seeing we canna have been exactly welcome. Strange though. I'm no used to working with women and bairns at a lighthouse. Barring the peedie boy, that is. But they've managed to keep the place running very well. Have they no, sir?'

'Ay,' said Archie, then added, 'they have.'

Drew was curious enough to forget his grudge. 'Ay, and whit's gaen to happen to them a' noo? When they send oot the new lightkeeper? They'll need to be awa when that happens, will they no?'

'I don't know,' said Archie stiffly, not looking at him. 'I promised I'd speak to Mr Stevenson about it. They weren't actually employed by the Commissioners, of course, but – I don't know.'

'We'll be back here anyway,' remarked Ben. 'We'll mak sure and see for ourselves. Finn will tell us where they're staying if they're no on the island.'

'D'ye ken where Finn stays then?' asked Drew.

'Ay, for I asked him. He stays on the hill above the port, in a peedie place ca'd Fistard. He has a bit of land up there too. He said anybody would show me the way, when I'm here again. And he'll ken where the lightkeepers have gone, wherever they are.'

'Well, *well*,' said Drew. 'That's all verra charitable of ye, Ben. Verra charitable indeed. So you'll be seeking them oot, will ye? Ye were maybe thinking o setting up an orphanage then, were ye?'

Ben flushed, but before he could speak again a sweating pot boy appeared with a laden tray. He set the steaming plates in front of them. Archie glanced up at him, and gave him a brief unhappy smile. 'Thank you,' he said.

The pot boy gave him a cheerful grin, and Drew looked up in surprise. It wasn't like Young Archibald to spare a good word for anyone, or so Drew had thought.

'I doubt we'll be back,' said Archie, suddenly entering the conversation. 'It's more likely we'll be back to Dunnett Head after this, I reckon.'

'Ay well,' said Ben.

Drew was watching them curiously. This was intriguing, and he'd quite forgotten how angry he was to be dragged here at all. 'Ye could ask the old man for leave though,' he said to Ben. 'Could ye no? Ye've no been hame to yer mither this year, have ye? Nor last year neither, if I mind correctly. He'd give ye a week or twa, nae doot. Ye'd no need to say whether ye were heading north or sooth.'

Archie looked from one to the other of them, startled into completely forgetting his own embarrassment. Ben Groat was looking unusually red in the face, but then it was very hot in here. Scott was grinning at Ben with a knowing look in his eyes. Archie had never seen Scott look less than truculent before; for the first time he saw that the man had a positive twinkle. The pot boy's face had lit up the same way when he'd smiled because Archie thanked him. Archie never forgot to be civil to the pot boy, however low the tavern: so many people just treated them like dirt. But for these people it wasn't a case of remembering on purpose. These men – Drew, Ben, the pot boy – they didn't seem to have to think at all. They found it so easy to be friendly with each other, and yet they didn't have much in common. Maybe when he, Archie, was away from all this – maybe when he was on the *Beagle* – he could start off by being easy too. No one there need know he'd ever been different. And there was Ben too, looking confused, but somehow pleased with himself at the same time – what was all that about? And how could Scott possibly know? Scott had only been on the island a matter of hours. Archie had been there all the time, and hadn't noticed a thing. Surely there'd been nothing to notice? Maybe it was just some nonsense of Scott's.

Drew winked at Ben, and raised his half-empty tankard. 'Ay Ben, so ye're the fast worker, are ye no? And is that no' – he chuckled as he found the word he was looking for – a word that would really make Ben blush, if anything did – 'is that no *romantic*? The wee lightkeeper, eh? Ay well, I wish ye luck! And a wean too, a wee boy all ready-made for ye. I'll get us a round and we'll drink to yer luck. Will we no, sir?' Drew swung his leg over the bench to get out.

Archie stood up suddenly, looking dazed, and almost knocked the bench over in his haste. 'No, no, I'll get this one.' Without meeting Drew's eyes he quickly pressed Drew's shoulder down, so that he sat down heavily on the bench again. 'This one's on me, Scott,' he said hurriedly. 'It's me . . . it's my round. This one's on me.'

# CHAPTER 35

LUCY SAT ON THE LIGHTHOUSE PARAPET IN THE COOL OF THE evening waiting for the sun to set. A fleet of Cornish herring smacks had gathered to the west of the Chickens, their sails catching the last of the sunlight. The cliffs of the Calf gleamed in the westering sun. Beyond them rose the blue summit of Cronk ny Arrey Laa, and away to the north-east, Snaefell. The far lands were blue and distant this evening, insubstantial as ghosts. Only Ellan Bride was green, the one solid thing in the middle of a world made of nothing more real than the colours of light and water.

Soon Ellan Bride would be gone. Or rather, they would be gone – herself and Billy, Diya, Breesha and Mally – they'd be the ones who'd go, and Ellan Bride would be left. Lucy would carry Ellan Bride away with her, inside her head, and no one could take one detail of it from her. She had it all recorded: every rock, every giau, every skerry, every name . . . But even that . . . one day Lucy herself would grow old and she might start to forget. She could remind Billy, and they could talk about it together for the rest of her life, but he was bound to forget more than she did, and after that – if Billy had children of his own – the island would only be a story, and a faint blue line, perhaps, sometimes seen on the horizon. But the actual island – this island, made of solid rock, inhabited by its own plants and birds and animals – Ellan Bride itself would still be there when all of them had gone for ever. It would be there after the last human being had landed and gone away again. It was like it said in the scroll over the door of the lighthouse, the way her Da had explained it to her so many years ago: *Et in Arcadia ego.* Even this must pass.

But at least now they had somewhere to go. In the pot on the kitchen dresser there was the letter in Governor Smelt's own hand, promising them a future. That was certain. And in Lucy's sea chest, hidden under her petticoat, there was a scrap of paper torn out of a notebook, with an address in Edinburgh printed on it in pencil. That was less certain. Wherever they went, she and Billy would have each other, and that was the most important thing in the world. If there were another child it would be difficult, but Lucy knew already that, whatever happened, she could be strong enough for all of them. At least she'd know if another child was on the way before they had to leave the island.

Finn had brought Lucy the best gift of all today: the chance to choose. Maybe that was why she felt strong again. There was no power out there in heaven or earth that could make game of her. Governor Smelt's letter offered one possibility. Ben might offer another. Even Governor Smelt's letter offered them its own element of choice.

And then there was Diya . . . Maybe she and Diya had understood each other better today than they ever had before. Diya didn't know everything that had happened since the surveyors came, but Lucy and Diya had stood by one another so long neither of them would break faith now, whatever lay in store. They'd stay together as long as they needed to. At least until something else happened.

Lucy picked up the log book, which she'd brought up to the lantern with her. She put in the date, and ruled a new line. She carefully recorded another day of drought, very warm and clear, with a light westerly breeze, turning northerly in the afternoon. Lucy ruled one more line and added a note: '*Betsey* 2 h to l.w. – 2 h past l.w.'. There was nothing else to put in about today.